U0615573

中国文学编年史

汉魏卷

主编◇陈文新

本卷主编◇石观海

中南

《中国文学编年史》编纂委员会

顾　问（按姓氏笔画排序）

卞孝萱　邓绍基　冯其庸　曹道衡　傅璇琮
霍松林

主　编　陈文新

编　委（按姓氏笔画排序）

石观海　李建国　汪春泓　陈文新　张思齐
张玉璞　於可训　赵伯陶　赵逵夫　胡如虹
诸葛忆兵　曹有鹏　熊治祁　熊礼汇　霍有明

本卷撰稿人（按姓氏笔画排序）
石观海　杨亚蕾　胡春润

☆武汉大学人文社会科学重大攻关项目

总　序

　　纪传体、编年体是中国传统史书的两种主要体裁，而编年体的写作远较纪传体薄弱。《四库全书总目》卷四七史部编年类小序已明确指出这一事实："司马迁改编年为纪传，荀悦又改纪传为编年。刘知幾深通史法，而《史通》分叙六家，统归二体，则编年、纪传均正史也。其不列为正史者，以班、马旧裁，历朝继作。编年一体，则或有或无，不能使时代相续。故姑置焉，无他义也。"① 与古代历史著作的这种体裁格局相似，在 20 世纪的中国文学史写作中，也是纪传体一枝独秀，不仅在数量上已多到难以屈指，各大专院校所用的教材也通常是纪传体，这类著作的核心部分是作家传记（包括作家的创作经历和创作成就）。编年类的著作，则虽有陆侃如、傅璇琮、曹道衡、刘跃进等学者做了卓有成效的工作，但就总体而言，仍有大量空白，尤其是宋、元、明、清、现、当代部分，历时一千余年，文献浩繁，而相关成果甚少。这样一种状况，自然是不能令人满意的。这套十八卷的《中国文学编年史》的编纂出版，即旨在一定程度地改变这种状况。

　　文学史是在一定的空间和时间中展开的。纪传体的空间意识和时间意识以若干个焦点（作家）为坐标，对文学史流程的把握注重大体判断。其优势在于，常能略其玄黄而取其隽逸，对时代风会的描述言简意赅，达到以少许胜多许的境界。若干重要的文学史术语如"建安风骨"、"盛唐气象"、"大历诗风"等，就是这种学术智慧的凝

---

① 永瑢等撰：《四库全书总目》，第 418 页，北京，中华书局，1965。

结。但是，由于风会之说仅能言其大概，"个别"和"例外"（即使是非常重要的"个别"和"例外"）往往被忽略，不免留下遗憾。一些跨时代的作家，如李煜、刘基、张岱等人，在文学史中的时代归属与其代表作的实际创作年代也常有不吻合的情形。例如，李煜被视为南唐作家，而他最好的词写在宋初；刘基被视为明代作家，而他最好的诗、文写在元末；张岱被视为明代作家，而其代表作多写于清初。比上述情形更具普遍性的，还有下述事实：我们讲罗贯中的《三国志通俗演义》，往往以毛宗岗修订本为例；我们讲施耐庵的《水浒传》，往往以百回繁本为例；我们讲兰陵笑笑生的《金瓶梅》，往往以崇祯本为例。这就出现了两方面的问题：第一，我们讲的并不是作家的原著；第二，我们忽略了读者的接受情形。这类涉及风会与例外、作家时代归属与作品实际创作、传播与接受两方面的问题，以纪传体来解决，由于受到体例的限制，往往力不从心，采用编年体，解决起来就方便多了：不难依次排列，以展开具体而丰富多彩的历史流程。

与纪传体相比，编年史在展现文学历程的复杂性、多元性方面获得了极大的自由，但在时代风会的描述和大局的判断上，则远不如纪传体来得明快和简洁。作为尝试，我们在体例的设计、史料的确认和选择方面采用了若干与一般编年史不同的做法，以期在充分发挥编年史长处的同时，又能尽量弥补其短处。我们的尝试主要在三个方面：其一，关于时间段的设计。编年史通常以年为基本单位，年下辖月，月下辖日。这种向下的时间序列，可以有效发挥编年史的长处。我们在采用这一时间序列的同时，另外设计了一个向上的时间序列，即：以年为基本单位，年上设阶段，阶段上设时代。这种向上的时间序列，旨在克服一般编年史的不足。具体做法是：阶段与章相对应，时代与卷相对应，分别设立引言和绪论，以重点揭示文学发展的阶段性特征和时代特征（现当代文学因时间周期较短，拟省略阶段，不设引言）。其二，历史人物的活动包括"言"和"行"两个方面，"行"（人物活动、生平）往往得到足够重视，"言"则通常被忽略。而我们认为，在文学史进程中，"言"的重要性可以与"行"相提并论，特殊情况下，其重要性甚至超过"行"。比如，我们考察初唐的文学，不读陈子昂的诗论，对初唐的文学史进程就不可能有真正的了解；我们考察嘉靖年间的文学，不读唐宋派、后七子的文论，对这一时期的文学景观就不可能有准确的把握。鉴于这一事实，若干作品序跋、友朋信函等，由于透露了重要的文学流变信息，我们也酌情收入。其三，较之政治、经济、军事史料，思想文化活动是我们更加关注的对象。中国文学进程是在中国历史的背景下展开的，与政治、经济、军事、思想文化等均有显著联系，而与思想文化的联系往往更为内在，更具有全局性。考虑到这一点，我们有意加强了下述三方面材料的收录：重要文化政策；对知识阶层有显著影响的文化生活（如结社、讲学、重大文化工程的进展、相关艺术活动等）；思想文化经典的撰写、出版和评论。这样处理，目的是用编年的方式将中国文学进程及与之密切相关的中国思想文化变迁一并展现在读者面前。

《中国文学编年史》是一个基础性的重大学术工程，文献的广泛调查和准确使用是做好编纂工作的首要前提。《四库全书》、《续修四库全书》、《四库存目丛书》、《四库禁毁书丛刊》、《丛书集成》、《笔记小说大观》等是我们经常使用的典籍，近人和今人整理出版的别集、总集，大量年谱（如徐朔方《晚明曲家年谱》），以及文、史、哲方面的编年史，均在参考范围之内，限于体例，未能一一注明，谨此一并致谢。在使用上述文献的过程中，我们采取的是一种如履薄冰、如临深渊的谨慎态度。这是因为，相当一部分典籍是由我们第一次标点，这一工作的难度是不言而喻的。即使是前人已经整理的典籍，我们也并不直接采用，而是根据自己的理解再整理一次。这样做当然增加了工作量，但确有许多好处，若干错误就是在这一过程中得到纠正的，有些错误的纠正涉及基本事实的澄清。比如，张大复《皇明昆山人物传》卷八记梁辰鱼晚年情形，有云："（梁氏）当除夕遇大雪，既寝不寐。忽令侍者遍邀诸年少，载酒放歌，绕城一匝而后就睡。曰：'天为我辈雨玉，可令俗人蹴踏之耶？'时年已七十矣。亡何，中恶，语不甚了。有老奴李用者，颇省其说，尚有注记。得岁七十有三。"一位学者将"中恶，语不甚了"标点为"中恶语，不甚了"，并就此推论说："梁辰鱼七十岁时遭遇暧昧不明的事件。""《皇明昆山人物传》的上述记载本意是为贤者讳，事实上倒很可能为统治者隐盖了迫害异己文人的一件罪行。"这就不免弄错了事实。"中恶"即突然患急病，正所谓"老健春寒秋后热"，老年人得急病是常见的情形。而"中恶语"的表述，明显不符合古人的语言习惯。再如，陈田《明诗纪事》将正德时期的傅汝舟与明末的傅汝舟混为一人，将两人的生平搅在一起，其按语云："丁戊山人诗初矜独造，晚遁荒诞，择其入格者录之，亦是幽弦孤调。山人享大年，具异才，谈佛谈仙，亦作北里中艳语。初与郑少谷游，晚乃与茅止生、卓去病、张文寺、文太青倡和，支离怪诞，无所不有。少谷集中无是也。论者乃专谓山人刻意学少谷，何哉？"《明诗纪事》近三百万言，卓有建树，是研究明诗的必备案头书。但关于傅汝舟，陈田的确弄错了。郑善夫（1485—1523）号少谷，以学杜著称，学郑少谷的是正德年间的傅汝舟；文翔凤号太青，万历三十八年（1610）进士，与文太青等唱和的是明末的傅汝舟。两个傅汝舟之间相距约百年，陈田想当然地将二者合为一人，说他"享大年"，又说他前期学郑少谷，后期学竟陵派，曲意弥缝，令人哑然失笑。其他种种，如部分文学家辞典对作家生卒年的误注，若干点校本的断句错误等，我们都在力所能及的范围内做了纠正。提到这些情况，不是想证明我们的水平有多高，而意在告诉读者：我们的工作态度是认真的，有志于为读者提供一部值得信赖的编年史著述。

《中国文学编年史》的编纂得到了北京大学、武汉大学、南京大学、中国人民大学、中国社会科学院、中国艺术研究院、中华书局、陕西师范大学、西北师范大学、华中师范大学、山东师范大学、山东曲阜师范大学、中南民族大学、中南财经政法大学等单位专家和领导，尤其是武汉大学领导的支持；湖南省新闻出版局、湖南出版投资控股集团及湖南人民出版社鼎力支持编年史的编纂出版，所有这些，我们将永远铭记在心。

陈文新
2006 年 7 月 23 日于武汉大学

凡　例

一、《中国文学编年史》以编年形式演述中国文学发展历程，凡十八卷：第一卷周秦、第二卷汉魏、第三卷两晋南北朝、第四卷隋唐五代（上）、第五卷隋唐五代（中）、第六卷隋唐五代（下）、第七卷宋辽金（上）、第八卷宋辽金（中）、第九卷宋辽金（下）、第十卷元代、第十一卷明前期、第十二卷明中期、第十三卷明末清初、第十四卷清前中期（上）、第十五卷清前中期（下）、第十六卷晚清、第十七卷现代、第十八卷当代。

二、编年史各卷据文学发展的不同阶段划分为若干章（如无必要，或不分章）。章的标目方式是："××章　××年至××年，共××年"。关于某一阶段文学的总体评论放在该章的首年之前，如明前期卷"第一章　洪武元年至建文四年，共35年"，在章目下，"洪武元年"之前，单列明前期卷"引言"一目。关于某一时代文学的综合论述，放在卷首。如元代卷，在第一章前，单列元代文学"绪论"。

三、编年史各卷所收录内容的构架大体统一，重点包括七个方面：1. 重要文化政策；2. 对文学发展有显著影响的文化生活（如结社、讲学、重大文化工程的进展、相关艺术活动等）；3. 作家交往（唱和、社团活动等）；4. 作家生平事迹；5. 重要作品的创作、出版和评论；6. 争鸣（团体之间、个人之间在重要问题上的论辩等）；7. 其他。

四、叙事以纲带目，即在征引相关文献之前有一句或数句概述。如，先总叙一句"俞宪编《盛明百家诗》成书"，再征引相关序跋、著录、评议。前者为纲，后者为目，纲、目配合，旨在完整地呈现文学史事实。少量见于常用工具书的重要史实，或不必展开的文学史事实，则列纲而略目，以省篇幅。

五、公历纪年年初与中国传统纪年年末不属同一年份，如公元1899年元月1日至12月31日对应于光绪二十四年戊戌十一月二十七日至光绪二十五年己亥十一月二十九日，而不对应于光绪二十五年己亥正月初一至十二月三十日。我们采用变通的处理方法，以公历纪年，而以农历纪月，比如，凡光绪二十五年己亥正月至十二月之内的内容均置于公元1899年下。作家生卒年，仍据公历标注，其他以此类推。现、当代文学部分，纪年、纪月均据公历。

六、同一年内之文学史实，按月份先后顺序排列。月份不详而仅知季度的，春季置于三月之后，夏季置于六月之后，其他以此类推。季度、月份均不详者，另设"本年"目统之。

七、一部分重要文学史实，年月不详而仅知大体时段者，在年号之末另设"××年间"目统之，如嘉靖四十五年之后另设"嘉靖年间"一目。

八、引用序跋，一般采用"作者＋篇名"的方式，如"臧懋循《唐诗所序》"。引用序跋之外的诗文等作品，一般采用"集名＋卷次＋篇名"的方式，如"《有学集》卷三一《隐湖毛君墓志铭》"，采用"作者＋篇名"的方式，如"钱谦益《隐湖毛君墓志铭》"。无篇名者则省略，如"《艺苑卮言》卷三"。某作者集中所收为他人别集所作的序跋，亦采用这一方式，如"《太函集》卷二二《弇州山人四部稿序》"。引用正史，一般采用"正史名＋本传或××传"的方式，"如《明史》本传"或"《明史》李攀龙传"，不标卷次。引用《四库全书总目提要》，或用全称，或简称"四库提要"，只标明卷次。如"四库提要卷一五三"。引用地方志，标明纂修年代，如"光绪《乌程县志》卷三一"。据类书转引时，注明原出处，如"《太平广记》卷二〇《阴隐客》（出《博异志》）"。引用报刊，注明年月日或卷次。

九、作者小传一般置于生年。有些作家，虽生年在上一卷，但在上一卷无文学活动，其小传酌情移入本卷首次出现时。如杨士奇，元亡时才4岁，其小传置于明前期卷，出生时只交代："杨士奇（1365—1444）生"，不列小传。现、当代作者，因传记资料常见，相关作家小传酌情收录。

十、对于某一作家的总体评论和重要著录一般置于卒年。某作者卒年在下一卷，但在下一卷无重要文学活动，主要评论材料酌情置于本卷。如易顺鼎（1858—1920），其评论材料集中于晚清卷，不入现代卷。

十一、作家代表作一般不录原文，但收录重要评论材料，并酌情说明相关选本收录情形。

十二、需要补充交待而占用篇幅较大的文学史事实，设少量"附录"。对若干需要辨证的史实，设按语加以说明。以提供文献线索为主，不详加征引。

目　录

第三章　汉武帝建元元年至汉武帝后元二年
（前 140—前 87）共 54 年

第四章　汉昭帝始元元年至汉宣帝黄龙元年
（前 86—前 49）共 38 年

第五章　汉元帝初元元年至汉成帝绥和二年
（前48—前7）共42年

第七章　汉明帝永平元年至汉章帝章和二年
（58—88）共 31 年

第八章　汉和帝永元元年至汉桓帝永康元年
（89—167）共 79 年

第十一章　魏明帝太和元年至魏元帝咸熙二年
（227—265）共 39 年

绪　论

　　刘勰："爰自汉室，迄至成、哀，虽世渐百龄，辞人九变，而大抵所归，祖述《楚辞》，灵均余影，于是乎在。"（《文心雕龙·时序第四十五》）

　　刘勰：汉室陆贾，首发奇采，赋《孟春》而选《新语》，其辩之富矣。贾谊才颖，陵轶飞兔，议惬而赋清，岂虚至哉！枚乘之《七发》，邹阳之《上书》，膏润于笔，气形于言矣。仲舒专儒，子长纯史，而丽缛成文，亦《诗》人之"告哀"焉。相如好书，师范屈、宋，洞入夸艳，致名辞宗。然覆取精意，理不胜辞，故扬子以为："文丽用寡者，长卿"，诚哉是言也。王褒构采，以密巧为致，附声测貌，泠然可观。子云属意，辞义最深，观其涯度幽远，搜选诡丽，而竭才以钻思，故能理赡而辞坚矣。桓谭著论，富号猗顿，宋弘称荐，爰比相如；而《集灵》诸赋，偏浅无才：故知长于讽论，不及丽文也。敬通雅好辞说，而坎𡎴盛世，《显志》自序，亦蚌病成珠矣。二班、两刘，奕叶继采，旧说以为固文优彪，歆学精向，然《王命》清辩，《新序》该练，璿璧产于昆冈，亦难得而逾本矣。傅毅、崔骃，光采比肩；瑗、瑶踵武，能世厥风者矣。杜笃、贾逵，亦有声于文，迹其为才，崔、傅之末流也。李尤赋、铭，志慕鸿裁，而才力沈𦶟，垂翼不飞。马融鸿儒，思洽识高，吐纳经范，华实相扶。王逸博识有功，而绚采无力。延寿继志，瑰颖独标；其善图物写貌，岂枚乘之遗术欤！张衡通赡，蔡邕精雅，文史彬彬，隔世相望。是则竹柏异心而同贞，金玉殊质而皆宝也。刘向之奏议，旨切而调缓；赵壹之辞赋，意繁而体疏；孔融气盛于为笔，祢衡思锐于为文：有偏美焉。潘勖凭经以骋才，故绝群于《锡命》；王朗发愤以托志，亦致美于序铭。然自卿、渊以前，多俊才而不课学；雄、向以后，颇引书以助文：此取与之大际，其分不可乱者也。魏文之才，洋洋清绮，旧谈抑之，谓去植千里。然子建思捷而才俊，诗丽而表逸；子桓虑详而力缓，故不竞于先鸣。而乐府清越，《典论》辩要：迭用短长，亦无懵焉。但俗情抑扬，雷同一声，遂令文帝以位尊减才，思王以势窘益价，未为笃论也。仲宣溢才，捷而能密，文多兼善，辞少瑕累，摘其诗赋，则七子之冠冕乎！琳、瑀以符檄擅声，徐干以赋论标美，刘桢情高以会采，应玚学优以得文。路粹、杨修，颇怀笔记之工；

丁仪、邯郸，亦含论述之美：有足算焉。刘劭《赵都》，能攀于前修；何晏《景福》，克光于后进。休琏风情，则《百壹》标其志；吉甫文理，则《临丹》成其采。嵇康师心以遣论，阮籍使气以命诗：殊声而合响，异翮而同飞。(《文心雕龙·才略第四十七》)

刘勰：秦世不文，颇有杂赋；汉初词人，顺流而作。陆贾扣其端，贾谊振其绪，枚、马同其风，王、扬骋其势。皋、朔已下，品物毕图。繁积于宣时，校阅于成世，进御之赋，千有余首。讨其源流，信兴楚而盛汉矣。夫京殿苑猎，述行序志，并体国经野，义尚光大。既履端于倡序，亦归余于总乱。序以建言，首引情本，乱以理篇，迭致文契。按《那》之卒章，闵马称"乱"；故知殷人辑《颂》，楚人理赋。斯并鸿裁之寰域，雅文之枢辖也。至于草区禽族，庶品杂类，则触兴致情，因变取会。拟诸形容，则言务纤密；象其物宜，则理贵侧附。斯又小制之区畛，奇巧之机要也。观夫荀结隐语，事数自环；宋发巧谈，实始淫丽；枚乘《兔园》，举要以会新；相如《上林》，繁类以成艳；贾谊《鹏鸟》，致辨于情理，子渊《洞箫》，穷变于声貌；孟坚《两都》，明绚以雅赡，张衡《二京》，迅发以宏富；子云《甘泉》，构深玮之风，延寿《灵光》，含飞动之势：凡此十家，并辞赋之英杰也。及仲宣靡密，发端必遒，伟长博通，时逢壮采……亦魏晋之赋首也。(《文心雕龙·诠赋第八》)

刘勰：自雅声浸微，溺声腾沸。秦燔《乐经》，汉初绍复。制氏纪其铿锵，叔孙定其容与。于是《武德》兴乎高祖，《四时》广于孝文；虽摹《韶》《夏》，而颇袭秦旧，中和之响，阒其不还。暨武帝崇礼，始立乐府；总赵、代之音，撮齐、楚之气，延年以曼声协律，朱、马以骚体制歌。《桂花》杂曲，丽而不经；《赤雁》群篇，靡而非典。河间荐雅而罕御，故汲黯致讥于《天马》也。至宣帝雅颂，诗效《鹿鸣》。迄及元、成，稍广淫乐。正音乖俗，其难也如此。暨后郊庙，惟杂雅章；辞虽典文，而律非夔、旷。至于魏之三祖，气爽才丽；宰割辞调，音靡节平。观其"北上"众引，"秋风"列篇，或述酣宴，或伤羁戍；志不出于淫荡，辞不离于哀思，虽三调之正声，实《韶》《夏》之郑曲也。(《文心雕龙·乐府第七》)

刘勰：汉初四言，韦孟首唱；匡谏之义，继轨周人。孝武爱文，《柏梁》列韵。严、马之徒，属辞无方。至成帝品录，三百余篇；朝章国采，亦云周备。而辞人遗翰，莫见五言；所以李陵、班婕妤，见疑于后代也。……《邪径》童谣，近在成世。阅时取证，则五言久矣。又《古诗》佳丽，或称枚叔；其《孤竹》一篇，则傅毅之词。比采而推，两汉之作乎？观其结体散文，直而不野；婉转附物，怊怅切情：实五言之冠冕也，至于张衡《怨篇》，清典可味；《仙诗缓歌》，雅有新声。暨建安之初，五言腾踊。文帝、陈思，纵辔以骋节；王、徐、应、刘，望路而争驱。并怜风月，狎池苑，述恩荣，叙酣宴；慷慨以任气，磊落以使才。造怀指事，不求纤密之功；驱辞逐貌，唯取昭晰之能。此其所同也。乃正始明道，诗杂仙心；何晏之徒，率多浮浅。唯嵇志清峻，阮旨遥深，故能标焉。若乃应璩《百一》，独立不惧；辞谲义贞，亦魏之遗直也。(《文心雕龙·明诗第六》)

　　刘勰：汉灭嬴、项，武功积年；陆贾稽古，作《楚汉春秋》。爰及太史谈，世惟执简；子长继志，甄序帝勣。比尧称"典"，则位杂中贤；法孔题"经"，则文非元圣。故取式《吕览》，通号曰"纪"。纪纲之号，亦宏称也。故"本纪"以述皇王，"列传"以总侯伯，"八书"以铺政体，"十表"以谱年爵；虽殊古式，而得事序焉。尔其实录无隐之旨，博雅弘辩之才，爱奇反经之尤，条例踳落之失，叔皮论之详矣。及班固述汉，因循前业，观司马迁之辞，思实过半。其"十志"该富，"赞"、"序"弘丽，儒雅彬彬，信有遗味。至于宗经矩圣之典，端绪丰赡之功，遗亲攘美之罪，征贿鬻笔之愆，公理辨之究矣。观乎左氏缀事，俯经间出，于文为约，而氏族难明。及史迁各传，人始区详而易览，述者宗焉。及孝惠委机，吕后摄政，班、史立纪，违经失实。何则？庖牺以来，未闻女帝者也。汉运所值，难为后法。"牝鸡司晨"，武王首誓；妇无与国，齐桓著盟。宣后乱秦，吕氏危汉，岂唯政事难假，亦名号宜慎矣。张衡司史，而惑同迁、固，元帝王后，欲立为纪，谬亦甚矣。寻子弘虽伪，要当孝惠之嗣；孺子诚微，实继平帝之体。二子可纪，何有于二后哉！至于后汉纪传，发源东观。袁、张所制，偏驳不伦；薛、谢之作，疏谬少信。……及魏代三雄，记传互出。……《魏略》之属……或激抗难征，或疏阔寡要。（《文心雕龙·史传第十六》）

　　沈约：周室既衰，风流弥著。屈平、宋玉导清源于前，贾谊、相如振芳尘于后。英辞润金石，高义薄云天。自兹以降，情志愈广。王褒、刘向、扬、班、崔、蔡之徒，异轨同奔，递相师祖。虽清辞丽曲，时发乎篇，而芜音累气，固亦多矣。若夫平子艳发，文以情变，绝唱高踪，久无嗣响。至于建安，曹氏基命，二祖陈王，咸蓄盛藻，甫乃以情纬文，以文被质。自汉至魏，四百余年，辞人才子，文体三变。相如巧为形似之言，班固长于情理之说，子建、仲宣以气质为体，并标能擅美，独映当时。是以一世之士，各相慕习。（《宋书·谢灵运列传》卷六十七）

　　令狐德棻：贾生，洛阳才子，继清景而奋其晖。并陶铸性灵，组织风雅，词赋之作，实为其冠。自是著述滋繁，体制匪一。孝武之后，雅尚斯文，扬葩振藻者如林，而二马、王、扬为之杰；东京之朝，兹道愈扇，咀徵含商者成市，而班、傅、张、蔡为之雄。当涂受命，尤好虫篆；金行勃兴，无替前烈。曹、王、陈、阮，负宏衍之思，挺栋干于邓林。（《周书·王褒庾信列传》卷四十一）

　　祝尧：汉以前之赋，出于情；汉以后之赋，出于辞。其不歌而诵，全取赋名，无怪也。盖西汉之赋，其辞工于楚骚；东汉之赋，其辞又工于西汉；以至三国六朝之赋，一代工于一代。辞愈工则情愈短，情愈短则味愈浅，味愈浅则体愈下。建安七子，独王仲宣辞赋有古风。归来子曰："仲宣登楼之作，去楚骚远，又不及汉，然犹过曹植、陆机、潘岳众作，魏之赋极此矣！"（《古赋辩体·三国六朝体上》卷五）

　　徐祯卿：汉祚鸿朗，文章作新，《安世》楚声，温存厚雅，孝武乐府，壮丽宏奇。缙绅先生，咸从附作。虽规迹古风，各怀剞劂。美哉歌咏，汉德雍扬，可为《雅》《颂》之嗣也。及夫兴怀触感，民各有情。贤人逸士，呻吟于下里；弃妻思妇，歌咏于中闺。鼓吹奏乎军曲，童谣发于闾巷，亦十五《国风》之次也。东京继轨，大演五言，而歌诗之声微矣。至于含气布词，质而不采，七情杂遣，并自悠圆。或间有微疵，终难掩玉。两京诗法，譬之伯仲埙篪，所以相成其音调也。魏氏文学，独专其盛。然国运风移，古朴易解。曹王数子，才气慷慨，不诡风人。而特立之功，卒亦未至，故时与之暗化矣。呜呼！世代推移，理有必尔。风斯偃矣，何足论才？故特标极界，以俟君子取焉。（《谈艺录》）

　　胡应麟：无意于工，而无不工者，汉之诗也；有意于工，而无不工者，汉之赋；有意于工，而不能工者，汉之骚。魏之气雄于汉，然不及汉者，以其气也。……古诗浩繁，作者至众。虽风格体裁，人以代异，支流原委，谱系具存。炎刘之制，远绍国风；曹魏之声，近沿枚、李。陈思而下，诸体毕备，门户渐开。……两汉之诗，所以冠古绝今，率以得之无意。不惟里巷歌谣，匠心信口，即枚、李、张、蔡，未尝锻炼求合，而神圣工巧，备出天造。……建安、黄初，才涉作意，便有阶级可寻，门户可入。匪其才不逮，时不同也。两汉诸诗，惟《郊庙》颇尚辞，乐府颇尚气。至《十九首》及诸杂诗，随语成韵，随韵成趣，辞藻气骨，略无可寻，而兴象玲珑，意致深婉，真可以泣鬼神，动天地。魏氏而下，文逐运移，格以人变。若子桓、仲宣……以词胜者也；公干……以气胜者也；兼备二者，惟独陈思。然古诗之妙，不可复睹矣。……汉人诗不可句摘者，章法浑成，句意联属，通篇高妙，无一芜蔓，不著浮靡故耳。子桓兄弟努力前规，章法句意，顿自悬殊，平调颇多，丽语错出。王、刘以降，敷衍成篇。仲宣之淳，公干之峭，似有可称。然所得汉人气象音节耳，精言妙解，求之邈如。（《诗薮·内编》卷二）

　　胡应麟：西汉前无集名，文人或为史，或为子，或为经，或诗赋，各专所业终身。至东汉而铭、颂、疏、记之类，文章流别渐广，四者不足概之，故集之名始著。今汉人集传于世者，惟蔡中郎当是本书，其集十卷，亦独富于诸家。即汉人集不始中郎，今世所传，故应以蔡为首。然《隋志》《蔡集》本二十卷，又《外文》一卷，而《独断》不与。今合《独断》仅十卷，杂文不满百篇，与《通考》数目正同。则今所传乃宋时本，视隋、唐又逸其半矣。汉文集自中郎外，无过十卷。独《孟坚集》十七卷，而《通考》已绝无其目。班外，司空《李固集》十二卷，长岑长《崔骃集》十卷，南郡太守《马融集》九卷，少府《孔融集》十卷，河间相《张衡集》十二卷。自余《隋志》所列百余家，皆数卷而已。繁钦、陈琳、王粲皆有集十卷，《通志》以列汉末，实皆魏作也。自汉而下，文章之富，无出魏武者，集至三十卷，又逸集十卷，新集十卷。古今文集繁富，当首于此。陈思集亦五十卷，魏文二十三卷，明帝十卷。吁！曹氏一门，何盛也！今惟陈思十卷传。武、文二主集仅二三卷，亡者不可胜计矣。高贵乡公最聪颖有文，《隋志》集四卷，今亡久矣。凡郑氏《通志》所录，第据隋、唐旧文，非宋世所存书也。《隋志》汉有车骑司马《傅毅集》二卷，即与孟坚同时伯仲者也。……管幼安龙卧一代，似不以文章著者，而《隋志》有集三卷，有德必有言也，惜世亡一传。……《诸葛武侯集》，《隋志》二十五卷，宋世《艺文志》《文献通考》俱无其目。盖武侯遗文存于隋世者尚富，至宋悉不传矣。……蜀文人有集存于隋者，仅司徒许靖二卷，而谯周辈俱无之。征北将军《夏侯霸集》二卷，霸，玄之子，固宜有文。又魏有新城太守《孟达集》三卷，《三国志》称达容止才观，甚为魏人所重，然叛臣不足道也。晋有巴西太守《郤正集》一卷，正本蜀人，终于晋，岂晋尝以为巴西守与？吴有丞相《陆凯集》一卷，非折梅之陆凯也。然有集传于隋，则诗文固非所短矣。晋有著作郎《胡济集》五卷，蜀将胡济尝与姜维会而不至者，或其人，或否，未可知也。吴又有《陆景集》一卷，即水军都督为晋人所杀者。二陆之前固已有其人。（《诗薮·杂篇》卷二）

程廷祚：于是缀词之士，响应景从。汉兴，陆贾导之于前，贾谊振之于后。文、景以还，则有淮南王安、枚乘、庄忌、司马相如、吾丘寿王、严助、枚皋，并以文词见知于时。遭遇太平，扬其鸿藻。宣、成之世，则有刘向、王褒、扬雄之伦。盖赋之盛，于斯为极。贾生以命世之器，不竟其用，故其见于文也，声多类骚，有屈氏之遗风。若其雄伟卓荦，冠于一代矣。长卿天纵绮丽，质有其文；心迹之论，赋家之准绳也。《子虚》《上林》，总众类而不厌其繁，会群采而不流于靡。高文绝艳，其宋玉之流亚乎？其次则扬雄也，王褒又其次也。子云之《长杨》《羽猎》，家法乎《上林》，而有迅发之气；《甘泉》深伟，庙堂之鸿章也。大抵汉人之赋，首长卿而翼子云，至是而赋家之能事毕矣。后有作者，弗可尚已。东京作者，体卑于昔贤，而风弱于往代。其时则有冯衍、杜笃、班彪、班固、崔骃、傅毅、张衡、马融、蔡邕、王延寿、边让、祢衡之流。就而论之，二班、张、王，其最著乎？平子宏富，风度卓然。《二京》之方《两都》，犹青之于蓝也。赋至东京，长卿、子云之风未泯，虽神妙不足，而雅赡有余，其犹有中古之遗音乎？降及魏晋，非其俦矣。魏之王、曹，晋之潘、陆、左、郭，后先争趋，咸为一时之选。然赋至是，则规制分明，而古人之行无辙迹者，于是乎泯矣。其气不足以发，其神不足以藏，而古人之峥嵘幽渺万变不测者，弗能为之矣。其赋道之衰乎？然而犹贤于六朝。（《骚赋论》中）

第一章

汉高祖元年至十二年（前 206—前 195）共 12 年

·引　言·

刘勰《文心雕龙·时序第四十五》："爰至有汉，运接燔书；高祖尚武，戏儒简学。虽礼律草创，《诗》《书》未遑，然《大风》《鸿鹄》之歌，亦天纵之英作也。"

公元前 206 年　（汉高祖刘邦元年　乙未）

十月

　　张苍随刘邦至咸阳。按，《史记·张丞相列传》卷九十六云"遂从西入武关，至咸阳"，《史记·高祖本纪》卷八谓刘邦此时至咸阳。张苍（前 256？—前 152），名一作仓，阳武（今河南原武）人。好书律历。秦时为御史，后随刘邦攻南阳，入武关，至咸阳。先为常山守，转代相，徙赵相，复徙代相；封北平侯，迁计相、主计。转淮南王相，迁御史大夫。文帝时，为丞相，曾以事自黜，谢病称老，病卒，谥文侯。"本好书，无所不观，无所不通，而尤善律历"。（《史记·张丞相列传》卷九十六）《汉书·艺文志》卷三十："《张苍》十六篇。丞相北平侯。"裴骃《史记集解》卷九十六："《汉书》曰：'著书十八篇，言阴阳律历事。'"

　　萧何尽收秦丞相府图籍文书。（《汉书·高帝纪》卷一上）

公元前 205 年　（汉高祖刘邦二年　丙申）

十月

　　张苍为常山守。按，《史记·张丞相列传》卷九十六云"（张）耳归汉，汉乃以张苍为常山守"，张耳归汉，《史记·高祖本纪》谓在高祖元年八月前，《资治通鉴》卷九则系于此时，姑从《通鉴》。

二月

　　更立汉社稷。（《史记·高祖本纪》卷八）

　　郦食其奉刘邦命说魏王豹，魏王豹不听。（《汉书·高祖纪》卷一上）郦食其（？

—前203），陈留高阳人（今河南杞县西南）。秦时为里监门，县中皆谓之狂生。高帝下陈留，以为广野君。曾冯轼下齐七十余城，后被齐王田广烹杀。有《请说齐王》等书。（《史记·郦食其列传》卷九十七）司马迁云"世之传郦生书"，然《汉书·艺文志》未载。

公元前204年（汉高祖刘邦三年　丁酉）

十月

张苍从韩信击赵，斩成安君陈余。按，《史记·张丞相列传》卷九十六云"从淮阴侯击赵，苍得陈余"，韩信将兵击赵，《资治通鉴》卷十系于此年十月，是。

十二月

郦食其作《请立六国后书》。（《汉书·高祖纪》卷一上、《汉书·张良传》卷四十）

九月

郦食其作《请说齐王书》；说齐王。（《史记·郦食其列传》卷九十七、《汉书·高祖纪》卷一上）

是年

张苍为代相。按，《史记·张丞相列传》卷九十六云"赵地已平，汉王以苍为代相，备边寇"，《史记·高祖本纪》卷八谓此年斩陈余、赵王歇。

公元前203年　（汉高祖刘邦四年　戊戌）

十月

蒯通献计韩信，破齐。按，《史记·高祖本纪》卷一及《史记·淮阴侯列传》卷九十二谓在高祖三年，《汉书·高帝纪》卷一上则谓在高祖四年十月，姑从《汉书》。蒯通（？—？），本名彻，以避汉武帝讳改。范阳（今河北涿县）人。齐辩士。项羽欲封之，不受。曾说武信君受范阳令徐公，又献计韩信破齐。说韩信背汉，韩信不听，乃阳狂为巫。刘邦捕之欲杀，以善辩免。后为曹参门客。"论战国时说士权变，亦自序其说，凡八十一首，号曰《隽永》"。（《汉书·蒯通传》卷四十五）《汉书·艺文志》卷三十："《蒯子》五篇，名通。"

郦食其被齐王田广烹杀（？—203）。（《史记·郦食其列传》卷九十七）

十一月

张苍徙赵相。按，《史记·张丞相列传》卷九十六云"已而徙为赵相，相赵王耳"，《史记·高祖本纪》卷八谓此年"立张耳为赵王"，《资治通鉴》卷十系于此月，张苍相张耳当在此时。

二月

蒯通以"三分天下，鼎足而王"之计说韩信背汉，不听；阳狂为巫。（《汉书·蒯通传》卷五十五、《汉书·韩信传》卷三十四、《资治通鉴》卷十）

是年

朱建为淮南王黥布相。按，《史记·朱建列传》卷九十七云"故尝为淮南王黥布相"，《史记·黥布列传》卷九十一谓"（高祖）四年七月，立布为淮南王"，朱建相之当在此后，姑系于此。朱建（？—前 177），刘邦赐号平原君，楚人。尝为淮南王黥布相。黥布反，以不与其谋免死。为人能言善辩，刻廉刚直，行不苟合，义不取容。与陆贾交好。为谢审食其赠金葬母，曾计救审食其于危难。文帝时，自杀。（《史记·朱建列传》卷九十七、《汉书·朱建传》卷四十三）《汉书·艺文志》卷三十："《平原君》七篇，朱建也。……朱建赋，二篇。"

公元前 202 年 （汉高祖刘邦五年 己亥）

十月

叔孙通制礼仪。《史记·叔孙通列传》卷九十九："汉五年，已并天下，诸侯共尊汉王为皇帝于定陶，叔孙通就其仪号。高帝悉去秦苛仪法，为简易。群臣饮酒争功，醉或妄呼，拔剑击柱，高帝患之。叔孙通知上益厌之也，说上曰：'夫儒者难与进取，可与守成。臣愿征鲁诸生，与臣弟子共起朝仪。'高帝曰：'得无难乎？'叔孙通曰：'五帝异乐，三王不同礼。礼者，因时世人情为之节文者也。故夏、殷、周之礼所因损益可知者，谓不相复也。臣愿颇采古礼与秦仪杂就之。'上曰：'可试为之，令易知，度吾所能行为之。'……会十月。"按，《资治通鉴》卷十一系于高祖六年，今从《史记》；盖礼仪之作始于此时，成于高祖六年底，用于七年长乐宫成、群臣朝贺刘邦时。

十二月

项羽作《垓下歌》；兵败自杀，年三十一（前 232—前 202）。（《史记·高祖本纪》卷八、《集解》引徐广注）《史记·项羽本纪》卷七："项王军壁垓下，兵少食尽，汉军及诸侯兵围之数重。夜闻汉军四面皆楚歌，项王乃大惊曰：'汉皆已得楚乎？是何楚人之多也！'项王则夜起，饮帐中。有美人名虞，常幸从；骏马名骓，常骑之。于是项王乃悲歌慷慨，自为诗曰：'力拔山兮气盖世，时不利兮骓不逝。骓不逝兮可奈何，虞兮虞兮奈若何！'歌数阕，美人和之。项王泣数行下，左右皆泣，莫能仰视。"项羽，名籍，一字子羽，下相（今江苏宿迁西）人。少时学书不成，转学剑，又不成，后学兵法，曰"书足以记名姓而已。剑一人敌，不足学，学万人敌"。先从季父梁起兵，为裨将。后为诸侯上将军，自立为西楚霸王，都彭城。与楚汉相争中兵败，走乌江，自刎而死，年三十一。（《史记·项羽本纪》卷七）《汉书·艺文志》卷三十："《项王》一篇，名籍。"

虞美人作《和项王歌》。虞美人（？—前202），姓虞，或云名虞。项羽幸姬，常随从军中。汉军围垓下，项羽慷慨悲歌，美人和之。（《史记·项羽本纪》卷七及《集解》引徐广注、《正义》引《楚汉春秋》）

二月

刘邦即皇帝位，是为汉高祖；都雒阳。（《史记·高祖本纪》卷八）

五月

刘敬说刘邦入都关中。（《史记·高祖本纪》卷八）刘敬（？—？），本姓娄，刘邦赐姓刘，齐（今山东北部）人。衣褐见刘邦，以"入关而都"之策博得信任，赐姓刘，拜郎中，号奉春君。刘邦白登之难后封关内侯，号建信侯。曾向刘邦献和亲匈奴之策及徙民策。（《史记·刘敬列传》卷九十九）《汉书·艺文志》卷三十："《刘敬》三篇。"严可均《全汉文》卷十四收其文两篇。

齐相田横自杀，从者为挽歌。郭茂倩《乐府诗集》卷二十七引崔豹《古今注》曰："《薤露》《蒿里》并丧歌也。本出田横门人，横自杀，门人伤之，为作悲歌。言人命奄忽，如薤上之露，易晞灭也。亦谓人死魂魄归于蒿里。至汉武帝时，李延年分为二曲，《薤露》送王公贵人，《蒿里》送士大夫庶人。使挽柩者歌之，亦谓之挽歌。"又引谯周《法训》曰："挽歌者，汉高帝召田横，至尸乡自杀。从者不敢哭而不胜哀，故为挽歌以寄哀音。"亦有异说，如同书引《乐府解题》曰："《左传》云：'齐将与吴战于艾陵，公孙夏命其徒歌虞殡。'杜预云：'送死《薤露》歌即丧歌，不自田横始也。'"按，《汉书·高祖纪》卷一下谓田横自杀于高祖五年五月。

七月

张苍徙相代王；从刘邦击燕王臧荼。按，《史记·张丞相列传》卷九十六云"燕王臧荼反，高祖往击之，苍以代相从攻臧荼有功"，高祖击臧荼，《汉书·高帝纪》卷一下谓在此年七月。《史记·张丞相列传》卷九十六云"耳卒，相赵王敖，复徙相代王"，《汉书·张耳传》卷三十二谓赵王张耳此年秋卒，子张敖嗣立为赵王，张苍相张敖及徙代相，当同为此月中事。

公元前 201 年 （汉高祖刘邦六年　庚子）

正月

　　刘交封楚王。（《汉书·诸侯王表》卷十四）刘交（?—前 179），字游，沛（今江苏沛县）人。汉高祖刘邦弟。封楚王。至楚，以穆生、白生、申公为中大夫。王二十三年卒，谥元。好《诗》，令诸子皆读《诗》。申公始为《诗》传，号《鲁诗》。元王亦次之《诗》传，号曰《元王诗》。（《汉书·楚元王传》卷三十六）

　　韦孟为楚王刘交傅。按，《汉书·韦贤传》卷七十三云"为楚元王傅"，年月未详，姑系于刘交初王时。韦孟生卒年亦不详，若其景帝前元元年（前 156）致仕，则或生于秦王嬴政二十二年（前 225）。韦孟（前 225?—前 155 以后），彭城（今江苏徐州）人。为楚王祖孙三代刘交、刘郢客、刘戊傅。刘戊荒淫无道，遂作《风谏诗》以讽。后去位，徙家于邹，作《在邹诗》。（《汉书·韦贤传》卷七十三）

　　蒯通为曹参门下客。按，《汉书·蒯通传》卷四十五云"至齐悼惠王时，曹参为相，礼下贤人，请通为客"，《史记·曹相国世家》卷五十四谓"高帝以长子肥为齐王，而以参为齐相国"，刘肥封齐王，《史记·齐悼惠王世家》卷五十二称"高祖六年，立肥为齐王"，《资治通鉴》卷十二系于此年正月，是。曹参见任为齐相国，当亦此时事。曹参相齐，前后九年，蒯通为其客，不详何时，姑系于此。

是年

　　刘敬上《说都秦》；赐姓刘氏，拜为郎中，号为奉春君。（《史记·刘敬列传》卷九十九）

　　张苍为北平侯。（《史记·张丞相列传》卷九十六）

公元前 200 年 （汉高祖刘邦七年　辛丑）

十月

　　叔孙通所制礼仪成，刘邦深为赞叹。《汉书·礼乐志》卷二十二："汉兴，拨乱反正，日不暇给，犹命叔孙通制礼仪，以正君臣之位。高祖说而叹曰：'吾乃今日知为天子之贵也！'"又："高祖时，叔孙通因秦乐人制宗庙乐。大祝迎神于庙门，奏《嘉至》，犹古降神之乐也。皇帝入庙门，奏《永至》，以为行步之节，犹古《采荠》《肆夏》也。乾豆上，奏《登歌》，独上歌，不以管弦乱人声，欲在位者遍闻之，犹古《清庙》之歌也。《登歌》再终，下奏《休成》之乐，美神明既飨也。皇帝就酒东厢，坐定，奏《永安》之乐，美礼已成也。"按，《资治通鉴》卷十一系于此时，今从之。

　　唐山夫人此年前后在世，作《安世房中歌》十七章。《汉书·礼乐志》卷二十二："汉兴，乐家有制氏，以雅乐声律世世在太乐官，但能纪其铿锵鼓舞，而不能言其义。高祖时，叔孙通因秦乐人制宗庙乐。……又有《房中祠乐》，高祖唐山夫人所作也。……高祖乐楚声，故《房中乐》楚声也。……《安世房中歌》十七章，其诗曰……"按，《汉书·礼乐志》叙其《房中祠乐》（《安世房中歌》）在叔孙通作礼仪之后，疑作于此时。唐山夫人（？—？），《汉书·礼乐志》既云"高祖唐山夫人"，当为刘邦姬，余不详。

刘敬复使匈奴，还报"匈奴不可击"；刘邦怒而械系刘敬，及遭白登之难，始赦之，封其为关内侯，号为建信侯。（《史记·刘敬列传》卷九十九、《资治通鉴》卷十一）

刘邦被匈奴围于平城，百姓为作《平城歌》。（《汉书·匈奴传》卷九十四上）

是年

张苍迁计相，旋为主计。《史记·张丞相列传》卷九十六云"迁为计相，一月，更以列侯为主计四岁。是时萧何为相国"，《史记·高祖本纪》卷八谓"闻诛信，使使拜丞相为相国"，高祖十一年吕后、萧何设计诛韩信，逆推四年，则为张苍为主计之年。

贾谊生（前200—前168）。（《汉书·贾谊传》卷四十八）贾谊，洛阳（今属河南）人。年十八，以能诵诗属书闻于郡中。先为河南守吴公召置门下，文帝初，以其"颇通诸子百家之书"，召为博士。年少才高，诸生难及，岁中迁太中大夫。文帝欲任以公卿之位，因周勃、灌婴等谗毁，未果。出为长沙王太傅，后转任梁怀王太傅。"数上疏陈政事，多所欲匡建"，梁怀王坠马卒，谊郁郁自伤，岁余后去世。（《史记·贾生列传》卷八十四、《汉书·贾谊传》卷四十八）《汉书·艺文志》卷三十："《贾谊》五十八篇。……《五曹官制》五篇。汉制，似贾谊所条。……贾谊赋七篇。"《隋书·经籍志》卷三十四："《贾子》十卷，录一卷，汉梁太傅贾谊撰。"同书卷三十五："梁……又有《贾谊集》四卷。……亡。"张溥辑有《贾长沙集》。张溥："屈原为楚怀王左徒，入议国事，出对诸侯，深见亲任。贾生年二十余，吴廷尉言于汉文帝，一岁中超迁至大中大夫。此两人者始何常不遇哉，谗积忌行，欲生无所，比古之怀才老死，终身不得见人主者悲伤更甚。即汉大臣若绛、灌、东阳数短贾生，亦武夫天性，不便文学，未必谗人罔极，如上官、子兰也，太史公传而同之，悼彼短命，无异沉江。汉廷公卿莫能材贾生而用也，蔽于不知，犹楚傺人耳。贾生《治安策》，其大者无过减封爵，重本业，教太子，礼大臣数者，于天子甚忠敬，于功臣宿将无不利也，怒之深而远之疾，何为乎？《史记》不载疏策，班固始条列之，世谓于贾生有功，然身既泯，退哭泣而卒焉，用文为太史公阙而不录，其哀生者深也。时政诸疏杂见《新书》，顾伦理博通，不如本疏揣摹家庭，登献华屋，草创润色，意者亦有殊途乎。骚赋辞清而理哀，其宋玉、景差之徒欤？西汉文章莫大乎是，非贾生其谁哉！"（《汉魏六朝百三家集·贾长沙集题词》）永瑢等："《新书》十卷，汉贾谊撰。《汉书·艺文志》'儒家'，《贾谊》五十八篇。《崇文总目》云：本七十二篇，刘向删定为五十八篇，隋、唐《志》皆九卷，别本或为十卷。考今隋、唐《志》皆作十卷，无九卷之说。盖校刊《隋书》《唐书》者，未见《崇文总目》，反据今本追改之。明人传刻古书，往往如是，不足怪也。然今本仅五十六篇，又《问孝》一篇有录无书，实五十五篇，已非北宋本之旧。又陈振孙《书录解题》称：首载《过秦论》，末为《吊湘赋》，且略节谊本传于第十一卷中。今本虽首载《过秦论》，而末无《吊湘赋》，亦无附录之第十一卷，且并非南宋时本矣。其书夺取谊本传所载之文，割裂其章段，颠倒其次序，而加以标题，殊乱无条理。朱子《语录》曰：'贾谊《新书》，除了《汉书》中所载，余亦难得粹者。看来只是贾谊一杂记稿耳，中间事事有些个。'陈振孙亦谓其'非《汉书》所有者，辄浅驳不足观，决非谊本书'。今考《汉书》谊本传赞，称：'凡所著述五十八篇，掇其切于世事者著于传。'应劭《汉书注》，亦于《过秦论》下注曰：'贾谊书第一篇名也'，则本传所载皆五十八篇所有，足为显证。赞又称'三表五饵，以系单于'，颜师古注所引贾谊书，与今本通，又《文帝本纪》注引贾谊书'卫侯朝于周，周行人问其名'，亦与今本同，则今本即唐人所见，亦足为显证。然决无摘录一段立一篇名之理，亦决无连缀十数篇、合为奏疏一篇上朝廷之理。疑谊《过秦论》《治安策》等，本皆为五十八篇之一，后原本散佚，好事者因取本传所有诸篇，离析其文，各为标目，以足五十八篇之数，故短钉至此。其书不全真，亦不全伪。朱子以为杂记之稿，固未核其实；陈氏以为决非谊书，尤非笃论也。且其中为《汉书》所不载者，虽往往类《说苑》《新序》《韩诗外传》，然如'青史氏之记'，具载胎教之古礼，《修正语》上下两篇，多帝王之遗训，《保傅篇》《容经篇》并敷陈古典，具有源本，其解《诗》之'驺虞'，《易》之'潜龙'、'亢龙'，亦深得经义，又安可尽以浅驳不粹目之哉！虽残缺失次，要不能以断烂弃之矣。"（《四库提要》卷九十一）

　　晁错生（前200—前154）。（《汉书·晁错传》卷四十九）晁错，颍川（今河南禹县）人。学申商刑名，以文学为太常掌故。为人峭直刻深。文帝时，受《尚书》于伏生。历太子舍人、门大夫，迁博士，拜太子家令。能言善辩，太子家号为"智囊"。数上书文帝，言削藩及更定法令事，迁中大夫。景帝时，为内史，深受宠信。后迁御史大夫，请削诸侯之地。更定法令三十章，诸侯皆忌之。吴楚七国反，以诛晁错而"清君侧"为名，晁错遂衣朝衣被斩于东市。（《史记·晁错列传》卷一百零一、《汉书·晁错传》卷四十九）《汉书·艺文志》卷三十："《晁错》三十一篇。"《隋书·经籍志》卷三十四："梁有《晁氏新书》三卷，汉御史大夫晁错撰，亡。"同书卷三十五："梁又有……《晁错集》三卷……亡。"

公元前 199 年 （汉高祖刘邦八年　壬寅）

九月

　　刘敬上与匈奴和亲策。《史记·刘敬列传》卷九十九、《资治通鉴》卷十一）

是年

　　蒯通荐东郭先生、梁石君于齐相曹参。按，事载《汉书·蒯通传》卷四十五，年月未详，曹参自高祖六年（前201）起相齐九年，姑定在其中间之年。

　　公孙弘生（前199—前121）。按，《史记·平津侯列传》卷一百二十一云："建元元年，天子初即位，招贤良文学之士，是时弘年六十，以贤良为博士。"据此，公孙弘当生于是年。公孙弘，字季，菑川薛（今山东滕县南）人。少为狱吏，以罪免。家贫，牧豕海上。年四十余，乃学《春秋》杂说。武帝即位，以贤良征为博士。使匈奴，不合帝意，以病免归。元光时，复征贤良文学，以对策擢为第一，拜为博士，待诏金马门。其行慎厚，辩论有余，习文法吏事，缘饰以儒术，得武帝赏识，一岁中官至左内史。奏事不肯庭辩，日益亲贵。后迁御史大夫，元朔中，为丞相，封平津侯。为人多忌，外宽内深。终年八十。（《汉书·公孙弘传》卷五十八）《汉书·艺文志》卷三十："《公孙弘》十篇。"

公元前 198 年　（汉高祖刘邦九年　癸卯）

冬

　　刘敬往匈奴和亲；归，上徙民策。（《史记·刘敬列传》卷九十九、《资治通鉴》卷十一）

　　朱建或于此年以罪去淮南王黥布。按，《史记·朱建列传》卷九十七云"故尝为淮南王黥布相，有罪去"，年月未详，姑定在为相五年后。

公元前 197 年　（汉高祖刘邦十年　甲辰）

　　朱建或于此年复事淮南王黥布。按，《史记·朱建列传》卷九十七云"后复事黥布"，年月未详，黥布明年反，姑系于此。

公元前 196 年　（汉高祖刘邦十一年　乙巳）

正月

　　韩信以谋反见诛（？—前 196）。（《汉书·高帝纪》卷一下）韩信，淮阴（今属江苏）人。家贫无行，曾受漂母之饭，忍胯下之辱。刘邦听萧何建议，拜为大将，后屡建战功，为西汉开国元勋。历官齐王、楚王、淮阴侯等，以谋反被杀。（《史记·淮阴侯列传》卷九十二、《汉书·韩信传》卷三十四）《汉书·艺文志》卷三十："《韩信》三篇。……汉兴……韩信序次兵法，凡百八十二家，删取要用，定著三十五家。"

　　蒯通被召见，刘邦欲烹之，以巧舌善辩免。（《汉书·蒯通传》卷四十五、《资治通鉴》卷十二）

五月

　　陆贾奉玺、绶使南粤，说赵佗受刘邦南粤王之封。（《史记·陆贾列传》卷四十三、《汉书·高帝纪》卷一下）陆贾（？—？），楚人。以客从刘邦定天下，名为有口辩士。高祖时，使南粤有功，拜太中大夫。为刘邦作《新语》，"每奏一篇，高帝未尝不称善，左右呼万岁"。吕后用事时，以病免。诛诸吕，立文帝，陆贾用力甚多。文帝时，复以太中大夫使南粤。以寿终。（《史记·陆贾列传》卷九十七）《汉书·艺文志》卷三十："《楚汉春秋》九篇，陆贾所记。……《陆贾》二十三篇。……陆贾赋三篇。"《隋书·经籍志》卷三十三："《楚汉春秋》九卷，陆贾撰。"同书卷三十四："《新语》二卷，陆贾撰。"司马迁："余读陆生《新语》书十二篇，固当世之辩士。"（《史记·陆贾列传》卷九十七）班固："近者陆子优由，《新语》以兴……及时君之门闱，究先圣之壶奥，婆娑乎术艺之场，休息乎篇籍之囿，以全其质而发其文，用纳乎圣听，列炳于后人，斯非其亚与！"（《汉书·叙传》卷一百上）永瑢等："《新语》二卷，旧本题汉陆贾撰。案《汉书》贾本传称：著《新语》十二篇，《汉书·艺文志》'儒家'，陆贾二十七篇，盖兼他所论述之，《隋志》则作《新语》二卷。此本卷数与《隋志》合，篇数与本传合，似为旧本。然《汉书·司马迁传》称，迁取《战国策》《楚汉春秋》、陆贾《新语》作《史记》。《楚汉春秋》，张守节《正义》犹引之，今佚不可考。《战国策》取九十三事，皆与今本合。惟是书之文不见于《史记》。王充《论衡·本性篇》引陆贾曰：'天地生人也，以礼义之性。人能察己，所以受命则顺，顺谓之道。'今本亦无其文。又《谷梁传》至汉武帝时始出，而《道基篇》末乃引《谷梁传》曰，时代尤相抵牾。其殆后人依托，非贾原本欤？考马总《意林》所载，皆与今本相符。李善《文选注》于司马彪《赠山涛》诗，引《新语》曰：'梗梓仆则为世用'，于王粲《从军诗》，引《新语》曰：'圣人承天威，承天功，与之争功，岂不难哉！'于陆机《日出东南隅行》，引《新语》曰：'高台百仞'，于《古诗》第一首，引《新语》曰：'邪臣之蔽贤，犹浮云之障日月'，于张载《杂诗》第七首，引《新语》曰：'建大功于天下者，必垂名于万世也。'以今本校核，虽文句有详略异同，而大致亦悉相应，似其伪犹在唐前。惟《玉海》称，陆贾《新语》，今存于世者，《道基》《术事》《辅政》《无为》《资贤》《至德》《怀虑》才七篇。此本十有二篇，乃反多于宋本，为不可解。或后人因不完之本，补缀五篇以合本传旧目也。近但据书论之，则大旨皆崇王道，黜霸术，归本于修身用人。其称引《老子》者；惟《思务篇》引'上德不德'一语，余皆以孔氏为宗，所援据多《春秋》《论语》之文。汉儒自董仲舒外，未有如是之醇正者。流传既久，其真其赝，存而不论可矣。所载'卫公子鳝奔晋'一条，与三《传》皆不合，莫详所本。中多阙文，亦无可校补。所称'文公种米'、'曾子驾羊'诸事，刘昼《新论》、马总《意林》，皆全句引之，知无讹误，然皆不知其何说。又'据犁嗝报'之语，训诂亦不可通。古书佚亡，今不尽见，阙所不可知也。"（《四库提要》卷九十一）

七月

朱建谏淮南王黥布反，不听。《史记·朱建列传》卷九十七："布欲反时，问平原君，平原君非之，布不听而听梁父侯，遂反。"按，《史记·高祖本纪》卷八谓高祖十一年"秋七月，淮南王黥布反"，朱建谏之当在反前不久。

秋

陆贾归报，以功拜太中大夫；为刘邦作《新语》十二篇。《史记·陆贾列传》卷九十七："归报，高祖大悦，拜贾为太中大夫。陆生时时前说称《诗》《书》。高帝骂之曰：'乃公居马上而得之，安事《诗》《书》！'陆生曰：'居马上得之，宁可以马上治之乎？且汤武逆取而以顺守之，文武并用，长久之术也。昔者吴王夫差、智伯极武而亡；秦任刑法不变，卒灭赵氏。乡使秦已并天下，行仁义，法先圣，陛下安得而有之？'高帝不怿而有惭色，乃谓陆生曰：'试为我著秦所以失天下，吾所以得之者何，及古成败之国。'陆生乃粗述存亡之征，凡著十二篇。每奏一篇，高帝未尝不称善，左右呼万岁，号其书曰《新语》。"按，《史记》本传云陆贾五月至南粤后，赵佗"大说陆生，留与饮数月"，归时当已在秋季。《资治通鉴》卷十三系于五月，不确。

公元前195年　（汉高祖刘邦十二年　丙午）

十月

刘邦过沛，酒酣击筑，作"风起"之诗（《大风歌》），歌之。（《史记·高祖本纪》卷八、《汉书·礼乐志》卷二十二）刘邦（前256—前195），字季，沛（今江苏沛县）人。西汉开国皇帝，"以布衣提三尺剑取天下"。初不事生产，及壮，试为吏，为泗水亭长。好酒及色。秦末举事，为沛公。势力渐强，乃西略入关，称汉王。后于楚汉之争中，击败项羽，平定天下。高祖五年，即皇帝位。高祖十二年崩。作有楚歌《大风歌》《鸿鹄歌》。（《史记·高祖本纪》卷八）《汉书·艺文志》卷三十："《高祖歌诗》二篇。"《隋书·经籍志》卷三十五："梁有《汉高祖手诏》一卷，亡。"

朱建以不与黥布谋反而获免死，刘邦赐其"平原君"号，徙家长安。按，《汉书·朱建传》卷四十三云"汉既诛布，闻建谏之，高祖赐建号'平原君'，家徙长安"，黥布反于去岁七月，其被诛，《资治通鉴》卷十二系于此月。

十一月

申培从师浮丘伯见刘邦于鲁南宫。按，《汉书·儒林传》卷八十八云"高祖过鲁，申公以弟子从师入见于鲁南宫"，刘邦过鲁，《汉书·高祖纪》卷一谓在此年十一月。申培（前221？—前136？），亦称申公，鲁人。少与楚元王刘交从荀子门人齐人浮丘伯学《诗》。刘交之楚，申培为中大夫；高后时，与刘交子刘郢客同赴长安，从浮丘伯卒业。文帝时，以精《诗》，为博士。刘郢客嗣位为楚王，复以为中大夫，傅太子刘戊。刘戊即位，后反，申培谏之，反受腐刑，耻而归鲁，授徒治《诗》。武帝即位，征以为太中大夫，次年以病免归，数年后卒。善《诗》与《春秋》，开汉四家诗之鲁诗派，"弟子为博士十余人"，"至于大夫、郎、掌故以百数"，赵绾、王臧、孔安国、韦贤、韦玄成等皆出其门。（《汉书·儒林传》卷八十八、《汉书·楚元王传》卷三十六）《汉书·艺文志》卷三十："《鲁故》二十五卷。"按，王先谦《汉书补注》谓"《鲁故》即申公作"。《隋书·经籍志》卷三十二："汉初，有鲁人申公，受《诗》于浮丘伯，作诂训，是为《鲁诗》。"

刘邦易太子不成，为戚夫人作《鸿鹄歌》。（《史记·留侯世家》卷五十五、《资治通鉴》卷十二）

四月

刘邦崩，年六十二（前256—前195）。（《史记·高祖本纪》卷八）

刘盈即帝位，是为汉惠帝。（《汉书·惠帝纪》卷二）

戚夫人被囚永巷，作《春歌》（《永巷歌》）。（《汉书·外戚传》卷九十七上、《资治通鉴》卷十二）戚夫人（？—前194），又称戚姬，失名，定陶（今属山东）人。刘邦幸姬，生赵隐王如意。刘邦卒，为吕后害死。作《春歌》。（《汉书·外戚传》卷九十七、《史记·外戚世家》卷四十九《索引》引《汉书》）

第二章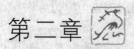

汉惠帝元年至汉景帝后元三年（前 194—前 141）共 54 年

·引　言·

刘勰《文心雕龙·时序第四十五》："施及孝惠，迄于文、景，经术颇兴，而辞人勿用；贾谊抑而邹、枚沈，亦可知已。"

公元前 194 年　（汉惠帝刘盈元年　丁未）

是年

张苍约六十三岁，为淮南王刘长相。按，《史记·张丞相列传》卷九十六云"汉立皇子长为淮南王，而张苍相之。十四年，迁为御史大夫"，本传又云"高后崩……以淮南相张苍为御史大夫"，为御史大夫在高后八年（前 180），逆推十四年，至此年则为其相淮南王之年。

朱建或于此年丧母，贫无以葬，辟阳侯审食其重金相助。按，事载《汉书·朱建传》卷四十三，年月未详，以传言惠帝怒而欲斩辟阳侯观之，似为惠帝在位间事，姑系于此。

陆贾与朱建善，为其说辟阳侯赠金。（《史记·陆贾列传》卷九十七）

公元前 193 年　（汉惠帝刘盈二年　戊申）

七月

萧何卒（？—前 193）。（《史记·萧相国世家》卷五十三、《资治通鉴》卷十二）萧何，沛（今江苏沛县）人。秦时为沛主吏掾、郡卒史。刘邦起兵，以为沛丞。刘邦至咸阳，"独先入收秦丞相御史律令图书藏之"。刘邦王汉中，以为丞相。西汉立，以其"发踪指示"、举宗相随之"第一"功，封酇侯，拜相国。卒谥文终侯。（《史记·萧相国世家》卷五十三）《汉书·艺文志》卷三十："汉兴，萧何草律，亦著其法，曰：'太史试学童，能讽书九千字以上，乃得为史。又以六体试之，课最者以为尚书、御史、史书令史。吏民上书，字或不正，辄举劾。'"

是年

乐府令夏侯宽备其箫管,更《房中乐》为《安世乐》。(《汉书·礼乐志》卷二十二)

公元前192年 (汉惠帝刘盈三年 己酉)

朱建或于此年求见孝惠幸臣闳籍孺,说其请惠帝赦免辟阳侯。《史记·朱建列传》卷九十七:"人或毁辟阳侯,惠帝大怒,下吏,欲诛之。太后惭,不可以言。大臣多害辟阳侯行,欲遂诛之。辟阳侯急,因使人欲见平原君。平原君辞曰:'狱急,不敢见君。'乃求见孝惠幸臣闳籍孺,说之曰:'君所以得幸帝,天下莫不闻。今辟阳侯幸太后而下吏,道路皆言君谗,欲杀之。今日辟阳侯诛,旦日太后含怒,亦诛君。何不肉袒为辟阳侯言于帝?帝听君出辟阳侯,太后大驩。两主共幸君,君富贵益倍矣。'于是闳籍孺大恐,从其计,言帝,帝果出辟阳侯。辟阳侯之囚,欲见平原君,平原君不见辟阳侯,辟阳侯以为倍己,大怒。乃其成功出之,乃大惊。"按,《汉书·朱建传》卷四十三叙此事前加"久之",当距辟阳侯赠朱建金有些时日,姑以二三年当之。

董仲舒生(前192—前104?)。按,《汉书·叙传》卷一百下云"抑抑仲舒,再相诸侯,身修国治,致仕县车",董仲舒武帝元朔六年"恐久获罪,病免"胶西相,此年致仕悬车,古谓七十致仕悬车,则此年董七十岁,由此知其生于此年。董仲舒,广川人(今河北景县广川镇)。少治《春秋》,孝景时为博士。武帝即位,以贤良对策,擢为江都相。言阴阳灾异,为主父偃所害,险被诛,赦后终不敢复言灾异。后为胶西相,以病免。"终不问家产业,以修学著书为事"。寿终于家。"所著,皆明经术之意,及上疏条教,凡百二十三篇。而说《春秋》事得失,《闻举》《玉杯》《蕃露》《清明》《竹林》之属,复数十篇,十余万言,皆传于后世"。(《汉书·董仲舒传》卷五十六)《汉书·艺文志》卷三十:"《公羊董仲舒治狱》十六篇。……《董仲舒》百二十三篇。"《隋书·经籍志》卷三十二:"《春秋繁露》十七卷,汉胶西相董仲舒撰。《春秋决事》十卷,董仲舒撰。"同书卷三十四:"梁有……《董仲舒请祷图》三卷,亡。"同书卷三十五:"汉胶西相《董仲舒集》一卷,梁二卷。"张溥辑有《董胶西集》。张溥:"《史记·儒林传》载广川董氏,与胡母生春秋同列,无大褒异,至《汉书》始特为立传赞述。刘子政与刘歆、刘龚言论,抑扬其辞,以寄郑重。凡人轻今贵古,贤者不免,太史公与董生并游武帝朝,或心易之;孟坚后生,本先儒之说,推崇前辈,则有叩头户下耳。正谊明道,西汉绝学,遂为儒宗。三策三对,君臣喜起,文章大醇,礼记俦也。公孙用事,同学怀妒,出相胶西,谢病自免,悲哉!董生向赋不遇,今其然耶?然尊孔氏,斥百家,立学校,举茂才,王者制度皆发自董生,身虽废,言何尝不显哉!高庙燔灾,闲居拟对,私家书也,主父挟奏,吕生妄讥,下吏当死,汉法失刑,与诛腹诽何殊。宋儒因武帝好杀,穷迹淮南,曲罪董生,一对上启,残贼将生,罪反居张汤上乎,非论之平也。"(《汉魏六朝百三家集·董胶西集题词》)永瑢等:"《春秋繁露》十七卷。汉董仲舒撰。繁或作蕃,盖古字相通。其立名之意不可解,《中兴馆阁书目》谓:'繁露,冕之所垂,有联贯之象。《春秋》比事属辞,立名或取诸此。'亦以意为说也。其书发挥《春秋》之旨,多主《公羊》,而往往及阴阳、五行。考仲舒本传，《繁露》《玉杯》《竹林》皆所著书名，而今本《玉杯》《竹林》乃在此书之中。故《崇文总目》颇疑之，而程大昌攻之尤力。今观其文，虽未必全出仲舒，然中多根极理要之言，非后人所能依托也。是书宋代已有四本，多寡不同，至楼钥所校，乃为定本。钥本原阙三篇，明人重刻，又阙第五十五篇及第五十六篇首三百九十八字，第五十七篇中一百七十九字，第四十八篇中二十四字，又第二十五篇颠倒一页，遂不可读。其余讹脱，不可胜举。盖海内藏书之家，不见完本三四百年于兹矣。今以《永乐大典》所存楼钥本，详为勘定，凡补一千一百二十一字，删一百二十一字，改定一千八百二十九字，神明焕然，顿还旧笈。虽曰习见之书，实则绝无仅有之本也。倘非幸遇圣朝右文稽古，使已湮旧籍，复发幽光，则此十七卷者，竟终沉于蠹简中矣。岂非万世一遇哉！"（《四库提要》卷二十九）

公元前 191 年 （汉惠帝刘盈四年 庚戌）

三月

废除秦"挟书律"。（《汉书·惠帝纪》卷四）

公元前 190 年 （汉惠帝刘盈五年 辛亥）

八月

曹参卒，百姓为之作《画一歌》。（《史记·萧相国世家》卷五十三、《资治通鉴》卷十二）

是年

惠帝令高祖所教歌儿百二十人，皆为吹乐，后有缺，辄补之。（《史记·高祖本纪》卷八）

公元前 189 年 （汉惠帝刘盈六年 壬子）

是年

张良卒（？—前187）。按，关于张良卒年，史汉所载不一，《史记·留侯世家》卷五十五云"高帝崩，吕后德留侯，乃强食之，曰：'人生一世间，如白驹过隙，何至自苦如此乎！'留侯不得已，强听而食。后八年卒"，高祖卒于汉十二年（前195），"后八年"则为吕后元年。而《汉书·张良传》卷四十则云"汉十二年，上从破布归，疾益甚，愈欲易太子。良谏不听，因疾不视事。……后六岁薨"，高祖卒"后六岁"，则张良卒年应为汉惠帝六年（前189年）。姑从《汉书》。张良，字子房，韩人。少学礼淮阳。尝为韩复仇，刺秦皇帝而未果，遂更名姓，亡匿下邳，诵读《太公兵法》。后从刘邦，辅以定天下。刘邦立汉，以其"运筹策帷幄中，决胜千里外"之功，封留侯，行少傅事，佐吕后，定太子刘盈位。卒谥文成侯。（《史记·留侯世家》卷五十五）

《汉书·艺文志》卷三十载："汉兴，张良……序次兵法，凡百八十二家，删取要用，定著三十五家。"

公元前 188 年　（汉惠帝刘盈七年　癸丑）

八月

汉惠帝崩；太子刘恭即位，是为汉少帝；吕太后雉临朝称制。（《汉书·惠帝纪》卷二、《汉书·高后纪》卷三）

陆贾以病免，居好畤。《史记·陆贾列传》卷九十七："孝惠帝时，吕太后用事，欲王诸吕，畏大臣有口者，陆生自度不能争之，乃病免家居。以好畤田地善，可以家焉。"按，据《史记·吕太后本纪》卷二，惠帝崩，吕后哭而无泪，丞相请诸吕入宫，居中用事，吕后其哭乃哀，"吕氏权由此起"，陆贾自度不能争，病免家居，盖在此时。

公元前 187 年　（汉高后吕雉元年　甲寅）

正月

除妖言令。（《汉书·高后纪》卷三）

是年

申培约三十五岁，与刘郢客赴长安，从浮丘伯学毕《诗经》。《汉书·楚元王传》卷三十六："高后时，浮丘伯在长安，元王遣子郢客与申公俱卒业。……高后时，以元王子郢客为宗正，封上邳侯。"按，《汉书·王子侯表》卷十五上称刘郢客"（高后）二年五月丙申封"上邳侯，申、刘二人赴长安在此前，传亦称"高后时"则必在高后元年十月至二年五月之间，姑系元年。

公元前 186 年　（汉高后吕雉二年　乙卯）

刘武约于此年生（前 186?—前 144）。按，生年不详，景帝孝惠七年（前 188）生，刘武为其同母弟，或晚其二年生。刘武，沛（今江苏沛县）人。汉景帝同母弟。初封代王，徙淮阳王。文帝十二年，徙梁王。系窦太后少子，颇受宠爱。为王三十五年。后以争嗣帝位、谋杀大臣失宠。卒谥"孝"。所筑东苑，方三百余里，"苑中有落猿岩、栖龙岫、雁池、鹤洲、凫岛。诸宫观相连，奇果佳树，瑰禽异兽，靡不毕备"（葛洪《西京杂记》）。广睢阳城七十里。爱文好客，天下豪杰文士群集于梁，著名者如邹阳、羊胜、公孙诡、枚乘、司马相如、严忌等，对促进汉代文学的发展有重要作用。

公元前 184 年　（汉高后吕雉四年　丁巳）

四月

吕后废少帝刘恭。（《汉书·高后纪》卷三）

15

五月

立恒山王刘义为帝，更名刘弘。（《汉书·高后纪》卷三）

公元前183年 （汉高后吕雉五年 戊午）

是年

贾谊十八岁，以能诵诗属书闻于郡中；受业于河南守吴公。（《史记·贾生列传》卷八十四、《汉书·贾谊传》卷四十八）

朱买臣约生于此年（前183？—前115）。按，生年不详，其建元三年（前138）拜太中大夫时年当不惑与知命之间，取其年四十六岁，则约生于此年。朱买臣，字翁子，吴（今江苏苏州）人。家贫，好读书，不治产业。四十余岁，常担薪行卖且诵书。其妻以羞而去。后由严助举荐，以言楚辞得幸，拜太中大夫。迁会稽太守，征为主爵都尉；坐法免官，复为丞相长史。后以报复、构陷张汤见诛。（《汉书·朱买臣传》卷六十四上）《汉书·艺文志》卷三十："朱买臣赋三篇。"

公元前182年 （汉高后吕雉六年 己未）

是年

公孙弘十八岁，为薛狱吏，以罪免。按，《史记·平津侯列传》卷一百一十二云"少时为薛狱吏"，姑以弱冠前之十八岁当"少时"。

公元前181年 （汉高后吕雉七年 庚申）

正月

刘友被吕后软禁，饿，作《幽歌》（《赵幽王歌》）。（《史记·吕太后本纪》第九、《资治通鉴》卷十三）刘友（？—前181），沛（今江苏沛县）人。刘邦第六子，诸姬所生。封淮阳王，徙赵王。王后为诸吕女，不爱，爱他姬。吕后恨之，召入京师，幽死。谥曰"幽"。作《幽歌》。（《汉书·高五王传》卷三十八）

二月

刘恢徙为赵王，作歌诗四章。（《史记·吕太后本纪》卷九、《资治通鉴》卷十三）刘恢（？—前181），沛（今江苏沛县）人。刘邦第五子，诸姬所生。封梁王，徙赵王。王后为吕产女，有爱姬，为王后鸩杀。心不乐，作歌诗四章。谥"共"。作歌诗后五月自杀。（《汉书·高五王传》卷三十八）

六月

刘章作《耕田歌》。（《史记·齐悼惠王世家》卷五十二、《资治通鉴》卷十三）刘章（前200—前176），沛（今江苏沛县）人。刘邦孙。封朱虚侯。有气力，愤刘氏不得职，诸吕畏之。吕后崩，以诛诸吕、立文帝有功，封城阳王。作《耕田歌》。（《史记·齐悼惠王世家》卷五十二）

陆贾谒陈平，言"天下安，注意相；天下危，注意将"，为之谋划交欢周勃而除诸吕之策；以陈平所出重金，游走汉廷公卿间。（《史记·陆贾列传》卷九十七、《资治通鉴》卷十三）

是年

严忌约三十一岁，以文辩著名；与邹阳、枚乘善；仕吴王刘濞。按，生年不详，年龄似与枚乘相若。《史记·邹阳列传》卷八十三云"邹阳……与故吴人庄忌夫子、淮阴枚生之徒交"，称严忌"夫子"，年龄似略长于邹阳。《汉书·邹阳传》称"吴王濞招致四方游士，阳与吴严忌、枚乘等俱仕吴"，严忌、邹阳、枚乘三人疑同时仕吴。严忌（前211？—?），本姓庄，避汉明帝讳改。或以为字"夫子"，不确，当为尊称。会稽吴（今属江苏）人，或云由拳（今浙江嘉兴）人。以文辩著名。初仕吴王刘濞，后去吴赴梁，从梁孝王刘武游。（《史记·邹阳列传》卷八十三）《汉书·艺文志》卷三十："庄夫子赋二十四篇。名忌，吴人。"

邹阳约三十岁，以文辩著名；与严忌、枚乘善；仕吴王刘濞。按，生年不详，年龄似与枚乘相若。《史记·邹阳列传》卷八十三云"邹阳……与故吴人庄忌夫子、淮阴枚生之徒交"，称枚乘"枚生"，枚生之"生"虽为先生义，但与"夫子"对举，年龄似小于严忌，而邹阳年龄疑在严忌、枚乘之间。《汉书·邹阳传》卷五十一所载其《上吴王书》有语云"然臣所以历数王之朝，背淮千里而自致者"，是其仕吴前已仕"数王"，此后仕吴，年龄当近而立，姑定在二十九岁。《汉书·邹阳传》卷五十一又云"吴王濞招致四方游士，阳与吴严忌、枚乘等俱仕吴，皆以文辩著名"。邹阳（前210？—?），齐（今山东北部）人。以文辩著名。游数王后，仕吴王刘濞。刘濞阴有反意，邹阳作书谏之，不听，遂与严忌、枚乘等去吴之梁。梁孝王初信谗言，投之狱中，又作书自辩。梁孝王览书出之，待为上客，卒为梁孝王解杀身之难。（《汉书·邹阳传》卷五十一）《汉书·艺文志》卷三十五："《邹阳》七篇。"

枚乘约二十九岁，以文辩著名；与严忌、邹阳善；仕吴王刘濞，为郎中；作《七发》。按，枚乘生年不详，《汉书·枚乘传》卷五十一云："为吴王濞郎中。……武帝自为太子闻乘名，及即位，乘年老，乃以安车蒲轮征乘，道死。""年老"到连乘坐"安车蒲轮"都禁不起颠簸，中途而死，年龄当至少在古稀以上。姑定其寿七十，则约生于秦二世元年（前209）。又，《七发》作年未详，疑作于客吴期间，姑系于此。枚乘（前209？—前140），字叔，淮阴（今属江苏）人。以文辩著名。仕吴王刘濞，为郎中。刘濞反前，曾作书谏，不纳，遂去吴之梁。刘濞反，又作书谏。以是知名，汉景帝召以为弘农都尉。复去而从梁孝王，"梁客皆善属辞赋，乘尤高"。梁孝王死，归淮阴。汉武帝即位，以安车蒲轮相招，年老，途中死去。（《汉书·枚乘传》卷五十一）《汉书·艺文志》卷三十："枚乘赋九篇。"《隋书·经籍志》卷三十五："梁又有……

汉弘农都尉《枚乘集》二卷，录一卷，亡。"傅玄："昔枚乘作《七发》，而属文之士，若傅毅、刘广世、崔骃、李尤、桓骊、崔琦、刘梁之徒，承其流而作之者纷焉：《七激》《七兴》《七依》《七疑》《七说》《七蠲》《七举》之篇。于是通儒大才马季长、张平子，亦引其源而广之。马作《七厉》，张造《七辩》，或以恢大道而导幽滞，或以黜瑰奓而托讽咏，扬辉播烈，垂于后世者，凡十有余篇。自大魏英贤迭作，有陈王《七启》、王氏《七释》、扬氏《七训》、刘氏《七华》、从父侍中《七海》，并陵前而邈后，扬清风于儒林，亦数篇焉。世之贤明，多称《七激》工，余以为未尽善也。《七辩》似也，非张氏至思，比之《七激》，未为劣也。《七释》金而妙哉，吾无间矣。若《七激》《七依》之卓轹一致，《七枝》《七辩》之缠绵精巧，《七启》之奔逸壮丽，《七释》之精梗闲理，亦近代之所希也。"（《全晋文·七谟序》卷四十六）挚虞："《七发》造于枚乘，借吴、楚以为客主，先言'出舆入辇，蹶痿之损；深宫洞房，寒暑之疾；靡曼美色，宴安之毒；厚味暖服，淫曜之害。宜听世之君子，要言妙道，以疏神导体，蠲淹滞之累。'既设此辞以显明去就之路，而后说以声色逸游之乐，其说不入，乃陈圣人辩士讲论之娱，而霍然疾瘳。此因膏粱之常疾，以为匡劝，虽有甚泰之辞，而不没其讽谕之义也。其流遂广，其义遂变，率有辞人淫丽之尤矣。"（《全晋文·文章流别论》卷七十七）

公孙弘十九岁，或于此年免狱吏，以家贫，牧豕海上。按，《史记·平津侯列传》卷一百一十二云"少时为薛狱吏，有罪，免。家贫，牧豕海上"，年月未详，姑系于此。

公元前180年 （汉高后吕雉八年 辛酉）

七月

高后崩。（《史记·吕太后本纪》卷九）

九月

代王刘恒即位，是为汉文帝。（《史记·孝文本纪》卷十）

是年

张苍约七十七岁，为御史大夫。（《史记·张丞相列传》卷九十六、《史记·汉兴以来将相名臣年表》卷二十二）

晁错二十一岁，或于此年为太常掌故。按，《汉书·晁错传》卷四十九云"以文学为太常掌故"，后叙文帝时从伏生学《尚书》事，当在文帝即位前，姑系于此。

公元前179年 （汉文帝刘恒前元元年 壬戌）

八月

陆贾复为太中大夫，使南粤。（《史记·陆贾列传》卷九十七、《资治通鉴》卷十三）

18

是年

有司议欲定仪礼，文帝不好，罢之。（《史记·礼书》卷二十三）

申培约四十三岁，为博士。《汉书·楚元王传》卷三十六："文帝时，闻申公为《诗》最精，以为博士。"按，《楚元王传》称"元王立二十三年薨，太子辟非先卒，文帝乃以宗正上邳侯郢客嗣，是为夷王。申公为博士，失官，随郢客归，复以为中大夫"。刘郢客嗣位为楚王，《汉书·诸侯王表》卷十四谓在文帝前元二年，其年传已称"申公为博士"，则始为博士或在元年。

贾谊二十二岁，为廷尉吴公举荐，召为博士，超迁太中大夫；上疏请改正朔，易服色，定官名，兴礼乐，以立汉制，更秦法；于长安东市卜于司马季主；一岁中超迁至太中大夫。（《史记·贾生列传》卷八十四、《资治通鉴》卷十三、《史记·日者列传》卷一百二十七）

贾山为颍阴侯骑。按，《汉书·贾山传》卷五十一云"尝给事颍阴侯为骑"，年月未详，《资治通鉴》卷十三次年条称"颍阴侯骑上书言治乱之道"，则为其职当在文帝前元二年以前，然难考，姑系于此。贾山（？—？），颍川（今河南禹县）人。所言涉猎书记，不能为醇儒。尝为颍阴侯骑。孝文时，上《至言》，言治乱之道。后数上疏进言。（《汉书·贾山传》卷五十一）《汉书·艺文志》卷三十："《贾山》八篇。"

刘安生（前179—前122）。刘安，沛（江苏沛县）人。刘邦孙。始封阜陵侯，后封淮南王。为人好书，鼓琴，不喜弋猎狗马驰骋。"招致宾客方术之士数千人，作为《内书》二十一篇，《外书》甚众，又有《中篇》八卷，言神仙黄白之术，亦二十余万言"。尚"有《枕中鸿宝苑秘书》。书言神仙使鬼物为金之术，及邹衍重道延命方"。曾奉武帝命，"为《离骚传》，旦受诏，日食时上。又献《颂德》及《长安都国颂》。每宴见，谈说得失及方技赋颂，昏暮然后罢"。后以谋反罪自杀。（《汉书·淮南王传》卷四十四、《汉书·楚元王传》卷三十六）《汉书·艺文志》卷三十："《淮南道训》二篇。淮南王安聘明《易》者九人，号九师说。……淮南刘向等《琴颂》七篇。……《淮南内》二十一篇，王安。《淮南外》三十三篇。……淮南王赋八十二篇。……《淮南歌诗》四篇。……《淮南杂子星》十九卷。"《隋书·艺文志》卷三十五："《汉淮南王集》一卷，梁二卷。"永瑢等：《淮南子》二十一卷，汉淮南王刘安撰，高诱注。安事迹具《汉书》本传。《汉书·艺文志》"杂家"：《淮南》内二十一篇，外三十三篇。颜师古注曰'内篇论道，外篇杂说'。今所存者二十一篇，盖内篇也。高诱序言：此书大较归之于道，号曰'鸿烈'。故《旧唐志》有何诱《淮南鸿烈音》一卷，言《鸿烈》之音也。《宋志》有《淮南鸿烈解》二十一卷，亦《鸿烈》之解也，而注其下曰'淮南王安撰'，似乎《解》亦安撰者。诸书引用，遂并《淮南子》之本文，亦题目《淮南鸿烈解》，误之甚矣！晁公武《读书志》称：《崇文总目》亡三篇，李淑《邯郸图书志》亡二篇，其家本惟存《原道》《俶真》《天文》《坠形》《时则》《览冥》《精神》《本经》《主术》《缪称》《齐俗》《道应》《氾论》《诠言》《兵略》《说林》《说山》十七篇，亡其四篇。高似孙《子略》称'读《淮南》二十篇'，是在宋已鲜完本。惟洪迈《容斋随笔》称'今所存者二十一卷'，与今本同。然白居易《六帖》引乌鹊填河事，云出《淮南子》，而今本无之，则尚有脱文也。公武谓许慎注称'记上'，陈振孙谓今本题许慎注，而详序文即是高诱，殆不可晓。芦泉刘绩又谓'记上'犹言标题进呈，并非慎为之注。然《隋志》《唐志》《宋志》皆许氏、高氏二注并列。陆德明《庄子释文》引《淮南子注》，称许慎。李善《文选注》、殷敬顺《列子释文》引《淮南子注》，或称高诱，或称许慎，是原有二注之明证。后慎《注》散佚，传刻者误以诱《注》题慎名也。观书中称'景，古影字'，而慎《说文》无'影'字，其不出于慎，审矣。诱，涿郡人，卢植之弟子，建安中辟司空掾，历官东郡濮阳令，迁河东监。并见于自序中。慎则和帝永元中人，远在其前，何由记上诱注？刘绩之说，盖徒附会其文，而未详考时代也。"（《四库提要》卷一百一十七）

公元前178年　（汉文帝刘恒前元二年　癸亥）

十月

文帝采贾谊之议，遣列侯之国。（《汉书·贾谊传》卷四十八、《汉书·文帝纪》卷四）

十一月

诏举贤良方正能直言极谏者。（《汉书·文帝纪》卷四）

贾山作《至言》。（《汉书·贾山传》卷五十一、《资治通鉴》卷十三）

贾谊作《论积贮疏》《无蓄》。（《汉书·食货志》卷二十四上、《资治通鉴》卷十三）按，《无蓄》与《论积贮疏》语句殆同者多，疑本为一篇。

是年

伏胜年九十余，授晁错《尚书》。《史记·儒林传》卷一百二十一："孝文帝时，欲求能治尚书者，天下无有，乃闻伏生能治，欲召之。是时伏生年九十馀，老，不能行，于是乃诏太常使掌故朝错往受之。"按，年月未详，姑系于晁错为太常掌故两年后。伏胜（前269? 一?），字子贱，人称伏生，济南（今属山东）人。原为秦博士，秦时焚书，乃壁藏《尚书》。秦末兵乱，四处流亡。汉平定天下，伏胜寻所藏《尚书》，亡数十篇，独得二十九篇，即以教于齐鲁之间。文帝时，闻伏胜能治《尚书》，欲召之。时伏胜年九十余，老，不能行，乃遣晁错往受之。（《史记·儒林列传》卷一百二十一、《后汉书·伏胜列传》卷二十六）《汉书·艺文志》卷三十："《传》，四十一篇。"（王先谦《汉书补注》引王鸣盛曰"以《大传》系《经》下，尊伏生也"，顾实《汉志讲疏》谓"此伏生《尚书大传》也"）《隋书·经籍志》卷三十二："遭秦灭学，至汉，唯济南伏生口传二十八篇。……伏生作《尚书传》四十一篇。"

韦孟约四十八岁，为楚王刘郢客傅。按，《汉书·韦贤传》卷七十三云"傅子夷王"，夷王即楚元王刘交子刘郢客，《汉书·诸侯王表》卷十四谓"孝文二年夷王郢客嗣"，当为韦孟为其傅之年。

申培约四十四岁，复为太中大夫，傅楚王太子刘戊。按，《汉书·楚元王传》卷三十六云："文帝乃以宗正上邳侯郢客嗣，是为夷王。申公为博士，失官，随郢客归，复以为中大夫。"《汉书·儒林传》卷八十八又云"郢嗣立为楚王，令申公傅太子戊"，《汉书·诸侯王表》卷十四谓"孝文二年夷王郢客嗣"，则申培复为中大夫、傅刘戊，当在此年。

晁错二十三岁，奉命从伏生学《尚书》。（《汉书·晁错传》卷四十九）

欧阳生从伏生学《尚书》。按，《汉书·儒林传》卷八十八云"事伏生"，年月未详，姑系于此。欧阳生（？—？），字和伯，千乘（今山东博兴西北）人。治《尚书》。师从伏生，后授倪宽。作《欧阳章句》，为欧阳氏学。（《汉书·儒林传》卷八十八、陆德明《经典释文·叙录》）《汉书·艺文志》卷三十："《欧阳章句》十一卷，亡。"

公元前 177 年 （汉文帝刘恒前元三年 甲子）

四月

朱建自杀（？—前 177）。《史记·朱建列传》卷九十七："孝文帝时，淮南厉王杀辟阳侯，以诸吕故。文帝闻其客平原君为计策，使吏捕欲治。闻吏至门，平原君欲自杀。诸子及吏皆曰：'事未可知，何早自杀为？'平原君曰：'我死祸绝，不及而身矣。'遂自刭。"按，淮南王刘长杀辟阳侯审食其，《史记·孝文本纪》卷十谓在此时。

贾山讼淮南王刘长无大罪，宜急令反国；又言柴唐子为不善，足以戒。按，事载《汉书·贾山传》卷五十一，《汉书·淮南王传》卷四十四及《汉书·文帝纪》卷四载此年四月刘长入朝，杀辟阳侯，文帝赦之归国，贾山为言当在此时。柴唐子，不详，传叙为其言与为淮南王言同时。

公元前 176 年 （汉文帝刘恒前元四年 乙丑）

正月，张苍为丞相。（《史记·张丞相列传》卷九十六、《资治通鉴》卷十四）

汉文帝欲以贾谊为公卿，以诸大臣多毁之，未成。（《汉书·贾谊传》卷四十八、《资治通鉴》卷十四）

贾谊遭文帝疏远，出为长沙王太傅；作《吊屈原赋》。按，《汉书·贾谊传》卷四十八云"于是天子后亦疏之，不用其议，以谊为长沙王太傅"，《资治通鉴》卷十四系于此时，可从。又，本传云："谊既以谪去，意不自得，及渡湘水，为赋以吊屈原。屈原，楚贤臣也，被谗放逐，作《离骚赋》，其终篇曰：'已矣！国亡人，莫我知也。'遂自投江而死。谊追伤之，因以自谕。"贾赋当为赴长沙任途中经湘水时作，姑系于此。

是年

贾谊二十五岁，作《忧民》；其《惜誓》疑作于此年。按，《忧民》云"今汉兴三十年矣"，汉高祖元年至今恰三十年。又，王逸《楚辞章句·惜誓》卷十一云："《惜誓》者，不知谁所作也。或曰贾谊，疑不能明也。"如为贾谊作，或作于傅长沙王时。

晁错二十五岁，或于此年从伏生所归，上书称说：拜太子舍人。按，《汉书·晁错传》卷四十九云"还，因上书称说。诏以为太子舍人"，年月未详，《尚书》佶屈聱牙，伏生又远在齐，学之当为费时，姑定在从伏生学《尚书》两年后。

公元前 175 年　（汉文帝刘恒前元五年　丙寅）

四月

贾谊作《谏铸钱疏》。（《汉书·食货志》卷二十四下、《资治通鉴》卷十四）

贾山作《谏除铸钱令》。（《汉书·贾山传》卷五十一、《资治通鉴》卷十四）

公元前 174 年　（汉文帝刘恒前元六年　丁卯）

十月

张苍再三上书《奏论淮南王长罪》。（《史记·淮南列传》卷一百一十八、《资治通鉴》卷十四）

十一月

刘安丧父（刘长）。（《汉书·文帝纪》卷四）

是年

韦孟约五十二岁，为楚王刘戊傅。按，《汉书·韦贤传》卷七十三云"傅……孙王戊"，"戊"即楚元王刘交孙刘戊，《汉书·诸侯王表》卷十四谓"（孝文）六年王戊嗣"，韦孟傅其，当在此年。

刘戊嗣为楚王，不敬申培、穆生、白生；穆生以病辞去，申培、白生独留。《汉书·儒林传》卷八十八："初，元王敬礼申公等，穆生不耆酒，元王每置酒，常为穆生设醴。及王戊即位，常设，后忘设焉。穆生退曰：'可以逝矣！醴酒不设，王之意怠，不去，楚人将钳我于市。'称疾卧。申公、白生强起之曰：'独不念先王之德与？今王一旦失小礼，何足至此！'穆生曰：'《易》称"知几其神乎！几者动之微，吉凶之先见者也。君子见几而作，不俟终日"。先王之所以礼吾三人者，为道之存故也；今而忽之，是忘道也。忘道之人，胡可与久处！岂为区区之礼哉？'遂谢病去。申公、白生独留。"按，《汉书·诸侯王表》卷十四谓"（孝文）六年，王戊嗣"。

贾谊二十七岁，作《服鸟赋》。《汉书·贾谊传》卷四十八："谊为长沙傅三年，有服飞入谊舍，止于坐隅。服似鸮，不祥鸟也。谊既以適居长沙，长沙卑湿，谊自伤悼，以为寿不得长，乃为赋以自广。"按，贾谊文帝前元四年出为长沙王太傅，至此年正首尾三年；贾赋中又有语云"单阏之岁兮"，《史记·贾生列传》卷八十四《集解》引徐广注谓"岁在卯曰单阏。文帝六年岁在丁卯"，益证赋作于此年。

晁错二十七岁，或于此年为门大夫。按，《汉书·晁错传》卷四十九云"为……门大夫"，年月未详，姑定在为博士前两年。

董仲舒十九岁，治《春秋》。按，《汉书·董仲舒传》卷五十六云"少治《春秋》",年月未详,姑系于此。

公元前 173 年 （汉文帝刘恒前元七年 戊辰）

贾谊二十八岁,征还,受文帝召见于宣室,对帝问鬼神之事;拜为梁怀王太傅;作《陈政事疏》;为《左氏传》训故,授赵人贯公;其《宗首》《藩伤》《藩强》亦约作于此年。《汉书·贾谊传》卷四十八:"后岁余,文帝思谊,征之。至,入见,上方受厘,坐宣室。上因感鬼神事,而问鬼神之本。谊具道所以然之故。至夜半,文帝前席。既罢,曰:'吾久不见贾生,自以为过之,今不及也。'乃拜谊为梁怀王太傅。"按,"后岁余"谓作《服鸟赋》后岁余,当为此年事。又,本传云:"乃拜谊为梁怀王太傅。怀王,上少子,爱,而好书,故令谊傅之,数问以得失。是时,匈奴强,侵边。天下初定,制度疏阔,诸侯王僭儗,地过古制,淮南、济北王皆为逆诛。谊数上疏陈政事。"《陈政事疏》乃作于傅梁怀王之年,《资治通鉴》卷十四系于去岁,不确。又,《汉书·儒林传》卷八十八云:"北平侯张苍及梁太傅贾谊……皆修《春秋左氏传》。谊为《左氏传》训故,授赵人贯公。"《隋书·经籍志》卷三十二云:"而《左氏》汉初出于张苍之家,本无传者。至文帝时,梁太傅贾谊为训诂,授赵人贯公。"贾谊此年为梁怀王太傅,姑系此年。又,《宗首》云:"今或亲弟谋为东帝,亲兄之子西向而去,今吴又见告矣。""亲弟"指淮南王刘长,"亲兄之子"指齐悼惠王子刘兴居,《汉书·文帝纪》卷四谓刘长谋反在前元六年,刘兴居谋反在前元三年;"今吴又见告"指吴王刘濞谋乱之迹被举报事,《汉书·五行志》卷二十七上称"文帝五年,吴暴风雨,坏城官府民室。时吴王濞谋为逆乱,天戒数见",举报盖在此时。《藩伤》《藩强》均当为藩国刘长、刘兴居反后有感所作。若此,三文当作于文帝前元六年后,姑系于此。

司马相如约生于此年（前 173?—前 117）。按,生年未详,《汉书·司马相如传》卷五十七上云其文帝时"以赀为郎",若其景帝前元元年（前 156）为郎,其年十八岁,则或生于此年。司马相如,初名犬子,因慕蔺相如为人,更名相如,字长卿,蜀郡成都（今属四川）人。少好读书,学击剑。初为郎,转武骑常侍。结识邹阳、枚乘、严忌等人后,辞官赴梁,为梁孝王门客。梁孝王死,归蜀,与卓文君结合。武帝时,以文名见召为郎;后以中郎将使蜀。归朝,人告其使蜀时受贿,免官。岁余,复召为郎,转孝文园令。"常称疾闲居,不慕官爵",遂以病免,家居茂陵。因消渴病,卒。作有《子虚赋》《上林赋》《哀二世赋》《大人赋》《遗平陵侯书》《与五公子相难》《草木书篇》《封禅书》等。（《汉书·司马相如传》卷五十七上、下）《汉书·艺文志》卷三十:"《凡将》一篇,司马相如作。……《荆轲论》五篇,轲为燕刺秦王,不成而死,司马相如等论之。……司马相如赋二十九篇。"《隋书·经籍志》卷三十二:"有司马相如《凡将篇》。"同书卷三十五:"汉孝文园令《司马相如集》一卷。"张溥辑有《司马文园集》。张溥:"梁昭明太子《文选》登采绝严,独于司马长卿取其三赋四文,其生平壮篇略具,殆心笃好之,沉湎终日而不能舍也。太史公曰:'长卿赋多虚辞滥说,要归节俭,与诗讽谏何异。'余读之良然,《子虚》《上林》非徒极博,寔发于天材。杨子云锐精揣炼，仅能合辙。然疎密大致，犹《汉书》于《史记》也。《美人赋》，风诗之尤，上掩宋玉。盖长卿风流诞放，深于论色，即其所《自叙传》，琴心善感好女夜亡，史迁形状安能及此。他人之赋，赋才也；长卿赋，心也，得之于内不可以传。彼曾与盛长通言之：歌合组，赋列锦。均未喻耳。猎兽献书，长扬志直，驰檄发难，巴蜀竦听，慕蔺生之渑池，跨唐蒙于绝域，赤车驷马，足名丈夫。抑其文皆赋流也，生赋长门，没留封禅，英主怨后，思眷不忘，岂偶然乎。"（《汉魏六朝百三家集·司马文园集题词》）

公元前 172 年　（汉文帝刘恒前元八年　己巳）

夏

刘安封阜陵侯。（《史记·淮南列传》卷一百一十八、《资治通鉴》卷十五）

贾谊作《谏立淮南诸子疏》《淮难》。（《史记·贾生列传》卷八十四、《资治通鉴》卷十五）按，《淮难》文字与《谏立淮南诸子疏》略同，疑为一篇。

是年

晁错二十九岁，或于此年迁博士。按，《汉书·晁错传》卷四十九云"迁博士"，年月未详，姑定在为太子家令前两年。

公元前 171 年　（汉文帝刘恒前元九年　庚午）

春

贾谊或于此年作《旱云赋》。按，贾赋云"惟昊天之大旱兮，失精和之正理"，《汉书·文帝纪》卷四云"（前元）九年春，大旱"，疑贾赋作于此年。

是年

孔臧嗣蓼侯。（《汉书·高惠高后文功臣表》卷十六）孔臧（？—？），鲁陬邑（今山东曲阜）人。孔子后裔，蓼侯孔聚之子。少以才博知名。嗣蓼侯，后迁太常，以罪免官。或云曾为御史大夫。（《汉书·高惠高后文功臣表》卷十六、《汉书·百官公卿表》卷十九下、《文选·两都赋》卷一李注引《孔臧集》）《汉书·艺文志》卷三十："《太常蓼侯孔臧》十篇。父聚，高祖时以功臣封，臧嗣爵。……太常蓼侯孔臧赋二十篇。"《孔丛子·连丛》收其《谏格虎赋》《杨柳赋》《鸮赋》《蓼虫赋》，或疑其伪作。

公元前 170 年　（汉文帝刘恒前元十年　辛未）

是年

晁错三十一岁，或于此年上书言"愿陛下幸择圣人之术可用今世者，以赐皇太子"；拜太子家令。按，《汉书·晁错传》卷四十九云"又上书言……上善之，于是拜错为太子家令"，年月未详，姑定在上《言兵事疏》之年前一年。

公元前 169 年　（汉文帝刘恒前元十一年　壬申）

六月

贾谊作《请封建子弟疏》《益壤》《权重》；文帝从其言。（《汉书·贾谊传》卷四十八、《资治通鉴》卷十五）按，《益壤》《权重》二文语多同《请封建子弟疏》，疑本为一篇。

晁错上《言兵事疏》。（《汉书·晁错传》卷四十九、《资治通鉴》卷十五）

汉文帝嘉许晁错，赐玺书宠答。（《汉书·晁错传》卷四十九、《资治通鉴》卷十五）

晁错又上《守边备塞、劝农力本疏》，文帝从其言，募民徙塞下。（《汉书·晁错传》卷四十九、《资治通鉴》卷十五）

晁错复上徙民之策；以其辩得幸太子，太子家号曰"智囊"。（《汉书·晁错传》卷四十九、《资治通鉴》卷十五）

公元前 168 年　（汉文帝刘恒前元十二年　癸酉）

三月

晁错上《贵粟疏》。（《汉书·晁错传》卷四十九、《资治通鉴》卷十五）

文帝从晁错之言，令民入粟于边。（《汉书·晁错传》卷四十九、《资治通鉴》卷十五）

晁错复奏言"勿收农民租"。（《汉书·晁错传》卷四十九、《资治通鉴》卷十五）

文帝复从晁错之言，下诏减税除税。（《汉书·晁错传》卷四十九、《资治通鉴》卷十五）贾谊作《一通》。按，《一通》云"罢关，一通天下，无以区区独有关中者"，《汉书·文帝纪》卷四谓"（前元十二年）三月，除关"，则《一通》作于此时。

秋

贾谊忧死，年三十三（前200—前168）。按，《汉书·贾谊传》卷四十八云："梁王胜坠马死，谊自伤为傅无状，常哭泣，后岁余，亦死。贾生之死，年三十三矣。"《汉书·文帝纪》卷四谓"（前元十一年）夏六月，梁王揖薨"，《史记·梁孝王世家》卷五十八《索隐》云"《汉书》梁王名揖，盖是矣。按，景帝子中山靖王名胜，是《史记》误耳"，梁王刘揖去岁六月卒，则贾谊当卒于此年秋。

是年

刘武徙封梁王。（《汉书·梁孝王武传》卷四十七）

民间有《淮南王歌》。（《史记·淮南列传》卷一百一十八）按，《资治通鉴》卷十五或以淮南王刘长前元六年卒故，系于前元七年，今从《史记》。

公元前 167 年　（汉文帝刘恒前元十三年　甲戌）

二月

张苍等上书《奏议除肉刑》。（《汉书·刑法志》卷二十三、《资治通鉴》卷十五）

公元前 166 年　（汉文帝刘恒前元十四年　乙亥）

是年

张苍约九十一岁，罢鲁人公孙臣"汉土德说"。（《史记·张丞相列传》卷九十六、《资治通鉴》卷十五）

公元前 165 年　（汉文帝刘恒前元十五年　丙子）

春

张苍以罢公孙臣"汉土德说"而自黜，谢病称老。（《史记·张苍列传》卷九十六、《资治通鉴》卷十五）

九月

诏举贤良能直言极谏者，文帝亲策之。（《汉书·文帝纪》卷四）

晁错对策高第，擢为中大夫；复上言宜削诸侯及法令可更定者，书凡三十篇，文帝奇其才。（《汉书·晁错传》卷四十九、《资治通鉴》卷十五）

公元前 164 年　（汉文帝刘恒前元十六年　丁丑）

四月

文帝使博士诸生采六经文作王制，议巡狩封禅事。（《史记·封禅书》卷二十八、《资治通鉴》卷十五）

刘安封淮南王。（《汉书·淮南王传》卷四十四、《资治通鉴》卷十五）

淮南王群臣作赋《内书》《外书》《中篇》等。《汉书·艺文志》卷三十："淮南王群臣赋，四十四篇。"《汉书·淮南王传》卷四十四："招致宾客方术之士数千人，作《内书》二十一篇，《外书》甚众，又有《中篇》八卷，言神仙黄白之术，亦二十余万言。"按，刘安王淮南四十二年，养士数千人，所作文、赋甚多，其详难考，姑系刘安始王之年。

淮南小山或于此年作《招隐士》。王逸《楚辞章句·招隐士》卷十二："《招隐士》者，淮南小山之所作也。昔淮南王博雅好古，招怀天下俊伟之士，自八公之徒，咸慕其德，而归其仁，各竭才智，著作篇章，分造辞赋，以类相从。故或称小山，或称大山，其义犹《诗》有小雅、大雅也。小山之徒闵伤屈原，又怪其文升天乘云，役使百神，似若贤者，虽身沉没，名德显闻，与隐处山泽无异。故作《招隐士》之赋，以章其志也。"按，作年未详，姑系于刘安始王之年。淮南小山（？—？），不详其人。

司马谈约生于此年（前 164?—前 110）。按，生年不详，未闻司马迁有兄弟，姑以司马谈弱冠得子，则或生于此年。司马谈，夏阳（今陕西韩城）人。司马迁父。学天官于唐都，受易于杨何，习道论于黄子。汉武帝朝，任太史丞，转太史令。著有《论六家之要指》。（《史记·太史公自序》卷一百三十）

刘偃为杨丘侯（阳丘侯）。（《汉书·王子侯表》卷十五上）刘偃（?—?），沛（今江苏沛县）人。刘邦曾孙。袭父爵为杨丘侯（阳丘侯），坐出国界罪，贬为司寇。（《汉书·王子侯表》卷十五上）《汉书·艺文志》卷三十："杨丘侯刘偃赋十九篇。"

刘辟彊生（前 164—前 84）。按，《汉书·楚元王传》卷三十六谓其始元二年（前 85）拜光禄大夫，称其"时年已八十矣"，由此知其生于此年。刘辟彊，字少卿，沛（今江苏沛县）人，好读《诗》，能属文。武帝时，以宗室子随二千石论议，冠诸宗室。清静少欲，常以书自娱，不肯仕。昭帝即位，为光禄大夫，守长乐卫尉。徙为宗正，数月卒。（《汉书·刘辟彊传》卷三十六）《汉书·艺文志》卷三十："宗正刘辟彊赋八篇。"

公元前 163 年 （汉文帝刘恒后元元年 戊寅）

是年

文帝更十七年为元年。（《史记·孝文本纪》卷十）

公元前 162 年 （汉文帝刘恒后元二年 己卯）

八月

张苍免丞相。（《史记·张丞相列传》卷九十六、《汉书·百官公卿表》卷十九下）

是年

严忌约五十岁，与邹阳、枚乘同去吴之梁；作《哀时命》。《汉书·邹阳传》卷五十一："是时，景帝少弟梁孝王贵盛，亦待士。于是邹阳、枚乘、严忌知吴不可说，皆去之梁，从孝王游。"按，说见下条。又，王逸《楚辞章句》卷十四注云："《哀时命》者，严夫子之所作也。夫子名忌，与司马相如俱好辞赋。客游于梁，梁孝王甚奇重之。忌哀屈原受性忠贞，不遭明君，而遇暗世，斐然作辞，叹而述之，故曰'哀时命'。"王逸意，严作似作于客吴时期，确年不详，姑系于此。

邹阳约四十九岁，作《上吴王书》；吴王不纳，去吴之梁。《汉书·邹阳传》卷五十一："久之，吴王以太子事怨望，称疾不朝，阴有邪谋，阳奏书谏。为其事尚隐，恶指斥言，故先引秦为谕，因道胡、越、齐、赵、淮南之难，然后乃致其意。……吴王不内其言。是时，景帝少弟梁孝王贵盛，亦待士。于是邹阳、枚乘、严忌知吴不可说，皆去之梁，从孝王游。"按，邹书有语云："臣恐周鼎复起于汉，新垣过计于朝，则我吴遗嗣，不可期于世矣。"《史记·孝文本纪》卷十文帝十七年（即后元元年）载有新垣平以诈言水欲出周鼎等事被夷三族，邹书之作必在文帝后元元年后。又，《汉书·荆

27

燕吴传》卷三十五载,文帝为化解吴王刘濞的杀子之怨,乃"皆赦吴使者归之,而赐吴王几杖,老,不朝。吴得释,其谋亦益解。然其居国以铜盐故,百姓无赋。卒践更,辄予平贾。岁时存问茂材,赏赐闾里,它郡国吏欲来捕亡人者,颂共禁不与。如此者三十余年"。据《汉书·诸王侯表》卷十四,刘濞于高祖十二年二十岁时封吴王,以此知其明年五十四岁;设若明年文帝"赐吴王几杖,老,不朝",五十三岁当"老",似合;而且,刘濞至明年为王三十四年,与"如此者三十余年"亦不牴牾。然则此年当系吴王反心未解、邹阳上书之时。

枚乘约四十八岁,作《谏吴王书》;吴王不纳,亦去吴,从梁孝王游。《汉书·枚乘传》卷五十一:"吴王之初怨望谋为逆也,乘奏书谏曰……吴王不纳。乘等去而之梁,从孝王游。"按,《邹阳传》谓邹阳、枚乘、严忌"俱仕吴"、同去吴之梁,疑此书与邹书为同时之作。

公元前 161 年　（汉文帝刘恒后元三年　庚辰）

是年

东方朔生（前 161—前 90?）。按,关于东方朔的生年,学界多采传汉郭宪所作《洞冥记》之说,即所谓"朔生三日,而田氏死,时景帝三年（前 154）也",然此乃小说家言,无足凭信。《汉书·东方朔传》卷六十五云:"武帝初即位,征天下举方正贤良文学材力之士……朔初来,上书曰:'……臣朔年二十二。'""武帝初即位",当指建元元年（前 140）;《汉书·武帝纪》卷六称（建元元年十月）"诏……举贤良方正直言极谏之士",与《东方朔传》所谓"举方正贤良文学材力之士"盖为同义语。此年东方朔自云二十二岁,则应生于文帝后元三年。东方朔,字曼倩,平原厌次（今山东惠民）人。武帝初即位,文辞不逊,高自称誉,汉武帝伟之,令待诏公车。以善于诙谐、射覆,赢得武帝欢心,以为常侍郎。后拜朔为太中大夫给事中,一度免为庶人,复为中郎。虽位同俳优,然时观察颜色,直言切谏。曾"自讼独不得大官,欲求试用。其言专商鞅、韩非之语也,指意放荡,颇复诙谐,辞数万言,终不见用。朔因著论,设客难己,用位卑以自慰谕",是为《答客难》;又有《非有先生论》。"以好古传书,爱经术,多所博观外家之语"。其"文辞,此二篇最善。其余《封泰山》《责和氏璧》及《皇太子生禖》《屏风》《殿上柏柱》《平乐观赋猎》,八言、七言上下,《从公孙弘借车》,凡刘向所录朔书具是矣。世所传他事皆非也"。（《史记·滑稽列传》卷一百二十六褚先生补、《汉书·东方朔传》卷六十五）《汉书·艺文志》卷三十:"《东方朔》二十篇。"《隋书·经籍志》卷三十三:"《东方朔传》八卷。……《十洲记》一卷东方朔撰。《神异经》一卷东方朔撰,张华注。"同书卷三十四:"《东方朔岁占》一卷。……《东方朔占》二卷。《东方朔书》二卷。《东方朔书钞》二卷。《东方朔历》一卷。《东方朔占候水旱下人善恶》一卷。……梁有……《东方朔占》七卷。"同书卷三十五:"汉太中大夫《东方朔集》二卷。"张溥辑有《东方大中集》。张溥:"东方曼倩求大官不得,始设《客难》;扬子云草《太玄》,乃作《解嘲》。学者争慕效之,假主客遣抑郁者,篇章迭见,无当玉厄,世亦颇厌观之,其体不尊,同于游戏。然二文初立，词锋竞起，以苏、张为输攻，以荀、邹为墨守，作者之心，寔命奇伟，随者自贫，彼不任咎，未可薄'连珠'而笑士衡，鄙'七体'而讥枚叔也。曼倩《别传》，多神怪，不足尽信；即史书所记，拔剑割肉，醉遗殿上，射覆隐语，榜楚舍人，侏儒徘优，其迹相近。及谏起上林，面责董偃，正言岳岳，汲长孺犹病不如，何况公孙丞相以下。《诫子》一诗，义包《道德》两篇，其藏身之智具焉，而世皆不知，汉武叹其岁星，刘向次于《列仙》事，或有之，非此浮沉，莫行直谏，事雄主，其诚难哉！"（《汉魏六朝百三家集·东方大中集题词》）

公元前 160 年 （汉文帝刘恒后元四年 辛巳）

是年

公孙弘四十岁，约于此年学《春秋》杂说。按，《史记·平津侯列传》卷一百一十二云"年四十馀，乃学《春秋》杂说"，"年四十余"非确指，姑系于此。

公元前 159 年 （汉文帝刘恒后元五年 壬午）

是年

枚乘约五十一岁，在梁娶枚皋母为小妻，生子（枚皋）。按，《汉书·枚皋传》卷五十一云"乘在梁时，取皋母为小妻"，枚皋此年生。

枚皋生（前159—前106?）。按，《汉书·枚皋传》卷五十一云"年十七，上书梁共王，得召为郎。三年，为王使"，"三年"指梁恭（共）王三年，据《汉书·诸侯王表》卷十四，刘武子刘买景帝后元元年（前143）嗣为梁王，梁共王三年为景帝后元三年（前141），然则枚皋年十七或在梁共王元年，或在梁共王二年，二者必居其一。一般而言，如梁共王二年枚皋十七岁，则次年事往往会以"明年"示之，故以梁共王元年枚皋十七岁为宜。若此，则枚皋生于此年。枚皋，字少孺，淮阴（今属江苏）人。枚乘庶子。年十七，为梁国郎。后以罪逃长安，会赦，上书自称枚乘子，召见作赋后拜为郎，使匈奴。"不通经术，诙笑类俳倡，为赋颂好嫚戏，以故得媟黩贵幸"。曾为皇太子生作《立皇子禖祝》，为卫皇后立奏赋以戒终；从武帝巡狩、封禅、射猎、游观、塞决河等，武帝有感，辄奉诏赋之。"为文疾，受诏辄成，故所赋者多"。其"赋辞中自言为赋不如相如，又言为赋乃俳，见视如倡，自悔类倡也。故其赋有诋娸东方朔，又自诋娸。其文骫骳，曲随其事，皆得其意，颇诙笑，不甚闲靡。凡可读者百二十篇，其尤嫚戏不可读者尚数十篇"。（《汉书·枚皋传》卷五十一）《汉书·艺文志》卷三十："枚皋赋百二十篇。"

吾丘寿王约于此年生（前159?—前112?）。按，生年未详，《汉书·吾丘寿王传》卷六十四上云"年少，以善格五召待诏"，姑以弱冠当"年少"，其建元元年（前140）待诏，则约生于此年。吾丘寿王，字子赣（《文选·两都赋序》卷一作"虞丘寿王"，李注引《汉书》云"字子贡"），赵（今山西）人。年少，以善格五召待诏。奉诏从董仲舒受《春秋》，高才通明。迁侍中中郎，坐法免。复召为郎，迁东郡都尉，征入为光禄大夫侍中。善言能赋。（《汉书·吾丘寿王传》卷六十四上）《汉书·艺文志》卷三十："《吾丘寿王》六篇。……吾丘寿王赋十五篇。"《隋书·经籍志》卷三十五："梁有汉光禄大夫《吾丘寿王集》二卷，亡。"

公元前 158 年　（汉文帝刘恒后元六年　癸未）

韩婴约于此年为博士。《汉书·儒林传》卷八十八云"孝文时为博士"，年月未详，韩婴年龄似与董仲舒相若，为博士或略在董氏之前，姑系于此。韩婴（？—前104?），亦称韩生，燕（今河北）人。汉文帝时为博士，景帝时至常山王太傅。武帝时，与董仲舒论于帝前，其人精悍，处事分明，仲舒不能难。通《诗经》，开汉四家诗"韩诗"学派，得立于学官。"推诗人之意，而作内、外《传》数万言，其语颇与齐、鲁间殊，然归一也"。亦"推《易》意而为之传"，然传之者少。（《汉书·儒林传》卷八十八）《汉书·艺文志》卷三十："《韩故》，三十六卷。"按，王先谦《汉书补注》谓"此韩婴自为本经训故，以别于内、外《传》者，故志首列之"。《隋书·经籍志》卷三十二："《韩诗》二十二卷，汉常山太傅韩婴，薛氏章句。"

公元前 157 年　（汉文帝刘恒后元七年　甲申）

六月

孝文帝崩，太子刘启即位，是为汉景帝。（《史记·孝文本纪》卷十）

是年

董仲舒三十六岁，于乡里教授生涯终。《史记·儒林列传》卷一百二十一："下帷讲诵，弟子传以久次相受业，或莫见其面，盖三年董仲舒不观于舍园，其精如此。进退容止，非礼不行，学士皆师尊之。"按，史汉本传均叙此事于"景帝时为博士"与"武帝即位"之间，为博士后不应再在故里教授，当是文帝年间事。

公元前 156 年　（汉景帝刘启前元元年　乙酉）

十月

祭文帝庙定用《昭德舞》。（《汉书·景帝纪》卷五）

五月

晁错为内史。（《史记·晁错列传》卷一百零一、《资治通鉴》卷十五）按，《汉书·百官公卿表》卷十九下作"左内史"。

是年

韦孟约七十岁，作《风谏诗》；蒙景帝恩准致仕，率门徒移居邹。按，考《在邹诗》有"悬车之义，以洎小臣"语，《汉书·韦贤传》颜注引应劭曰"古者七十悬车

"致仕"，则其去刘戊时乃古稀之年；《汉书·楚元王传》卷三十六云："王戊稍淫暴，二十年，为薄太后服私奸，削东海、薛郡，乃与吴通谋。二人（指白生、申公）谏，不听，胥靡之，衣之赭衣，使杵臼碓春于市。休侯使人谏王，王曰：'季父不吾与，我起，先取季父矣。'休侯惧，乃与母太夫人奔京师。二十一年春，景帝之三年也，削书到，遂应吴王反。其相张尚、太傅赵夷吾谏，不听。遂杀尚、夷吾。""二十年（景帝前元二年）"，劝谏刘戊者为申公、白生、休侯刘富，"二十一年"，劝谏刘戊者为楚相张尚、太傅赵夷吾，疑韦孟二十年以前致仕，姑定在楚王刘戊十九年即汉景帝前元元年（前 156）悬车致仕，并作诗以讽。其《在邹诗》云"我之退征，请于天子。天子我恤，矜我发齿。……悬车之义，以洎小臣"，又云"祁祁我徒，戴负盈路"，即景帝准其致仕、携徒而去。

辕固约六十七岁，为博士；与黄生争论汤武革桀纣命是否为"弒"。 按，《史记·儒林列传》卷一百二十一云"以治《诗》，景帝时为博士。与黄生争论景帝前"，姑定在景帝前元元年。按，辕固，汉武帝元光五年（前 130）举贤良时年九十余，姑以九十三计，则约生于秦始皇二十五年（前 222）。辕固（前 222？—？），亦称辕固生，齐（今山东北部）人。景帝时，以治《诗》为博士。窦太后召问《老子》，以所答不称心，罚其"入圈刺豕"。景帝以其廉直，拜为清河王太傅，后以病免。武帝时以贤良征，老而罢之。所治开汉四家诗齐诗学派，"自是之后，齐言诗皆本辕固生也。诸齐人以诗显贵，皆固之弟子也"。（《史记·儒林列传》卷一百二十一）《汉书·艺文志》卷三十："鲁申公为《诗》训故，而齐辕固、燕韩生皆为之传。"《隋书·经籍志》卷三十二："鲁申公为《诗》训故，而齐辕固、燕韩生皆为之传。"

董仲舒三十七岁，或于此年为博士。 按，《史记·儒林列传》卷一百二十一云"以治《春秋》，孝景时为博士"，年月未详，姑系于此。

司马相如十八岁，以赀为郎；转武骑常侍。 按，《汉书·司马相如传》卷五十七上云"以赀为郎，事孝景帝，为武骑常侍"，"为郎"及为武骑常侍似在汉景帝时，姑系是年；此为相如初为官，依汉代不成文法，男儿一般十八岁走上仕途，姑定此年相如十八岁。

刘彻生（前 156—前 87）。（《史记·孝武本纪》卷十二《集解》引张晏注）刘彻，即汉武帝，沛（今江苏沛县）人。汉景帝中子。四岁立为胶东王，七岁为皇太子。十六岁即皇帝位，五十四年后崩。在位期间，好儒喜文，罢黜百家，表章《六经》。广招文士，建立乐府，协音律，作诗乐。号令文章，焕焉可述。作《秋风辞》《瓠子歌》《李夫人赋》等。（《汉书·武帝纪》卷六）《汉书·艺文志》卷三十："上所自造赋二篇。"《隋书·经籍志》卷三十五："《汉武帝集》一卷，梁二卷。"

公元前 155 年 （汉景帝刘启前元二年 丙戌）

三月

刘德立为河间王。《汉书·河间献王德传》卷五十三："河间献王德以孝景前二年立，修学好古，实事求是。从民得善书，必为好写与之，留其真，加金帛赐以招之。

缘是四方道术之人不远千里，或有先祖旧书，多奉以奏献王者，故得书多，与汉朝等。是时，淮南王安亦好书，所招致率多浮辩。献王所得书皆古文先秦旧书，《周官》《尚书》《礼》《礼记》《孟子》《老子》之属，皆经传说记，七十子之徒所论。其学举六艺，立《毛氏诗》《左氏春秋》博士。修礼乐，被服儒术，造次必于儒者。山东诸儒多从而游。"刘德（？—前130），沛（今江苏沛县）人。汉景帝子。封河间王。为王二十六年，卒谥"献"。为人修学好古，实事求是，"经术通明，积德累行，天下雄俊众儒皆归之"（《史记·五宗世家》卷五十九《集解》引《汉名臣奏》）。宗儒学，尚六艺，立《毛氏诗》《左氏春秋》博士。嗜搜求古籍，尤爱古文先秦旧书。所搜集、保存、贡献的古籍对汉代文学的发展起到了促进作用。（《汉书·河间献王德传》卷五十三）《汉书·礼乐志》卷二十二："河间献王采礼乐古事，稍稍增辑，至五百余篇。……河间献王有雅材，亦以为治道非礼乐不成，因献所集雅乐。"《汉书·艺文志》卷三十："有毛公之学，自谓子夏所传，而河间献王好之，未得立（于学官）。……河间献王好儒，与毛生等共采《周官》及诸子言乐事者，以作《乐记》，献八佾之舞，与制氏不相远。……《河间周制》十八篇。似河间献王所述也。……河间献王《对上下三雍宫》三篇。"《隋书·音乐志》卷十三："河间献王与毛生等，共采《周官》及诸子言乐事者，以作《乐记》。"《隋书·经籍志》卷三十二："汉初，有高堂生传十七篇，又有古经，出于淹中，而河间献王好古爱学，收集余烬，得而献之，合五十六篇，并威仪之事。而又得《司马穰苴兵法》一百五十五篇，及《明堂阴阳》之记，并无敢传之者。唯古经十七篇与高堂生所传不殊，而字多异。……而汉时有李氏得《周官》。《周官》盖周公所制官政之法，上于河间献王，独阙《冬官》一篇。献王购以千金不得，遂取《考工记》以补其处，合成六篇奏之。……河间献王又得仲尼弟子及后学者所记一百三十一篇献之，时亦无传之者。"

六月

丞相申屠嘉嫉恨晁错，欲以其穿宗庙垣事请诛之；晁错受文帝袒护，反愈贵幸。（《史记·申屠嘉列传》卷九十六、《资治通鉴》卷十五）

八月

晁错迁御史大夫。（《史记·晁错列传》卷一百零一、《汉书·百官公卿表》卷十九下）

是年

韦孟约七十一岁，于邹筑室定居，作《在邹诗》；后卒（前225？—前155以后）。按，韦诗有"爰戾于邹，鬎茅作堂。我徒我环，筑室于墙"语，其去岁去楚，筑室、定居、作诗，姑系此年。韦孟此后事无考，卒年亦不详。《汉书·韦贤传》卷七十三又云"或曰其子孙好事，述先人之志而作是诗也"。

申培约六十七岁，因谏楚王刘戊反，受腐刑，耻而归鲁，治《诗》授徒。《汉书·楚元王传》卷三十六："王戊稍淫暴，二十年，为薄太后服私奸，削东海、薛郡，乃与吴通谋。二人（按，指申培、白生）谏，不听，胥靡之，衣之赭衣，使杵臼碓舂于市。"《汉书·儒林传》卷八十八："胥靡申公。申公愧之，归鲁退居家教，终身不出门。复谢宾客，独王命召之乃往。弟子自远方至受业者千余人。"按，楚王刘戊二十年，乃景帝前元二年。

毛公，为河间王刘德博士。按，《汉书·儒林传》卷八十八云"治《诗》，为河间献王博士"，年月未详，姑系于刘德始王之年。毛公（？—？），名未详，赵人。开汉四家诗"毛诗"学派。（《汉书·儒林传》卷八十八）《汉书·艺文志》卷三十："《毛诗故训传》，三十卷。"按，王先谦《汉书补注》谓"古经传皆别行，毛作《诗传》，取二十八卷之经，析邶、鄘、卫为三卷，故为三十卷也"。关于"毛公"，其说不一，或云大毛公为毛亨，鲁人，一说赵人；小毛公为毛苌，官至北海太守，赵人。《汉书·艺文志》卷三十："汉兴，鲁申公为《诗》训故，而齐辕固、燕韩生皆为之传。或取《春秋》，采杂说，咸非其本义。与不得已，鲁最为近之。三家皆列于学官。又有毛公之学，自谓子夏所传，而河间献王好之，未得立。"《隋书·经籍志》卷三十二："汉初，有鲁人申公，受《诗》于浮丘伯，作诂训，是为《鲁诗》。齐人辕固生亦传《诗》，是为《齐诗》。燕人韩婴亦传《诗》，是为《韩诗》。终于后汉，三家并立。汉初，又有赵人毛苌善《诗》，自云子夏所传，作《诂训传》，是为《毛诗》古学，而未得立。后汉有九江谢曼卿，善《毛诗》，又为之训。东海卫敬仲，受学于曼卿。先儒相承，谓之《毛诗》。《序》，子夏所创，毛公及敬仲又加润益。郑众、贾逵、马融，并作《毛诗传》，郑玄作《毛诗笺》。《齐诗》，魏代已亡；《鲁诗》亡于西晋；《韩诗》虽存，无传之者。唯《毛诗郑笺》，至今独立。又有《业诗》，奉朝请业遵所注，立义多异，世所不行。"永瑢等："《汉书·艺文志》，《毛诗》二十九卷，《毛诗故训传》三十卷。然但称毛公，不著其名。《后汉书·儒林传》始云赵人毛长传《诗》，是为《毛诗》，其'长'字不从'艸'。《隋书·经籍志》载《毛诗》二十卷，汉河间太守毛苌传，郑氏笺，于是诗传始称'毛苌'。然郑玄《诗谱》曰：'鲁人大毛公为训诂，传于其家，河间献王得而献之，以小毛公为博士'。陆玑《毛诗草木虫鱼疏》亦云'孔子删诗，授卜商；商为之序，以授鲁人曾申；申授魏人李克；克授鲁人孟仲子；仲子授根牟子；根牟子授赵人荀卿；荀卿授鲁国毛亨；毛亨作《训诂传》，以授赵国毛苌。时人谓亨为大毛公，苌为小毛公。'据是二书，则作传者乃毛亨，非毛苌也。故孔氏《正义》亦云'大毛公为其传，由小毛公而题毛也'。……今参稽众说，定作者为毛亨。"（《四库全书总目》卷十五）

董仲舒三十八岁，作《五行对》。按，董氏《春秋繁露·五行对》卷十云"河间献王问温城董君曰"，年月未详，姑系于刘德始王河间之年。

孔子故宅坏壁出《古文尚书》《礼记》《论语》《孝经》凡数十篇，皆古文。《汉书·艺文志》卷三十："武帝末，鲁共王坏孔子宅，欲以广其宫，而得《古文尚书》《礼记》《论语》《孝经》凡数十篇，皆古文也。"按，据《汉书·诸侯王表》卷十四，刘余景帝前元二年徙王鲁，二十八年薨；《汉书·鲁恭王余传》卷五十三谓景帝前元三年徙王鲁，薨年同。刘余卒年当武帝元朔元年（前128）或二年，其时武帝即位方十三年，不得云"武帝末"。刘余本传又云"以孝景前三年徙王鲁。好治宫室、苑囿、狗马，季年好音，不喜辞。……恭王初好治宫室，坏孔子旧宅以广其宫"，然则其坏孔子宅、得古文书实乃初王鲁时事，姑系于此。

公元前154年　（汉景帝刘启前元三年　丁亥）

冬

晁错言楚王刘戊往年为薄太后服，私奸服舍，请诛之。（《汉书·荆燕吴传》卷三十五）

正月，晁错父怨晁错"侵削诸侯、疏人骨肉"而致晁氏危，饮药死。（《史记·晁错列传》卷一百零一、《资治通鉴》卷十六）

吴、楚七国以诛晁错为名，发兵反。（《汉书·景帝纪》卷五、《资治通鉴》卷十六）

丁宽为梁国将军，抗击吴、楚。（《汉书·儒林传》卷八十八）丁宽（？—？），字子襄，梁（今河南开封一带）人。从田何受《易》，学成，田何谓门人曰："《易》以东矣。"至雒阳，复从周王孙受古义，号《周氏传》。景帝时，为梁孝王将军，距吴、楚，号丁将军。作《易说》三万言，今《小章句》是也。（《汉书·儒林传》卷八十八）

吴使者至淮南约刘安反，刘安欲发兵策应吴，以城守不听命而未果。（《汉书·淮南王传》卷四十四）

晁错与景帝谋划平七国策，欲以景帝亲自将兵而自己守城。（《汉书·晁错传》卷四十九、《资治通鉴》卷十六）

晁错欲告爰盎多受吴王金钱，庇护吴王反情，犹豫未发。（《汉书·爰盎传》卷四十九、《资治通鉴》卷十六、《资治通鉴》卷十六）

爰盎恐晁错先告状，抢先见景帝，献计急斩晁错以谢天下。（《汉书·爰盎传》卷四十九、《资治通鉴》卷十六）

陶青等劾奏晁错当斩，景帝曰"可"。（《汉书·晁错传》卷四十九、《资治通鉴》卷十六）

晁错，衣朝衣被腰斩于长安东市，年四十七（前200—前154）。（《汉书·景帝纪》卷五）

枚乘作《重谏吴王书》。（《汉书·枚乘传》卷五十一）

二月

枚乘为弘农都尉。《汉书·枚乘传》卷五十一："吴王不用乘策，卒见禽灭。汉既平七国，乘由是知名。景帝召拜乘为弘农都尉。"按，《汉书·景帝纪》卷五谓此年二月破七国。

六月

刘胜封中山王。（《汉书·景帝纪》卷五、《汉书·诸侯王表》卷十四）刘胜（？—前113），沛（今江苏沛县）人。汉景帝子。封中山王。为人乐酒好内，有子百二十余人。为王四十二年卒，谥靖。（《汉书·中山靖王胜传》卷五十三）《西京杂记》卷六收其《文木赋》。

孔安国约生于此年（前154？—前105？）。按，《史记·孔子世家》卷四十七谓"安国为今皇帝博士，至临淮太守，蚤卒"，司马迁《史记·太史公自序》谓其书所记"至太初而讫"，则孔安国当卒于武帝太初元年（前104）以前。既谓"蚤卒"，其寿恐不甚长，姑定其春秋五十，则约生于景帝前元三年（前154）。孔安国，孔子十一世孙，鲁国陬邑（今山东曲阜）人。武帝时，为博士、谏大夫、侍中，迁临淮太守。通《尚书》。传鲁恭王坏孔子旧宅，于壁中得古文《尚书》，孔安国以今文读之，遂开《尚书》古文学派。传《尚书孔传》出自其手，或云为托其名。（《史记·孔子世家》卷四十七、《汉书·儒林传》卷八十八、《汉书·孔光传》卷八十一）《汉书·艺文志》卷三十："《古文尚书》者，出孔子壁中。武帝末（按，当为景帝初），鲁共王坏孔子宅，欲以广其宫。而得《古文尚书》及《礼记》《论语》《孝经》凡数十篇，皆古字也。共王往入其宅，闻鼓琴瑟钟磬之音，于是惧，乃止不坏。孔安国者，孔子后也，悉得其书，以考二十九篇，得多十六篇。安国献之。"《隋书·经籍志》卷三十二："《古文尚书》十三卷，汉临淮太守孔安国传。《今字尚书》十四卷，孔安国传。……梁有《尚书音》五卷，孔安国等撰。……《古文孝经》一卷孔安国传。梁末亡逸，今疑非古本。……又有古《论语》，与《古文尚书》同出，章句烦省，与《鲁论》不异，唯分《子张》为二篇，故有二十一篇。孔安国为之传。"永瑢等："《尚书正义》二十卷，旧本题汉孔安国撰。其书至晋豫章内史梅赜始奏于朝。唐贞观十六年孔颖达等为之疏，永徽四年长孙无忌等又加刊定。孔传之依托，自朱子以来递有论辩，至国朝阎若璩作《尚书古文疏证》，其事愈明。其灼然可据者，梅鷟《尚书考异》攻其注《禹贡》'瀍水出河南北山'一条，'积石山在金城西南羌中'一条，地名皆在安国后。朱彝尊《经义考》攻其注《书序》'东海驹骊、扶余馯貊之属'一条，谓驹骊王朱蒙至汉元帝建昭二年始建国，安国武帝时人，亦不及见。若璩则攻其注《泰誓》'虽有周亲不如仁人'，与所注《论语》相反。又安国传有《汤誓》，而注《论语》'予小子履'一节乃以为墨子所引《汤誓》之文，皆证佐分明，更无疑义。至若璩谓定从孔传，以孔颖达之故，则不尽然。考《汉书·艺文志》叙《古文尚书》但称'安国献之，遭巫蛊事，未立于学官，'不云作传。而《经典释文》'叙录'乃称《艺文志》云'安国献《尚书传》，遭巫蛊事，未立于学官，'始增入一'传'字，以证实其事。又称今以孔氏为正，则定从孔传者乃陆德明，非自颖达。惟德明于《舜典》下注云，孔氏传亡《舜典》一篇，时以王肃注颇类孔氏，故取王注从'慎徽五典'以下为《舜典》，以续孔传。又云，'曰若稽古帝舜曰重华协于帝'十二字，是姚方兴所上，孔氏传本无。阮孝绪《七录》亦云，方兴本或此下更有'濬哲文明温恭允塞玄德升闻乃命以位'凡二十八字，异聊出之，于王注无施也，则开皇中虽增入此文，尚未增入孔传中，故德明云尔。今本二十八字，当为颖达增入耳。梅赜之时，去古未远，其传实据王肃之注而复益以旧训，故《释文》称王肃亦注今文，所解大与古文相类，或肃私见孔传而秘之乎？此虽以末为本，未免倒置，亦足见其根据古义，非尽无稽矣。颖达之疏，晁公武《读书志》谓因梁费甝疏广之，然颖达原序称为正义者，蔡大宝、巢猗、费甝、顾彪、刘焯、刘炫六家，而以刘焯、刘炫、最为详雅，其书实因二刘，非因费氏。公武或以《经典释文》所列义疏仅甝一家，故云然欤？《朱子语录》谓'五经疏'《周礼》最好，《诗》《礼记》次之，《易》《书》为下，其言良允。然名物训故究赖之以有考，亦何可轻也。"（《四库提要》卷十一）

公元前153年 （汉景帝刘启前元四年 戊子）

是年

枚乘约五十七岁，不乐郡吏，以病去官，复游梁，于梁客中辞赋最高；作《柳赋》《梁王菟园赋》。《汉书·枚乘传》卷五十一："乘久为大国上宾，与英俊并游，得其所好，不乐郡吏，以病去官。复游梁，梁客皆善属辞赋，乘尤高。"按，年月未详，枚乘去岁为弘农都尉，不以此为乐，当在职时短，姑系于此。又，《西京杂记》卷四以"梁孝王忘忧馆时豪七赋"为题，收枚乘《柳赋》、路乔如《鹤赋》、公孙诡《文鹿赋》、邹阳《酒赋》、公孙乘《月赋》、羊胜《屏风赋》、邹阳《几赋》，观题意，似为同时同地（梁王忘忧馆）之作。是书谓枚乘赋柳得赐绢五匹；《梁王菟园赋》题中称"梁王"，似亦作于客梁时。然二赋论者或疑为伪作。

公孙诡初至梁，得赐千金；梁孝王欲以为内史，窦太后未准；遂为中尉。按，《汉书·韩安国传》卷五十二云"内史之缺也，王新得齐人公孙诡，说之，欲请为内史。窦太后闻，乃诏王以安国为内史"，按，《汉书·梁孝王武传》卷四十七云："明年……于是孝王筑东苑，方三百余里，广睢阳城七十里，大治宫室，为复道，自宫连属于平台三十余里。得赐天子旌旗，从千乘万骑，出称警，入言跸，拟于天子。招延四方豪桀，自山东游士莫不至：齐人羊胜、公孙诡、邹阳之属。公孙诡多奇邪计，初见日，王赐千金，官至中尉，号曰公孙将军。""明年"指平七国之乱之次年，即景帝前元四年。据《汉书·韩安国传》卷五十二，去岁梁抗吴时，韩安国以中大夫为将，顶公孙诡为内史当在此年。公孙诡（？—前153），齐（今山东北部）人。为人诡计多端。仕梁，官至中尉，号"公孙将军"。为梁孝王嗣帝位，出谋刺杀爰盎等大臣十余人，后受命自杀。（《史记·韩长孺传》卷一百零八、《汉书·梁孝王武传》卷四十七）《西京杂记》卷四收其《文鹿赋》。

羊胜亦初至梁。（《汉书·梁孝王武传》卷四十七）羊胜（？—前153），齐（今山东北部）人。与公孙诡同时至梁，得梁孝王宠信。为梁孝王嗣帝位，出谋刺杀爰盎等十余人。事败，受命自杀。（《汉书·梁孝王武传》卷四十七）《西京杂记》卷四收其《屏风赋》。

公孙乘游梁，作《月赋》。公孙乘（？—？），史、汉未载其名，生平行状不详。《西京杂记》卷四收其《月赋》。

路乔如游梁，作《鹤赋》，得赐绢五匹。路乔如（？—？），史、汉未载其名，生平行状不详。《西京杂记》卷四收其《鹤赋》，谓其得赐绢五匹。

邹阳约五十八岁，作《酒赋》，又代韩安国作《几赋》，罚酒三升。按，《西京杂记》卷四云："邹阳作《酒赋》。……韩安国作《几赋》，不成，邹阳代作。……邹阳、韩安国罚酒三升。"论者或疑二赋为伪作。

刘偃坐出国界罪，削为司寇。（《汉书·王子侯表》卷十五上）

公元前 152 年 （汉景帝刘启前元五年 己丑）

是年

张苍卒，年约一百零五岁（前 256？—前 152）。（《史记·张丞相列传》卷九十六）

公元前 151 年 （汉景帝刘启前元六年 庚寅）

四月

公孙浑邪封平曲侯。（《汉书·景武昭宣元成功臣表》卷十七）公孙浑邪（？—？），景帝时，以将军平吴楚之乱。官陇西太守，封平曲侯，五年后以罪免。（《汉书·景武昭宣元成功臣表》卷十七）《汉书·艺文志》卷三十："《公孙浑邪》十五篇，平曲侯，亡。"

是年

兒宽约生于此年（前 151？—前 102）。按，生年不详，若设元光元年（前 134）师从欧阳生时十八岁，则或生于此年。兒宽，千乘（今山东博兴西北）人。治《尚书》，事欧阳生，复受业孔安国。《尚书》"欧阳、大小夏侯氏学皆出于宽"。贫无资用，带经而锄，休息辄诵。先为掌故，补廷尉文学卒史。为人温良，善属文，然懦于武，拙于口。受张汤赏识，以为掾，后举侍御史，以能经学，擢中大夫，迁左内史。官至御史大夫，卒于官。（《汉书兒宽传》卷五十八、《汉书·儒林传》卷八十八）《汉书·艺文志》卷三十："《兒宽》九篇。……兒宽赋二篇。"

公元前 150 年 （汉景帝刘启前元七年 辛卯）

十月

邹阳随梁孝王至京师。按，《汉书·梁孝王武传》卷四十七云："二十九年十月，孝王入朝。景帝使使持乘舆驷，迎梁王于关下。既朝，上疏，因留。以太后故，入则侍帝同辇，出则同车游猎上林中。梁之侍中、郎、谒者著引籍出入天子殿门，与汉宦官亡异。""二十九年"指梁王二十九年，即景帝前元七年。据梁孝王本传，自文帝前元十二年（前 168）徙梁王至景帝中元六年（前 144）卒的二十四年间，刘武入朝共九

37

次，唯独此次记载有"梁之侍中、郎、谒者"随从并可"出入天子殿门，与宦官亡异"；又，《汉书·司马相如传》卷五十七上谓"梁孝王来朝，从游说之士齐人邹阳、淮阴枚乘、吴严忌夫子之徒，相如见而说之"，据此可知刘武从官中有邹阳、枚乘、严忌。

枚乘随梁孝王至京师。（《汉书·梁孝王武传》卷四十七、《汉书·司马相如传》卷五十七上）

严忌随梁孝王至京师。（《汉书·梁孝王武传》卷四十七、《汉书·司马相如传》卷五十七上）

十一月

司马相如结识邹阳、枚乘、庄忌。（《史记·司马相如列传》卷一百一十七）："事孝景帝，为武骑常侍，非其好也。会景帝不好辞赋，是时梁孝王来朝，从游说之士齐人邹阳、淮阴枚乘、吴庄忌夫子之徒，相如见而说之。"按，梁孝王刘武入朝在梁王二十九年十月，即景帝前元七年十月，此次入朝，十一月归国，相如结识邹阳等在此两月中，姑系于此。

公元前149年 （汉景帝刘启中元元年 壬辰）

是年

司马相如二十五岁，以病免武骑常侍，客游梁。按，《汉书·司马相如传》卷五十七上云："是时梁孝王来朝，从游说之士齐人邹阳、淮阴枚乘、吴严忌夫子之徒，相如见而说之，因病免，客游梁，得与诸侯游士居。"邹阳等去岁十月随刘武入朝，十一月归国，相如见而起辞官游梁之心当在去岁年底此年年初，姑系于此。

东方朔十三岁，学书。（《汉书·东方朔传》卷六十五）

公元前148年 （汉景帝刘启中元二年 癸巳）

三月

临江王刘荣作歌诗，自杀；其门下士作歌诗以哀之。《汉书·艺文志》卷三十："《临江王及愁思节士歌诗》四篇。"按，刘荣（？—前148），景帝子。《汉书·景帝纪》卷五谓前元四年立为太子，三年后废为临江王，此年三月坐侵太宗庙地，自杀。《汉书·景十三王传》卷五十三称："王恐，自杀。葬蓝田，燕数万衔土置冢上。百姓怜之。"《汉志》所载歌诗疑为刘荣死前所歌及节士怜之所歌。

是年

辕固约七十五岁，忤窦太后，被令与豕斗。《史记·儒林列传》卷一百二十一："窦太后好老子书，召辕固生问老子书。固曰：'此是家人言耳。'太后怒曰：'安得司空城旦书乎？'乃使固入圈刺豕。景帝知太后怒而固直言无罪，乃假固利兵，下圈刺豕，正中其心，一刺，豕应手而倒。太后默然，无以复罪，罢之。"按，此事距傅清河王时间不很长，姑定在为清河王太傅前一年。

六月

邹阳谏梁王刘武与羊胜、公孙诡谋杀爰盎，不听；以羊胜、公孙诡谗害，下狱；作《狱中上梁王书》，书上，得释。按，《汉书·邹阳传》卷五十一云"梁王始与胜、诡有谋，阳争议为不可，故见谗"，以此知邹阳见谗下狱，乃因谏谋刺爰盎。

枚乘不敢谏梁王刘武使人谋刺大臣。（《汉书·邹阳传》卷五十一）

严忌亦不敢谏梁王刘武使人谋刺大臣。（《汉书·邹阳传》卷五十一）

公孙诡与梁王谋，刺杀爰盎等十余人。按，《汉书·梁孝王武传》卷四十七云"其夏，上立胶东王为太子。梁王怨盎及议臣，乃与羊胜、公孙诡之属谋，阴使人刺杀爰盎及他议臣十余人。"事似在前元七年即立刘彻为太子之年夏，然《汉书·天文志》卷二十六云："中元……二年……六月壬戌，蓬星见西南……壬申去，凡十日。占曰：'蓬星出，必有乱臣。房、心间，天子宫也。'是时，梁王欲为汉嗣，使人杀汉争臣袁盎。"则行刺爰盎等当在中元二年六月，今从《天文志》。羊胜亦与行刺爰盎等大臣之谋。

八月

有司按得刺客为梁指使，追捕公孙诡、羊胜；公孙诡、羊胜匿梁王后宫。《汉书·梁孝王传》卷四十七云："于是天子意梁，逐贼，果梁使之。遣使冠盖相望于道，复案梁事。捕公孙诡、羊胜，皆匿王后宫。"《汉书·韩安国传》卷五十二："景帝遂闻诡、胜等计划，乃遣使捕诡、胜，必得。汉使十辈至梁，相以下举国大索，月余弗得。"按，公孙诡、羊胜二人九月自杀，则事败漏、被追捕当在此月。

九月

公孙诡受命自杀（？—前148）。按，《汉书·梁孝王传》卷四十七云"梁相轩丘豹及内史安国皆泣谏王，王乃令胜、诡皆自杀，出之"，《资治通鉴》卷十六系于此年九月，是。

羊胜亦受命自杀（？—前148）。

邹阳被梁孝王待为上客；使赍千金，设法求人以解罪；尊齐人王先生之计，入长安，游说王皇后兄王长君，使为刘武说情，梁王事果不治。（《汉书·邹阳传》卷五十一）

公元前 147 年　　（汉景帝刘启中元三年　甲午）

是年

辕固约七十六岁，为清河王刘乘太傅。按，《史记·儒林列传》卷一百二十一云

39

"景帝以固为廉直，拜为清河王太傅"，《汉书·诸侯王表》卷十四谓景帝子刘乘"中三年三月丁酉立，十二年薨"，辕固为太傅，姑定在刘乘始王之年。

东方朔十五岁，学击剑。（《汉书·东方朔传》卷六十五）

公元前146年 （汉景帝刘启中元四年 乙未）

是年

　　司马相如二十八岁，作《子虚之赋》。按，《汉书·司马相如传》卷五十七上云"客游梁，得与诸侯游士居，数岁，乃著《子虚之赋》"，相如自景帝中元元年至六年客游梁国，作《子虚赋》在此六年内，且须自始游梁过"数岁"后，宜系于此。又，萧统《文选》卷七或依《西京杂记》卷二，将相如建元三年（前138）所为之赋一分为二，名前半部分为《子虚赋》，后半部分为《上林赋》。然细绎其时相如所为之赋，浑然一体，恐难割裂。而且，上林苑起于建元三年，赋既为一篇，当是该年之作。本传言称："上读《子虚赋》而善之，曰：'朕独不得与此人同时哉！'得意曰：'臣邑人司马相如自言为此赋。'上惊，乃召问相如。相如曰：'有是。然此乃诸侯之事，未足观，请为天子游猎之赋。'""为天子游猎之赋"疑为述宾结构，"为"字之后似为赋名，即《天子游猎之赋》，本传所称《子虚之赋》（或《子虚赋》）者疑非《文选》所载，或另有其文，惟史无明证，姑存其疑。

　　东方朔十六岁，学《诗经》《尚书》诵二十二万言。（《汉书·东方朔传》卷六十五）

公元前145年 （汉景帝刘启中元五年 丙申）

是年

　　韩婴为常山王刘舜太傅。按，《汉书·儒林传卷八十八云"景帝时至常山太傅"，年月未详，《汉书·景十三王传》谓"常山宪王舜以孝景中五年立……三十一年薨"，姑系于刘舜始王之年。

　　司马迁生（前145？—前86？）。按，关于司马迁生年，其说不一。《史记·太史公自序》卷一百三十"五年而当太初元年"，张守节《正义》云"迁年四十二岁"，"太初元年"为前104年，然则景帝中元五年（前145）为其生年。司马迁，字子长，夏阳（今陕西韩城）人。司马谈子。年十岁则诵古文，曾受业于孔安国、董仲舒。年二十而游历四方。初为郎中，奉使西南。父死，继为太史令，因得"绅史记石室金匮之书"。主持建《汉太初历》后，遵其父遗命始撰《史记》。对武帝问言李陵降匈奴事，被视为替其辩解，下狱；无金自赎，亲朋莫救，惨遭腐刑。然欲竟大业，遂发愤著书。终成《太史公书》，"凡百三十篇，五十二万六千五百字"，"究天人之际，通古今之变，成一家之言"。（《史记·太史公自序》卷一百三十、《汉书·司马迁传》卷六十二）《汉书·艺文志》卷三十："司马迁赋八篇。"《隋书·经籍志》卷三十二："《史记》一百三十卷，目录一卷，汉中书令司马迁撰。"同书卷三十五："汉中书令《司马迁集》，一卷。"永瑢等："《史记》一百三十卷，汉司马迁传，褚少孙补。迁事迹具《汉书》本传。少孙，据张守节《正义》引张晏之说，以为颍川人，元、成间博士。又引褚颙

《家传》以为梁相褚大弟之孙，宣帝时为博士，寓居沛，事大儒王式，故号'先生'。二说不同，然宣帝末距成帝初不过十七八年，其相去亦未远也。案迁《自序》凡十二本纪，十表，八书，三十世家，七十列传，共为百三十篇。《汉书》本传称其'十篇阙，有录无书'。张晏注以为'迁殁之后，亡《景帝纪》《武帝纪》《礼书》《乐书》《兵书》《汉兴以来将相年表》《日者列传》《三王世家》《龟策列传》《傅靳列传》'。刘知己《史通》则以为'十篇未成，有录而已'，驳张晏之说为非。今考《日者》《龟策》二传，并有'太史公曰'，又有'褚先生曰'，是为补缀残稿之明证，当以知己为是也。然《汉志》春秋家载《史记》百三十篇，不云有阙，盖是时官本已以少孙所续，合为一编。观其《日者》《龟策》二传，并有'臣为郎时'云云，是必尝经奏进，故有是称。其'褚先生曰'字，殆后人追题，以为别识欤？周密《齐东野语》摘《司马相如传·赞》中有'扬雄以为靡丽之赋，劝百而讽一'之语。又摘《公孙宏传》中有'平帝元始中诏赐宏子孙爵'语。焦竑《笔乘》摘《贾谊传》中有'贾嘉最好学，至孝昭时列为九卿'语，皆非迁时所及见。王懋竑《白田杂著》亦谓：'《史记》止纪年而无岁名，今《十二诸侯年表》上列一行载庚申、甲子等字，乃后人所增。'则非惟有所散佚，且兼有所窜易。年祀绵邈，今亦不得而考矣。然字句窜乱或不能无，至其全书则仍迁原本。焦竑《笔乘》据《张汤传·赞》如淳注，以为续之者有冯商、孟柳。又据《后汉书·杨经传》以为尝删迁书为十余万言，指今《史记》非本书，则非其实也。其书自晋、唐以来，传本无大同异，惟唐开元二十三年敕升《史记·老子列传》于《伯夷列传》上。钱曾《读书敏求记》云，尚有宋刻，今未之见。南宋广汉张材又尝刊去褚少孙所续，赵山甫复病其不全，取少孙书别刊附入，今亦未见其本。世所通行，惟此本耳。至伪孙奭《孟子疏》所引《史记》'西子金钱'事，今本无之，盖宋人诈托古书，非今本之脱漏。又《学海类编》中载伪洪遵《史记》真本凡例一卷，于原书臆为刊削，称即迁藏在名山之旧稿。其事与梁鄱阳王《汉书》真本相类，益荒诞不足为据矣。注其书者，今惟裴骃、司马贞、张守节三家尚存。其初各为部帙，北宋始合为一编，明代国子监刊版，颇有刊除点窜。南监本至以司马贞所补《三皇本纪》冠《五帝本纪》之上，殊失旧观。然汇合群说，检寻校易，故今录合并之本，以便观览，仍别录三家之书，以存其完本焉。"（《四库提要》卷四十五）

公元前144 年　　（汉景帝刘启中元六年　丁酉）

六月

梁孝王刘武卒，年约四十三（前 186？—前 144）。按，《汉书·景帝纪》卷五称"（中元六年）夏四月，梁王薨"，《资治通鉴》卷十六从之，然《史记·梁孝王世家》卷五十八、《汉书·梁孝王武传》卷四十七则均谓刘武三十五年"六月中，病热，六日卒"，即《史记索隐》引张晏语"六月六日薨也"。梁王三十五年即景帝中元六年，"病热"，似与六月酷热有关，"六日卒"未必如张晏所释，然在六月间或当无疑，今从梁王本传。（《史记·梁孝王世家》卷五十八）

司马相如归乡，家贫，以与临邛令王吉善，遂往舍临邛都亭。《汉书·司马相如传》卷五十七上："会梁孝王薨，相如归，而家贫无以自业。素与临邛令王吉相善，吉曰：'长卿久宦游，不遂而困，来过我。'于是相如往舍都亭，临邛令缪为恭敬，日往朝相如。相如初尚见之，后称病，使从者谢吉，吉愈益谨肃。"按，梁孝王刘武此月卒，相如去梁归乡当在此时。

枚乘归淮阴；小妻及子不肯随归。按，《汉书·枚乘传》卷五十一云"孝王薨，乘归淮阴"，梁孝王刘武此年六月卒。又，《汉书·枚皋传》卷五十一："乘在梁时，取皋母为小妻。乘之东归也，皋母不肯随乘。"

枚皋得父枚乘赐数千钱，随母留在梁国，时年十六岁。（《汉书·枚皋传》卷五十一）

是年

朱买臣约四十岁，家贫，担薪行卖且诵书；其妻羞，求去。《汉书·朱买臣传》卷六十四上："家贫，好读书，不治产业，常艾薪樵，卖以给食，担束薪，行且诵书。其妻亦负戴相随，数止买臣毋歌呕道中。买臣愈益疾歌，妻羞之，求去。买臣笑曰：'我年五十当富贵，今已四十余矣。女苦日久，待我富贵报女功。'妻恚怒曰：'如公等，终饿死沟中耳，何能富贵！'买臣不能留，即听去。其后，买臣独行歌道中，负薪墓间。故妻与夫家俱上冢，见买臣饥寒，呼饭饮之。"按：朱买臣建元三年（前138）入京为官，传云在"四十余""后数岁"，姑以六年当"数岁"，则此年约四十。

公元前143年 （汉景帝刘启后元元年 戊戌）

是年

司马相如三十一岁，客临邛富人卓王孙舍，作《琴歌》，以挑其女卓文君；卓文君私奔司马相如，二人相携驰归成都。《汉书·司马相如传》卷五十七上："临邛多富人，卓王孙僮客八百人，程郑亦数百人，乃相谓曰：'令有贵客，为具召之。并召令。'令既至，卓氏客以百数，至日中请司马长卿，长卿谢病不能临。临邛令不敢尝食，身自迎相如，相如为不得已而强往，一坐尽倾。酒酣，临邛令前奏琴曰：'窃闻长卿好之，愿以自娱。'相如辞谢，为鼓一再行。是时，卓王孙有女文君新寡，好音，故相如缪与令相重而以琴心挑之。相如时从车骑，雍容闲雅，甚都。及饮卓氏弄琴，文君窃从户窥，心说而好之，恐不得当也。既罢，相如乃令侍人重赐文君侍者通殷勤。文君夜亡奔相如，相如与驰归成都。"郭茂倩《乐府诗集》卷六十："《琴集》曰：'司马相如客临邛，富人卓王孙有女文君新寡，窃于壁间见之。相如以琴心挑之，为《琴歌》二章。'"按《汉书》相如饮卓氏弄琴，文君窃从户窥，心悦而好之。乃夜亡奔相如，相如与驰归成都，后俱如临邛是也。"按，司马相如与卓文君相识、私奔事，在相如归乡之后，确年不详，姑定在归乡一年后。

东方朔十九岁，学孙、吴兵法，战阵之具，钲鼓之教，亦诵二十二万言。（《汉书·东方朔传》卷六十五）

枚皋十七岁，上书梁共王，召为郎。（《汉书·枚皋传》卷五十一）

公元前 142 年 （汉景帝刘启后元二年　己亥）

是年

司马相如三十二岁，成都家徒四壁，以鹔鹴裘易酒；卓文君贫而不乐，携司马相如复往临邛，文君当垆卖酒，相如身著犊鼻裈杂作；卓王孙无奈给钱。《汉书·司马相如传》卷五十七上："家徒四壁立。卓王孙大怒曰：'女不材，我不忍杀，一钱不分也！'人或谓王孙，王孙终不听。文君久之不乐，谓长卿曰：'弟俱如临邛，从昆弟假贷，犹足以为生，何至自苦如此！'相如与俱之临邛，尽卖车骑，买酒舍，乃令文君当卢。相如身自著犊鼻裈，与庸保杂作，涤器于市中。卓王孙耻之，为杜门不出。昆弟诸公更谓王孙曰：'有一男两女，所不足者非财也。今文君既失身于司马长卿，长卿故倦游，虽贫，其人材足依也。且又令客，奈何相辱如此！'卓王孙不得已，分与文君僮百人，钱百万，及其嫁时衣被财物。"《西京杂记》卷二："司马相如初与卓文君还成都，居贫愁懑，以所着鹔鹴裘就市人阳昌贳酒，与卓文君为欢。既而，文君抱颈泣曰：'我平生富足，今乃以衣裘贳酒！'遂相与谋于成都卖酒。相如亲著犊鼻裈涤器，以耻王孙。"按，当垆卖酒事，在相如、文君结合后，姑定在驰归成都一年后。然既以耻卓王孙，买酒之地当从本传，在临邛。

司马相如携卓文君复归成都，买田置宅，为富人；久耽于色，消渴疾发，乃作《美人赋》刺己。《汉书·司马相如传》卷五十七上："文君乃与相如归成都，买田宅，为富人。"按，《西京杂记》卷二云："长卿素有消渴疾，及还成都，悦文君之色，遂以发痼疾，乃作《美人赋》，欲以自刺，而终不能改。"此为一说，姑系于此。

公元前 141 年 （汉景帝刘启后元三年　庚子）

正月

汉景帝崩，太子刘彻即位，是为汉武帝。（《史记·孝景本纪》卷十一）

是年

枚皋十九岁，以罪亡至长安。（《汉书·枚皋传》卷五十一）

苏武约于此年生（前141？—前60）。按，《汉书·苏武传》卷五十四云"年八十余，神爵二年（前60）病卒"，则约生于此年。苏武（前141？—前60），字子卿，杜陵（今陕西西安东南）人。少以父任为郎，稍迁至栘中厩监。天汉元年，以中郎将持节使匈奴，被扣十九年，受尽折磨，终不辱使命。归汉，拜典属国。及燕王谋反，株连免官。昭帝崩，以谋立宣帝，赐爵关内侯，复为典属国。年八十余，病卒。卒后，图像入麒麟阁。（《汉书·苏武传》卷五十四）

第三章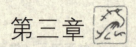
汉武帝建元元年至汉武帝后元二年（前140—前87）共54年

· 引 言 ·

刘勰《文心雕龙·时序第四十五》："逮孝武崇儒，润色鸿业；礼乐争辉，辞藻竞骛。柏梁展朝谶之诗，金堤制恤民之咏，征枚乘以蒲轮，申主父以鼎食，擢公孙之《对策》，叹倪宽之拟奏；买臣负薪而衣锦，相如涤器而被绣。于是史迁、寿王之徒，严、终、枚皋之属，应对固无方，篇章亦不匮；遗风余采，莫与比盛。"

公元前140年　（汉武帝刘彻建元元年　辛丑）

十月

诏举贤良方正直言极谏之士。（《汉书·武帝纪》卷六）

丞相卫绾奏言"所举贤良，或治申、商、韩非、苏秦、张仪之言，乱国政，请皆罢"，武帝谓"可"。（《汉书·武帝纪》卷六）

董仲舒上《举贤良对策》；拜江都王刘非相。（《汉书·董仲舒传》卷五十六、《资治通鉴》卷十七）

严助亦以贤良对策；擢中大夫。（《汉书·严助传》卷六十四上、《资治通鉴》卷十七）严助（？—前122），本姓庄，避明帝讳为严，会稽吴（今属江苏）人。严夫子（忌）子，或言族家子。郡举贤良，以对策善，擢为中大夫。建元时，奉旨以节发兵会稽，谕南粤及淮南王。迁会稽太守，转侍中，"有奇异，辄使为文，及作赋颂数十篇"。与淮南王刘安交厚，刘安反，株连见诛。（《汉书·严助传》卷六十四上）《汉书·艺文志》卷三十："《庄助》四篇。……严助赋三十五篇。"

公孙弘以贤良征为博士。（《史记·平津侯列传》卷一百一十二）

东方朔公车上书，以三千奏牍自荐，武帝读之二月，伟之，令待诏公车。《史记·滑稽列传》卷一百二十六褚先生补："朔初入长安，至公车上书，凡用三千奏牍。公车令两人共持举其书，仅然能胜之。人主从上方读之，止，辄乙其处，读之二月乃尽。"《汉书·东方朔传》卷六十五："朔初来，上书曰：'臣朔少失父母，长养兄嫂。年十三学书，三冬文史足用。十五学击剑。十六学《诗》《书》，诵二十二万言。十九学孙、吴兵法，战阵之具，钲鼓之教，亦诵二十二万言。凡臣朔固已诵四十四万言。又常服子路之言。臣朔年二十二，长九尺三寸，目若悬珠，齿若编贝，勇若孟贲，捷若庆忌，廉若鲍叔，信若尾生。若此，可以为天子大臣矣。臣朔昧死再拜以闻。'朔文辞不逊，高自称誉，上伟之，令待诏公车，奉禄薄，未得省见。"按，说见东方朔生年。《资治通鉴》卷十七似将东方朔初见武帝归于建元三年，《汉书·武帝纪》卷六建元三年无诏举之记，不可从。

冬

枚乘应征，乘安车蒲轮赴京师，以年老，道死，年约七十（前 209—前 140）。《汉书·枚乘传》卷五十一："武帝自为太子闻乘名，及即位，乘年老，乃以安车蒲轮征乘，道死。诏问乘子，无能为文者，后乃得其孽子皋。"按，枚皋此年二月上书北阙，得见武帝，枚乘被召在此之前。

二月

枚皋遇赦，上书自陈枚乘子；奉诏赋平乐馆，拜为郎。《汉书·枚皋传》卷五十一："会赦，上书北阙，自陈枚乘之子。上得之大喜，召入见待诏，皋因赋殿中。诏使赋平乐馆，善之。拜为郎。"按，《汉书·武帝纪》卷六谓"建元元年……春二月，赦天下"，枚皋"会赦"当在此时。

六月

郎中令王臧荐其师申培于武帝。（《汉书·儒林传》卷八十八、《资治通鉴》卷十七）

七月

申培征为太中大夫，议明堂事。（《汉书·武帝纪》卷六、《资治通鉴》卷十七）

是年

公孙弘六十岁，使匈奴，还，以病免归。《史记·平津侯列传》卷一百一十二："使匈奴，还报，不合上意，上怒，以为不能，弘乃病免归。"按，查《史记·匈奴列传》卷一百一十，建元年间无明文记载使匈奴事，唯一处称"今帝即位，明和亲约束，厚遇，通关市，饶给之"，此当暗示元年曾遣使与匈奴"明和亲约束"，使节当即公孙弘，或以其有辱使命，故武帝怒其"不能"。

刘辟彊二十五岁，以宗室子随二千石论议，冠诸宗室。清静少欲，常以书自娱，不肯仕。按，事载《汉书·楚元王传》卷三十六，传云在"武帝时"，确年未详，姑系武帝即位之年。

枚皋二十岁，使匈奴。（《汉书·枚皋传》卷五十一）按，枚皋当与公孙弘同使匈奴。

吾丘寿王年约二十，以善格五召待诏。按，《汉书·吾丘寿王传》卷六十四上云"年少，以善格五召待诏"，年月未详，姑定在为太中大夫两年前；"年少"，姑作二十岁左右。

庄匆奇，为常侍郎。庄匆奇（？—？），《汉书》无传，《艺文志》颜注谓"《七略》云：匆奇者，或言庄夫子子，或言族家子，庄助昆弟也。从行至茂陵，诏造赋"。（《汉书·艺文志》卷三十）《汉书·艺文志》卷三十："常侍郎庄匆奇赋十一篇，枚皋同时。"

终军生（前140—前112）。按，《汉书·终军传》卷六十四下载其请缨使匈奴时，自言"军无横草之功，得列宿卫，食禄五年"，则其时已为官五年；又载其元狩元年（前122）从武帝赴雍祠五畤，对奏得体，则元狩元年必在其"食禄五年"之间。《汉书·武帝纪》卷六载霍去病元狩四年（前119）大破匈奴、封狼居胥事，《汉书·匈奴传》卷九十四上载此役时云"单于用赵信计，遣使好辞请和亲。天子下其议，或言和亲，或言遂臣之"，《资治通鉴》卷二十系此事于元狩四年，终军请缨当在此年。由此年逆推"五年"为其选为博士弟子、至京上书言事、拜谒者给事中之年，即元朔六年（前123），本传言其年终军十八岁，则当生于建元元年（前140）。若此，元狩元年从武帝出行则在"食禄五年"之内，卒年二十九岁亦与本传所谓"死时年二十余"相合。终军，字子云，济南人。少好学，以辩博能属文闻于郡中。年十八，选为博士弟子。至长安上书言事。武帝异其文，拜谒者给事中。后擢为谏大夫。两次请缨，使南越成行，南越相王嘉反，以汉使见杀。（《汉书·终军传》卷六十四下）《汉书·艺文志》卷三十："《终军》八篇。"

武帝即位，儒学始盛。《史记·儒林列传》卷一百二十一："及今上即位，赵绾、王臧之属明儒学，而上亦乡之，于是招方正贤良文学之士。自是之后，言《诗》于鲁则申培公，于齐则辕固生，于燕则韩太傅。言《尚书》自济南伏生。言《礼》自鲁高堂生。言《易》自菑川田生。言《春秋》于齐鲁自胡毋生，于赵自董仲舒。"

公元前139年 （汉武帝刘彻建元二年 壬寅）

十月

刘安来朝，献所作《内篇》；受命作《离骚传》；又献《颂德》及《长安都国颂》；以武安侯田蚡言继武帝后立为帝，大喜，赂以重宝。《汉书·淮南王传》卷四十四："安入朝，献所作《内篇》，新出，上爱秘之。使为《离骚传》，旦受诏，日食时上。又献《颂德》及《长安都国颂》。每宴见，谈说得失及方技赋颂，昏莫然后罢。安初入朝，雅善太尉武安侯，武安侯迎之霸上，与语曰：'方今上无太子，王亲高皇帝孙，行仁义，天下莫不闻。宫车一日晏驾，非王尚谁立者！'淮南王大喜，厚遗武安侯宝赂。"按，《资治通鉴》卷十七系于此时。

申培以病免归。《汉书·儒林传》卷八十八："窦太后喜《老子》言，不说儒术，得绾、臧之过，以让上曰：'此欲复为新垣平也！'上因废明堂事，下绾、臧吏，皆自杀。申公亦病免归。"按，《资治通鉴》系于此年十月，是。

董仲舒或于此时废江都相，为中大夫。按，《史记·儒林列传》卷一百二十一云

"中废为中大夫",未言年月,考《汉书·百官公卿表》卷十九下谓建元四年"江都相郑当时为右内史",郑为江都相当在建元四年以前;《汉书·武帝纪》载,此年十月,好儒的御史大夫赵绾、郎中令王臧因得罪"素好黄老术,非薄《五经》"的窦太后,下狱自杀,丞相窦婴、太尉田蚡免官,此为窦太后对初登帝位而好儒喜文的汉武帝的警告。董仲舒建元元年为江都相,废相疑在此时。

是年

司马谈约二十六岁,为太史丞。按,《史记·太史公自序》卷一百三十《集解》引瓒曰:"《百官表》无太史公。茂陵中书司马谈以太史丞为太史令。"年月未详,《史记·太史公自序》卷一百三十云"太史公仕于建元、元封之间",姑定任太史丞在此年。

东方朔二十三岁,此年前后以给朱儒致武帝大笑,得待诏金马;又以善射覆得赏赐;再以嘲郭舍人之诙谐锐利舌锋,得武帝爱幸,为常侍郎;复以割肉遗妻事,得赐酒一石、肉百斤。按,事载《汉书·东方朔传》卷六十五,东方朔去岁上书,待诏公车,明年拜中大夫、给事中,待诏金马及为常侍郎在二者之间,姑系于此。《汉书·东方朔传》卷六十五:"久之,伏日,诏赐从官肉。大官丞日晏不来,朔独拔剑割肉,谓其同官曰:'伏日当蚤归,请受赐。'即怀肉去。大官奏之。朔入,上曰:'昨赐肉,不待诏,以剑割肉而去之,何也?'朔免冠谢。上曰:'先生起,自责也!'朔再拜曰:'朔来!朔来!受赐不待诏,何无礼也!拔剑割肉,一何壮也!割之不多,又何廉也!归遗细君,又何仁也!'上笑曰:'使先生自责,乃反自誉!'复赐酒一石,肉百斤,归遗细君。"

吾丘寿王约二十一岁,奉诏从董仲舒受《春秋》,高才通明。按,《汉书·吾丘寿王传》卷六十四上云"诏使从中大夫董仲舒受《春秋》,高才通明",董仲舒此年废为中大夫,吾丘从学盖在此年。

公元前 138 年 （汉武帝刘彻建元三年 癸卯）

十月

刘胜入朝,于武帝酒宴间,闻乐声而泣;武帝问之,对陈骨肉之情。(《汉书·中山靖王胜传》卷五十三、《资治通鉴》卷十七)

七月

严助对武帝问救东瓯事;奉旨以节发兵会稽,会稽守拒命,乃斩一司马,遂发兵。(《汉书·严助传》卷六十四上、《资治通鉴》卷十七)

是年

朱买臣约四十六岁,至长安诣阙上书,久不报,粮用乏,幸同乡严助举荐,得见武帝,以《楚辞》与严助俱幸,拜太中大夫。《史记·酷吏列传》卷一百二十二:"读

春秋。庄助使人言买臣，买臣以楚辞与助俱幸，侍中，为太中大夫。"《汉书·朱买臣传》卷六十四上："买臣随上计吏为卒，将重车至长安，诣阙上书，书久不报。待诏公车，粮用乏，上计吏卒更乞丐之。会邑子严助贵幸，荐买臣，召见，说《春秋》，言《楚词》，帝甚说之，拜买臣为中大夫，与严助俱侍中。"按，年月未详，《资治通鉴》卷十七谓此年武帝得朱买臣，姑从之。

司马相如三十六岁，因同乡杨得意言，得武帝召见；作赋献上，拜为郎。《汉书·司马相如传》卷五十七上："久之，蜀人杨得意为狗监，侍上。上读《子虚赋》而善之，曰：'朕独不得与此人同时哉！'得意曰：'臣邑人司马相如自言为此赋。'上惊，乃召问相如。相如曰：'有是。然此乃诸侯之事，未足观，请为天子游猎之赋。'上令尚书给笔札，相如以'子虚'，虚言也，为楚称；'乌有先生'者，乌有此事也，为齐难；'亡是公'者，亡是人也，欲明天子之义。故虚借此三人为辞，以推天子诸侯之苑囿。其卒章归之于节俭，因以风谏。奏之天子，天子大说。……赋奏，天子以为郎。"按，《子虚》《上林》，史汉本传均作一篇，至萧统《文选》，或依《西京杂记》始割裂成二，当依本传作一篇。传言"请为天子游猎之赋"，"请为"之后疑为赋名，即《天子游猎之赋》，惜无旁证，聊存疑耳。此年起上林苑，《资治通鉴》卷十七又谓武帝此年得司马相如，赋当作于此时；班固云"上令尚书给笔札"，赋似当时一挥而就，然不合写作规律，况《汉书·枚皋传》卷五十一已谓"司马相如善为文而迟"。《西京杂记》卷二称"司马相如为《上林》《子虚赋》，意思萧散，不复与外事相关，控引天地，错综古今，忽然如睡，焕然而兴，几百日而后成"，此虽小说家言，却颇近实情。

司马相如从汉武帝南猎长杨，作《谏猎疏》，武帝善之。《汉书·司马相如传》卷五十七："尝从上至长杨猎。是时天子方好自击熊豕，驰逐野兽，相如因上疏谏。"按，《汉书·东方朔传》卷六十五称"建元三年，微行始出，北至池阳，西至黄山，南猎长杨"，《汉书》本传叙此事于其元光五年（前130）使蜀后，顺序有误，《资治通鉴》卷十七系于此年，是。

司马相如从汉武帝还过宜春，作《哀二世赋》。《汉书·司马相如传》卷五十七下："还过宜春宫，相如奏赋以哀二世行失。"按，《汉书·东方朔传》卷六十五云"建元三年……南猎长杨，东游宜春"，过宜春在南猎长杨之后；然所叙猎长杨、游宜春均置于起上林苑后，以司马相如各赋观之，似在起上林苑后。

吾丘寿王约二十二岁，迁为侍中中郎。按，《汉书·吾丘寿王传》卷六十四上云"迁侍中中郎"，《汉书·东方朔传》载，此年吾丘寿王为武帝除上林苑并奏言，始封官当在此年，唯《东方朔传》谓任"太中大夫"，当依本传作侍中中郎。

武帝使侍中中郎吾丘寿王置上林苑。（《汉书·东方朔传》卷六十五、《资治通鉴》卷十七）按，《汉书·东方朔传》作"太中大夫"，《通鉴》从之，然此职未见吾丘本传，疑为侍中中郎。

吾丘寿王奏置上林苑事，甚称武帝意。（（《汉书·东方朔传》卷六十五、《资治通鉴》卷十七）

东方朔二十四岁，谏置上林苑；因奏《泰阶》之事，拜为太中大夫、给事中，得赐黄金百斤。（《汉书·东方朔传》卷六十五、《资治通鉴》卷十七）

汉武帝依吾丘寿王所奏，起上林苑。（《汉书·东方朔传》卷六十五、《资治通鉴》卷十七）

公元前 137 年 （汉武帝刘彻建元四年 甲辰）

是年

司马谈约二十八岁，由太史丞改太史令。按，年月未详，姑定在任太史丞两年后。

吾丘寿王约二十三岁，或于此年坐法免侍中中郎，求养马、守塞，均不许。《汉书·吾丘寿王传》卷六十四上："坐法免。上书谢罪，愿养马黄门，上不许。后愿守塞扞寇难，复不许。"按，年月未详，姑定在武帝起上林苑后。

公元前 136 年 （汉武帝刘彻建元五年 乙巳）

春

置《五经》博士。（《汉书·武帝纪》卷六）

申培或卒于此年，年约八十六（前 221？—前 136）。按，《汉书·儒林传》卷八十八云"申公亦病免归，数年卒"，申培建元二年以病免归，至此三年，可称"数年"；其建元元年征为太中大夫时，《汉书·儒林传》云"时已八十余"，其时若以八十二左右当之，则此年八十六左右。

司马迁十岁，诵古文。（《史记·太史公自序》卷一百三十）

公元前 135 年 （汉武帝刘彻建元六年 丙午）

四月

高园便殿火，董仲舒作《庙殿火灾对》《灾异之记》。（《汉书·五行志》卷二十七上）

五月

窦太后崩。（《汉书·武帝纪》卷六）

六月

黜黄老、刑名百家之言。《汉书·儒林传》卷八十八："及窦太后崩，武安君田蚡为丞相，黜黄老、刑名百家之言，延文学儒者以百数，而公孙弘以治《春秋》为丞相，封侯，天下学士靡然乡风矣。"按，田蚡为丞相，《资治通鉴》卷十七系于此年六月。

八月

刘安喜听游士"今彗星竟天，天下兵当大起"之妖言，治攻战具，积金钱，以备

举事；上书谏伐南越。(《汉书·淮南王传》卷四十四、《汉书·严助传》卷六十四上、《资治通鉴》卷十九)

严助奉使谕意南粤；还，奉旨过淮南，告刘安南粤事；遂与刘安同归京师。(《汉书·严助传》卷六十四上、《资治通鉴》卷十七)

是年

严助与武帝褒议汲黯。(《汉书·汲黯传》卷五十、《资治通鉴》卷十七)

公元前 134 年　(汉武帝刘彻元光元年　丁未)

十一月

武帝从董仲舒之言，初令郡国举孝廉。(《汉书·武帝纪》卷六、《资治通鉴》卷十七)

主父偃疾董仲舒，窃其《灾异之记》稿。《汉书·董仲舒传》卷五十六："先是辽东高庙、长陵高园殿灾，仲舒居家推说其意，草稿未上，主父偃候仲舒，私见，嫉之，窃其书……"按，董文作于去岁，尚"草稿未上"耳；主父偃"元光元年"西入关，至京师。时董尚以中大夫居长安家中，主父偃往见，当是寻求入仕门径，因于等候相见时顺手牵羊，偷走董手稿。

五月

诏举贤良文学，武帝亲策之；于是董仲舒、公孙弘等出焉。(《汉书·武帝纪》卷六)

七月

董仲舒与鲍敞论阴阳，作《雨雹对》。按，《西京杂记》卷五："元光元年七月，京师雨雹。鲍敞问董仲舒曰……仲舒曰……"董仲舒与鲍氏论阴阳，当在离京师赴江都王相任前。

八月

董仲舒复出，为江都王刘非相。按，复相江都，《史记·儒林列传》《汉书》本传均未明言，然《汉书·武帝纪》卷六称此年五月五帝诏贤良后"董仲舒……出焉"，当即复出意。其自著《春秋繁露·止雨》卷十六曾云"二十一年八月甲申朔丙午，江都相仲舒告内史中尉"，"二十一年"指江都易王二十一年；据《汉书·诸侯王表》卷十四，景帝子刘非景帝二年封汝南王，两年后徙江都王，江都王二十一年，即元光二年(前133)。憎恨文学的窦太后去岁死，董仲舒复出正符武帝五月诏意。

是年

杨何征为博士。按,《史记·儒林传》卷一百二十一云"何以《易》,元光元年征,官至中大夫",《史记·孔子世家》卷称"何元朔中以治《易》为汉中大夫",《汉书·儒林传》卷八十八则谓"元光中征为太中大夫",沈钦韩《汉书疏证》以为其系"武帝时五经博士之一",疑其此年征为博士,后官至中大夫。杨何(? — ?),字叔元,淄川(今山东淄博)人。从王同学《易》。武帝时,征为博士,官至中大夫。(《汉书·儒林传》卷八十八)《汉书·艺文志》卷三十:"《杨氏二篇》,名何,字叔元,淄川人。"

司马谈约三十一岁,从杨何学《易》。按,《史记·太史公自序》卷一百三十云"太史公受《易》于杨何",年月未详,姑系于此。

主父偃上书言九事,武帝相见恨晚,拜为郎中;复数上疏言事,一岁中四迁为中大夫。按,主父偃言九事、四迁为中大夫事,《史记·平津侯列传》卷一百一十二、《汉书·主父偃传》卷六十四上均谓在"元光元年",《资治通鉴》卷十八则系于元朔元年(前128),今从《史记》《汉书》。主父偃(? —前126),齐国临菑(今山东淄博)人。学长短从横术,晚乃学《易》《春秋》、百家之言。受诸儒生排挤,不容于齐。家贫,北游燕、赵、中山,颇为困顿。元光元年,西入关,上书阙下,得武帝召见,恨相见晚,拜郎中,一岁中四迁为中大夫。为人刻薄,好发人阴事,收受贿赂。自言"丈夫生不五鼎食,死则五鼎亨耳"。元朔中,被族。(《史记·主父偃列传》卷一百一十二、《汉书·主父偃传》卷六十四上)《汉书·艺文志》卷三十:"《主父偃》二十八篇。"

徐乐上书言世务,与严安、主父偃同时被武帝召见,拜为郎中。(《汉书·徐乐传》卷六十四)徐乐(? — ?),燕无终(今河北玉田)人。为郎。(《汉书·徐乐传》卷六十四上)《汉书·艺文志》卷三十:"徐乐一篇,亡。"

严安亦上书言世务,与徐乐、主父偃同时被武帝召见,拜郎中。(《汉书·严安传》卷六十四上)严安(? — ?),本姓庄,避明帝讳改,临菑(今山东淄博)人。先为丞相史,后为郎,迁骑马令。(《汉书·严安传》卷六十四上、下)《汉书·艺文志》卷三十:"庄安一篇,亡。"

孔安国约二十一岁,或于此年为博士。按,《汉书·孔光传》卷八十一云"安国、延年皆以治《尚书》为武帝博士",年月未详,此年武帝诏举贤良文学,姑系于此。

兒宽约十八岁,或于此年治《尚书》,师事欧阳生。按,《汉书·兒宽传》卷五十八云"治《尚书》,事欧阳生",年月未详,姑定在受业孔安国两年前。

公元前 133 年　（汉武帝刘彻元光二年　戊申）

春

吾丘寿王上疏愿击匈奴,对诏良善,复为郎。《汉书·吾丘寿王传》卷六十四上云"久之,上疏愿击匈奴,诏问状,寿王对良善,复召为郎"。按,《汉书·武帝纪》卷六谓元光二年春诏问公卿:"今欲举兵攻之(匈奴),何如?"王恢"建议宜击",吾丘当在此时上疏、受召见、复拜郎。

八月

董仲舒作《止雨》。（《春秋繁露·止雨》卷十六）

是年

主父偃奏董仲舒《灾异之记》于武帝；武帝召示诸生，论罪当死；诏赦罪免，复为太中大夫，然从此不复敢言灾异。《汉书·董仲舒传》卷五十六："主父偃……窃其书而奏焉。上召视诸儒，仲舒弟子吕步舒不知其师书，以为大愚。于是下仲舒吏，当死，诏赦之，仲舒遂不敢复言灾异。"《汉书·楚元王传》卷三十六："仲舒坐私为灾异书，主父偃取奏之，下吏，罪至不道，幸蒙不诛，复为太中大夫。"按，主父偃徙为中大夫，因嫉妒董仲舒，于董离长安后，将所窃董之《灾异之记》草稿上奏武帝。然武帝好董氏之儒，不仅未加之罪，反调其回京师，任太中大夫。年月未详，然《灾异之记》作于前年，窃于去岁，当不致于再拖过此年上奏。

司马相如四十一岁，作《大人赋》，武帝大悦，飘飘欲仙。《汉书·司马相如传》卷五十七下："相如见上好仙，因曰：'上林之事未足美也，尚有靡者。臣尝为《大人赋》，未就，请具而奏之。'相如以为列仙之儒居山泽间，形容甚臞，此非帝王之仙意也，乃遂奏《大人赋》。……相如既奏《大人赋》，天子大说，飘飘有陵云气游天地之间意。"按，《汉书·郊祀志》卷二十五上云："（建元）六年，窦太后崩。其明年，征文学之士。明年……天子始亲祠灶，遣方士入海求蓬莱安期生之属，而事化丹沙诸药齐为黄金矣。久之，少君病死。天子以为化去不死也，使黄锤史宽舒受其方，而海上燕、齐怪迂之方士多更来言神事矣。"建元六年之明年，为元光二年，此年武帝祠灶、遣方士入海求仙等，正相如所见"上好仙"之事。

公元前 132 年　（汉武帝刘彻元光三年　己酉）

是年

董仲舒六十一岁，与瑕丘江公议于武帝前，胜之；武帝遂用董生，尊《公羊》学。《汉书·儒林传》卷八十八："武帝时，江公与董仲舒并。仲舒通《五经》，能持论，善属文。江公呐于口，上使与仲舒议，不如仲舒。而丞相公孙弘本为《公羊》学，比辑其议，卒用董生。于是上因尊《公羊》家，诏太子受《公羊春秋》，由是《公羊》大兴。"按，年月未详，姑系于董氏为太中大夫后。

吾丘寿王约二十八岁，拜东郡都尉。按，《汉书·吾丘寿王传》卷六十四上云"稍迁，会东郡盗贼起，拜为东郡都尉"，"稍迁"，当在复为郎后不甚久，姑系于此。

兒宽约二十岁，或于此年受业孔安国。《汉书·兒宽传》卷五十八："以郡国选诣博士，受业孔安国。贫无资用，尝为弟子都养。时行赁作，带经而锄，休息辄读诵，其精如此。"按，年月未详，姑定在为掌故四年前。

灌夫家属横行，颍川儿作歌讥之。《汉书·灌夫传》卷五十二："（灌）夫不好文学，喜任侠，已然诺。诸所与交通，无非豪桀大猾。家累数千万，食客日数十百人。波池田园，宗族宾客为权利，横颍川。颍川儿歌之曰：'颍水清，灌氏宁；颍水浊，灌氏族。'"按，《资治通鉴》卷十八胡注系于武帝元光三年，是。

公元前 131 年 （汉武帝刘彻元光四年 庚戌）

是年

吾丘寿王约二十九岁，受武帝玺书责难，谢罪言状。《汉书·吾丘寿王传》卷六十四上："上以寿王为都尉，不复置太守。是时，军旅数发，年岁不熟，多盗贼。诏赐寿王玺书曰：'子在朕前之时，知略辐凑，以为天下少双，海内寡二。及至连十余城之守，任四千石之重，职事并废，盗贼从横，甚不称在前时，何也？'寿王谢罪，因言其状。"按，以传言观之，武帝责吾丘，至少在其任都尉一年之后，姑系于此。

严助或于此年迁会稽太守。《汉书·严助传》卷六十四："上问所欲，对愿为会稽太守。于是拜为会稽太守。"按，年月未详，姑定在使南粤四年后。

孔安国约二十四岁，或于此年为谏大夫。按，《汉书·儒林传》卷八十八云"安国为谏大夫，授都尉朝，而司马迁亦从安国问故"，年月未详，姑定在为侍中四年前。

司马迁十五岁，此年前后从孔安国学古文《尚书》。《汉书·儒林传》卷八十八云："司马迁亦从安国问故，迁书载《尧典》《禹贡》《洪范》《微子》《金滕》诸篇，多古文说。"按，司马迁十岁学古文，学古文《尚书》疑在此年前后。

公元前 130 年 （汉武帝刘彻元光五年 辛亥）

十月

河间王刘德来朝，献雅乐；对三雍宫及诏策所问三十余事。（《汉书·礼乐志》卷二十二、《资治通鉴》卷十八）

正月

河间王刘德卒（？—前130）。（《汉书·武帝纪》卷六）

司马相如奉使责唐蒙，作《喻巴蜀檄》；还报，拜中郎将，建节使蜀。（《史记·司马相如列传》卷一百一十七、《资治通鉴》卷十八）

卓王孙于蜀献牛、酒以交欢司马相如，"自以得使女尚司马长卿晚，乃厚分与其女财，与男等"。（《汉书·司马相如传》卷五十七下）

八月

征吏民有明当时之务、习先圣之术者。（《汉书·武帝纪》卷六）

是年

辕固年约九十三，以贤良征，诸儒毁之曰"固老"，罢归。（《汉书·儒林传》卷八十八、《资治通鉴》卷十八）

公孙弘七十岁，对策第一，复拜博士，待诏金马门；复上疏，武帝以册书作答；奉使西南，还报西南夷无所用，武帝不听；以朝会不肯面折廷辩，得武帝宠，一岁中迁左内史。《史记·平津侯列传》卷一百一十二、《汉书·百官公卿表》卷十九下）

公孙弘侧目视辕固，辕固忠告其"公孙子，务正学以言，无曲学以阿世"。（《史记·儒林列传》卷一百二十一、《资治通鉴》卷十八）

公元前 129 年 （汉武帝刘彻元光六年 壬子）

是年

公孙弘七十一岁，丧后母，服丧三年。《汉书·公孙弘传》卷五十八："一岁中至左内史。……养后母孝谨，后母卒，服丧三年。"按，公孙弘去岁为左内史，元朔三年（前126）迁御史大夫，迁御史大夫当三年服竟，故后母丧当在此年。《史记·平津侯列传》叙其后母丧在为博士与左内史之间，误，当依《汉书》。

司马相如四十五岁，作《难蜀父老》。《汉书·司马相如传》卷五十七下："相如使时，蜀长老多言通西南夷不为用，唯大臣亦以为然。相如欲谏，业已建之，不敢，乃著书，籍以蜀父老为辞，而已诘难之，以风天子，且因宣其使指，令百姓知天子之意。"按，《难蜀父老》有语云"汉兴七十八载"，自高祖元年（前206）至此年七十八年，宜系于此。

司马相如《长门赋》约作于此时。《长门赋序》："孝武皇帝陈皇后时得幸，颇妒。别在长门宫，愁闷悲思。闻蜀郡成都司马相如天下工为文，奉黄金百斤为相如文君取酒，因于解悲愁之辞。而相如为文以悟主上，陈皇后复得亲幸。"按，《汉书·武帝纪》卷六云（元光五年）"七月乙巳，皇后陈氏废"，相如赋必作于陈皇后废后，确年未详，姑系于陈皇后被废一年后。赋序当为后人所加，"陈皇后复得亲幸"语不实。

东方朔三十三岁，陛戟殿下，直言切谏，历数窦太主男宠董偃之罪，使武帝令窦太主引内董偃之酒宴自宣室移往北宫；得武帝黄金三十斤之赐。（《汉书·东方朔传》卷六十五）按，本传称"（陈）午死，主寡居，年五十余矣，近幸董偃"，《汉书·外戚传》卷九十七上谓"元光五年……明年，堂邑侯午薨"，《汉书·高惠高后文功臣表》卷十六亦云"孝文三年（前177），侯午嗣，尚馆陶公主，四十八年薨"，然则陈午卒于元光六年毫无疑义。窦太主率董偃为其夫陈午死后事，东方朔为此事切谏，《通鉴》卷十八系于元光五年七月，不确，姑系此年。

公元前 128 年 （汉武帝刘彻元朔元年 癸丑）

十二月

东方朔作《立皇子禖祝》。《汉书·枚皋传》卷五十一："武帝春秋二十九乃得皇子，群臣喜，故皋与东方朔作《皇太子生赋》及《立皇子禖祝》。"按，皇太子指卫子夫所生刘据，《汉书·外戚传》卷九十七上谓"元朔元年生男据"，《汉书·武五子传》卷六十三称"元狩元年立为皇太子，年七岁矣"。《汉书·东方朔传》谓作《皇太子生禖》，当依《枚皋传》。

枚皋作《皇太子生赋》。（《汉书·枚皋传》卷五十一）按，赋名称"太子"，乃后人妄加。

三月

枚皋为卫皇后立，奏赋以戒终。（《汉书·枚皋传》卷五十一）按，《汉书·武帝纪》卷六谓"（元朔元年）春三月甲子，立皇后卫氏"，枚皋奏赋当在此时。

主父偃为立卫皇后事立功。按，《史记·平津侯列传》卷一百一十二云"尊立卫皇后，及发燕王定国阴事，盖偃有功焉"，《汉书·外戚传》卷九十七上谓"元朔元年生男据，遂立为皇后"，《资治通鉴》系于此年三月，主父偃立功当在此前不久。

是年

司马相如四十六岁，失官。按，《汉书·司马相如传》卷五十七下："其后人有上书言相如使时受金，失官。""其"指去岁作《难蜀父老》；"后"，未知后多久，姑系于此。

儿宽约二十四岁，或于此年为掌故。按，《汉书·儿宽传》卷五十八云"以射策为掌故"，年月未详，姑定在为廷尉文学卒史两年前。

韩婴于此年前后与董仲舒论于武帝前。《汉书·儒林传》卷八十八："武帝时，婴尝与董仲舒论于上前，其人精悍，处事分明，仲舒不能难也。"按，年月未详，《汉书·武帝纪》卷六谓此年诏令进贤贡士，疑为此年事。

公元前 127 年　　（汉武帝刘彻元朔二年　甲寅）

冬

刘安受武帝赐几杖，可毋朝；作《八公操》（《淮南操》）。（《汉书·武帝纪》卷六）按，郭茂倩《乐府诗集》卷五十八云："（《八公操》）一曰《淮南操》。《古今乐录》曰：'淮南王好道，正月上辛，八公来降，王作此歌。'谢希逸《琴论》曰：'《八公操》，淮南王作也。'"作年不详，歌咏得道升仙之想，当作于反前，姑系于此。

主父偃上疏言愿令诸侯得分封子弟，武帝从之。（《汉书·主父偃传》卷六十四上、《资治通鉴》卷十八）

正月

主父偃言朔方为"灭胡之本"。（《汉书·主父偃传》卷六十四上、《资治通鉴》卷十八）

公孙弘驳主父偃之议。（《《汉书·主父偃传》卷六十四上》）

三月

主父偃言"徙豪杰兼并之家于茂陵",武帝从之。(《汉书·主父偃传》卷六十四上)

秋

主父偃发燕王刘定国乱伦事,致其自杀。按,《史记·主父偃列传》卷一百一十二云"发燕王定国阴事,盖偃有功焉",《汉书·武帝纪》卷六谓元朔二年秋"燕王定国有罪,自杀",主父偃发燕王阴事当在此前不久。

主父偃令诸大臣生畏,或赂以重金,或说其"太横",主父偃则声言"丈夫生不五鼎食,死即五鼎烹耳"。《史记·主父偃列传》卷一百一十二:"尊立卫皇后,及发燕王定国阴事,盖偃有功焉。大臣皆畏其口,赂遗累千金。人或说偃曰:'太横矣。'主父曰:'臣结发游学四十馀年,身不得遂,亲不以为子,昆弟不收,宾客弃我,我阸日久矣。且丈夫生不五鼎食,死即五鼎烹耳。吾日暮途远,故倒行暴施之。'"按,《资治通鉴》卷十八系此事于元朔元年,然传叙其事在元朔二年秋发燕王事之后,当系此时。

主父偃欲纳其女于齐王,齐纪太后不许,因衔恨上言齐王有淫行,武帝拜其为齐相;至齐,与亲族断绝关系;又以齐王与姊奸事威胁齐王,齐王乃自杀。(《史记·主父偃列传》卷一百一十二、《史记·齐悼王世家》卷五十二、《资治通鉴》卷十八)

主父偃因赵王使人上书告其收受诸侯贿赂,遂下狱;承认收受诸侯金,言未胁迫齐王自杀,武帝欲勿诛之。(《史记·主父偃列传》卷一百一十二、《资治通鉴》卷十八)

公孙弘廷争"非诛偃无以谢天下",主父偃终被族(?—前127)。(《史记·主父偃列传》卷一百一十二、《资治通鉴》卷十八)

孔臧让御史大夫,为太常;与公孙弘等议请"为博士官置弟子五十人"、"不能通一艺,辄罢之"。(《汉书·百官公卿表》卷十九下、《汉书·儒林传》卷八十八)

孔安国为侍中。(《资治通鉴》卷十八)

是年

司马相如四十七岁,复召为郎。按,《汉书·司马相如传》卷五十七下云"失官。居岁余,复召为郎",去岁失官,"岁余"后,当在此年。

严助或于此年得武帝书,上书谢,遂留侍中。按,事载《汉书·严助传》卷六十四上,年月未详,姑定在为会稽太守四年后。

吾丘寿王约三十三岁,征入为光禄大夫侍中。按,《汉书·吾丘寿王传》卷六十四上云"后征入为光禄大夫侍中",年月未详,姑定在为东郡都尉五年后。

公元前126年 (汉武帝刘彻元朔三年 乙卯)

冬

公孙弘为御史大夫,为布被,食不重味;请罢朔方郡之置。(《史记·平津侯列传》

卷一百一十二）

朱买臣言置朔方之便，难公孙弘。（《史记·平津侯列传》卷一百一十二、《资治通鉴》卷十八）

是年

公孙弘七十四岁，以游侠郭解"当大逆不道"，致郭解被族。按，事载《史记·游侠列传》卷一百二十四，《资治通鉴》卷十八系于元朔二年夏，然郭解去岁夏徙茂陵后，因被搜捕而逃亡，史、汉传又云"御史大夫公孙弘议曰"，公孙弘此年为御史大夫，其议及郭解族疑在此年。

孔臧坐南陵桥坏免官。（《汉书·高惠高后文功臣表》卷十六、《汉书·百官公卿表》卷十九下）

东方朔三十六岁，岁娶一妇，被呼为"狂人"；避世于朝，作《据地歌》（亦即《陆沉于俗》）。《史记·滑稽列传》卷一百二十六褚先生补："徒用所赐钱帛，取少妇于长安中好女。率取妇一岁所者即弃去，更取妇。所赐钱财尽索之于女子。人主左右诸郎半呼之'狂人'。人主闻之，曰：'令朔在事无为是行者，若等安能及之哉！'朔任其子为郎，又为侍谒者，常持节出使。朔行殿中，郎谓之曰：'人皆以先生为狂。'朔曰：'如朔等，所谓避世于朝廷间者也。古之人，乃避世于深山中。'时坐席中，酒酣，据地歌曰：'陆沈于俗，避世金马门。宫殿中可以殿世全身，何必深山之中，蒿庐之下。'金马门者，宦者署门也，门傍有铜马，故谓之曰'金马门'。"按，年月未详，以岁娶一妇言，当在为官多年后。《据地歌》似与《非有先生论》相前后而作，姑系在作《非有先生论》前一年，若此，东方朔子当十六七岁，为郎亦有可能。

兒宽约二十六岁，为廷尉文学卒史。《汉书·兒宽传》卷五十八云"功次，补廷尉文学卒史。……时张汤为廷尉"，张汤此年为廷尉。

司马迁二十岁，始游历南北。（《史记·太史公自序》卷一百三十）按，司马迁自述行程为："南游江、淮，上会稽，探禹穴，窥九疑，浮于沅、湘；北涉汶、泗，讲业齐、鲁之都，观孔子之遗风，乡射邹、峄；厄困鄱、薛、彭城，过梁、楚以归"，然历时几载，几时到达某处，均未详。

公元前 125 年 （汉武帝刘彻元朔四年 丙辰）

冬

东方朔从武帝至甘泉，借车于公孙弘，作《与公孙弘借车书》。《与公孙弘借车书》："朔当从甘泉，愿借外廊之后乘。木槿夕死朝荣，士亦不长贫也。"按，《汉书·武帝纪》卷六载，武帝幸甘泉计十五次，在公孙弘元狩二年（前121）卒前唯有一次，即"（元朔）四年冬，行幸甘泉"，东方朔此时正与枚皋等侍奉武帝左右，从武帝游甘泉极富可能，而借车于公孙弘正佐实此事。而且，东方朔借车并非自己穷到无车可乘的地步，而是以此嘲弄公孙弘。公孙弘身居显位，却以"布被"、"食不重味"装穷，汲黯已奏其"诈"于前，故而此番东方朔复故意借车以嘲之。

是年

东方朔三十七岁，作《非有先生论》。按，《汉书·东方朔传》卷六十五云"又设非有先生之论"，作年未详，文中有"行此三年……麒麟在郊"，疑影射元狩元年（前122）得白麟；文中又云"（非有先生）进不称往古以厉主意，退不能扬君美以显其功，默然无言者三年矣"，本传载东方朔元朔元年（前128）作《立皇子禖祝》后至此年再未进言，此文或以自身为本事。东方朔毕竟与弄臣枚皋不同，"虽诙笑，然时观察颜色，直言切谏，上常用之"，疑其三年前厌烦了谀颂，始陷入三年失语期，至此年方有此隐喻之作。

兒宽约二十七岁，除为从史，之北地视畜数年。《汉书·兒宽传》卷五十八："宽为人温良，有廉知自将，善属文，然懦于武，口弗能发明也。时张汤为廷尉，廷尉府尽用文史法律之吏，而宽以儒生在其间，见谓不习事，不署曹，除为从史，之北地视畜数年。"按，年月未详，姑定在为廷尉文学卒史一年后。

公元前124年 （汉武帝刘彻元朔五年 丁巳）

十一月

公孙弘为丞相，封平津侯；奏言禁民携弓弩。（《史记·平津侯列传》卷一百一十二、《汉书·百官公卿表》卷十九下）

吾丘寿王上书驳议公孙弘禁民携弓弩之见，公孙弘服。（《汉书·吾丘寿王传》卷六十四上、《资治通鉴》卷十九）

公孙弘恨董仲舒谓其"从谀"，乃荐之为胶西王刘端相。（《汉书·董仲舒传》卷五十六、《资治通鉴》卷十九）

董仲舒为胶西王刘端相；作《对胶西王》。（《汉书·董仲舒传》卷五十六、《资治通鉴》卷十九）按，《对胶西王》载《春秋繁露》卷九，然所叙内容，本传作对江都王问，未知孰是，姑依《春秋繁露》。

公孙弘恨汲黯常毁己，欲以事诛之，上言请徙汲黯为右内史。（《史记·汲黯列传》卷一百二十、《资治通鉴》卷十九）

四月

百姓作《卫子夫歌》。《史记·外戚世家》卷四十九褚先生补："卫子夫立为皇后，后弟卫青字仲卿，以大将军封为长平侯。四子，长子伉为侯世子，侯世子常侍中，贵幸。其三弟皆封为侯，各千三百户，一曰阴安侯，二曰发干侯，三曰宜春侯，贵震天下。天下歌之。"按，《卫子夫歌》当作于卫青三子封侯后，《史记·建元以来侯者年表》卷二十谓三人封侯均在元朔五年四月。

六月

诏令礼官劝学；为博士置弟子员。（《汉书·武帝纪》卷六）

是年

淮南王刘安五十六岁，露反迹，诏削二县，反谋益甚。（《史记·淮南列传》卷一百一十八、《资治通鉴》卷十九）

司马相如五十岁，或于此年拜孝文园令。按，《汉书·司马相如传》卷五十七下云"相如拜为孝文园令"，当为相如最后之职，年月未详，似在复召为郎后，传叙在武帝元光二年（前 133）作《大人赋》之前，疑为错简，姑定在复为郎三年后。

司马谈约四十一岁，或于此年作《论六家之要指》。按，《汉书·司马迁传》卷六十二云"愍学者不达其意而师悖，乃论六家之要指曰……"《汉书·武帝纪》卷六此年六月诏曰"其令礼官劝学，讲议洽闻，举遗举礼，以为天下先。太常其议予博士弟子，崇乡党之化，以厉贤材焉"，丞相公孙弘又"请为博士置弟子员，学者益广"，疑司马谈文为"学者"所讲。

公元前 123 年 （汉武帝刘彻元朔六年 戊午）

是年

董仲舒七十岁，或于此年以病免胶西相；作《士不遇赋》；此后居家，屡答朝廷使者之问，至卒，终不置产业，以修学著书为事。（《史记·儒林列传》卷一百二十一）按，《汉书·董仲舒传》卷五十六云"仲舒恐久获罪，病免"，去岁为胶西相，此年免，当为不久。又，董仲舒惧祸病免，前又几度坎坷，险遭不测之罪，赋当为此而发，疑作于此年。

终军十八岁，选为博士弟子；揖别太守，入关弃繻；至长安上书言事，武帝异其文，拜谒者给事中。《汉书·终军传》卷六十四下："年十八选为博士弟子，至府受遣，太守闻其有异材，召见军，甚奇之，与交结。军揖太守而去，至长安，上书言事，武帝异其文，拜军为谒者给事中。……初，军从济南当诣博士，步入关，关吏予军繻。军问：'以此何为？'吏曰：'为复传，还当以合符。'军曰：'大丈夫西游，终不复传还。'弃繻而去。"

刘安孙刘建使所善严正上书武帝，告刘安阴事；武帝以其事下廷尉、河南治。（《汉书·淮南王传》卷四十四）按；刘建使人上书事，《资治通鉴》卷十九系于次年，误，因《淮南王传》中已明言"是岁元朔六年也"。

故辟阳侯孙审卿阴求刘安阴事而构之于公孙弘。（《汉书·淮南王传》卷四十四）

公孙弘乃疑刘安有叛逆阴谋，深入追查。（《汉书·淮南王传》卷四十四）

公元前 122 年 （汉武帝刘彻元狩元年 己未）

十月

武帝命人作《白麟之歌》。（《汉书·武帝纪》卷六）按，《汉书·武帝纪》卷六载此年及以后作歌共九首，即《白麟之歌》《宝鼎之歌》《天马之歌》《瓠子之歌》《芝房之歌》《盛唐枞阳之歌》《西极天马之歌》《朱雁之歌》《交门之歌》。其中一些收入

《郊祀歌》十九章中，《汉书·礼乐志》卷二十二云："以李延年为协律都尉，多举司马相如等数十人造为诗赋，略论律吕，以合八音之调，作十九章之歌。以正月上辛用事甘泉圜丘，使童男女七十人俱歌，昏祠至明。"由此可知，上列九首歌大都为"司马相如等数十人"所造，除《瓠子之歌》外，余八首恐非武帝所作，疑出司马相如、东方朔、枚皋等侍从文人之手，然已难考矣。《白麟之歌》即《汉书·礼乐志》卷二十二所载《郊祀歌》十九章之第十七章《朝陇首》。

终军对武帝问，言白麟、奇木之瑞。（《汉书·终军传》卷六十四下）

改元元狩。（《汉书·终军传》卷六十四下）

十一月

刘安谋反事泄，自杀，年五十八（前179—前122）。（《汉书·武帝纪》卷六）

严助以与刘安善，弃市（？—前122）。（《汉书·张汤传》卷五十九、《资治通鉴》卷十九）

朱买臣以友严助被张汤排陷致死，深恨之。（《汉书·朱买臣传》卷六十四上）

公孙弘上书乞骸骨，武帝不准，赐其牛酒杂帛。（《史记·平津侯列传》卷一百一十二）

是年

董仲舒七十一岁，对廷尉张汤承制以问郊事，作《郊事对》。《汉书·董仲舒传》卷五十六："仲舒在家，朝廷如有大议，使使者及廷尉张汤就其家而问之，其对皆有明法。"《春秋繁露·郊事对》卷十五："廷尉臣汤昧死言：'臣汤承制以郊事问故胶西相仲舒，仲舒对曰……'"按，董仲舒去岁以病免胶西相，《史记·汉兴以来将相名臣年表》卷二十二谓张汤明年（元狩二年）为御史大夫，即解廷尉职，《资治通鉴》卷十九系于该年三月，董仲舒对问当在其去岁免官后至明年三月张汤解廷尉之间，姑系于此。

朱买臣约六十二岁，为会稽太守。《汉书·朱买臣传》卷六十四上："拜为太守，买臣衣故衣，怀其印绶，步归郡邸。直上计时，会稽吏方相与群饮，不视买臣。买臣入室中，守邸与共食，食且饱，少见其绶，守邸怪之，前引其绶，视其印，会稽太守章也。守邸惊，出语上计掾吏。皆醉，大呼曰：'妄诞耳！'守邸曰：'试来视之。'其故人素轻买臣者入内视之，还走，疾呼曰：'实然！'坐中惊骇，白守丞，相推排陈列中庭拜谒。买臣徐出户。有顷，长安厩吏乘驷马车来迎，买臣遂乘传去。会稽闻太守且至，发民除道，县吏并送迎，车百余乘。入吴界，见其故妻，妻夫治道。买臣驻车，呼令后车载其夫妻，到太守舍，置园中，给食之。居一月，妻自经死，买臣乞其夫钱，令葬。悉召见故人与饮食诸尝有恩者，皆报复焉。"按，《史记·酷吏列传》卷一百二十二谓"以会稽守为主爵都尉"，知其迁主爵都尉时任会稽太守，又据《汉书》本传，为会稽太守似仅岁余，当系于此。然《汉书》本传谓任会稽太守岁余"与横海将军韩说等俱击破东越"，则谬甚！韩说击东越，乃元鼎六年秋事，其时朱买臣已死四年。

《汉书·百官公卿表》卷十九下谓此年"会稽太守朱买臣为主爵都尉",朱为主爵都尉应在此年(见元狩二年朱买臣条)。

李延年作《北方有佳人歌》。《汉书·外戚传》卷九十七上:"延年侍上起舞,歌曰:'北方有佳人,绝世而独立,一顾倾人城,再顾倾人国。宁不知倾城与倾国,佳人难再得!'上叹息曰:'善!世岂有此人乎?'平阳主因言延年有女弟,上乃召见之,实妙丽善舞。由是得幸。"按,汉武帝特设"协律都尉"一职,封给李延年,其妹受宠为主要原因。刘彻何时因李延年歌得李夫人,不详。然《汉书·佞幸传》卷九十三称"李夫人产昌邑王,延年由是贵为协律都尉,佩二千石印绶",至少在李延年为协律都尉两年前,姑系于此。《外戚传》称"及夫人卒,上以后礼葬焉。其后,上以夫人兄李广利为贰师将军,封海西侯,延年为协律都尉",与《佞幸传》"及李夫人卒后,其爱弛,上遂诛延年兄弟宗族"矛盾,当依《佞幸传》。李延年(?—前90?),中山(今河北定县)人。出身倡家。以罪受腐刑,给事狗监中。"善歌,为新变声"。武帝"方兴天地祠,欲造乐,令司马相如等作诗颂。延年辄承意弦歌所造诗,为之新声曲"。以妹李夫人受武帝宠爱,得任协律都尉。特受武帝宠幸,甚至"与上卧起"。李夫人卒后,宠衰,以弟坐法,株连被杀。(《汉书·佞幸传》卷九十三)

李夫人得汉武帝宠幸。(《汉书·外戚传》卷九十七上)李夫人(?—前113),刘彻宠姬。本为倡女,李延年之妹。妙丽善舞。生昌邑王。少而早卒。《汉书·艺文志》卷三十:"《李夫人及幸贵人歌诗》三篇。"

兒宽约三十岁,返廷尉府上畜簿,代掾史为奏事,显露其才,张汤大惊,以为掾;以武帝亦奇之,复以为奏谳掾。《汉书·兒宽传》卷五十八:"还至府,上畜簿,会廷尉时有疑奏,已再见却矣,掾史莫知所为。宽为言其意,掾史因使宽为奏。奏成,读之皆服,以白廷尉汤。汤大惊,召宽与语,乃奇其材,以为掾。上宽所作奏,即时得可。异日,汤见上。问曰:'前奏非俗吏所及,谁为之者?'汤言兒宽。上曰:'吾固闻之久矣。'汤由是乡学,以宽为奏谳掾,以古法义决疑狱,甚重之。"按,兒宽自元朔四年起在北地管牲畜数年,至此年三年,可称"数年",当系于此。

苏武约二十岁,为郎。按,《汉书·苏武传》卷五十四云"少以父任,兄弟并为郎",年月未详,姑定在其弱冠时。

公元前 121 年 (汉武帝刘彻元狩二年 庚申)

三月

公孙弘卒,年七十九(前199—前121)。(《史记·平津侯列传》卷一百一十二、《资治通鉴》卷十九)按,据《史记·平津侯列传》卷一百一十二,公孙弘汉高祖八年(前199)生,元狩二年卒,年当七十九岁。《汉书·公孙弘传》卷五十八则谓其"年八十,终丞相位",今从《史记》。

是年

朱买臣约六十三岁,为主爵都尉,位列九卿。按,《史记·酷吏列传》卷一百二十二云"及汤为御史大夫,买臣以会稽守为主爵都尉,列于九卿",《汉书·武帝纪》卷六谓御史大夫张汤元鼎二年(前115)自杀,《汉书·张汤传》卷六十五称"汤为御史大夫七岁,败",则其始任御史大夫在此年,亦为朱买臣拜主爵都尉之年。

司马相如五十三岁,以病免官,家居茂陵;传其欲娶茂陵女为妾,卓文君作诗以绝,乃作《报卓文君书》而止。《汉书·司马相如传》卷五十七下云"相如既病免,家居茂陵",年月未详,姑定在为孝文园令三年后。又,《西京杂记》卷三云:"相如将聘茂陵人女为妾,卓文君作《白头吟》以自绝,相如乃止。"相如好色,此虽为小说家言,然未必是空穴来风。传言谓茂陵人女,当起自家居茂陵时。张溥所辑《报卓文君书》云"当不令负丹青、感白头也",如实,疑亦作于此时。唯《白头吟》诗,《乐府诗集》卷四十一在录上述《西京杂记》卓文君作说后又引《乐府解题》曰"古辞"。

兒宽约三十一岁,为御史大夫张汤掾。按,《汉书·兒宽传》卷五十八云"及汤为御史大夫,以宽为掾",张汤此年为御史大夫。

公元前 120 年 (汉武帝刘彻元狩三年 辛酉)

是年

方立乐府。(《汉书·礼乐志》卷二、《资治通鉴》卷十九)

刘彻三十七岁,令采诗夜诵;使司马相如等造为诗赋,以李延年为协律都尉。《汉书·礼乐志》卷二:"乃立乐府,采诗夜诵,有赵、代、秦、楚之讴。以李延年为协律都尉,多举司马相如等数十人造为诗赋,略论律吕,以合八音之调,作十九章之歌。以正月上辛用事甘泉圜丘,使童男女七十人俱歌,昏祠至明。夜常有神光如流星止集于祠坛,天子自竹宫而望拜,百官侍祠者数百人皆肃然动心焉。"

公元前 119 年 (汉武帝刘彻元狩四年 壬戌)

终军请缨使匈奴,对诏问,擢为谏大夫。《汉书·终军传》卷六十四下:"当发使匈奴,军自请曰:'军无横草之功,得列宿卫,食禄五年。边境时有风尘之警,臣宜被坚执锐,当矢石,启前行。驽下不习金革之事,今闻将遣匈奴使者,臣愿尽精厉气,奉佐明使,画吉凶于单于之前。臣年少材下,孤于外官,不足以亢一方之任,窃不胜愤懑。'诏问画吉凶之状,上奇军对,擢为谏大夫。"按,说见建元元年条;惟此次请缨未准,乃派任敞为使耳。

夏

霍去病作《琴歌》。郭茂倩《乐府诗集》卷六十云:"《古今乐录》曰:'霍将军去病益封万五千户,秩禄与大将军等,于是志得意欢而作歌。'按《琴操》有《霍将军渡河操》,去病所作也。"按,《汉书·霍去病传》卷五十五载霍去病"封狼居胥山,禅于姑衍,登临翰海"并得益封事,《汉书·武帝纪》卷六谓在此年夏。霍去病(?—前117),汉武帝卫皇后甥。官侍中、票姚校尉,封冠军侯;后为骠骑将军、大司马。击匈奴,屡立战功,以"匈奴不灭,无以家为也"为武帝激赏。(《汉书·霍去病传》卷

五十五）

公元前 118 年 　（汉武帝刘彻元狩五年　癸亥）

是年

朱买臣约六十六岁，或于此年坐法废主爵都尉，转丞相长史。按，《史记·酷吏列传》卷一百二十二云"数年，坐法废，守长史"，姑以三年当"数年"；"长史"，《汉书》本传作"丞相长史"。

司马相如五十六岁，作《封禅文》。《汉书·司马相如传》卷五十七下："天子曰：'司马相如病甚，可往从悉取其书，若后之矣。'使所忠往，而相如已死，家无遗书。问其妻，对曰：'长卿未尝有书也。时时著书，人又取去。长卿未死时，为一卷书，曰有使来求书，奏之。'其遗札书言封禅事，所忠奏焉，天子异之。"按，《封禅文》为相如绝笔，其晚年患病，明年卒，其病体尚可时知武帝将使人来求书，故而预先作此文而备之，或为卒一年前之作。

兒宽约三十四岁，或于此年为侍御史。按，《汉书·兒宽传》卷五十八云"及汤为侍御史……举侍御史"，年月未详，姑定在为御史大夫掾三年后。

刘德约生于此年（前 118？—前 56）。按，《汉书·楚元王传》卷三十六谓始元元年（前 86）昭帝即位，欲用刘德，时"年三十余"，姑设其为三十二岁，则约生于此年。刘德，字路叔，沛（今江苏沛县）人。修黄老术，有智略。武帝谓之"千里驹"。昭帝初，为宗正丞，徙大鸿胪丞，迁太中大夫。后为宗正，与立宣帝，以定策赐爵关内侯。地节中，封为阳城侯。立十一年卒，赐谥缪侯。（《汉书·刘德传》卷三十六）《汉书·艺文志》卷三十："阳城侯刘德赋九篇。"

公元前 117 年 　（汉武帝刘彻元狩六年　甲子）

是年

司马相如以消渴疾，卒，年五十七（前 173？—前 117）。按，《汉书·司马相如传》卷五十七下云"相如既卒五岁，上始祭后土"，汉武帝始祭后土，《汉书·武帝纪》卷六谓在元鼎四年（前 113），逆推五年至此年即为相如卒年。

传卓文君为司马相如作诔文。《西京杂记》卷二："长卿素有消渴疾……卒以此疾至死。文君为诔，传于世。"

孔安国约三十八岁，或于此年为临淮太守。按，《史记·孔子世家》卷四十七云"安国……至临淮太守"，年月未详，姑定在为侍中十年后。

公元前 116 年 　（汉武帝刘彻元鼎元年　乙丑）

是年

终军二十五岁，议博士徐偃矫制令胶东、鲁国鼓铸盐铁罪。按，事载《汉书·终军传》卷六十四下，传言"元鼎中"，御史大夫张汤弹劾徐偃，徐偃不屈，诏令终军问

状，终军利口善辩，令徐偃服罪。张汤次年十一月自杀，之前月余当为自己的官司焦头烂额，故终军议徐偃罪当在元鼎元年。

公元前115年　（汉武帝刘彻元鼎二年　丙寅）

十一月

朱买臣因报复、构陷张汤，致其自杀，被诛，年约六十九（前183?—前115）。（《汉书·朱买臣传》卷六十四上、《资治通鉴》卷二十）

春

起柏梁台。（《汉书·武帝纪》卷六）

传汉武帝诏群臣作《柏梁诗》。按，丁福保《全汉诗》卷一《柏梁诗》注："汉武帝元封三年，作柏梁台。诏群臣二千石有能为七言诗，乃得上坐。"然柏梁台非作于元封三年，《柏梁诗》是真是伪，言人人殊。

兒宽约三十七岁，或于此年以能经学，擢中大夫。按，《汉书·兒宽传》卷五十八云"见上，语经学，上说之，从问《尚书》一篇，擢为中大夫"，年月未详，姑定在为侍御史三年后。

公元前113年　（汉武帝刘彻元鼎四年　戊辰）

二月

刘胜卒（?—前113）。（《汉书·武帝纪》卷六）

六月

刘彻赐刘胜子哙、孺子妾冰、未央材人歌诗四篇。《汉书·艺文志》卷三十："《诏赐中山靖王子哙及孺子妾冰未央材人歌诗》四篇。"《汉书·郊祀志》卷二十五上谓此时武帝"至中山"，疑其思及刘胜死，始有赐刘胜子等歌诗之举。"中山靖王子哙"，未详，疑即中山靖王刘胜子哀王刘昌，此年尚未嗣中山王位。

秋

刘彻命人作《宝鼎之歌》《天马之歌》（《太一之歌》）、《景星》；其《秋风辞》或作于此时。（《汉书·武帝纪》卷六、《史记·乐书》卷二十四、《汉书·礼乐志》卷二十二）按，《武帝纪》所载《天马之歌》与《史记·乐书》所载《太一之歌》系同歌二名，即《郊祀歌》十九章中第十章的第一首《天马》；《汉书·礼乐志》卷二十二谓"元狩三年马生渥洼水中作"，《汉书·武帝纪》谓元鼎四年"秋，马生渥洼水中。作《宝鼎》《天马》之歌"，今从《武帝纪》。《景星》为《郊祀歌》十九章之第十二章，《汉书·礼乐志》谓"元鼎五年得鼎汾阴作"，当从《武帝纪》，为此年之作。又，郭茂倩《乐府诗集》卷八十四云："《汉武帝故事》曰：'帝行幸河东，祠后土。顾视帝京，忻然中流，与群臣饮宴。帝欢甚，乃自作《秋风辞》。'"《汉书·武帝纪》中并无武帝秋幸河东、祠后土的记载，此年曾至汾阴，然亦为冬季。如此辞真出武帝手，则与"幸河东，祠后土"之行无关，无从考证，姑系于此。

吾丘寿王善说宝鼎，武帝赐以黄金十斤。（《汉书·吾丘寿王传》卷六十四上）

是年

汉武帝李夫人卒（？—前 113）。按，李夫人卒年，即少翁招致其神之年，《汉书·郊祀志》卷二十五上云："常山王有罪，迁，天子封其弟真定，以续先王祀，而以常山为郡。然后五岳皆在天子之郡。明年，齐人少翁以方见上。上有所幸李夫人，夫人卒，少翁以方盖夜致夫人及灶鬼之貌云，天子自帷中望见焉。"方士少翁演其事在封常山王弟真定的次年，《汉书·诸侯王表》卷十四谓其封在元鼎三年，故少翁致李夫人神在元鼎四年。

刘彻四十四岁，作《李夫人歌》《伤悼李夫人赋》；传其又作《落叶哀蝉曲》。《汉书·外戚传》卷九十七上："上思念李夫人不已，方士齐人少翁言能致其神。乃夜张灯烛，设帷帐，陈酒肉，而令上居他帐，遥望见好女如李夫人之貌，还幄坐而步。又不得就视，上愈益相思悲感，为作诗曰：'是邪，非邪？立而望之，偏何姗姗其来迟！'令乐府诸音家弦歌之。上又自为作赋，以伤悼夫人，其辞曰……"按，刘彻诗、赋均为望见李夫人"神魂"时作，少翁致李夫人神在此年（见上条）。又，王嘉《拾遗记》卷五载武帝思念李夫人，"因赋《落叶哀蝉之曲》"，小说家言，姑妄听之，系之于此。

兒宽约三十九岁，迁左内史；有政声，武帝奇之。（《汉书·兒宽传》卷五十八、《汉书·百官公卿表》卷十九下）

终军二十八岁，请缨使南越，说越王举国内属。《汉书·终军传》卷六十四下："南越与汉和亲，乃遣军使南越，说其王，欲令入朝，比内诸侯。军自请愿受长缨，必羁南越王而致之阙下。军遂往说越王，越王听许，请举国内属。天子大说，赐南越大臣印绶，壹用汉法，以新改其俗，令使者留填抚之。"按，《汉书·两粤传》卷九十五谓"元鼎四年，汉使安国少季谕王、王太后入朝，令辩士谏大夫终军等宣其辞"，则终军此年使南粤。

公元前 112 年 （汉武帝刘彻元鼎五年 己巳）

四月

终军因越相吕嘉反，见杀，年二十九岁（前 140—前 112）。《汉书·终军传》卷六十上："吕嘉不欲内属，发兵攻杀其王及汉使者，皆死，语在《南越传》。军死时年二十余，故世谓之'终童'。"按，《汉书·武帝纪》卷六谓（元鼎五年）"夏四月，南越王相吕嘉反，杀汉使者及其王、王太后"，终军即死于此时。

65

九月

东方朔言方士栾大无状，武帝诛之。（《史记·孝武本纪》卷十二《正义》引《汉武故事》《汉书·武帝纪》卷六）

吾丘寿王此年前后坐事诛，年约四十八（前159？—前112？）。按，《汉书·吾丘寿王传》卷六十四上云"后坐事诛"，叙在元鼎四年后；而《汉书·楚元王传》卷三十六刘向云："孝武帝时，兒宽有重罪系，按道侯韩说谏曰：'前吾丘寿王死，陛下至今恨之；今杀宽，后将复大恨矣！'上感其言，遂贳宽，复用之，位至御史大夫，御史大夫未有及宽者也。兒宽元封元年为御史大夫，则吾丘寿王被诛必在元鼎四年（前113）六月其说宝鼎后至元封元年（前110）十月兒宽为御史大夫之前，姑系于此。

苏武约三十岁，迁移中厩监。《汉书·苏武传》卷五十四云"稍迁至移中厩监"，年月未详，姑定在其而立之年。

公元前111年 （汉武帝刘彻元鼎六年 庚午）

春

李延年以好音见；汉郊祀始用乐舞。《汉书·郊祀志》卷二十五上："其春，既灭南越，嬖臣李延年以好音见。上善之，下公卿议，曰：'民间祠有鼓舞乐，今郊祀而无乐，岂称乎？'公卿曰：'古者祠天地皆有乐，而神祇可得而礼。'或曰：'泰帝使素女鼓五十弦瑟，悲，帝禁不止，故破其瑟为二十五弦。'于是塞南越，祷祠泰一、后土，始用乐舞。益召歌儿，作二十五弦及空侯瑟自此起。"按，《汉书·五帝纪》卷六谓此年春平南越。

是年

兒宽约四十岁，奏请穿凿六辅渠；对武帝问封禅事，以为封禅事"唯圣主所由，制定其当，非君臣之所能列"，武帝然之。（《汉书·沟洫志》卷二十九、《汉书·兒宽传》卷五十八、《资治通鉴》卷二十）

司马迁三十五岁，为郎中，奉使西南。《史记·太史公自序第七十》："于是迁仕为郎中，奉使西征巴、蜀以南，南略邛、笮、昆明，还报命。"《集解》引徐广曰："元鼎六年，平西南夷，以为五郡。其明年，元封元年是也。"

公元前110年 （汉武帝刘彻元封元年 辛未）

十月

兒宽拜御史大夫。（《汉书·兒宽传》卷五十八、《汉书·百官公卿表》卷十九下）

枚皋从武帝至甘泉。《汉书·枚皋传》卷五十一："从行至甘泉、雍、河东，东巡狩，封泰山。"按，《汉书·武帝纪》卷六谓"元封元年冬十月……乃归甘泉。……春正月……东巡海上。……夏四月癸卯，上还，登封泰山"，武帝去甘泉十余次，唯此次与东巡、封泰山在一年，故枚皋从武帝至甘泉，东巡，封泰山，当在此一年之内，分别在十月、正月及四月。

正月

枚皋从武帝东巡海上。（《汉书·枚皋传》卷五十一）

四月

枚皋从武帝登封泰山。（《汉书·枚皋传》卷五十一）

兒宽从封泰山，还登明堂，为武帝上寿。（《汉书·兒宽传》卷五十八、《汉书·武帝纪》卷六）

东方朔从封泰山，见武帝封泰山毕，欲自浮海求蓬莱，乃上言谏，武帝纳之；又作《封泰山》。《资治通鉴·汉纪》卷第二十（元封元年四月）："天子既已封泰山，无风雨，而方士更言蓬莱诸神若将可得，于是上欣然庶几遇之，复东至海上望焉。上欲自浮海求蓬莱，群臣谏，莫能止。东方朔曰：'夫仙者，得之自然，不必燥求。若其有道，不忧不得；若其无道，虽至蓬莱见仙人，亦无益也。臣愿陛下第还宫静处以须之，仙人将自至。'上乃止。"按，史、汉未载，本传谓"与枚皋、郭舍人俱在左右"，东方朔既从封泰山，当亦同枚皋，自此年十月始，曾从武帝至甘泉，东巡海上。

五月

以十月为元封元年。（《汉书·武帝纪》卷六）

是年

司马谈约五十五岁，未能从武帝封泰山，留滞周南，郁愤成疾，病危。《史记·太史公自序》卷一百三十："是岁天子始建汉家之封，而太史公留滞周南，不得与从事，故发愤且卒。"按，"始建汉家之封"，指此年四月封泰山。司马谈身为太史令，理应从封禅，未能行，故发愤将死。

司马迁三十六岁，奉使西南还，见父司马谈于洛阳，受父修史之遗言。《史记·太史公自序》："而子迁适使反，见父于河洛之间。太史公执迁手而泣曰：'余先周室之太史也。自上世尝显功名于虞夏，典天官事。后世中衰，绝于予乎？汝复为太史，则续吾祖矣。今天子接千岁之统，封泰山，而余不得从行，是命也夫，命也夫！余卒，汝必为太史；为太史，无忘吾所欲论著矣。且夫孝始于事亲，中于事君，终于立身。扬名于后世，以显父母，此孝之大者。夫天下称诵周公，言其能论歌文、武之德，宣周、邵之风，达太王、王季之思虑，爰及公刘，以尊后稷也。幽、厉之后，王道缺，礼乐衰，孔子脩旧起废，论《诗》《书》，作《春秋》，则学者至今则之。自获麟以来四百有余岁，而诸侯相兼，史记放绝。今汉兴，海内一统，明主贤君忠臣死义之士，余为太史而弗论载，废天下之史文，余甚惧焉，汝其念哉！'迁俯首流涕曰：'小子不敏，请悉论先人所次旧闻，弗敢阙。'"

司马谈卒,年约五十五(前164?—前110)。(《史记·太史公自序》卷一百三十)

东方朔五十二岁,上书陈计,自讼官卑,欲求大官,然其言指意放荡,颇复诙谐,终不见用,因著《答客难》。《汉书·东方朔传》卷六十五:"武帝既招英俊,程其器能,用之如不及。时方外事胡、越,内兴制度,国家多事,自公孙弘以下至司马迁,皆奉使方外,或为郡国守相至公卿,而朔尝至太中大夫,后常为郎,与枚皋、郭舍人俱在左右,诙啁而已。久之,朔上书陈农战强国之计,因自讼独不得大官,欲求试用。其言专商鞅、韩非之语也,指意放荡,颇复诙谐,辞数万言,终不见用。朔因著论,设客难己,用位卑以自慰谕。"按,传云东方朔作《答客难》在司马迁去岁奉使西南后,疑在此年,其时亦正与枚皋俱在武帝左右。

公元前109年　(汉武帝刘彻元封二年　壬申)

十月

枚皋从武帝至雍。《汉书·枚皋传》卷五十一:"从行至甘泉、雍、河东,东巡狩,封泰山,塞决河宣房。"按,枚皋去岁十月至四月从武帝至甘泉、东巡、封泰山,至雍、塞决河当分别在此年十月及四月,因《汉书·武帝纪》卷六谓"(元封)二年冬十月,行幸雍……夏四月,还祠泰山,至瓠子,临决河,命从臣将军以下皆负薪塞河堤,作《瓠子之歌》"。

四月

司马迁从武帝祠泰山。《史记·封禅书》卷二十八:"余从巡祭天地诸神名山川而封禅焉。"按,司马迁去岁奉使西南还,其父司马谈临终顾命亦未言及其与封禅泰山事,故可推知参与封禅当在太初三年(前102),此年因其自言曾负薪塞决河,则同时间之祠泰山必当参与。

刘彻作《瓠子之歌》。(《史记·河渠书》卷二十九、《汉书·武帝纪》卷六)

枚皋从武帝塞决河宣房。(《汉书·枚皋传》卷五十一)按,《史记·河渠书》卷二十九谓"塞瓠子,筑宫其上,名曰宣房",塞决河宣房,即在瓠子处堵塞决口并建宣房。

司马迁从武帝塞决河。《史记·河渠书》卷二十九:"余从负薪塞宣房,悲《瓠子之诗》而作《河渠书》。"

六月

武帝命人作《芝房之歌》。《汉书·武帝纪》卷六:"六月,武帝诏曰:'甘泉宫内中产芝,九茎连叶。上帝博临,不异下房,赐朕弘休。其赦天下,赐云阳都百户牛、酒。'作《芝房之歌》。"按,《芝房之歌》为《汉书·礼乐志》卷二十二所载《郊祀歌》十九章中的第十三章《齐房》。

司马迁三十七岁,构思《河渠书》当自此年始。《史记·河渠书第七》:"太史公曰：余南登庐山，观禹疏九江，遂至于会稽太湟，上姑苏，望五湖；东窥洛汭、大邳、迎河，行淮、泗、济、漯、洛渠；西瞻蜀之岷山及离碓；北自龙门，至于朔方。曰：甚哉，水之为利害也！余从负薪塞宣房，悲《瓠子之诗》而作《河渠书》。"

公元前108年 （汉武帝刘彻元封三年 癸酉）

春

初作角抵戏，三百里内皆观。（《汉书·武帝纪》卷六）

六月

司马迁为太史令，"䌷史记石室金匮之书"。（《史记·太史公自序》卷一百三十、《索隐》引《博物志》）

萧望之约生于此年（前108？—前47）。按，《汉书·萧望之传》卷七十八谓其元帝初元二年（前47）自杀前云"年逾六十矣"，设若时年六十二，则约生于此年。萧望之，字长倩，东海兰陵（今山东峄县东）人，徙杜陵。好学，治《齐诗》，事同县后仓且十年。以令诣太常受业，复事同学博士白奇，又从夏侯胜问《论语》《礼服》。昭帝时，为郎，署小苑东门候，免归为郡吏。后除为御史大夫属，转大行治礼丞。宣帝时，拜为谒者，累迁谏大夫，丞相司直。出为平原太守，征入守少府，复以为左冯翊。迁大鸿胪，代丙吉为御史大夫。后为太子太傅。黄龙元年，为前将军、光禄勋，受遗诏辅政，领尚书事。元帝初，免为庶人，寻赐爵关内侯。复被收，饮鸩自杀。（《汉书·萧望之传》卷七十八）《汉书·艺文志》卷三十："萧望之赋四篇，亡。"严可均《全汉文》卷三十三收其文八篇。

公元前107年 （汉武帝刘彻元封四年 甲戌）

十月

枚皋从武帝至河东。按，《汉书·枚皋传》卷五十一云"从行至……河东"，《汉书·武帝纪》卷六谓其一生至河东见于载记者仅有四次，分别在元封四年（前107）十月、元封六年（前105）三月、太初二年（前103）三月、天汉元年三月（前100），枚皋前年从武帝至雍、瓠子，距其时间最近者为此年十月这一次，疑枚皋从行河东为此次，时年五十三岁。

公元前106年 （汉武帝刘彻元封五年 乙亥）

冬

刘彻南巡狩，命人作《盛唐枞阳之歌》。按，《汉书·武帝纪》卷六云："冬，武帝行南巡狩，至于盛唐，望祀虞舜于九嶷。登灊天柱山，自寻阳浮江，亲射蛟江中，获之。舳舻千里，薄枞阳而出，作《盛唐枞阳之歌》。"疑此歌即《汉书·礼乐志》卷二十二所载《郊祀歌》十九章之第十九章《赤蛟》。

东方朔作《七谏》。按，王逸《楚辞章句·七谏》卷十三云："东方朔追悯屈原，故作此辞以述其志，所以昭忠信、矫曲朝也。"武帝出行，幸臣枚皋、东方朔等总随侍左右，疑此年南巡，枚皋卒，而东方朔从行，因有南至盛唐（今安徽桐城）、"望祀虞舜于九嶷"之机，遂生追悯屈原之情，乃作此辞。

枚皋约卒于此年，年约五十四（前159—前106?）。按，枚皋去岁从武帝之河东，以后行踪盖不可考，疑其卒于此年。

公元前 105 年 　（汉武帝刘彻元封六年　丙子）

夏

京师民观角抵戏于上林平乐馆。（《汉书·武帝纪》卷六）

秋

刘细君以汉家公主嫁乌孙昆莫；因昆莫年老，言语不通，作《乌孙公主歌》（《悲愁歌》）。（《汉书·西域传》卷九十六下、《资治通鉴》卷二十一）刘细君（? —?），沛（今江苏沛县）人。亦称"乌孙公主"。江都王刘建女。汉与乌孙和亲，作为汉家公主嫁乌孙昆莫为右夫人。昆莫年老，又使嫁其孙岑陬，与生一女名"少夫"。作有《乌孙公主歌》。（《汉书·西域传》卷九十六下）

孔安国约于此年卒，年约五十（前154? —前105?），卒前，献古文旧书。按，司马迁《史记·太史公自序》卷一百三十云其书"至太初而讫"，《孔子世家》中又云安国"早亡"，故安国当卒于太初元年以前，姑系此年。又，《汉书·楚元王传》卷三十六云："及鲁恭王坏孔子宅，欲以为宫，而得古文于坏壁之中，《逸礼》有三十九篇，《书》十六篇。天汉之后，孔安国献之，遭巫蛊仓卒之难，未及施行。及《春秋》左氏丘明所修，皆古文旧书，多者二十余通，臧于秘府，伏而未发。"孔安国卒于太初前，不得有"天汉之后"献书事；景帝初，孔宅所出古文书，当为孔子后裔所得，视之为宝，世代相传，传至孔子十一世孙孔安国，当更秘不示人，疑其直至卒前方才献出。

公元前 104 年 　（汉武帝刘彻太初元年　丁丑）

十二月

司马迁等言宜改正朔。（《汉书·律历志》卷二十一上、《资治通鉴》卷二十一）

兒宽奉诏与博士赐等议，以为宜用夏正。（《汉书·律历志》卷二十一上、《资治通鉴》卷二十一）

五月

司马迁等奉诏造《汉太初历》，以正月为岁首。（《汉书·律历志》卷二十一上、《资治通鉴》卷二十一）

改元封七年为太初元年。(《史记·封禅书》卷二十八)

司马迁作《史记》。《史记·太史公自序》卷一百三十:"五年而当太初元年,十一月甲子朔旦冬至,天历始改,建于明堂,诸神受纪。太史公曰:'先人有言:自周公卒五百岁而有孔子。孔子卒后至于今五百岁,而能绍明世,正《易经》,继《春秋》,本《诗》《书》《礼》《乐》之际?意在斯乎!意在斯乎!小子何敢让焉。'……于是论次其文。"《集解》引李奇注云"迁为太史后五年,适当于武帝太初元年此时述《史记》",《正义》"按,迁年四十二岁"。

是岁

董仲舒或于此年卒,年八十九(前 192—前 104?)。按,《汉书·夏侯始昌传》卷七十五云:"自董仲舒、韩婴死后,武帝得始昌,甚重之。始昌明于阴阳,先言柏梁台灾曰,至期日果灾。"《汉书·五行志》卷二十七上又云:"太初元年十一月乙酉,未央宫柏梁台灾。先是,大风发其屋,夏侯始昌先言其灾日。"预言与柏梁台火灾当隔不甚久,疑董仲舒卒及武帝得夏侯始昌均此年事。

虞初等以方祠诅匈奴、大宛。(《汉书·郊祀志》卷二十五下)虞初(?—?),雒阳(今属河南)人。"武帝时以方士侍郎号黄车使者"。《汉书·艺文志》卷三十:"《虞初周说》九百四十三篇。"

东方朔五十八岁,对汉武帝问,谀颂武帝,嘲讽公卿大臣。按,事载《汉书·东方朔传》卷六十五,嘲讽公卿大臣时言及"兒大夫、董仲舒、夏侯始昌",兒大夫即御史大夫兒宽,明年卒;《汉书·夏侯始昌传》卷七十五谓"自董仲舒、韩婴死后,武帝得始昌,甚重之。始昌明于阴阳,先言柏梁台灾曰,至期日果灾",《汉书·武帝纪》谓此年十一月"柏梁台灾",董仲舒卒及武帝得夏侯始昌均此年事。故东方朔对武帝问当系此年。

公元前 103 年 (汉武帝刘彻太初二年 戊寅)

十二月

兒宽卒,年约五十六(前 151?—前 102)。(《汉书·武帝纪》卷六)

公元前 102 年 (汉武帝刘彻太初三年 己卯)

正月

司马迁从武帝东巡海上。《史记·五帝本纪》卷一:"余尝西至空桐,北过涿鹿,东渐于海,南浮江淮矣。"按,司马迁既与修封泰山,则理应从武帝东巡至海,因武帝此番出行是先东巡海,还而修封泰山。

四月

司马迁从武帝修封泰山。《史记·封禅书》卷二十八:"余从巡祭天地诸神名山川

71

而封禅焉。"按，武帝世封泰山仅有二次，元封元年始封泰山，司马迁因奉使西南，未曾参与，则此次修封泰山必与其间。

公元前 101 年　（汉武帝刘彻太初四年　庚辰）

三月

苏武以中郎将持节送匈奴在汉使者，厚赂单于；属下以参与匈奴内乱，牵连苏武，单于迫降之，苏武为不辱使命而以刀自刺，未死，遂被扣十九年。（《汉书·匈奴传》卷九十四上、《资治通鉴》卷二十一）

春

刘彻命人作《西极天马之歌》。（《史记·乐书》卷二十四、《汉书·武帝纪》卷六）按，《西极天马之歌》即《汉书·礼乐志》卷二十二所载《郊祀歌》十九章第十章《天马》的第二首。

公元前 99 年　（汉武帝刘彻天汉二年　壬午）

五月

李陵将步兵五千人出居延北，与单于战，斩首万余，兵败，降匈奴。按，《汉书·李陵传》卷五十四谓"诏陵'以九月发'"，然《汉书·武帝纪》卷六谓在五月，今从《武帝纪》。李陵（？—前74），字少卿，陇西成纪（今甘肃秦安北）人，名将李广之孙。善骑射，爱人，谦让下士，甚得名誉。少为侍中建章监，后拜骑都尉。天汉二年，率步兵五千人北击匈奴，终以矢尽兵败而降。单于以女妻之，立为右校王，在匈奴二十余年，病卒。（《汉书·李广传》卷五十四）《隋书·经籍志》卷三十五："汉骑都尉《李陵集》二卷。……亡。"严可均《全汉文》卷二十八收其文四篇。丁福保《全汉诗》卷二收其诗十二首。

司马迁对武帝问，盛言李陵有国士之风，不得已降，欲得当以报汉。《汉书·李陵传》卷五十四："群臣皆罪陵，上以问太史令司马迁，迁盛言：'陵事亲孝，与士信，常奋不顾身以殉国家之急。其素所畜积也，有国士之风。今举事一不幸，全躯保妻子之臣随而媒蘖其短，诚可痛也！且陵提步卒不满五千，深輮戎马之地，抑数万之师，虏救死扶伤不暇，悉举引弓之民共攻围之。转斗千里，矢尽道穷，士张空拳，冒白刃，北首争死敌，得人之死力，虽古名将不过也。身虽陷败，然其所摧败亦足暴于天下。彼之不死，宜欲得当以报汉也。'"（《汉书·李陵传》卷五十四、《资治通鉴》卷二十一）

公元前 98 年　（汉武帝刘彻天汉三年　癸未）

是年

东方朔六十四岁，醉溲殿上，免为庶人，待诏宦者署。《汉书·东方朔传》卷六十五："醉入殿中，小遗殿上，劾不敬。有诏免为庶人，待诏宦者署。"按，东方朔醉溲殿上疑为年老时事，姑系在奉觞贺武帝诛昭平君一年前。

司马迁四十八岁，下狱；无钱自赎，交游莫救，终遭腐刑；思及前贤，发愤著书；然每念斯耻，汗下沾衣。《汉书·李陵传》卷五十四："上以迁诬罔，欲沮贰师，为陵游说，下迁腐刑。"《报任少卿书》："家贫，财赂不足以自赎，交游莫救，左右亲近不为一言。身非木石，独与法吏为伍，深幽囹圄之中，谁可告诉者！……盖西伯拘而演《周易》；仲尼厄而作《春秋》；屈原放逐，乃赋《离骚》；左丘失明，厥有《国语》，孙子膑脚，《兵法》修列；不韦迁蜀，世传《吕览》；韩非囚秦，《说难》《孤愤》。《诗》三百篇，大氐贤圣发愤之所为作也。此人皆意有所郁结，不得通其道，故述往事，思来者。及如左丘无目，孙子断足，终不可用，退论书策以舒其愤，思垂空文以自见。仆窃不逊，近自托于无能之辞，网罗天下放失旧闻，考之行事，稽其成败兴坏之理，凡百三十篇，亦欲以究天人之际，通古今之变，成一家之言。草创未就，适会此祸，惜其不成，是以就极刑而无愠色。仆诚已著此书，藏之名山，传之其人，通邑大都，则仆偿前辱之责，虽万被戮，岂有悔哉！然此可为智者道，难为俗人言也。……仆以口语遇遭此祸，重为乡党戮笑，汙辱先人，亦何面目复上父母之丘墓乎？虽累百世，垢弥甚耳！是以肠一日而九回，居则忽忽若有所亡，出则不知所如往。每念斯耻，汗未尝不发背沾衣也。身直为闺阁之臣，宁得自引深臧于岩穴邪！故且从俗浮湛，与时俯仰，以通其狂惑。"《史记·太史公自序》卷一百三十："七年而太史公遭李陵之祸，幽于缧绁。乃喟然而叹曰：'是余之罪也夫！是余之罪也夫！身毁不用矣。'退而深惟曰：'夫《诗》《书》隐约者，欲遂其志之思也。昔西伯拘羑里，演《周易》；孔子厄陈蔡，作《春秋》；屈原放逐，著《离骚》；左丘失明，厥有《国语》；孙子膑脚，而论兵法；不韦迁蜀，世传《吕览》；韩非囚秦，《说难》《孤愤》；《诗》三百篇，大抵贤圣发愤之所为作也。此人皆意有所郁结，不得通其道也，故述往事，思来者。'于是卒述陶唐以来，至于麟止，自黄帝始。"按，以《汉书·李陵传》及一般常识而言，司马迁去岁夏在武帝面前为李陵开脱，下狱似应自其对问之后始，故《资治通鉴》卷二十一天汉二年五月叙其对问后即言"下其腐刑"，然司马迁本人言"七年，而太史公遭李陵之祸，幽于缧绁"，"七年"，《集解》引徐广曰"天汉三年"，《正义》案"从太初元年至天汉三年，乃七年也"，则下狱及施刑均在此年。

公元前 97 年 （汉武帝刘彻天汉四年　甲申）

正月

公孙敖率军深入匈奴，迎李陵，无功而还；抓获俘虏说"言李陵教单于为兵以备汉军"，武帝怒而族李陵母弟妻子。按，事载《汉书·李陵传》卷五十四，传言事在"陵在匈奴岁余"后，《汉书·武帝纪》卷六谓此年正月公孙敖率军北出雁门，当奉有迎李陵旨。

刘德受武帝召见甘泉宫，被誉为"千里驹"。《汉书·楚元王传》卷三十六："少时数言事，召见甘泉宫，武帝谓之'千里驹'。"按，《汉书·武帝纪》卷六谓"（天汉）四年春正月，朝诸侯王于甘泉宫"，此年刘德约二十二岁，谒见武帝疑在此时。

是年

东方朔六十五岁，奉觞祝贺汉武帝诛甥昭平君，复为中郎，得帛百匹。《汉书·东方朔传》卷六十五："久之，隆虑公主子昭平君尚帝女夷安公主，隆虑主病困，以金千斤钱千万为昭平君豫赎死罪，上许之。隆虑主卒，昭平君日骄，醉杀主傅，狱系内官。以公主子，廷尉上请论。左右人人为言：'前又入赎，陛下许之。'上曰：'吾弟老有是一子，死以属我。'于是为之垂涕叹息，良久曰：'法令者，先帝所造也，用弟故而诬先帝之法，吾何面目入高庙乎！又下负万民。'乃可其奏，哀不能自止，左右尽悲。朔前上寿，曰：'臣闻圣王为政，赏不避仇雠，诛不择骨肉。《书》曰："不偏不党，王道荡荡。"此二者，五帝所重，三王所难也。陛下行之，是以四海之内元元之民各得其所，天下幸甚！臣朔奉觞，昧死再拜上万岁寿。'上乃起，入省中，夕时召让朔，曰：'传曰"时然后言，人不厌其言"。今先生上寿，时乎？'朔免冠顿首曰：'臣闻乐太甚则阳溢，哀太甚则阴损，阴阳变则心气动，心气动则精神散，精神散则邪气及。销忧者莫若酒，臣朔所以上寿者，明陛下正而不阿，因以止哀也。愚不知忌讳，当死。'先是，朔尝醉入殿中，小遗殿上，劾不敬。有召免为庶人，待诏宦者署，因此对复为中郎，赐帛百匹。"按，汉武帝称"吾弟老有是一子"，颜师古注谓"老乃有子，言其晚孕育也"，设隆虑公主小武帝两岁，四十生子，子娶武帝女后卒，则或卒于此年前后，东方朔不时而贺亦当在此时。

司马迁四十九岁，为中书令；继续撰写《史记》；其《悲士不遇赋》疑作于此年。按，《汉书·司马迁传》卷六十二云"迁既刑之后，为中书令"，年月未详，姑系在受腐刑一年后。又，其《报任少卿书》云"所以隐忍苟活，函粪土之中而不辞者，恨私心有所不尽，鄙没世而文采不表于后也。……草创未就，适会此祸，惜其不成，是以就极刑而无愠色"，知其既刑之后仍在坚持撰写《史记》。又，《报任少卿书》述其刑后精神状态时云"虽累百世，垢弥甚耳！是以肠一日而九回，居则忽忽若有所亡，出则不知所如往。每念斯耻，汗未尝不发背沾衣也"，《悲士不遇赋》所谓"昏昏罔觉，内生毒也"，与其毫无二致，故疑作于此时。

公元前96年 （汉武帝刘彻太始元年 乙酉）

是年

苏武约四十六岁，仗节牧羊，以草食为生；单于弟於靬王与其衣食。《汉书·苏武传》卷五十四："武既至海上，廪食不至，掘野鼠去草实而食之。杖汉节牧羊，卧起操持，节旄尽落。积五、六年，单于弟於靬王弋射海上。武能网纺缴，檠弓弩，於靬王爱之，给其衣食。"按，苏武被扣至此年五年余。

李陵于匈奴刺杀汉降将李绪，大阏氏欲杀之，单于匿之北方。《汉书·李陵传》卷五十四："其后，汉遣使使匈奴，陵谓使者曰：'吾为汉将步卒五千人横行匈奴，以亡救而败，何负于汉而诛吾家？'使者曰：'汉闻李少卿教匈奴为兵。'陵曰：'乃李绪，非我也.'李绪本汉塞外都尉,居奚侯城,匈奴攻之,绪降,而单于客遇绪,常坐陵上。陵痛其家以李绪而诛,使人刺杀绪。大阏氏欲杀陵,单于匿之北方。"按,年月未详,姑系于武帝族李陵全家一年后。匈奴新单于狐鹿姑此年始立,疑匿李陵者为狐鹿姑。

公元前95年　（汉武帝刘彻太始二年　丙戌）

秋

百姓得赵中大夫白公修"白渠"（郑国渠）之惠,作《郑白渠歌》。（《汉书·沟洫志》卷二十九、《资治通鉴》卷二十二）

李陵娶单于女,被任为右校王。《汉书·李陵传》卷五十四:"大阏氏死乃还。单于壮陵,以女妻之,立为右校王。……陵居外,有大事,乃入议。"按,年月未详,姑系于匿北方一年后。疑新单于狐鹿姑欲用李陵,遂妻之以女,委之以官。《匈奴传》谓单于以女妻之在天汉四年公孙敖兵进匈奴之前,今从本传。

公元前94年　（汉武帝刘彻太始三年　丁亥）

二月

刘彻命人作《朱雁之歌》。（《汉书·武帝纪》卷六）按,《朱雁之歌》即《汉书·礼乐志》卷二十二所载《郊祀歌》十九章第十八章《象载瑜》。

萧望之约十五岁,从后仓学《齐诗》。按,《汉书·萧望之传》卷七十八云"好学,治《齐诗》,事同县后仓且十年",年月未详,姑定在其十五岁时。

是年

汉昭帝刘弗陵生（前94—前74）。（《汉书·外戚传》卷九十七上）刘弗陵,汉武帝刘彻子。八岁为太子,即帝位。在位十三年。传作《黄鹄歌》《淋池歌》。（《汉书·昭帝纪》）卷七、《西京杂记》卷一、《拾遗记》卷六）

公元前93年　（汉武帝刘彻太始四年　戊子）

三月

司马迁从武帝刘彻上泰山,至明堂。按,司马迁《报任少卿书》云"书辞宜答,会东从上来","东从上",指此时从武帝东行,《汉书·武帝纪》卷六谓"（太始）四年春三月,行幸泰山。壬午,祀高祖于明堂……"

春

任安与司马迁书,责以古贤臣之义。《汉书·司马迁传》卷六十二:"迁既被刑之后,为中书令,尊宠任职。故人益州刺史任安予迁书,责以古贤臣之义。"按,司马迁

《报任少卿书》云"书辞宜答,会东从上来,又迫贱事",任安书当写于此年春,司马迁五月还长安收悉。

四月

刘彻幸不其,命人作《交门之歌》;司马迁从行。(《汉书·武帝纪》卷六)

五月

东方朔从武帝至建章宫,对武帝问,言驺牙,得甚多赏钱。《史记·滑稽列传》卷一百二十六褚先生补:"建章宫后阁重栎中有物出焉,其状似麋。以闻,武帝往临视之。问左右群臣习事通经术者,莫能知。诏东方朔视之。朔曰:'臣知之,愿赐美酒粱饭大飨臣,臣乃言。'诏曰:'可。'已飨,又曰:'某所有公田鱼池蒲苇数顷,陛下以赐臣,臣朔乃言。'诏曰:'可。'于是朔乃肯言,曰:'所谓驺牙者也。远方当来归义,而驺牙先见。其齿前后若一,齐等无牙,故谓之驺牙。'其后一岁所,匈奴混邪王果将十万众来降汉。乃复赐东方生钱财甚多。"按,《汉书·武帝纪》卷六谓"(太始四年)夏五月,还幸建章宫,大置酒,赦天下",建章宫始建于太初元年(前104),关于其规模结构,《史记·封禅书》卷二十八曾云:"……作建章宫,度为千门万户。前殿度高未央。其东则凤阙,高二十余丈。其西则唐中,数十里虎圈。其北治大池,渐台高二十余丈,命曰太液池,中有蓬莱、方丈、瀛洲、壶梁,象海中神山龟鱼之属。其南有玉堂、璧门、大鸟之属。乃立神明台、井干楼,度五十丈,辇道相属焉。"此等巨大规模、宏伟结构,非数年不可成,此时武帝"幸建章宫,大置酒,赦天下",当是庆祝其竣工。东方朔言驺牙,当在此时。然谓后匈奴浑邪王来降则谬焉,浑邪王(昆邪王)率众来降在元狩二年(前121)秋,乃在起建章宫十七年前。

司马迁从武帝还长安,得任安书,未及时复。(《汉书·武帝纪》卷六、《汉书·司马迁传》卷六十二)

公元前92年　(汉武帝刘彻征和元年　己丑)

十一月

孔安国所献《逸礼》三十九篇、《尚书》十六篇及左丘明所修《春秋》等古文旧书,因巫蛊事起,未列于学官。《汉书·楚元王传》卷三十六:"及鲁恭王坏孔子宅,欲以为宫,而得古文于坏壁之中,《逸礼》有三十九篇,《书》十六篇。天汉之后,孔安国献之,遭巫蛊仓卒之难,未及施行。及《春秋》左氏丘明所修,皆古文旧书,多者二十余通,臧于秘府,伏而未发。"按,传言有误,孔安国卒于太初前,不得有"天汉之后"献书事,诸古文书当为其生前所献。又,《汉书·武帝纪》卷六谓"征和元年……冬十一月……巫蛊起",孔安国所献古文书籍未列于学官,当因此时巫蛊事。

冬

苏武因单于弟於靬王死，复穷厄。《汉书·苏武传》卷五十四："三岁余，王病，赐武马畜、服匿、穹庐。王死后，人众徙去。其冬，丁令盗武牛羊，武复穷厄。"按，自太始元年至此年，为三岁余。

是年

东方朔七十岁，对武帝问化民之道。《汉书·东方朔传》卷六十五："时，天下侈靡趋末，百姓多离农亩。上从容问朔：'吾欲化民，岂有道乎？'朔对曰：'尧、舜、禹、汤、文、武、成、康上古之事，经历数千载，尚难言也，臣不敢陈。愿近述孝文皇帝之时，当世耆老皆闻见之。贵为天子，富有四海，身衣弋绨，足履革舄，以韦带剑，莞蒲为席，兵木无刃，衣缊无文，集上书囊以为殿帷；以道德为丽，以仁义为准。于是天下望风成俗，昭然化之。今陛下以城中为小，图起建章，左凤阙，右神明，号称千门万户；木土衣绮绣，狗马被缋罽；宫人簪瑇瑁，垂珠玑；设戏车，教驰逐，饰文采，蕶珍怪；撞万石之钟，击雷霆之鼓，作俳优，舞郑女。上为淫侈如此，而欲使民独不奢侈失农，事之难者也。陛下诚能用臣朔之计，推甲乙之帐燔之于四通之衢，却走马示不复用，则尧、舜之隆宜可与比治矣。《易》曰："正其本，万事理；失之毫氂，差以千里。"愿陛下留意察之。'"按，据《汉书·武帝纪》卷六，建章宫筑成后，似颇称汉武帝意，去岁五月于建章宫大设酒宴，此年春又幸建章宫，夏复居其中，东方朔有感于武帝与文帝在生活上的落差，对问中才言及"建章"的"淫侈如此"，所言之建章宫与《史记·封禅书》中关于该宫的客观介绍相比，增加了宫人、俳优、舞女作乐歌舞于其中的情景，当是在建章宫已使用之后，宜系此年。

公元前 91 年 （汉武帝刘彻征和二年　庚寅）

十一月

司马迁于任安刑前作《报任少卿书》。按，《报任少卿书》云："今少卿报不测之罪，涉旬月，迫季冬，仆又薄从上上雍，恐卒然不可讳。是仆终已不得舒愤懑以晓左右，则长逝者魂魄私恨无穷。请略陈固陋。阙然不报，幸勿过。"任安征和二年秋因戾太子反事获罪，《史记·田叔列传》卷一百零四褚先生补曰："是时任安为北军使者护军，太子立车北军南门外，召任安，与节令发兵。安拜受节，入，闭门不出。武帝闻之，以为任安为详邪，不傅事，何也？任安笞辱北军钱官小吏，小吏上书言之，以为受太子节，言'幸与我其鲜好者'。书上闻，武帝曰：'是老吏也，见兵事起，欲坐观成败，见胜者欲合从之，有两心。安有当死之罪甚众，吾常活之，今怀诈，有不忠之心。'下安吏，诛死。"足见任安在太子反时，接受了太子符节但未发兵，所以武帝认为他是老吏奸猾，坐观成败，令其下吏（即下狱）。以当时汉法，处决犯人在十一月，司马迁书云"涉旬月，迫季冬，仆又薄从上上雍，恐卒然不可讳"，已透漏出时在十一月任安受死刑前。而《资治通鉴》卷二十二谓此年七月任安与田任同时"要斩"，当是误从《汉书·刘屈氂传》卷六十六。

公元前90年 （汉武帝刘彻征和三年 辛卯）

三月

司马迁从武帝至雍、安定、北地。按，司马迁《报任少卿书》云"迫季冬，仆又薄从上上雍"，"季冬"指去岁十二月，《汉书·武帝纪》卷六谓"（征和）三年春三月，行幸雍，至安定、北地"，则去岁十二月从武帝上雍的计划或延迟至此年春。

五月

李陵与匈奴大将将三万余骑追汉军，不利，退去。（《汉书·匈奴传》卷九十四上、《资治通鉴》卷二十二）

是年

东方朔作《戒子诗》；谏武帝"远巧佞，退谗言"；卒，年七十二（前161—前90?）。《汉书·东方朔传》卷六十五："刘向言少时数问长老贤人通于事及朔时者，皆曰朔口谐倡辩，不能持论，喜为庸人诵说，故令后世多传闻者。而杨雄亦以为朔言不纯师，行为纯德，其流风遗书蔑如也。然朔名过实者，以其诙达多端，不名一行，应谐似优，不穷似智，正谏似直，秽德似隐。非夷齐而是柳下惠，戒其子以上容：'首阳为拙，柱下为工，饱食安步，以仕易农；依隐玩世，诡时不逢。'其滑稽之雄乎！朔之诙谐，逢占射覆，其事浮浅，行于众庶，童儿牧竖莫不眩耀，而后世好事者因取奇言怪语附著之朔，故详录焉。"《史记·滑稽列传》卷一百二十六褚先生补曰："至老，朔且死时，谏曰：'《诗》云："营营青蝇，止于蕃，恺悌君子，无信谗言。谗言罔极，交乱四国。"愿陛下远巧佞，退谗言。'帝曰：'今顾东方朔多善言?'怪之。居无几何，朔果病死。传曰："鸟之将死，其鸣也哀；人之将死，其言也善。"此之谓也。'"按，《史记索隐·孝武本纪第十二》云："桓谭《新论》以为'太史公造书，书成，示东方朔。朔为平定，因署其下。太史公者，皆朔所加之者也。'"桓谭谓"太史公者，皆朔所加之者也"，未必可信，然东方朔以职务言，与司马迁同朝为官，共侍武帝左右；以年龄言，又长司马迁十六岁，足称长者；以才学言，饱读经书，学识渊博，故司马迁将《史记》一稿示之，不无可能。《史记》此年书成（见下条），东方朔此后事，不见载记，疑其卒于此年。又，《戒子诗》当为其辞世时作，姑系于此。

司马迁五十六岁，完成《太史公书》（《史记》）。按《史记》何年成书，学者持论各异。王国维《太史公行年考》以为："今观《史记》中最晚之记事，得信为出自公手者，唯《匈奴列传》之李广利降匈奴事，余皆出后人续补也。"王氏所考，当为确论，今从之。《汉书·李广利传》卷六十二谓"征和三年，贰师复将七万将出五原，击匈奴，度郅居水。兵败，降匈奴"，史迁当于是年撰成《史记》。

公元前89年 （汉武帝刘彻征和四年 壬辰）

是年

李陵至海上，劝苏武降匈奴，被拒生愧。《汉书·苏武传》卷五十四："久之，单于使陵至海上，为武置酒设乐，因谓武曰：'单于闻陵与子卿素厚，故使陵来说足下，虚心欲相待。终不得归汉，空自苦亡人之地，信义安所见乎？前长君为奉车，从至雍棫阳宫，扶辇下除，触柱折辕，劾大不敬，伏剑自刭，赐钱二百万以葬。孺卿从祠河东后土，宦骑与黄门驸马争船，推堕驸马河中溺死，宦骑亡，诏使孺卿逐捕不得，惶恐饮药而死。来时，大夫人已不幸，陵送葬至阳陵。子卿妇年少，闻已更嫁矣。独有女弟二人，两女一男，今复十余年，存亡不可知。人生如朝露，何久自苦如此！陵始降时，忽忽如狂，自痛负汉，加以老母系保宫，子卿不欲降，何以过陵？且陛下春秋高，法令亡常，大臣亡罪夷灭者数十家，安危不可知，子卿尚复谁为乎？愿听陵计，勿复有云。'武曰：'武父子亡功德，皆为陛下所成就，位列将，爵通侯，兄弟亲近，常愿肝脑涂地。今得杀身自效，虽蒙斧钺汤镬，诚甘乐之。臣事君，犹子事父也。子为父死亡所恨。愿勿复再言。'陵与武饮数日，复曰：'子卿壹听陵言。'武曰：'自分已死久矣！王必欲降武，请毕今日之欢，效死于前！'陵见其至诚，喟然叹曰：'嗟乎，义士！陵与卫律之罪上通于天。'因泣下沾衿，与武决去。陵恶自赐武，使其妻赐武牛羊数十头。"按，李陵言"今复十余年"，苏武天汉元年（前100）被扣，至此年十一年，姑系于此。

公元前87年 （汉武帝刘彻后元二年 甲午）

二月

刘彻崩，年七十（前156—前87）。《汉书·武帝纪》卷六："汉承百王之弊，高祖拨乱反正，文、景务在养民，至于稽古礼文之事，犹多阙焉。孝武初立，卓然罢黜百家，表章《六经》。遂畴咨海内，举其俊茂，与之立功。兴太学，修郊祀，改正朔，定历数，协音律，作诗乐，建封禅，礼百神，绍周后，号令文章，焕焉可述。后嗣得遵洪业，而有三代之风。如武帝之雄材大略，不改文、景之恭俭以济斯民，虽《诗》《书》所称，何有加焉！"

是年

李陵复至海上，告苏武武帝死讯，苏武南向哭至呕血。（《汉书·苏武传》卷五十四）

褚少孙或于此年生（前87？—前19？）。按，设其本始二年（前72）十六岁左右从师王式，则约生于此年。褚少孙，颍川（今河南禹县）人，寓居沛（今江苏沛县）。从王式学经，治《春秋》，开《鲁诗》褚氏之学。宣帝时，为博士；元帝、成帝间，以高第为郎。好《太史公书》，喜读外家传语，号为"先生"，续太史公书。（《史记·孝武本纪》卷十二《索隐》引张晏注、《史记·滑稽列传》卷一百二十六褚先生补、《史

记·龟策列传》卷一百二十八褚先生补、《汉书·儒林传》卷八十八、《经典释文》卷一）张溥辑有《褚先生集》。刘知几：" 元、成之间，褚先生更补其（《史记》）缺，作《武帝纪》《三王世家》《龟策》《日者》等传。辞多鄙陋，非迁本意也。"（《史通·古今正史》卷十二）张溥："张晏曰：'褚先生，颍川人，仕元、成间。'韦稜曰：'褚颙《家传》：褚少孙，梁相褚大弟之孙，宣帝时，为博士，寓居于沛，事大儒王式，故号为先生，续《太史公书》。'而先生自述，亦云'幸得以经术为郎。'其记外戚，问之钟离生，记梁孝王，问之宫殿中老郎吏，编列三王封策，取之长老好故事者，慎哉所闻！与子长称董生、壶大夫何以异？《史记》中《孝武本纪》《礼》《乐》二书，皆传为褚先生所补。论者谓武帝好功利，多制作，史臣备集行事，甚可观感，必有大于秦皇诸纪者，乃仅取《封禅书》充之，阙如自在。《礼书》本荀卿，《乐书》本《乐记》，载太史公语无多，本朝有司，何遽失传，尽由褚生才薄，折足匪任。然读其所记景帝王后，武帝尹、邢两夫人，与梁王田仁、任安诸逸事，及《滑稽》六章，《日者》《龟策》二传，错综尔雅，状形貌，缀古语，竟有似太史公者。设令两人生同时，官同舍，子长主书，褚生为副，翻阅金匮，成就必广。又令各譔一史，如淮南八公之徒，闻见角立，相视而笑，未必不为庄周之许惠施也。予为采列独出，使世知龙门而下，扶风而上，尚有褚生，以当史家小山云。"（《汉魏六朝百三家集·褚先生集题词》）

汉武帝时人为文作赋者尚有：

《捷子》二篇。齐人，武帝时说。

《曹羽》二篇。楚人，武帝时说于齐王。

《郎中婴齐》十二篇。武帝时。颜注："刘向云故待诏，不知其姓，数从游观，名能为文。"

《待诏金马聊苍》三篇。赵人，武帝时。

《臣说》三篇。武帝时作赋。

《封禅方说》十八篇。武帝时。

《待诏臣饶心术》二十五篇。武帝时。

蔡甲赋一篇。

郎中臣婴齐赋十篇。

臣说赋九篇。

臣吾赋十八篇。

辽东太守苏季赋一篇。

第四章

汉昭帝始元元年至汉宣帝黄龙元年（前86—前49）共38年

·引　言·

刘勰《文心雕龙·时序第四十五》："越昭及宣，实继武绩；驰骋石渠，瑕豫文会；集雕篆之轶材，发绮縠之高喻；于是王褒之伦，底禄待诏。"

公元前86年　　（汉昭帝刘弗陵始元元年　乙未）

二月

汉昭帝刘弗陵作《黄鹄歌》。（《西京杂记》卷一）按，《汉书·昭帝纪》卷七云"始元元年春二月，黄鹄下建章宫太液池中"，诗或作于此时。

刘德待诏丞相府，大将军霍光欲用之。（《汉书·刘德传》卷三十六）

八月

刘德为宗正丞，杂治刘泽诏狱。（《汉书·刘德传》卷三十六、《汉书·昭帝纪》卷七）

闰九月

诏举贤良。（《汉书·昭帝纪》卷七、《资治通鉴》卷二十三）

是年

昭帝作《淋池歌》。（王嘉《拾遗记》卷六）按，此年昭帝年方九岁，所传作歌事，未知确否，姑系于此。

司马迁约卒于此年，年约六十（前145？—前86？）。按，关于史迁卒年，言人人殊。据现存史料，确年难考。王国维《太史公行年考》以为"与武帝相终始，当无大误也"，意谓卒于武帝崩后。褚少孙《史记·建元以来侯者年表》卷二十补云"太史公记事尽于孝武之事"，褚先生去史迁未远，于《史记》颇详，其说可证王国维之推论大体近是，姑从之。

公元前85年 （汉昭帝刘弗陵始元二年　丙申）

正月

刘辟彊举茂才，为光禄大夫，守长乐卫尉。（《汉书·昭帝纪》卷七、《汉书·刘辟彊传》卷三十六）

是年

刘辟彊八十岁，徙为宗正。（《汉书·刘辟彊传》卷三十六、《汉书·百官公卿表》卷十九下）

刘德徙大鸿胪丞。（《汉书·刘德传》卷三十六）

公元前84年 （汉昭帝刘弗陵始元三年　丁酉）

是年

刘辟彊卒，年八十一岁（前164—前84）。按，《汉书·百官公卿表》卷十九下云"（始元二年）光禄大夫刘辟彊为宗正，数月卒"，"数月卒"必在始元二年或三年，姑系此年。本传云其"为光禄大夫，守长乐卫尉，时年已八十矣"，则其卒年或已八十有一。

萧望之约二十五岁，奉命诣太常受业。按，《汉书·萧望之传》卷七十八云"以令诣太常受业"，事在从后仓学《诗》十年后，其武帝太始三年（前94）始从师后仓，至此年十年。

王褒或生于此年（前84?—前53?）。按，王褒的生年无考，不过，王褒与年方弱冠的刘向一同晋见宣帝，《汉书·何武传》卷八十六谓其"作《中和》《乐职》《宣布》诗三篇"时，称之为"辩士"，由是推之，其年或许在弱冠至而立之间，时年姑以二十五岁当之，若卒在宣帝甘露元年（前53），则或生于此年。王褒，字子渊，蜀郡资中（今四川资阳）人。通音律，善辞赋。宣帝时待诏金马门，后擢为谏大夫。后方士言益州有金马碧鸡之宝，可祭祀致也，宣帝使褒往祀焉，褒于道病死。（《汉书·王褒传》卷六十四下）《汉书·艺文志》卷三十："王褒赋十六篇"。《隋书·经籍志》卷三十五："汉谏议大夫《王褒集》，五卷。"张溥辑有《王谏议集》。严可均《全汉文》卷四十二收其文七篇。张溥："《汉书》严助、朱买臣、吾丘寿王、主父偃、徐乐、严安、终军、王褒、贾捐之九人同传，令终者鲜，惟子云弃繻，子渊作颂，名高齐蜀，而夭病随之。即身非鼎烹，能无惑辨命乎？《圣主贤臣》，文词采密，其排彭祖、厌乔松，归之文王多士，以祝寿考，意主规讽，犹长卿之《子虚》《上林》，游戏园圃，有戒心焉。乃蜻蛉神见，持节南崖，金马碧鸡，光景未来，使者先陨。彼所刺者神仙，而不能抗辞于衔命，乌得云善谏哉。《甘泉》《洞箫》，后宫诵读，《僮约》谐放，颇近东方。元帝为太子时，忽忽不乐，惟子渊奇文，足起体疾，以此贤于博奕，信矣。《九怀》之作，追愍屈原，古今才士，其致一也。执握金玉，委之污渎，他人有心，谁能不怨。大氐王生俊才，歌诗尤善，奏御天子，不外《中和》诸体，然辞长于理，声偶

渐谐，固西京之一变也。"（《汉魏六朝百三家集·王谏议集题词》）

公元前83 年 （汉昭帝刘弗陵始元四年 戊戌）

是年

刘德迁太中大夫。按，《汉书·刘德传》卷三十六云"迁太中大夫"，年月未详，其始元二年（前85）徙大鸿胪丞，元凤元年（前80）为宗正，二者之间迁太中大夫，姑系此年。

萧望之约二十六岁，从博士白奇学。按，《汉书·萧望之传》卷七十八云"复事同学博士白奇"，年月未详，姑定在诣太常一年后。

公元前82 年 （汉昭帝刘弗陵始元五年 己亥）

六月

诏举贤良文学，增博士弟子员。（《汉书·昭帝纪》卷七、《汉书·儒林传》卷八十八）

是年

李陵作《歌》（《李陵歌》）；复作《别诗》八首、《与苏武诗》三首；又作《与苏武书》。《汉书·苏武传》卷五十四："陵起舞，歌曰：'径万里兮度沙幕，为君将兮奋匈奴。路穷绝兮矢刃摧，士众灭兮名已聩。老母已死，虽欲报恩将安归！'陵泣下数行，因与武决。"按，郭茂倩《乐府诗集》卷八十四题作《李陵歌》。李陵此歌系为苏武送别时作，传文接叙"武以始元六年春至京师"，则送别疑在此年末，姑系于此。又，《别诗》载《古文苑》卷四，《与苏武诗》载《文选》卷二十九，或疑为伪作。若系其诗，当亦作于苏武归汉之前。又，书收于严可均《全汉文》卷二十八，其中有语云："行矣子卿，恩若一体，分为二朝，悠悠永绝，何可为思，人殊俗异，死生断绝，何由复达。"故亦当作于苏武归汉之前。

苏武约六十岁，作《答李陵诗》《别李陵》。按，二诗载《古文苑》卷四，或疑为伪作。若出苏武之手，当作于苏武归汉之前，苏武明年归汉，姑系于此。

萧望之约二十七岁，从夏侯胜学《论语》《礼服》。按，《汉书·萧望之传》卷七十八云"又从夏侯胜问《论语》《礼服》"，年月未详，姑定在从博士白奇学一年后。

公元前81 年 （汉昭帝刘弗陵始元六年 庚子）

二月

诏举贤良、文学，问民间所疾苦，议罢盐、铁、榷酤。（《汉书·昭帝纪》卷七、《盐铁论·本议》卷一、《资治通鉴》卷二十三）按，宣帝时，桓宽据此次议论作《盐铁论》。

苏武与胡妇生子通国；离匈奴前作《报李陵书》；归汉，拜典属国。（《汉书·昭帝纪》卷七、《资治通鉴》卷二十三）按，苏书云"余归汉室，子留彼国……谨奉答报，并还所赠。"《汉书·苏武传》卷五十四谓李陵曾"使其妻赐武牛羊数十头"，苏书所谓"并还所赠"乃归还李陵赠与之牛羊，当是其离匈奴前事。

李陵故人陇西任立政等三人至匈奴召陵，李陵婉拒曰"丈夫不能再辱"。（《汉书·李陵传》卷五十四、《资治通鉴》卷二十三）

是年

李陵作《答苏武书》。按，李书载《文选》卷四十一，中云"闻子之归，赐不过二百万，位不过典属国"，当作于苏武归汉后。刘知几《史通·杂说下》卷十八："《李陵集》有《与苏武书》，词采壮丽，章句流靡。观其文体，不类西汉人，殆后来所为，假称陵作也。迁《史》缺而不载，良有以焉。编于《李集》中，斯为谬矣。"

公元前80年 （汉昭帝刘弗陵元凤元年 辛丑）

八月

改元元凤。（《汉书·昭帝纪》卷七、《资治通鉴》卷二十三）

九月

刘旦作《歌》（《燕王歌》）。《汉书·武五子传》卷六十三："王忧懑，置酒万载宫，会宾客、群臣、妃妾坐饮。王自歌曰：'归空城兮，狗不吠，鸡不鸣，横术何广广兮，固知国中之无人。'"按，刘旦作《歌》乃自杀前事，《资治通鉴》卷二十三系其死于此时。刘旦（？—前80），沛（今江苏沛县）人。武帝第四子。封燕王。为人辩略，博学经书、杂说，好星历、数术、倡优、射猎之事，招致游士。昭帝即位后，以谋反罪自杀。（《汉书·武五子传》卷六十三）《乐府诗集》卷八十五收其所作歌，题作《燕王歌》。

华容夫人作《歌》（《华容夫人歌》）。《汉书·武五子传》卷六十三："华容夫人起舞曰：'发纷纷兮寘渠，骨籍籍兮亡居。母求死子兮，妻求死夫。裴回两渠间兮，君子独安居！'"按，华容夫人为燕王刘旦妻，作歌与刘旦作歌为同时事。华容夫人（？—前80），燕王刘旦夫人。以夫谋反罪自杀。《乐府诗集》卷八十五收其歌，题作《华容夫人歌》。

刘德为宗正，杂案上官氏、盖主事；数月免。（《汉书·百官公卿表》卷十九下、《汉书·楚元王传》卷三十六）按，上官父子及盖主谋逆事发受惩，《资治通鉴》卷二十三系于此年九月，传谓刘德以宗正执处其事，则至迟此时为宗正，而为此职仅数月耳。

十月

魏相为郡卒史，以贤良对策，为茂陵令。按，《汉书·魏相传》卷七十四云"为郡卒史，举贤良，以对策高第，为茂陵令"，《资治通鉴》卷二十三谓其此时对策，"为茂陵令"当亦在此时。魏相（？一前59），字弱翁，济阴定陶（今山东定陶西）人，徙平陵。少学《易》，为郡卒史。昭帝时，举贤良，以对策高第，为茂陵令。迁河南太守，后以事下狱。遇赦，复守茂陵令，迁杨州刺史。征为谏大夫，复为河南太守。宣帝时，为大司农，迁御史大夫。地节中为丞相，封高平侯。神爵三年薨，谥曰宪侯。（《汉书·魏相传》卷七十四）《隋书·经籍志》卷三十五："梁有汉丞相《魏相集》二卷，录一卷。……亡。"严可均《全汉文》卷二十九收其文六篇。

是年

苏武约六十二岁，坐燕王刘旦事免官。（《汉书·苏武传》卷五十四）

萧望之约二十九岁，丙吉荐之于霍光；以霍光警备森严，"不愿见"霍光，故不被录用。按，事载《汉书·萧望之传》卷七十八，传言事在霍光诛上官桀等、秉政时，《汉书·昭帝纪》卷七谓此年诛上官桀等。

公元前79年 （汉昭帝刘弗陵元凤二年 壬寅）

是年

刘德免为庶人，屏居山田；复守青州刺史；生子（刘向）。按，《汉书·百官公卿表》卷十九下云"太中大夫刘德为宗正，数月免"，其去岁九月时在宗正任，"数月免"，则免官疑在此年；《汉书·刘德传》卷三十六云"免为庶人，屏居山田。光闻而恨之，复白召德守青州刺史。岁余，复为宗正"，复为宗正在元凤三年，守青州刺史当在此年免官后至元凤三年为宗正前，姑系于此。

刘向生（前79—前8）。按，《汉书·刘向传》卷三十六云"年七十二卒。卒后十三岁而王氏代汉"，王莽代汉定在何年是知刘向确切生卒年之关键，王莽年号虽从始建国元年始，然查《汉书》，"帝纪"及"年表"均至平帝末为止，故王莽代汉当始于孺子婴居摄元年（公元6）；由此逆推十三年至成帝绥和元年（前8）即为刘向卒年，又以此知其生年为昭帝元凤二年。刘向，字子政，本名更生，沛（今江苏沛县）人。汉楚元王刘交四世孙，刘歆之父。少时以父任为郎，既冠为谏大夫。宣帝时，因献神仙方术之书，言黄金可成，试之不验，下狱免死。后任散骑谏大夫给事中。元帝时，擢为散骑、宗正、给事中。因用阴阳灾异之说议论时政，并弹劾宦官专权误国，两次下狱，免官多年。成帝时，为光禄大夫，官终中垒校尉。"采取《诗》《书》所载贤妃贞妇，兴国显家可法则，及孽嬖乱亡者，序次为《列女传》，凡八篇，以戒天子。及采传记行事，著《新序》《说苑》凡五十篇奏之。数上疏言得失，陈法戒。书数十上，以助观览，补遗阙"；又"领校中《五经》秘书。……见《尚书·洪范》，箕子为武王陈五行阴阳休咎之应。……乃集合上古以来历春秋六国至秦、汉符瑞灾异之记，推迹行事，连传祸福，著其占验，比类相从，各有条目，凡十一篇，号曰《洪范五行传论》"。（《汉书·楚元王传》卷三十六）一生著述颇丰，《汉书·艺文志》卷三十："刘向《五行传记》十一卷。……刘向所序六十七篇，《新序》《说苑》《世说》《列女传颂图》

也。……刘向《说老子》四篇。……刘向赋三十三篇。"《隋书·经籍志》卷三十二：
"《尚书洪范五行传论》十一卷，汉光禄大夫刘向注。"同书卷三十三："《战国策》三
十二卷，刘向录。……《列士传》二卷，刘向撰。……《列女传》十五卷，刘向撰，
曹大家注。……《列仙传赞》三卷，刘向撰，鏚续，孙绰赞。《列仙传赞》二卷，刘向
撰，晋郭元祖赞。……《世本》二卷，刘向撰。……《七略别录》二十卷，刘向撰。"
同书卷三十四："《新序》三十卷，录一卷，刘向撰。《说苑》二十卷，刘向撰。"同书
卷三十五："汉谏议大夫《刘向集》六卷。"张溥辑有《刘子政集》。严可均《全汉文》
卷三十五至三十九收其文三十二篇。张溥："汉胶侯刘路叔，长者也，颇修黄老术，治
淮南狱时，得其《枕中鸿宝苑秘书》，子政因而诵读，献之人主。铸金不成，系狱当
死。路叔上书讼罪，亦遭吏劾。好奇贾祸，诵白圭者，且为父咎云。元帝初立，忠直
辅政，寺人潜愬，复囚讦狱，至今读其封事，忠爱悁怛，义兼《诗》《书》。成帝尚文，
心向子政，阸于王氏，不能大用，连章说言，仅告无罪而已。夫屈原放废，始作《离
骚》；子政疾逸，八篇乃显。同姓忠精，感慨相类。左徒当日，谏书不传，彼盖争之口
舌，其著者，张仪一事耳。子政苦口，终身不倦，年七十余，惓惓汉宗，感灵异而论
《洪范》，戒赵魏而传《列女》，鉴往古而著《新序》《说苑》，其书皆非无为而作者也。
虽《九叹》深雅，微谢《骚经》，其它文辞宏博，足相当矣。太史公《屈原传》云：
'原死后，楚日削，竟为秦灭。'孟坚亦云：'子政卒后十三岁，王氏代汉。'此两人系
社稷轻重，何如哉！"（《汉魏六朝百三家·刘子政集题词》）

公元前 78 年　（汉昭帝刘弗陵元凤三年　癸卯）

正月

眭弘作《预推昌邑王宣帝事》，坐袄言伏诛（？—前 78）。（《汉书·眭弘传》卷
七十五）眭弘，字孟，鲁国蕃（今山东滕州西南）人。少时好侠，斗鸡走马，长乃变
节，从嬴公受《春秋》。以明经为议郎，至符节令。昭帝元凤三年，坐袄言惑众，大逆
不道，伏诛。有弟子百余人，严彭祖、颜安乐俱出其门。（《汉书·眭弘传》卷七十五、
《汉书·儒林传》卷八十八）《汉书·艺文志》卷三十："眭弘赋一篇，亡。"严可均
《全汉文》卷三十二收其文一篇。

是年

刘德复为宗正。（《汉书·楚元王传》卷三十六、《汉书·百官公卿表》卷十九下）

魏相迁河南太守，豪强畏服。《汉书·魏相传》卷七十四："后迁河南太守，禁止
奸邪，豪强畏服。会丞相车千秋死。"按，《汉书·昭帝纪》卷七谓"四年春正月……
甲戌，丞相千秋薨"，魏相迁河南太守在"丞相千秋薨"之前，可能在此年，亦可能在
明年岁首，姑系此年。

萧望之约三十一岁，为郎，署小苑东门候。《汉书·萧望之传》卷七十八："于是
光独不除用望之，而仲翁等皆补大将军史。三岁间，仲翁至光禄大夫、给事中，望之
以射策甲科为郎，署小苑东门候。"按，元凤元年霍光以萧望之不敬而不用，至此三

年。

公元前77年 （汉昭帝刘弗陵元凤四年　甲辰）

夏秋

　　魏相以丞相子事下狱。《汉书·魏相传》卷七十四："会丞相车千秋死，先是千秋子为雒阳武库令，自见失父，而相治郡严，恐久获罪，乃自免去。……大将军用武库令事，遂下相廷尉狱。"按，魏相系狱，在此年正月丞相车千秋死后，疑在夏秋。

是年

　　京房生（前77—前37）。（《汉书·京房传》卷七十五）京房，本姓李，推律自定为京氏，字君明，东郡顿丘（今河南浚县）人。治《易》，师从梁人焦延寿。好钟律，知音声。精于灾变，开《易》学"京氏学"一派，立于学官。始以孝廉为郎，后为太中大夫。每上疏说灾异，所言屡中，数蒙元帝召见。与石显、五鹿充宗有隙，出为魏郡太守。后四十一岁时以为淮阳王作求朝奏草事，弃市。（《汉书·京房传》卷七十五、《汉书·儒林传》卷八十八）《汉书·艺文志》卷三十："《孟氏京房》十一篇，《灾异孟氏京房》六十六篇。"《隋书·经籍志》卷三十二："《周易》十卷，汉魏郡太守京房章句。……梁有《周易错》八卷，京房撰。"同书卷三十四："《风角要占》三卷，梁八卷，京房撰。……梁有《风角五音占》五卷，京房撰，亡。……《风角杂占五音图》，梁十三卷，京房撰……亡。……《逆刺》一卷，京房撰。……《方正百对》一卷，京房撰。《晋灾祥》一卷，京房撰。……《周易占事》十二卷，汉魏郡太守京房撰。……《周易占》十二卷，京房撰。梁《周易妖占》十三卷，京房撰。《周易守林》三卷，京房撰。《周易集林》十二卷，京房撰。……《周易飞候》九卷京房撰。……《周易飞候》六卷，京房撰。《周易四时候》四卷，京房撰。《周易错卦》七卷，京房撰。《周易混沌》四卷，京房撰。《周易委化》四卷，京房撰。《周易逆刺占灾异》十二卷，京房撰。……《占梦书》三卷，京房撰。"

公元前76年 （汉昭帝刘弗陵元凤五年　乙巳）

春

　　魏相遇赦，复守茂陵令。《汉书·魏相传》卷七十四："久系逾冬，会赦出。复有诏守茂陵令，迁杨州刺史。"按，传言"久系逾冬"，赦出当在此年春季。

是年

　　魏相迁杨州刺史。按，魏相此年至本始二年（前72）为大司农四年间任茂陵令、杨州刺史（二年）、谏议大夫、河南太守（数年）诸职，故守茂陵令与迁杨州刺史疑在同一年。

公元前75年 （汉昭帝刘弗陵元凤六年 丙午）

是年

魏相为谏大夫，复为河南太守。按，《汉书·魏相传》卷七十四云“居部二岁，征为谏大夫，复为河南太守。数年，宣帝即位，征相入为大司农”，“居部二岁”谓在杨州刺史任二载，去岁赴任，至此年首尾算在内为二年；为河南太守至本始二年（前72）任大司农间有数年之隔，疑其复为河南太守亦在此年；若此，距本始二年有三载之隔，可称“数年”。

刘去作《背尊章》《愁莫愁》歌。按，郭茂倩《乐府诗集》卷八十四题作《广川王歌》（二首）。事载《汉书·景十三王传》卷五十三，刘去（？—前70）武帝征和二年（前91）嗣广川王，至宣帝本始四年（前70）自杀，为王二十二年，其间虐杀姬妾奴婢多人。《背尊章》歌为杀陶望卿（脩靡夫人）后作，《愁莫愁》歌为王后昭信软禁诸姬时作，年月难详，疑在昭帝朝。刘去案发之宣帝本始三年前，广川王相劾治刘去“令倡俳裸戏坐中以为乐”时，曾查及陶望卿姊妹，刘去诡称二人“淫乱自杀”，于是“会赦不治”。宣帝朝本始三年前之大赦有两次，分别在元平元年九月及本始元年五月，刘去遇赦疑在元平元年。二歌作于此前，姑系此年。

公元前74年 （汉昭帝刘弗陵元平元年 丁未）

四月

汉昭帝刘弗陵崩，年二十一（前94—前74）。（《汉书·昭帝纪》卷七、《资治通鉴》卷二十三）

刘德奉命迎昌邑王刘贺。（《汉书·宣帝纪》卷八、《资治通鉴》卷二十四）

夏侯胜谏昌邑王外出。（《汉书·夏侯胜传》卷七十五）夏侯胜（？—？），字长公，东平（今属山东）人。好学，从夏侯始昌受《尚书》及《洪范五行传》，后事蕳卿，又从欧阳氏问。为学精孰。征为博士、光禄大夫。以《尚书》授太后。迁长信少府，赐爵关内侯。宣帝即位，以反对为武帝立庙乐，下狱。后赦为谏大夫、给事中。后复为长信少府，迁太子太傅。受诏撰《尚书、论语说》。年九十，卒。（《汉书·夏侯胜传》卷七十五）《汉书·艺文志》卷三十：“《大小夏侯章句》各二十九卷，亡。《大小夏侯解故》二十九篇，亡。”按，大夏侯，即夏侯胜；小夏侯，即夏侯建。夏侯建（？—？），字长卿，夏侯胜堂弟。师事夏侯胜及欧阳高，又从《五经》诸儒问与《尚书》相出入者，以次章句，具文饰说。夏侯胜非之曰“建所谓章句小儒，破碎大道”，夏侯建亦非难夏侯胜为学疏略，乃自钻研《尚书》。为议郎、博士，至太子少傅。（《汉书·夏侯建传》卷七十五）

六月

嗣主昌邑王刘贺即位；受玺二十七日，废。（《汉书·宣帝纪》卷八）

张敞上《谏昌邑王书》，显名。《汉书·张敞传》卷七十六：“会昌邑王征即位，动作不由法度，敞上书谏曰……后十余日王贺废，敞以切谏显名。"按，昌邑王刘贺为皇帝不足一月，张敞上书后十余日刘贺废，上书当在六月中旬。张敞（？—前48），字子高，河东平阳（今山西临汾县）人，居茂陵，后随宣帝徙杜陵（今陕西西安）。补太守卒史，转甘泉仓长，稍迁太仆丞。宣帝时，历任豫州刺史、太中大夫、山阳太守、胶东相、京兆尹等官职。因杨恽故免为庶人，不久为冀州刺史。元帝初，病卒。（《汉书·张敞传》卷七十六）《隋书·经籍志》卷三十五："左冯翊《张敞集》一卷，录一卷。亡。"

七月

刘德至尚冠里迎皇曾孙。（《汉书·宣帝纪》卷八、《汉书·楚元王传》卷三十六、《资治通鉴》卷二十四）

皇曾孙（刘询）即位，是为宣帝。（《汉书·宣帝纪》卷八、《资治通鉴》卷二十四）

路温舒作《尚德缓刑书》。（《汉书·路温舒传》卷五十一）按，传言"会昭帝崩，昌邑王贺废，宣帝初即位，温舒上书"，宣帝此年七月即位，路书当作于七月之后，姑系于此。路温舒（？—？），字长君，巨鹿东里（今河南新郑境内）人。少时牧羊，"取泽中蒲，截以为牒，编用写书"。求为狱小吏，因学律令，转为狱史，署决曹史。又受《春秋》，通大义。举孝廉，为山邑丞，坐法免，复为郡吏。元凤中，守廷尉史。宣帝初，为广阳私府长，迁右扶风丞。以上书欲使匈奴，罢归故官。后迁临淮太守，治有异迹，卒于官。（《汉书·路温舒传》卷五十一）《古文观止》卷六收其文一篇。

八月

杨恽丧父（杨敞）。（《汉书·杨敞传》卷六十六、《资治通鉴》卷二十四）杨恽（？—前54），字子幼，华阴（今属陕西）人。丞相杨敞子，司马迁外孙。始读外祖《太史公记》，颇为《春秋》，以材能称。补常侍骑。好交英俊诸儒，名显朝廷，擢为左曹。以告霍氏谋反，封为平通侯，迁中郎将，擢光禄勋。为官廉洁无私，然性刻害，好发人阴伏，同位有忤己者，必欲害之。以此结怨于人。太仆戴长乐告其毁谤，免为庶人。后因《报孙会宗书》被腰斩。（《汉书·杨恽传》卷六十六）严可均《全汉文》卷三十二收其文一篇。丁福保《全汉诗》卷二收其诗一首。

是年

李陵卒（？—前74）。（《汉书·李陵传》卷五十四）

陈汤约于此年生（前74？—前4？）。按，本传未言其生年，考其五凤三年（前55）入京得官，其时至少年当二十，逆推则知约生于此年。陈汤，字子公，山阳瑕丘（今山东兖州西）人。少好书，博通善文。家贫，为人所轻。西至长安，得为太官献食丞，后为郎，迁西域副校尉。建昭时，出西域，矫制发兵，斩郅支单于，封关内侯，拜射声校尉。成帝初，免官，下狱，赦为士伍。数岁后，复为大将军从事中郎，又以罪徙敦煌，转徙安定。晚年赐还，卒于长安。（《汉书·陈汤传》卷七十）《隋书·经籍志》卷三十五："梁有汉射声校尉《陈汤集》二卷。……亡。"

颜安乐此年前后在世。按，据《汉书·眭孟传》卷七十五，眭孟于昭帝元凤三年（前78）被诛，后五年宣帝即位，征其子为郎。《汉书·儒林传》卷八十八称颜安乐为"眭孟姊子"，年龄当与眭孟子相若，故昭、宣之际在世。颜安乐（？—？），字公孙，鲁国薛（今山东滕县南）人。家贫，为学精力，官至齐郡太守丞，后为仇家所杀。师事眭孟，学《春秋》，与严彭祖学最佳。由是《公羊春秋》有颜、严之学，颜氏复有管（路）、冥（都）之学。（《汉书·儒林传》卷八十八）《汉书·艺文志》卷三十："《公羊颜氏记》十一篇，亡。"沈钦韩《汉书疏证》谓"颜安乐所说"。《隋书·经籍志》卷三十二："齐人胡母子都传《公羊春秋》，授东海嬴公。嬴公授东海孟卿，孟卿授鲁人眭孟，眭孟授东海严彭祖、鲁人颜安乐。故后汉《公羊》有严氏、颜氏之学，与谷梁三家并立。"

公元前73年　（汉宣帝刘询本始元年　戊申）

正月

苏武以与立宣帝有功，赐爵关内侯。（《汉书·宣帝纪》卷八）

刘德赐爵关内侯。（《汉书·宣帝纪》卷八）

张敞擢豫州刺史；数上忠言，征为太中大夫，平尚书事。《汉书·张敞传》卷七十六云："后十余日王贺废，敞以切谏显名，擢为豫州刺史。以数上事有忠言，宣帝征敞为太中大夫，与于定国并平尚书事。"按，张敞上书在废昌邑王前，擢刺史在宣帝即位后。《汉书·于定国传》卷七十一云："会昭帝崩，昌邑王征即位，行淫乱，定国上书谏。后王废，宣帝立，大将军光领尚书事，条奏群臣谏昌邑王者皆超迁。定国由是为光禄大夫，平尚书事，甚见任用。"霍光条奏群臣与废刘贺有功者，然后赏官，当在此年正月论功行赏时。

四月

诏举文学。（《汉书·宣帝纪》卷八）

是年

萧望之约三十六岁，坐弟犯法，免归为郡吏。按，《汉书·萧望之传》卷七十八云"后数年，坐弟犯法，不得宿卫，免归为郡吏"，"后数年"，谓自元凤三年（前78）署小苑东门候后数年，至此年五年，姑当"数年"。

刘钦生（前73？—前28）。按，刘钦为元帝异母弟，元帝元平元年（前74）生，刘钦或小其一岁。刘钦，沛（今江苏沛县）人。宣帝子。好经书、法律，聪达有材。封淮阳王。立三十六年薨，谥曰宪王。（《汉书·宣元六王传》卷八十、《汉书·诸侯王表》卷十四)《汉书·艺文志》卷三十:"淮阳宪王赋二篇,亡。"严可均《全汉文》卷十二收其文一篇。

公元前 72 年　(汉宣帝刘询本始二年　己酉)

六月

宣帝命为武帝庙奏《盛德》《文始》《五行》之舞。(《汉书·宣帝纪》卷八)

是年

魏相为大司农。(《汉书·魏相传》卷七十四、《汉书·百官公卿表》卷十九下)

后仓为少府。(《汉书·百官公卿表》卷十九下)后仓(?—?),"仓"亦作"苍",字近君,东海郯(今山东郯城)人。事夏侯始昌。通《诗》《礼》《孝经》。为博士,至少府。授翼奉、萧望之、匡衡等。《齐诗》翼(奉)、匡(衡)、师(丹)、伏(理)之学,皆出其门。(《汉书·儒林传》卷八十八)《汉书·艺文志》卷三十:"《齐后氏故》二十卷,亡。……《曲台后仓》九篇。"王先谦《汉书补注》谓"后氏"为后苍,"后苍者,辕固再传弟子"。《隋书·经籍志》卷三十二:"《明堂阴阳》之记,并无敢传之者。唯古经十七篇与高堂生所传不殊,而字多异。自高堂生至宣帝时后苍,最明其业,乃为《曲台记》。苍授梁人戴德,及德从兄子圣、沛人庆普,于是有大戴、小戴、庆氏,三家并立。"

褚少孙约十六岁,或于此年师从王式。《汉书·儒林传》卷八十八云:"(王)式为昌邑王师。昭帝崩,昌邑王嗣立,以行淫乱废,昌邑群臣皆下狱诛,唯中尉王吉、郎中令龚遂以数谏减死论。式系狱当死……亦得减死论,归家不教授。……沛褚少孙亦来事式,问经数篇,式谢曰:'闻之于师具是矣,自润色之。'不肯复授。唐生、褚生应博士弟子选,诣博士。"按,昌邑王废在昭帝元平元年(前74),减死归家当在该年或次年;褚少孙登门拜师姑系于废昌邑王两年后。后有"应博士弟子选,诣博士"事,同传称丞相公孙弘奏请、武帝恩准"为博士官置弟子五十人,复其身。太常择民年十八以上、仪状端正者,补博士弟子",褚少孙应博士弟子选至少年十八,则从师王式当在十八岁以下,姑定在此年。

公元前 71 年　(汉宣帝刘询本始三年　庚戌)

六月

魏相迁御史大夫。(《汉书·魏相传》卷七十四、《汉书·百官公卿表》卷十九下、《资治通鉴》卷二十四)

张敞忤大将军霍光,主兵车事。按,《汉书·张敞传》卷七十六云"以正违忤大将军霍光,而使主兵车出军省减用度",年月未详,姑定在为太中大夫两年后。

公元前70年　（汉宣帝刘询本始四年　辛亥）

四月

诏举贤良方正之士。（《汉书·宣帝纪》卷八）

是年

桓宽作《盐铁论》六十篇。《汉书·公孙贺传》卷六十六："赞曰：所谓盐铁议者，起始元中，征文学贤良问以治乱，皆对愿罢郡国盐、铁、酒榷、均输，务本抑末，毋与天下争利，然后教化可兴。御史大夫弘羊以为：此乃所以安边竟，制四夷，国家大业，不可废也。当时相诘难，颇有其议文。至宣帝时，汝南桓宽次公治《公羊春秋》，举为郎，至庐江太守丞，博通善属文，推衍盐、铁之议，增广条目，极其论难，著数万言，亦欲以究治乱，成一家之法焉。其辞曰：'观公卿贤良文学之议，"异乎吾所闻"。闻汝南朱生言，当此之时，英俊并进，贤良茂陵唐生、文学鲁国万生之徒六十有余人，咸聚阙庭，舒六艺之风，陈治平之原，知者赞其虑，仁者明其施，勇者见其断，辩者骋其辞，断断焉，行行焉，虽未详备，斯可略观矣。中山刘子推言王道，挢当世，反诸正，彬彬然弘博君子也。九江祝生奋史鱼之节，发愤懑，讥公卿，介然直而不挠，可谓不畏强圉矣。桑大夫据当世，合时变，上权利之略，虽非正法，钜儒宿学不能自解，博物通达之士也。然摄公卿之柄，不师古始，放于末利，处非其位，行非其道，果陨其性，以及厥宗。车丞相履伊、吕之列，当轴处中，括囊不言，容身而去，彼哉！彼哉！若夫丞相、御史两府之士，不能正议以辅宰相，成同类，长同行，阿意苟合，以说其上，"斗筲之徒，何足选也！"'"桓宽（？—？），字次公，汝南（今河南上蔡）人，治《公羊春秋》，举为郎，官至庐江太守丞。"博通善属文，推衍盐铁之议，增广条目，极其论难，著数万言，亦欲以究治乱，成一家之法焉"。（《汉书·公孙贺传赞》卷六十六）《汉书·艺文志》卷三十："桓宽《盐铁论》六十篇。"《隋书·经籍志》卷三十四："《盐铁论》十卷，汉庐江府丞桓宽撰。"永瑢等："《盐铁论》十二卷（内府藏本），汉桓宽撰。宽字次公，汝南人。宣帝时举为郎，官至庐江太守丞。昭帝始元六年，诏郡国举贤良、文学之士，问以民所疾苦，皆请罢盐、铁、榷酤，与御史大夫桑弘羊等建议相诘难。宽集其所论，为书凡六十篇，篇各标目，实则反复问答，诸篇皆首尾相属；后罢榷酤，而盐、铁则如旧。故宽作是书，惟以盐、铁为名，盖惜其议不尽行也。书末《杂论》一篇，述汝南朱子伯之言，记贤良茂陵唐生、文学鲁万生等六十余人，而最推中山刘子雍、九江祝生，于桑弘羊、车千秋深著微词，盖其书之大旨。所论皆食货之事，而皆述先王，称《六经》，故诸史皆列之儒家。黄虞稷《千顷堂书目》改隶史部食货类中，循名而失其实矣。明嘉靖癸丑，华亭张之象为之注，虽无所发明，而事实亦粗具梗概，今并录之，以备考核者。"（《四库提要》卷九十一）

92

公元前 69 年 （汉宣帝刘询地节元年 壬子）

是年

张敞忤霍光，复出为函谷关都尉。按，《汉书·张敞传》卷七十六云"复出为函谷关都尉"，年月未详，姑定在为山阳太守两年前。

褚少孙约十九岁，或于此年应博士弟子选，诣博士，治《春秋》。《史记·龟策列传》卷一百二十八："褚先生曰：臣以通经术，受业博士，治《春秋》。"《汉书·儒林传》卷八十八："褚生应博士弟子选，诣博士，抠衣登堂，颂礼甚严，试诵说，有法，疑者丘盖不言。"按，武帝纳丞相公孙弘议，补博士弟子者须年十八以上，姑定褚少孙十九岁左右；其本始二年（前 72）十六岁左右从师王式，则应博士弟子选当在此年。

公元前 68 年 （汉宣帝刘询地节二年 癸丑）

三月

魏相上封事，言宜以张安世为大将军、以张延寿为光禄勋。（《汉书·张汤传》卷五十九、《资治通鉴》卷二十四）

五月

宣帝刘询始亲政事。（《汉书·宣帝纪》卷八）

是年

苏武约七十四岁，待诏宦者署，复为右曹典属国，号称祭酒。（《汉书·苏武传》卷五十四）

魏相因平恩侯许伯奏封事，言宜损夺霍氏权；宣帝善之，诏给事中。（《汉书·魏相传》卷七十四、《资治通鉴》卷二十四）

萧望之约四十一岁，为大行治礼丞。按，《汉书·萧望之传》卷七十八云："察廉为大行治礼丞。时，大将军光薨。"《汉书·宣帝纪》卷八谓霍光此年卒，萧望之为大行治礼丞当在此年。

刘向十二岁，为辇郎。（《汉书·楚元王传》卷三十六）

公元前 67 年 （汉宣帝刘询地节三年 甲寅）

五月

张敞为山阳太守。《汉书·张敞传》卷七十六云"宣帝初即位，废王贺在昌邑，上心惮之，徙敞为山阳太守"。按，《汉书·武五子传》卷六十三云"大将军光更尊立武帝曾孙，是为孝宣帝。即位，心内忌贺，元康二年遣使者赐山阳太守张敞玺书……敞于是条奏贺居处，著其废亡之效，曰：'臣敞地节三年五月视事……'"据此，张敞当在此时守山阳。

六月

魏相为丞相，封高平侯。（《汉书·魏相传》卷七十四、《汉书·外戚恩泽表》卷十八、《汉书·百官公卿表》卷十九下）

夏

萧望之上《雨雹对》，拜谒者。（《汉书·萧望之传》卷七十八）

七月

魏相因婢死之事上《自陈书》。（《汉书·赵广汉传》卷七十六）

是年

萧望之约四十二岁，累迁谏大夫，丞相司直；上书劾奏赵广汉。（《汉书·萧望之传》卷七十八、《汉书·赵广汉传》卷七十六）按，《汉书·萧望之传》卷七十八云："地节三年夏……天子拜望之为谒者。……累迁谏大夫，丞相司直，岁中三迁，官至二千石。""岁中三迁"，知为谒者、谏大夫、丞相司直三职均在此年。又，《赵广汉传》谓"司直萧望之劾奏"，亦知此年萧望之任三职在同年。

公元前66年 （汉宣帝刘询地节四年 乙卯）

三月

刘德封为阳城侯。（《汉书·外戚恩泽侯表》卷十八、《汉书·楚元王传》卷三十六）

五月

张敞上封事，请罢霍氏三侯。（《汉书·张敞传》卷七十六、《资治通鉴》卷二十五）

八月

杨恽以密告霍氏谋反功，封平通侯。（《汉书·杨恽传》卷六十六、《汉书·景武昭宣元成功臣表》卷十七、《资治通鉴》卷二十五）

公元前65年 （汉宣帝刘询元康元年 丙辰）

春

萧望之徙杜陵。按，《汉书·萧望之传》卷七十八云："萧望之字长倩，东海兰陵人也，徙杜陵。"《汉书·宣帝纪》卷八云："元康元年春，以杜东原上为初陵，更名杜县为杜陵。徙丞相、将军、列侯、吏二千石、訾百万者杜陵。"萧望之为丞相司直，"官至二千石"，当在徙者之中。

张敞家族徙杜陵。按，《汉书·张敞传》卷七十六云："敞后随宣帝徙杜陵。"《汉书·宣帝纪》卷八云："元康元年春，以杜东原上为初陵，更名杜县为杜陵。徙丞相、将军、列侯、吏二千石、訾百万者杜陵。"张敞家族徙杜陵当在此时。

八月

诏博举厥身修正，通文学，明于先王之术，宣究其意者。（《汉书·宣帝纪》卷八）

是年

萧望之约四十四岁，出为平原太守，作《请以谏官为内臣疏》；征为少府；作《冯奉世封爵议》。（《汉书·萧望之传》卷七十八、《汉书·百官公卿表》卷十九下、《资治通鉴》卷二十五）

褚少孙约二十三岁，约于此年始补《史记》。按，《史记·建元以来侯者年表》卷二十褚先生补表"平昌"侯条谓"王长君……至今元康元年中，诏征，立以为侯，封五千户（后有'宣帝舅父也'之语，疑他人补语）"，"高昌"侯条谓"董忠……今为枭骑都尉……"所谓"今"者，盖为补《史记》之时点，即宣帝元康时。

公元前64年　（汉宣帝刘询元康二年　丁巳）

是年

张敞受宣帝玺书，作《条奏昌邑王贺居处状》。（《汉书·武五子传》卷六十三）

魏相上书，谏击匈奴。（《汉书·魏相传》卷七十四、《资治通鉴》卷二十五）

萧望之约四十五岁，为左冯翊；作《不可许乌孙议》。（《汉书·百官公卿表》卷十九下、《汉书·萧望之传》卷七十八、《资治通鉴》卷二十五）按，《汉书·萧望之传》卷七十八云："乌孙绝域，信其美言，万里结婚，非长策也。"《汉书·西域传》卷九十六下云："元康二年，乌孙昆弥因惠上书：'愿以汉外孙元贵靡为嗣，得令复尚汉公主，结婚重亲，畔绝匈奴，愿聘马、骡各千匹。'诏下公卿议，大鸿胪萧望之以为：'乌孙绝域，变故难保，不可许。'"二者所载萧望之言意旨同，当为此年事。《资治通鉴》卷二十五系于神爵二年，今从《西域传》。

杨恽此年前后迁中郎将。按，《汉书·杨恽传》卷六十六云"迁中郎将"，年月未详，杨恽地节四年（前66）封侯，神爵元年（前61）为光禄勋，迁中郎将在二者之间，姑定在封侯三年后。

师丹约生于此年（前64？—5）。按，师丹初元四年（前45）师从博士匡衡，汉法诣博士须十八岁以上，姑定其年师丹二十岁，则约生于此年。师丹，字仲公，琅邪东武（今山东诸城）人。治《诗》，事匡衡。元帝时，举孝廉为郎，为博士。成帝时，举茂才，复补博士，出为东平王太傅。入为光禄大夫、丞相司直、光禄大夫给事中。历任少府、光禄勋、侍中，太子太傅。哀帝即位，为左将军，赐爵关内侯，领尚书事，遂代王莽为大司马，封高乐侯。徙为大司空，一年后免。平帝即位，征诣公车，复赐爵关内侯、义阳侯。月余薨，谥曰节侯。（《汉书·师丹传》卷八十六）《隋书·经籍志》卷三十五："汉司空《师丹集》一卷，梁三卷，录一卷。"严可均《全汉文》卷四十八收其文四篇。

公元前63年 （汉宣帝刘询元康三年 戊午）

四月

刘钦封淮阳王。按，《汉书·宣帝纪》卷八谓此年六月"立皇子钦为淮阳王"，《汉书·诸侯王表》卷十四和《资治通鉴》卷二十五则以为此年四月事，今从《诸侯王表》。

是年

萧望之约四十六岁，作《议张敞愿令有辜入谷赎罪书》《复议张敞对难问》。《汉书·萧望之传》卷七十八："是岁，西羌反，汉遣后将军征之。京兆尹张敞上书言：'……愿令诸有罪，非盗受财杀人及犯法不得赦者，皆得以差入谷此八郡赎罪。……'事下有司，望之与少府李强议，以为……于是天子复下其议两府，丞相、御史以难问张敞。敞曰：'少府左冯翊所言……'望之、强复对曰……"按，此一段叙述错综杂糅，与史实颇相抵牾，"是岁，西羌反"，以《汉书·赵充国传》卷六十九合之，乃指"元康三年，先零遂与诸羌种豪二百余人解仇交质盟诅"事，"汉遣后将军征之"，乃指《汉书·宣帝纪》卷八"神爵元年……西羌反。……遣后将军赵充国、强弩将军许延寿击西羌"事，中间张敞与萧望之等论难以张敞称萧为"少府左冯翊"观之，仍为"元康三年"事。故此段论难后，丞相、御史大夫不用张敞之策，接叙"望之为左冯翊三年，京师称之，迁大鸿胪"。萧文当系此年。

张敞作《自请治勃海胶东盗贼书》，征拜胶东相；奏《谏胶东王太后数出游猎书》；作《请令入谷赎罪书》《答难入谷赎罪问》。《汉书·张敞传》卷七十六："久之，勃海、胶东盗贼并起，敞上书自请治之，曰……书奏，天子征敞，拜胶东相，赐黄金三十斤。敞辞之官……居顷之，王太后数出游猎，敞奏书谏曰……书奏，太后止不复出。"又，《请令入谷赎罪书》《答难入谷赎罪问》二文，与萧望之之议作于同时，说见上条。按，张敞地节三年至元康二年（前64）为山阳太守，神爵元年（前61）为京兆尹，为胶东相必在元康二年解山阳太守任至神爵元年赴任京兆尹之间，确切年月未详，姑系此年。

魏相难张敞入谷赎罪之议。按，事载《汉书·萧望之传》卷七十八，张敞此年提出入谷赎罪之议，魏相难之，当在此时。

公元前 62 年　（汉宣帝刘询元康四年　己未）

正月

诏举茂材异伦之士。《汉书·宣帝纪》卷八："遣太中大夫强等十二人循行天下，存问鳏、寡，览观风俗，察吏治得失，举茂材异伦之士。"

是年

张敞作《与朱邑书》。按，《汉书·循吏传》卷八十九云："朱邑……以治行第一入为大司农。……是时，张敞为胶东相，与邑书曰……"《汉书·百官公卿表》卷十九下谓地节四年（前66）"北海太守朱邑为大司农，四年卒"，本传称其卒于神爵元年（前61），则张书必作于其元康三年（前63）至神爵元年为京兆尹之间，姑系此年。

苏武在匈奴所生子苏通国被赎回，为郎。按，《汉书·苏武传》卷五十四云"后通国随使者至，上以为郎"，年月未详，苏通国为苏武归汉之年生，至此年年方弱冠，且二年后苏武卒，姑系于此。

韦玄成为大河都尉；丧父（韦贤）；为让兄嗣爵，阳狂，以病不应召。按，《汉书·韦玄成传》卷七十三云"迁大河都尉"，父卒，其"在官闻丧"，则丧父之年在大河都尉任上，何年任此职及此前所任郎、谏大夫，年月均不详。《汉书·外戚恩泽侯表》卷十八谓韦贤本始三年（前71）封扶阳侯，"十年薨"，则其卒于此年。又，本传云："贤薨，玄成在官闻丧，又言当为嗣，玄成深知其非贤雅意，即阳为病狂，卧便利，妄笑语昏乱。征至长安，既葬，当袭爵，以病狂不应召。"韦玄成阳狂为父卒后不久事，宜系于此。韦玄成（？—前36），字少翁，鲁国邹（今山东邹县）人。韦孟六世孙，韦贤子。以父任为郎。少好学，修父业，治《鲁诗》《论语》，与父韦贤及侄韦赏开《诗》"韦氏学"派。以明经擢为谏大夫，迁大河都尉。后袭父爵，为河南太守。数岁，为未央卫尉，迁太常。坐为杨恽党友，免官；复为淮阳中尉。元帝即位，为少府，迁太子太傅，至御史大夫。永光中，为丞相。建昭三年薨，谥曰共侯。（《汉书·韦贤传》卷七十三、《汉书·儒林转》卷八十八）《隋书·经籍志》卷三十五："丞相《韦玄成集》二卷，亡。"严可均《全汉文》卷三十三收其文六篇。丁福保《全汉诗》卷二收其诗两篇。

公元前 61 年　（汉宣帝刘询神爵元年　庚申）

正月

宣帝修武帝故事，颇作诗歌。（《汉书·郊祀志》卷二十五下）

三月

改元神爵。（《汉书·郊祀志》卷二十五下）

是年

丞相史作《与韦玄成书》，劝韦玄成勿作阳狂。（《汉书·韦玄成传》卷七十三）按，丞相史作书、玄成友人上疏、丞相与御史劾奏，均应为玄成袭父爵稍前事，宜系于此。

韦玄成友人侍郎章上疏，请优养玄成。（《汉书·韦玄成传》卷七十三）

丞相、御史劾奏玄成不病，有诏勿劾。（《汉书·韦玄成传》卷七十三）

韦玄成不得已袭父爵，为扶阳侯。《汉书·韦玄成传》卷七十三："大鸿胪奏状，章下丞相、御史案验。玄成素有名声，士大夫多疑其欲让爵辟兄者。案事丞相史乃与玄成书曰：'古之辞让，必有文义可观，故能垂荣于后。今子独坏容貌，蒙耻辱，为狂痴，光曜晻而不宣。微哉！子之所托名也。仆素愚陋，过为宰相执事，愿少闻风声。不然，恐子伤高而仆为小人也。'玄成友人侍郎章亦上疏言：'圣王贵以礼让为国，宜优养玄成，勿枉其志，使得自安衡门之下。'而丞相、御史遂以玄成实不病，劾奏之。有诏勿劾，引拜。玄成不得已受爵。"按，《汉书·外戚恩泽侯表》卷十八云"神爵元年，共侯玄成嗣"，《资治通鉴》卷二十五则谓（元康四年）"不得已受爵"，二者存在一年之差。《通鉴》似乎以为韦玄成嗣爵在其父韦贤卒年，然韦玄成父死之后"阳狂"了一段时间，如韦贤卒于元康四年年末，韦玄成嗣爵也可能在神爵元年年初。未知孰是，姑依《外戚恩泽侯表》。

杨恽为诸吏光禄勋。（《汉书·杨恽传》卷六十六、《汉书·百官公卿表》卷十九下）

张敞为京兆尹。（《汉书·百官公卿表》卷十九下）

萧望之约四十八岁，为大鸿胪。（《汉书·百官公卿表》卷十九下、《汉书·萧望之传》卷七十八）

魏相条汉兴已来国家便宜行事，及贤臣贾谊、晁错、董仲舒等所言，奏请施行。按，事载《汉书·魏相传》卷七十四，魏相奏言中有语云"今岁不登……西羌未平"，《汉书·宣帝纪》卷八谓"神爵元年……西羌反"，"二年……羌虏降服"，是知魏相条奏乃此年事。

魏相又数表采《易阴阳》及《明堂月令》奏之，请选明经通知阴阳者。按，事载《汉书·魏相传》卷七十四，魏相此次奏言中云"伏念陛下恩泽甚厚，然而灾气未息"，而上条进言中云"今岁不登"，当为同年事。

魏相"奏言知音善鼓雅琴者渤海赵定、梁国龚德，皆召见待诏"。（《汉书·王褒传》卷六十四下）《汉书·王褒传》卷六十四下："神爵、五凤之间，天下殷富，数有嘉应。上颇作歌诗，欲兴协律之事，丞相魏相奏言知音善鼓雅琴者渤海赵定、梁国龚德，皆召见待诏。"按，此年宣帝颇作歌诗。

王褒年约二十四，见益州刺史王襄，为作《中和》《乐职》《宣布》三诗。按，《汉书·王褒传》卷六十四下："神爵、五凤之间，天下殷富，数有嘉应。上颇作歌诗，欲兴协律之事。……于是益州刺史王襄欲宣风化于众庶，闻王褒有俊材，请与相见，使褒作《中和》《乐职》《宣布》诗。"按，宣帝此年颇作歌诗，疑王褒为王襄作诗系此年事。

王襄令人依《诗经·鹿鸣》之声歌王褒所作《中和》《乐职》《宣布》三诗；何武歌于宣帝前，得赏帛。《汉书·王褒传》卷六十四下："使褒作《中和》《乐职》《宣布》诗，选好事者令依《鹿鸣》之声习而歌之。时，氾乡侯何武为僮子，选在歌中。久之，武等学长安，歌太学下，转而上闻。宣帝召见武等观之，皆赐帛，谓曰：'此盛德之事，吾何足以当之！'"按，此事在王褒作诗后，晋见宣帝前，宜系于此。

九江被公为宣帝召见，诵读《楚辞》。《汉书·王褒传》卷六十四下："宣帝时修武帝故事，讲论六艺群书，博尽奇异之好，征能为《楚辞》，九江被公，召见诵读。"按，宣帝此年修武帝故事。按，九江被公，《汉书》无传，余未详。

公元前 60 年 　（汉宣帝刘询神爵二年　辛酉）

是年

苏武卒，年约八十二（前 141？—前 60）。（《汉书·苏武传》卷五十四）

萧望之约四十九岁，作《少主还乃中国之大福议》。（《汉书·萧望之传》卷七十八、《汉书·西域传》卷九十六下）

王褒年约二十五，又为王襄作《四子讲德论》。《汉书·王褒传》卷六十四下："褒既为刺史作颂，又作其传。"按，"颂"，指去岁所作《中和》《乐职》《宣布》三诗；"传"，乃谓《四子讲德论》。《文选》卷五十一载《四子讲德论序》云："褒既为益州刺史王襄作《中和》《乐职》《宣布》之诗，又作传，名曰《四子讲德》，以明其意焉。"所言极是，文中托"浮游先生陈丘子"之口，已将"扬君德美"的颂扬之义阐释清楚，故可称"颂"；进而以《四子讲德》"明其意"，则可称之为"传"。"颂""传"内容密切关联，所作时间当前后紧接。文中言天符有"今南郡获白虎"，人瑞有"日逐举国而归德，单于称臣而朝贺"，《汉书·宣帝纪》卷八谓元康四年"南郡获白虎"，神爵二年秋"匈奴日逐王先贤掸将人众万余来降"，九月"匈奴单于遣名王奉献，贺正月，始和亲"，与《四子讲德论》若合一契，足证此文作于神爵二年。

王襄举荐王褒；王褒得征见，作《圣主得贤臣颂》，待诏金马门；从宣帝游猎作赋。《汉书·王褒传》卷六十四下云："益州刺史因奏褒有轶材。上乃征褒。既至，诏褒为圣主得贤臣颂其意……是时，上颇好神仙，故褒对及之。上令褒与张子侨等并待诏，数从褒等放猎，所幸宫馆，辄为歌颂，第其高下，以差赐帛。"按，王褒被征至长安，疑在其作《四子讲德论》后，姑系于此。

王褒复作《九怀》。王逸《楚辞·九怀序》卷第十五："《九怀》者，谏议大夫王褒之所作也。怀者，思也，言屈原虽见放逐犹思念其君，忧国倾危而不能忘也。褒读屈原之文，嘉其温雅，藻采敷衍，执握金玉，委之污渎，遭世溷浊，莫之能识。追而愍之，故作《九怀》，以裨其词。史官录第，遂列于篇。"按，宣帝好《楚辞》，此文疑王褒投帝王所好，为干禄入仕，作《圣主得贤臣颂》后，又作此骚体赋。《九怀序》所谓"谏议大夫王褒之所作也"，官名疑王逸后来所加。

张子侨待诏金马门；从宣帝游猎作赋。（《汉书·王褒传》卷六十四下）按，张子侨与王褒同时待诏。张子侨（？—？），与王褒同时。宣帝时，待诏金马门。历官太中大夫、光禄大夫。曾奉玺书敕谕东平王。（《汉书·王褒传》卷六十四下、《汉书·宣元六王传》卷八十）《汉书·艺文志》卷三十："光禄大夫张子侨赋三篇。与王褒同时也。"

华龙待诏金马门；从宣帝游猎作赋。（《汉书·王褒传》卷六十四下）按，华龙与王褒同时待诏。华龙（？—？），与王褒同时。宣帝时，待诏金马门。行为污秽，曾伙同郑朋，陷害萧望之。官至中都尉丞。（《汉书·王褒传》卷六十四下、《汉书·萧望之传》卷七十八）《汉书·艺文志》卷三十："汉中都尉丞华龙赋二篇。"

刘向二十岁，擢谏大夫；进对，献赋颂凡数十篇；作《九叹》。《汉书·刘向传》卷三十六云"既冠，以行修饬擢为谏大夫。是时，宣帝循武帝故事，招选名儒俊材置左右。更生以通达能属文辞，与王褒、张子侨等并进对，献赋颂凡数十篇"。按，"既冠"，当为二十岁行完冠礼时；其擢谏大夫、进对献赋当在此年。又，宣帝喜《楚辞》，去岁九江被公曾以能《楚辞》被召见诵读，刘向作《九叹》当是投宣帝之好，而且当在所"献赋颂凡数十篇"中。王逸："《九叹》者，护左都水使者光禄大夫刘向之所作也。向以博古敏达，典校经书，辩章旧文，追念屈原忠信之节，故作《九叹》。叹者，伤也，息也。言屈原放在山泽，犹伤念君，叹息无已，所谓赞贤以辅志，骋词以曜德者也。"（《楚辞·九叹序》第十六）

宣帝驳以王褒等作赋为"淫靡不急"议，擢王褒为谏大夫。《汉书·王褒传》卷六十四下："议者多以为淫靡不急，上曰：'不有博弈者乎，为之犹贤乎已！辞赋大者与古诗同义，小者辩丽可喜。辟如女工有绮縠，音乐有郑、卫，今世俗犹皆以此虞说耳目，辞赋比之，尚有仁义风谕，鸟兽草木多闻之观，贤于倡优博弈远矣。'顷之，擢褒为谏大夫。"

公元前59年　　（汉宣帝刘询神爵三年　壬戌）

正月

王褒因事返郡，作《僮约》《责须髯奴辞》。按，王褒《僮约》云其"以事到湔"，文中又署券曰"神爵三年正月十五日，资中男子王子渊，从成都安志里女子杨惠买亡夫时户下髯奴便了"，"髯奴"语又云"审如王大夫言"，称王褒为大夫，则《僮约》当为其去岁擢谏大夫，此年正月又因事返郡之后作。又，《责须髯奴》与《僮约》中"髯奴"相关，疑为同时之作。

春

起乐游苑。（《汉书·宣帝纪》卷八）

三月

魏相卒（？—前59）。（《汉书·魏相传》卷七十四、《资治通鉴》卷二十六）

七月

萧望之为御史大夫。（《汉书·萧望之传》卷七十八、《汉书·百官公卿表》卷十九下、《资治通鉴》卷二十六）

是年

韦玄成服竟，为河南太守。按，《汉书·韦玄成传》卷七十三云"宣帝高其节，以玄成为河南太守"，韦玄成及其父韦贤均为经学大师，至传《鲁诗》有"韦氏学"之称，韦贤死，韦玄成必有丁忧之举，韦贤元康四年卒，至此年三年服终，始出任河南太守。《资治通鉴》卷二十三系于元康四年，疑误。

公元前 58 年 （汉宣帝刘询神爵四年 癸亥）

四月

诏举贤良。（《汉书·宣帝纪》卷八）

张敞闻严延年用刑刻急，作《与严延年书》谕之；严延年作《报张敞书》。《汉书·酷吏传》卷九十："是时，张敞为京兆尹，素与延年善。敞治虽严，然尚颇有纵舍，闻延年用刑刻急，乃以书曰……。延年报曰……。时，黄霸在颍川以宽恕为治，郡中亦平，屡蒙丰年，凤皇下，上贤焉，下诏称扬其行，加金爵之赏。"按，《汉书·宣帝纪》卷八谓神爵四年四月黄霸受"赐爵关内侯，黄金百斤"，是为"金、爵之赏"，严延年此年十一月见诛，则张书、严书当作于此年四月后十一月前。

是年

韦玄成为未央卫尉。（《汉书·韦贤传》卷七十三、《汉书·百官公卿表》卷十九下）

萧望之年约五十一岁，或于此年除薛广德为属，荐之朝廷。《汉书·薛广德传》卷七十一："薛广德字长卿，沛郡相人也。以《鲁诗》教授楚国，龚胜、舍师事焉。萧望之为御史大夫，除广德为属，数与论议，器之，荐广德经行宜充本朝，为博士。"按，年月未详，此年昭举贤良，疑为此年事。

褚少孙约三十岁，为博士；开《鲁诗》褚氏之学。按，《汉书·儒林传》卷八十八云"张生、唐生、褚生皆为博士。张生论石渠，至淮阳中尉"，未详其年，但褚少孙三人为博士似在石渠讲经前；又，与三人同为王式弟子的薛广德，为博士也是在石渠讲经前，且在神爵四年（《汉书·薛广德传》卷七十一），则褚少孙为博士亦疑在此年。又，同传称"张生、唐生、褚生皆为博士。……由是《鲁诗》有张、唐、褚氏之学"，开褚氏之学在其为博士后，姑系于此。

公元前57年 （汉宣帝刘询五凤元年　甲子）

正月

王褒从宣帝至甘泉，作《甘泉颂》。《汉书·王褒传》卷六十四下云："上令褒与张子侨等并待诏，数从褒等放猎，所幸宫馆，辄为歌颂……太子喜褒所为《甘泉》及《洞箫》颂，令后宫贵人左右皆诵读之。"按，《甘泉颂》，《文选》卷三十五李注引作《甘泉赋》。考《汉书·宣帝纪》，宣帝于神爵二年见王褒后，幸甘泉有五次，王褒何次从游未详，姑定在最接近神爵二年的五凤元年正月，其赋亦当作于此时。

秋

萧望之作《宜遣使者吊问匈奴议》。（《汉书·萧望之传》卷七十八、《资治通鉴》卷二十七）

十月

萧望之闻左冯翊韩延寿查其为左冯翊时放散官钱事，乃自上言；又遣御史查韩延寿在东郡时僭越枉法事，令韩延寿后弃市。（《汉书·韩延寿传》卷七十六、《资治通鉴》卷二十七）

十二月

杨恽上书讼韩延寿。《汉书·杨恽传》卷六十六："左冯翊韩延寿有罪下狱，恽上书讼延寿。"按，《汉书·宣帝纪》卷八云"（五凤元年）冬十二月……左冯翊韩延寿有罪，弃市"，杨上书当在此前不久。

是年

王褒年约二十八，作《洞箫颂》；以诵读奇文及自作侍太子刘奭疾。《汉书·王褒传》卷六十四下："其后太子体不安，苦忽忽善忘，不乐。诏使褒等皆之太子宫虞侍太子，朝夕诵读奇文及所自造作。疾平复，乃归。太子喜褒所为《甘泉》及《洞箫》颂，令后宫贵人左右皆诵读之。"按，《洞箫颂》，《文选》李注引作《洞箫赋》。太子刘奭喜好王褒赋时，并言"《甘泉》及《洞箫》"，则二赋或为同时之作。

太子刘奭（汉元帝）喜王褒之《甘泉颂》《洞箫颂》，令后宫贵人近侍皆诵读之。（《汉书·王褒传》卷六十四下）

公元前56年 （汉宣帝刘询五凤二年　乙丑）

五月

萧望之意轻丞相，奏言"三公非其人"。《汉书·萧望之传》卷七十八："丞相丙吉年老，上重焉，望之又奏言：'百姓或乏困，盗贼未止，二千石多材下不任职。三公非其人，则三光为之不明，今首岁日月少光，咎在臣等。'"按，《资治通鉴》卷二十七此年五月载"萧望之意常轻吉"，奏言当为此时事。

杨恽以萧望之意轻丞相，奉旨诘问之。（《汉书·萧望之传》卷七十八）

丞相司直繁延寿奏萧望之遇丞相倨慢，使人买卖，获钱十万三千，应逮捕系治。（《汉书·萧望之传》卷七十八、《资治通鉴》卷二十七）

八月

光禄勋杨恽奉策诏萧望之，责其廉声不闻，敖慢不逊，贬其官职。（《汉书·萧望之传》卷七十八、《资治通鉴》卷二十七）

萧望之左迁为太子太傅，以《论语》《礼服》授皇太子。（《汉书·萧望之传》卷七十八、《汉书·百官公卿表》卷十九下、《资治通鉴》卷二十七）

是年

韦玄成为太常。（《汉书·韦贤传》卷七十三、《汉书·百官公卿表》卷十九下）

刘德卒，年六十三（前118—前56）。（《汉书·外戚恩泽表》卷十八、《汉书·百官公卿表》卷十九下）

刘向二十四岁，丧父（刘德）；献淮南枕中洪宝、苑秘之方，令尚方铸作，事不验，坐论下狱；得逾冬减死论。按，《汉书·郊祀志》卷二十五下、《资治通鉴》卷二十六系之于神爵元年，然《汉书·刘向传》卷三十六云"子向坐铸伪黄金，当伏法，德上书讼罪。会薨"，然则刘向获罪当在此年。今从《刘向传》。

张敞作《谏用方术疏》《美阳鼎不宜荐见于宗庙议》。《汉书·郊祀志》卷二十五下："大夫刘更生献淮南枕中洪宝、苑秘之方，令尚方铸作。事不验，更生坐论。京兆尹张敞上疏谏曰：'愿明主时忘车马之好，斥远方士之虚语，游心帝王之术，太平庶几可兴也。'后尚方待诏皆罢。是时，美阳得鼎，献之。下有司议，多以为宜荐见宗庙，如元鼎时故事。张敞好古文字，桉鼎铭勒而上议曰：'……今此鼎细小，又有款识，不宜荐见于宗庙。'制曰：'京兆尹议是。'"按，《汉书·郊祀志》卷二十五下、《资治通鉴》卷二十六，系其事于神爵元年，然刘向获罪在五凤二年，宜系于此。又，详《郊祀志》文意，"是时"谓刘更生获罪之年，议美阳鼎亦当作于此时。

太仆戴长乐下吏，疑杨恽所害，遂使人上书告发杨恽。（《汉书·杨恽传》卷六十六）

廷尉于定国考问杨恽，奏请逮捕治罪。（《汉书·杨恽传》卷六十六）

陈汤约于此年西至长安，得为太官献食丞。按，《汉书·陈汤传》卷七十云"西至长安求官，得太官献食丞。数岁，富平侯张勃与汤交"，年月未详，陈、张交于甘露三年（前51），陈汤得官与其时隔"数年"，姑系于该年四年前。

杨恽废为庶人。按，《汉书·百官公卿表》卷十九下云："（神爵元年）中郎将杨恽为诸吏光禄勋，五年免。"据此，免官当在五凤二年，《资治通鉴》卷二十七即系于此年。然《汉书·景武昭宣元成功臣表》卷十七云："（地节四年）八月乙丑封，十年，五凤三年，坐为光禄勋诽谤政治，免。"疑"二"讹为"三"。

公元前 55 年 （汉宣帝刘询五凤三年　丙寅）

二月

张敞作《劾黄霸》。（《汉书·循吏传》卷八十九、《资治通鉴》卷二十七）

是年

刘向二十五岁，征受《谷梁》。《汉书·楚元王传》卷三十六："上亦奇其材，得逾冬减死论。会初立《谷梁春秋》，征更生受《谷梁》。"按，刘向去岁下狱，"逾冬减死"，征受《谷梁》，当在此年。

张敞为京兆尹久；议事数为宣帝采纳；为妻画眉，传为轶事。《汉书·张敞传》卷七十六："京兆典京师，长安中浩穰，于三辅尤为剧。郡国二千石以高弟入守，及为真，久者不过二三年，近者数月一岁，辄毁伤失名，以罪过罢。唯广汉及敞为久任职。敞为京兆，朝廷每有大议，引古今，处便宜，公卿皆服，天子数从之。然敞无威仪，时罢朝会，过走马章台街，使御史驱，自以便面拊马。又为妇画眉，长安中传张京兆眉怃。有司以奏敞。上问之，对曰：'臣闻闺房之内，夫妇之私，有过于画眉者。'上爱其能，弗备责也。"按，张敞任京兆尹至此年已达七年，姑系于此。

王昭君生（前55？—？）。按，郭茂倩《乐府诗集》卷五十九引《乐府解题》云："《琴操》载……年十七，献之元帝。元帝以地远不之幸，以备后宫。积五六年，帝每游后宫，常怨不出。后单于遣使朝贡，帝宴之，尽召后宫。昭君盛饰而至，帝问欲以一女赐单于，能者往。昭君乃越席请行。"《琴操》所载虽非信史，然言昭君年龄差相若耳，姑听之。昭君嫁匈奴单于，《汉书·元帝纪》卷九谓在竟宁元年（前33），若其年二十三岁，则生于此年。王昭君，字樯，字或作"嫱、墙"，南郡（今湖北兴山）人。（按，晋人避司马昭讳，改称明君，后人称为明妃）元帝时，以良家子选入掖庭，数载不得见帝。呼韩邪单于入朝和亲，自请出嫁匈奴，立为宁胡阏氏，生一子。两年后，呼韩邪单于卒，从匈奴俗，复嫁呼韩邪子复株累若鞮单于，生二女。卒葬于匈奴。（《汉书·匈奴传》卷九十四下、《汉书·元帝纪》卷九、《后汉书·南匈奴列传》卷八十九）丁福保《全汉诗》卷三收其诗一篇。

公元前 54 年 （汉宣帝刘询五凤四年　丁卯）

正月

刘胥自杀前作《歌》（《广陵王歌》）。《汉书·武五子传》卷六十三："胥既见使者还，置酒显阳殿。召太子霸及子女董訾、胡生等夜饮，使所幸八子郭昭君、家人子赵左君等鼓瑟歌舞。王自歌曰：'欲久生兮无终，长不乐兮安穷！奉天期兮不得须臾，千里马兮驻待路。黄泉下兮幽深，人生要死，何为苦心！何用为乐心所喜，出入无惊为乐嘔。蒿里召兮郭门阅，死不得取代庸，身自逝。'左右悉更涕泣奏酒，至鸡鸣时罢。……即以绶自绞死。"按，郭茂倩《乐府诗集》卷八十五收此歌，题作《广陵王歌》；《汉书·宣帝纪》卷八云"（五凤）四年春正月，广陵王胥有罪，自杀"，此歌作于将死之前。刘胥（？—前54），沛（今江苏沛县）人。武帝第五子。封广陵王。昭帝时，见帝年少无子，有觊觎帝位心。迎女巫李女须，使下神咒诅。宣帝即位，事发，自杀。谥厉。（《汉书·武五子传》卷六十三）

萧望之奏言，驳耿寿昌增海租及近籴计。按，事载《汉书·食货志》卷二十四上，《汉书·宣帝纪》卷八云："（五凤）四年春正月……大司农中丞耿寿昌奏设常平仓，以给北边，省转漕。赐爵关内侯。"与《食货志》所叙为同一事，当在此时；然《食货志》称此时之萧望之为"御史大夫"，当属误记。

安定太守孙会宗作《与杨恽书》。（《汉书·杨恽传》卷六十六）

杨恽作《报孙会宗书》，内有《拊缶歌》。《汉书·杨恽传》卷六十六："恽既失爵位，家居治产业，起室宅，以财自娱。岁余，其友人安定太守西河孙会宗，知略士也，书谏戒之，为言大臣废退，当阖门惶惧，为可怜之意，不当治产业，通宾客，有称誉。恽宰相子，少显朝廷，一朝以晻昧语言见废，内怀不服，报会宗书曰……"按，《资治通鉴》卷二十七系于五凤四年四月；然此书并非杨恽被捕之由，本传云杨恽下狱主要是因为有人上书揭发："会有日食变，驷马猥佐成上书告恽'骄奢不悔过，日食之咎，此人所致'。"《汉书·宣帝纪》卷八谓"（五凤四年）夏四月辛丑晦，日有蚀之"，故《报孙会宗书》当作于五凤四年四月之前，而下狱则在四月日食之后。

四月

杨恽被告"骄奢不悔过"，下廷尉案验，得所予会宗书，宣帝见而恶之。（《汉书·杨恽传》卷六十六）按，说见上条。

冬

杨恽以大逆不道罪，腰斩（？—前54）。《汉书·杨恽传》卷六十六："章下廷尉案验，得所予会宗书，宣帝见而恶之。廷尉当恽大逆无道，要斩。"按，《汉书·宣帝纪》卷八云："（五凤）二年……十二月，平通侯杨恽坐前为光禄勋有罪，免为庶人。不悔过，怨望，大逆不道，要斩。"此说与《汉书》本传记载相抵牾，《资治通鉴》卷二十七系于此年，是，然系腰斩于四月，则疑非，汉代处死刑在冬季。

是年

韦玄成因杨恽故免官。（《汉书·韦贤传》卷七十三、《汉书·杨恽传》卷六十六、《汉书·百官公卿表》卷十九下、《资治通鉴》卷二十七）

公元前53年 （汉宣帝刘询甘露元年 戊辰）
正月

太子刘奭议用儒生，宣帝斥之为"乱我家者"。（《汉书·元帝纪》卷九、《资治通

鉴》卷二十七)

张敞以贼捕掾絮舜称其"五日京兆",杀之;事发,以贼杀无辜免为庶人;数月,贼起,宣帝使使召之;诣公车上书;拜冀州刺史。(《汉书·张敞传》卷七十六、《汉书·百官公卿表》卷十九下、《资治通鉴》卷二十七)

是年

韦玄成以失礼削爵为关内侯,自伤贬黜父爵,作《自劾诗》;复为淮阳王刘钦中尉。《汉书·韦玄成传》卷七十三:"后以列侯侍祀孝惠庙,当晨入庙,天雨淖,不驾驷马车而骑至庙下。有司劾奏,等辈数人皆削爵为关内侯。玄成自伤贬黜父爵,叹曰:'吾何面目以奉祭祀!'作诗自劾责,曰……上欲感风宪王,辅以礼让之臣,乃召拜玄成为淮阳中尉。"按,《汉书·外戚恩泽侯表》卷十八云"神爵元年,共侯玄成嗣,九年,有罪,削一级为关内侯",则削爵当在甘露元年。又,为淮阳中尉,《资治通鉴》卷二十七系于此年,是。

王褒作《碧鸡颂》;往益州求金马碧鸡之宝,道卒,年约三十二(前84?—前53?)。《汉书·王褒传》卷六十四下:"后方士言益州有金马碧鸡之宝,可祭祀致也,宣帝使褒往祀焉。褒于道病死,上闵惜之。"按,王褒《碧鸡颂》云"黄龙见兮白虎仁",其文当作于"黄龙""白虎"诸祥瑞出现后;《汉书·宣帝纪》卷八谓元康四年(前62)"南郡获白虎",甘露元年(前53)四月"黄龙见新丰",则王褒《碧鸡颂》当作于甘露元年四月以后,其往益州求金马碧鸡之宝及途中病卒亦疑为同年之事。《资治通鉴》卷二十六据《汉书·郊祀志》卷二十五下谓王褒神爵元年(前61)往益州求金马碧鸡,今不从。

扬雄生(前53—公元18)。按,本传称其"年七十一,天凤五年(18)卒",则当生于此年。扬雄,字子云,蜀郡成都(今四川成都)人。少时好学,博览多识,酷好辞赋。口吃,不善言谈,而好深思。"不汲汲于富贵,不戚戚于贫贱"。年四十余,始游京师。先召为大司马门下史,为待诏。以赋除为郎,给事黄门。历成、哀、平"三世不徙官"。王莽称帝后,以耆老久次转为大夫,校书于天禄阁。后恐受刘歆子事株连,投阁自杀,未死。以病免官,复召为大夫。"家素贫,耆酒,人希至其门。时有好事者载酒肴从游学"。年七十一,卒。(《汉书·扬雄传》卷八十七上)《汉书·艺文志》卷三十:"《训纂》一篇,扬雄作。……扬雄《苍颉训纂》一篇。……扬雄所序三十八篇:《太玄》十九,《法言》十三,《乐》四,《箴》二。……扬雄赋十二篇。"《隋书·经籍志》卷三十二:"《方言》十三卷,汉扬雄撰,郭璞注。……汉扬雄作《训纂篇》。"同书卷三十三:"《蜀王本记》一卷,扬雄撰。"同书卷三十四:"《扬子法言》十五卷,解一卷,扬雄撰,李轨注。梁有《扬子法言》六卷,侯苞注。亡。《扬子法言》十三卷,宋衷注。《扬子太玄经》九卷,宋衷注。梁有《扬子太玄经》九卷,扬雄自作章句,亡。《扬子太玄经》十卷,陆绩、宋衷注。《扬子太玄经》十卷,蔡文邵注。梁有《扬子太玄经》十四卷,虞翻注;《扬子太玄经》十三卷,陆凯注;《扬子太玄经》七卷,王肃注。亡。"同书卷三十五:"《扬雄集》五卷。"张溥辑有《扬侍郎集》。严可均《全汉文》卷五十一至卷五十四收其文五十九篇。张溥："《剧秦美新》，谀文也，后世《劝进》《九锡》，皆权舆焉。《元后诔》哀思文母，盛誉宰衡，犹然《美新》。岂有周人申后之思乎？予尝疑子云耆老清静，王莽之世，身向日景，何爱一官，自夺玄守。班史作传，亦未显訾其符命之作，传闻真伪，尚在龙蛇间。或者莽善诳耀，颂功德者遍海内，莫不高三皇，巍五帝，子云《美新》犹颇酝藉鲜丑，孟坚读而不怪也。《法言》世贵，《太玄》后显，并辅《六经》而行。《河东》《甘泉》《长杨》《羽猎》，四赋绝伦，自比讽谏，相如不死。《逐贫赋》长于《解嘲》，《释愁》《送穷》，文士调脱，多原于此。《十二州》《二十五官箴》《虞书》《鲁颂》之遗也。《酒箴》滑稽，陈遵见而抃掌，宁让淳于髡说酒哉。"（《汉魏六朝百三家集·扬侍郎集题词》）永瑢等："《扬子云集》，汉扬雄撰。案，《汉书·艺文志》《隋书·经籍志》《唐书·艺文志》皆载雄集五卷，其本久佚。宋谭愈始取《汉书》及《古文苑》所载四十余篇，仍辑为五卷，已非旧本。明万历中，遂州郑朴又取所撰《太玄》《法言》《方言》三书及类书所引《蜀王本纪》《琴清英》诸条，与诸文赋合编之，厘为六卷，而以逸篇之目附卷末，即此本也。雄所撰诸箴，《古文苑》及《中兴书目》皆二十四篇，惟晁公武《读书志》称二十八篇，多《司空》《尚书》《博士》《太常》四篇。是集复益以《太官令》《太史令》，为三十篇。考《后汉书·班固传》注引雄《尚书箴》，《太平御览》引雄《太官令》《太史令》二箴，则朴之所增，未为无据。然考《汉书·胡广传》称雄作《十二州箴》《二十五官箴》，其九箴亡，则汉世止二十八篇。刘勰《文心雕龙》称卿尹州牧二十五篇，则又亡其三，不应其后复出。且《古文苑》载《司空》等四箴，明注崔骃、崔瑗之名，叶大庆《考古质疑》又摘《初学记》所载《润州箴》中，乃有"六代都兴"之语，则诸书或属误引，未可遽定为雄作也。是书之首，又冠以雄始末辨一篇，乃焦竑《笔乘》之文。谓《汉书》载雄仕莽，作符命投阁，年七十一，天凤五年卒。考雄至京见成帝，年四十余。自成帝建始改元至天凤五年，计五十有二岁，以五十二合四十余，已近百年，则与年七十一者又相抵牾。又考雄至京，大司马王音奇其文，而音薨于永始初年，则雄来必在永始之前，谓雄为仕于莽年者妄也云云。近人多祖其说，为雄讼枉案。《文选》任昉所作《王文宪公集序》'家牒'字下，李善注引刘歆《七略》曰'子云家牒言，以甘露元年生'。《汉书·成帝纪》载行幸甘泉、行幸长杨宫，并在元延元年己酉，上距宣帝甘露元年戊辰，正四十二年，与四十余之数合。其后元延凡五年，绥和凡二年，哀帝建平凡四年，元寿凡二年，平帝元始凡五年，孺子婴凡三年，王莽始建国凡五年，积至天凤五年，正得七十一年，与七十一卒之数亦合，其仕莽十年，毫无疑义。竑不考祠甘泉、猎长杨之岁，而以成帝即位之建始元年起算，悖谬殊甚。惟王音卒岁，实与雄传不合。然'音'字与'根'字之误，宋祁固已言之，其文载今本《汉书》注中，竑岂未见耶！"（《四库提要》卷一百四十八）

公元前52年 （汉宣帝刘询甘露二年 己巳）

十二月

萧望之作《宜待单于以不臣之礼议》，宣帝纳之。《汉书·萧望之传》卷七十八："初，匈奴呼韩邪单于来朝，诏公卿议其仪……望之以为：'……宜待以不臣之礼，位在诸侯王上。'天子采之。"按，《汉书·宣帝纪》卷八谓此年十二月"匈奴呼韩邪单于款五原塞，愿奉国珍朝三年正月。诏有司议"。

是年

萧望之约五十七岁，奉诏问张禹，称其精习经学。《汉书·张禹传》卷八十一："甘露中，诸儒荐禹，有诏太子太傅萧望之问。禹对《易》及《论语》大义，望之善焉，奏禹经学精习，有师法，可试事。"按，传言"甘露中"，甘露共四年，当在甘露二、三年，姑系于此。

张敞为太原太守。《汉书·张敞传》卷七十六："敞居部岁余，冀州盗贼禁止。守太原太守，满岁为真，太原郡清。"按，张敞甘露元年为冀州刺史，"居部岁余"后守太原，当在此年或明年，姑系于此。

公元前51年 （汉宣帝刘询甘露三年 庚午）

正月

魏相图画麒麟阁。（《汉书·苏武传》卷五十四、《资治通鉴》卷二十七）

刘德图画麒麟阁。（《汉书·苏武传》卷五十四、《资治通鉴》卷二十七）

萧望之图画麒麟阁。（《汉书·苏武传》卷五十四、《资治通鉴》卷二十七）

苏武图画麒麟阁。（《汉书·苏武传》卷五十四、《资治通鉴》卷二十七）

三月

诏诸儒讲《五经》同异，太子太傅萧望之等平奏其议，宣帝亲称制临决立梁丘《易》、大小夏侯《尚书》、谷梁《春秋》博士；公羊学大盛。《汉书·宣帝纪》卷八："（甘露三年）三月……诏诸儒讲《五经》同异，太子太傅萧望之等平奏其议，上亲称制临决；立梁丘《易》、大小夏侯《尚书》、谷梁《春秋》博士。"《汉书·儒林传》卷八十八："乃召《五经》名儒太子太傅萧望之等大议殿中，平《公羊》《谷梁》同异，各以经处是非。时，《公羊》博士严彭祖、侍郎申挽、伊推、宋显，《谷梁》议郎尹更始、待诏刘向、周庆、丁姓并论。《公羊》家多不见从，愿请内侍郎许广，使者亦并内《谷梁》家中郎王亥，各五人，议三十余事。望之等十一人各以经谊对，多从《谷梁》。由是《谷梁》之学大盛。"按，《资治通鉴》卷二十七谓为此年五月事，今从《宣帝纪》。

韦玄成讲论于石渠。（《汉书·韦贤传》卷七十三）按，《汉书·宣帝纪》卷八谓讲经为此年事。

刘向讲论《五经》于石渠；拜为郎中、给事黄门；迁散骑、谏大夫、给事中。《汉书·刘向传》卷三十六："会初立《谷梁春秋》，征更生受《谷梁》，讲论《五经》于石渠。复拜为郎中给事黄门，迁散骑、谏大夫、给事中。"按，事载《汉书·儒林传》卷八十八，《汉书·宣帝纪》卷八谓此时石渠讲经；复官当在讲经之后，姑系于此。

陈汤结交张勃，张勃高其能。按，《汉书·陈汤传》卷七十云"富平侯张勃与汤交，高其能"，《汉书·外戚恩泽侯表》卷十八谓富平侯为"张敞"，"张敞"当为"张勃"，"勃"以形近讹成"敞"。表谓"甘露三年，缪侯敞（当为勃）嗣"，二人相交在陈汤为长安献食丞期间，时张勃亦在京师为"散骑、谏大夫"（《汉书·张汤传》卷五十九）。

公元前 50 年　（汉宣帝刘询甘露四年　辛未）

是年

匡衡射策甲科，以不中甲科之令除为太常掌故，调补平原文学；对《诗》诸大义，其对深美。《汉书·匡衡传》卷八十一："衡射策甲科，以不应令除为太常掌故，调补平原文学。学者多上书荐衡经明，当世少双，令为文学就官京师；后进皆欲从衡平原，衡不宜在远方。事下太子太傅萧望之、少府梁丘贺问，衡对《诗》诸大义，其对深美。望之奏衡经学精习，说有师道，可观览。宣帝不甚用儒，遣衡归官。而皇太子见衡对，私善之。会宣帝崩……"按，年月未详，萧望之五凤二年（前56）始为太子太傅，明年为前将军，传言"会宣帝崩"，似接近宣帝末，姑系于此。萧望之荐之及皇太子善之，与此为同时事。匡衡（？—？），字稚圭，东海承（今山东峄县西北）人。少好学，家贫，庸作以供资用，尤精力过人。诸儒为之语曰："无说《诗》，匡鼎来；匡语《诗》，解人颐。"宣帝时，射策甲科，以不应令除为太常掌故，调补平原文学。元帝即位时，大司马辟为议曹史，荐为郎中，迁博士，给事中。历仕光禄大夫、太子少傅、光禄勋、御史大夫。建昭三年，代韦玄成为丞相，封乐安侯。成帝即位，连乞骸骨让位。建始三年，免为庶人，终于家。（《汉书·匡衡传》卷八十一）《隋书·经籍志》卷三十五："梁有……《汉丞相匡衡、大司马王凤奏》五卷。"严可均《全汉文》卷三十四收其文十五篇。

萧望之约五十九岁，奏匡衡精于经学，说有师道，宣帝不甚用儒，遣之归官。（《汉书·匡衡传》卷八十一）

皇太子刘奭私善匡衡。（《汉书·匡衡传》卷八十一）

公元前 49 年　（汉宣帝刘询黄龙元年　壬申）

三月

萧望之为前将军；与周堪、史高等受遗诏辅政，领尚书事。（《汉书·萧望之传》卷七十八、《汉书·百官公卿表》卷十九下、《资治通鉴》卷二十七）

十二月

宣帝刘询崩于未央宫。(《汉书·宣帝纪》卷八、《汉书·元帝纪》卷九、《资治通鉴》卷二十七)

皇太子刘奭即位,是为元帝。(《汉书·元帝纪》卷九、《资治通鉴》卷二十七)

是年

增博士员十二人。(《汉书·百官公卿表》卷十九上)

第五章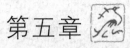

汉元帝初元元年至汉成帝绥和二年（前48—前7）共42年

·引　言·

刘勰《文心雕龙·时序第四十五》："自元暨成，降意图籍；美玉屑之谈，清金马之路；子云锐思于千首，子政雠校于六艺，亦已美矣。"

公元前48年 　（汉元帝刘奭初元元年　癸酉）

六月

减乐府员。（《汉书·元帝纪》卷九、《资治通鉴》卷二十八）

是年

萧望之约六十一岁，为光禄勋，领尚书事；授朱云《论语》。《汉书·萧望之传》卷七十八："及宣帝寝疾，选大臣可属者……拜高为大司马车骑将军，望之为前将军、光禄勋，堪为光禄大夫，皆受遗诏辅政，领尚书事。"按，依此，萧望之为光禄勋乃宣帝崩前事，《资治通鉴》卷二十八谓在黄龙元年三月，而《汉书·百官公卿表》卷十九下则云"（黄龙元年）萧望之为前将军，一年为光禄勋"，今从《百官公卿表》。又，《汉书·朱云传》卷六十七云"又事前将军萧望之受《论语》"，年月未详，萧望之明年底自杀前朱云在侧，至晚此年朱云已受其学。

刘向三十二岁，擢为散骑宗正、给事中。按，《汉书·百官公卿表》卷十九下云"（初元元年）散骑谏大夫刘更生为宗正，二年免"，《资治通鉴》卷二十八系于初元二年，今从《汉书》。

韦玄成为少府。（《汉书·韦贤传》卷七十三、《汉书·百官公卿表》卷十九下）

匡衡辟为大司马车骑将军史高议曹史。按，《汉书·匡衡传》卷八十一谓"元帝初即位"，长安令杨兴举荐匡衡于大司马车骑将军史高，史高辟匡为议曹史。

刘钦约二十六岁，就淮阳国。（《汉书·宣元六王传》卷八十）

公元前 47 年 （汉元帝刘奭初元二年 甲戌）

正月

刘向迁散骑、谏大夫、给事中。（《汉书·刘向传》卷三十六、《资治通鉴》卷二十八）

萧望之作《宜罢中书宦官》，由是大与石显忤。（《汉书·萧望之传》卷七十八、《汉书·佞幸传》卷九十三、《资治通鉴》卷二十八）

刘向出为宗正。（《汉书·刘向传》卷三十六、《资治通鉴》卷二十八）

会稽人郑朋奸猾，欲附萧望之，因受拒而恨之，扬言揭萧望之"小过五、大罪一"。（《汉书·萧望之传》卷七十八、《资治通鉴》卷二十八）

待诏华龙品行污秽，与郑朋结为友。（《汉书·萧望之传》卷七十八、《资治通鉴》卷二十八）

中书令弘恭、仆射石显阴令郑朋、华龙趁萧望之休日，上告元帝；元帝使弘恭核查萧望之事。（《汉书·萧望之传》卷七十八、《资治通鉴》卷二十八）

萧望之对言欲匡正国家，非为邪。（《汉书·萧望之传》卷七十八、《资治通鉴》卷二十八）

弘恭、石显奏萧望之、刘向、周堪等为朋党，请致廷尉。（《汉书·萧望之传》卷七十八、《资治通鉴》卷二十八）

元帝不省致廷尉为下狱，答曰"可"；周堪、刘向下狱；后召周堪，刘向应曰"系狱"，元帝始大惊，乃赦免萧望之之罪，收前将军及光禄勋印绶，免刘向为庶人。（《汉书·萧望之传》卷七十八、《汉书·萧望之传》卷七十八、《汉书·刘向传》卷三十六、《资治通鉴》卷二十八）

三月

诏举茂材异等、直言极谏之士。（《汉书·元帝纪》卷九、《资治通鉴》卷二十八）

匡衡为史高举荐，为郎中。按，《汉书·匡衡传》卷八十一云"（史高）荐衡于上，上以为郎中"，去岁史高辟匡衡，此年三月诏举茂材异等、直言极谏之士，匡衡受荐为郎中当在此时。

富平侯张勃举荐陈汤。（《汉书·陈汤传》卷七十）按，此年三月诏举茂材，张勃举荐陈汤当在此时。

四月

萧望之对元帝问，言张敞为能吏，然非师傅之器。（《汉书·张敞传》卷七十六、《资治通鉴》卷二十八）

张敞被征，欲以为左冯翊，病卒（？—前48）。《汉书·张敞传》卷七十六、《资治通鉴》卷二十八）

萧望之赐爵关内侯，奉朝请。（《汉书·元帝纪》卷九、《汉书·刘向传》卷三十六）按，《汉书·元帝纪》卷九系于"冬"，《汉书·楚元王传》卷三十六系于"夏"，《资治通鉴》卷二十八系于夏四月。今从《资治通鉴》。

七月

刘向征为中郎。（《汉书·刘向传》卷三十六、《资治通鉴》卷二十八）

韦玄成迁太子太傅。（《汉书·韦贤传》卷七十三、《汉书·百官公卿表》卷十九下）按，《汉书·刘向传》卷三十六谓刘向"系狱，下太傅韦玄成、谏大夫贡禹，与廷尉杂考"，则韦为太子太傅疑在七月或七月前，姑系于此。

元帝欲以萧望之为相，弘恭、石显等皆侧目视之；刘向遂使外亲上《变事》，称地震殆为弘恭等；系狱。《汉书·刘向传》卷三十六："冬，地复震。时恭、显、许、史子弟侍中诸曹，皆侧目于望之等，更生惧焉，乃使其外亲上变事，言：'……前弘恭奏望之等狱决，三月，地大震。恭移病出，后复视事，天阴雨雪。由是言之，地动殆为恭等。臣愚以为宜退恭、显以章蔽善之罚，进望之等以通贤者之路。如此，太平之门开，灾异之原塞矣。'书奏，恭、显疑其更生所为，白请考奸诈。辞果服，遂逮更生系狱。"按，《汉书·元帝纪》卷九谓此七月诏曰："一年中地再动"，则地震当在七月前，《资治通鉴》卷二十八系于七月，是。

韦玄成劾奏刘向为臣不忠，不悔前过，令人言变事，诬罔不道。（《汉书·刘向传》卷三十六）

刘向免为庶人。（《汉书·刘向传》卷三十六、《资治通鉴》卷二十八）

萧望之子萧伋上书讼父萧望之前事，有司奏萧望之教子上书，失大臣体，请逮捕；弘恭、石显等建言投之牢狱，元帝可其奏；萧望之下狱。（《汉书·萧望之传》卷七十八、《资治通鉴》卷二十八）

十二月

萧望之接受朱云自杀之劝告，饮鸩自杀，年约六十二（前108？—前47）。（《汉书·元帝纪》卷九、《汉书·刘向传》卷三十六、《汉书·萧望之传》卷七十八、《资治通鉴》卷二十八）。

是年

褚少孙约四十一岁，或于此年以高第为郎。按，《史记·三王世家》卷六十云"褚先生曰：臣幸得以文学为侍郎"，《史记·龟策列传》卷一百二十八则云："褚先生曰：臣以通经术，受业博士，治《春秋》，以高第为郎，幸得宿卫，出入宫殿中十有馀年。"褚少孙自称为"郎"者，尚见《史记》中《外戚世家》《梁孝王世家》《滑稽列传》《日者列传》等传中。据《汉书·百官公卿表》卷十九上，"郎掌守门户，出充车骑，有议郎、中郎、侍郎、郎中，皆无员，多至千人"，疑褚少孙自称"郎"或"侍郎"，其义一也。《史记·孝武本纪》卷十二《索隐》引张晏语云"褚先生颍川人，仕元、成间"，褚少孙若此年为郎，"出入宫殿中十余年"，至成帝建始元年（前32）为十五年，则可称"十余年"。此年三月元帝诏举茂才异等，褚少孙"以高第为郎"，姑系此年。

张子蟜奉玺书敕谕东平王刘宇、王太后、东平傅相。《汉书·宣元六王传》卷八十："元帝即位，就国。壮大……久之，事太后，内不相得，太后上书言之，求守杜陵园。上于是遣太中大夫张子蟜奉玺书敕谕之……"按，"张子蟜"盖即"张子侨"。刘宇当于去岁就国，既言"久之"，姑系就国一年后。

陈汤约二十八岁，待迁，父死不奔丧，被劾奏，下狱。按，《汉书·陈汤传》卷七十云"汤待迁，父死不奔丧，司隶奏汤无循行，勃选举故不以实，坐削户二百，会薨，因赐谥曰缪侯。汤下狱论"，陈汤下狱正值张勃卒时，《汉书·外戚恩泽侯表》卷十八谓富平侯张勃（《表》作"张敞"，乃"张勃"之误）此年卒。

公元前46年　（汉元帝刘奭初元三年　乙亥）

六月

诏举天下明阴阳灾异者。（《汉书·元帝纪》卷九）

是年

褚少孙约四十二岁，或于此年补毕《史记·建元以来侯者年表》。《史记·建元以来侯者年表》卷二十："后进好事儒者褚先生曰：'太史公记事尽于孝武之事，故复修记孝昭以来功臣侯者，编于左方，令后好事者得览观成败长短绝世之适，得以自戒焉。当世之君子，行权合变，度时施宜，希世用事，以建功有土封侯，立名当世，岂不盛哉！观其持满守成之道，皆不谦让，骄蹇争权，喜扬声誉，知进不知退，终以杀身灭国。以三得之，及身失之，不能传功于后世，令恩德流子孙，岂不悲哉！夫龙雒侯曾为前将军，世俗顺善，厚重谨信，不与政事，退让爱人。其先起于晋六卿之世，有土君国以来，为王侯，子孙相承不绝，历年经世，以至于今，凡百余岁，岂可与功臣及身失之者同日而语之哉？悲夫，后世其诫之！'"按，褚少孙补表"阳平"侯条谓王稚君"初元以来，方盛贵用事……"《索隐》注"王稚君"谓"《汉表》名禁"，《汉书·外戚恩泽侯表》卷十八称王禁"初元元年三月癸卯封，六年薨"，即卒于永光元年（前43）。褚少孙补未言及王禁卒事；"扶阳"侯条称"子玄成代立，为太常。坐祠庙骑，夺爵，为关内侯"，而韦玄成永光二年"复以丞相侯"事亦未言及。由此二事观之，疑初元年间补毕《孝昭以来功臣侯表》，初元共五年，姑系此年。

公元前45年　（汉元帝刘奭初元四年　丙子）

是年

刘向三十五岁，论王氏之贵。（《汉书·五行志》卷二十七中之下）
京房三十三岁，以孝廉为郎。（《汉书·京房传》卷七十五）

匡衡迁博士，给事中。按，《汉书·匡衡传》卷八十一云"迁博士，给事中"，《汉书·陈汤传》卷七十称"初元四年……博士匡衡以为……"，匡衡迁博士、给事中当在此年。

　　师丹约二十岁，从师匡衡，学《诗》。按，《汉书·师丹传》卷八十六云"治《诗》，事匡衡"，以汉法例之，年十八岁以上诣博士学经，师丹事匡衡，当在匡衡为博士时。

公元前 44 年　（汉元帝刘奭初元五年　丁丑）

正月

　　匡衡议宜以孔子世为汤后。《汉书·梅福传》卷六十七："元帝时，尊周子南君为周承休侯，位次诸侯王。使诸大夫博士求殷后，分散为十余姓，郡国往往得其大家，推求子孙，绝不能纪。时，匡衡议，以为：'……宜以孔子世为汤后。'上以其语不经，遂见寝。"按，《汉书·元帝纪》卷九谓"（初元）五年春正月，以周子南君为周承休侯，位次诸侯王"，则匡衡议当在此时。

四月

　　诏罢角抵，令博士弟子毋置员，以广学者。（《汉书·元帝纪》卷九）

六月

　　匡衡议宜令使者送郅支单于子至塞而还。按，《汉书·陈汤传》卷七十云："初元四年，（郅支单于）遣使奉献，因求侍子，愿为内附。汉议遣卫司马谷吉送之。御史大夫贡禹、博士匡衡以为：……宜令使者送其子至塞而还。"然《汉书·百官公卿表》卷十九下谓初元五年六月贡禹任御史大夫，《汉书·元帝纪》卷九又称"（初元五年）十二月……卫司马谷吉使匈奴，不还"，《资治通鉴》卷二十八遂据以为初元五年事，今从《通鉴》。

十二月

　　匡衡议华阴守丞嘉、朱云宜下有司。《汉书·朱云传》卷六十七："元帝时，琅邪贡禹为御史大夫，而华阴守丞嘉上封事，言'治道在于得贤，御史之官，宰相之副，九卿之右，不可不选。平陵朱云，兼资文武，忠正有智略，可使以六百石秩试守御史大夫，以尽其能。'上乃下其事问公卿。太子少傅匡衡对，以为'……今嘉从守丞而图大臣之位，欲以匹夫徒步之人而超九卿之，非所以重国家而尊社稷也。……云素好勇，数犯法亡命，受《易》颇有师道，其行义未有以异。今御史大夫禹絜白廉正，经术通明，有伯夷、史鱼之风，海内莫不闻知，而嘉猥称云，欲令为御史大夫，妄相称举，疑有奸心，渐不可长，宜下有司案验以明好恶'。嘉竟坐之。"按，贡禹此年六月为御史大夫，十二月卒；详匡衡对言，贡禹似尚在，疑华阴守丞嘉荐朱云为御史大夫，在贡禹病重时。然传称匡衡"太子少傅"，疑为误记，为少傅乃两年后事。

刘歆约于此年生（前44？—23）。按，生年未详，《汉书·元后传》卷九十八谓河平二年（前27）刘歆初谒成帝，拜黄门郎，其父刘向时作《诫子歆书》称"今若年少"，疑其年方十八，则约生于此年。刘歆，字子骏，后易名秀，字颖叔，沛（今江苏沛县）人。刘向子。西汉古文经学家。少以通《诗》《书》能属文谒成帝，待诏宦者署，为黄门郎。河平中，受诏与父向领校秘书，讲六艺传记，诸子、诗赋、数术、方技，无所不究。父死后，歆复为中垒校尉。哀帝初即位，大司马王莽举为侍中太中大夫，迁骑都尉、奉车光禄大夫。复领《五经》，"乃集六艺群书，种别为《七略》"。以请立《左氏春秋》《毛诗》《逸礼》《古文尚书》于学官，为诸儒所反对，作《移让太常博士书》；出为河内、五原、涿郡等地太守。王莽执政，历官右曹太中大夫、羲和、京兆尹、少阿，封红休侯。王莽代汉，为国师，封嘉新公。后以谋诛王莽，事泄自杀。（《汉书·刘歆传》卷三十六、《汉书·王莽传》卷九十九）《隋书·经籍志》卷三十二："梁有汉刘歆……《尔雅》，三卷，亡。"同书卷三十三："《列女传颂》一卷，刘歆撰。……《七略》七卷，刘歆撰。"同书卷三十四："梁又有《三统历法》三卷，刘歆撰，亡。"同书卷三十五："汉太中大夫《刘歆集》五卷。"张溥辑有《刘子骏集》。严可均《全汉文》卷四十至卷四十一收其文十四篇。张溥："王莽篡汉，甄丰、刘歆、王舜为其腹心，丰、舜不足道，歆宗室宿儒，胡为仆仆符命，同卖饼儿也。甄寻之变，刘棻兄弟三人皆死，歆始怨惧，后与王涉、董忠谋诛莽，彷徨太白，漏言妇人，遂自杀也。班史谓歆初心辅莽，图富贵，谋至加号安汉宰衡而止，事不出于居摄，即真以后，内畏不安，怀变有日，此固宽为之辞。然论歆罪，幽州羽山流殛犹小矣。子政三子，皆好学，长子伋以《易》教授，官至郡守；中子赐，九卿丞，蚤卒；而少子歆，最知名。令歆继父业，校秘书，领五经，死于哀帝之世，官以都尉终，其名岂不出两兄上？而冒荣国师，投迹乱逆，悲乎其寿也。《左传》未立，移书责让，子云为友，强索《方言》，至《洪范传》著天人，《七略》综百家，《三统历谱》考步日月五星，此非古钜儒耶？读其书益伤其人，则有掩卷尔。"（《汉魏六朝百三家集·刘子骏集题词》）

张丰此年前后为车郎，作赋三篇。（《汉书·艺文志》卷三十）按，张子侨神爵二年（前60）待诏金马门，其年似与刘向相若，如年弱冠，则张丰或其年前后生，此年或十七岁左右，姑系于此。张丰（？—？），张子侨子。曾为车郎。有赋三篇。（《汉书·艺文志》卷三十）

公元前43年 （汉元帝刘奭永光元年 戊寅）

二月

诏举质朴敦厚逊让有行者。（《汉书·元帝纪》卷九、《资治通鉴》卷二十八）

七月

韦玄成为御史大夫。（《汉书·百官公卿表》卷十九下、《汉书·韦贤传》卷七十三）按，《资治通鉴》卷二十八系于九月，《汉书·百官公卿表》卷十九下系于七月，今从《汉书》。

刘向三十七岁，作《条灾异封事》。《汉书·刘向传》卷三十六："望之自杀。天子甚悼恨之，乃擢周堪为光禄勋，堪弟子张猛光禄大夫、给事中，大见信任。恭、显惮之，数谮毁焉。更生见堪、猛在位，几已得复进，惧其倾危，乃上封事谏曰……恭、显见其书，愈与许、史比而怨更生等。"按，《条灾异封事》云："初元以来六年矣，案《春秋》六年之中，灾异未有稠如今者也。""初元以来六年"，知上封事在此年，《资治通鉴》卷二十八亦系于此。

五鹿充宗为尚书令。按，《汉书·贾捐之传》卷六十四下载，贾捐之与杨兴数短石显及五鹿充宗，"捐之欲得召见，谓兴曰：'京兆尹缺，使我得见，言君兰，京兆尹可立得。'兴曰：'县官尝言兴愈薛大夫，我易助也。君房下笔，言语妙天下，使君房为尚书令，胜五鹿充宗远甚。'"是知至少此年五鹿充宗为尚书令，《资治通鉴》系此事于永光元年。五鹿充宗（？—？），治《易》《齐论语》。元帝时，以为《梁丘易》贵幸，称其"心辨善辞，可使四方"。历官尚书令、少府，贬玄菟太守。（《汉书·儒林传》卷八十八、《汉书·朱云传》卷六十七）《汉书·艺文志》卷三十："五鹿充宗《略说》三篇，亡。"

冯商师从五鹿充宗，学《易》。按，《汉书·艺文志》卷三十颜注引《七略》云其"事五鹿充宗"，年月未详，姑系在五鹿为尚书令时。冯商（？—？），字子高，阳陵（今山西高陵西南）人。治《易》，事五鹿充宗。后事刘向。能属文。与孟柳俱待诏，奉诏续《太史公》十余篇，在班彪《别录》，未卒，病死。（《汉书·艺文志》卷三十韦昭注、颜师古注）《汉书·艺文志》卷三十："冯商所续《太史公》七篇。……待诏冯商赋九篇。"

公元前42年 （汉元帝刘奭永光二年 己卯）

韦玄成为丞相，复扶阳侯；作《戒子孙诗》。（《汉书·韦贤传》卷七十三、《汉书·外戚恩泽侯表》卷十八、《汉书·百官公卿表》卷十九下、《资治通鉴》卷二十八）按，《外戚恩泽表》称"复以丞相侯"，即谓为丞相而复其削爵前之扶阳侯。又，《汉书·韦贤传》卷七十三云："永光中，代于定国为丞相。贬黜十年之间，遂继父相位，封侯故国，荣当世焉。玄成复作诗，自著复玷缺之艰难，因以戒示子孙。"诗作于何年未详，姑系于韦玄成始为丞相时。

日蚀，诏举茂材异等、贤良、直言之士。（《汉书·元帝纪》卷九）

六月

匡衡对问，作《言政治得失疏》；迁光禄大夫、太子少傅。（《汉书·匡衡传》卷八十一、《资治通鉴》卷二十八）

七月

韦玄成等入议西羌之反，漠然无对。（《汉书·冯奉世传》卷七十九、《资治通鉴》卷二十八）

是年

京房三十六岁，数次上疏言灾变，所言屡中，元帝悦之；迁太中大夫。《汉书·京房传》卷七十五："永光、建昭间，西羌反，日蚀，又久青亡光，阴雾不精。房数上疏，先言其将然，近数月，远一岁，所言屡中，天子说之。"按，《汉书·元帝纪》卷九谓此年七月"西羌反"，京房数言灾变当在此年。又，《汉书·儒林传》卷八十八谓其为"太中大夫"，疑于此年元帝召见后任为此职。

师丹约二十三岁，举孝廉为郎。按，《汉书·师丹传》卷八十六云"举孝廉为郎"，年月未详，此年诏举贤良，疑其此年举为郎。

公元前41年 （汉元帝刘奭永光三年 庚辰）

冬

复盐铁官、博士弟子员。（《汉书·元帝纪》卷九、《资治通鉴》卷二十九）

公元前40年 （汉元帝刘奭永光四年 辛巳）

九月

韦玄成作《议罢郡国庙》。《汉书·韦玄成传》卷七十三："永光四年，乃下诏先议罢郡国庙……丞相玄成、御史大夫郑弘、太子太傅严彭祖、少府欧阳地余、谏大夫尹更始等七十人皆曰：'……臣等愚以为宗庙在郡国，宜无修，臣请勿复修。'奏可。因罢昭灵后、武哀王、昭哀后、卫思后、戾太子、戾后园，皆不奉祠，裁置吏卒守焉。"《汉书·郊祀志》卷二十五下："后韦玄成为丞相，议罢郡国庙，自太上皇、孝惠诸园寝庙皆罢。"按，《汉书·元帝纪》卷九云"（永光）四年……九月戊子，罢卫思后园及戾园"，韦玄成议当是此时事。

十月

韦玄成作《议毁庙》。《汉书·韦玄成传》卷七十三："罢郡国庙后月余，复下诏曰：'盖闻明王制礼，立亲庙四，祖宗之庙，万世不毁，所以明尊祖敬宗，着亲亲也。

朕获承祖宗之重，惟大礼未备，战栗恐惧，不敢自颛，其与将军、列侯、中二千石、二千石、诸大夫、博士议。'玄成等四十四人奏议曰：'……太上皇、孝惠、孝文、孝景庙皆亲尽宜毁，皇考庙亲未尽，如故。'"按，《汉书·元帝纪》卷九云"（永光）四年……冬十月乙丑，罢祖宗庙在郡国者"，韦玄成议当在此时。

是年

刘向四十岁，伤周堪、张猛之死，作《疾谗》《摘要》《救危》及《世颂》等八篇，被废十余年。《汉书·刘向传》卷三十六："后三岁余，孝宣庙阙灾，其晦，日有蚀之。……堪希得见，常因显白事，事决显口。会堪疾喑，不能言而卒。显诬谮猛，令自杀于公车。更生伤之，乃著《疾谗》《摘要》《救危》及《世颂》，凡八篇，依兴古事，悼己及同类也。遂废十余年。"按，据传言"孝宣庙阙灾，其晦，日有蚀之"，乃永光四年事，《汉书·元帝纪》卷九云"四年……夏六月甲戌，孝宣园东阙灾。戊寅晦，日有蚀之"。

苏竟约于此年生（前40？—30？）。按，说见卒年。苏竟，字伯况，扶风平陵（今陕西咸阳西北）人。平帝时，以明《易》为博士讲《书》祭酒。善图纬，通百家之言。王莽时，与刘歆等共典校书，拜代郡中尉。光武帝即位，为代郡太守，后迁侍中。说降刘龚等，居功不伐，潜乐道术，"作《记诲篇》及文章传于世"。（《后汉书·苏竟列传》卷三十上）

公元前 39 年 （汉元帝刘奭永光五年 壬午）

十二月

韦玄成作《议毁庙迁主》。《汉书·韦玄成传》卷七十三："玄成等奏曰：'……太上、孝惠庙皆亲尽，宜毁。太上庙主宜瘗园，孝惠皇帝为穆，主迁于太祖庙，寝园皆无复修。'奏可。"按，《汉书·元帝纪》卷九云"（永光）五年……十二月乙酉，毁太上皇、孝惠皇帝寝庙园"，韦玄成议当为此时事。

是年

匡衡作《言治性正家疏》。（《汉书·匡衡传》卷八十一、《资治通鉴》卷二十九）

京房三十九岁，说《易》与五鹿充宗见解相左。《汉书·京房传》卷七十五："是时，中书令石显颛权，显友人五鹿充宗为尚书令，与房同经，论议相非。"按，五鹿充宗永光元年（前43）为尚书令，建昭元年为少府（《汉书·百官公卿表》卷十九下），京房与五鹿充宗议论相非在五鹿为尚书令期间，确年不详，姑系于此。《资治通鉴》卷二十九谓在建昭二年，疑非，因其年五鹿为少府已二年矣。

王昭君约十七岁，此年入元帝后宫，待诏掖庭。按，《汉书·元帝纪》卷九云"赐单于待诏掖庭王樯为阏氏"，昭君入宫当待诏掖庭。郭茂倩《乐府诗集》卷五十九引《乐府解题》称"《琴操》载：……年十七，献之元帝"，昭君约生于五凤三年（前

55?），此年约十七岁。

公元前 38 年　（汉元帝刘奭建昭元年　癸未）

冬

韦玄成复言《罢文昭太后寝祠园》。《汉书·韦玄成传》卷七十三："明年，玄成复言：'……孝文太后、孝昭太后寝祠园宜如礼勿复修。'奏可。"按，《汉书·元帝纪》卷九云"建昭元年……冬……罢孝文太后、孝昭太后寝园"，韦玄成言当为此时事。

是年

匡衡为光禄勋；举荐王吉子王骏。（《汉书·匡衡传》卷八十一、《汉书·百官公卿表》卷十九下、《汉书·王吉传》卷七十二）

京房四十岁，或于此年将"所说灾异及召见密语"言于妻父张博，并允"为淮阳王作求朝奏草"。按，事载《汉书·京房传》卷七十五及《汉书·宣元六王传》卷八十，此当为其明年七月下狱前事，姑系此年。

刘钦约三十六岁，此年前后与舅张博多次书信往来，欲通过活动求得元帝准其入朝；张博使婿京房为刘钦起求朝奏草。按，事载《汉书·宣元六王传》卷八十及《汉书·京房传》卷七十五，此事在京房建昭二年出为魏郡太守前，姑系于此。

石显具知京房与妻父张博为淮阳王刘钦效力事，控而未发。（《汉书·京房传》卷七十五、《汉书·宣元六王传》卷八十）按，说同上。

公元前 37 年　（汉元帝刘奭建昭二年　甲申）

六月

京房与元帝对言中称巧佞为"上最所信任，与图事帷幄之中进退天下之士者"，暗指石显、五鹿充宗等。（《汉书·京房传》卷七十五、《资治通鉴》卷二十九）

石显以京房出守魏郡之机，奏京房与张博谋，诽谤政治，归恶天子，讲误刘钦。（《汉书·宣元六王传》卷八十、《资治通鉴》卷二十九）

七月

京房、张博等下狱，有司奏请逮捕刘钦。（《汉书·宣元六王传》卷八十、《资治通鉴》卷二十九）

元帝不忍致刘钦法，遣谏大夫王骏赐钦玺书晓喻刘钦。（《汉书·宣元六王传》卷八十、《资治通鉴》卷二十九）

刘钦于王骏前免冠谢元帝不忍执法之大恩。（《汉书·宣元六王传》卷八十、《资治通鉴》卷二十九）

时人作《牢石歌》（《印绶歌》）。（《汉书·佞幸传》卷九十三、《资治通鉴》卷二

十九）

韦玄成作《奏发陈咸、朱云事》。(《汉书·朱云传》卷六十七、《资治通鉴》卷二十九)

八月

匡衡为御史大夫。(《汉书·匡衡传》卷八十一、《汉书·百官公卿表》卷十九下)

十一月

京房弃市,年四十一(前77—前37)。(《汉书·元帝纪》卷九)

公元前 36 年　　(汉元帝刘奭建昭三年　乙酉)

六月

韦玄成卒(？—前36)。(《汉书·元帝纪》卷九、《汉书·韦贤传》卷七十三、《汉书·百官公卿表》卷十九下、《资治通鉴》卷二十九)。

七月

匡衡为丞相,封乐安侯。(《汉书·匡衡传》卷八十一、《汉书·外戚恩泽表》卷十八、《汉书·百官公卿表》卷十九下)

秋

陈汤与甘延寿出西域,矫制发兵攻郅支单于;上疏自劾矫制。(《汉书·元帝纪》卷九)按,本传谓陈汤等击郅支单于乃矫制发兵,上疏自劾与发兵为同时事。

冬

陈汤等斩郅支单于,传其首至京师。按,《汉书·元帝纪》卷九云"冬,斩其首,传诣京师,县蛮夷邸门",悬首邸门与否,诸臣有争论,《资治通鉴》卷二十九系于明年春,今从《通鉴》。

是年

匡衡作《祷高祖孝文孝武庙文》《告谢毁庙》。按,《汉书·韦贤传》卷七十三:"玄成薨,匡衡为丞相。上寝疾,梦祖宗谴罢郡国庙,上少弟楚孝王亦梦焉。上诏问衡,议欲复之,衡深言不可。上疾久不平。衡惶恐,祷高祖、孝文、孝武庙曰……又告谢毁庙曰……"事当在为丞相后不久。

谷永除补属。按,《汉书·谷永传》卷八十五云"建昭中,御史大夫繁延寿闻其有茂材，除补属"，繁延寿，即李延寿，为御史大夫，《汉书·百官公卿表》卷十九下谓在建昭三年七月，谷永除补属疑在此年下半年。谷永（？—前8），字子云，本名并，以尉氏樊并反，更名永，长安（今陕西西安）人。少为长安小史，建昭中，为太常丞。成帝时，擢为光禄大夫。后历任安定太守、凉州刺史、太中大夫，光禄大夫给事中、北地太守、大司农等官职。以病免官，卒于家。（《汉书·谷永传》卷八十五）《隋书·经籍志》卷三十五："汉谏议大夫《谷永集》二卷。"严可均《全汉文》卷四十五至卷四十六收其文二十四篇。

公元前 35 年　　（汉元帝刘奭建昭四年　丙戌）

正月

陈汤上疏奏斩郅支单于之功，请悬郅支单于首于蛮夷邸间。（《汉书·陈汤传》卷七十、《资治通鉴》卷二十九）

匡衡议宜勿悬匈奴郅支单于首。（《汉书·陈汤传》卷七十、《资治通鉴》卷二十九）

陈汤返长安，以贪财不法被收系；上疏鸣不平。（《汉书·陈汤传》卷七十）

元帝释出陈汤，命具酒食犒劳陈汤军。（《汉书·陈汤传》卷七十）

谷永为太常丞，屡上疏言得失。按，《汉书·谷永传》卷八十五云"为太常丞，数上疏言得失"，此年三月谷永对问，言雨雪灾异，当在太常丞职，移此职当在去岁为御史大夫属后、此年三月前，姑系于此。

三月

谷永作《雨雪对》。（《汉书·五行志》卷二十七中之下）

四月

诏举茂材特立之士。（《汉书·元帝纪》卷九）

公元前 34 年　　（汉元帝刘奭建昭五年　丁亥）

是年

师丹约三十一岁，为博士，免。（《汉书·师丹传》卷八十六）

公元前 33 年　　（汉元帝刘奭竟宁元年　戊子）

正月

改元竟宁。（《汉书·元帝纪》卷九）

王昭君嫁匈奴呼韩邪单于，为阏氏；传其行前作《怨思之歌》。《汉书·元帝纪》卷九："竟宁元年春正月……赐单于待诏掖庭王樯为阏氏。"《后汉书·南匈奴列传》卷八十九："时，呼韩邪来朝，帝敕以宫女五人赐之。昭君入宫数岁，不得见御，积悲怨，乃请掖庭令求行。呼韩邪临辞大会，帝召五女以示之。昭君丰容靓饰，光明汉宫，顾景裴回，竦动左右。帝见大惊，意欲留之，而难于失信，遂与匈奴。"《西京杂记》卷二："元帝后宫既多，不得常见，乃使画工图形，案图召幸之。诸宫人皆赂画工，多者十万，少者亦不减五万，独王嫱不肯，遂不得见。匈奴入朝求美人为阏氏，于是上案图以昭君行。及去，召见，貌为后宫第一，善应对，举止闲雅。帝悔之，而名籍已定，帝重信于外国，故不复更人。乃穷案其事，画工皆弃市。籍其家资皆巨万。画工有杜陵毛延寿，为人形，丑好老少，必得其真。安陵陈敞、新丰刘白、龚宽，并工为牛马飞鸟，亦肖人形，好丑不逮延寿。下杜阳望亦善画，尤善布色。樊育亦善布色。同日弃市，京师画工，于是差稀。"按，郭茂倩《乐府诗集》卷五十九引《乐府解题》云："《琴操》载……昭君恨帝始不见遇，乃作《怨思之歌》。"题亦作《黄鸟》《怨诗》，论者或以为伪。

三月

匡衡作《甘延寿、陈汤封爵议》。(《汉书·陈汤传》卷七十、《资治通鉴》卷二十九)

刘向上《理甘延寿、陈汤疏》。按，事载《汉书·陈汤传》卷七十，甘、陈封侯，《汉书·元帝纪》谓在此年夏，刘向上疏当在其前不久。

匡衡附和石显，仍坚持反对封甘延寿、陈汤爵土，元帝未听。(《汉书·陈汤传》卷七十)

四月

陈汤封关内侯，拜射声校尉。按，《汉书·陈汤传》卷七十云"乃封延寿为义成侯。赐汤爵关内侯，食邑各三百户，加赐黄金百斤。……拜延寿为长水校尉，汤为射声校尉。"《汉书·景武昭宣元成功臣表》卷十七谓此年四月甘延寿封义成侯，陈汤封关内侯、拜射声校尉亦当在此时。

五月

元帝刘奭崩。(《汉书·元帝纪》卷九、《汉书·成帝纪》卷十、《资治通鉴》卷二十九)

匡衡奏请罢诸庙。(《汉书·韦贤传》卷七十三、《资治通鉴》卷二十九)

六月

太子刘骜即位，是为成帝。(《汉书·成帝纪》卷十、《资治通鉴》卷二十九)

七月

匡衡作《戒妃匹、劝经学威仪之则疏》。(《汉书·匡衡传》卷八十一、《资治通

鉴》卷二十九）

是年

匡衡作《奏免陈汤》。（《汉书·陈汤传》卷七十）

陈汤约四十二岁，以匡衡奏其"盗所收康居财物"，免官。（《汉书·陈汤传》卷七十）

刘钦约四十一岁，上书陈舅张博为石显所侵事。（《汉书·宣元六王传》卷八十）

丞相、御史复劾奏刘钦失藩臣礼，成帝不予追究。（《汉书·宣元六王传》卷八十）

公元前 32 年 　（汉成帝刘骜建始元年　己丑）

正月

刘向论灾异。（《汉书·五行志》卷二十七下之下）

谷永论灾异。（《汉书·五行志》卷二十七下之下）

时人以石显死，作《长安谣》以讽。（《汉书·佞幸传》卷九十三）按，石显徙归故郡之事，《资治通鉴》卷三十系于正月，《长安谣》当作于此时。

匡衡见石显死，奏其旧恶。（《汉书·匡衡传》卷八十一、《资治通鉴》卷三十）

王尊劾奏匡衡阿谀曲从石显。（《汉书·匡衡传》卷八十一、《资治通鉴》卷三十）

匡衡惭惧，上疏谢罪，称病乞骸骨，上丞相、侯印绶。（《汉书·匡衡传》卷八十一、《资治通鉴》卷三十）

成帝下诏书、赐牛酒，抚慰匡衡；匡衡遂起视事。（《汉书·匡衡传》卷八十一、《资治通鉴》卷三十）

八月

刘向议两月重见。（《汉书·五行志》卷二十七下之下）

刘歆议两月重见。（《汉书·五行志》卷二十七下之下）

十二月

匡衡等奏《徙泰畤、后土祠于长安》。（《汉书·郊祀志》卷二十五下）

师丹举茂才，复补博士；议从匡衡奏言。按，《汉书·师丹传》卷八十六云"建始中，州举茂才，复补博士"，《汉书·郊祀志》卷二十五下又谓其此时从匡衡议，则此年当已补博士入朝。

匡衡等议定徙泰畤、后土祠于长安南北郊。（《汉书·郊祀志》卷二十五下）

匡衡复奏《紫坛宜勿伪饰》、奏《改郊祀歌语句》《不宜复修五畤》。（《汉书·礼乐志》卷二十二、《汉书·郊祀志》卷二十五下）按，《汉书·成帝纪》卷十云"十二月，作长安南北郊，罢甘泉、汾阴祠。……二年春正月，罢雍五畤"，匡衡上述奏言当均为十二月左右事。又，《郊祀志》载匡衡奏改《郊祀歌》第七首《惟泰元》、第八首《天地》语句，事与勿伪饰紫坛相关，故亦是此时事。

　　刘向作《对成帝甘泉泰畤问》。《汉书·郊祀志》卷二十五下："又初罢甘泉泰畤作南郊日，大风坏甘泉竹宫，折拔畤中树木十围以上百余。天子异之，以问刘向。对曰……"按，《汉书·成帝纪》卷十云"十二月……是日大风，拔甘泉畤中大木十围以上"，刘向对问当为此时事。

是年

　　刘更生四十八岁，易名为"向"，拜为中郎，领护三辅都水，迁光禄大夫。《汉书·刘向传》卷三十六："成帝即位，显等伏辜，更生乃复进用，更名向。向以故九卿召拜为中郎，使领护三辅都水。数奏封事，迁光禄大夫。"按，成帝即位、石显死，均在此年。

　　谷永上《请赐谥郑宽中疏》。（《汉书·儒林传》卷八十八）按，传云"成帝即位，赐（宽中）爵关内侯……会疾卒，谷永上疏曰……"郑宽中似于成帝即位之年卒，谷永疏当作于此时。

　　班婕妤被选入宫，为少使。（《汉书·外戚传》卷九十七下）班婕妤（？—？），楼烦（今山西宁武）人。班彪姑，班固祖姑。成帝即位，选入后宫，初为少使，受宠，立为婕妤。后为赵飞燕所谮，因对问得体，免祸。以赵氏姊妹专宠，恐久见危，乃求共养太后长信宫。成帝崩，充奉园陵，卒葬园中。（《汉书·外戚传》卷九十七下）《隋书·经籍志》卷三十五："汉成帝《班婕妤集》一卷，梁有《班昭集》三卷。……亡。"严可均《全汉文》卷十一收其文三篇。丁福保《全汉诗》卷三收其诗一篇。

　　淮阳王刘钦约四十二岁，《上书自陈舅张博时事》，为张博家属徙者求还；丞相、御史复劾刘钦，上加恩，许还徙者。（《汉书·宣元六王传》卷八十）

　　王昭君约二十四岁，生子伊屠智牙师，为右日逐王。按，《汉书·匈奴传》卷九十四下云"生一男伊屠智牙师，为右日逐王"，昭君去岁嫁呼韩邪单于，单于明年死，生子姑系此年。又，《后汉书·南匈奴列传》卷八十九谓其生二子，今从《汉书》。

公元前 31 年　（汉成帝刘骜建始二年　庚寅）

二月

　　诏举贤良方正。《汉书·成帝纪》卷十："诏三辅内郡举贤良方正各一人。"

是年

　　匡衡奏《罢四百七十五所淫祠》。按，《汉书·郊祀志》卷二十五下载其事，且称"明年，匡衡坐事免官爵"，则奏言当在此年。

　　王昭君约二十五岁，丧夫（呼韩邪单于）；呼韩邪单于子复株累若鞮单于立，欲妻之，乃上书求归；成帝令从匈奴俗，遂复嫁。（《汉书·匈奴传》卷九十四下、《后汉

书·南匈奴列传》卷八十九）

班婕妤为婕妤，怀子流产。《汉书·外戚传》卷九十七下："始为少使，蛾而大幸，为婕妤，居增成舍，再就馆，有男，数月失之。"按，立婕妤疑在其怀孕时，且距去岁入宫为少使时间较近，姑以为此年事。

公元前 30 年 （汉成帝刘骜建始三年　辛卯）

十二月

诏举贤良方正能直言极谏之士。（《汉书·成帝纪》卷十）

谷永待诏公车，作《举方正直言对策》。（《汉书·谷永传》卷八十五）

匡衡坐事免为庶人，后卒于家（？—？）。（《汉书·匡衡传》卷八十一、《汉书·百官公卿表》卷十九下）

是年

师丹约三十五岁，出为东平王太傅。按，《汉书·师丹传》卷八十六云"建始中……出为东平王太傅"，年月未详，姑系在复补博士两年后。

王昭君约二十六岁，或于此年生长女。按，《汉书·匈奴传》卷九十四下云"复株累单于复妻王昭君，生二女，长女云为须卜居次，小女为当于居次"，昭君去岁复嫁，生长女姑系此年。

公元前 29 年 （汉成帝刘骜建始四年　壬辰）

正月

初置尚书员五人。（《汉书·成帝纪》卷十、《资治通鉴》卷三十）

夏

谷永于白虎殿对策，上言"天至明不可欺"、"日食地震，皇后贵妾专宠所致"；因欲附王凤，又作《复对灾异》；擢为光禄大夫，作《谢大将军凤书》。（《汉书·谷永传》卷八十五、《汉书·五行志》卷二十七中之下）按，本传叙称："建始三年冬，日食地震同日俱发，诏举方正直言极谏之士……永对曰……。对奏，天子异焉，特召见永。其夏，皆令诸方正对策，语在《杜钦传》。永对毕，因曰……。上特复问永，永对曰……。语在《五行志》。……是时……永知凤方见柄用，阴欲自托，乃复曰……"前叙建始三年冬（十二月）事，后云"其夏"（《杜钦传》卷六十同），令人费解，疑为"明年夏"之讹，《资治通鉴》卷三十系于建始四年夏，是。

四月

谷永作《雨雪对》。按，《汉书·五行志》卷二十七中之下云："建昭四年三月，雨雪，燕多死。谷永对曰……"《汉书·成帝纪》卷十谓"夏四月，雨雪"，《五行志》记误，《资治通鉴》卷三十系于四月，是。

是年

上郡里吏民作《上郡歌》。按，《汉书·冯野王传》卷七十九："竟宁中，（冯立）以王舅出为五原属国都尉。数年，迁五原太守，徙西河、上郡。立居职公廉，治行略与野王相似，而多知有恩贷，好为条教。吏民嘉美野王、立相代为太守，歌之曰……"按，此年距竟宁四年，姑当"数年"。

陈汤约四十六年，上书言康居侍子非王子，以虚言下狱当死。（《汉书·陈汤传》卷七十、《资治通鉴》卷三十）

谷永上《讼陈汤疏》。《汉书·陈汤传》卷七十："汤坐免。后汤上书言康居王侍子非王子也。按验，实王子也。汤下狱当死。太中大夫谷永上疏讼汤曰……书奏，天子出汤，夺爵为士伍。"按，谷永讼陈汤，在陈汤免官后，被大将军王凤重新起用前，《资治通鉴》卷三十系于建始四年，是；然此时谷永为光禄大夫，《通鉴》误依《陈汤传》，乃讹作"太中大夫"。

陈汤为成帝释出，夺爵为士伍。按，《汉书·陈汤传》卷七十云谓谷永"书奏，天子出汤，夺爵为士伍"，事当在谷永奏书之后。

洼丹生（前 29—41）。洼丹，字子玉，南阳育阳（今河南南阳境内）人。世传《孟氏易》。建武初，为博士，迁大鸿胪。作《易通论》七篇，世号《洼君通》。治学精深，《易》家宗之，称为大儒。（《后汉书·儒林列传》卷七十九上）

公元前 28 年 　（汉成帝刘骜河平元年　癸巳）

春

谷永作《勿受伊邪莫演欲降议》。按，《汉书·匈奴传》卷九十四下云"河平元年，单于遣右皋林王伊邪莫演等奉献朝正月。既罢，遣使者送至蒲反。伊邪莫演言：'欲降，即不受我，我自杀，终不敢还归。'使者以闻，下公卿议。议者或言宜如故事，受其降。光禄大夫谷永、议郎杜钦以为……"而《资治通鉴》卷三十系于河平二年春，今从《汉书》。

三月

改元为河平。（《汉书·成帝纪》卷十）

四月

刘向上《日食对》。（《汉书·五行志》卷二十七下之下）

许皇后上疏成帝，成帝即采刘向、谷永"咎在于后宫"之言，作《报皇后书》。（《汉书·外戚传》卷九十七下、《资治通鉴》卷三十）

是年

刘钦卒，年约四十六（前73？—前28）。（《汉书·宣元六王传》卷八十）

公元前 27 年 （汉成帝刘骜河平二年 甲午）

是年

刘向五十三岁，作《诫子歆书》。按，《诫子歆书》云："今若年少，得黄门侍郎，要显处也。"书当作于刘歆为黄门郎时。

谷永与楼护俱为五侯上客，民间号之曰"谷子云笔札，楼君卿唇舌"；民间又作《楼护歌》。按，事载《汉书·游侠传》卷九十二，年月未详，《汉书·外戚恩泽侯表》卷十八谓此年六月乙亥，成帝诸舅王谭等五人同日封侯，姑系于此。

刘歆约十八岁，见召，诵读诗赋；帝悦之，欲以为中常侍，不果；待诏宦者署，为黄门郎。《汉书·元后传》卷九十八："河平二年……大将军凤用事，上遂谦让无所颛。左右常荐光禄大夫刘向少子歆通达有异材。上召见歆，诵读诗赋，甚说之，欲以为中常侍，召取衣冠。临当拜，左右皆曰：'未晓大将军。'上曰：'此小事，何须关大将军？'左右叩头争之。上于是语凤，凤以为不可，乃止。"《汉书·刘歆传》卷三十六："少以通《诗》《书》能属文召见成帝，待诏宦者署，为黄门郎。河平中，受诏与父向领校秘书。"按，合二传观之，刘歆谒成帝后，为中常侍受阻，仅为黄门郎矣。《元后传》叙其事在言"河平二年"后与刘歆见成帝之间虽尚有封五侯等事，然《刘歆传》谓"河平中，受诏与父向领校秘书"，刘向父子领校秘书在明年，则刘歆为黄门郎必在此年。

王昭君约二十九岁，或于此年生次女。按，《汉书·匈奴传》卷九十四下云"复株累单于复妻王昭君，生二女"，生次女姑系此年。

东平王刘宇上疏求诸子及《太史公书》，帝不与。《汉书·宣元六王传》卷八十："有司奏请逮捕，有诏削樊、亢父二县。后三岁……其复前所削县如故。后年来朝，上疏求诸子及《太史公书》。上以问大将军王凤，对曰：'……诸子书或反经术，非圣人；或明鬼神，信物怪；《太史公书》有战国纵横权谲之谋，汉兴之初谋臣奇策，天官灾异，地形厄塞：皆不宜在诸侯王。不可予。……'"按，其事在东平王宇于建始二年（前31）"削樊、亢父二县"五年后，宜系于此。

公元前 26 年 （汉成帝刘骜河平三年 乙未）

八月

成帝使谒者陈农求遗书于天下。（《汉书·成帝纪》卷十、《资治通鉴》卷三十）

刘向领校中秘书，校经传、诸子、诗赋。（《汉书·成帝纪》卷十、《资治通鉴》卷三十）《汉书·艺文志》卷三十："至成帝时，以书颇散亡，使谒者陈农求遗书于天下。诏光禄大夫刘向校经传、诸子、诗赋，步兵校尉任宏校兵书，太史令尹咸校数术，侍医李柱国校方技。每一书已，向辄条其篇目，撮其指意，录而奏之。"《隋书·经籍志》卷三十二："至于孝成，秘藏之书，颇有亡散，乃使谒者陈农，求遗书于天下。命光禄大夫刘向校经传诸子诗赋，步兵校尉任宏校兵书，太史令尹咸校数术，太医监李柱国校方技。每一书就，向辄撰为一录，论其指归，辨其讹谬，叙而奏之。"

刘歆与父领校秘书。《汉书·楚元王传》卷三十六："河平中，受诏与父向领校秘书，讲六艺、传记、诸子、诗赋、数术、方技，无所不究。"按，当与其父刘向领校中秘书同时。

是年

刘向五十四岁，作《洪范五行传论》。《汉书·楚元王传》卷三十六："上方精于《诗》《书》，观古文，诏向领校中《五经》秘书。向见《尚书·洪范》，箕子为武王陈五行阴阳休咎之应。向乃集合上古以来历春秋六国至秦、汉符瑞灾异之记，推迹行事，连传祸福，着其占验，比类相从，各有条目，凡十一篇，号曰《洪范五行传论》，奏之。天子心知向忠精，故为凤兄弟起此论也，然终不能夺王氏权。"按，《资治通鉴》卷三十系于此年。《后汉书·天文志》第十："成帝时，中垒校尉刘向，广《洪范》灾条作五纪皇极之论，以参往行之事。"《三辅黄图》卷六："刘向于成帝之末，校书天禄阁，专精覃思。夜有老人著黄衣，植青藜杖，叩阁而进。见向暗中独坐诵书，老父乃吹杖端，烟然，因以见向，授五行《洪范》之文。恐词说繁广忘之，乃裂裳及绅以记其言，至曙而去。请问姓名，云我是太乙之精，天帝闻卯金之子，有博学者，下而观焉。乃出怀中竹牒，有天文地图之书，曰：'余略授子焉。至子歆，从授其术，向亦不悟此人焉。"（亦见《拾遗记》卷六）

张霸上《百两篇》。《汉书·儒林传》卷八十八："世所传《百两篇》者，出东莱张霸，分析合二十九篇以为数十，又采《左氏传》《书叙》为作首尾，凡百二篇。篇或数简，文意浅陋。成帝时求其古文者，霸以能为《百两》征，以中书校之，非是。霸辞受父，父有弟子尉氏樊并。时，太中大夫平当、侍御史周敞劝上存之。"按，其事当和成帝诏"使谒者陈农求遗书于天下"之事同时而稍后，姑系于此。

公元前 25 年 （汉成帝刘骜河平四年 丙申）

三月

举惇厚有行、能直言之士。（《汉书·成帝纪》卷十）

六月

改元阳朔。（《汉书·成帝纪》卷十）

是年

陈汤约五十岁，丞相王商、大将军王凤请成帝召其于宣室；大将军王凤奏以为从事中郎。按，事载《汉书·陈汤传》卷七十，传叙此事与建始四年（前 29）免为士伍之间有"后数岁"语，此年距建始四年四岁，可称"数年"，且其时王商为丞相、王凤位大将军。《资治通鉴》卷三十系于建始四年，疑误。

谷永或于此年出为安定太守。按，《汉书·谷永传》卷八十五云"数年，出为安定太守"，年月未详，姑定在为光禄大夫四年后。

陈元约于此年生（前25？—40？）。按，本传未言生年，仅言其年老病卒，设若年六十五左右，建武十六年卒，则于此年前后生。陈元，字长孙，苍梧广信（今广西梧州）人。其父陈钦习《左氏春秋》，陈元少传父业，为之训诂，锐精覃思，至不与乡里通。以父任为郎。建武初，与桓谭、杜林、郑兴俱为学者所宗。曾诣阙上疏请立"左氏学"，后辟司空府、司徒府。（据《后汉书·陈元列传》卷三十六）《隋书·经籍志》卷三十五载："司徒掾《陈元集》一卷。"

公元前24年　（汉成帝刘骜阳朔元年　丁酉）

是年

扬雄三十岁，作《反离骚》《广骚》《畔牢愁》。《汉书·扬雄传》卷八十七上："先是时，蜀有司马相如，作赋甚弘丽温雅，雄心壮之，每作赋，常拟之以为式。又怪屈原文过相如，至不容，作《离骚》，自投江而死，悲其文，读之未尝不流涕也。以为君子得时则大行，不得时则龙蛇，遇不遇命也，何必湛身哉！乃作书，往往摭《离骚》文而反之，自岷山投诸江流以吊屈原，名曰《反离骚》；又旁《离骚》作重一篇，名曰《广骚》；又旁《惜诵》以下至《怀沙》一卷，名曰《畔牢愁》。《畔牢愁》《广骚》文多，不载，独载《反离骚》，其辞曰：'……汉十世之阳朔兮……'"按，据：《反离骚》云"汉十世之阳朔兮"，由汉高祖至汉成帝正为汉十世，"阳朔"为成帝年号无误，然则《反离骚》当作于阳朔年间，《广骚》《畔牢愁》当为同时之作；阳朔共四年，姑系于此。

郭宪约于此年生（前24？—46？）。按，生年未详，设若其绥和二年（前7）师事王仲子时为十八岁，则约生于此年。郭宪，字子横，汝南宋（今河南商丘）人。少师事东海王良。王莽篡位，拜为郎中，授以衣服，郭宪焚衣而逃东海之滨。光武帝即位，征拜为博士。建武七年，为光禄勋；建武十一年，免光禄勋。为官期间，常好谏诤，帝不纳，乃跪地不言不起，时人称之为"关东觥觥郭子衡"。以病辞退，卒于家。（《后汉书·方术列传》卷八十二上）《隋书·经籍志》卷三十三："《汉武洞冥记》一卷，郭氏撰。""郭氏"不知云谁，而《旧唐书·经籍志》卷四十六、《新唐书·艺文志》卷五十九皆以"郭宪"实之，惟书名前者称"《汉别国洞冥记》"，后者称《汉武帝别国洞冥记》"，卷数亦与《隋志》不同，均作四卷。或疑其书非郭宪所作。

公元前23年　（汉成帝刘骜阳朔二年　戊戌）

四月

刘向作《论王氏封事》，为中垒校尉。（《汉书·楚元王传》卷三十六、《资治通鉴》卷三十）

九月

杂举可充博士位者。(《汉书·成帝纪》卷十)

是年

谷永为安定太守。(《汉书·谷永传》卷八十五)按,据本传所叙,谷永为安定太守当在王凤卒之前,又王凤卒于阳朔三年,姑系于此。

杜邺以孝廉为郎。按,《汉书·杜邺传》卷八十五云"以孝廉为郎。与车骑将军王音善",为郎至少在王音为车骑将军之前;《汉书·百官公卿表》卷十九下谓阳朔三年"王音为大司马车骑将军",姑系杜邺于其前一年为郎。杜邺(？—前2),字子夏,张敞外孙。本魏郡繁阳(今河南内黄县)人,武帝时徙茂陵(今陕西兴平县)。始以孝廉为郎,后为侍御史。哀帝即位,迁为凉州刺史,数年以病免。元寿元年举方正直言,未拜病卒。(《汉书·杜邺传》卷八十五)《隋书·经籍志》卷三十五:"梁有凉州刺史《杜邺集》二卷。"

桓谭生(前23—56)。按,《后汉书·桓谭列传》卷二十八上云:"有诏会议灵台所处,帝谓谭曰:'吾欲以谶决之,何如?'谭默然良久,曰:'臣不读谶。'帝问其故,谭复极言谶之非经。帝大怒曰:'桓谭非圣无法,将下斩之!'谭叩头流血,良久乃得解。出为六安郡丞,意忽忽不乐,道病卒,时年七十余。"《后汉书·光武帝纪》卷一下谓中元元年(56)"初起明堂、灵台、辟雍",桓谭此年卒,年七十余,则当生于成帝阳朔二年(前23)至永始二年(前15)之间;《北堂书钞》卷一百零二引桓谭《新论》称"余少时为奉车郎",曾从成帝赴甘泉宫作《仙赋》,《太平御览》卷二百一十五引《新论》谓"余年十七为奉车郎",如以桓谭从行为成帝绥和二年(前7)甘泉之行,则桓谭生于阳朔二年,至其卒七十九年,与本传所云年"七十余"合。桓谭,字君山,沛国相(今安徽濉溪县西北)人。好音律,善鼓琴,嗜倡乐。博学多通,遍习《五经》,皆训诂大义,不为章句。能文章,尤好古学,数从刘歆、扬雄辩析疑异。为人简易不修威仪,非毁俗儒,故常受排挤。王莽时,为掌乐大夫。光武帝时,任议郎、给事中。以反谶纬,几遭死刑。出为六安丞,道病卒。作《新论》二十九篇,"所著赋、诔、书、奏,凡二十六篇"。(《后汉书·桓谭列传》卷二十八上)《隋书·经籍志》卷三十四:"《桓子新论》十七卷,后汉六安丞桓谭撰。"卷三十五:"梁有《桓谭集》五卷,亡。"严可均《全后汉文》卷十二至卷十五收其文二十三篇。

公元前 22 年　(汉成帝刘骜阳朔三年　己亥)

九月

谷永作《与王谭书》,劝其勿受城门职。(《汉书·谷永传》卷八十五、《资治通鉴》卷三十一)

是年

刘歆约二十三岁，与王莽俱为黄门郎，关系始密。（《汉书·楚元王传》卷三十六）按，《汉书·王莽传》卷九十九上谓王莽是年为黄门郎。

公元前21年　（汉成帝刘骜阳朔四年　庚子）

是年

谷永以病免安定太守；屡辞王音奏请补营军司马，得转为长史。《汉书·谷永传》卷六十五："永远为郡吏，恐为音所危，并满三月免。音奏请永补营军司马，永数谢罪自陈，得转为长史。"按，谷永去岁九月作《与王谭书》时仍为安定太守，距彼三月则在去岁底或此年初；此年闰九月谷永上疏荐薛宣，当已离安定职，然则为长史当在九月前，姑系于此。

闰九月

谷永作《荐薛宣疏》。《汉书·薛宣传》卷八十三："（薛宣）迁为少府，共张职办。月余，御史大夫于永卒，谷永上疏曰……"按，《汉书·成帝纪》卷十谓此年闰九月永卒，《资治通鉴》卷三十一亦系于此时。

公元前20年　（汉成帝刘骜鸿嘉元年　辛丑）

是年

谷永复借天象说大司马王音；被王音举为护菀使者。按，事载《汉书·谷永传》卷八十五，谷永言称"何故始袭司马之号，俄而金火并有此变"，似距为大司马时间不甚久，王音去岁九月为大司马，姑系此年。

褚少孙约六十八岁，补毕《史记》。按，《史记·汉兴以来将相名臣年表》卷二十二《索隐》云："裴骃以为自天汉已后，后人所续，即褚先生所补也。"其表补至成帝鸿嘉元年终，疑补《史记》亦至此年完毕，盖褚少孙补《史记》，自宣帝元康元年（前65）始，至成帝鸿嘉元年终，其间或断或续，有得即补，亦其自谓以诚后世之毕生事业也。

时人作童谣《燕燕》。《汉书·外戚传》卷九十七下："哀帝崩。……先是，有童谣曰：'燕燕，尾涎涎，张公子，时相见。木门仓琅根，燕飞来，啄皇孙。皇孙死，燕啄矢。'成帝每微行出，常与张放俱，而称富平侯家，故曰张公子。仓琅根，宫门铜锾也。"《汉书·五行志》卷二十七中之上："成帝时童谣曰……其后帝为微行出游，常与富平侯张放俱称富平侯家人，过阳阿主作乐，见舞者赵飞燕而幸之，故曰'燕燕尾涎涎'，美好貌也。'张公子'，谓富平侯也。'木门仓琅根'，谓宫门铜锾，言将尊贵也。后遂立为皇后。弟昭仪贼害后宫皇子，卒皆伏辜，所谓'燕飞来，啄皇孙，皇孙死，燕啄矢'者也。"按，详绎谣意，似讽成帝微行，《汉书·成帝纪》卷十谓"鸿嘉元年春二月……上始为微行出"，童谣疑作于此时。

公元前 19 年　（汉成帝刘骜鸿嘉二年　壬寅）

三月

　　诏举敦厚有行义、能直言者。（《汉书·成帝纪》卷十）

　　谷永作《谏微行》。按，《汉书·五行志》卷二十七中之上云："成帝鸿嘉、永始之间，好为微行出游……时，大臣车骑将军王音及刘同等数以切谏。谷永曰……"王音数谏，《汉书·五行志》卷二十七中之下谓在鸿嘉二年三月，谷永谏当与其同时。

是年

　　褚少孙卒，年约六十九（前 87?—前 19?）。按，卒年未详，其去岁补毕《史记》，以后事无考，疑卒于此年。褚少孙自己亦云"好览观《太史公》之列传"（《三王世家》）、"窃好《太史公传》"（《龟策列传》），其补《史记》据《史记·太史公自序》卷一百三十《集解》云："《汉书音义》曰'十篇缺，有录无书'张晏曰：'迁没之后，亡《景纪》《武纪》《礼书》《乐书》《律书》《汉兴已来将相年表》《日者列传》《三王世家》《龟策列传》《傅靳蒯列传》。元成之间，褚先生补阙，作《武帝纪》《三王世家》《龟策、日者列传》，言辞鄙陋，非迁本意也。'"然十篇中何者出褚先生手，恐难确认。

　　班婕妤进侍者李平；作《怨歌行》。《汉书·外戚传》卷九十七下："自鸿嘉后，上稍隆于内宠。婕妤进侍者李平，平得幸，立为婕妤。……其后，赵飞燕姊弟亦从自微贱兴，逾越礼制，浸盛于前。班婕妤及许皇后皆失宠，稀复进见。鸿嘉三年，赵飞燕谮告……班婕妤挟媚道，祝诅后宫，詈及主上。"按，进李平在鸿嘉后、三年前，当为此年事。又，《文选·怨歌行》卷二十七李注云"《歌录》曰：'《怨歌行》，古辞。'然言古者有此曲，而班婕妤拟之"；题亦作《怨诗》《怨诗行》，《玉台新咏·怨诗序》卷一称："昔汉成帝班婕妤失宠，供养于长信宫。乃作赋自伤，并为《怨诗》。"《乐府诗集》卷四十一谓："班婕妤《怨诗行》序曰：'汉成帝班婕妤失宠，求供养太后于长信宫，乃作怨诗以自伤。托辞于纨扇云。'"后人或引作《扇诗》《团扇》《咏扇诗》《纨扇诗》《婕妤怨》等。是诗有云"常恐秋节至，凉风夺炎热。弃捐箧笥中，恩情中道绝"，似宠幸渐衰时心理，此时"稀复进见"，正为其时。或以为系"古辞"。

公元前 18 年　（汉成帝刘骜鸿嘉三年　癸卯）

六月

　　百姓作《五侯歌》。（《汉书·元后传》卷九十八、《资治通鉴》卷三十一）

十一月

　　班婕妤受谮；对问有理，得赐黄金百斤；为避祸自求退处东宫，作《自悼赋》以自伤悼。《汉书·外戚传》卷九十七下："鸿嘉三年，赵飞燕谮告许皇后、班婕妤挟媚道，祝诅后宫，詈及主上。许皇后坐废。考问班婕妤，婕妤对曰：'妾闻"死生有命，富贵在天"。修正尚未蒙福，为邪欲以何望？使鬼神有知，不受不臣之诉；如其无知，诉之何益？故不为也。'上善其对，怜悯之，赐黄金百斤。赵氏姊弟骄妒，婕妤恐久见危，求共养太后长信宫，上许焉。婕妤退处东宫，作赋自伤悼。"按，《汉书·成帝纪》卷十云"冬十一月甲寅，皇后许氏废"，当为此时事；《资治通鉴》卷三十一系于此月，是。朱熹："《自悼赋》者，汉孝成班婕妤之所作也。班氏世世以儒学显，婕妤以选入宫。贵幸，尝从游后庭，帝召欲与同辇载，辞曰：'观古图画，贤圣之君皆有名臣在侧，三代末主乃有嬖女，今欲同辇，得无近似之乎？'上善其言而止。婕妤诵《诗》及《窈窕》《德象》《女师》之篇。每进见上疏，依则古礼。后赵飞燕娣弟自微贱兴，婕妤稀复进见。飞燕遂谮婕妤祝诅。主上考问婕妤，婕妤对曰：'妾闻死生有命，富贵在天。修正尚未蒙福，为邪欲以何望？使鬼神有知，不受不臣之诉；如其无知，诉之何益？故不为也。'上善其对，事遂释。然婕妤恐久终见危，求得共养太后长信宫，因作赋以自悼。归来子以为：'其词甚古，而侵寻于楚人，非特妇人女子之能言者'，是固然矣。至其情虽出于幽怨，而能引分以自安，援古以自慰，和平中正，终不过于惨伤。又其德性之美，学问之力，有过人者，则论者有不及也。呜呼，贤哉！《柏舟》《绿衣》，见录于经，其词义之美，殆不过此云。"（《楚辞后语·自悼赋第十五》卷二）

公元前17年　（汉成帝刘骜鸿嘉四年　甲辰）

秋

谷永作《议河溢》。（《汉书·沟洫志》卷二十九）

李寻作《塞河议》。（《汉书·沟洫志》卷二十九、《资治通鉴》卷三十一）李寻（？—前4？），字子长，平陵（今陕西兴平东北）人。治《尚书》，好《洪范》灾异，学天文月令阴阳。成帝时，丞相翟方进以为议曹。哀帝初即位，待诏黄门，迁黄门侍郎。拜骑都尉，使护河堤。坐夏贺良事，徙敦煌郡。（《汉书·李寻传》卷七十五）《隋书·经籍志》卷三十五："骑都尉《李寻集》二卷。"严可均《全汉文》卷五十五收其文五篇。

是年

杜邺作《说王音》。（《汉书·杜邺传》卷八十五、《资治通鉴》卷三十一）

夏恭约于此年生（前17？—32？）。夏恭，字敬公，梁国蒙（今山东蒙阴境内）人。习《韩诗》及《孟氏易》，讲授门徒常千余人。王莽末，盗贼从横，攻没郡县，恭以恩信为众所附，拥兵固守，独安全。光武即位，嘉其忠果，召拜郎中，再迁太山都尉。和集百姓，甚得其欢心。"善为文，著赋、颂、诗、《励学》凡二十篇。年四十九卒官，诸儒共谥曰'宣明君'"。（《后汉书·文苑列传》卷八十上）

公元前16年　（汉成帝刘骜永始元年　乙巳）

六月

刘向作《列女传》，以戒天子。《汉书·刘向传传》卷三十六："向睹俗弥奢淫，而赵、卫之属起微贱，逾礼制。向以为王教由内及外，自近者始。故采取《诗》《书》所载贤妃贞妇，兴国显家可法则，及孽嬖乱亡者，序次为《列女传》，凡八篇，以戒天子。及采传记行事，著《新序》《说苑》凡五十篇奏之。数上疏言得失，陈法戒。书数十上，以助观览，补遗阙。上虽不能尽用，然内嘉其言，常嗟叹之。"按，《资治通鉴》卷三十一系于此时。《隋书·经籍志》卷三十三："又汉时，阮仓作《列仙图》，刘向典校经籍，始作《列仙》《列士》《列女》之传，皆因其志尚，率尔而作，不在正史。"永瑢等："《古列女传》七卷、《续列女传》一卷，汉刘向撰。向字子政，本名更生，楚元王之后，以父任为辇郎，历中垒校尉。事迹具《汉书》本传。《汉书·艺文志》儒家类载向所序六十七篇，注曰：'《新序》《说苑》《世说》《列女传颂图》也。'《隋书·经籍志》杂传类，载《列女传》十五卷，注曰'刘向撰，曹大家注'。其书屡经传写，至宋代已非复古本。故曾巩《序录》称'曹大家所注，离其七篇为十四，与《颂义》凡十五篇，而益以陈婴母及东汉以来凡十六事，非向本书然也。嘉祐中，集贤校理苏颂始以《颂义》编次，复定其书为八篇，与十五篇者并藏于馆阁'。是巩校录时已有二本也。又王回《序》曰：'此书有《母仪》《贤明》《仁智》《贞顺》《节义》《辨通》《孽嬖》等目，而各颂其义，图其状，总为卒篇。传如太史公《记》，颂如诗之四言，而图为屏风。然世所行向书，乃分传每篇上下，并颂为十五卷。其十二卷无颂，三传同时人，五传其后人，通题曰向撰，题其颂曰向子歆撰，与汉史不合。故《崇文总目》以陈婴母等十六传为后人所附。予以颂考之，每篇皆十五传耳。则凡无颂者宜皆非向所奏书，不特自陈婴母为断也。向所序书多散亡，独此幸存，而复为他手所乱，故并录其目，而以颂证之，删为八篇，号《古列女传》。余十二传，其文亦奥雅可喜，故又以时次之，别为一篇，号《续列女传》。'又称'直秘阁吕缙叔、集贤校理苏子容、象山令林次中，各言尝见《母仪》《贤明》四传于江南人家。其画为古佩服，而各题其颂像侧'。是回所见一本，所闻一本，所删定又一本也。钱曾《读书敏求记》曰'此本始于有虞二妃，至赵悼后，号《古列女传》，周郊妇人至东汉梁嫕等，以时次之，别为一篇，号《续列女传》。《颂义》大序列于目录前，小序七篇，散见目录中间。颂见各人传后，而传各有图，卷首标题晋大司马参军顾恺之图画。苏子容尝见江南人家旧本，其画为古佩服，各题其颂像侧者，与此恰相符合，定为古本无疑云云。此本即曾家旧物，题识印记并存。验其版式纸色确为宋椠，诚希觏之珍笈。惟苏颂等所见江南本在王回删定以前，而此本八篇之数与回本合，《古列女传》《续列女传》之目亦与回本合，即嘉祐八年回所重编之本，曾据以为江南旧本，则稍失之耳。其颂本向所作，曾巩及回所言不误，而晁公武《读书志》乃执《隋志》之文，诋其误信颜籀之注。不知《汉志》旧注，凡称师古曰者乃籀注，其不题姓氏者皆班固之自注。以颂图属向乃固说，非籀说也。考《颜氏家训》，称'《列女传》，刘向所造，其子歆又作颂。'是讹传颂为歆作，始于六朝。修《隋志》时，去之推仅四五十年，袭其误耳，岂可遽以驳《汉书》乎？《续传》一卷，曾巩以为班超作，其说无证，特以意为之，晁公武竟以为项原作，则舛谬弥甚。《隋志》载项原《列女后传》十卷，非一卷也，必牵引旁文，曲相附会，则《隋志》又有赵母注《列女传》七卷，高氏《列女传》八卷，皇甫谧《列女传》六卷，綦母邃《列女传》七卷，又有曹植《列女传颂》一卷，缪袭《列女传赞》一卷，将续传亦可牵为赵母等，颂亦可牵为曹植等矣。又岂止刘歆、班超、项原乎？今前七卷及颂题向名，《续传》一卷则不署撰人，庶几核其实而阙所疑焉。"（《四库提要》卷五十七）

刘向又作《说苑》。（《汉书·刘向传》卷三十六、《资治通鉴》卷二十三）永瑢等："《说苑》，汉刘向撰。是书凡二十篇，《隋》《唐》志皆同。《崇文总目》云：'今存者五篇，余皆亡。'曾巩《校书序》云：'得十五篇于士大夫家，与旧为二十篇。'晁公武《读书志》云：'刘向《说苑》以《君道》《臣术》《建本》《立节》《贵德》《复恩》《政理》《尊贤》《正谏》《法诫》《善说》《奉使》《权谋》《至公》《指武》《谈丛》《杂言》《辨物》《修文》为目，阳嘉四年上之，阙第二十卷。曾子固所得之二十篇，正是析十九卷作《修文》上、下篇耳。'今本第十《法诫篇》作《敬慎》，而《修文篇》后有《反质篇》。陆游《渭南集》记李德刍之言，谓'得高丽所进本补成完书'，则宋时已有此本，晁公武偶未见也。其书皆录遗闻轶事足为法戒之资者，其例略如《诗外传》。叶大庆《考古质疑》摘其赵襄子赏晋阳之功孔子称之一条、诸御已谏楚庄王筑台引伍子胥一条、晏子使吴见夫差一条、晋太史屠余与周桓公论晋平公一条、晋胜智氏后阖闾袭郢一条、楚左史倚相论越破吴一条、晏子送曾子一条、晋昭公时战邺一条、孔子对赵襄子一条，皆时代先后邈不相及。又介子推、舟之侨并载其《龙蛇之歌》，而之侨事尤舛。黄朝英《缃素杂记》亦摘其固桑对晋平公论养士一条，《新序》作舟人古乘对赵简子，又楚文王爵莞饶一条，《新序》作楚共王爵莞苏。二书同出向手，而自相矛盾，殆捃拾众说，各据文本，偶尔失于参校也。然古籍散佚多赖此以存，如《汉志》'河间献王'八篇，《隋志》已不注录，而此书所载四条，尚足见其议论醇正，不愧儒宗。其它亦多可采择，虽间有传闻异词，固不以微瑕累全璧矣。"（《四库提要》卷九十一）

刘向又作《新序》。（《汉书·刘向传传》卷三十六、《资治通鉴》卷二十三）永瑢等："《新序》，汉刘向撰。……案班固《汉书·艺文志》称向所序六十七篇：《新序》《说苑》《世说》《列女传颂图》也。《隋书·经籍志》：《新序》三十卷，录一卷。《唐书·艺文志》其目亦同。曾巩《校书序》则云：'今可见者十篇。'巩与欧阳修同时，而所言卷帙悬殊，盖《艺文志》所载，据唐时全本为言，巩所校录则宋初残阙之本也。晁公武谓曾子固缀辑散逸，《新序》始复全者，误矣。此本《杂事》五卷、《刺奢》一卷、《节士》二卷、《善谋》二卷，即曾巩校定之旧。《崇文总目》云：所载皆战国、秦、汉间事。以今考之，春秋时事尤多，汉事不过数条，大抵采百家传记，以类相从，故颇与《春秋内、外传》《战国策》《太史公书》互相出入。高似孙《子略》谓：'先秦古书，甫脱烬劫，一入向笔，采撷不遗。至其正纪纲，迪教化，辨邪正，黜异端，以为汉规监者，尽在此书。'固未免推崇已甚，要其推明古训，以衷之于道德仁义，在诸子中犹不失为儒者之言也。叶大庆《考古质疑》摘其昭奚恤对秦使者一条，所称司马子反在奚恤前二百二十年，叶公子高、令尹子西在奚恤前一百三十年，均非同时之人，又摘其误以孟子论好色、好勇为对梁惠王，皆切中其失。至大庆谓《黍离》乃周诗，《新序》误云'卫宣公之子寿，闵其兄且见害而作'，则殊不然。向本学《鲁诗》，而大庆以《毛诗》绳之，其不合也固宜。是则未考汉儒专门授受之学矣。"（《四库提

要》卷九十一)

刘歆与父共校《列女传》。按，刘向《别录》云："臣向与黄门侍郎歆所校《列女传》，种类相从为七篇"，是知此时刘歆与乃父同校《列女传》。

七月

刘向奏《谏营起昌陵疏》。（《汉书·楚元王传》卷三十六、《资治通鉴》卷三十一）

九月

谷永以京房《易占》作《日食对》。（《汉书·五行志》卷二十七下之下）

是年

杜邺以病去官。按，《汉书·杜邺传》卷八十五云"后以病去郎"，年月未详，杜邺明年为大司马主簿，姑系其前一年。

公元前 15 年 （汉成帝刘骜永始二年 丙午）

二月

谷永作《星陨对》《日食对》。（《汉书·五行志》卷二十七下之下）

杜邺除大司马主簿，成王商心腹。《汉书·杜邺传》卷八十五："商为大司马卫将军，除邺主簿，以为腹心。"按，《汉书·百官公卿表》卷十九下谓此年"二月丁酉特进成都侯王商为大司马卫将军"，杜邺除其主簿疑在此时。

三月

谷永迁为凉州刺史；赴任前，受皇太后与诸舅怂恿，作《黑龙见东莱对》，借天变而切谏；成帝大怒，令侍御史收之；侍御史追之不及，成帝怒解而悔。按，事载《汉书·谷永传》卷八十五，谓在王商代为大司马卫将军时，《汉书·百官公卿表》卷十九下称"（永始二年）二月丁丑，特进成都侯王商为大司马卫将军"，《资治通鉴》卷三十一系于此年三月，盖为此时。

十一月

师丹征为光禄大夫、丞相司直；数言民困。按，《汉书·师丹传》卷八十六云："丞相方进、御史大夫孔光举丹论议深博，廉正守道，征入为光禄大夫、丞相司直。"而翟方进为丞相，孔光为御史大夫，《汉书·百官公卿表》卷十九下谓皆在此年十一月，疑师丹受举荐为新职亦在此时。又，《汉书·沟洫志》卷二十九称其"数言百姓可

137

哀"，河溢害民为两年前事，然师丹之言达于天听当在其入朝为官时。

李寻师事翟方进。按，《汉书·李寻传》卷七十五云"事丞相翟方进"，《汉书·百官公卿表》卷十九下谓永始二年"十一月壬子，执金吾翟方进为丞相"，疑李寻此年始事丞相。

十二月

陈汤以妄言罪被劾大不敬，成帝以其有功，免为庶人，徙敦煌。按，事载《汉书·陈汤传》卷七十，传云"汤与万年俱徙敦煌"，《汉书·成帝纪》卷十载永始二年十二月诏曰"其徙万年敦煌郡"，是知二人此月徙。

冯衍约生于此年（前15？—59？）。按，冯衍生年，本传未明。然其建武末（55）所作《显志赋》中有"岁忽忽而日迈兮，寿冉冉其不与。……昔伊尹之干汤兮，七十说而乃信"之句，这当是因其此时年龄与伊尹相仿而产生的感慨，假定作此赋时冯衍年七十，则其生年为汉成帝永始二年。本传云"至二十而博通群书。王莽时，诸公多荐举之者，衍辞不肯仕"，以其永始二年生计，王莽时冯衍为二十余岁，二者大体相合。冯衍，字敬通，京兆杜陵（今陕西西安东南）人。幼有奇才，年九岁，能诵诗，至二十而博通群书。王莽时，诸公虽多举荐，而辞不肯仕。始从刘玄起兵，封立汉将军，领狼孟长。刘玄死，从光武帝刘秀，为曲阳令，迁司隶从事，因交结外戚贵显而免官。"居常慷慨叹曰：'衍少事名贤，经历显位，怀金垂紫，揭节奉使，不求苟得，常有陵云之志。三公之贵，千金之富，不得其愿，不概于怀。贫而不衰，贱而不恨，年虽疲曳，犹庶几名贤之风。修道德于幽冥之路，以终身名，为后世法。'""所著赋、诔、铭、说、《问交》《德诰》《慎情》、书记说、自序、官录说、策五十篇，肃宗甚重其文"。（《后汉书·冯衍列传》卷二十八上下）《隋书·经籍志》卷三十五："后汉司隶从事《冯衍集》五卷"。《后汉书》本传李贤注："《衍集》有《问交》一篇。《慎情》一篇。""《衍集》见有二十八篇。"张溥辑有《冯曲阳集》。严可均《全后汉文》卷二十收其文二十七篇。张溥："冯敬通以野王之孙，不仕王莽，天下起兵，说廉丹弃新即汉，恳款再三，丹不悟而死。后归更始，与鲍永、田邑拒光武，屡招不下。更始殁，乃降，身亦终废。其所著赋、诔、铭、说、《问交》《德诰》《慎情》、书记说、自叙、官录说、策五十篇，遗逸者多，即今所传，慷慨论列，可谓长于《春秋》。夫西京之文，降而东京，整齐缛密，生气渐少。敬通诸文，直达所怀，至今读之，尚想其扬眉抵几，呼天饮酒。诚哉！马迁、杨恽之徒也。北地任女，情好不伦，书词诋诃，如磔狐鼠。彼惟不得志于时，故发愤于中菁，然亦足为妒妇戒矣。幅巾归诚，偃蹇郡邑，阴侯之交，亦非得已。复以此获罪，几死狱门。穷困无徒，空文自老。回思委赘更始，横刀并土之日，事同隔世。陆机谓之曰'怨'，江淹名之以'恨'，其知心乎！建武八事，其书不传，自陈哀悃，不蒙见答，上惭鲍子，下愧田生，志命兴汉之臣，而一生蹈后夫之罚，是真雨而裘，堂而蓑矣。显宗欲用其身，而毁者日至，肃宗重其文，而其人已死。冯氏多贤，遇者稀少，新丰地脉，又安在哉！孟坚详雅，平子渊博，高步东汉，若言豁达激昂，鹰扬文圃，则必首敬通云。"（《汉魏六朝百三家集·冯曲阳集题

词》)

公元前 14 年 （汉成帝刘骜永始三年　丁未）

正月

诏举惇朴逊让有行义者。（《汉书·成帝纪》卷十）

夏

师丹为少府。按，《汉书·师丹传》卷八十六云"征入为光禄大夫、丞相司直。数月，复以光禄大夫给事中，由是为少府、光禄勋"，去岁十一月为光禄大夫，经"数月"，移职疑在此年夏。

十月

成帝以刘向言复甘泉泰畤、汾阴后土、雍畤、陈仓陈宝祠。（《汉书·郊祀志》卷二十五下、《资治通鉴》卷三十一）

谷永作《说成帝距绝祭祀方术》。（《汉书·郊祀志》卷二十五下、《资治通鉴》卷三十一）

十一月

《尚书百两篇》因樊并起义被黜。《汉书·儒林传》卷八十八："世所传《百两篇》者，出东莱张霸，分析合二十九篇以为数十，又采《左氏传》《书叙》为作首尾，凡百二篇。篇或数简，文意浅陋。成帝时求其古文者，霸以能为《百两》征，以中书校之，非是。霸辞受父，父有弟子尉氏樊并。时，太中大夫平当、侍御史周敞劝上存之。后樊并谋反，乃黜其书。"按，《汉书·成帝纪》卷十谓"（永始三年）十一月，尉氏男子樊并等十三人谋反"，《百两篇》见黜当在此时。

谷永弃用原名"并"，易为"永"。《汉书·谷永传》卷八十五："本名并，以尉氏樊并反，更名永云。"按，此年十一月樊并反，谷永易名当在此时。

师丹转光禄勋。按，《汉书·百官公卿表》卷十九下谓此年"少府师丹为光禄勋"，为少府在此年夏，转光禄勋或在秋冬，姑系于此。

是年

陈汤约六十一岁，转徙安定。按，《汉书·陈汤传》卷七十云"久之，敦煌太守奏：'汤前亲诛郅支单于，威行外国，不宜近边塞。'诏徙安定"，年月未详，姑定在徙敦煌一年后。

谷永征为太中大夫，迁光禄大夫给事中；上书救刘辅。《汉书·谷永传》卷八十五："明年，征永为太中大夫，迁光禄大夫给事中。"按，去岁为凉州刺史，"明年"即此年。又,《汉书·刘辅传》卷七十七云:"会成帝欲立赵婕妤为皇后,先下诏封婕妤父临为列侯。辅上书言……书奏,上使侍御史收缚辅,系掖庭秘狱,群臣莫知其故。于是中朝左将军辛庆忌、右将军廉褒、光禄勋师丹、太中大夫谷永俱上书曰……"成帝封赵婕妤父,《汉书·成帝纪》卷十谓在永始元年(前16),刘辅上书必在此年后;而《汉书·百官公卿表》卷十九下谓辛庆忌为左将军、师丹为光禄勋均在此年,谷永征太中大夫亦在此年,刘辅下秘狱及谷永上书当为此时事。《资治通鉴》卷三十一系于永始元年,疑误。

师丹约五十一岁,上书救刘辅。(《汉书·刘辅传》卷七十七)按,说同上。

马援生(前14—49)。马援,字文渊,扶风茂陵(今陕西兴平县东北)人。年十二而孤,少有大志。学《齐诗》,然不能守章句。始为郡督邮,因私放囚犯而亡命北地。遇赦,因留牧畜,转游陇汉间,常谓人曰"丈夫为志,穷当益坚,老当益壮"。王莽末,为新成大尹。莽败,避地凉州;为隗嚣绥德将军。后归刘秀,历太中大夫、陇西太守、虎贲中郎将,拜伏波将军,封新息侯。在征伐武陵五溪蛮夷时,病死军中。为刘秀屡立战功,有壮语曰"男儿要当死于边野,以马革裹尸还葬耳,何能卧床上在儿女子手中邪"!(《后汉书·马援列传》卷二十四)严可均《全后汉文》卷十七收其文十四篇。丁福保《全汉诗》卷二收其诗一首。

公元前13年 (汉成帝刘骜永始四年 戊申)

十一月

谷永作《上理梁王立疏》。(《汉书·文三王传》卷四十七、《资治通鉴》卷三十二)

是年

扬雄四十一岁,作《县邸铭》《王佴颂》《阶闼铭》《成都城四隅铭》《绵竹颂》;复作《蜀都赋》《蜀王本纪》。扬雄《答刘歆书》:"而雄始能草文,先作《县邸铭》《王佴颂》《阶闼铭》,及《成都城四隅铭》。蜀人有杨庄者,为郎,诵之于成帝。成帝好之,以为似相如。雄遂以此得外见。"《文选·甘泉赋》卷七李周翰注:"扬雄家贫好学,每制作慕相如之文,尝作《绵竹颂》。成帝时直宿郎杨庄诵此文,帝曰:'此似相如之文。'庄曰:'非也,此臣邑人扬子云。'帝即召见。"按,《县邸铭》等五文未必为此年之作,但均为扬雄在蜀之作;扬雄元延元年离蜀至京师,姑系诸文于此。又,《蜀都赋》及《蜀王本纪》写扬雄故里事,疑亦作于在蜀期间,姑一并系此。

杜邺举侍御史;作《说王商》。按,《汉书·杜邺传》卷八十五云"商为大司马卫将军……以为腹心,举侍御史",侍御史必为王商所举,《汉书·成帝纪》卷十载王商明年十二月卒,姑系此年。又,《汉书·郊祀志》卷二十五下云:"后成都侯王商为大司马卫将军辅政,杜邺说商曰:'……前上甘泉,先驱失道……'"《成帝纪》谓永始三年复甘泉泰畤,四年正月成帝行幸甘泉,明年十二月王商卒,杜邺说王商当在此二年内,姑系此年。

长安人作《尹赏歌》。按，事载《汉书·酷吏传》卷九十，酷吏尹赏以严法惩治"长安中轻薄少年恶子"，以"虎穴"窒息死百人，于是"长安中歌之曰：'安所求子死？桓东少年场。生时谅不谨，枯骨后何葬？'"传云为"永始、元延间"事。

公元前 12 年　（汉成帝刘骜元延元年　己酉）

正月

　　谷永言灾异，奏《门牡自亡对》。（《汉书·五行志》卷二十七中之上）

七月

　　星孛东井，诏内郡国举方正能直言极谏者。（《汉书·成帝纪》卷十）
　　谷永为北地太守，作《请深畏大异定心为善对》《星孛对》。（《汉书·谷永传》卷八十五、《汉书·五行志》卷二十七下之下、《资治通鉴》卷三十二）
　　刘向因灾异奏谏成帝，作《星孛奏》。（《汉书·五行志》卷二十七下之下）

是年

　　成帝稍厌游宴，复修经书之业。（《汉书·叙传》卷一百上、《资治通鉴》卷三十二）
　　师丹迁侍中光禄大夫。（《汉书·百官公卿表》卷十九下、《资治通鉴》卷三十二）
　　扬雄四十二岁，离蜀，至京师，为大司马门下史。按，《汉书·扬雄传》卷八十七下云："雄年四十余，自蜀来至游京师，大司马车骑将军王音奇其文雅，召以为门下史。……岁余，奏《羽猎赋》。""岁余"当指至初抵京师的时间间隔；传言"十二月羽猎……故聊因《校猎赋》以风"，《校猎赋》盖即《羽猎赋》，作此赋在元延二年（前11）十二月，扬雄至京师当在此年十二月之前。传言召扬雄者为大司马车骑将军王音，然《汉书·成帝纪》卷十谓"（永始）二年春正月己丑，大司马车骑将军王音薨"，本传所言当属讹误；论者王音为王根或王商之讹，然此二王均非车骑将军，唯姑存其疑耳。
　　李寻得丞相翟方进厚遇，被任为丞相府议曹；成帝舅王根亦厚遇之。按，《汉书·翟方进传》卷八十四云"厚李寻，以为议曹"，年月未详，姑定在事翟方进三年后。又，《汉书·李寻传》卷七十五云"帝舅曲阳侯王根为大司马票骑将军，厚遇寻"，《汉书·百官公卿表》卷十九下谓元延元年十二月"光禄勋王根为大司马票骑将军"，王根厚遇李寻或自此年始。
　　传班婕妤作《捣素赋》。按，《捣素赋》如为班婕妤作，当作于居长信宫期间；其自鸿嘉三年至绥和二年成帝崩，于长信宫居住十一年，姑系此年。然论者多疑出六朝人手，《文选·雪赋》卷十三李注云："班婕妤《捣素赋》曰：'仟风轩而结睇兮，对愁云之浮沉。'然疑此赋非婕妤之文，行来已久。"

公元前 11 年 （汉成帝刘骜元延二年　庚戌）

正月

　　蜀人杨庄诵扬雄文于成帝前，成帝召见扬雄，令其待诏承明之庭。《汉书·扬雄传》卷八十七上云："上方郊祠甘泉泰畤、汾阴后土，以求继嗣，召雄待诏承明之庭。"扬雄《答刘歆书》："而雄始能草文，先作《县邸铭》《王佴颂》《阶闼铭》《成都城四隅铭》；蜀人有杨庄者为郎，诵之于成帝，成帝好之，以为似相如，雄遂以此得外见。"按，举荐扬雄之"客"即其同乡杨庄，《文选》卷七李周翰注称杨庄所诵者为《绵竹颂》，当依扬雄《答刘歆书》；盖扬雄之见成帝，亦犹司马相如之见武帝，均由同乡在朝为官者中介。传云"上方郊祠甘泉泰畤、汾阴后土"，"方"者，将要也，故成帝召见扬雄乃在其将启程往甘泉前。

　　扬雄以待诏从成帝郊祠甘泉，作《甘泉赋》，令成帝异之；用脑过度，患喘悸症。《汉书·扬雄传》卷八十七上云："上方郊祠甘泉泰畤、汾阴后土，以求继嗣，召雄待诏承明之庭。正月，从上甘泉，还奏《甘泉赋》以风……甘泉本因秦离宫，既奢泰，而武帝复增通天、高光、迎风。宫外近则洪崖、旁皇、储胥、弩陆，远则石关、封峦、枝鹊、露寒、棠梨、师得，游观屈奇瑰玮，非木摩而不雕，墙涂而不画，周宣所考，殷庚所迁，夏卑宫室，唐、虞棌椽三等之制也。且其为已久矣，非成帝所造，欲谏则非时，欲默则不能已，故遂推而隆之，乃上比于帝室紫宫，若曰此非人力之所为，党鬼神可也。又是时赵昭仪方大幸，每上甘泉，常法从，在属车间豹尾中。故雄聊盛言车骑之众，参丽之驾，非所以感动天地，逆厘三神。又言'屏玉女，却宓妃'，以微戒齐肃之事。赋成奏之，天子异焉。"桓谭《新论·祛蔽第八》："余少时见扬子云之丽文高论，不自量年少新进，而猥欲逮及。尝激一事，而作小赋，用精思太剧，而立感动发病，弥日瘳。子云亦言，成帝时，赵昭仪方大幸，每上甘泉，诏使作赋，为之卒暴，思精苦，始成，遂因倦小卧，梦其五藏出在地，以手收而内之。及觉，病喘悸，大少气。病一岁。由此言之，尽思虑，伤精神也。"按，扬雄《甘泉赋》等四赋作年，学者持见歧异，《文选·甘泉赋》卷七李注称："《汉书》曰：永始四年正月，行幸甘泉。《七略》曰：甘泉赋，永始三年正月，待诏臣雄上。《汉书》三年无幸甘泉之文，疑《七略》误也。"《七略》为扬雄同时友好刘歆作，然此处所引连李善本人都难置信，原因就在于与《汉书·成帝纪》卷十比照，无法契合。据《成帝纪》，成帝始幸甘泉在永始四年正月，其时扬雄尚未至京；成帝二幸甘泉在元延二年正月，行前扬雄为客举荐，待诏承明之庭，随后即当以待诏之身从行甘泉，作赋以讽。王充："孝武皇帝好仙，司马长卿献《大人赋》，上乃仙仙有凌云之气。孝成皇帝好广宫室，扬子云上《甘泉颂》，妙称神怪，若曰非人力所能为，鬼神力乃可成。皇帝不觉，为之不止。长卿之赋，如言仙无实效，子云之颂言奢有害，孝武岂有仙仙之气者，孝成岂有不觉之惑哉？然即天之不为他气以谴告人君，反顺人心以非应之，犹二子为赋颂，令两帝惑而不悟也。"（《论衡·遣告篇》）

　　刘歆作《甘泉宫赋》。按，年月未详，疑与扬雄《甘泉赋》作于同时。

三月

扬雄从成帝涉黄河，往汾阴，祭祀后土；游介山，绕安邑，顾龙门，览盐池，登历山，陟华山；还，作《河东赋》。《汉书·扬雄传》卷八十七上："其三月，将祭后土，上乃帅群臣横大河，凑汾阴。既祭，行游介山，回安邑，顾龙门，览盐池，登历观，陟西岳以望八荒，迹殷、周之虚，眇然以思唐、虞之风。雄以为临川羡鱼不如归而结罔，还，上《河东赋》以劝。"按，《汉书·成帝纪》卷十谓（元延）二年"三月，行幸河东，祠后土"，扬雄从行作赋当在此时。

十二月

扬雄从成帝田猎于汧、渭以东，酆、镐以西，至长杨射熊馆，作《长杨赋》《校猎赋》；除为郎，给事黄门。《汉书·扬雄传》卷八十七上："其十二月羽猎，雄从。以为昔在二帝、三王，宫馆、台榭、沼池、苑囿、林麓、薮泽，财足以奉郊庙、御宾客、充庖厨而已，不夺百姓膏腴谷土桑柘之地。女有余布，男有余粟，国家殷富，上下交足，故甘露零其庭，醴泉流其唐，凤皇巢其树，黄龙游其沼，麒麟臻其囿，神爵栖其林。昔者禹任益虞而上下和，草木茂；成汤好田而天下用足；文王囿百里，民以为尚小；齐宣王囿四十里，民以为大；裕民之与夺民也。武帝广开上林，南至宜春、鼎胡、御宿、昆吾，旁南山而西，至长杨、五柞，北绕黄山，濒渭而东，周袤数百里，穿昆明池象滇河，营建章、凤阙、神明、驱娑，渐台、泰液象海水周流方丈、瀛洲、蓬莱。游观侈靡，穷妙极丽。虽颇割其三垂以赡齐民，然至羽猎、田车、戎马、器械、储偫、禁御所营，尚泰奢丽夸诩，非尧、舜、成汤、文王三驱之意也。又恐后世复修前好，不折中以泉台，故聊因《校猎赋》以风。……"《汉书·扬雄传》卷八十七下："明年，上将大夸胡人以多禽兽，秋……上亲临观焉。是时，农民不得收敛。雄从至射熊馆，还，上《长杨赋》，聊因笔墨之成文章，故借翰林以为主人，子墨为客卿以风。……奏《羽猎赋》，除为郎，给事黄门，与王莽、刘歆并。"按，《汉书·成帝纪》卷十谓元延二年"冬，行幸长杨宫，从胡客大校猎"，扬雄《长杨》《羽猎》二赋当作于此时。论者常以传中叙完《羽猎赋》后接云"明年，上将大夸胡人以多禽兽，秋……上亲临观焉"，遂次《长杨赋》于元延三年秋，然首先，其年史无成帝至长杨的记载；其次，传中所言"秋"天之事并非射猎，而是射猎前之准备，即为向胡人夸耀"多禽兽"，特地命民众"入南山，西自褒斜，东至弘农，南驱汉中，张罗罔罝罘，捕熊罴、豪猪、虎豹、狖玃、狐菟、麋鹿，载以槛车，输长杨射熊馆。以罔为周陈，纵禽兽其中"，以便"胡人手搏之，自取其获"。此事颇费时日，故《长杨赋》叹道"颇扰于农民，三旬有余，其廑至矣，而功不图"！既然费时"三旬有余"，即使从仲秋算起，当已进冬季矣。由是言之，长杨射猎必在冬季。复次，《长杨赋序》云"上将大夸胡人以多禽兽"，赋中又云"客徒爱胡人之获我禽兽，曾不知我亦已获其王侯"，此正与《成帝纪》元延二年"冬，行幸长杨宫，从胡客大校猎"契合一致。第四，《长杨赋序》中云"上亲临观焉"，虽为将然之词，但已暗示届冬成帝必临。第五，《长杨赋》所赋地点正为位处《羽猎赋》的田猎范围，即汧、渭以东，酆、镐以西的今陕西周至东南的射熊馆。综上

143

而观之，此二赋当作于同时，即此年冬。之所以造成《长杨赋》难于系年，问题在于班固按照扬雄自序编成的《扬雄传》，似乎因为《长杨赋序》头两字"明年（当为'其年'之讹）"而导致了错简，即《长杨赋》并《序》本该在《河东赋》后，却误置于《校猎赋》后。又，班固云"奏《羽猎赋》，除为郎，给事黄门"，扬雄盖以此时赋"羽猎"而得官，然未知《羽猎赋》究指《长杨》还是《校猎》。《长杨赋》写"振师五柞，习马长杨，简力狡兽，校武票禽"，而且在四赋中模仿司马相如赋最为疑似，成帝一如乃祖武帝喜好相如赋，如说其因看重《长杨赋》而除扬雄为郎，当亦不无可能。

是年

扬雄四十三岁，其《赵充国颂》或作于此年。《汉书·赵充国传》卷六十九："初，充国以功德与霍光等列，画未央宫。成帝时，西羌尝有警，上思将帅之臣，追美充国，乃召黄门郎杨雄，即充国图画而颂之。"按，成帝朝，西羌无事，此言"西羌尝有警"，疑指乌孙小昆弥刺杀大昆弥雌栗靡事，《汉书·西域传》卷九十六下云事在"元延二年"，扬雄颂疑作于此时。

公元前 10 年　（汉成帝刘骜元延三年　辛亥）

正月

刘向上奏论灾异之事。（《汉书·五行志》卷二十七下之上）

是年

扬雄四十四岁，作《绣补灵节龙骨铭》、诗三章；或于此年称颂严遵；益州牧叹其识人。扬雄《答刘歆书》："雄为郎之岁，自奏少不得学，而心好沈博绝丽之文，愿不受三岁之奉，且休脱直事之繇，得肆心广意以自克就。有诏可不夺奉，令尚书赐笔墨钱六万，得观书于石室，如是后一岁，作《绣补灵节龙骨》之铭，诗三章。成帝好之，遂得尽意。"按，"雄为郎之岁"在元延二年，其"后一岁"当为此年。又，《汉书·王吉传》卷七十二："杨雄少时从游学，以而仕京师显名，数为朝廷在位贤者称君平德。杜陵李强素善雄，久之为益州牧，喜谓雄曰：'吾真得严君平矣。'雄曰：'君备礼以待之，彼人可见而不可得诎也。'强心以为不然。及至蜀，致礼与相见，卒不敢言以为从事，乃叹曰：'杨子云诚知人！'"年月未详，传称为其"仕京师显名"时事，扬雄去岁得成帝赏识，在朝与刘歆、王莽比肩，姑系此年。严遵（？—？），字君平，蜀（今四川）人。本姓庄，避汉明帝刘庄讳改严。为人修身自保，以卜为生，导人以善。"博览亡不通，依老子、严周之指著书十余万言"。为扬雄少时之师。年九十余卒。（《汉书·王吉传》卷七十二、《汉书·地理志》卷二十八下颜师古注）《隋书·经籍志》卷三十四："梁有……汉征士严遵注《老子》二卷。……《老子指归》十一卷，严遵注。"

公元前 9 年　（汉成帝刘骜元延四年　壬子）

五月

谷永为大司农。（《汉书·百官公卿表》卷十九下、《资治通鉴》卷三十二）

是年

扬雄四十五岁，或于此年作《酒箴》。《汉书·游侠传》卷九十二："黄门郎杨雄作《酒箴》以讽谏成帝，其文为酒客难法度士，譬之于物。"按，此箴，他书题作《酒赋》或《都酒赋》。作年未详，既称扬雄为黄门郎，姑系于其为黄门郎两年后。

李寻以将有洪水之灾说大司马王根；王根荐之。《汉书·李寻传》卷七十五："寻见汉家有中衰阨会之象，其意以为且有洪水为灾，乃说根曰……根于是荐寻。"按，年月未详，《汉书·百官公卿表》卷十九下谓王根绥和元年"赐金、安车驷马免"大司马，姑定在其前一年。

公元前 8 年　（汉成帝刘骜绥和元年　癸丑）

正月

师丹为诸吏散骑光禄勋。（《汉书·百官公卿表》卷十九下）

二月

封孔子之世以为殷后，封孔吉为殷绍嘉侯。（《汉书·成帝纪》卷十、《资治通鉴》卷三十二）

三月

孔吉进爵为公，及周承休侯皆为公。（《汉书·成帝纪》卷十、《资治通鉴》卷三十二）

十一月

师丹为太子太傅。（《汉书·师丹传》卷八十六、《资治通鉴》卷三十二）

是年

刘向说兴辟雍隆礼乐事；卒，年七十二（前79—前8）。（《汉书·礼乐志》卷二十二、《资治通鉴》卷三十二、《汉书·刘向传》卷三十六）

刘歆约三十七岁，丧父（刘向）；为中垒校尉。（《汉书·刘向传》卷三十六）按，《汉书·刘歆传》卷三十六云"向死后，歆复为中垒校尉"，关于刘歆为中垒校尉之年，令人颇生疑窦。除此处谓刘歆"复为中垒校尉"外，《汉书》尚有四处五次言及刘歆为中垒校尉，此四处依年代顺为：①（前8或前7）《李寻传》卷七十五："成帝时，齐人甘忠可诈造《天官历》《包元太平经》十二卷……中垒校尉刘向奏忠可假鬼神罔上惑众，下狱治服，未断病死。"②（前7）《韦玄成传》卷七十三："成帝崩，哀帝即位。……太仆王舜、中垒校尉刘歆议曰……上览其议而从之。制曰：'太仆舜、中垒校尉歆议可。'"③（前4）《郊祀志》卷二十五下："平帝元始五年，大司马王莽奏言：'……建平三年，惧孝哀皇帝之疾未瘳，复甘泉、汾阴祠，竟复无福。臣谨与太师孔光、长乐少府平晏、大司农左咸、中垒校尉刘歆、太中大夫朱阳、博士薛顺、议郎国由等六十七人议……'"④（前1）《刘歆传》卷三十六："会哀帝崩，王莽持政，莽少与歆俱为黄门郎，重之，白太后。太后留歆为右曹太中大夫，迁中垒校尉、羲和、京兆尹，使治明堂辟雍，封红休侯。"以上之③，为王莽回忆往事，所云当系元始五年（公元5）时的官职，然其时刘歆已非中垒校尉；其①、②两处三次称刘歆为中垒校尉，最合理的解释是因此年刘向卒后，刘歆确实被任此职。然而，其④却称元寿二年（前1）刘歆"迁中垒校尉"，这显然与绥和元年（前8）。"复为中垒校尉"相抵牾。同出《汉书》，自相矛盾乃尔，令人不知所从，三占从二，姑依此年说。

谷永病，三月，免大司农；数月后，卒（？一前8）。（《汉书·谷永传》卷八十五、《汉书·百官公卿表》卷十九下）

陈元约十八岁，或于此年以父任为郎。按，《后汉书·陈元列传》卷三十六云"以父任为郎"，年月未详，姑定在十八岁时。

公元前7年　（汉成帝刘骜绥和二年　甲寅）

正月

桓谭从成帝之甘泉；作《仙赋》。桓谭《仙赋序》云："余少时为郎，从孝成帝出祠甘泉、河东，见部先置华阴集灵宫。宫在华山下，成帝所造，欲以怀集仙者王乔、赤松子，故名殿为存仙，端门南向山，署曰望仙门。余居此焉，窃有乐高眇之志，即书壁为小赋以颂美。"按，《汉书·成帝纪》卷十谓"（绥和）二年春正月，行幸甘泉，郊泰畤"。

二月

李寻作《奏记翟方进》。（《汉书·翟方进传》卷八十四、《资治通鉴》卷三十三）

三月，桓谭从成帝祠河东。（桓谭《仙赋序》）按：《汉书·成帝纪》卷十谓"（绥和二年）三月，行幸河东，祠后土"，桓谭从行当在此时。

成帝刘骜崩。（《汉书·成帝纪》卷十、《资治通鉴》卷三十三）

班婕妤充奉园陵，后卒（？一？）。《汉书·外戚传》卷九十七下："至成帝崩，婕妤充奉园陵，薨，因葬园中。"按，班婕妤卒年无考。

四月

太子刘欣即位，是为哀帝。（《汉书·哀帝纪》卷十一、《资治通鉴》卷三十三）

　　师丹为左将军，封关内侯，领尚书事；作《劾奏董宏》。（《汉书·师丹传》卷八十六、《资治通鉴》卷三十三）

　　李寻待诏黄门。（《汉书·李寻传》卷七十五）

　　息夫躬与皇后父傅晏善，结交孙宠，上书，召为待诏；数危言高论，自恐遭害，著《绝命辞》。（《汉书·息夫传》卷四十五）朱熹《楚辞后语·绝命辞第十七》卷三："《绝命词》者，汉息夫躬之所作也。躬以变告东平王云祠祭祝诅事拜官封侯，而云坐诛死。后又数上疏论事，语极险谲。竟以罪系诏狱，仰天大呼，绝咽而死。躬以利口作奸，死不偿责。而此词乃以发忠忘身，号于上帝。甚矣，其欺天也。特以其词高古似贾谊，故录之。而备其本末如此，又以见文人无行之不足贵云。"息夫躬（？—前1），字子微，河内河阳（今河南孟津）人。少为博士弟子，受《春秋》，通览记书。容貌壮丽，为众所异。哀帝初，召待诏。擢光禄大夫、左曹、给事中，封宜陵侯。后免官，坐祝诅系狱而死。（《汉书·息夫传》卷四十五）《隋书·经籍志》卷三十五："汉光禄大夫《息夫躬集》一卷。"严可均《全汉文》卷五十六收其文四篇。

五月

　　师丹同丞相孔光等人受诏白太皇太后，令王莽视事。（《汉书·王莽传》卷九十九上、《资治通鉴》卷三十三）

　　刘歆作《议不宜毁孝武庙》《议惠景及太上寝园》。按，事载《汉书·韦玄成传》卷七十三，《资治通鉴》卷三十三系于九月，然传称刘歆为中垒校尉，当为刘歆被王莽举为侍中之前事，宜系于此。又，《议惠景及太上寝园》叙在《议不宜毁孝武庙》后，当为同时所作。

六月

　　诏罢乐府。《汉书·哀帝纪》卷十一："（绥和二年）六月，诏曰：'郑声淫而乱乐，圣王所放，其罢乐府。'"《汉书·礼乐志》卷二十二："是时，郑声尤甚。黄门名倡丙强、景武之属富显于世，贵戚五侯定陵、富平外戚之家淫侈过度，至与人主争女乐。哀帝自为定陶王时疾之，又性不好音，及即位，下诏曰：'惟世俗奢泰文巧，而郑、卫之声兴。夫奢泰则下不孙而国贫，文巧则趋末背本者众，郑、卫之声兴则淫辟之化流，而欲黎庶敦朴家给，犹浊其源而求其清流，岂不难哉！孔子不云乎？"放郑声，郑声淫。"其罢乐府官。郊祭乐及古兵法武乐，在经非郑、卫之乐者，条奏，别属他官。'丞相孔光、大司空何武奏：'……大凡八百二十九人，其三百八十八人不可罢，可领属大乐，其四百四十一人不应经法，或郑、卫之声，皆可罢。'奏可。然百姓渐渍日久，又不制雅乐有以相变，豪富吏民湛沔自若，陵夷坏于王莽。"

　　刘歆被王莽举为侍中，太中大夫，迁骑都尉，奉车光禄大夫；典领《五经》，承继父业，著《七略》。《汉书·刘歆传》卷三十六："哀帝初即位，大司马王莽举歆宗室有材行，为侍中太中大夫，迁骑都尉，奉车光禄大夫，贵幸。复领《五经》，卒父前业。歆乃集六艺群书，种别为《七略》。"按，《资治通鉴》卷三十三系于此年六月。

《汉书·艺文志》卷三十："会向卒，哀帝复使向子侍中奉车都尉歆卒父业。歆于是总群书而奏其《七略》，故有《辑略》，有《六艺略》，有《诸子略》，有《诗赋略》，有《兵书略》，有《术数略》，有《方技略》。"《隋书·经籍志》卷三十二："向卒后，哀帝使其子歆嗣父之业。乃徙温室中书于天禄阁上。歆遂总括群篇，撮其指要，着为《七略》：一曰《集略》，二曰《六艺略》，三曰《诸子略》，四曰《诗赋略》，五曰《兵书略》，六曰《术数略》，七曰《方技略》。大凡三万三千九十卷。王莽之末，又被焚烧。"《隋书·经籍志》："《七略》七卷，刘歆撰。"

　　师丹建言《限民田奴婢》。（《汉书·食货志》卷二十四上、《资治通鉴》卷三十三）

七月

　　师丹为大司马，封高乐侯。（《汉书·师丹传》卷八十六、《汉书·外戚恩泽侯表》卷十八、《资治通鉴》卷三十三），

九月

　　李寻作《对诏问灾异》；迁黄门侍郎；以其言水灾，旋拜为骑都尉，使护河堤。（《汉书·李寻传》卷七十五、《资治通鉴》卷三十三）

　　刘歆以为夏贺良等所挟甘忠可书不合《五经》，不可施行。《汉书·李寻传》卷七十五："初，成帝时，齐人甘忠可诈造《天官历》《包元太平经》十二卷……哀帝初立，司隶校尉解光亦以明经通灾异得幸，白贺良等所挟忠可书。事下奉车都尉刘歆，歆以为不合《五经》，不可施行。而李寻亦好之。"按，传叙此事接上条李寻拜骑都尉后，且刘歆时任王莽所荐奉车都尉，当系此时。

十月

　　师丹为大司空；作《请无改先帝之道书》；数十次上书，言多切直；以哀帝旨意反复多变，乞归故里，哀帝不遣。（《汉书·师丹传》卷八十六、《资治通鉴》卷三十三）

　　议郎耿育上书讼陈汤之冤；哀帝准陈汤还长安。（《汉书·陈汤传》卷七十、《资治通鉴》卷三十三）

是年

　　唐林以尚书令上书，请傅喜立于朝。按《汉书·傅喜传》卷八十二云："傅太后不欲令喜辅政。……大司空何武、尚书令唐林皆上书言：'……喜立于朝，陛下之光辉，傅氏之废兴也。'上亦自重之。明年正月，乃徙师丹为大司空，而拜喜为大司马。"按，《汉书·百官公卿表》卷十九下谓傅喜建平元年为大司马，则唐林上书事当在此年；然为尚书令始于何年，不详。唐林（？—？），字子高，沛郡（今江苏沛县）人。师许商，许商号之曰"德行"。有清名。成帝时，官尚书令。王莽时，历尚书仆射、胥附、

保成师友，封建德侯。数上疏谏正，有忠直节。(《汉书·鲍宣传》卷七十二、《汉书·傅喜传》卷八十二、《汉书·王莽传》卷九十九中)《隋书·经籍志》卷三十五："梁有……保成师友《唐林集》一卷。……亡。"

郭宪约十八岁，谏师诣王莽；王莽知而奇之。《后汉书·方术列传》卷八十二上："师事东海王仲子。时，王莽为大司马，召仲子。仲子欲往。宪谏曰：'礼有来学，无有往教之义。今君贱道畏贵，窃所不取。'仲子曰：'王公至重，不敢违之。'宪曰：'今正临讲业，且当讫事。'仲子从之，日晏乃往。莽问：'君来何迟?'仲子具以宪言对，莽阴奇之。"按，《汉书·百官公卿表》卷十九下谓王莽两次为大司马，一是绥和元年十一月至绥和二年十一月；一是元寿二年六月至元始元年二月。王莽召王仲子疑在第一次为大司马期间，姑系是年。此时郭宪年"少"，姑以其年为十八岁。

桓谭十七岁，以父任为奉车郎。(《太平御览》卷二百一十五引《新论》)按，说见桓谭生年。

冯衍约九岁，能诵《诗》。(《后汉书·冯衍列传》卷二十八上)

包咸生（前7—65）。(《后汉书·儒林传》卷七十九下)包咸，字子良，会稽曲阿(今江苏丹阳)人。少为诸生，受业长安，师事博士右师细君，习《鲁诗》《论语》。王莽末，归乡里。建武初，举孝廉，除郎中。入授太子《论语》。拜谏议大夫、侍中、右中郎将，迁大鸿胪。著有《论语章句》。(《后汉书·儒林传》卷七十九下)

第六章

汉哀帝建平元年至汉光武帝建武中元二年（前 6—公元 57）
共 63 年

· 引　言 ·

刘勰《文心雕龙·时序第四十五》："自哀、平陵替，光武中兴，深怀图谶，颇略文华。然杜笃献诔以免刑，班彪参奏以补令；虽非旁求，亦不遐弃。"

公元前 6 年　　（汉哀帝刘欣建平元年　乙卯）

二月

诏举孝弟惇厚能直言通政事，延于侧陋可亲民者。（《汉书·哀帝纪》卷十一）

刘歆请立《左氏春秋》《毛诗》《逸礼》《古文尚书》。《汉书·刘歆传》卷三十六："及歆亲近，欲建立《左氏春秋》及《毛诗》《逸礼》《古文尚书》皆列于学官。"按，《后汉书·贾逵传》卷三十六云"建平中，侍中刘歆欲立《左氏》，不先暴论大义，而轻移太常，恃其义长，诋挫诸儒，诸儒内怀不服，相与排之。孝哀皇帝重逆众心，故出歆为河内太守"。贾逵云在"建平中"，大司空师丹怒而劾奏刘歆，此年九月师丹免官，则知刘歆请立《左氏》不成至外放为官，皆此年九月前事。

哀帝问诸儒立《左氏春秋》事，诸儒皆不对。（《汉书·儒林传》卷八十八）

刘歆数见丞相孔光，欲其助立《左氏》，孔光不肯；作《移让太常博士书》，其言甚切，诸儒皆怨恨。（《汉书·刘歆传》卷三十六、《汉书·儒林传》卷八十八）

大司空师丹怒奏刘歆改乱旧章，非毁先帝所立。（《汉书·刘歆传》卷三十六、《汉书·儒林传》卷八十八）

刘歆以忤执政大臣，为众儒所讪，惧诛，求出补吏；出为河内太守；徙五原太守，作《遂初赋》。（《汉书·刘歆传》卷三十六、《汉书·儒林传》卷八十八）《遂初赋序》："《遂初赋》者，刘歆所作也。歆少通诗书，能属文，成帝召为黄门侍郎、中垒校尉、侍中奉车都尉、光禄大夫。歆好《左氏春秋》，欲立于学官时，诸儒不听。歆乃移书太常博士，责让深切，为朝廷大臣非嫉。求出补吏，为河内太守。以宗室不宜典三河，徙守五原太守。是时，朝政已多失矣。歆以论议见排摈，志意不得之官。经历故晋之域，感今思古，遂作斯赋以叹往事，而寄己意。"按，刘赋云"守五原之烽燧"，则当为为五原太守时作。

九月

师丹上《共皇立庙议》，不合帝意；对帝问改币，先言可改，后从众不可改议，惹怒哀帝；坐漏泄上封事，下廷尉，廷尉劾其"大不敬"。（《汉书·师丹传》卷八十六、《资治通鉴》卷三十三）

给事中博士申咸、炔钦上书请勿贬黜师丹，被劾"不敬"，贬秩二等。（《汉书·师丹传》卷八十六、《资治通鉴》卷三十三）

哀帝策免师丹，令其上大司空印绶。（《汉书·师丹传》卷八十六、《资治通鉴》卷三十三）

尚书令杜林上疏请复师丹邑爵。（《汉书·师丹传》卷八十六、《资治通鉴》卷三十三）

诏命赐师丹关内侯。（《汉书·师丹传》卷八十六、《资治通鉴》卷三十三）

是年

杜邺迁为凉州刺史。（《汉书·杜邺传》卷八十五）

刘歆约三十九岁，改名秀，字颖叔；作《上山海经表》，上《山海经》。《汉书·刘歆传》卷三十六："歆以建平元年改名秀，字颖叔云。"按，《资治通鉴》卷三十三系于绥和二年，今从本传。又，刘表云"侍中奉车都尉光禄大夫秀领校秘书言"，上《山海经》当是刘歆易名为秀时事，确年不详，姑系于此。

伏恭生（前6—84）。（《后汉书·儒林列传》卷七十九下）伏恭，字叔齐，琅邪东武（今山东诸城一带）人。济南伏生之裔。曾为郎，建武时，为剧令；后试经第一，拜博士，迁常山太守。永平时，为太仆，迁司空。建初中，为三老。其养父伏黯（即其叔）明《齐诗》，曾改定章句，作《解说》九篇。伏恭少传伏黯之学，长以伏黯章句繁多，乃删减浮辞，定之为二十万言，是为"伏氏学"。（《后汉书·儒林列传》卷六十九下）

公元前 5 年 　（汉哀帝刘欣建平二年　太初元将元年　丙辰）

四月

李寻作《又对问灾异》，论鼓妖之事。（《汉书·五行志》卷二十七中之下）

扬雄论鼓妖。（《汉书·五行志》卷二十七中之下）

六月

师丹废归乡里。（《汉书·史丹传》卷八十六、《资治通鉴》卷三十四）

李寻荐左道夏贺良待诏黄门。（《汉书·李寻传》卷七十五、《资治通鉴》卷三十四）

改元太初元将，哀帝易号曰"陈圣刘太平皇帝"。（《汉书·哀帝纪》卷十一、《资治通鉴》卷三十四）

七月

李寻坐夏贺良妄言天命事，减死一等，徙敦煌郡。（《汉书·李寻传》卷七十五、《资治通鉴》卷三十四）

八月

复元建平。（《汉书·哀帝纪》卷十一）

是年

唐林迁尚书仆射。按，《汉书·孙宝传》卷七十七谓唐林建平四年左迁时官尚书仆射，何年始为其官，不详，姑定在左迁二年前。

公元前4年　（汉哀帝刘欣建平三年　丁巳）

十一月

息夫躬谋告东平王云，擢为光禄大夫、左曹、给事中。（《汉书·息夫躬传》卷四十五、《资治通鉴》卷三十四）

陈汤或于此年卒，年约七十一（前74？—前4？）。按，《汉书·陈汤传》卷七十云"卒于长安。死后数年，王莽为安汉公秉政"，《汉书·王莽传》卷九十九上谓王莽元始元年（1）为安汉公，距此年四年，可谓"数年"。

刘歆约四十一岁，复转涿郡太守，历三郡守。按，《汉书·刘歆传》卷三十六云"后复转在涿郡"，年月未详，姑定在为五原太守两年后。

公元前3年　（汉哀帝刘欣建平四年　戊午）

三月

息夫躬以告东平王封为列侯。（《汉书·哀帝纪》卷十一）

八月

息夫躬封为宜陵侯。（《汉书·外戚恩泽表》卷十八、《资治通鉴》卷三十四）

息夫躬上疏，诋公卿大臣；上言广灌溉之利，受命持节领护三辅都水。按，事载《汉书·息夫躬传》卷四十五，叙在为宜陵侯后、言匈奴、灾变事前，宜系于此。

鲍宣上书，称息夫躬"辩足以移众，强可用独立，奸人之雄，或世尤剧者也，宜以时罢退"。（《汉书·鲍宣传》卷七十二、《资治通鉴》卷三十四）

秋

扬雄作《谏勿许单于朝书》，得哀帝赐帛五十匹，黄金十斤。（《汉书·匈奴传》卷九十四下、《资治通鉴》卷三十四）

息夫躬作《奏间匈奴、乌孙》，《建言厌应变异》。（《汉书·息夫躬传》卷四十五、《资治通鉴》卷三十四）

是年

扬雄五十一岁，作《太玄》。《汉书·扬雄传》卷八十七下："哀帝时，丁、傅、董贤用事，诸附离之者或起家至二千石。时，雄方草《太玄》，有以自守，泊如也。或嘲雄以玄尚白，而雄解之，号曰《解嘲》。……雄以为赋者，将以风也，必推类而言，极丽靡之辞，闳侈钜衍，竞于使人不能加也，既乃归之于正，然览者已过矣。往时武帝好神仙，相如上《大人赋》，欲以风，帝反缥缥有陵云之志。由是言之，赋劝而不止，明矣。又颇似俳优淳于髡、优孟之徒，非法度所存，贤人君子诗赋之正也，于是辍不复为。而大潭思浑天，参摹而四分之，极于八十一。旁则三摹九据，极之七百二十九赞，亦自然之道也。故观《易》者，见其卦而名之；观《玄》者，数其画而定之。《玄》首四重者，非卦也，数也。其用自天元推一昼一夜阴阳数度律历之纪，九九大运，与天终始。故《玄》三方、九州、二十七部、八十一家、二百四十三表、七百二十九赞，分为三卷，曰一二三，与《泰初历》相应，亦有颛顼之历焉。撰之以三策，关之以休咎，絣之以象类，播之以人事，文之以五行，拟之以道德仁义礼知。无主无名，要合《五经》，苟非其事，文不虚生。为其泰曼漶而不可知，故有《首》《冲》《错》《测》《摛》《莹》《数》《文》《掜》《图》《告》十一篇，皆以解剥《玄》体，离散其文，章句尚不存焉。"按，"丁、傅、董贤用事"指外戚哀帝祖母傅太后系诸傅、哀帝母丁太后系诸丁及佞幸董贤，据《汉书·哀帝纪》卷十一、《汉书·佞幸传》卷九十三，自哀帝即位初至元寿二年，乃诸丁、诸傅、董贤"用事"之极，建平四年，傅商封汝昌侯，董贤封高安侯（《汉书·外戚恩泽侯表》卷十八）。扬雄甘于淡泊，作《太玄》及《解嘲》，姑系于佞幸董贤、傅商封侯之年。桓谭："扬雄作《玄》书，以为玄者天也、道也，言圣贤制法作事，皆引天道以为本统，而因附续万类、王政、人事、法度，故宓羲氏谓之《易》，老子谓之道，孔子谓之元，而扬雄谓之玄。《玄经》三篇，以纪天、地、人之道，立三体，有上、中、下，如《禹贡》之陈三品。三三而九，因以九九八十一，故为八十一卦。以四为数，数从一至四，重累变易，竟八十一而遍，不可损益。以三十五著揲之。《玄经》五千余言，而传十二篇也。"（《后汉书·张衡列传》卷五十九李贤注引《新论》）王充："扬子云作《太玄经》，造于眇思，极睿冥之深，非庶几之才，不能成也。孔子作《春秋》，二子作两经，所谓卓尔蹈孔子之迹，鸿茂参贰圣之才者也。王公问于桓君山以扬子云，君山对曰：'汉兴以来，未有此人。'君山差才，可谓得高下之实矣。"（《论衡·超奇篇》卷十三）范晔："衡善机巧，尤致思于天文、阴阳、历算。常耽好《玄经》，谓崔瑗曰：'吾观《太玄》，方知子云妙极道数，乃与《五经》相拟，非徒传记之属，使人难论阴阳之事，汉家得天下二百岁之书也。复二百岁，殆将终乎？所以作者之数，必显一世，常然之符也。汉四百岁，《玄》其兴矣。"（《后汉书·张衡列传》卷五十九）永瑢等："《太玄经》十卷，汉扬雄撰，晋范望注。《汉书·艺文志》称：扬雄所序三十八篇，《太玄》十九。其本传则称：《太玄》三方、九州、二十七部、八十一家、二百四十三表、七百二十九赞，分为三卷，曰一、二、三，与《太初历》相应。又称：有《首》《冲》《错》《测》《摛》《莹》《数》《文》《掜》《图》《告》十一篇，皆以解剥《玄》体，离散其文；章句尚不存焉。与《艺文志》十九篇之说，已相违异。桓谭《新论》则称：《太玄经》三篇，传十二篇。合之乃十五篇，较本传又多一篇。案阮孝绪称：《太玄经》九卷，雄自作章句。《隋志》亦载：雄《太玄经》九卷。疑《汉志》所云十九篇，乃合其章句言之。今章句已佚，故篇数有异。至桓谭《新论》，则世无传本，惟诸书递相援引，或讹十一为十二耳。以今本校之，其篇名、篇数一一与本传皆合，固未尝有脱佚也。注其书者，自汉以来，惟宋衷、陆绩最著。至晋范望，乃因二家之注，勒为一编。雄书本拟《易》而作，以《家》准'卦'，以《首》准《象》，以《赞》准'爻'，以《测》准《象》，以《文》准《文言》，以《摛》《莹》《掜》《图》《告》准《系辞》，以《数》准《说卦》，以《冲》准《序卦》，以《错》准《杂卦》，全仿《周易》。古本经传各自为篇，望作注时，析《玄·首》一篇，分冠八十一家之前。析《玄测》一篇，分系七百二十九赞之下，始变其旧，至今仍之。其书，《唐·艺文志》作十二卷，《文献通考》则作十卷，均名曰《太玄经注》。此本十卷，与《通考》合，而卷端标题则称晋范望字叔明《解赞》。考《玄测》第一条下有附注曰'此是宋、陆二家所注'，即非范望注也。盖范望采此注意，自经解赞。儒有近习，罔知本末，妄将此注升于'测曰'之上，以杂范注，混乱义训。今依范望正本移于'测曰'之下，免误学者。已下七百二十九《测注》并同云云。考望自序亦称：因陆君为本，录宋所长，捐其所短；并《首》一卷本经之上，散《测》一卷注文之中，训理其义，以《测》为据。然则望所自注特其赞词，其他文则酌取二家之旧，故独以解赞为文。今概称望注，要其终而目之耳。卷端列陆绩《述玄》一篇，据陈振孙《书录解题》，为范本所旧有。又列王涯《说玄》五篇，又列《释文》一卷，则不知何人附入。其《太玄》图旁，范注《序》末，及《玄首》《玄测》之首尾，凡附记九条；卷末又有一跋，均不署名氏。考《序》后附记，称近时林瑀。瑀与贾昌朝同时，则此九条当出自北宋人手。又王涯《说玄》之末，附题一行云：'右迪功郎充两浙东路提举茶盐司干办公事张实校勘。'则附记或出于实欤？其《释文》一卷，亦不著名氏。考郑樵《通志》，《太玄经释文》一卷，亦林瑀撰。疑实刊是书时，并以涯之《说》，瑀之《释文》，冠于篇首也。"（《四库提要》卷一百零八）

扬雄复作《解嘲》。按，说见上条。

扬雄又作《太玄赋》。按，扬雄赋太玄与作《太玄》，均有默然独守"太玄"之义，疑作于同年。

桓谭二十一岁，进说傅晏避祸之道。《后汉书·桓谭列传》卷二十八上："哀、平间，位不过郎。傅皇后父孔乡侯晏深善于谭。是时，高安侯董贤宠幸，女弟为昭仪，皇后日已疏，晏嘿嘿不得意。谭进说曰……"按，《汉书·外戚恩泽侯表》卷十八谓董贤"建平四年八月辛卯封"高安侯，元寿二年五月迁大司马，桓谭进说当在此年八月以后、后年五月以前，姑系于此。

杜邺以病免官。按，《汉书·杜邺传》卷八十五云："迁为凉州刺史。邺居职宽舒，少威严，数年以病免。"杜邺建平元年为凉州刺史，至此年已有四年，明年举方正，以病免官当为建平三、四年事，姑系此年。

唐林坐司隶孙宝事左迁为敦煌鱼泽障候。按，事载《汉书·孙宝传》卷七十七，《资治通鉴》卷三十四系孙宝免为庶人事于建平四年，坐为其朋党之唐林左迁亦当在此时。

公元前2年 （汉哀帝刘欣元寿元年 己未）

正月

诏举贤良方正能直言者。（《汉书·哀帝纪》卷十一、《资治通鉴》卷三十五）

杜邺举方正直言，《上日食对》。（《汉书·杜邺传》卷八十五）

丞相王嘉等奏息夫躬罪过。（《汉书·息夫传》卷四十五、《资治通鉴》卷三十五）

息夫躬免官，遣就国。（《汉书·息夫传》卷四十五、《资治通鉴》卷三十五）

鲍宣复上书，谓息夫躬"不宜居国"，应免之。（《汉书·鲍宣传》卷七十二、《资治通鉴》卷三十五）

是年

杜邺病，自作《墓石文》，卒（？—前2）。（《汉书·杜邺传》卷八十五、《西京杂记》卷三）。

扬雄五十二岁，或于此年丧一子，送丧归蜀；作《解难》。桓谭："扬子云为郎居长安，素贫，比岁亡其两男，哀痛之，皆持归葬于蜀，以此困乏。子云达圣道，明于死生，不下季札，然而慕恋死子，不能以义割恩，自令多费而致困贫。"（《太平御览》卷五百五十六引《新论》）按，扬雄《法言·问神篇》云："苗而不秀者，其我家之童乌乎？九龄而与我玄文。"则其建平四年（前3）作《太玄》时，童乌尚存，而其元始元年（1）作《法言》时，童乌已"苗而不秀"，姑系童乌卒于作《法言》前二年。又，本传称"客有难《玄》大深，众人之不好也，雄解之，号曰《解难》。"文中以客语谓"历览者兹年矣，而殊不寤"，颜注云"兹，益也。兹年，言其久也。不寤，不晓其意"。《太玄》去岁作，至此年可谓"兹年"。

刘歆约四十三岁，以病免官，复为安定属国都尉。按，《汉书·刘歆传》卷三十六云"历三郡守，数年，以病免官，起家复为安定属国都尉"，刘歆自建平元年（前6）外放，历三河、五原、涿郡三郡守，至此年四年，可称"数年"；且事在明年哀帝崩前，姑系于此。

博士弟子秦景宪受大月氏王使者伊存口授浮屠经。《隋书·经籍志》卷三十五："哀帝时，博士弟子秦景（宪）使伊存口授浮屠经，中土闻之，未之信也。"按，其事在哀帝之时，姑系于此。

公元前1年　（汉哀帝刘欣元寿二年　庚申）

五月

桓谭奏书于董贤，说以辅国救身之术。《后汉书·桓谭列传》卷二十八上："及董贤为大司马，闻谭名，欲与之交。谭先奏书于贤，说以辅国保身之术，贤不能用，遂不与通。"按，《汉书·哀帝纪》卷十一谓"（元寿二年）五月……大司马卫将军董贤为大司马"，后一月而哀帝崩，哀帝未葬，董贤自杀，故桓谭奏书当在董贤为大司马后、哀帝崩前。

六月

哀帝刘欣崩。（《汉书·哀帝纪》卷十一、《资治通鉴》卷三十五）

七月

遣车骑将军王舜、大鸿胪左咸使持节迎中山王箕子以为嗣。（《汉书·平帝纪》卷十二、《资治通鉴》卷三十五）

刘歆为右曹太中大夫，典文章。《汉书·刘歆传》卷三十六："起家复为安定属国都尉。会哀帝崩，王莽持政，莽少与歆俱为黄门郎，重之，白太后。太后留歆为右曹太中大夫，迁中垒校尉……典儒林史卜之官。"《汉书·王莽传》卷九十九上："刘歆典文章。"按，"典儒林史卜"即"典文章"，《资治通鉴》卷三十五系"刘秀（歆）典文章"事于七月，迁右曹太中大夫当在此时。至于传中所言"迁中垒校尉"事，与绥和元年（前8）刘歆"复为中垒校尉"抵牾，今不从。

刘歆子刘棻以才能幸于王莽。（《汉书·王莽传》卷九十九上、《资治通鉴》卷三十五）

八月

汉成帝赵皇后自杀，时人作歌谣《邪径败良田》。（《汉书·五行志》卷二十七中之上）按，《汉书·外戚传》卷九十七下谓赵飞燕于此年八月自杀，歌谣当为此时作。

九月

中山王刘箕子（刘衎）即位，是为平帝；太皇太后临朝。（《汉书·平帝纪》卷十二、《资治通鉴》卷三十五）

是年

息夫躬坐祝诅系雒阳狱，绝咽而死（？—前1）。（《汉书·息夫传》卷四十五、《汉书·外戚恩泽表》卷十八）。

扬雄五十三岁，或于此年复丧一子，送丧归蜀。按，桓谭云："扬子云为郎居长安，素贫，比岁亡其两男，哀痛之，皆持归葬于蜀，以此困乏。"（《太平御览》卷五百五十六引《新论》）"比岁亡其两男"，则或于此年复丧一子。

严光约于此年生（前 1？—79？）。按，严光天凤四年游学长安，若其年十八岁，则约生于此年。又，《后汉书》本传称其"一名遵"，疑范晔以前史有名徵士"严遵"而致误，彼严遵为蜀人，此严光乃吴人。《隋志》所载"汉徵士严遵"注《老子》及《老子指归》，自与严光无关。严光，字子陵，会稽余姚（今属浙江）人。少与刘秀同游学长安，刘秀即位，改姓名，隐身不见。刘秀两召为官，不就，耕于富春山。年八十，终于家。（《后汉书·逸民列传》卷八十三）

公元 1 年　（汉平帝刘衍元始元年　辛酉）

二月

置羲和官；班教化，禁淫祀，放郑声。（《汉书·平帝纪》卷十二、《资治通鉴》卷三十五）

刘歆为羲和、京兆尹。按，《汉书·刘歆传》卷三十六云"迁……羲和、京兆尹"，《汉书·平帝纪》卷十二谓此年"二月，置羲和官"，刘歆为羲和当在此时；《汉书·王莽传》卷九十九中谓"少阿、羲和、京兆尹、红休侯刘歆为国师"，知京兆尹为其同时所兼。

五月

诏公卿、将军、中二千石举敦厚能直言者各一人。（《汉书·平帝纪》卷十二、《资治通鉴》卷三十五）

六月

封周公后公孙相如为褒鲁侯，孔子后孔均为褒成侯。追谥孔子曰褒成宣尼公。（《汉书·平帝纪》卷十二、《资治通鉴》卷三十五）

是年

扬雄五十四岁，作《法言》《自序》，续《史记》。《汉书·扬雄传》卷八十七下："雄见诸子各以其知舛驰，大氐诋訾圣人，即为怪迂。析辩诡辞，以挠世事，虽小辩，终破大道而或众，使溺于所闻而不自知其非也。及太史公记六国，历楚、汉，讫麟止，不与圣人同，是非颇谬于经。故人时有问雄者，常用法应之，撰以为十三卷，象《论语》，号曰《法言》。……赞曰：雄之《自序》云尔。"按，《汉书·扬雄传》分作前后两大部分，开头至"号曰《法言》"，如《汉书·扬雄传》卷八十七下颜师古注所云"自《法言》目之前，皆是雄本《自序》之文也"，自"赞曰"至结束为班固所为。《自序》中言及"《法言》文多不著，独著其目"以下，由班固言"雄之《自序》云尔"观之，当亦属扬雄《自序》中文。此《自序》体例仿司马迁《太史公自序》，扬雄一生写作以模仿为业，王充《论衡·须颂篇》卷二十云"司马子长记黄帝以至孝武，扬子云录宣帝以至哀、平"，刘知己《史通·古今正史》卷十二则径称扬雄"相次撰续，迄于哀、平间，犹名《史记》"，则颇疑其《自序》乃为所续《史记》而作。王、刘谓扬雄续《史记》"至哀、平"或"迄于哀、平间"，《自序》中言汉帝刘欣称"哀帝"，则作《法言》《自序》、续《史记》在平帝世无疑，确年难详，姑系于平帝即位之年。王充："扬子云作《法言》，蜀富人赍钱千万，愿载于书。子云不听，夫富无仁义之行，〔犹〕圈中之鹿，栏中之牛也，安得妄载？"（《论衡·佚文篇》卷二十）桓谭："王公子问：'扬子云何人邪？'答曰：'扬子云才智开通，能入圣道，卓绝于众，汉兴以来，未有此人也。'国师子骏曰：'何以言之？'答曰：'通才著书以百数，惟太史公广大，其余皆蓁残小论，不能比之子云所造《法言》《太玄经》也。《玄经》，数百年外，其书必传。世咸尊古卑今，贵所闻、贱所见也，故轻易之。老子其心玄远，而与道合。若遇上好事，必以《太玄》次《五经》也。'"（《太平御览》卷六百零二引《新论》）永瑢等："《法言集注》十卷，通行本，汉扬雄撰，宋司马光集注。雄有《方言》，光有《易说》，皆已著录。考《汉书·艺文志》儒家，扬雄所序三十八篇，注曰：'《法言》十三。'雄本传具列其目，曰：《学行》第一、《吾子》第二、《修身》第三、《问道》第四、《问神》第五、《问明》第六、《寡见》第七、《五百》第八、《先知》第九、《重黎》第十、《渊骞》第十一、《君子》第十二、《孝至》第十三。凡所列汉人著述，未有若是之详者，盖当时甚重雄书也。自程子始谓其曼衍而无断，优柔而不决。苏轼始谓其以艰深之词，文浅易之说。至朱子作《通鉴纲目》，始书'莽大夫扬雄死'，雄之人品、著作，遂皆为儒者所轻。若北宋之前，则大抵以为孟、荀之亚，故光作《潜虚》以拟《太玄》，而又采诸儒之说以注此书。考自汉以来，有侯芭注六卷，宋衷注十三卷，李轨解一卷，辛德源注二十三卷，又有柳宗元注、宋咸广注、吴秘注。至光之时惟李轨、柳宗元、宋咸、吴秘之注尚存，故光裒合四家，增以己意。原序称各以其姓别之，然今本独李轨注不署名，余则以'宗元曰'、'咸曰'、'秘曰'、'光曰'为辨，盖传刻者所改题也。旧本十三篇之序列于书后，盖自《书序》《诗序》以来，体例如是。宋咸不知《书序》为伪孔传所移，《诗序》为毛公所移，乃谓'子云亲旨反列卷末，甚非圣贤之旨，今升之章首，取合经义'。其说殊谬，然光本因而不改，今亦仍之焉。"（《四库提要》卷九十一）

史岑为中谒者。《后汉书·文苑列传》卷八十上："王莽末，沛国史岑子孝亦以文章显，莽以为谒者。"张华《博物志》卷八："元始元年，中谒者沛国史岑上书，讼王宏等夺董贤玺绶之功。"史岑（？—？），字子孝，沛（今江苏沛县）人。曾官中谒者。"著颂、诔、《复神》《说疾》凡四篇"，并续《史记》。（《后汉书·文苑列传》卷八十上）《文选》卷四十七收其文一篇。《隋书·经籍志》卷三十五："梁有……中谒者《史岑集》二卷。……亡。"

公元 2 年 （汉平帝刘衎元始二年　壬戌）

是年

刘歆约四十六岁，以太中大夫行太常，为平帝娶王莽女杂定婚礼。《汉书·外戚传》卷九十七下："平帝即位，年九岁，成帝母太皇太后称制，而莽秉政。莽欲依霍光故事，以女配帝，太后意不欲也。莽设变诈，令女必入，因以自重，事在《莽传》。太后不得已而许之，遣……行太常事太中大夫刘歆及太卜、太史令以下四十九人赐皮弁素绩，以礼杂卜筮，太牢祠宗庙，待吉月日。明年春……"按，"明年春"之事即指《汉书·平帝纪》卷十二载"（元始）三年春，诏有司为皇帝纳采安汉公莽女。……又诏光禄大夫刘歆等杂定婚礼"，则刘歆行太常在此年。

苏竟约四十二岁，为博士、讲《书》祭酒，通百家之言。《后汉书·苏竟列传》卷三十上："平帝世，竟以明《易》为博士、讲《书》祭酒。善图纬，能通百家之言。"按，确年未详，姑系此年。

公元 3 年 （汉平帝刘衎元始三年　癸亥）

春

刘歆迁光禄大夫，迎王莽女，授其皇后玺绶。《汉书·外戚传》卷九十七下："明年春，遣……光禄大夫歆奉乘舆法驾，迎皇后于安汉公第。宫、丰、歆授皇后玺绶。"按，《汉书·平帝纪》卷十二谓平帝娶王莽女在此年春；刘歆绥和二年（前 7）为奉车光禄大夫，次年外放，历三郡太守，元寿二年（前 2）以病免官，此时称其职为光禄大夫，疑迁于此时。

夏

立官稷及学官。《汉书·平帝纪》卷十二："夏……立官稷及学官：郡国曰学，县、道、邑、侯国曰校，校、学置经师一人；乡曰庠，聚曰序，序、庠置《孝经》师一人。"

是年

班彪生（3—54）。（《后汉书·班彪列传》卷四十上）班彪，字叔皮，扶风安陵（今陕西咸阳东北）人。班固、班昭之父。年轻时追随隗嚣，作《王命论》，欲使隗嚣复兴汉室。隗嚣不从，班彪转投窦融门下。后为徐令、司徒掾、望都长。为官有清声，为人博学多才。建武三十年，卒于官。"所著赋、论、书、记、奏事合九篇"。（《后汉书·班彪列传》卷四十上）又继司马迁《史记》作《史记后传》数十篇，其子班固、其女班昭在此基础上撰成断代史《汉书》。《隋书·经籍志》卷三十五："后汉徐令《班彪集》二卷，梁五卷。"严可均《全后汉文》卷二十三收其文十八篇。《后汉书·班彪列传》卷四十上："彪乃继采前史遗事，傍贯异闻，作《后传》数十篇，因斟酌前史而讥正得失。其略论曰：唐、虞、三代，《诗》《书》所及，世有史官，以司典籍，暨于诸侯，国自有史，故《孟子》曰：'楚之《梼杌》，晋之《乘》，鲁之《春秋》，其

159

事一也。'定、哀之间,鲁君子左丘明论集其文,作《左氏传》三十篇,又撰异同,号曰《国语》,二十一篇。由是,《乘》《梼杌》之事遂闇,而《左氏》《国语》独章。又有记录黄帝以来春秋时帝王公侯卿大夫,号曰《世本》,一十五篇。春秋之后,七国并争,秦并诸侯,则有《战国策》三十三篇。汉兴定天下,太中大夫陆贾记录时功,作《楚汉春秋》九篇。孝武之世,太史令司马迁采《左氏》《国语》,删《世本》《战国策》,据楚、汉列国时事,上自黄帝,下讫获麟,作本纪、世家、列传、书、表百三十篇,而十篇缺焉。迁之所记,从汉元至武以绝,则其功也。至于采经摭传,分散百家之事,甚多疏略,不如其本,务欲以多闻广载为功,论议浅而不笃。其论术学,则崇黄、老而薄《五经》;序货殖,则轻仁义而羞贫穷;道游侠,则贱守节而贵俗功:此其大敝伤道,所以遇极刑之咎也。然善述序事理,辩而不华,质而不野,文质相称,盖良史之才也。诚令迁依《五经》之法言,同圣人之是非,意亦庶几矣。夫百家之书,犹可法也。若《左氏》《国语》《世本》《战国策》《楚汉春秋》《太史公书》,今之所以知古,后之所由观前,圣人之耳目也。司马迁序帝王则曰'本纪',公侯传国则曰'世家',卿士特起则曰'列传'。又进项羽、陈涉而黜淮南、衡山,细意委曲,条例不经。若迁之著作,采获古今,贯穿经传,至广博也。一人之精,文重思烦,故其书刊落不尽,尚有盈辞,多不齐一。若序司马相如,举郡县,著其字,至萧、曹、陈平之属,及董仲舒并时之人,不记其字,或县而不郡者,盖不暇也。今此后篇,慎覈其事,整齐其文,不为世家,惟纪、传而已。传曰:'杀史见极,平易正直,《春秋》之义也。'"《隋书·经籍志》卷三十三:"迁卒以后,好事者亦颇著述,然多鄙浅,不足相继。至后汉扶风班彪,缀《后传》数十篇,并讥正前失。彪卒,明帝命其子固续成其志。以为唐、虞、三代,世有典籍,史迁所记,乃以汉氏继于百王之末,非其义也。故断自高祖,终于孝平、王莽之诛,为十二纪、八表、十志、六十九传。潜心积思,二十余年。建初中,始奏表及纪传,其十志竟不能就。固卒后,始命曹大家续成之。"

夏牙约于此年生(3?—32?)。按,生年未详,如其父夏恭二十岁生之,则约生于此年。夏牙,梁国蒙(今山东蒙阴境内)人。夏恭子。少习家业,"著赋、颂、赞、诔凡四十篇"。举孝廉,早卒,乡人号曰"文德先生"。(《后汉书·文苑列传》卷八十上)

公元4年 (汉平帝刘衎元始四年 甲子)

二月

遣太仆王恽等八人览观风俗。(《汉书·平帝纪》卷十二、《汉书·王莽传》卷九十九上、《资治通鉴》卷三十六)

夏

王莽奏起明堂、辟雍、灵台,立《乐经》,益博士员,经各五人。《汉书·王莽传》卷九十九上:"是岁,莽奏起明堂、辟雍、灵台,为学者筑舍万区,作市、常满仓,制度甚盛。立《乐经》,益博士员,经各五人。征天下通一艺教授十一人以上,及有逸《礼》、古《书》《毛诗》《周官》《尔雅》、天文、图谶、钟律、月令、兵法、《史篇》

文字，通知其意者，皆诣公车。网罗天下异能之士，至者前后千数。"按，《汉书·平帝纪》卷十二云"四年……夏……安汉公奏立明堂、辟雍"，立《乐经》、益博士员亦当为此时事。

是年

扬雄五十七岁，作《琴清英》等篇。《汉书·艺文志》卷三十："扬雄所序三十八篇。……乐四。"王应麟《汉艺文志考证》卷五："扬雄所序三十八篇。……乐四，未详；雄有《琴清英》。"按，姚振宗《汉书艺文志条理》卷二上谓"王谟《汉魏书钞》曰：'《琴清英》乃乐书四篇之一'"，《汉书·王莽传》卷九十九上称"（元始四年）莽奏……立《乐经》"，疑指扬雄所作。

桓谭二十七岁，为司空掾，为甄丰言。（《汉书·沟洫志》卷二十九、《资治通鉴》卷三十六）

朱浮约于此年生（4？—66？）。按，本传未言生年，其更始元年（23）初为刘秀主簿，建武二年封侯后尚"年少有才能"，设若为主簿时二十岁，则约生于此年。朱浮，字叔元，沛国萧（今安徽萧县西北）人。光武帝时为大司马主簿，迁偏将军、大将军幽州牧，封舞阳侯。后为执金吾，徙封父城侯，转太仆，为大司空，因卖弄国恩免，徙封新息侯。明帝时，赐死。（《后汉书·朱浮列传》卷三十三）《文选》卷四十一收其文一篇。严可均《全后汉文》卷二十一收其文六篇。

公元 5 年　　（汉平帝刘衎元始五年　乙丑）

正月

刘歆治明堂、辟雍。（《汉书·平帝纪》卷十二）按，《资治通鉴》卷三十六系于闰五月，今从《平帝纪》。

征师丹诣公车，赐爵关内侯。按，《汉书·师丹传》卷八十六云"征丹诣公车，赐爵关内侯，食故邑"，此事传谓距太皇太后诏命封师丹义阳侯有"数月"之隔，当为正月事。

征"天下通知逸经、古记、天文、历算、钟律、小学、《史篇》、方术、《本草》及以《五经》《论语》《孝经》《尔雅》教授者，在所为驾一封轺传，遣诣京师。至者数千人。"（《汉书·平帝纪》卷十二）

四月

太皇太后诏命封师丹义阳侯。按，事载《汉书·师丹传》卷八十六，传言距师丹卒"月余"，当为四月事。

闰五月

刘歆封红休侯。（《汉书·外戚恩泽表》卷十八、《资治通鉴》卷三十六）

师丹卒，年约六十九（前64？—5）。按，《资治通鉴》卷三十六胡注："《考异》曰：《恩泽侯表》'丹元始三年二月癸巳更为义阳侯'，胡旦因此并发傅太后陵、徙冷褒等事，俱著之三年。按《外戚传》云：元始五年，莽发共王母及丁姬冢，改葬之。《马宫传》：莽发傅太后陵，追诛前议者。宫惭惧，乃乞骸骨。《公卿表》：宫以今年八月壬午免，然则褒等徙合浦及丹封侯皆在今年，明矣。按长历二月丙申朔，无癸巳日，月必有误者。"胡注是，今从《资治通鉴》卷三十六，系师丹死于此时。

班彪随父入京。（《汉书·叙传》卷一百上、《资治通鉴》卷三十六）

刘歆作《钟律书》《三统历谱》。按，《汉书·律历志》卷二十一上云："至元始中，王莽秉政，欲耀名誉，征天下通知钟律者百余人，使羲和刘歆等典领条奏，言之最详。"《汉书·平帝纪》卷十二谓此年正月"征天下通知……钟律"者，刘歆作《钟律书》当在此年正月后。又，《汉书·楚元王传》卷三十六云："使治明堂、辟雍，封红休侯。典儒林史卜之官，考定律历，著《三统历谱》。……及王莽篡位，歆为国师。"作《三统历谱》叙于刘歆封侯后、王莽篡位前，盖与《钟律书》作于同时，且在此年十二月前。

十二月

平帝刘衍崩。（《汉书·平帝纪》卷十二）

王莽居摄践祚。（《汉书·王莽传》卷九十九上、《资治通鉴》卷三十六）

明年改元居摄。（《汉书·王莽传》卷九十九上）

是年

扬雄五十八岁，作《训纂》。《汉书·扬雄传》卷八十七下："史篇莫善于《仓颉》，作《训纂》。"按，《汉书·艺文志》卷三十云："至元始中，征天下通小学者以百数，各令记字于庭中。扬雄取其有用者以作《训纂篇》，顺续《苍颉》，又易《苍颉》中重复之字，凡八十九章。"《汉书·平帝纪》卷十二又云："（元始五年）征天下通知逸经、古记、天文、历算、钟律、小学、《史篇》、方术、《本草》及以《五经》《论语》《孝经》《尔雅》教授者，在所为驾一封轺传，遣诣京师。至者数千人。"扬雄精小学，当于此年应征撰写是书。

冯衍约二十岁，博通群书；续《史记》。（《后汉书·冯衍列传》卷二十八上、刘知几《史通·古今正史》卷十二）按，本传称冯衍"至二十而博通群书"，此年续《史记》正合情理；刘知己谓所续"迄于哀、平间"，益证其此年续史事。

公元6年　（孺子刘婴居摄元年　丙寅）
三月

立宣帝玄孙婴为皇太子，号孺子。（《汉书·王莽传》卷九十九上、《资治通鉴》卷三十六）

是年

刘歆约五十岁，续《史记》。葛洪《西京杂记·序》："洪家世有刘子骏《汉书》一百卷，无首尾题目，但以甲乙丙丁记其卷数。"刘知己《史通·古今正史》卷十二："《史记》所书，年止汉武；太初已后，阙而不录。其后刘向，向子歆及诸好事者，若冯商、卫衡、扬雄、史岑、梁审、肆仁、晋冯、段（殷）肃、金丹、冯衍、韦融、萧奋、刘恂等相次撰续，迄于哀、平间，犹名《史记》。至建武中，司徒掾班彪以其言鄙俗，不足以踵前史；又雄、歆褒美伪新，误后惑众，不当垂之后代者也。"按，刘歆《史记》盖在其父刘向撰叙基础上所为，所续"迄于哀、平间"，或晚于扬雄续史，姑系此年；以下续《史记》者，亦系此年。

冯商奉诏续《史记》十余篇，未竟，后卒（？—？）。《汉书·艺文志》卷三十韦昭注："冯商受诏续《太史公》十余篇，在班彪《别录》。"颜注："颇序列传，未竟，病死。"

史岑（子孝）续《史记》；后卒（？—？）。（刘知己《史通·古今正史》卷十二）

苏竟约四十六岁，典校书。按，《后汉书·苏竟列传》卷三十上云"王莽时，与刘歆等共典校书"，确年未详，姑系王莽始居摄之年。

崔篆为郡文学，征诣公车；举为步兵校尉，辞归。《后汉书·崔篆列传》卷五十二："王莽时为郡文学，以明经征诣公车。太保甄丰举为步兵校尉，篆辞曰：'吾闻伐国不问仁人，战陈不访儒士。此举奚为至哉？'遂投劾归。"按，年月未详，甄丰未为太保，或为甄邯之误，《汉书·王莽传》卷九十九上云此年以"甄丰为太阿右拂，甄邯为太保后承"，甄氏举其疑在此年。崔篆（？—？），涿郡安平（今属河北）人。崔骃祖。王莽时为郡文学，以明经征诣公车，举为步兵校尉，辞归。以兄崔发及母均受王莽宠幸，不得已仕为建新大尹。到官三年，不行县，称疾去。建武初，"客居荥阳，闭门潜思，著《周易林》六十四篇。……临终作赋以自悼，名曰《慰志》"。（《后汉书·崔骃列传》卷五十二）《隋书·经籍志》卷三十五："王莽建新大尹《崔篆集》一卷"。

公元 7 年 （孺子刘婴居摄二年 丁卯）

九月

刘歆为扬武将军，屯苑，备击翟义军。（《汉书·翟义传》卷八十四、《资治通鉴》卷三十六）

十月

桓谭为谏大夫，班王莽《大诰》于天下，谕以摄位当反政孺子之意。按，《汉书·王莽传》卷九十九上云："（居摄二年）九月……莽惶惧不能食，昼夜抱孺子告祷郊庙，放《大诰》作策，遣谏大夫桓谭等班于天下，谕以摄位当反政孺子之意。"然《汉书·翟方进传》卷八十四则称："莽于是依《周书》作《大诰》，曰：'惟居摄二年十月甲子，摄皇帝若曰……'乃遣大夫桓谭等班行谕告当反立孺子之意。"当依《翟方进传》。

十二月

翟义兵败而死，门人作《平陵东》诗。郭茂倩《乐府诗集》卷二十八："崔豹《古今注》曰：'《平陵东》，汉翟义门人所作也。'《乐府解题》曰：'义，丞相方进之少子，字文仲，为东郡太守。以王莽方篡汉，举兵诛之，不克，见害。门人作歌以怨之也。'"按，《汉书·王莽传》卷九十九上谓此年十二月"破翟义于圉"，《资治通鉴》卷三十六系翟义死于此月，门人作诗当在此时。

是年

扬雄六十岁，作《州箴》《官箴》。《汉书·扬雄传》卷八十七下："箴莫善于《虞箴》，作《州箴》。"《后汉书·胡广传》卷四十四："初，杨雄依《虞箴》作《十二州二十五官箴》。"按，《汉书·王莽传》卷九十九上（元始五年）王莽奏云："汉家地广二帝、三王，凡十三（二）州，州名及界多不应经。《尧典》十有二州，后定为九州。汉家廓地辽远，州牧行部，远者三万余里，不可为九。谨以经义正十二州名分界，以应正始。"扬雄作《州箴》十二，当在元始五年（5）正州名分界之后；《汉书·王莽传》卷九十九中云："始建国元年……更名大司农曰羲和，后更为纳言，大理曰作士，太常曰秩宗，大鸿胪曰典乐，少府曰共工，水衡都尉曰予虞……更名光禄勋曰司中，太仆曰太御，卫尉曰太卫，执金吾曰奋武，中尉曰军正。"扬雄《官箴》仍用更名前之旧名，知作于始建国元年（9）之前。姑系二者之中的居摄二年。

公元8年　（孺子刘婴居摄三年　初始元年　戊辰）

正月

刘歆归故官。（《汉书·翟方进传》卷八十四）

二月

桓谭封明告里附城。《汉书·翟方进传》卷八十四："乃遣大夫桓谭等班行谕告当反立孺子之意。还，封谭为明告里附城。"按，《汉书·王莽传》卷九十九上云"（居摄）三年春……于是封者高为侯、伯，次为子、男，当赐爵关内侯者更名曰附城，凡数百人"，《汉书·翟方进传》卷八十四又云"二月……莽乃置酒白虎殿，劳飨将帅，大封拜。……以小大为差，封侯、伯、子、男凡三百九十五人"，疑桓谭封明告里附城在此时。

九月

刘歆为少阿；议莽母功显君丧服。《汉书·王莽传》卷九十九上："（居摄三年）

九月，莽母功显君死，意不在哀，令太后诏议其服。少阿、羲和刘歆与博士诸儒七十八人皆曰……"按，为少阿未知何时，此时始出，姑系于此。

十一月

王莽改元，以居摄三年为初始元年。（《汉书·王莽传》卷九十九上、《资治通鉴》卷三十六）

十二月

王莽自称新皇帝，为始建国元年。（《汉书·王莽传》卷九十九上、《资治通鉴》卷三十六）

是年

苏竟约四十八岁，拜代郡中尉，保一郡平安。按，《后汉书·苏竟传》卷三十上云"拜代郡中尉"，《汉书·王莽传》卷九十九中谓始建国元年改"中尉"为"军正"，苏竟任代军中尉当在易名前，姑系此年。

洼丹三十七岁，避世教授。按，《后汉书·儒林列传》卷七十九上云"王莽时常避世教授，专志不仕，徒众数百人"，确年不详，姑系王莽称帝时。

杜抚约生于此年（8？—79？）。按，《后汉书·儒林列传》卷七十九下云"少有高才，受业于薛汉"，薛汉"建武初，为博士"，其年杜抚年十八，则为此年生。杜抚，字叔和，犍为武阳（今四川彭山东）人。从薛汉，习《韩诗》。先为刘苍辟，后辟太尉府。官校书郎、公车令。"其所作《诗题约义通》，学者传之，曰《杜君法》云"。（《后汉书·儒林列传》卷七十九下）

公元 9 年　（新皇帝王莽始建国元年　己巳）

正月

刘歆为国师、嘉新公；封祁烈伯。（《汉书·王莽传》卷九十九中、《资治通鉴》卷三十七）按，颜注以为"祁烈伯自别一刘歆，非国师也"。

刘歆子刘叠封伊休侯。（《汉书·王莽传》卷九十九中）

扬雄为中散大夫；作《剧秦美新》。《汉书·扬雄传》卷八十七下："及莽篡位，谈说之士用符命称功德获封爵者甚众，雄复不侯，以耆老久次转为大夫，恬于势利乃如是。"按，《汉书·王莽传》卷九十九中云"始建国元年正月……封拜卿大夫、侍中、尚书官凡数百人。"扬雄为大夫，当在此数百人中。又其作《剧秦美新》云："诸吏中散大夫臣雄稽首再拜……作《剧秦美新》一篇。"知扬雄为中散大夫，《剧秦美新》一文疑是此时谢恩之作。

秋

王莽命班《符命》四十二篇于天下，德祥五事，符命二十五，福应十二。（《汉书·王莽传》卷九十九中、《资治通鉴》卷三十七）

是年

郭宪约三十三岁，焚王莽所赐郎中朝服，逃至东海之滨。（《后汉书·方术列传》卷八十二上）

冯衍约二十四岁，诸公举荐，辞不肯仕。按，《后汉书·冯衍列传》卷二十八上云"王莽时，诸公多荐举之者，衍辞不肯仕"，此年王莽大肆封官任职，疑冯衍受举荐在此年。

崔篆不得已，为王莽建新大尹；称疾不视事，三年不行县。按，事载《后汉书·崔篆传》卷五十二，年月未详，《汉书·王莽传》卷九十九上谓始建国元年改郡太守为大尹，姑系此改称之年。

公元 10 年　（新皇帝王莽始建国二年　庚午）

二月

刘歆言"周有泉府之官"。（《汉书·食货志》卷二十四下、《资治通鉴》卷三十七）

十一月

刘歆以女配莽子，不赐"王"姓。（《汉书·王莽传》卷九十九中、《资治通鉴》卷三十七）

是年

唐林举荐云敞才可典郡。按，《汉书·云敞传》卷六十七云"王舜为太师，复荐敞可辅职。以病免。唐林言敞可典郡，擢为鲁郡大尹"，《汉书·王莽传》卷九十九中谓王舜去岁为太师，荐云敞，云敞病免，唐林复举之疑在一年后。

公元 11 年　（新皇帝王莽始建国三年　辛未）

是年

扬雄六十四岁，校书天禄阁，自杀未死，以病免官；京师人为语相讽；作《逐贫赋》。《汉书·扬雄传》卷八十七下："莽诛丰父子，投菜四裔，辞所连及，便收不请。时，雄校书天禄阁上，治狱使者来，欲收雄，雄恐不能自免，乃从阁上自投下，几死。莽闻之曰：'雄素不与事，何故在此?'间请问其故，乃刘棻尝从雄学作奇字，雄不知情。有诏勿问。然京师为之语曰：'惟寂寞，自投阁；爰清静，作符命。'"按，扬雄惧受刘棻事株连，当在刘棻诛后，刘棻此年诛，扬雄自杀未遂，病免当在此年。又，免官后，年老家贫，《逐贫赋》疑作于此时。

唐林为胥附。（《汉书·王莽传》卷九十九中）

桓谭三十四岁，为讲学祭酒。按，桓谭《新论·见征》第五云"王翁与吾俱为讲学祭酒"，《汉书·王莽传》卷九十九中称："（始建国）三年……又置师友祭酒及侍中、谏议、《六经》祭酒各一人，凡九祭酒，秩上卿。"然"九祭酒"中无"讲学祭酒"；或谓"讲学"为"讲乐"之误，然传云"崔发为讲《乐》祭酒"。疑不能明，王莽此年设祭酒职，姑系于此。

刘歆子刘棻、刘泳及门人丁隆被杀。《汉书·王莽传》卷九十九中："（始建国二年）冬十二月……莽以诈立，心疑大臣怨谤，欲震威以惧下，因是发怒……收捕寻。寻亡，丰自杀。寻随方士入华山，岁余捕得，辞连国师公歆子侍中东通灵将、五司大夫隆威侯棻，棻弟右曹长水校尉伐虏侯泳，大司空邑弟左关将军掌威侯奇，及歆门人侍中骑都尉丁隆等，牵引公卿党亲列侯以下，死者数百人。"按，《资治通鉴》卷三十七系于始建国二年，然传言甄寻二年十二月逃往华山，"岁余"后方捕得，刘歆子等株连见杀，至早在始建国三年末，甚至迟至四年，姑系于此。

包咸十八岁，为诸生，学《鲁诗》《论语》。《后汉书·儒林传》卷七十九下："少为诸生，受业长安，师事博士右师细君，习《鲁诗》《论语》。"按，姑定在其十八岁时。

公元 12 年 （新皇帝王莽始建国四年 壬申）

是年

扬雄六十五岁，复召为大夫，授侯芭《太玄》《法言》。《汉书·扬雄传》卷八十七下："雄以病免，复召为大夫。家素贫，耆酒，人希至其门。时有好事者载酒肴从游学，而钜鹿侯芭常从雄居，受其《太玄》《法言》焉。"按，年月未详，至迟当在建国五年二月元后崩前，姑系此年。

刘歆约五十六岁，讽扬雄作《太玄》，扬雄一笑了之。《汉书·扬雄传》卷八十七下："刘歆亦尝观之，谓雄曰：'空自苦！今学者有禄利，然尚不能明《易》，又如《玄》何？吾恐后人用覆酱瓿也。'雄笑而不应。"按，刘歆嘲扬雄在观其授业侯芭后，当为同时事。

唐林以保成师友封建德侯。（《汉书·王莽传》卷九十九中）

崔篆始理郡事，至各县平理冤案，释出二千余人；称疾辞官。按，事载《后汉书·崔篆传》卷五十二，传谓三年后行县，始建国元年为大尹，至此年三年。

伏恭十八岁，习伏黯《齐诗》，为郎。按，《后汉书·儒林列传》卷七十九下云"少传黯学，以任为郎"，姑定在其十八岁时。

公元 13 年 （新皇帝王莽始建国五年 癸酉）

三月

扬雄作《元后诔》。《汉书·元后传》卷九十八："孝元皇后，王莽姑也。……建国五年二月癸丑崩。三月乙酉，合葬渭陵。莽诏大夫扬雄作诔……"

是年

夏恭约三十岁，授徒千余。按，《后汉书·文苑列传》卷八十上云"习《韩诗》《孟氏易》，讲授门徒常千余人。"姑定在其三十岁时。

公元 14 年 （新皇帝王莽天凤元年 甲戌）

是年

王隆以父任为郎。按，《后汉书·文苑列传》卷八十上云"王莽时，以父任为郎"，年月未详，姑系于此。王隆（？—？），字文山，冯翊云阳（今陕西淳化北）人。王莽时，以父任为郎。后避难河西，为窦融左护军。建武中，为新汲令。"能文章，所著诗、赋、铭、书凡二十六篇"，"撰《小学汉官篇》"（《后汉书·文苑列传》卷八十上、《后汉书·百官志》第二十四）《隋书·经籍志》卷三十三："《汉官解诂》三篇，汉新汲令王隆撰，胡广注。"同书卷三十五："梁……又有……《王隆集》二卷。……亡。"

公元 15 年 （新皇帝王莽天凤二年 乙亥）

是年

桓谭三十八岁，此年前后为掌乐大夫。《后汉书·桓谭列传》卷二十八上："莽时，为掌乐大夫。"按，年月未详，姑定在为讲学祭酒四年后。

梁鸿约于此年生（15？—80？）。按，说见建武四年。梁鸿，字伯鸾，扶风平陵（今陕西咸阳西北）人。年幼丧父，家贫而有志节。博览群书，不为章句。娶同县丑女孟光，彼此相敬如宾，举案齐眉，传为佳话。避祸隐居于吴，"潜闭著书十余篇"。（《后汉书·逸民列传》卷八十三）《隋书·经籍志》卷三十五载："梁又有后汉处士《梁鸿集》二卷，亡。"丁福保《全汉诗》卷二收其诗三首。

公元 16 年 （新皇帝王莽天凤三年 丙子）

是年

扬雄六十九岁，作《答刘歆书》，论所撰写《方言》。扬雄《答刘歆书》云："又敕以殊言十五卷，君何由知之？……雄为郎之岁……二十七岁于今矣。"按，扬雄元延二年（前11年）为郎至本年，正好二十七年，书当作于此年。

刘歆约六十岁，称美郑兴之才；作《与扬雄书》，索取《方言》。《后汉书·郑兴列传》卷三十六:"郑兴……天凤中,将门人从刘歆讲正大义,歆美兴才,使撰条例、章句、传诂,及校《三统历》。"《后汉书·杜林列传》卷二十七:"河南郑兴、东海卫宏等,皆长于古学。兴尝师事刘歆。"按,天凤共六年,三年约为其中,姑系于此。又,刘歆《与扬雄书》云:"属闻子云独采集先代绝言,异国殊语,以为十五卷……愿颇与其最目,得使入篆。"书与扬雄《答刘歆书》为同时之作。

郑兴从刘歆讲正大义,承刘歆命撰《左氏》"条例、章句、传诂",校《三统历》。(《后汉书·郑兴列传》卷三十六)按,说见上条。郑兴(?—39?),字少赣,河南开封(今属河南)人。少学《公羊春秋》,晚善《左氏传》。遂积精深思,通达其旨,同学者皆师之。刘歆美其才,"使撰条例、章句、传诂,及校《三统历》"。更始时,先为李松长史,又为更始帝拜为谏议大夫,迁梁州刺史,旋坐事免。后西归隗嚣。建武六年还乡,光武帝征之为太中大夫,然以不善谶未受重用。建武九年,监军,与吴汉击公孙述,留屯成都,左迁莲勺令,旋以事免。后不复仕,卒于家。"兴好古学,尤明《左氏》《周礼》,长于历数,自杜林、桓谭、卫宏之属,莫不斟酌焉。世言《左氏》者多祖于兴",时与"贾学"并称为"郑学"。(《后汉书·郑兴列传》卷三十六)马国翰《玉函山房辑佚书》有《周礼郑大夫(兴)解诂》一卷。

公元 17 年　（新皇帝王莽天凤四年　丁丑）

是年

严光约十八岁,与刘秀同游学。按,《后汉书·逸民列传》卷八十三云"少有高名,与光武同游学",当指游学长安事,《后汉书·光武帝纪》卷一上谓"王莽天凤中,乃之长安,受《尚书》",天凤共六年,姑系此年;年少,姑定为十八岁。

公元 18 年　（新皇帝王莽天凤五年　戊寅）

是年

扬雄卒,年七十一(前53—18)。(《汉书·扬雄传》卷八十七下)班固:"渊哉若人!实好斯文。初拟相如,献赋黄门,辍而覃思,草《法》纂《玄》,斟酌《六经》,放《易》象《论》,潜于篇籍,以章厥身。"(《汉书·叙传》卷一百下)王充:"孝成玩弄众书之多,善扬子云,出入游猎,子云乘从。……故曰:'玩扬子云之篇,乐於居千石之官。'"(《论衡·佚文篇》卷二十)

扬雄弟子侯芭为雄起坟。(《汉书·扬雄传》卷八十七下)

桓谭四十一岁,赞扬雄,预言其书必传于世。《汉书·扬雄传》卷八十七下:"时大司空王邑、纳言严尤闻雄死,谓桓谭曰:'子常称扬雄书,岂能传于后世乎?'谭曰:'必传。顾君与谭不及见也。凡人贱近而贵远,亲见扬子云禄位容貌不能动人,故轻其书。昔老聃着虚无之言两篇,薄仁义,非礼学,然后世好之者尚以为过于《五经》,自汉文、景之君及司马迁皆有是言。今扬子之书文义至深,而论不诡于圣人,若使遭遇时君,更阅贤知,为所称善,则必度越诸子矣。'"

公元 19 年　（新皇帝王莽天凤六年　己卯）

春

献《新乐》于明堂、太庙。（《汉书·王莽传》卷九十九下、《资治通鉴》卷三十八）

公元 20 年　（新皇帝王莽地皇元年　庚辰）

是年

刘歆约六十四岁，或于此年引隗嚣为士。按，《后汉书·隗嚣传》卷十三云"王莽国师刘歆引嚣为士"，年月未详，《汉书·王莽传》卷九十九下谓地皇四年（前23）"遣七公干士隗嚣等七十二人分下赦令晓谕云。嚣等既出，因逃亡矣"，姑系隗嚣为刘歆引为士在其逃亡三年前。

郑众约于此年生（20？—83）。按，《后汉书·郑兴列传》卷三十六称建武五年（29）隗嚣"遂令（郑兴）与妻子俱东"，郑兴本传未言其于郑众外有他子，则此子疑指郑众。假定其年十岁，则为新莽地皇元年（20）生，至建武二十五年（49）为三十岁，与其名震当时相合。郑众，字仲师，河南开封（今属河南）人。郑兴子。少时从父学《左氏春秋》，勤奋好学，知名于世。永平初，辟司空府，迁越骑司马。曾出使匈奴，不辱使命。然以不遵二次出使匈奴之命，被下狱免官。永平末，复召为军司马，转中郎将；建初间，迁武威太守、左冯翊、大司农。建初八年（83），卒于官。为人"明《三统历》，作《春秋难记条例》，兼通《易》《诗》"，"作《春秋删》十九篇"。（《后汉书·郑众列传》卷三十六）《后汉书·马融列传》卷六十上："（马融）尝欲训《左氏春秋》，及见贾逵、郑众注，乃曰：'贾君精而不博，郑君博而不精，既精既博，吾何加焉！'"《后汉书·儒林列传》卷七十九下："中兴后，郑众传《毛诗》……郑众传《周官经》。"《隋书·经籍志》卷三十二："梁有《春秋左氏传条例》九卷，汉大司农郑众撰。……梁有郑众注《孝经》二卷，亡。"

赵晔生（20？—？）。按，赵晔若建武十三年十八岁，则生于此年。赵晔，字长君，生卒年不详，会稽山阴（今浙江绍兴）人。少时为县吏，奉檄迎督邮，耻而不为，弃车马而去。至犍为资中，从杜抚学《韩诗》，穷究其术，积二十年。与他人断绝闻问，以至家中以为其死，为之发丧制服。杜抚死，赵晔始归，州召补从事，不就，卒于家。"著《吴越春秋》《诗细》《历神渊》。蔡邕至会稽，读《诗细》而叹息，以为长于《论衡》。邕还京师，传之，学者咸诵习焉"。（《后汉书·儒林列传》卷七十九下）《隋书·经籍志》卷三十三："《吴越春秋》十二卷，赵晔撰。《吴越春秋削繁》五卷，杨方撰。《吴越春秋》十卷，皇甫遵撰。"徐天祐："《吴越春秋》，赵晔所著。隋、唐《经籍志》皆云十二卷，今存者十卷，殆非全书。二《志》又云杨方撰《吴越春秋削繁（唐志作'烦'）》五卷，皇甫遵撰《吴越春秋传（隋志缺'传'字）》十卷。此二书今人罕见，独晔书行于世。晔传在《儒林》中。观其所作，乃不类汉文。按邯郸李氏《图书十志目》，亦谓杨方尝刊削晔所为书，至皇甫遵遂合二家考正，为之传注。又按，《史记》注有徐广所引《吴越春秋》语，而《索隐》以为今无此语者。他如《文选》注引季子见遗金事,《吴地记》载阖庐时夷亭事,及《水经注》尝载越事数条,类皆援据《吴越春秋》。今晔本咸无其文,亦无所谓传注,岂杨方所已刊削而皇甫所未考正者耶?晔书最先出,东都时去古未甚远,晔又山阴人,故综述视他书所记二国事为详,取节焉可也。其言上稽天时,下测物变,明微推远,憭若蓍蔡。至于盛衰成败之迹,则彼己君臣,反覆上下。其论议,种、蠡、诸大夫之谋,迭用则霸;子胥之谏,一不听则亡;皆凿凿然,可以劝戒万世,岂独为是邦二千年故实哉?晔书越旧尝锓梓,岁久不复存,汴梁刘侯来治越,奖厉学校,搜遗文,修坠典,乃辍义田,廪羡财,重刻于学。不鄙谫闻,属以考订,且命序其左端。夫越人宜知越之故,则是举也,于所阙不为无补,遂不得辞。……"(四部丛刊本《吴越春秋·序》)钱福:"《吴越春秋》乃作于东汉赵晔,后世补亡之书耳。大抵本《国语》《史记》,而附以所传闻者为之。元徐天祜谓其'去古未远',又'越人宜知越之故','视他书所记二国事为详',得之矣。天祜之所考注亦精当,第谓其'不类汉文'者,其字句间或似小说家。观《儒林传》,称其所著复有所谓《诗细》者,蔡邕读而叹息,以为长于《论衡》。今《论衡》故在也,鄙俚怪诞者不少,则东汉末亦自有此文气矣。谓其'非全书',则吴越颠末亦备矣。《隋、唐·经籍志》多二卷,意者西施之至吴、范蠡之去越乎?若附会于谶纬梦卜之说,则固当时所尚,而左氏传《春秋》亦多述焉,不可尽谓其无据也。其大旨,夸越之多贤,以矜其故都;而所编《传》,乃内吴而外越,则又不可晓矣。……监察御史宁乡袁公大伦奉命来按吴……访吴之故于吴邑侯任丘邝廷瑞。……公乃手出是编授之,侯读之……乃属郡史冯弋等录而刻之。既成,走书属予序。……是书所载,若胥之忠,蠡之智,种之谋,包胥之论战,孙武之论兵,越女之论剑,陈音之论弩,勾践之畏天自苦,臣吴之别辞,伐吴之戒语,五大夫之自效,世亦胡可少哉?所载孔子、子贡事不可据,而其谋则在当时游说之至高者也。相传《越绝书》为子贡撰,抑亦有所本云。噫!书称轼怒蛙尚足以激士,而况读其书、论其世,能不少动于衷者,其亦非夫也夫!至于司职方,掌外史,地里所在,必有所因而名,附会以成其说者,多不可辩验。然与其信乎今,不若传诸古;与其徵诸远,不若考乎近。是又今日邝侯崇信此书之意,而袁公博古之功不可诬也。因附予所欲言为序。"(四部丛刊本《重刻吴越春秋序》)永瑢等:"《吴越春秋传》十卷,兵部侍郎纪昀家藏本。汉赵煜(晔,避清圣祖讳改)撰。煜,山阴人,见《后汉书·儒林传》。是书前有旧序,称《隋、唐·经籍志》皆云十二卷,今存者十卷,殆非全书。又云杨方撰《吴越春秋削繁》五卷,皇甫遵撰《吴越春秋传》十卷,此二书今人罕见,独煜书行于世。《史记》注有徐广所引《吴越春秋》语,而《索隐》以为今无此语。他如《文选》注引季札见遗金事、《吴地记》载阖闾时夷亭事、及《水经注》尝载越事数条,类皆援据《吴越春秋》,今煜本咸无其文云云。考证颇为详悉,然不著名姓。《汉魏丛书》所载,合十卷为六卷,而削去此序并注,亦不题撰人,弥失其初。此本为元大德十年丙午所刊,后有题识云:'前有文林郎国子监书库官徐天祜音注。'然后知注中称'徐天祜曰'者,即注者之自名,非援引他书之语。惟其后又列绍兴路儒学学录留坚、学正陈胄伯、教授梁相、正议大夫绍兴路总管提调学校官刘克昌四人,不知序出谁手耳。煜所述虽稍伤曼衍,而词颇丰蔚。其中如伍尚占甲子之日,时加于巳;范蠡占戊寅之日,时加日出,有'腾龙'、

'青蛇'之语；文种占阴画六、阳画三，有'元（玄，避清圣祖讳改）武'、'天空'、'天关'、'天梁'、'天一'、'神光'诸神名；皆非三代卜筮之法，未免多所附会。至于处女试剑、老人化猿、公孙圣三呼三应之类，尤近小说家言，然自是汉、晋间稗官杂记之体。徐天祜以为'不类汉文'，是以马、班史法求之，非其伦也。天祜注于事迹异同颇有考证，其中如季孙使越、子期私与吴为市之类，虽犹有未及详辨者，而原书失实之处，能纠正者为多。其旁核众说，不徇本书，犹有刘孝标注《世说新语》之遗意焉。"（《四库提要》卷六十六）

公元 21 年　（新皇帝王莽地皇二年　辛巳）

正月

刘歆女太子妻刘愔自杀。（《汉书·王莽传》卷九十九下、《资治通鉴》卷三十八）

是年

公孙禄奏刘歆"颠倒《五经》，毁师法，令学士疑惑"，宜诛以慰天下。（《汉书·王莽传》卷九十九下、《资治通鉴》卷三十八）

公元 22 年　（新皇帝王莽地皇三年　壬午）

四月

冯衍为更始将军廉丹掾。《后汉书·冯衍列传》卷二十八上："时，天下兵起，莽遣更始将军廉丹讨伐山东。丹辟衍为掾，与俱至定陶。"按，《汉书·王莽传》卷九十九下云"四月，遣太师王匡、更始将军廉丹东"，是知冯衍为掾当在此时。

七月

冯衍作《说廉丹》。（《后汉书·冯衍列传》卷二十八上、《资治通鉴》卷三十八）

秋

冯衍作《复说廉丹》。《后汉书·冯衍列传》卷二十八上："进及睢阳，复说丹曰……丹不听，遂进及无盐，与赤眉战死。衍乃亡命河东。"按，《汉书·王莽传》卷九十九下谓"冬，无盐索卢恢等举兵反城。廉丹、王匡攻拔之……战死"，冯衍复说廉丹在进及无盐之前，疑在秋季。

冬

冯衍亡命河东。按，冯衍于廉丹战死后亡命，是在冬季。

公元 23 年 （新皇帝王莽地皇四年 汉更始帝［淮阳王］刘玄更始元年　癸未）

三月

刘玄称皇帝，建元更始。（《汉书·王莽传》卷九十九下）按，《资治通鉴》卷三十八系于二月，今从《汉书》。

桓谭为太中大夫。（《后汉书·桓谭列传》卷二十八上）

六月

王涉、董忠以符谶说"刘氏当复兴"，劝刘歆劫王莽降汉；刘歆怨王莽杀其子，遂与反谋。（《汉书·王莽传》卷九十九下、《资治通鉴》卷三十九）

七月

刘歆谋泄，自杀，年约六十七（前44?—23）。（《汉书·王莽传》卷九十九下、《资治通鉴》卷三十八）

九月

朱浮为刘秀主簿。按，《后汉书·朱浮列传》卷三十三云"初从光武为大司马主簿"，《后汉书·光武帝纪》卷一上谓刘秀此时"以破虏将军行大司马事"，朱浮为其主簿当在此时。

十月

王莽被杀。（《汉书·王莽传》卷九十九下）《资治通鉴》卷三十九系于九月，今从《汉书》。

郑兴为更始帝丞相司直李松长史，说更始迁都。按，事载《后汉书·郑兴列传》卷三十六，《后汉书·刘玄列传》卷十一谓李松此时为丞相司直。

是年

夏恭约四十岁，拥兵守城以防盗贼。（《后汉书·文苑列传》卷八十上）

杜林客河西，途中遇贼，幸免于难。（《后汉书·杜林列传》卷二十七）杜林（?—47），字伯山，扶风茂陵（今陕西兴平）人。少好学，师从张竦，博洽多闻，时称通儒。初为郡吏，王莽败，客寄河西，隗嚣以为持书平。建武六年，光武帝征拜为侍御史，后任大司徒司直、光禄勋、东海王傅、少府，官至大司空。（《后汉书·杜林列传》卷二十七）《汉书·艺文志》卷三十："杜林《苍颉训纂》一篇。杜林《苍颉故》一篇。"《隋书·经籍志》卷三十二："后汉扶风杜林，传《古文尚书》，同郡贾逵为之作训，马融作传，郑玄亦为之注。唯二十九篇，又杂以今文，非孔旧本。自余绝无师说。……梁有《苍颉》二卷，后汉司空杜林注，亡。"

包咸三十岁，归乡，为贼所得，晨夕诵经自若，得释，遂居东海，立精舍讲授。（《后汉书·儒林传》卷七十九下）

严光约二十四岁，应会稽都尉任延征。（《后汉书·循吏列传》卷七十六）

天水起《天水童谣》。（《后汉书·五行志》第十三）

南阳起《南阳童谣》。按，事载《后汉书·五行志》第十三云，志云在"更始时"，更始共两年，姑系于此。

公元24年　（汉更始帝［淮阳王］刘玄更始二年　甲申）

正月

朱浮为刘秀偏将军。（《后汉书·光武帝纪》卷一上、《后汉书·朱浮列传》卷三十三）

二月

长安人作《灶下养》以讽更始。（《后汉书·刘玄列传》卷十一、《资治通鉴》卷三十九）

四月

朱浮从刘秀破邯郸。（《后汉书·光武帝纪》卷一上、《后汉书·朱浮列传》卷三十三）

五月

朱浮为幽州牧。《后汉书·朱浮列传》卷三十三："光武遣吴汉诛更始幽州牧苗曾，乃拜浮为大将军幽州牧，守蓟城。"按，《后汉书·光武帝纪》卷一上谓破幽州牧苗曾在更始二年五月。

是年

冯衍约三十九岁，作《计说鲍永》，为立汉将军，领狼孟长，屯太原。（《后汉书·冯衍列传》卷二十八上、《资治通鉴》卷三十九）

王隆避难河西，为窦融左护军。按，《后汉书·文苑列传》卷八十上载其事于"建武中"之前；《后汉书·窦融列传》卷二十三谓更始帝时窦融得据河西，疑王隆此年为其属。

郑兴拜谏议大夫，出使数州，还拜凉州刺史；坐事免。（《后汉书·郑兴列传》卷三十六）

梁鸿约十岁，丧父，卷席而葬。（《后汉书·逸民列传》卷八十三）

公元 25 年　（汉更始帝〔淮阳王〕刘玄更始三年　汉光武帝刘秀建武元年
　　乙酉）

四月

彊华献《赤伏符》，称刘秀应登帝位。（《后汉书·光武帝纪》卷一上）

六月

刘秀称帝，建元建武，是为汉世祖光武帝。《后汉书·光武帝纪》卷一上："六月
己未，（刘秀）即皇帝位。燔燎告天，禋于六宗，望于群神。其祝文曰：'皇天上帝，
后土神祇，眷顾降命，属秀黎元，为人父母，秀不敢当。群下百辟，不谋同辞，咸曰：
"王莽篡位，秀发愤兴兵，破王寻、王邑于昆阳，诛王郎、铜马于河北，平定天下，海
内蒙恩。上当天地之心，下为元元所归。"谶记曰："刘秀发兵捕不道，卯金修德为天
子。"秀犹固辞，至于再，至于三。群下佥曰："皇天大命，不可稽留。"敢不敬承。'
于是建元为建武，大赦天下，改鄗为高邑。"

十月

刘秀定都洛阳。（《后汉书·光武帝纪》卷一上）
汉光武帝迁还洛阳，载经牒秘书二千余两。（《后汉书·儒林列传》卷七十九上）
严光变姓名，隐身不见。（《后汉书·逸民列传》卷八十三）

十二月

鲍永任尚书仆射，行大将军事，冯衍为立汉将军，领狼孟长，二人为更始帝守土，
不肯降光武帝。（《后汉书·冯衍列传》卷二十八上）

是年

苏竟约六十五岁，拜代郡太守，至建武五年（29）止。（《后汉书·苏竟列传》卷
三十上）
洼丹五十四岁，为博士。（《后汉书·儒林列传》卷七十九上）
郭宪约四十九岁，应征为博士。（《后汉书·方术列传》卷八十二上）
夏恭约四十二岁，拜郎中，再迁太山都尉。（《后汉书·文苑列传》卷八十上）
桓谭三十八岁，征为待诏，上书言事，失职，不用。（《后汉书·桓谭列传》卷二
十八上）
杜林为隗嚣治书。（《后汉书·隗嚣列传》卷十三）
郑兴为隗嚣祭酒。（《后汉书·隗嚣列传》卷十三）
崔篆举贤良，辞归不仕；客居荥阳，著书作赋。（《后汉书·崔篆列传》卷五十

二)

包咸三十二岁，离东海，归乡里，以太守黄谠子为徒。（《后汉书·儒林列传》卷七十九下）

班彪二十三岁，自长安至梁州，依隗嚣为宾客；作《北征赋》。（《后汉书·班彪列传》卷四十上、《资治通鉴》卷四十、《文选·北征赋》卷九李注引《流别论》）

杜抚约十八岁，师从薛汉。按，《后汉书·儒林列传》卷七十九下云"少有高才。受业于薛汉，定《韩诗章句》"，薛汉"建武初，为博士"，杜抚师之，疑在此年。

隗嚣起兵天水，时人作《天水童谣》。《后汉书·五行志》（卷十三）："王莽末，《天水童谣》曰：'出吴门，望缇群。见一蹇人，言欲上天。令天可上，地上安得民！'时，隗嚣初起兵于天水，后意稍广，欲为天子，遂破灭，嚣少病蹇；吴门，冀郭门名也；缇群，山名也。"

公元 26 年　（汉光武帝刘秀建武二年　丙戌）

正月

刘秀起高庙，建社稷于洛阳，立郊兆于城南。（《后汉书·光武帝纪》卷一上）

二月

幽州牧朱浮于蓟为彭宠所攻，作《与彭宠书》。（《后汉书·光武帝纪》卷一上、《后汉书·朱浮列传》卷三十三）

八月

光武帝遣邓隆救朱浮，为彭宠击败。（《后汉书·光武帝纪》卷一上）

是年

尹敏上疏陈《洪范》消灾之术，拜郎中，辟大司空府。《后汉书·儒林列传》卷七十九上："建武二年，上疏陈《洪范》消灾之术，时世祖方草创天下，未遑其事，命敏待诏公车，拜郎中，辟大司空府。"尹敏（？—？），字幼季，南阳堵阳（今河南方城东）人。少为诸生，初习《欧阳尚书》，后受《古文》，兼善《毛诗》《谷梁》《左氏春秋》。仕途以不喜言谶而不显，"帝以敏博通经记，令校图谶，使蠲去崔发所为王莽著录次比。敏对曰：'谶书非圣人所作，其中多近鄙别字，颇类世俗之辞，恐疑误后生。'帝不纳。敏因其阙文增之曰：'君无口，为汉辅。'帝见而怪之，召敏问其故。敏对曰：'臣见前人增损图书，敢不自量，窃幸万一。'帝甚非之，虽竟不罪，而亦以此沈滞。"与班彪为知己。初拜郎中，辟大司空府；迁长陵令，坐事免官；后除郎中，迁谏议大夫。（《后汉书·儒林列传》卷七十九上）《隋书·经籍志》卷三十三："明帝召固为兰台令史，与诸先辈陈宗、尹敏、孟冀等，共成《光武本纪》。"

桓谭四十九岁，拜议郎、给事中，作《陈时政疏》；桓谭善琴，光武帝每宴则令其鼓之，宋弘谏，遂不令桓谭给事中。《后汉书·桓谭列传》卷二十八上："后大司空宋弘荐谭，拜议郎、给事中，因上疏陈时政所宜。"《后汉书·宋弘列传》卷二十六载，宋弘推荐桓谭"才学洽闻，几能及扬雄、刘向父子。于是召谭拜议郎、给事中。帝每讌，辄令鼓琴，好其繁声。弘闻之不悦，悔于荐举"。遂召谭至，"不与席而让之"，谭顿首辞谢。"后大会群臣，帝使谭鼓琴。谭见弘，失其常度。帝怪而问之，弘乃离席免冠谢曰：'臣所以荐桓谭者，望能以忠正导主，而令朝廷耽悦郑声，臣之罪也。'帝改容谢，使反服，其后遂不复令谭给事中。"按，《后汉书·光武帝纪》卷一上谓宋弘自建武二年二月至六年十二月为大司空，桓谭受荐、作疏及不再给事中，姑系于宋弘始为大司空之年。

冯衍约四十二岁，与田邑书，责其背约降刘秀。《后汉书·冯衍列传》卷二十八上："及世祖即位……衍乃遗邑书曰：'……夫上党之地，有四塞之固，东带三关，西为国蔽，奈何举之以资强敌，开天下之匈，假仇雠之刃？……'邑报书曰：'……主亡一岁，莫知定所……未能事生，安能事死？未知为臣，焉知为主？岂厌为臣子，思为君父乎！欲摇太山而荡北海，事败身危，要思邑言。'衍不从。"按，田邑报书云"主亡一岁"，"主"指更始帝，《后汉书·光武帝纪》卷一上谓更始帝建武元年十二月见杀，是知冯衍、田邑书当作于此年末。

朱浮约二十三岁，封舞阳侯。（《后汉书·朱浮列传》卷三十三）

公元 27 年 （汉光武帝刘秀建武三年　丁亥）

六月

苏竟在南阳，作《与刘龚书》《与邓仲况书》，使刘龚、邓仲况降刘秀。（《后汉书·苏竟列传》卷三十上、《资治通鉴》卷四十一）

冬

朱浮见光武帝不亲征彭宠，乃上疏求救；光武帝诏报朱浮，令待彭宠内乱；朱浮兵败城降，仅以身免。按，《资治通鉴》卷四十一系此事于是年三月，然朱浮上疏，如疏云："今彭宠反叛，张丰逆节。"乃在张丰反后。《后汉书·光武帝纪》卷一上谓建武三年十一月"汲郡太守张丰反"；朱浮疏中又云"今秋稼已孰"，是知其疏为是年冬作，光武帝诏报及朱浮兵败，皆当为同时事。《资治通鉴》卷四十一系于此年三月，不确。

是年

桓谭五十岁，或于此年始作《新论》。按，《新论》作于何时，桓谭本传未有明记，是书"卷大"，撰著须时，桓谭自建武二年见疏，直至中元元年（56）事迹无考，《新论》之撰写当在此三十年内，始作之年姑系于此。《后汉书·桓谭列传》卷二十八上："初，谭著书言当世行事二十九篇，号曰《新论》。……《琴道》一篇未成，肃宗使班固续成之。"李贤注："《新论》，一曰《本造》，二《王霸》，三《求辅》，四《言体》，五《见徵》，六《谴非》，七《启寤》，八《祛蔽》，九《正经》，十《识通》，十一《离事》，十二《道赋》，十三《辨惑》，十四《述策》，十五《闵友》，十六《琴道》。《本造》《述策》《闵友》《琴道》，各一篇，余并有上下。《东观记》曰：'光武读之，敕言卷大，令皆别为上下，凡二十九篇。'李贤又注："《东观记》曰：'《琴道》未毕，但有发首一章。'"

冯衍约四十二岁，降光武帝，帝以其迟，黜而不用；其《诣邓禹笺》《说邓禹书》《与邓禹书》或作于此年。《后汉书·冯衍列传》卷二十八上："永、衍审知更始已殁，乃共罢兵，幅巾降于河内。帝怨衍等不时至，永以立功得赎罪，遂任用之，而衍独见黜。永谓衍曰：'昔高祖赏季布之罪，诛丁固之功。今遭明主，亦何忧哉！'衍曰：'记有之，人有挑其邻人之妻者，挑其长者，长者詈之，挑其少者，少者报之。后其夫死而取其长者。或谓之曰："夫非骂尔者邪？"曰："在人欲其报我，在我欲其骂人也。"夫天命难知，人道易守，守道之臣，何患死亡？'"按，冯衍审知更始帝死，乃在去岁末得田邑书后，降光武宜系此年。《资治通鉴》卷四十一系于建武二年二月，不确。又，见邓禹及与其书，当在降光武后，姑系于此。

崔篆著《周易林》；临终作《慰志赋》，卒（？—27？）。《后汉书·崔骃列传》卷五十二："建武初……闭门潜思，著《周易林》六十四篇，用决吉凶，多所占验。临终作赋以自悼，名曰《慰志》。"按，虽云"建武初"，然著六十四篇书须用二三年时间，姑以此年为其卒年。

王充生（27—91？）。《论衡·自纪篇》卷三十："举家徙处上虞，建武三年，充生。"王充，字仲壬，会稽上虞（今属浙江）人。出身细门孤族。年少丧父，乡里称孝。后至京师，受业太学，师事班彪。好博览群书，不喜守章句。常游洛阳市肆，阅所卖书，过目不忘。后归乡里，居家教授。曾为县、郡掾功曹、刺史从事、治中，自免还家，闭门潜思，专心著述。"著《论衡》八十五篇，二十余万言，释物类同异，正时俗嫌疑"。另，《论衡·自纪篇》中称"闲居作《讥俗节义》十二篇"、"作《政务》之书"、"作《养性》之书凡十六篇"，均佚。（《后汉书·王充列传》卷四十九、《论衡·自纪篇》）《隋书·经籍志》卷三十四："《论衡》二十九卷，后汉征士王充撰。"

刘辅或生于此年（27？—84）。按，刘辅为光武帝与郭皇后所生之子，《后汉书·皇后纪》卷十上称郭皇后"建武元年生皇子彊"，刘辅为其中子，或小于刘彊二岁，姑系于此。刘辅，南阳蔡阳（今湖北枣阳西南）人。光武帝刘秀子。初封右翊公，徙封中山王，复徙封沛王。曾因事系狱，三日得出。就国后，谨慎持节，终始如一，称为贤王。汉明帝敬重有加，屡相赏赐。为人好经书，善说《京氏易》《孝经》《论语》传及图谶，作《五经论》，时号之曰《沛王通论》。（《后汉书·沛献王辅列传》卷四十二）

李育或生于此年（27？—86？）。按，李育生年不详，班固深重李育，或知之于太学中，估计李育年长于班固，假定长其五岁，则生于此年。李育，字元春，扶风漆（今陕西邠县）人。少习《公羊春秋》。博览经传，深为班固所重。常避地教授，门徒数百。曾为议郎，拜博士，迁尚书令，再迁侍中。于白虎观与诸儒论议《五经》时，以《公羊》义驳难贾逵，最为通儒。"颇涉猎古学，尝读《左氏传》，虽乐文采，然谓不得圣人深意，以为前世陈元、范升之徒更相非折，而多引图谶，不据理体，于是作《难左氏义》四十一事"。（《后汉书·儒林列传》卷七十九下）

公元 28 年 （汉光武帝刘秀建武四年 戊子）

是年

范升、陈元辩难，为立《左氏春秋》事。光武帝纳陈元言，立《左氏》学，置博士。按，《后汉书·陈元列传》卷三十六载，建武四年，光武帝于云台朝见公卿、大夫、博士，令议尚书令韩歆所奏欲为《左氏春秋》立博士事，范升反对，陈元诣阙上疏支持。光武帝"下其议，范升复与元相辩难，凡十余上，帝卒立《左氏》学"。

冯衍约四十三岁，为曲阳令或在此年。《后汉书·冯衍列传》卷二十八上："顷之，帝以衍为曲阳令，诛斩巨贼郭胜等，降五千余人，论功当封，以谗毁，故赏不行。"按，年月未详，姑定在降光武一年后。

伏恭三十四岁，为剧令，至建武十六年（40）止。（《后汉书·儒林列传》卷七十九下）

卫宏约于此年至京师。《后汉书·儒林列传》卷七十九上："昔王莽、更始之际，天下散乱，礼乐分崩，典文残落。及光武中兴，爱好经术，未及下车，而先访儒雅，采求阙文，补缀漏逸。先是，四方学士多怀协图书，遁逃林薮。自是莫不抱负坟策，云会京师，范升、陈元、郑兴、杜林、卫宏、刘昆、桓荣之徒，继踵而集。"按，《儒林传》叙卫宏至京师在光武中兴后、建武五年立太学前，确年未详，姑系此年。卫宏（？—？），字敬仲，东海（今山东郯城西南）人。少好古学，初从九江谢曼卿学《毛诗》，作《毛诗序》，善得风雅之旨；后从杜林受《古文尚书》，为作《训旨》。又"作《汉旧仪》四篇，以载西京杂事；又著赋、颂、诔七首，皆传于世"。（《后汉书·儒林列传》卷七十九下）

梁鸿约十四岁，此年前后受业太学，牧豕遗火，执勤以偿。按，《后汉书·逸民列传》卷八十三载："后受业太学，家贫而尚节介，博览无不通，而不为章句。学毕，乃牧豕于上林苑中。曾误遗火，延及它舍。鸿乃寻访烧者，问所去失，悉以豕偿之。其主犹以为少，鸿曰：'无它财，愿以身居作。'主人许之，因为执勤，不懈朝夕。邻家耆老见鸿非恒人，乃共责让主人，而称鸿长者。于是始敬异焉，悉还其豕，鸿不受而去，归乡里。"梁鸿何年受业太学不详，而王先谦《集解》引沈钦韩说称"《御览》四百二十五《东观记》云：鸿少孤，以童幼诣太学受业，治《礼》《诗》《春秋》。常独止，不与人同食。比舍先炊已，呼鸿及热釜炊，鸿曰：'童子不因人热者也！'灭灶，更然火"，则梁鸿其时为"童子"；《释名·释长幼》谓"十五曰童"，东汉有所谓"童子郎"，如臧洪"年十五，以父功拜童子郎"（《后汉书·臧洪列传》卷五十八），年龄亦可在十五之下，如《后汉书·左雄列传》卷六十一载"及汝南谢廉、河南赵建，年始十二，各能通经，雄并奏拜童子郎"。以是推之，梁鸿其时或在十五岁之下。本传称其父梁让卒于"乱世"，姑定在更始二年（24），"鸿时尚幼"，或不出十岁，则此年梁鸿在十五岁之内，姑定梁鸿此年前后受业太学。

周防生（28—105）。按，建武十九年，周防十六岁，由此知生于此年。周防，字伟公，汝南汝阳（今河南商水西北）人。年十六，仕郡小吏；拜守丞，不就。师事徐州刺史盖豫，受《古文尚书》。举孝廉，拜郎中，补博士，迁陈留太守，坐法免。卒于家。"撰《尚书杂记》三十二篇，四十万言"。（《后汉书·儒林列传》卷七十九上）

公元 29 年 　（汉光武帝刘秀建武五年　己丑）

二月

朱浮为侯霸弹劾，光武帝不究，以其代贾复为执金吾，徙封父城侯。按，《后汉书·朱浮列传》卷三十三云："尚书令侯霸奏浮败乱幽州……罪当伏诛。帝不忍，以浮代贾复为执金吾，徙封父城侯。后丰、宠并自败。"《后汉书·侯霸列传》卷二十六、《后汉书·光武帝纪》卷一上谓侯霸建武四年八月至五年十一月为尚书令，朱浮为执金吾，封父城侯当在此期间；然本传叙其事又在张丰、彭宠败前，而《光武帝纪》谓张丰建武四年五月被斩，彭宠建武五年二月见杀，足见本传叙事前后抵牾。《光武帝纪》称此年"二月丙午，大赦天下"，姑系朱浮迁官封侯于此时。

四月

班彪作《王命论》；离天水，至张掖，为窦融从事。《后汉书·班彪列传》卷四十上："彪既疾嚣言，又伤时方艰，乃著《王命论》，以为汉德承尧，有灵命之符，王者兴祚，非诈力所致，欲以感之，而嚣终不寤，遂避地河西。河西大将军窦融以为从事，深敬待之，接以师友之道。"按，《资治通鉴》卷四十一系之于此时。

十月

光武帝祭孔；访儒雅，求阙文；起太学，赏博士弟子。（《后汉书·光武帝纪》卷一上、《后汉书·儒林列传》卷七十九上）

冬

苏竟病笃，诣京师谢罪；拜侍中。（《后汉书·苏竟列传》卷三十上）

年末，郑兴屡谏隗嚣，后携家离隗嚣东归。按，《后汉书·郑兴列传》卷三十六载此事以为时在"建武六年"，而《资治通鉴》卷四十一则系于建武五年末，姑依《通鉴》说。

郑众从父母东归洛阳。（《后汉书·郑兴列传》卷三十六）

是年

光武帝刘秀召严光为谏议大夫，严光拒而不受，归隐富春山。按，《后汉书·逸民列传》卷八十三云："帝思其贤，乃令以物色访之。后齐国上言：'有一男子，披羊裘钓泽中。'帝疑其光，乃备安车玄缥，遣使聘之。三反而后至，舍于北军，给床褥，太官朝夕进膳。……除为谏议大夫，不屈，乃耕于富春山。后人名其钓处为严陵濑焉。"《资治通鉴》卷四十一系此事于建武五年。

杨终生于此年前后（29？—100）。 按，《后汉书·杨终列传》卷四十八未载杨终生年，杨终与贾逵、班固同在兰台为校书郎，年龄似乎相若；杨终坐事系狱，未得与白虎观议经时，贾、班等以其深晓《春秋》，为之表请，杨终年龄似乎稍长一些。假定其长贾逵一岁，则生于此年。杨终，字子山，蜀郡成都（今属四川）人。少为郡吏，太守奇其才，遣诣京师受业，习《春秋》。明帝时，征诣兰台，拜校书郎。章帝时，建言论考《五经》同异，并与其事。元和初，坐徙北地，后得还故里。永元十二年征拜郎中，以病卒。曾"受诏删《太史公书》为十余万言"，"著《春秋外传》十二篇，改定章句十五万言"。（《后汉书·杨终列传》卷四十八）

公元 30 年 （汉光武帝刘秀建武六年 庚寅）

正月

杜林征拜侍御史，光武帝问以诸事，甚悦之。《后汉书·杜林列传》卷二十七："建武六年，弟成物故，嚣乃听林持丧东归。既遣而悔，追令刺客杨贤于陇坻遮杀之。贤见林身推鹿车，载致弟丧，乃叹曰：'当今之世，谁能行义？我虽小人，何忍杀义士！'因亡去。光武帝闻林已还三辅，乃征拜侍御史。引见，问以经书故旧及西州事，甚悦之，赐车马衣被。"按，《资治通鉴》卷四十二系其事于此时。

郑兴因杜林所荐，征为太中大夫。 按，《后汉书·郑兴列传》卷三十六谓侍御史"杜林先与兴同寓陇右，乃荐之曰：'窃见河南郑兴，执义坚固，敦悦《诗》《书》，好古博物，见疑不惑，有公孙侨、观射父之德，宜侍帷幄，典职机密。昔张仲在周，燕翼宣王，而诗人悦喜。惟陛下留听少察，以助万分。'乃征为太中大夫"，《资治通鉴》卷四十一系此事于此时。

六月

光武帝诏命减官为民。（《后汉书·光武帝纪》卷一下）

九月

日食。冯衍上书光武帝，言八事，光武帝将见，因王护等所阻而未果。《后汉书·冯衍列传》卷二十八上："建武六年日食，衍上书陈八事：其一曰'显文德'、二曰'褒武烈'、三曰'修旧功'、四曰'招俊杰'、五曰'明好恶'、六曰'减法令'、七曰'差秩禄'、八曰'抚边境'。书奏，帝将召见。初，衍为狼孟长，以罪摧陷大姓令狐略。是时，略为司空长史，谮之于尚书令王护、尚书周生丰曰：'衍所以求见者，欲毁君也。'护等惧之，即共排间，衍遂不得入。"按，本传李贤注引《续汉志》曰"建武六年九月丙寅晦，日有食之"，冯衍上书当在此月。

十月

光武帝诏令举贤良、方正。(《后汉书·光武帝纪》卷一下)

是年

光武帝赐窦融太史公书。《后汉书·窦融列传》卷二十三:"帝深嘉美之,乃赐融以外属图及太史《五宗》《外戚世家》《魏其侯列传》。"

朱浮为二千石长吏任免事两次上疏。(《后汉书·朱浮列传》卷三十三)

苏竟以病免侍中;或卒于此年,年约七十(前40?—30?)。(《后汉书·苏竟列传》卷三十上)按,苏竟去岁冬"拜侍中,数月,以病免","数月"后即为此年。其卒,亦疑在此年。《资治通鉴》卷四十一建武三年六月,称苏竟为"前侍中",与本传不合。

光武帝刘秀与公孙述书,穷折方士黄白之术。《后汉书·公孙述列传》卷十三:"(建武)六年……述亦好为符命鬼神瑞应之事,妄引谶记。以为孔子作《春秋》,为赤制而断十二公,明汉至平帝十二代,历数尽也,一姓不得再受命。又引《录运法》曰:'废昌帝,立公孙。'《括地象》曰:'帝轩辕受命,公孙氏握。'《援神契》曰:'西太守,乙卯金。'谓西方太守而乙绝卯金也。五德之运,黄承赤而白继黄,金据西方为白德,而代王氏,得其正序。又自言手文有奇,及得龙兴之瑞。数移书中国,冀以感动众心。帝患之,乃与述书曰:'图谶言公孙,即宣帝也。代汉者当涂高,君岂高之身邪?乃复以掌文为瑞,王莽何足效乎!君非吾贼臣乱子,仓促时人皆欲为君事耳,何足数也。君日月已逝,妻子弱小,当早为定计,可以无忧。天下神器,不可力争,宜留三思!'署曰'公孙皇帝',述不答。"

杜林以《古文尚书》授卫宏、徐巡等,古文遂行。《后汉书·杜林列传》卷二十七:"河南郑兴、东海卫宏等,皆长于古学。兴尝师事刘歆,林既遇之,欣然言曰:'林得兴等固谐矣,使宏得林,且有以益之。'及宏见林,暗然而服。济南徐巡,始师事宏,后皆更受林学。林前于西州得漆书《古文尚书》一卷,常宝爱之,虽遭难困,握持不离身。出以示宏等曰:'林流离兵乱,常恐斯经将绝,何意东海卫子、济南徐生复能传之,是道竟不坠于地也。古文虽不合时务,然愿诸生无悔所学。'宏、巡益重之,于是古文遂行。"《隋书·经籍志》卷三十二:"后汉扶风杜林,传《古文尚书》,同郡贾逵为之作训,马融作传,郑玄亦为之注。然其所传,唯二十九篇,又杂以今文,非孔旧本。自余绝无师说。"

卫宏从杜林学《古文尚书》,作《训旨》。(《后汉书·杜林列传》卷二十七)

杜抚约二十三岁,归乡教授,弟子千余。按,《后汉书·儒林列传》卷七十九下云"后归乡里教授,沈静乐道,举动必以礼。弟子千余人",年月未详,姑定在从薛汉学诗五年后。

贾徽此年前后在世。贾徽(?—?),扶风平陵(今陕西咸阳西北)人。贾逵父,曾从刘歆学《左氏春秋》,兼习《国语》《周官》,又从涂恽学《古文尚书》,从谢曼卿学《毛诗》,作《左氏条例》二十一篇。(《后汉书·贾逵列传》卷三十六)

贾逵生（30—101）。贾逵，字景伯，扶风平陵（今陕西咸阳西北）人。汉初贾谊九世孙。父徽，曾随刘歆受《左氏春秋》，兼习《国语》《古文尚书》《毛诗》等。贾逵悉传父业。永平中，进献《春秋左氏传解诂》三十篇，《国语解诂》二十一篇，为明帝所重，并奉旨作《神雀颂》，以博物多识拜为郎，与班固并校秘书。章帝时，受诏讲学于北宫白虎观、南宫云台。和帝时，任左中郎将，迁侍中，领骑都尉。为人不修小节，当世颇多非议。"所著经传义诂及论难百余万言，又作诗、颂、诔、书、连珠、酒令凡九篇，学者宗之，后世称为通儒"。（《后汉书·贾逵列传》卷三十六）《隋书·经籍志》卷三十二："后汉扶风杜林，传《古文尚书》，同郡贾逵为之作训。……梁有《毛诗杂议难》十卷，汉侍中贾逵撰，亡。……贾逵作《毛诗传》。……《春秋左氏长经》二十卷，汉侍中贾逵章句。《春秋左氏解诂》三十卷，贾逵撰。……《春秋释训》一卷，贾逵撰。《春秋左氏经传朱墨列》一卷，贾逵撰……《春秋三家经本训诂》十二卷，贾逵撰。……《春秋外传国语》二十卷，贾逵注。"同书卷三十五："后汉侍中《贾逵集》一卷，梁二卷。"严可均《全后汉文》卷三十一收其文四篇。

　　许慎生（30—122）。许慎，字叔重，汝南召陵（今河南郾城）人。禀性淳朴，博通经籍。受学于贾逵，颇为马融敬重。先为郡功曹，举孝廉，迁洨长。汉安帝延光四年（124）卒于家。"慎以为《五经》传说臧否不同，于是撰为《五经异义》，又作《说文解字》十四篇"。（《后汉书·儒林列传》卷七十九下）《隋书·经籍志》卷三十二载："《五经异义》十卷，后汉太尉祭酒许慎撰。……《说文》十五卷，许慎撰。"同书卷三十四："《淮南子》二十一卷，淮南王刘安撰，许慎注。"

　　刘苍或生于此年（30？—83）。按，刘苍为汉明帝同母弟，《后汉书·皇后纪》卷十上云阴皇后"建武四年，从征彭宠，生显宗于元氏"，姑以刘苍小明帝二岁，则生于此年。刘苍，南阳蔡阳（今湖北枣阳西南）人。汉光武帝子，汉明帝弟。初封东平公，后进爵为王。少好经书，雅有智思。明帝即位，拜为骠骑将军，位在三公之上。永平中，刘苍主持修礼乐，定制度。汉章帝时，尊重恩礼逾于前世，诸王莫与为比。建初八年卒，"诏告中傅，封上苍自建武以来章奏及所作书、记、赋、颂、七言、别字、歌诗，并集览焉"。（《后汉书·光武十王列传》卷四十二）《隋书·经籍志》卷三十五："梁有……后汉《东平王苍集》五卷……亡。"严可均《全后汉文》卷十收其文九篇。丁福保《全汉诗》卷已收其诗一首。

　　时人作《蜀中童谣》以讥公孙述僭号。《后汉书·公孙述列传》卷十三："六年，述遣戎与将军任满出江关，下临沮、夷陵间，招其故众，因欲取荆州诸郡，竟不能克。是时，述废铜钱，置铁官钱，百姓货币不行。《蜀中童谣》言曰：'黄牛白腹，五铢当复。'好事者窃言王莽称'黄'，述自号'白'，五铢钱，汉货也，言天下当并还刘氏。"

公元 31 年　（汉光武帝刘秀建武七年　辛卯）

三月

　　日食，郑兴上疏劝施善政，光武帝多有采纳。（《后汉书·郑兴列传》卷三十六）

四月

光武帝刘秀诏令举贤良、方正。（《后汉书·光武帝纪》卷一下）

五月

陈元辟为司空掾，上疏驳大司农江冯督察三公议。（《后汉书·陈元列传》卷三十六、《资治通鉴》卷四十二）

是年

郭宪约五十五岁，代张堪为光禄勋。（《后汉书·方术列传》卷八十二上）

朱浮约二十八岁，免执金吾，转太仆；上书请广博士之选，光武帝然之。《后汉书·朱浮列传》卷三十三："七年，转太仆。浮又以国学既兴，宜广博士之选，乃上书曰：'夫太学者，礼义之宫，教化所由兴也。陛下尊敬先圣，垂意古典，宫室未饰，干戈未休，而先建太学，造立横舍。比日车驾亲临观飨，将以弘时雍之化，显勉进之功也。寻博士之官，为天下宗师，使孔圣之言，传而不绝。旧事，策试博士，必广求详选，爱自畿夏，延及四方，是以博举明经，唯贤是登，学者精励，远近同慕。伏闻诏书更试五人，唯取见在洛阳城者。臣恐自今以往，将有所失。求之密迩，容或未尽，而四方之学，无所劝乐。凡策试之本，贵得其真，非有期会，不及远方也。又诸所征试，皆私自发遣，非有伤费烦扰于事也。语曰：中国失礼，求之于野。臣浮幸得与讲图谶，故敢越职。'帝然之。"

杜林以为郊祀宜因循祖宗故事，光武帝从杜林议。（《后汉书·杜林列传》卷二十七）

郑兴言不为谶，忤光武帝，以不善谶故不能任。按，《后汉书·郑兴列传》卷三十六云："帝尝问兴郊祀事，曰：'吾欲以谶断之，何如？'兴对曰：'臣不为谶。'帝怒曰：'卿之不为谶，非之邪？'兴惶恐曰：'臣于书有所未学，而无所非也。'帝意乃解。兴数言政事，依经守义，然以不善谶故不能任。"《资治通鉴》系此事于建武七年。

郑众约十二岁，从父受《左氏春秋》。（《后汉书·郑众列传》卷三十六）

南阳人谣颂南阳太守杜诗。（《后汉书·杜诗列传》卷三十一、《资治通鉴》卷四十二）

公元 32 年 （汉光武帝刘秀建武八年 壬辰）

闰四月

郭宪谏光武帝征隗嚣，光武帝不从，后"悔不用郭子衡之言"。（《后汉书·方术列传》卷八十二上、《资治通鉴》卷四十二）

夏恭或卒于此年，年四十九（前17？—32？）。按，《后汉书·文苑列传》卷八十上："讲授门徒常千余人。王莽末，盗贼从横，攻没郡县。恭以恩信为众所附，拥兵固守，独安全。"既云门徒千余，又拥兵固守城池，当为其中年事，姑定王莽末其年四十，则其生年为汉成帝鸿嘉四年（前17）。

夏牙或卒于此年，年约三十（3？—32？）。按，夏牙，《后汉书·文苑列传》卷八十上称其"早卒"，姑定其寿三十，则此年卒。

朱浮约二十九岁，在太仆任，上书言历朔不正，宜当改正。（《后汉书·律历志二》）

杜林于此年前后任大司徒司直。按，《后汉书·杜林列传》卷二十七云"后代王良为大司徒司直"，年月未详，姑定在其为侍御史两年后。

卫宏约于此年前后为议郎。按，《后汉书·儒林列传》卷七十九下云"光武以为议郎"，年月未详，传叙在建武六年师从杜林后，姑定在其二年后。

班固生（32—92）。班固，字孟坚，扶风安陵（今陕西咸阳东北）人。班彪子，班昭兄。少能属文，诵诗赋。及长，遂博览群籍，九流百家之言，无不穷究。所学无常师，不为章句，举大义而已。秉性宽和容众，不以才能高人，诸儒以此慕之。父班彪卒，归乡，潜精研思，欲成班彪续史之业。因被诬私改国史，收京兆狱中。后得弟班超诣阙上书营救，得释。汉明帝知其有著述之意，任之为兰台令史。后为郎，典校秘书，受命撰述前史。汉章帝时，愈得幸，赏赐恩宠甚渥，迁为玄武司马。建初时，章帝会诸儒讲论《五经》，令班固撰成《白虎通义》。永元初，以中护军随大将军窦宪出征匈奴，窦宪败，班固受株连，免官下狱，病死狱中。"所著《典引》《宾戏》《应讥》、诗、赋、铭、诔、颂、书、文、记、论、议、六言，在者凡四十一篇"。（《后汉书·班固列传》卷四十上、下）《隋书·经籍志》卷三十二："（光武）又于东观及仁寿阁集新书，校书郎班固、傅毅等典掌焉。并依《七略》而为书部，固又编之，以为《汉书·艺文志》。……班固《太甲篇》《在昔篇》。"同书卷三十三："《汉书》一百一十五卷，汉护军班固撰。"同书卷三十五："后汉大将军护军司马《班固集》十七卷。……梁……又班固《典引》一卷，蔡邕注。亡。"张溥辑有《班兰台集》。严可均《全后汉文》卷二十四至二十六收其文三十四篇。丁福保《全汉诗》卷二收其诗二首。张溥："安陵班叔皮清静守道，有二令子，孟坚文章领著作，仲升武节威西域。天下之奇，在其一门，汉世无比。仲升功名，拔傅介子、张骞以上，孟坚晚节，竟蹶不起，亡时与蔡中郎同年，又以窦氏宾客，为洛阳种令所捕系，顿辱更甚。私心痛其才同厥考，而志耻薄宦，冒进失当，不若望都长，优游以终也。叔皮专心史籍，欲撰汉史，孟坚踵就其业，为人诬讼，陷身狱网。仲升驰阙分明，转祸为福，危哉！《汉书》之得成，更两世，阅变故，如是其不易也。《两都》仿《上林》，《宾戏》儗《客难》，《典引》居《封禅》《美新》之间，大体取象前型，制以心极。而师覆徒奔，反在燕然片石。'夫惟大雅，既明且哲'，岂孟坚亦读而未之详乎？"（《汉魏六朝百三家集·班兰台集题词》）

王充六岁，使学书。《论衡·自纪篇》卷三十："六岁教书，恭愿仁顺，礼敬具备。矜庄寂寥，有巨人之志。父未尝笞，母未尝非，闾里未尝让。"

公元 33 年 （汉光武帝刘秀建武九年 癸巳）

七月

班彪上疏请复护羌校尉。（《后汉书·西羌传》卷八十七及李贤注）

是年

郑兴监征南、积弩营于津乡。(《后汉书·郑兴列传》卷三十六)

包咸四十岁,举孝廉。按,事载《后汉书·儒林列传》卷七十九下,年月未详,姑定在其不惑之年。

班固弟班超生。(《后汉书·班超列传》卷四十七)

桓郁生于此年前后（33?—93）。按,桓郁生年未详,《后汉书·桓郁列传》卷三十七称桓郁父桓荣卒,桓郁袭爵,桓荣当永平二年（59）卒,假定其时桓郁二十六岁左右,则约生于此年。桓郁,字仲恩,沛郡龙亢（今安徽怀远西）人。关内侯桓荣子。为人敦厚笃学,承继父业,专教《尚书》,门徒常数百人。永平十四年为议郎,迁侍中,监虎贲中郎将。翌年,入授皇太子经,迁越骑校尉。建初二年迁屯骑校尉。和帝即位,迁长乐少府,旋转为侍中奉车都尉。永元四年,为太常,一年后病卒。汉明帝自制《五家要说章句》（李贤注引《华峤书》曰当为"《五行章句》"）,令桓郁校定于宣明殿。桓郁又删其父桓荣二十三万言"朱普学章句",定成十二万言,由此而有《桓君大小太常章句》。(《后汉书·桓郁列传》卷三十七)

公元34年 （汉光武帝刘秀建武十年 甲午）

是年

王充八岁,出于书馆。《论衡·自纪篇》卷三十:"八岁,出于书馆。书馆小童百人以上,皆以过失袒谪,或以书丑得鞭。充书日进,又无过失。"

贾逵五岁,隔篱听读书。梁章钜《三国志旁证》卷十三引《拾遗记》:"贾逵五岁,明惠过人。其姊闻邻读书,旦夕抱逵隔篱听之。"

牟融约于此年前后生（34?—79）。按,《后汉书·牟融列传》卷二十六未载牟融生年,仅云其"建初四年（79）薨"。牟融永平二年（59）为丰令,假定其时年二十五岁左右,则当生于此年前后。牟融,字子优,北海安丘（今属山东）人。少博学,曾教授《大夏侯尚书》,弟子数百人。初为丰令,视事三年,县无狱讼。迁司隶校尉,历大鸿胪、大司农、司空,官至太尉。(《后汉书·牟融列传》卷二十六)《隋书·经籍志》卷三十四:"《牟子》二卷,后汉太尉牟融撰。"

公元35年 （汉光武帝刘秀建武十一年 乙未）

二月

光武帝以人为贵。(《后汉书·光武帝纪》卷一下)

十月

郑兴领征南将军营,与吴汉击公孙述。按,《后汉书·郑兴列传》卷三十六载其事,《资治通鉴》卷四十三系之于建武十一年十月。

是年

杜林代郭宪为光禄勋。(《后汉书·杜林列传》卷二十七)

洼丹六十四岁,为大鸿胪。(《后汉书·儒林列传》卷七十九上)

公元 36 年　(汉光武帝刘秀建武十二年　丙申)

九月

班彪举司隶茂才。按,《后汉书·班彪列传》卷四十上:"及融征还京师,光武问曰:'所上章奏,谁与参之?'融对曰:'皆从事班彪所为。'帝雅闻彪才,因召入见,举司隶茂才。"窦融征还京师,《资治通鉴》卷四十三断为建武十二年事,《后汉纪》卷六又谓在此年九月,据此,班彪举司隶茂才亦当为此时事。

十一月

郑兴奉诏留屯成都。按,《后汉书·郑兴列传》卷三十六谓"(公孙)述死,诏兴留屯成都",《资治通鉴》卷四十三载公孙述死于建武十二年十一月,则郑兴留屯成都当在此时。

王隆此年前后至洛阳,为新汲令;著《小学汉官篇》;后事无考。按,《后汉书·文苑列传》卷八十上云"建武中,为新汲令",确年未详,始定在为窦融左护军十二年后。又,《小学汉官篇》撰年不详,以后事无考,姑系于此。

王充十岁,学《论语》《尚书》。《论衡·自纪篇》:"手书既成,辞师,受《论语》《尚书》,日讽千字。"按,王充未言"辞师"之年,以常识推之,学书非年余可成,姑系于此年。

班固五岁,随父班彪至洛阳。按,班固当随父移居洛阳。

公元 37 年　(汉光武帝刘秀建武十三年　丁酉)

四月

天子大驾卤簿仪式始备。《后汉书·光武帝纪》卷一下:"益州传送公孙述瞽师、郊庙乐器、葆车、舆辇,于是法物始备。"李贤等注:"瞽,无目之人也。为乐师,取其所无见,于音声审也。郊庙之器,樽彝之属也。乐器,钟磬之属。葆车,谓上建羽葆也。合聚五采羽名为葆。舆者,车之总名也。辇者,驾人以行。法物,谓大驾卤簿仪式也。时草创未暇,今得之始备。"

是年

班彪三十五岁,或于此年拜徐令;其《览海赋》《与金昭卿书》或作于是年。按,《览海赋》云"余有事于淮浦",《与金昭卿书》云其"远在东垂,吏道迫促",李贤注《后汉书·班彪列传》云"徐县属临淮郡",则知二文作于其为徐令时。然班彪为徐令或数年，难考二文所作确切之年，姑系于此。

郑兴以私买奴婢坐迁莲勺令，后以事免。 按，《后汉书·郑兴列传》卷三十六称"诏兴留屯成都。顷之，侍御史举奏兴奉使私买奴婢，坐左转莲勺令。是时丧乱之余，郡县残荒，兴方欲筑城郭，修礼教以化之，会以事免"，由此可知郑兴留屯成都后不久即迁莲勺令，留屯成都在建武十二年十一月，则迁莲勺令断在建武十三年为宜。详本传文意，知郑兴为莲勺令时间不长，刚欲有所为，旋以事免官，或未出本年耳。

赵晔约十八岁，为县吏；去职，入蜀师杜抚。 按，《后汉书·儒林列传》卷七十九下云："少尝为县吏，奉檄迎督邮，晔耻于斯役，遂弃车马去。到犍为资中，诣杜抚受《韩诗》，究竟其术。积二十年，绝问不还，家为发丧制服。晔卒业乃归。"今本《后汉书》末句为"抚率乃归"，误。杜抚建武六年归乡教授，刘秀卒，始离乡应刘苍辟。赵晔从之学二十年，必在其居蜀教授期间。此年至刘秀卒二十年，姑以为赵晔入蜀从师之年。

公元 38 年　　（汉光武帝刘秀建武十四年　戊戌）

四月

汉光武帝封孔子后孔志为褒成侯。（《后汉书·光武帝纪》卷一下）

是年

包咸四十五岁，除郎中。 按，事载《后汉书·儒林列传》卷七十九下，年月未详，姑定在其四十五岁时。

杜林奏言法令宜如旧制。（《后汉书·杜林列传》卷二十七）

郑兴绝意仕途，客授阌乡。 按，本传称"兴去莲勺，后遂不复仕，客授阌乡，三公连辟不肯应"，郑兴去岁免官，客授阌乡当在此年。

王充十二岁，或于此年丧父。 按，《后汉书》本传谓其"少孤，乡里称孝"，《后汉书·光武帝纪》称此年"会稽大疫，死者万数"，疑其父殁于是疫。

公元 39 年　　（汉光武帝刘秀建武十五年　己亥）

正月

陈元为司徒欧阳歙辟为掾；数陈当世便事及郊庙之礼，光武帝不用。（《后汉书·陈元列传》卷三十六）按，《后汉书·光武帝纪》卷一下谓欧阳歙正月为大司徒，陈元辟其府疑在此时。

四月

刘辅封右翊公。（《后汉书·光武帝纪》卷一下）
刘苍封东平公。（《后汉书·光武帝纪》卷一下）

十一月

陈元为大司徒欧阳歙狱死事，上书追讼，光武帝感其言切，乃赐棺木、印绶等。（《后汉书·儒林列传》卷七十九上）按，《后汉书·光武帝纪》卷一下谓此年"冬十一月甲戌，大司徒欧阳歙下狱死"，陈元讼其事当在此时。

郑兴此年前后卒（？—39？）。按，《后汉书·郑兴列传》卷三十六称郑兴"去莲勺……三公连辟不肯应，卒于家"，卒年未明，或即此年前后。

贾逵十岁，能诵六经。梁章钜《三国志旁证》卷十三引《拾遗记》："（贾逵）至十岁，乃能暗诵六经。姊曰：'吾家贫困，未尝有教者入门，汝安知有《三坟》《五典》而诵无遗句耶？'逵曰：'忆昔姊抱听邻家读书，今万不遗一。'乃剥庭中桑皮为牒，或题扉屏，且诵且记，期年经文通遍。闾里每有观者，称云：'拟古无伦。'"按，《拾遗记》所称贾逵当为后汉贾逵。

百姓作《张君歌》。《后汉书·张堪列传》卷三十一："（张堪）拜渔阳太守，捕击奸猾，赏罚必信，吏民皆乐为用。匈奴尝以万骑入渔阳，堪率数千骑奔击，大破之，郡界以静。乃于狐奴开稻田八千余顷，劝民耕种，以致殷富。百姓歌曰：'桑无附枝，麦穗两岐。张君为政，乐不可支。'"

公元 40 年 （汉光武帝刘秀建武十六年 庚子）

是年

陈元此年前后卒，年约六十五（前25？—40？）。按，陈元去岁上书讼欧阳歙事后，本传即谓"以病去，年老，卒于家"，确年难详，疑卒于此年前后。

伏恭四十六岁，拜博士，迁常山太守。《后汉书·儒林列传》卷七十九下："青州举为尤异，太常试经第一，拜博士，迁常山太守。敦修学校，教授不辍，由是北州多为伏氏学。"按，本传称拜博士，迁太守，乃为剧令十三年后事，当系此年。

班固九岁，能属文，诵诗赋。（《后汉书·班彪列传》卷四十上）

公元 41 年 （汉光武帝刘秀建武十七年 辛丑）

二月

光武帝读图谶而染疾。《后汉书·光武帝纪》卷一下李贤注引《东观记》："上以日食避正殿，读图谶多，御坐庑下浅露，中风发疾，苦眩甚。"

十月

刘辅从光武帝南巡狩，徙封中山王。（《后汉书·光武帝纪》卷一下）

刘苍从光武帝南巡狩，进爵为王。（《后汉书·光武帝纪》卷一下）

光武帝置酒作乐，与人款曲。《后汉书·光武帝纪》卷一下："甲申，幸章陵。修园庙，祠旧宅，观田庐，置酒作乐，赏赐。时宗族诸母因酻悦，相与语曰：'文叔少时谨信，与人不款曲，唯直柔耳……'帝闻之，大笑曰：'吾理天下，亦欲以柔道行之。'"

是年

光武帝复特征严光，不就。（《后汉书·逸民列传》卷八十三）

洼丹卒，年七十（前29—41）。（《后汉书·儒林列传》卷七十九上）

班彪三十九岁，或于此年以病免徐令，赴京师，始撰《史记后传》。《后汉书·班彪列传》卷四十上："拜徐令，以病免。后数应三公之命，辄去。彪既才高而好述作，遂专心史籍之间。武帝时，司马迁著《史记》自太初以后，阙而不录，后好事者（李贤注：好事者谓扬雄、刘歆、阳城衡、褚少孙、史孝山之徒也。）颇或缀集时事，然多鄙俗，不足以踵继其书。彪乃继采前史遗事，傍贯异闻，作《后传》数十篇，因斟酌前史而饥正得失。"按，确年未详，姑定仕为徐令四年后。

杨终约十三岁，为郡小吏，诣京师，学《春秋》。《后汉书·杨终列传》卷四十八："年十三，为郡小吏，太守奇其才，遣诣京师受业，习《春秋》。"

冯衍约于是年生子（冯豹）。《后汉书·冯衍列传》卷二十八下："后母恶之，尝因豹夜寐，欲行毒害，豹逃走得免。敬事愈谨，而母疾之益深，时人称其孝。长好儒学，以《诗》《春秋》教丽山下。乡里为之语曰：道德彬彬冯仲文。"按，建武二十八年（52），冯衍首次出妻，其年冯豹年十二，故知其生于此年。

公元42年　　（汉光武帝刘秀建武十八年　壬寅）

是年

班彪四十岁，当在京师太学讲学；作《奏事》；同时撰述《史记后传》。按，班彪以病为辞免东隄徐令的主要动机似是利用京师的藏书"专心史籍"，撰述《史记后传》。《史记后传》书名、卷数无定，王充称"叔皮《续太史公书》百篇以上"，（《论衡·超奇篇》）刘知己称"（班彪）作《后传》六十五篇"（《史通·正史篇》），如此煌煌巨著，恐至迟始于建武十七年着手撰述。又，班彪《奏事》云"臣闻师曰：太学明堂辟雍者，礼乐之府，诗书之体"，当与光武帝命其教授太学有关；王充"受业太学，师事扶风班彪"（《后汉书·王充列传》）即证其确曾讲学太学，姑系于此。

公元43年　　（汉光武帝刘秀建武十九年　癸卯）

六月

包咸入授皇太子刘庄《论语》，撰《论语章句》。按，《后汉书·儒林列传》卷七十九下云："建武中，入授皇太子《论语》，又为其章句"，《后汉书·光武帝纪》卷一下谓此年六月"立阳为皇太子，改名'庄'"，包咸授太子，撰书当在此时。

杜林为东海王刘彊傅。（《后汉书·杜林列传》卷二十七）

九月

杜林从光武帝南巡狩。（《后汉书·杜林列传》卷二十七）

周防为郡小吏；拜守丞，以未冠，请去。按，《后汉书·儒林列传》卷七十九上云"防年十六，仕郡小吏。世祖巡狩汝南，召掾史试经，防尤能诵读，拜为守丞。防以未冠，谒去"，《后汉书·光武帝纪》卷一下谓刘秀此时巡狩汝南。

是年

冯衍约五十八岁，约于此年交结外戚卫尉阴兴、新阳侯阴就，作《与阴就书》，乞代为说项，寻为司隶从事。《后汉书·冯衍列传》卷二十八上："后卫尉阴兴、新阳侯阴就以外戚贵显，深敬重衍，衍遂与之交结。由是为诸王所聘请，寻为司隶从事。"《后汉书·桓谭冯衍列传》卷二十八上李贤注："《衍集》与阴就书曰：'……衍年老被病，恐一旦无禄，命先犬马，怀抱不报，赍恨入冥，思剖肝胆，有以塞责。方今天下安定，四海咸服，蒙恩更生之臣，无所效其死力。侧闻东平、山阳王壮当之国，择除官属，衍不自量，愿侯白以衍备门卫。鄙语曰："水不激不能破舟，矢不激不能饮羽。"不念旧恶，名贤所高。负责之臣，欲言不敢，惟侯哀怜，深留圣心，则阖棺之日，魂复何恨。'"按，《后汉书·阴兴列传》卷三十二谓阴兴建武十九年为卫尉，阴就改封新阳侯，冯衍结交二阴，为司隶从事疑在此年。

班彪四十一岁，上疏言东宫、诸王官署事。（《后汉书·班彪列传》卷四十上）按，《后汉书·班彪列传》卷四十上李贤注："十九年明帝为太子，十七年封诸王。"班彪此疏当系建武十九年。

太仆朱浮约四十岁，与五官中郎将张纯奏议，宜除今亲庙。（《后汉书·祭祀志第九》《后汉书·张纯列传》卷三十五）

公元44年 （汉光武帝刘秀建武二十年 甲辰）

六月

刘辅徙封沛王，因刘鲤事系狱，三日得出。（《后汉书·光武帝纪》卷一下）

朱浮免太仆，为大司空。（《后汉书·光武帝纪》卷一下）

杜林代丁恭为少府。（《后汉书·杜林列传》卷二十七）

杜笃以忤美阳令，下京师狱，因所作《吴汉诔》而免刑受帛；又上《论都赋》，述"客以利器不可久虚，而国家亦不忘乎西都"之意。《后汉书·文苑列传》卷八十上："居美阳，与美阳令游，数从请托，不谐，颇相恨。令怒，收笃送京师。会大司马吴汉薨，光武诏诸儒诔之，笃于狱中为诔，辞最高，帝美之，赐帛免刑。笃以关中表里山河，先帝旧京，不宜改营洛邑，乃上奏《论都赋》。"按，《后汉书·光武帝纪》卷一下谓"（建武二十年）五月辛亥，大司马吴汉薨"，杜笃下狱、作诔、上赋当是此年事。杜笃（？—78），字季雅，京兆杜陵（今陕西长安县东南）人。少博学，不拘小节，不为乡人所礼。因事被收送京师。会大司马吴汉卒，光武帝诏诸儒撰写诔文，杜笃于狱中作成，辞最高，光武帝大为赞赏，赐帛免刑。又以西都为先帝旧京，不宜久虚，遂作《论都赋》上奏。后仕郡文学掾，以目疾，二十余年不窥京师。建初时，为马防从事中郎，随马防击西羌，战死于沙场。"所著赋、诔、吊、书、赞、《七言》《女诚》及杂文，凡十八篇。又著《明世论》十五篇"。（《后汉书·文苑列传》卷八十上）《隋书·经籍志》卷三十五载："后汉车骑从事《杜笃集》一卷。"严可均《全后汉文》卷二十八收其文十三篇。

王充十八岁，在京师太学，师事班彪，好博览而不守章句。《后汉书·王充列传》卷四十九："后到京师，受业太学，师事扶风班彪。好博览而不守章句。家贫无书，常游洛阳市肆，阅所卖书，一见辄能诵忆，遂博通众流百家之言。"

班固十三岁，王充见而拊其背，谓班彪曰："此儿必记汉事！"（《后汉书·班彪列传》卷四十上李贤注引《谢承书》）按，或谓王充年十八，不得于长辈前称班固为"儿"，殊不知王充行文出言常"贵是"、"尚然"，"违诡于俗"，如其人"乡里称孝"，而于《自纪篇》中历诋其祖父之恶，故不得断之以常理。且古"儿"称，时有青眼相加之意，如祢衡称孔融、杨修为大儿、小儿者，王充见孟坚，惺惺相惜，径呼其"儿"，亦不足怪矣。

李尤生（44—126）。李尤，字伯仁，广汉雒（今四川广汉）人。少以文章显。和帝时，侍中贾逵荐其有相如、扬雄之风，遂被召诣东观，受诏作赋，拜兰台令史。后为谏议大夫，迁乐安相。卒于汉顺帝永建二年（126）。曾"受诏与谒者仆射刘珍等俱撰《汉记》"，"所著诗、赋、铭、诔、颂、《七叹》《哀典》，凡二十八篇"。（《后汉书·文苑列传》卷八十上）《隋书·经籍志》卷三十五："梁……又有乐安相《李尤集》五卷。……亡。"张溥辑有《李兰台集》。严可均《全后汉文》卷五十收其文九十四篇。丁福保《全汉诗》卷二收其诗一首。张溥："《后汉书·文苑》二十人，李伯仁与其选，亦兰台文章之杰也。传云：'著诗、赋、铭、诔、颂、《七叹》《哀典》凡二十八篇。'今诔、颂、《哀典》俱不见，《七叹》无传，惟有《七欵》，岂'叹'字之讹耶？其文寂寥，非枚叔比也。诗有《九曲歌》，间属阙文。赋五首，微质雅，拟之《上林》《长杨》，则泰山丘垤也。当时荐者称其文有相如、扬雄风，何哉？铭八十余，多体要之作，及所匠意，于子云《百官箴》得其深矣。挚仲洽讥以秽病，屈诸王莽《鼎铭》之下，抑文家以少言为贵，而多者难于见工也！"（《汉魏六朝百三家集·李伯仁集题词》）

公元 45 年 　（汉光武帝刘秀建武二十一年　乙巳）

是年

周防十八岁，师事盖豫，受《古文尚书》。按，《后汉书·儒林列传》卷七十九上云"师事徐州刺史盖豫受《古文尚书》"，汉法十八岁以上可为博士弟子，周防师盖豫疑在十八岁时。

杜笃此年前后为郡文学掾，常叹杜氏至己而衰。《后汉书·文苑列传》卷八十上："笃后仕郡文学掾，以目疾，二十余年不窥京师。笃之外高祖破羌将军辛武贤，以武略称。笃常叹曰：'杜氏文明善政，而笃不任为吏；辛氏秉义经武，而笃又怯于事。外内五世，至笃衰矣！'"按，年月未详，姑系在去岁出狱一年后。

公元 46 年　（汉光武帝刘秀建武二十二年　丙午）

杜林复为光禄勋。 按，《后汉书·杜林列传》卷二十七云："二十二年，复为光禄勋。顷之，代朱浮为大司空"，《后汉书·光武帝纪》卷一下谓其为大司空在十月，则复为光禄勋或在十月之前。

十月

朱浮坐卖弄国恩，免大司空。（《后汉书·光武帝纪》卷一下、《后汉书·朱浮列传》卷三十三）

杜林代朱浮为大司空。（《后汉书·杜林列传》卷二十七、《后汉书·光武帝纪》卷一下）

郭宪约于此年卒，年约七十（前 24?—46?）。 按，《后汉书·方术列传》卷八十二上云："时匈奴数犯塞，帝患之，乃召百僚廷议。宪以为天下疲敝，不宜动众。谏争不合，乃伏地称眩瞀，不复言。帝令两郎扶下殿，宪亦不拜。……宪遂以病辞退，卒于家。"查《后汉书·光武帝纪》卷一下，可称"匈奴数犯塞"者，唯在建武二十年二十一年，郭宪当于二十一年后病退而卒，确年难考，姑系于此。

公元 47 年　（汉光武帝刘秀建武二十三年　丁未）

八月

杜林卒（?—47）。（《后汉书·光武帝纪》卷一下）

是年

班彪四十五岁，复辟司徒玉况府；约于此前后与大司空府之尹敏结为知己。（《后汉书·班彪列传》卷四十上及李贤注、《后汉书·儒林列传》卷七十九上）

李育约二十一岁，或于此年知名太学，深为班固所重。 按，李育何年在太学，不详，《后汉书·儒林列传》卷七十九下称其"沉思专精，博览书传，知命太学，深为同郡班固所重"，班固知李育名或在太学时，姑系于此。

班固十六岁，当入洛阳太学，大约至建武二十八年（52）其父离开洛阳止。 按，班固、崔骃、傅毅三人年相若，据《后汉书·崔骃列传》卷五十二，崔骃"少游太学，与班固、傅毅同时齐名"，可推知班固此年当在太学。

公元 48 年　（汉光武帝刘秀建武二十四年　戊申）

七月

武陵蛮进犯临沅，伏波将军马援奉命南征，作《武溪深》歌。《乐府诗集》卷七十四云："一曰《武陵深行》。崔豹《古今注》曰：'《武溪深》，马援南征之所作也。援门生爰寄生善吹笛，援作歌，令寄生吹笛以和之，名曰《武溪深》……'"按，《后汉书

·光武帝纪》卷一谓"（建武二十四年）秋七月，武陵蛮寇临沅……于是伏波将军马援率四将军讨之"，马援歌作于此次南征期间。

是年

包咸五十五岁，拜谏议大夫。按，《后汉书·儒林列传》卷七十九下云"拜谏议大夫"，年月未详，姑定在授皇太子《论语》五年后。

梁鸿约三十四岁，或于此年娶孟光，入霸陵山，为高士作颂；其《安丘严平颂》当作于此时。《后汉书·逸民列传》卷八十三："势家慕其高节，多欲女之，鸿并绝不娶。同县孟氏有女，状肥丑而黑，力举石臼，择对不嫁，至年三十。父母问其故，女曰：'欲得贤如梁伯鸾者。'鸿闻而聘之。女求作布衣、麻屦，织作筐缉绩之具。及嫁，始以装饰入门。七日而鸿不答，妻乃跪床下请曰：'窃闻夫子高义，简斥数妇，妾亦偃蹇数夫矣。今而见择，敢不请罪。'鸿曰：'吾欲裘褐之人，可与俱隐深山者尔。今乃衣绮缟，傅粉墨，岂鸿所愿哉？'妻曰：'以观夫子之志耳。妾自有隐居之服。'乃更为椎髻，着布衣，操作而前。鸿大喜曰：'此真梁鸿妻也！能奉我矣！'字之曰德曜，名孟光。……乃共入霸陵山中，以耕织为业，咏诗书，弹琴以自娱。仰慕前世高士，而为四皓以来二十四人作颂。"《文选·补亡诗》注引梁鸿《安丘严平颂》："无营无欲，澹尔渊清。"按，梁、孟不详何年成婚，传云孟光"年三十"，则梁鸿当长于孟光，或在而立至不惑之间，姑系其三十四岁左右时。又，刘知己《史通·杂述》称"若刘向《列女》、梁鸿《逸民》、赵采《忠臣》、徐广《孝子》，此之谓别传也"，梁鸿本传所谓"为四皓以来二十四人作颂"，当即《逸民传》，而《安丘严平颂》正为其中一部分。

凉州民于此年前后作《樊晔歌》（一名《凉州歌》）。《后汉书·酷吏列传》卷七十七："隗嚣灭后，陇右不安，乃拜晔为天水太守，政严猛，好申韩法，善恶立断。人有犯其禁者，率不生出狱，吏人及羌胡畏之。道不拾遗，行旅至夜，聚衣装道傍，曰'以付樊公'。凉州为之歌曰：'游子常苦贫，力子天所富。宁见乳虎穴，不入冀府寺。大笑期必死，忿怒或见置。嗟我樊府君，安可再遭值！'"按，据《后汉书》樊晔本传，其守天水自建武十八年至三十一年，共十四年，凉州民歌之当在此十四年中。

公元49年　（汉光武帝刘秀建武二十五年　己酉）

十月

马援击武溪蛮，遇疫，病卒军中，年六十三（前14—49）。（《后汉书·马援列传》卷二十四、《后汉书·五行志第十八》）

是年

班彪四十七岁，上言宜复置乌桓校尉。（《后汉书·乌桓鲜卑列传》卷九十）

朱浮约四十六岁，徙封新息侯。（《后汉书·朱浮列传》卷三十三）

郑众约三十岁，拒与皇太子、山阳王交通。按，《后汉书·郑众列传》卷三十六谓:"建武中,皇太子及山阳王荆,因虎贲中郎将梁松以缣帛聘请众,欲为通义,引籍出入殿中。众谓松曰:'太子储君,无外交之义,汉有旧防,蕃王不宜私通宾客。'遂辞不受。松复风众以'长者意,不可逆'。众曰:'犯禁触罪,不如守正而死。'太子及荆闻而奇之,亦不强也。"梁松为虎贲中郎将,似在建武二十五年(《后汉书·马援列传》卷二十四),郑众不与皇太子等交通当在此年。

贾逵二十岁,在太学,通五经。《后汉书·贾逵列传》卷三十六:"逵悉传父业,弱冠能诵《左氏传》及《五经》本文,以《大夏侯尚书》教授,虽为古学,兼通五家《谷梁》之说。自为儿童,常在太学,不通人间事,身长八尺二寸。诸儒为之语曰:'问事不休贾长头。'性恺悌,多智思,俶傥有大节。"

班昭约生于此年(49?—120?)。按,关于班昭生卒年,《后汉书·列女传》卷八十四语焉不详。传言"昭年七十余卒,皇太后素服举哀",据此可知班昭卒于邓太后死前,《后汉书·皇后纪》卷十上云邓太后永宁二年(121)崩,则班昭卒年不得迟于永宁元年(120),亦即必生在建武二十六(50)之前;其《女诫》又云"年十有四,执箕帚于曹氏,于今四十余载矣",据《后汉书·孝安帝纪》卷五,知《女诫》作于新野君卒年永初四年(110),此时班昭年届五十五至六十三之间。合此二条考虑,则班昭生于建武二十四年(48)至建武二十六年(50)之间,姑取其中,即建武二十五年为其生年。班昭,一名姬,字惠班,扶风安陵(今陕西咸阳东北)人。班彪之女,班固之妹。嫁曹世叔,不幸早寡。博学高才,能文善赋,颇受汉和帝青睐。其兄班固撰《汉书》,八表及《天文志》未成而卒,班昭即奉诏"就东观藏书阁踵而成之"。屡受诏入宫,为皇后及诸贵人之师,号曰"大家"。"每有贡献异物,辄诏大家作赋颂"。时《汉书》始出,人多未能通晓,同郡马融及兄马续即从其受读。约于汉安帝永宁元年(120?)卒,年七十余。作《女诫》七篇,"所著赋、颂、铭、诔、问、注、哀辞、书、论、上疏、遗令,凡十六篇。子妇丁氏为撰集之,又作《大家赞》焉"。(《后汉书·列女传》卷八十四)《隋书·经籍志》卷三十三:"《列女传》十五卷,刘向撰,曹大家注。"同书卷三十五:"《女诫》一卷,曹大家撰。……梁有《班昭集》三卷。"严可均《全后汉文》卷九十六收其文七篇。

公元 50 年 (汉光武帝刘秀建武二十六年 庚戌)

是年

光武帝诏张纯详禘、祫之制。《后汉书·张纯列传》卷三十五:"二十六年,诏纯曰:'禘、祫之祭,不行已久矣。三年不为礼,礼必坏;三年不为乐,乐必崩。宜据经典,详为其制。'"

崔骃此年前后在太学。按,《后汉书·崔骃列传》卷五十二称崔骃"少游太学,与班固、傅毅同时齐名",崔骃与班固、傅毅年龄相若,所谓"同时齐名",当指彼等同在太学时。以班固约自建武二十三年至建武二十八年在太学为参照,则崔骃、傅毅二人大约此年前后亦在太学。《资治通鉴》卷四十六谓元和元年(84)十一月,崔骃与孔僖同游太学,因议论汉武帝而为人诬告,崔骃诣吏受讯,盖因《后汉书·儒林列传》

195

卷七十九上叙此事后，即叙元和二年春章帝东巡事而致。崔骃永元四年（92）卒，本传谓其与班固、傅毅"同时齐名"，则不可能于元和元年在太学而八年后死去，故《资治通鉴》所记疑误。崔骃（？—92），字亭伯，生年不详，涿郡安平（今河北安平）人。崔瑗父。本传谓其"年十三能通《诗》《易》《春秋》，博学有伟才，尽通古今训诂百家之言，善属文。少游太学，与班固、傅毅同时齐名。常以典籍为业，未遑仕进之事"。因所作《四巡颂》见重于章帝。曾为车骑将军窦宪掾、主簿，窦宪擅权骄恣，崔骃数谏不听，出骃为长岑长。"骃自以远去，不得意，遂不之官而归"。"所著诗、赋、铭、颂、书、记、表、《七依》《婚礼结言》《达旨》《酒警》合二十一篇"。（《后汉书·崔骃列传》卷五十二）《隋书·经籍志》卷三十五："后汉长岑长《崔骃集》十卷"。张溥辑有《崔亭伯集》。严可均《全后汉文》卷四十四收其文三十九篇。丁福保《全汉诗》卷二收其诗一首。张溥："汉肃宗好崔亭伯文章，称于窦宪，有真龙之目，宪遂揖为上客。自古文人遭时遇主，未或无因，而前赵良嬖人，长卿狗监，作合之始，不辞污泥。亭伯以《四颂》结知天子，躬亲荐达，贵臣曳履迎门，其荣重亦百世一时也。窦氏骄恣，屡献规诫，忤意见疏，乐浪小邑，竟长甘肥遁。披其文辞，十过杜钦之说王凤矣。亭伯少与班、傅齐名，未遑仕进，时或讥其玄静，乃作《达旨》以匹《解嘲》，立言之致，初若符节。及其终也，子云抱恨于投阁，亭伯成名于辽阴，文之为文，非言之难，行之难也。崔氏显人，西汉代有，崔发谄事王莽，官至司空，崔篆羞之，闭门荥阳，重自伤悼，而赋《慰志》，言及建新，其耻同于《氓》诗之垝垣复关也。亭伯处士年少，箴刺贵戚，翻然高蹈，无忝先子，此之谓乎！何必铭昆吾之鼎，勒景襄之钟，然后名得意哉！"（《汉魏六朝百三家集·崔亭伯集题词》）

傅毅此年前后在太学。（《后汉书·文苑列传》卷八十上）

公元51年　（汉光武帝刘秀建武二十七年　辛亥）

五月

班彪作《上事》。按，文中云"加之大司马，所以别大小司马之号"，《后汉书·光武帝纪》卷一下载建武二十七年五月诏，命司徒、司空并去"大"字，改大司马为太尉，则班彪文当作于是月。

公元52年　（汉光武帝刘秀建武二十八年　壬子）

八月

刘辅就国。（《后汉书·光武帝纪》卷一下）

十月

北匈奴遣使诣阙，贡马及裘，更乞和亲，并请音乐，又求率西域诸国胡客与俱献见。（《后汉书·南匈奴列传》卷八十九）

是年

班彪五十岁，奏不宜绝北匈奴事，并草答北匈奴书。（《后汉书·南匈奴列传》卷八十九）

冯衍约六十七岁，首次出妻；因结交外戚而得罪，自首诣狱，诏赦不问，西归故郡杜陵；作《又与阴就书》《杨节赋》。《后汉书·冯衍列传》卷二十八下："豹字仲文，年十二，母为父所出。"《后汉书·冯衍列传》卷二十八上："帝惩西京外戚宾客，故皆以法绳之，大者抵死徙，其余至贬黜。衍由此得罪，尝自诣狱，有诏赦不问。西归故郡，闭门自保，不敢复与亲故通。"李贤注："时衍又与就书曰：'奏曹掾冯衍叩头死罪：衍材素愚驽，行义污秽，外无乡里之誉，内无汗马之劳，猥蒙明府天覆之德，华宠重叠。间者，掾史疑衍之罪，众煦飘山，当为灰土。赖蒙明察，揆其素行，复保首领。倍知厚德笃于慈父，浸淫肌肤，渗漉骨髓，德重山岳，泽深河海。前送妻子还淄县，遭雨逢暑，以七月还。至阳武，闻诏捕诸王宾客，惶怖诣阙，冀先事自归。十一日到，十二日书报归田里。即日束手诣洛阳诏狱，十五日夜诏书勿问。得出，遭雨，又疾，大困。冀高世之德，施以田子老马之惠，赠以秦穆骏马之恩，使长有依归，以效忠心。'"按，据《后汉书·马援列传》，冯衍以外戚宾客下狱事在郭后薨年，郭后薨为建武二十八年六月事；又据冯衍《又与阴就书》，冯衍"送妻子还淄县"后返京师即下狱，故其首次出妻当在是年。又，《杨节赋序》称"废弔问之礼，绝游宦之路"，与本传所谓"不敢复与亲故通"义同，当作于此时。

公元 53 年 （汉光武帝刘秀建武二十九年　癸丑）

是年

包咸六十岁，为侍中。按，《后汉书·儒林列传》卷七十九下云"拜……侍中"，年月未详，姑定在为谏议大夫五年后。

班彪五十一岁，为望都长；作《冀州赋》。《后汉书·班彪列传》卷四十上："后察司徒廉，为望都长，吏民爱之。"按，班彪明年卒，为望都长疑在此年。又，《冀州赋》云："遂发轸于京洛，临孟津而北厉。……瞻淇澳之园林，善绿竹之猗猗。望常山之峨峨，登北岳而高游。"似为自京洛赴望都时作。

袁康始作《越绝书》（《越绝记》）。袁康（？—？），会稽（今浙江绍兴）人，生平行状不详。按，据《越绝书·吴地传》中"勾践徙琅邪到建武二十八年"及书末《跋》中"勾践以来至乎更始之元"等语，可知袁康为东汉初人。《隋书·经籍志》卷三十三："《越绝记》十六卷，子贡撰。……陆贾作《楚汉春秋》，以述诛锄秦、项之事。又有《越绝》，相承以为子贡所作。后汉赵晔，又为《吴越春秋》。其属辞比事，皆不与《春秋》《史记》《汉书》相似，盖率尔而作，非史策之正也。灵、献之世，天下大乱，史官失其常守。博达之士，愍其废绝，各记闻见，以备遗亡。是后群才景慕，作者甚众。又自后汉以来，学者多钞撮旧史，自为一书，或起自人皇，或断之近代，亦各其志，而体制不经。又有委巷之说，迂怪妄诞，真虚莫测。然其大抵皆帝王之事，通人君子，必博采广览，以酌其要，故备而存之，谓之杂史。"杨慎："或问《越绝》

不著作者姓名，何也？予曰：姓名具在书中，览者第不深考耳。子不观其绝篇之言乎？曰：'以去为姓，得衣乃成；厥名有米，覆之以庚。禹来东征，死葬其乡。不直自斥，托类自明。文属辞定，自于邦贤：以口为姓，承之以天；楚相屈原，与之同名。'此以隐语见其姓名也。去其衣，乃袁字；米覆庚，乃康字；禹葬之乡，则会稽也。是乃会稽人袁康也。其曰'不直自斥，托类自明'，厥旨昭然，欲后人知也。'文属辞定，自于邦贤'，盖所共著，非康一人也。'以口承天'，吴字也；屈原同名，平字也。与康共著此书者，乃吴平。不然，此言何为而设乎？或曰：二人何时人也？予曰：东汉也。何以知之？曰：东汉之末，文人好作隐语，黄绢碑，其著者也。又孔融以'渔父屈节，水潜匿方'云云，隐其姓名于《离合诗》。魏伯阳以'委时去害，与鬼为邻'云云，隐其姓名于《参同契》。融与伯阳俱汉末人，故文字稍同。则兹书之著为同时何疑为？问者喜曰：二子名微矣，得子言乃显之，谁谓后世无子云乎！……《越绝》一书，或以为子贡作，又云子胥，皆妄说也。而'越绝'二字，尤非。解者曰：绝者绝也，谓勾践时也。内能约己，外能绝人，故曰'越绝'。又曰：圣文绝于此，辩士绝于彼，故曰'越绝'。二说似梦魇谵语，不止齐东人之类而已。王充《论衡·案书篇》：'临槐袁太伯文术，会稽吴君高，即其人乎？'又曰：'吴君高作《越纽录》，纽，即绝字之误。书以'纽'名，犹《汉菴》之例也。'绝字迂曲不通，而千年之误，无人证之。袁康、吴平之姓名，著在书末，无人知之。盖观书者卤莽，阅未数简已欠伸，意思睡，而束之高阁矣。余始发其隐，然即其书以证其人，以订其名，非臆说也。博古君子，必印可而乐闻之乎？"（《杨升庵全集》卷十）胡应麟："按《汉书·艺文志》'杂家'有'《伍子胥》八篇'。观此跋（指《越绝书·跋》）首言'子胥之述吴越'，终言'述畅子胥，以喻来今'，岂东汉越中文士以子胥杂家之旧，而附益以勾践、种、蠡行事，会为此篇易名《越绝》乎？不然此书所载吴越事相半，何得独云'述畅子胥'？且首言'子胥之述吴越'又何也？用修（杨慎字）据'以去为姓'等语，而得袁康、吴平名姓，可谓异代赏音；至于子胥撰述之由，明记始末，而不复详察，亦得其一而不得其二者欤？（胡注：余著《九流绪论》，以《越绝》本于《子胥》，是时尚未参此跋也。）此书以为子贡作者，绝不经，又一无左验。第据'乱齐存楚'一章尔。用修以为妄说，是也。详味此跋，维'子胥之述吴越，以事类，以晓后世。著善为诚，讥恶为诫'，洎后'温故知新，述畅子胥，以喻来今'等语，则子胥旧有是书，述吴越杂事，而后人温其故典，而畅述之，以传于世，意旨甚明。其云'更始之元'，当是西京之末，而此书文气全不类其时，盖袁康者先述此书于东汉初，而吴平者复为之属文定辞于东汉之季。故云'百岁一贤，犹为比肩'也。其云'禹来东征，死葬其疆'，末又云'覆之以庚'，兵绝之也。岂袁非越人，更始间为乱兵戕于越地，旧而葬欤？吴平则自是越人成此书者，故云'文辞属定，自于邦贤'也。此书阅世数千年，至用修始发作者姓名，而未及究其颠末之悉，余不敏，实首窃窥。岂书之显晦，自有时欤？"（《少室山房笔丛续编·艺林学山六》）永瑢等："《越绝书》十五卷，不著撰人名氏。书中《吴地传》称'勾践徙琅琊，到建武二十八年，凡五百六十七年'，则后汉初人也。书末《叙外传记》，以廋词隐其姓名，其云'以去为姓，得衣乃成'，是袁字也；'厥名有米，覆之以庚'，是康字也；'禹来东征，死葬其疆'，是会稽人也；又云'文辞属定，自于邦贤'，'以口为姓，承之以天'，是吴字也；'楚相屈原，与之同名'，是平字也。然则此书为会稽袁康所作，同郡吴平所定也。王充《论衡·按书篇》曰：'东番邹伯奇，临淮袁太伯，袁文术，会稽吴君高、周长生之辈，位虽不至公卿，诚能知之囊橐，文雅之英雄也。观伯奇之《元思》、太伯之《易童句》（按，童疑作章）、文术之《箴铭》、君高之《越纽录》、长生之《洞历》，刘子政、扬子云不能过也。'所谓吴君高，殆即平字；所谓《越纽录》，殆即此书欤？杨慎《丹铅录》、胡侍《珍珠船》、田艺蘅《留青日札》，皆有是说。核其文义，一一吻合。《隋、唐·志》皆云子贡作，非其实矣。其文纵横曼衍，与《吴越春秋》相类，而博丽奥衍则过之。中如《计倪内经》《军气》之类，多杂术数家言，皆汉人专门之学，非后来所能依托也。此本与《吴越春秋》，皆大德丙午绍兴路所刊。卷末一《跋》，诸本所无，惟申明复仇之义，不著姓名。详其词意，或南宋人所题耶？郑明选《秕言》引《文选·七命》注引《越绝书》：'大翼一艘十丈，中翼九丈六尺，小翼九丈。'又称王鏊《震泽长语》引《越绝书》'风起震方'云云，谓今本皆无此语，疑更有全书，惜未之见。按《崇文总目》称《越绝书》'旧有内记八、外传十七、今文题阙舛，裁二十篇'，是此书在北宋之初，已佚五篇。《选》注所引，盖佚篇之文，王鏊所称，亦他书所引佚篇之文。以为此本之外，更有全书，则明选误矣。"（《四库提要》卷六十六）

王充二十七岁，或于此年归乡，屏居教授；为郡掾功曹，以数谏争不合去。（《后汉书·王充列传》卷四十九）按，王充归乡确年难考，疑以其师班彪离开洛阳即告旋归。

公元 54 年　（汉光武帝刘秀建武三十年　甲寅）

是年

班彪卒，年五十二（3—54）。（《后汉书·班彪列传》卷四十上）

刘复封临邑侯。（《后汉书·宗室四王三侯列传》卷十四）刘复（？—？），南阳蔡阳（今湖北枣阳西南）人。北海王刘兴子。好学，能文章。永平中，每有讲学事，均令刘复典掌。与班固、贾逵共述汉史，傅毅等皆宗事之。著《汉德颂》。（《后汉书·宗室四王三侯列传》卷十四）

班固二十三岁，丧父（班彪），归乡丁忧；始续班彪《史记后传》。《后汉书·班彪列传》卷四十上："父彪卒，归乡里。固以彪所续前史未详，乃潜精研思，欲就其业。"

公元 55 年　（汉光武帝刘秀建武三十一年　乙卯）

是年

冯衍约七十岁，上疏自陈，犹以前过不用，遂退而作《显志赋》《自论》以自励。《后汉书·冯衍列传》卷二十八下："建武末，上疏自陈曰：'……于今遭清明之时，饬躬力行之秋，而怨仇丛兴，讥议横世。盖富贵易为善，贫贱难为工也。疏远垄亩之臣，无望高阙之下，惶恐自陈，以救罪尤。'书奏，犹以前过不用。衍不得志，退而作赋，又《自论》曰：'冯子以为夫人之德，不碌碌如玉，落落如石。风兴云蒸，一龙一蛇，与道翱翔，与时变化，夫岂守一节哉？用之则行，舍之则藏，进退无主，屈申无常。故曰：'有法无法，因时为业；有度无度，与物趣舍。'常务道德之实，而不求当世之名，阔略妙小之礼，荡佚人间之事。正身直行，恬然肆志。顾尝好俶傥之策，时莫能听用其谋，喟然长叹，自伤不遭。……乃作赋自励，命其篇曰《显志》。显志者，言光明风化之情，昭章玄妙之思也。"

班固二十四岁，其《幽通赋》《终南山赋》或作于此年。按，《汉书·叙传》卷一百上称"（班固）弱冠而孤，作《幽通》之赋，以致命遂志"，"弱冠"非具指，盖指其二十余岁，"孤"则谓其失怙，《幽通赋》或其居忧时所作，《终南山赋》亦疑作于此时。

黄香或生于此年（55？—123）。按，本传载黄香让东郡太守疏云"臣香年在方刚"，"方刚"指壮年，梁皇侃《论语集解义疏》卷八注"及其壮也，血气方刚，戒之在斗"说，三十岁以上五十岁以下为"壮"。其时黄香任尚书令二载，若年四十二，则生于此年。黄香，字文彊，江夏安陆（今属湖北）人。黄琼父。幼有孝名。家贫穷，好学不倦，专心经典，精道术，能文章，京师号曰"天下无双，江夏黄童"。初除郎中，后拜尚书郎，迁左丞、尚书令；出为魏郡太守，后坐事免，卒于家。"所著赋、笺、奏、书、令，凡五篇"。（《后汉书·文苑列传》卷八十上）《隋书·经籍志》卷三十五："梁有魏郡太守《黄香集》二卷。"严可均《全后汉文》卷四十二收其文六篇。

韦彪举孝廉，除郎中，因病免，复归教授。（《后汉书·韦彪列传》卷二十六）韦彪（？—89），字孟达，扶风平陵（今陕西咸阳西北）人。好学洽闻，雅称儒宗。安贫乐道，恬于进趣，三辅诸儒，莫不慕仰之。先为谒者，迁魏郡太守，征为左中郎将、长乐卫尉，拜奉车都尉、大鸿胪。为人"清俭好施，禄赐分与宗族，家无余财，著书十二篇，号曰《韦卿子》"。（《后汉书·韦彪列传》卷二十六）

百姓作《郭乔卿歌》。《后汉书·蔡茂列传》卷二十六："（郭乔卿）拜荆州刺史……及到官，有殊政。百姓便之，歌曰：'厥德仁明郭乔卿，忠正朝廷上下平。'显宗巡狩到南阳，特见嗟叹。"

公元56年 （汉光武帝刘秀建武三十二年　建武中元元年　丙辰）

二月

光武帝冬巡狩，封禅于泰山、梁父。（《后汉书·光武帝纪》卷一下）

马第伯作《封禅仪记》。按，马第伯（？—？），生卒年及行状不详。其《封禅仪记》"车驾正月二十八日发雒阳宫，二月九日到鲁……十日发，十二日宿奉高"云云，与《后汉书·光武帝纪》中元元年春封禅事合，当记此次光武帝东巡封禅泰山、梁父之仪。

四月

改元建武中元。（《后汉书·光武帝纪》卷一下）

是年

起明堂、灵台、辟雍，宣布图谶于天下。（《后汉书·光武帝纪》卷一下）

桓谭上疏反对图谶，光武帝览之不悦；复极言谶之非经，光武帝怒欲斩之。《后汉书·桓谭列传》卷二十八上："是时帝方信谶，多以决定嫌疑。……谭复上疏曰：'……观先王之所记述，咸以仁义正道为本，非有奇怪虚诞之事。盖天道性命，圣人所难言也。自子贡以下，不得而闻，况后世浅儒，能通之乎！今诸巧慧小才伎数之人，增益图书，矫称谶记，以欺惑贪邪，诖误人主，焉可不抑远之哉！臣谭伏闻陛下穷折方士黄白之术，甚为明矣；而乃欲听纳谶记，又何误也！其事虽有时合，譬犹卜数只偶之类。陛下宜垂明听，发圣意，屏群小之曲说，述《五经》之正义，略雷同之俗语，详通人之雅谋。……'帝省奏，愈不悦。其后有诏会议灵台所处，帝谓谭曰：'吾欲以谶决之，何如？'谭默然良久，曰：'臣不读谶。'帝问其故，谭复极言谶之非经。帝大怒曰：'桓谭非圣无法，将下斩之。'谭叩头流血，良久乃得解。"按，此年起灵台，《资治通鉴》卷四十四系于此年，是。

桓谭上《新论》，出为六安郡丞，道中病卒，年七十九（前23—56）。《后汉书·桓谭列传》卷二十八上："出为六安郡丞，意忽忽不乐，道病卒，时年七十余。初，谭著书言当世行事二十九篇，号曰《新论》，上书献之，世祖善焉。"按，《资治通鉴》卷四十四谓此年桓谭"出为六安郡丞，道病卒"，胡三省"据《郡国志》，建武十六年省六安国，以其县属庐江郡"，以为"谭出为郡丞，必不在是年"，然六安、庐江分合省并，实有多次，安知此年六安郡未曾分出？又，《后汉书》本传谓桓谭年七十余卒，又云其汉成帝时任为郎，由此年上推至成帝末年即绥和二年（前7），为六十三年；桓谭自言"余年十七为奉车郎"，六十三年加上为郎之年，为七十九，正与本传所言卒年之寿相合，故《通鉴》之说不误耳。

公元57年 （汉光武帝刘秀建武中元二年 丁巳）

正月

倭奴国遣使来洛阳，光武帝赠以"倭奴王印"。（《后汉书·光武帝纪》卷一下）

二月

光武帝刘秀卒，太子刘庄即位，是为显宗孝明皇帝。（《后汉书·光武帝纪》卷一下、《后汉书·孝明帝纪》卷二）

四月

刘苍封骠骑将军。（《后汉书·孝明帝纪》卷二）

是年

冯衍约七十二岁，因谗被废于家；出后妻任氏，作《与妇弟任武达书》《与宣孟书》。《后汉书·冯衍列传》卷二十八下："显宗即位，又多短衍以文过其实，遂废于家。……衍娶北地任氏女为妻，悍忌，不得畜媵妾，儿女常自操井臼，老竟逐之，遂至埳壈于时。"李贤注："《衍集》载衍《与妇弟任武达书》曰：'天地之性，人有喜怒；夫妇之道，义有离合。先圣之礼，士有妻妾，虽宗之眇微，尚欲逾制。年衰岁暮，恨入黄泉，遭遇嫉妒，家道崩坏，五子之母，足尚在门。五年已来，日甚岁剧，以白为黑，以非为是，造作端末，妄生首尾，无罪无辜，谗口嗷嗷。乱匪降天，生自妇人。青蝇之心，不重破国；妒嫉之情，不惮丧身。牝鸡之晨，唯家之索，古之大患，今始于衍。醉饱过差，辄为梲纠，房中调戏，布散海外，张目抵掌，以有为无。痛彻仓天，毒流五臓。愁令人不赖生，忿令人不顾祸。入门著床，继嗣不育，纺绩织纴，了无女工，家贫无憧，贱为匹夫，故旧见之，莫不悽怆，曾无悯惜之恩。唯一婢，武达所见，头无钗泽，面无脂粉，形骸不蔽，手足抱土。不原其穷，不揆其情，跳梁大叫，呼若入冥，贩糖之妾，不忍其态。计妇当去久矣，念儿曹小，家无它使，哀怜姜、豹，当为奴婢。恻恻焦心，事事腐肠，讻讻籍籍，不可听闻。暴虐此婢，不死如发，半年之间，脓血横流。婢病之后，姜竟春炊，豹又触冒泥涂，心为怆然。缣穀放散，冬衣不补，端坐化乱，一缕不贯。既无妇道，又无母仪，忿见侵犯，恨见狼藉，依倚郑令，如居天上。持质相劫，词语百车，剑戟在门，何暇有让？百弩环舍，何可强复？举宗达人解说，词如循环，口如布谷，县幡竟天，击鼓动地，心不为恶，身不为摇。宜详居错，且自为计，无以上书告诉相恐。狗吠不惊，自信其情。不去此妇，则家不宁；不去此妇，则家不清；不去此妇，则福不生；不去此妇，则事不成！自恨以华盛时不早自定，至于垂白家贫身贱之日，养痈长疽，自生祸殃。衍以室家纷然之故，捐弃衣冠，侧身山野，绝交游之路，杜仕宦之门，阖门不出，心专耕耘，以求衣食，何敢有功名之路哉！'"又李贤注："衍《与宣孟书》曰：'居室之义，人之大伦。思厚欢和之节，乐定金石之固。又自伤前遭不良，比有去两妇之名。事诚不得不然，岂中心之所好哉！'"按，《后汉书》本传虽载冯衍第二次出妻事，然不详其年，其《与妇弟任武达书》云"至于垂白家贫身贱之日，养痈长疽，自生祸殃"，似可推知出任氏乃在其晚年被废、身贱家贫之时。

杜抚约五十岁，为刘苍所辟。按，《后汉书·儒林列传》卷七十九下云"后为骠骑将军东平王苍所辟"，《后汉书·孝明帝纪》卷二谓建武中元二年诏封刘苍为骠骑将军，其辟杜抚，姑系此年。

赵晔约三十八岁，卒业而归；州召补从事，不就；举有道，著书后卒。按，《后汉书·儒林列传》卷七十九下云"诣杜抚受《韩诗》，究竟其术。积二十年……晔卒业乃归"，杜抚此年离蜀，正赵晔从学二十年而"卒业"之时。归山阴后，不仕，盖专著《吴越春秋》《诗细历神渊》，直至辞世，卒年无考。

张霸生（57—126）。张霸，字伯饶，蜀郡成都（今属四川）人。年数岁而知孝让，虽出入饮食，自然合礼，乡人号为"张曾子"。七岁通《春秋》，复欲进余经，父母曰

"汝小未能也"，霸曰"我饶为之"，故字曰"饶"。后就长水校尉樊鯈受《严氏公羊春秋》，遂博览《五经》。曾举孝廉光禄主事，迁会稽太守，征为郎中。后当为五更，会疾卒，年七十。"以樊鯈删《严氏春秋》犹多繁辞，乃减定为二十万言，更名《张氏学》"。(《后汉书·张霸列传》卷三十六)

　　光武帝在位期间，多信谶言，士人争趣时宜。《后汉书·方术列传》卷八十二上："汉自武帝颇好方术，天下怀协道艺之士，莫不负册抵掌，顺风而届焉。后王莽矫用符命，及光武尤信谶言，士之赴趣时宜者，皆骋驰穿凿，争谈之也。故王梁、孙咸，名应图箓，越登槐鼎之任；郑兴、贾逵，以附同称显；桓谭、尹敏，以乖忤沦败。自是习为内学，尚奇文，贵异数，不乏于时矣。是以通儒硕生，忿其奸妄不经，奏议慷慨，以为宜见藏摈。"

　　光武帝在位期间，《古文尚书》显于世。《后汉书·儒林列传》卷七十九上："中兴，北海牟融习《大夏侯尚书》，东海王良习《小夏侯尚书》，沛国桓荣习《欧阳尚书》。荣世习相传授，东京最盛。扶风杜林传《古文尚书》，林同郡贾逵为之作训，马融作传，郑玄注解，由是《古文尚书》遂显于世。"

　　光武中年以后，专事经学，其风世笃。《后汉书·儒林列传》卷七十九下："自光武中年以后，干戈稍戢，专事经学，自是其风世笃焉。其服儒衣，称先王，游庠序，聚横塾者，盖布之于邦域矣。若乃经生所处，不远万里之路，精庐暂建，赢粮动有千百，其著名高义开门受徒者，编牒不下万人，皆专相传祖。莫或讹杂。至有分争王庭，树朋私里，繁其章条，穿求崖穴，以合一家之说。故杨雄曰：'今之学者，非独为之华藻，又从而绣其鞶帨。'夫书理无二，义归有宗，而硕学之徒，莫之或徙，故通人鄙其固焉，又雄所谓'诐诐之学，各习其师也'。且观成名高第，终能远至者，盖亦寡焉，而迂滞若是矣。"

第七章

汉明帝永平元年至汉章帝章和二年（58—88）共 31 年

·引　言·

刘勰《文心雕龙·时序第四十五》："及明、章叠耀，崇爱儒术；肆礼璧堂，讲文虎观。孟坚珥笔于国史，贾逵给札于瑞颂，东平擅其懿文，沛王振其《通论》。帝则藩仪，辉光相照矣。"

公元 58 年　（汉明帝刘庄永平元年　戊午）

是年

包咸六十五岁，为右中郎将。按，《后汉书·儒林列传》卷七十九下云"拜……右中郎将"，年月未详，姑定在为侍中五年后。

曹充上言大汉当自制礼。《后汉书·曹充列传》卷三十五："显宗即位，充上言：'汉再受命，仍有封禅之事，而礼乐崩阙，不可为后嗣法。五帝不相沿乐，三王不相袭礼，大汉当自制礼，以示百世。'帝问：'制礼乐云何？'充对曰：'《河图括地象》曰："有汉世礼乐文雅出。"《尚书璇机钤》曰："有帝汉出，德洽作乐，名予。"'帝善之，下诏曰：'今且改太乐官曰太予乐，歌诗曲操，以俟君子。'拜充侍中。作章句辩难，于是遂有庆氏学。"

郑众约三十九岁，从杜子春受业。惠栋《后汉书补注》卷十："马融《周官序》曰：成帝命刘歆考理秘书，始得列序著于录略，知其周公致太平之迹。永平初，杜子春，年且九十，能通其读，郑众、贾逵往受业也。……贾公彦曰：刘歆弟子死丧，徒有里人河南杜子春尚在。永平之初，年且九十，家于南山，能通其读，颇说其说。郑众、贾逵往受业焉。"

李育约三十二岁，为班固所荐，刘苍纳之。《后汉书·班固列传》卷四十上："永平初，东平王苍以至戚为骠骑将军辅政，开东阁，延英雄。时固始弱冠，奏记说苍曰：'……扶风掾李育，经明行著，教授百人，客居杜陵，茅室土阶。京兆、扶风二郡更请，徒以家贫，数辞病去。温故知新，论议通明，廉清修絜，行能纯备，虽前世名儒，国家所器，韦、平、孔、翟，无以加焉。宜令考绩，以参万事。……'苍纳之。"

贾逵二十九岁，师事杜子春。（惠栋《后汉书补注》卷十）

刘苍约二十九岁，子二人封县侯；上疏荐吴良。（《后汉书·光武十王列传》卷四

十二、《后汉书·吴良列传》卷二十七）

班固二十七岁，奏记说东平王刘苍，荐六人，刘苍皆纳之入幕。（《后汉书·班固列传》卷四十上）

公元59年 （汉明帝刘庄永平二年 己未）

三月

汉明帝临辟雍，初行大射礼。（《后汉书·孝明帝纪》卷二）

十月

汉明帝幸辟雍，初行养老礼，升歌《鹿鸣》，下管《新宫》，八佾具备，万舞于庭。（《后汉书·孝明帝纪》卷二）

冯衍居贫年老，犹有大志，贫而不衰，贱而不恨，或于此年卒，年约七十四（前15？—59？）。按，《后汉书·冯衍列传》卷二十八下云："（衍）坎壈于时，然有大志，不戚戚于贱贫。居常慷慨叹曰：'衍少事名贤，经历显位，怀金垂紫，揭节奉使，不求苟得，常有陵云之志。三公之贵，千金之富，不得其愿，不概于怀。贫而不衰，贱而不恨，年虽疲曳，犹庶几名贤之风。修道德于幽冥之路，以终身名，为后世法。'居贫年老，卒于家。"其卒年难以确考，明帝即位（57），冯衍被废，"居贫年老"，估计不久即告辞世，姑系于此年。

伏恭六十五岁，代梁松为太仆。（《后汉书·儒林列传》卷七十九下）

王充三十三岁，诣太学，观天子临辟雍，作《六儒论》。按，《后汉书·王充列传》卷四十九李贤注引《袁山松书》云："充幼聪朗。诣太学，观天子临辟雍，作《六儒论》。"东汉辟雍起于光武帝中元元年（56）冬，《后汉书·光武帝纪》卷一有记，而天子临幸辟雍则为汉明帝永平二年事，王充"诣太学，观天子临辟雍"，当在此年。

崔骃作《西巡颂》；其《达旨》或亦作于此年。按，崔骃《西巡颂》称"惟永平三年八月己丑行幸河东"，然陈垣《中西回史日历》谓永平三年八月无己丑，《后汉书·孝明帝纪》云行幸河东在永平二年十一月，故崔文"三年"或为"二年"之误，"八月"或为"十一月"之误。又，《后汉书·崔骃列传》卷五十二："常以典籍为业，未遑仕进之事，时人或讥其太玄静，将以后名失实。骃拟扬雄《解嘲》，作《达旨》以答焉。"《达旨》未详作于何时，详文意，当为未进仕途时所作，姑系于此。

刘苍约三十岁，益封五县；与公卿共议定南北郊冠冕车服制度，及光武庙登歌八佾舞数。（《后汉书·东平宪王苍列传》卷四十二）按，刘苍本传所谓议"光武庙登歌八佾舞数"，据刘昭注补《后汉书》引《东观书》，则为永平三年八月事。

桓郁约二十七岁，丧父（桓荣），让父爵于桓汎，汉明帝不许，以其为师傅之子，备加亲宠，常居中论经书，问以政事。（《后汉书·桓郁列传》卷三十七）

牟融约二十六岁，以司徒茂才为丰令，视事三年，县无狱讼，为州郡最。按，《后汉书·牟融列传》卷二十六于牟融为丰令三年事后即叙司徒范迁对其之举荐，二事紧连，当无间隔，范迁荐之在永平四年，则牟融为丰令当始于此年。

公元 60 年 （汉明帝刘庄永平三年 庚申）

二月

汉明帝思中兴功臣，乃图画邓禹等二十八将像于南宫云台。（《资治通鉴》卷四十四）

八月

汉明帝改大乐为大予乐。（《后汉书·孝明帝纪》卷二）

刘苍议光武庙乐舞，作《舞歌》。刘昭注补《后汉书》："《东观书》曰：'永平三年八月丁卯，公卿奏议世祖庙登歌八佾舞功名，东平王苍议，以为：……世祖庙乐名宜曰《大武》之舞。'"沈约《宋书·乐志》卷十九："至明帝初，东平宪王苍总定公卿之议，曰：'宗庙宜各奏乐，不应相袭，所以明功德也。承《文始》《五行》《武德》为《大武》之舞。'又制《舞歌》一章，荐之光武之庙。"

十月

汉明帝初奏《文始》《五行》《武德》之舞。（《后汉书·孝明帝纪》卷二）

是年

王充三十四岁，或于此年复自洛阳归乡；始作《论衡》。按，王充永平二年至洛，诣太学，观天子临辟雍之外，或为撰著《论衡》做准备。疑其此年再次离京师归乡，专心著书，《论衡·讲瑞篇》卷十六谓"此论（按指《论衡》）草于永平之初"，当指其此年归乡时。《后汉书·王充列传》卷四十九云："充好论说，始若诡异，终有理实。以为俗儒守文，多失其真，乃闭门潜思，绝庆吊之礼，户牖墙壁各置刀笔，著《论衡》八十五篇，二十余万言。"王充《论衡》，始撰于永平之初，成书于章和二年，前后计二十九年。

公元 61 年 （汉明帝刘庄永平四年 辛酉）

春

刘苍上书谏猎，复上疏归职。（《后汉书·东平宪王苍列传》卷四十二）

十月

伏恭拜为司空，儒者以为荣。（《后汉书·孝明帝纪》卷二、《后汉书·儒林列传》卷七十九下）

冬

梁竦坐兄梁松事，与弟梁恭俱徙九真。按，《后汉书·梁统列传》卷三十四称"（永平）四年冬，（梁松）乃县飞书诽谤，下狱死，国除"，梁竦坐其事而受惩，当亦此时事。梁竦（？—83），字叔敬，生年不详，安定乌氏（今甘肃平凉西北）人。少习《孟氏易》，坐兄梁松事，徙九真。历江、湖，济沅、湘，感伍子胥及屈原事，作《悼骚赋》，系于玄石而沉之。后诏还本郡，闭门自养，以经籍为娱，著书数篇，名曰《七序》。班固曾为之作序。以诸窦恩怨，狱死。汉和帝即位，始得昭雪。（《后汉书·梁竦列传》卷三十四）

郑众守正而不犯禁，梁松事败，宾客多受株连，唯郑众得免。（《后汉书·郑众列传》卷三十六）

是年

牟融约二十八岁，为司徒范迁所荐。按，《后汉书·牟融列传》卷二十六称"司徒范迁荐融忠正公方，经行纯备，宜在本朝，并上其理状"，范迁为司徒，《后汉书·孝明帝纪》卷二谓在永平四年 十月，而牟融次年入为司隶校尉，故范迁荐牟融当在此之前，惟不知牟融次年何月为司隶校尉，范迁荐牟融事姑系于此。

公元 62 年　　（汉明帝刘庄永平五年　壬戌）

二月

刘苍还国。（《后汉书·东平宪王苍列传》卷四十二）

是年

尹敏坐周虑事，免去长陵令。（《后汉书·儒林列传》卷七十九上）

包咸六十九岁，迁大鸿胪。（《后汉书·儒林列传》卷七十九下）

杜抚约五十五岁，为刘苍大夫，不忍离刘苍，刘苍赐车马财物遣之。按，事载《后汉书·儒林列传》卷七十九下，云在刘苍就国时。

郑众约四十三岁，或于此年辟司空伏恭府，以明经给事中。按，《后汉书·郑众列传》卷三十六谓郑众"永平初"辟司空府，据传文意，当在永平四年十二月梁松狱死之后，而伏恭永平四年十月为司空，则郑众辟在伏恭府当在此后，姑系于此。

梁竦作《悼骚赋》。《后汉书·梁统列传》卷三十四："（梁竦）既祖南土，历江、湖，济沅、湘，感悼子胥、屈原以非辜沉身，乃作《悼骚赋》，系玄石而沉之。"按，梁竦去岁冬徙九真，济沅、湘而作赋当为此年事。

班固三十一岁，以私改国史下狱，其弟班超上书营救，汉明帝奇之，召为兰台令史；作《安丰戴侯颂》；其《咏史》诗疑作于此时。《后汉书·班固列传》卷四十上："既而有人上书显宗，告固私改作国史者，有诏下郡，收固系京兆狱，尽取其家书。……固弟超恐固为郡所核考，不能自明，乃驰诣阙上书，得召见，具言固所著述意。而郡亦上其书。显宗甚奇之，召诣校书部，除兰台令史。"按，《后汉书·班超列传》卷四十七谓班固除兰台令史在"永平五年"。《安丰戴侯颂》今不存，"安丰侯"为窦融，"戴"为窦融之谥，《后汉书·窦融列传》卷二十三谓窦融永平五年卒，故班固颂当作于是年。又，其五言诗《咏史》咏缇萦上书救父事，作年难考，疑班固下狱时，联想起缇萦父下狱而有是作，姑系于此。

崔骃作《安丰侯诗》。按，诗存四句，未知是否为全璧；诗类《国殇》，疑为安丰戴侯窦融诔诗。窦融此年卒，当系于此。

牟融约二十九岁，为司隶校尉，百僚敬惮之。（《后汉书·牟融列传》卷二十六）

班昭约十四岁，嫁曹寿。按，班昭《女诫》称"年十有四，执箕帚于曹氏"，班昭约生于建武二十五年（49），则或于此年归曹寿。

公元63年 　（汉明帝刘庄永平六年　癸亥）

冬

刘苍从明帝还京师。（《后汉书·东平宪王苍列传》卷四十二）

是年

杜抚约五十六岁，辟太尉府。按，年月未详，姑系在离开刘苍一年后。

郑众约四十四岁，迁越骑司马，复留给事中。按，《后汉书·郑众列传》卷三十六称其迁越骑司马"时北匈奴遣使求和亲"，《后汉书·南匈奴列传》卷八十九云永平六年北匈奴"遣使求和亲"，则郑众迁越骑司马当在是年。

杨终约三十五岁，拜校书郎。按，《后汉书·杨终列传》卷四十八仅言"显宗时，征诣兰台，拜校书郎"，未详其年，姑定在其三十五岁时。

刘复与班固、贾逵共述汉史。《后汉书·宗室四王三侯列传》卷十四："永平中，每有讲学事，辄令复典掌焉。与班固、贾逵共述汉史。"按，传中仅言"永平中"，以下条班固事参之，或在此年。

贾逵三十四岁，撰汉史及上《左氏解诂》或在此时。按，贾逵撰汉史事载《后汉书·宗室四王三侯列传》卷十四，以上条班固事参之，疑在此年。又，《后汉书·贾逵列传》卷三十六称"（贾逵）尤明《左氏传》《国语》，为之《解诂》五十一篇，永明中，上疏献之。显宗重其书，写藏秘馆"，未明何年，姑系于此。

班固三十二岁，与陈宗、尹敏、孟异共同撰成《世祖本纪》。按，《后汉书·班彪列传》卷四十上称"显宗甚奇之，召诣校书部，除兰台令史，与前睢阳令陈宗、长陵令尹敏、司隶从事孟异共成《世祖本纪》"，班固除兰台令史乃永平五年事，共成《世祖本纪》或在其次年，姑系于此。

傅毅宗事临邑侯刘复，学习章句，作《迪志诗》《七激》。按，《后汉书·文苑列传》卷八十上称"永平中，于平陵习章句，因作《迪志诗》。……毅以显宗求贤不笃，士多隐处，故作《七激》以为讽"，以《后汉书·宗室四王三侯列传》卷十四载"永平中，每有讲学事，辄令复典掌焉。与班固、贾逵共述汉史，傅毅等皆宗事之"参之，疑为此年事。傅毅（？—90？），字武仲，扶风茂陵（今陕西兴平东北）人。年少博学。建初中，为兰台令史，拜郎中，与班固、贾谊共典校书。曾因《显宗颂》十篇，使文雅显于朝廷。后为车骑将军马防军司马、车骑将军窦宪主记室、司马。"早卒，著诗、赋、诔、颂、祝文、《七激》连珠凡二十八篇"。（《后汉书·文苑列传》卷八十上）《隋书·经籍志》卷三十五："后汉车骑司马《傅毅集》二卷，梁五卷。……《神雀赋》一卷，后汉傅毅撰。"严可均《全后汉文》卷四十三收其文十三篇。丁福保《全汉诗》卷二收其诗二首。

　　韦彪拜谒者，后三迁为魏郡太守。（《后汉书·韦彪列传》卷二十六）

　　王景此年前后辟司空伏恭府。按，据《后汉书·孝明帝纪》卷二，伏恭自永平四年至永平十二年为司空，王景辟司空伏恭府，当在此八年间，姑系于此。王景（？—？），字仲通，乐浪讲邯（今朝鲜境内）人。少学《易》，广窥众书，好天文术数，沉深多伎艺。先辟司空伏恭府，迁侍御史，拜河堤谒者。后为徐州刺史，转庐江太守。善治水。作《金人论》，撰《大衍玄基》。（《后汉书·循吏列传》卷七十六）

　　黄香约九岁，丧母，思慕憔悴，乡人称其至孝。（《后汉书·文苑列传》卷八十上）

　　张霸七岁，通《春秋》；父母字其为"饶"。《后汉书·张霸列传》卷三十六："（张霸）七岁通《春秋》，复欲进余经，父母曰'汝小未能也'，霸曰'我饶为之'，故字曰'饶'焉。"

公元 64 年　（汉明帝刘庄永平七年　甲子）

是年

　　傅毅作《北海王诔》。按，《后汉书·宗室四王三侯列传》卷十四称刘兴建武二年封为北海王，"立三十九年薨"，以此知其永平七年卒，傅毅诔当作于此年。

　　刘苍约三十五岁，归国。（《后汉书·东平宪王苍列传》卷四十二）

　　班固三十三岁，迁为郎，典校秘书。按，《后汉书》班固本传未言其迁郎之年，据传文意，知班固除兰台令史、并与他人合作完成《世祖本纪》后，始迁为郎，此或为明帝之嘉奖，姑系于此。

　　刘睦嗣父为北海王。（《后汉书·宗室四王三侯列传》卷十四）刘睦（？—73），南阳蔡阳（今湖北枣阳西北）人。北海靖王刘兴子。袭北海王。性好读书，博通书传，喜好音乐。为人谦恭好士，千里交结，自名儒宿德，莫不造门，由是声价益广。永平中，因法宪颇峻，乃谢绝宾客，放心音乐，佯作"志意衰堕，声色是娱，犬马是好"，以全身避祸。"能属文，作《春秋旨义》《终始论》及赋、颂数十篇，又善《史书》，当世以为楷则。及寝病，帝驿马令作草书尺牍十首"。（据《后汉书·宗室四王三侯列传》卷十四）

公元 65 年　（汉明帝刘庄永平八年　乙丑）

三月

　　郑众以越骑司马，持节使匈奴，不辱使命。（《后汉书·郑众列传》卷三十六、

《后汉书·孝明帝纪》卷二）

十月

郑众上疏谏遣使匈奴，明帝不从，复遣郑众往，郑众上言辞，明帝不听，郑众不得已而行，途中连上书争之，明帝追还，系之廷尉；会赦还家。（《后汉书·郑众列传》卷三十六、《资治通鉴》卷四十五）

楚王刘英始信佛教。《后汉书·西域传》卷八十八："世传明帝梦见金人，长大，顶有光明，以问群臣。或曰：'西方有神，名曰佛，其形长丈六尺而黄金色。'帝于是遣使天竺问佛道法，遂于中国图画形像焉。楚王英始信其术，中国因此颇有奉其道者。"按，楚王刘英信佛事，见诸此年明帝报刘英诏，载《后汉书·楚王英列传》卷四十二，《资治通鉴》卷四十五系于此月。

傅毅以佛对明帝问。《隋书·经籍志》卷三十五："后汉明帝夜梦金人飞行殿庭，以问于朝，而傅毅以佛对。"

汉明帝遣蔡愔使天竺，求佛经。《资治通鉴》卷四十五胡三省注引魏收曰："汉武帝遣霍去病讨匈奴，获休屠王金人，以为大神，列于甘泉宫，不祭祀，但烧香礼拜而已。此则佛道流通之渐也。张骞使大夏，传其旁有身毒国，一名天竺，始闻有浮屠之教。哀帝元寿元年，博士弟子秦景宪受大月氏王使伊存口授浮屠经，中国闻之，未信了也。后明帝夜梦金人，顶有白光，飞行殿庭，乃访群臣。傅毅始以佛对。帝遣郎中蔡愔等使天竺，写浮屠遗范。仍与沙门摄摩腾、竺法兰东还洛阳。中国有沙门跪拜之法，自此始。愔之还，以白马负经而至汉，因立白马寺于洛城雍关西。"按，《隋书·经籍志》卷三十五则云"帝遣郎中蔡愔及秦景使天竺求之，得《佛经四十二章》及释迦立像。并与沙门摄摩腾、竺法兰东还。愔之来也，以白马负经，因立白马寺于洛城雍门西以处之。其经缄于兰台石室，而又画像于清凉台及显节陵上"。蔡愔等使天竺，未知确年，胡三省注于《资治通鉴》汉明帝永平八年条下，姑系于此。

是年

包咸卒，年七十二（前7—65）。（《后汉书·儒林列传》卷七十九下）

班固三十四岁，献上列传、载记二十八篇，受诏撰《汉书》；其《两都赋》或作于此时。按，班固本传叙其"为郎，典校秘书"后，"又撰功臣、平林、新市、公孙述事，作列传、载记二十八篇，奏之"，二十八篇当成于此年。汉明帝见其有成后，"乃复使终成前所著书"。又，班固本传叙《两都赋》作于其为郎后，"时京师修起宫室"，《资治通鉴》卷四十四称永平三年六月"帝大起北宫"，至永平八年十月"北宫成"，前后费时五年零四个月，当即"京师"所建之"宫室"，《两都赋》疑作于此时。《两都赋序》："或曰：'赋者，古诗之流也。'昔成、康没而颂声寝，王泽竭而诗不作。大汉初定，日不暇给。至于武、宣之世，乃崇礼官，考文章，内设金马石渠之署，外兴乐府协律之事，以兴废继绝，润色鸿业。是以众庶悦豫，福应尤盛。《白麟》《赤雁》《芝房》《宝鼎》之歌，荐于郊庙；神雀、五凤、甘露、黄龙之瑞，以为年纪。故言语侍从之臣，若司马相如、虞丘寿王、东方朔、枚皋、王褒、刘向之属，朝夕论思，日月献纳。而公卿大臣御史大夫倪宽、太常孔臧、太中夫夫董仲舒、宗正刘德、太子太傅萧望之等，时时间作。或以抒下情而通讽谕，或以宣上德而尽忠孝，雍容揄扬，著于后嗣，抑亦《雅》《颂》之亚也。故孝成之世，论而录之，盖奏御者千有余篇，而后大汉之文章，炳焉与三代同风。且夫道有夷隆，学有粗密，因时而建德者，不以远近易则。故皋陶歌虞，奚斯颂鲁，同见采于孔氏，列于《诗》《书》，其义一也。稽之上古则如彼，考之汉室又如此。斯事虽细，然先臣之旧式，国家之遗美，不可阙也。臣窃见海内清平，朝廷无事，京师修宫室，浚城隍，起苑囿，以备制度。西土耆老，咸怀怨思，冀上之眷顾，而盛称长安旧制，有陋雒邑之议。故臣作《两都赋》，以极众人之所眩曜，折以今之法度。其词曰……"（《四部丛刊》影宋本六臣注《文选》卷一）

牟融约三十二岁，代包咸为大鸿胪。（《后汉书·牟融列传》卷二十六）

王景或于此年奉诏与王吴共修浚仪渠。（《后汉书·循吏列传》卷七十六）按，《后汉书·孝明帝纪》卷二谓此年"郡国十四雨水"，疑王景修浚仪渠在此年。

公元66年　（汉明帝刘庄永平九年　丙寅）

汉明帝崇尚儒学，自皇太子、诸王侯及功臣子弟，莫不受经。又为外戚樊氏、郭氏、殷氏、马氏四姓小侯子弟开立学校，置《五经》师。（《后汉书·孝明帝纪》卷二及李贤注引袁宏《汉纪》）

朱浮或卒于此年，年约六十三（4？—66？）。按，《后汉书·朱浮列传》卷三十三谓"永平中，有人单辞告浮事者，显宗大怒，赐浮死"，永平共十八年，九年为其中，姑系此此年。

杜笃为马防门下食客。按，《后汉书·马防列传》卷二十四云："京兆杜笃之徒数百人，常为食客，居门下，"其建武二十一年（45）为郡文学掾，之后"以目疾，二十余年不窥京师"，疑此年前后依马防门下。

黄香约十二岁，署太守刘护门下孝子，以童子享誉京师。《后汉书·文苑列传》卷八十上："年十二，太守刘护闻而召之，署门下孝子，甚见爱敬。香家贫，内无仆妾，躬执苦勤，尽心奉养。遂博学经典，究精道术，能文章，京师号曰'天下无双江夏黄童。'"

公元67年　（汉明帝刘庄永平十年　丁卯）

闰四月

汉明帝南巡狩，幸南阳，祠章陵。又祠旧宅。礼毕，召校官弟子作雅乐，奏《鹿鸣》，明帝自御埙篪和之，以娱嘉宾。（《后汉书·孝明帝纪》卷二）

是年

周防四十岁，举孝廉，拜郎中；始撰《尚书杂记》。（《后汉书·儒林列传》卷七十九上）按，年月未详，姑系在其不惑之年。又，本传于"拜郎中"后叙其"撰《尚书杂记》三十二篇,四十余万言",篇多字繁,或始撰于此时。

竺法兰约于此年前后在洛阳白马寺译《十住经》。按,《隋书·经籍志》卷三十五仅云"永平中,法兰又译《十住经》",姑系于此。

公元 68 年　(汉明帝刘庄永平十一年　戊辰)

正月

刘苍与诸王朝京师,月余还国。(《后汉书·东平宪王苍列传》卷四十二、《资治通鉴》卷四十五)

是年

尹敏除郎中,迁谏议大夫,后卒于家(?-?)。(《后汉书·儒林列传》卷七十九上)

牟融约三十五岁,为大司农,汉明帝数嗟叹,以为其才堪宰相。(《后汉书·牟融列传》卷二十六)

公元 69 年　(汉明帝刘庄永平十二年　己巳)

春

哀牢王率民内附,以其地置哀牢、博南二县,始通博南山,度兰仓水,行者苦之,歌曰:"汉德广,开不宾。度博南,越兰津。度兰仓,为它人。"(《后汉书·南蛮西南夷列传》卷八十六、《资治通鉴》卷四十五)

四月

王景奉诏与王吴共修汴渠,汉明帝授其《山海经》《河渠书》《禹贡图》及钱帛衣物。(《后汉书·循吏列传》卷七十六、《后汉书·孝明帝纪》卷二)

七月

伏恭罢司空,明帝诏赐千石奉以终其身。(《后汉书·儒林列传》卷七十九下、《资治通鉴》卷四十五)

牟融为司空,举动方重,甚得大臣节。(《后汉书·牟融列传》卷二十六、《资治通鉴》卷四十五)

公元 70 年　(汉明帝刘庄永平十三年　庚午)

四月

王景修汴渠成,由是知名,三迁为侍御史。(《后汉书·循吏列传》卷七十六)

是年

黄香约十六岁，为郎。按，惠栋《后汉书补注》卷十八云"《谢承书》曰：香除郎，以父老求归供养"，黄香让东郡太守疏称"少为诸生，典郡从政，固非所堪"，疑即指此"除郎"事，年月未详，姑定在其十六岁时。

公元 71 年　　（汉明帝刘庄永平十四年　辛未）

是年

桓郁约三十九岁，为议郎，迁侍中；明帝自制《五家要说章句》，令桓郁校定于宣明殿；桓郁以侍中监虎贲中郎将。（《后汉书·桓郁列传》卷三十七及李贤注引《东观记》与《华峤书》）按，汉明帝所制《五家要说章句》，李贤注引《华峤书》谓为《五行章句》。桓郁迁侍中，李贤注引《东观记》谓在永平十四年，校定明帝书及监虎贲中郎将均在任侍中之年，当系于此。

公元 72 年　　（汉明帝刘庄永平十五年　壬申）

三月

汉明帝东巡至鲁，访孔子旧宅，祭祀孔子及七十二弟子，命太子、诸王说经。（《后汉书·孝明帝纪》卷二）

春

汉明帝幸东平，以所作《光武本纪》示刘苍，刘苍因上《光武受命中兴颂》。（《后汉书·东平宪王苍列传》卷四十二）

贾逵受明帝命为《光武受命中兴颂》训诂。（《后汉书·东平宪王苍列传》卷四十二）

王景从汉明帝东巡狩，拜河堤谒者。（《后汉书·循吏列传》卷七十六）

汉明帝幸琅邪，待伏恭如三公仪。（《后汉书·儒林列传》卷七十九下）

是年

杜抚约六十五岁，为校书郎，与马严、班固等定《建武注记》。（《后汉书·马严列传》卷二十四）

班固四十一岁，与校书郎杜抚、马严等定《建武注记》。（《后汉书·马严列传》卷二十四）

桓郁约四十岁，入宫，授皇太子经，任越骑校尉；皇太子赐其鞍马、刀剑为贺礼，上疏皇太子以效忠。（《后汉书·桓郁列传》卷三十七及李贤注引《东观记》）

刘复常与马严论议政事。（《后汉书·马严列传》卷二十四）

公元73年 （汉明帝刘庄永平十六年 癸酉）

二月

班超出使西域。西域与汉绝六十五载，至是乃复通。（《后汉书·班超列传》卷四十七、《资治通鉴》卷四十五）

梁竦或于此年前后还本郡，作《七序》，班固见而称之。按，《后汉书·梁竦列传》卷三十四云："显宗后诏听还本郡。竦闭门自养，以经籍为娱，著书数篇，名曰《七序》。班固见而称曰：'孔子著《春秋》而乱臣贼子惧，梁竦作《七序》而窃位素餐者惭。'"梁竦赦还本郡，当在明帝永平六年至十八年之间，确年难考，姑系于此。

公元74年 （汉明帝刘庄永平十七年 甲戌）

正月

刘睦卒（？—74）。（《后汉书·宗室四五三侯列传》卷十四、《资治通鉴》卷四十五）

有神雀翔集京师，汉明帝令上《雀颂》。按，《后汉书·孝明帝纪》卷二称"十七年春正月……神雀五色，翔集京师"，王充《论衡·佚文篇》卷二十谓"永平中，神雀群集，孝明诏上《爵颂》。百官颂上，文皆比瓦石。惟班固、贾逵、傅毅、杨终、侯讽五颂金玉，孝明览焉"，王充所谓"孝明诏上《爵（雀）颂》"，当即此月事，而且，班固、贾逵、傅毅、杨终、侯讽五人都曾于此时奉诏作《神雀颂》。

班固奉诏作《神雀颂》。（王充《论衡·佚文篇》卷二十）

贾逵因刘复举荐，奉诏作《神雀颂》，拜为郎，与班固共校秘书。《后汉书·贾逵列传》卷三十六："时有神雀集宫殿官府，冠羽有五采色，帝异之，以问临邑侯刘复，复不能对，荐逵博物多识，帝乃召见逵，问之，对曰：'昔武王终父之业，鸑鷟在岐，宣帝威怀戎狄，神雀仍集，此胡降之徵也。'帝敕兰台给笔札，使作《神雀颂》，拜为郎，与班固并校秘书，应对左右。"《东观汉记·贾逵传》卷十八："永平十七年，公卿以神雀五采，翔集京师，奉觞上寿。上召逵，敕兰台给笔札，使作《神雀颂》。"

傅毅奉诏作《神雀颂》。（王充《论衡·佚文篇》卷二十）按，《隋书·经籍志》卷三十五载"《神雀赋》一卷，后汉傅毅撰"，《神雀赋》盖即《神雀颂》。

杨终奉诏作《神雀颂》。（王充《论衡·佚文篇》卷二十）

侯讽奉诏作《神雀颂》。按，侯讽生平不详，惟从王充《论衡·佚文篇》知其与班固、贾逵、傅毅、杨众同时，亦作《神雀颂》，并得王充嘉评。

三月

西南夷哀劳、白狼等诸种遣使奉贡。白狼王唐菆作诗三章，夷语难解，犍为郡掾田恭译成汉语，《东观记》重译训诂为华言，名《远夷乐德歌诗》《远夷慕德歌诗》《远夷怀德歌》。《后汉书·西南夷列传》卷八十六："白狼、槃木、唐菆等百余国，户百三十余万，口六百万以上，举种奉贡，称为臣仆。（朱）辅上疏曰：'臣闻《诗》云："彼徂者岐，有夷之行。"传曰："岐道虽僻，而人不远。"诗人诵咏，以为符验。今白狼王唐菆等慕化归义，作诗三章。路经邛来大山零高坂，峭危峻险，百倍岐道。繦负老幼，若归慈母。远夷之语，辞意难正。草木异种，鸟兽殊类。有犍为郡掾田恭与之习狎，颇晓其言，臣辄令讯其风俗，译其辞语。今遣从事史李陵与恭护送诣阙，并上其乐诗。昔在圣帝，舞四夷之乐，今之所上，应备其一。'帝嘉之，事下史官，录其歌焉。"李贤注："《东观记》载其歌，并载夷人本语，并重译训诂为华言，今范史所载者是也。"按，《资治通鉴》卷四十五系之于此时。

十月

汉明帝召班固、贾逵、傅毅等诣云龙门，问及《始皇本纪》史迁赞语事。《文选·典引》卷四十八："臣固言：永平十七年，臣与贾逵、傅毅、杜矩、展隆、郗萌等召诣云龙门。小黄门赵宣持《秦始皇帝本纪》问臣等曰：'太史迁下赞语中，宁有非耶？'"按，《史记·秦始皇帝本纪》卷六末有"孝明皇帝十七年十月十五日乙丑……婴死生之义备矣"一段，司马贞《索隐》曰"是汉孝明帝访班固评贾、马赞中论秦二世亡天下之得失，后人因取其说附之此末"，明帝访班固与明帝召班固等，所问皆为《秦始皇帝本纪》，当指同一事。

班固作《秦纪论》《典引》。按，《史记·秦始皇本纪》卷六末"孝明皇帝十七年十月十五日乙丑……婴死生之义备矣"一段，即班固所谓《秦纪论》。又，《文选·典引》卷四十八称："臣固言：永平十七年，臣与贾逵、傅毅、杜矩、展隆、郗萌等召诣云龙门。小黄门赵宣持《秦始皇帝本纪》问臣等曰：'太史迁下赞语中，宁有非耶？'臣对：'此赞贾谊《过秦篇》云：向使子婴有庸主之才，仅得中佐，秦之社稷，未宜绝也。此言非是。'即召臣入，问：'本闻此论非耶？将见问意开寤耶？'臣具对素闻知状。诏因曰：'司马迁著书，成一家之言，扬名后世。至以身陷刑之故，反微文刺讥，贬损当世，非谊士也。司马相如，洿行无节，但有浮华之辞，不周于用。至于疾病而遗忠，主上求取其书，竟得颂述功德，言封禅事，忠臣效也。至是贤迁远矣。'臣固常伏刻诵圣论，昭明好恶，不遗微细，缘事断谊，动有规矩，虽仲尼之因史见意，亦无以加。臣固被学最旧，受恩浸深，诚思毕力竭情，昊天罔极。臣固顿首顿首。伏惟相如《封禅》，靡而不典；杨雄《美新》，典而亡实。然皆游扬后世，垂为旧式。臣固才朽不及前人，盖咏云门者难为音，观隋和者难为珍。不胜区区，窃作《典引》一篇，虽不足雍容明盛万分之一，犹启发愤满，觉悟童蒙，光扬大汉，轶声前代，然后退入沟壑，死而不朽。"以此可知，《典引》亦作于此时。

刘复《汉德颂》或作于此时。按，《后汉书·刘平列传》卷三十九称"永平中，临邑侯刘复著《汉德颂》"，疑刘复此际亦与班固等一起召诣云龙门，班固作《典引》而"光扬大汉，轶声前代"，刘复则作《汉德颂》。

贾逵《永平颂》或作于此时。按，贾逵与班固等见召于云龙门，似乎有感于汉明帝批评史迁"微文刺讥，贬损当世"，争相歌永平、颂汉德，疑《永平颂》即为此时之作。

是年

黄香约二十岁，除郎中。按，《后汉书·文苑列传》卷八十上云"初除郎中"，后黄香让东郡太守疏称"得以弱冠特蒙征用"，则为郎中时年二十。

张霸十八岁，从樊儵习《严氏公羊春秋》。按，事载《后汉书·张霸列传》卷三十六，年月未详，姑定在其十八岁时。

公元75年 （汉明帝刘庄永平十八年 乙亥）

五月

郑众召为军司马，使与马廖击车师；至敦煌，拜中郎将。按，《后汉书·郑众列传》卷三十六未言其年，然云"会匈奴胁车师，围戊己校尉"，《后汉书·孝明帝纪》卷二云永平十七年十一月"初置西域都护、戊己校尉"，永平十八年六月"北匈奴及车师后王围戊己校尉耿恭"，则郑众为军司马、中郎将当在此年六月稍前，姑定为五月。

六月

六月，郑众发兵救戊己校尉。（《后汉书·郑众列传》卷三十六）

八月

汉明帝刘庄卒，皇太子刘炟即位，是为肃宗孝章皇帝。（《后汉书·孝明帝纪》卷二、《后汉书·孝章帝纪》卷三）

刘苍作《明帝庙乐议》。（司马彪《续汉祭祀志下》刘昭注补引《东观书》）

崔骃作《明帝颂》。按，崔颂疑为诔，当作于汉明帝崩后。

傅毅作《明帝诔》。按，傅诔当作于汉明帝崩后。

汉明帝在位期间，礼乐大盛。《后汉书·儒林列传》卷七十八上："中元元年，初建三雍。明帝即位，亲行其礼。天子始冠通天，衣日月，备法物之驾，盛清道之仪，坐明堂而朝群后，登灵台以望云物，袒割辟雍之上，尊养三老五更。飨射礼毕，帝正坐自讲，诸儒执经问难于前，冠带缙绅之人，圜桥门而观听者，盖亿万计。其后复为功臣子孙、四姓末属别立校舍，搜选高能以受其业，自期门羽林之士，悉令通《孝经》章句，匈奴亦遣子入学。济济乎，洋洋乎，盛于永平矣！"

韦彪以病免魏郡太守。（《后汉书·韦彪列传》卷二十六）

十一月

班固代第五伦上疏荐谢夷吾。按，《后汉书·方术列传》卷八十二上谓"及伦作司徒，令班固为文荐夷吾"，"伦"即第五伦，"司徒"为"司空"之讹，"夷吾"即谢夷吾（字尧卿，会稽山阴人）；《后汉书·第五伦列传》卷四十一称"肃宗初立，擢自远郡，代牟融为司空"，《资治通鉴》卷四十五系此事于是月，则第五伦命班固为文举荐谢夷吾当在此时。

公元 76 年　（汉章帝刘炟建初元年　丙子）

正月

杨终两次上疏谏吏民远屯绝域。（《后汉书·杨终列传》卷四十八、《资治通鉴》卷四十六）

牟融难第五伦所同杨终之议。（《后汉书·杨终列传》卷四十八）

班固难第五伦所同杨终之议。（《后汉书·杨终列传》卷四十八）

三月

郑众上疏请赐耿恭显爵。（《后汉书·郑众列传》卷三十六、《资治通鉴》卷四十六）

班固作《耿恭守疏勒城赋》。按，《后汉书·耿恭列传》卷十九详载耿恭死守疏勒城一战，郑众称"恭之节义，古今未有"，鲍昱称"恭节过苏武"，班赋当亦此时颂美耿恭守疏勒城之作。

刘苍上便宜三事，汉章帝报书嘉许，赐钱五百万；刘苍复上疏谏起立郭邑，章帝纳之。（《后汉书·东平宪王苍列传》卷四十二、《资治通鉴》卷四十六）

是年

梁鸿约六十二岁，或于此年前后过洛阳，作《五噫之歌》，更名易姓，避祸齐、鲁。按，《后汉书·逸民列传》卷八十三谓梁鸿与孟光"因东出关，过京师，作《五噫之歌》曰：'陟彼北芒兮，噫！顾瞻帝京兮，噫！宫室崔嵬兮，噫！人之劬劳兮，噫！辽辽未央兮，噫！'肃宗闻而非之，求鸿不得。乃易姓运期，名燿，字侯光，与妻子居齐、鲁之间"，不详汉章帝何年"闻而非之"，姑定在章帝即位之年。

李育约五十岁，为议郎。（《后汉书·儒林列传》卷七十九下）

贾逵四十七岁，奉诏入讲白虎观、云台，条奏《左氏传大义》，章帝嘉之，令选弟子，教以《左氏》。《后汉书·贾逵列传》卷三十六："肃宗立，降意儒术，特好《古文尚书》《左氏传》。建初元年，诏逵入讲北宫白虎观、南宫云台。帝善逵说，使发出《左氏传》大义长于二传者。逵于是具条奏之曰：'臣谨摘出《左氏》三十事尤著明者，斯皆君臣之正义，父子之纪纲。其余同《公羊》者十有七八，或文简小异，无害大体。至如祭仲、纪季、伍子胥、叔术之属，《左氏》义深于君父，《公羊》多任于权变，其相殊绝，固以甚远，而冤抑积久，莫肯分明。臣以永平中上言《左氏》与图谶合者，先帝不遗刍荛，省纳臣言，写其传诂，藏之秘书。建平中，侍中刘歆欲立《左氏》，不先暴论大义，而轻移太常，恃其义长，诋挫诸儒，诸儒内怀不服，相与排之。孝哀皇帝重逆众心，故出歆为河内太守。从是攻击《左氏》，遂为重雠。至光武皇帝，奋独见之明，兴立《左氏》《谷梁》，会二家先师不晓图谶，故令中道而废。凡所以存先王之道者，要在安上理民也。今《左氏》崇君父，卑臣子，强干弱枝，劝善戒恶，至明至切，至直至顺。且三代异物，损益随时，故先帝博观异家，各有所采。《易》有

217

施、孟，复立梁丘，《尚书》欧阳，复有大小夏侯，今三传之异亦犹是也。又《五经》家皆无以证图谶明刘氏为尧后者，而《左氏》独有明文。《五经》家皆言颛顼代黄帝，而尧不得为火德。《左氏》以为少昊代黄帝，即图谶所谓帝宣也。如令尧不得为火，则汉不得为赤。其所发明，补益实多。陛下通天然之明，建大圣之本，改元正历，垂万世则，是以麟凤百数，嘉瑞杂遝。犹朝夕恪勤，游情《六艺》，研机综微，靡不审覈。若复留意废学，以广圣见，庶几无所遗失矣。'书奏，帝嘉之，赐布五百匹，衣一袭，令逢自选《公羊》严、颜诸生高才者二十人，教以《左氏》，与简纸经传各一通。"

桓郁约四十四岁，丧母，请求服丧，章帝命以侍中行服。（《后汉书·桓郁列传》卷三十七及李贤注引《华峤书》）

牟融约四十三岁，为太尉，参录尚书事。（《后汉书·牟融列传》卷二十六）

韦彪或于此年征为左中郎将、长乐卫尉。（《后汉书·韦彪列传》卷二十六）按，本传叙其征为新职事紧接在上一年免魏郡太守事后，疑在此年。

曹褒或于此年举孝廉。按，《后汉书·曹褒列传》卷三十五仅云其"举孝廉"，年月不明，以其事叙在建初二年"迁圉令"前，姑系于此。曹褒（？—102），字叔通，鲁国薛（今山东滕县南）人。贾充子。年少笃志，有大度，结发传充业，博雅疏通，尤好礼事。常感朝廷制度未备，慕叔孙通为汉礼仪，昼夜研精，沉吟专思，寝则怀抱笔札，行则诵习文书，当其念至，忘所之适。初举孝廉，迁圉令，征拜博士，后拜侍中、射声校尉、河内太守。"博物识古，为儒者宗。……作《通义》十二篇，演经杂论百二十篇，又传《礼记》四十九篇，教授诸生千余人，庆氏学遂行于世"。（《后汉书·曹褒列传》卷三十五）

公元 77 年　（汉章帝刘炟建初二年　丁丑）

八月

杜笃为行车骑将军马防从事中郎，司空第五伦上疏贬斥杜笃。《后汉书·第五伦列传》卷四十一："及马防为车骑将军，当出征西羌，伦又上疏曰：'……闻防请杜笃为从事中郎，多赐财帛。笃为乡里所废，客居美阳，女弟为马氏妻，恃此交通，在所县令苦其不法，收系论之。今来防所，议者咸致疑怪，况乃以为从事，将恐议及朝廷。今宜为选贤能以辅助之，不可复令防自请人，有损事望。苟有所怀，敢不自闻。'并不见省用。"按，马防为车骑将军，《后汉书·孝章帝纪》卷三谓在建初三年十二月，但是，"出征西羌"并非在马防为车骑将军之后，而是在建初二年八月至建初三年四月之间（《后汉书·孝章帝纪》卷三、《后汉书·耿恭列传》卷十九），此时马防"行车骑将军"，而非"车骑将军"，而《耿恭列传》《第五伦列传》及《文苑列传》均将此时之马防误作"车骑将军"，故出征西羌前第五伦上疏贬斥杜笃非在建初三年十二月，而是在此时。

冬

汉章帝行饗礼，以伏恭为三老。（《后汉书·儒林列传》卷七十九下）

是年

　　刘毅封平望侯。（《后汉书·宗室四王三侯列传》卷十四）刘毅（？—125?），南阳蔡阳（今湖北枣阳西南）人。北海敬王刘睦子。少有文才。初封平望侯，永元中，坐事夺爵。"上《汉德论》并《宪论》十二篇"。刘珍、马融等称美其文，汉安常以此赐钱封官。（《后汉书·文苑列传》卷八十上）《隋书·经籍志》卷三十三："因撰后汉事，作《列传载记》二十八篇，其后刘珍、刘毅、刘陶、伏无忌等，相次著述东观，谓之《汉记》。"

　　傅毅为兰台令史，拜郎中，与班固、贾逵共典校书，作《显宗颂》。《后汉书·文苑列传》卷八十上："建初中，肃宗博召文学之士，以毅为兰台令史，拜郎中，与班固、贾逵共典校书。毅追美孝明皇帝功德最盛，而庙颂未立，乃依《清庙》作《显宗颂》十篇奏之，由是文雅显于朝廷。"案：传言"建初中"，当非建初元年，傅毅于建初三年十二月为车骑将军马防司马，直至建初八年马氏败而免官，则傅毅为兰台令史、拜郎中必在建初二年至建初三年十二月之间，姑系于此。

　　梁鸿约六十三岁，或于此年适吴，作《适吴诗》；思友人高恢，作《念高子诗》；居吴时，夫妻举案齐眉，相敬如宾，闭门著书十余篇。《后汉书·逸民列传》卷八十三："有顷，又去适吴，将行，作诗曰（略）。遂至吴，依大家皋伯通，居庑下，为人赁春。每归，妻为具食，不敢于鸿前仰视，举案齐眉。伯通察而异之，曰：'彼佣能使其妻敬之如此，非凡人也。'乃方舍之于家。鸿潜闭著书十余篇。……初，鸿友人京兆高恢，少好《老子》，隐于华阴山中。及鸿东游思恢，作诗曰：'鸟嘤嘤兮友之期，念高子兮仆怀思，相念恢兮爰集兹。'"案：梁鸿适吴，未详何年，据梁鸿本传文意，知为"居齐、鲁之间"后不久事，姑系于此。

　　李育约五十一岁，拜博士。（《后汉书·儒林列传》卷七十九下）按，年月未详，姑定在为议郎一年后。

　　王充五十一岁，或于此年任会稽郡太守府五官功曹。《论衡·自纪篇》："在太守，为列掾五官功曹行事。"

　　班固四十六岁，其《宾戏》《与弟超书》或作于此年。按，《汉书·叙传》卷一百上称"（班固）永平中为郎，典校秘书，专笃志于博学，以著述为业。或讥以无功，又感东方朔、扬雄自谕以不遭苏、张、范、蔡之时，曾不折之以正道，明君子之所守，故聊复应焉"，则班固作《宾戏》当在"永平中为郎"之后；《后汉书·班固列传》卷四十下又称"及肃宗雅好文章，固愈得幸，数入读书禁中，或连日继夜，每行巡狩，辄献上赋颂。朝廷有大议，使难问公卿，辩论于前，赏赐恩宠甚渥。固自以二世之才，位不过郎，感东方朔、扬雄自论，以不遭苏、张、范、蔡之时，作《宾戏》以自通焉"，则班固作《宾戏》又当在汉章帝即位后。班固自永平七年为郎以来，虽蒙宠幸，但官职却未曾升迁，故借《宾戏》自我宣泄，故系于此年。《与弟超书》云"傅武仲以能属文为兰台令史，下笔不能自休"，当写于傅毅为兰台令史之后，故系于此。

　　桓郁约四十五岁，迁屯骑校尉。（《后汉书·桓郁列传》卷三十七）

　　梁竦二女入宫，为汉章帝大小贵人，小梁贵人建初四年生汉和帝刘肇。（《后汉书

·皇后纪》卷十上）

曹褒约于此年为圉令，因马严参奏，免官归郡，为功曹。按，《后汉书·曹褒列传》卷三十五云"严奏褒软弱，免官归郡，为功曹"，"严"为陈留太守马严，《后汉书·马严列传》卷二十四云马严"（建初）二年，拜陈留太守"，"典郡四年"，至建初六年止，则曹褒为令、免官当在此四年内，姑系于此。

公元78年 （汉章帝刘炟建初三年 戊寅）

四月

杜笃从车骑将军马防击西羌，于射姑山战死（？—78）。《后汉书·文苑列传》卷八十上："建初三年，车骑将军马防击西羌，请笃为从事中郎，战没于射姑山。"按，传误，马防击西羌时为"行车骑将军"，在其此年十二月拜车骑将军之前。"射姑山"之役，或即临洮破烧当羌之役，《后汉书·孝章帝纪》卷三谓在建初三年四月。

十二月

傅毅为车骑将军马防军司马。（《后汉书·文苑列传》卷八十上）

是年

郑众约五十九岁，迁武威太守。按，《后汉书·郑众列传》卷三十六载郑众迁武威太守及左冯翊在建初元年上疏请赐耿恭显爵至建初六年为大司农之间，而《后汉书·西羌传》卷八十七云建初二年武威太守为傅育，则郑众迁武威太守，或在建初三年。本传称其为太守期间"谨修边备，虏不敢犯"，或为时至少年余，姑且定郑众为武威太守至建初四年（79）止。如是，郑众迁左冯翊则定在建初五年（80）为宜。

刘苍约四十九岁，受章帝赐书及阴太后遗物。（《后汉书·东平宪王苍列传》卷四十二）

张衡生（78—139）。张衡，字平子，南阳西鄂（今属河南）人。少善属文。入京师，观太学，遂通《五经》，贯六艺。为人从容淡静，不喜交接俗人；虽才高于世，而无骄尚之情。于文之外，尚善机巧，尤致思于天文、阴阳、历算。永元中，举孝廉，不行；连辟公府，不就；大将军邓骘累召，不应。安帝时，公车特征，拜郎中，迁太史令。顺帝初，复为太史令。后迁侍中，讽谏顺帝左右。永和初，出为河间相，治威严，整法度，禽奸徒，颇有政声。视事三年，征拜尚书。所制候风地动仪，验之以事，合契若神。时行谶纬，兼附妖言，张衡以其虚妄，上疏谏止。曾"拟班固《两都》作《二京赋》，因以讽谏。精思傅会，十年乃成"；惧宦竖毁己，常思图身之事，"乃作《思玄赋》，以宣寄情志"；"著《周官训诂》，崔瑗以为不能有异于诸儒也"。"所著诗、赋、铭、七言、《灵宪》《应间》《七辩》《巡诰》《悬图》凡三十二篇"。又欲继刘珍、刘騊駼之后，完成《汉记》。条上司马迁、班固所叙与典籍不合者十余事；以为王莽本传但应载篡事而已，至于编年月，记灾祥，宜为《元后本纪》；宜以更始之号建于光武之初，均未被汉帝采纳。"后之著述，多不详典，时人追恨之"。（《后汉书·张衡列传》卷五十九）《隋书·经籍志》卷三十四："《灵宪》一卷，张衡撰。……《黄帝飞鸟历》一卷，张衡撰。"同书卷三十五："后汉河间相《张衡集》十一卷，梁十二卷，又一本十四卷。……《五都赋》六卷并录，张衡及左思撰。……梁有……薛综注张衡《二京赋》二卷。"张溥辑《张河间集》得其作四十三篇（其中误收隋李播《周天大象赋》）。严可均《全后汉文》卷五十二至五十五收其文三十八篇。丁福保《全汉诗》卷二收其诗六首。张溥："东汉之有班、张，犹西汉两司马也。相如无史，子长无赋，孟坚兼而有之，岂后来者欲居上乎？抑其文不能齐也？平子官侍中，请专史职，条录三皇，更改僭纪，龙门之志也。上书不听，典章散略，谁之咎欤？浑仪灵宪，网络天地；振龙发机，悬验若神，子云复生，未容抗跡。《二京》之赋，覃思十年，《长杨》《羽猎》，风犹可续。崔子玉作《碑》称河间制作，譬诸造化，想慕若此，宁异平子耽好《玄经》，叹为汉四百岁书哉！政权下夷，图谶繁兴，发愤陈论，务矫时枉，斯又昔者杨雄所无也。《同声》丽而不淫，《四愁》远摹正则，蔡邕《翠鸟》、秦嘉《述婚》，俱出其下。谓之好色，谓之思贤，其曰可矣。时有遇否，性命难求，举世泛泛，曷若归而讽《河》《洛》《六艺》八十一篇乎？始于《应间》，终于《思玄》，固平子之生平也。"（《汉魏六朝百三家集·张河间集题词》）

崔瑗生（78—143）。崔瑗，字子玉，涿郡安平（今河北安平）人。崔骃子，崔寔父。早孤，锐志好学，尽能传其父业。年十八，至京师，师从贾逵，遂明天官、历数、《京房易传》、六日七分，为诸儒所宗。与马融、张衡特相友好。曾为兄手刃仇人而亡命。年四十余，始为郡吏。以事系东郡发干县狱，狱掾善《礼》，崔瑗考讯之闲，则问以《礼》说。先后为将军邓遵、阎显所辟，辞归，不复应州郡命。大将军梁商辟之，亦以疾固辞。后举茂才，迁汲令，视事七年，百姓歌之。汉安初，以胡广、窦章共荐，迁济北相。岁余，以事征诣廷尉，上书自讼，得理出。临终顾命其子崔寔曰："夫人禀天地之气以生，及其终也，归精于天，还骨于地。何地不可藏形骸，勿归乡里。其赠赠之物，羊豕之奠，一不得受。"崔瑗"高于文辞，尤善为书、记、箴、铭，所著赋、碑、箴、颂、《七苏》《南阳文学官志》《叹辞》《移社文》《悔祈》《草书执》、七言，凡五十七篇"。（《后汉书·崔瑗列传》卷五十二）《隋书·经籍志》卷三十二："有……崔瑗《飞龙篇》。……亡。"同书卷三十五："后汉济北相《崔瑗集》六卷，梁五卷。"严可均《全后汉文》卷四十五收其文三十一篇。

公元 79 年　（汉章帝刘炟建初四年　己卯）

二月

牟融卒，年约四十六（34？—79）。（《后汉书·孝章帝纪》卷三）

七月

杨终建言宜仿宣帝故事，论定《五经》。《后汉书·杨终列传》卷四十八："终又言：'宣帝博征群儒，论定《五经》于石渠阁。方今天下少事，学者得成其业，而章句之徒，破坏大体。宜如石渠故事，永为后世则。'于是诏诸儒于白虎观论考同异焉。"按，《资治通鉴》卷四十六系之于此。

八月

刘苍上言明德皇后在世祖庙坐位。（惠栋《后汉书补注》卷二十一引《东观记》）

十一月

汉章帝诏诸儒共正经义，于白虎观召集群臣，讲议《五经》异同，并亲称制临决。《后汉书·孝章帝纪》卷三："（建初四年）十一月壬戌，诏曰：'盖三代导人，教学为本。汉承暴秦，褒显儒术，建立《五经》，为置博士。其后学者精进，虽曰承师，亦别名家。孝宣皇帝以为去圣久远，学不厌博，故遂立《大、小夏侯尚书》，后又立《京氏易》。至建武中，复置《颜氏、严氏春秋》《大、小戴礼》博士。此皆所以扶进微学，尊广道艺也。中元元年诏书，《五经》章句烦多，议欲减省。至永平元年，长水校尉鯈奏言，先帝大业，当以时施行。欲使诸儒共正经义，颇令学者得以自助。孔子曰："学之不讲，是吾忧也。"又曰："博学而笃志，切问而近思，仁在其中矣。"於戏，其勉之哉！'于是下太常，将、大夫、博士、议郎、郎官及诸生、诸儒会白虎观，讲议《五经》同异，使五官中郎将魏应承制问，侍中淳于恭奏，帝亲称制临决，如孝宣甘露石渠故事，作《白虎议奏》。"

班固撰《白虎通》。按，《后汉书·班固列传》卷四十下云"天子会诸儒讲论《五经》，作《白虎通德论》，令固撰集此事"，《后汉书·儒林列传》卷八十上云"建初中，大会诸儒于白虎观，考详同异，连月乃罢。肃宗亲临称制，如石渠故事，顾命史臣著为《通义》"，袁宏《后汉纪》卷十一则云"诏诸儒会白虎观，议《五经》同异，曰《白虎通》"，班固因此次群臣议经活动而奉命撰述事，当无疑义，唯所撰之书为何，古来言人人殊。李贤注《后汉书·孝章帝纪》卷三"《白虎议奏》"为"今《白虎通》"，或有所本，姑依其说。永瑢等："《白虎通义》四卷，汉班固撰。《隋书·经籍志》载《白虎通》六卷，不著撰人。《唐书·艺文志》载《白虎通义》六卷，始题班固之名。《崇文总目》载《白虎通德论》十卷，凡十四篇。陈振孙《书录解题》亦作十卷，云凡四十四门。今本为元大德中刘世常所藏，凡四十四篇，与陈氏所言相符。知《崇文总目》所云十四篇者，乃传写脱一四字耳。然仅分四卷，视诸志所载又不同。朱翌《猗觉寮杂记》称，《荀子注》引《白虎通》'天子之马'六句，今本无之。然则辗转传写，或亦有所脱佚。翌因是而指其伪撰，则非笃论也。据《后汉书》固本传，称天子会诸儒讲论《五经》，作《白虎通德论》，令固撰集其事。而《杨终传》称，终言宣帝博征群儒，论定《五经》于石渠阁。方今天下少事，学者得成其业，而章句之徒破坏大体，宜如石渠故事，永为世则。于是诏诸儒于白虎观论考同异焉。会终坐事系狱，博士赵博、校书郎班固、贾逵等，以终深晓《春秋》，学多异闻，表请之，即日贳出。《丁鸿传》称，肃宗诏鸿与广平王羡及诸儒楼望、成封、桓郁、贾逵等论定《五经》同异于北宫白虎观。使五官中郎将魏应主承制问难，侍中淳于恭奏上，帝亲称制临决。时张酺、召驯、李育皆得与于白虎观，盖诸儒可考者十有余人。其议奏统名《白虎通德论》，犹不名《通义》。《后汉书·儒林传序》言，建初中，大会诸儒于白虎观，考详同异，连月乃罢。肃宗亲临称制，如石渠故事。顾命史臣，著为《通义》。唐章怀太子贤注云'即《白虎通义》'，是足证固撰集后乃名其书曰《通义》。《唐志》所载，盖其本名。《崇文总目》称《白虎通德论》，失其实矣。《隋志》删去'义'字，盖流俗省略，有此一名。故唐刘知己《史通序》引《白虎通》《风俗通》为说，实则递相祖袭，忘其本始者也。书中征引，六经传记而外涉及纬谶，乃东汉习尚使然。又有《王度记》《三正记》《别名记》《亲属记》，则《礼》之逸篇。方汉时崇尚经学，咸兢兢守其师承，古义旧闻，多存乎是，洵治经者所宜从事也。"（《四库提要》卷一百一十八）

桓郁、贾逵等奉诏于白虎观与丁鸿等讨论《五经》同异。（《后汉书·丁鸿列传》卷三十七）

杨终坐事系狱，班固、贾逵等以其深晓《春秋》，学多异闻，表请其参加，杨终又上书自讼，即日得以出狱，乃得参与白虎观事。（《后汉书·杨终列传》卷四十八）

李育以《公羊》义难贾逵。（《后汉书·儒林列传》卷七十九下）

是年

严光卒，年八十（前1？—79？）。（《后汉书·逸民列传》卷八十三）

杜抚为公车令，数月卒，年七十二（8？—79？）。按，《后汉书·儒林列传》卷七十九下云"建初中，为公车令，数月卒官"，建初共九年，姑系于四年。

贾逵五十岁，作《左传长义》。按，姚振宗《后汉艺文志》卷一云："孔颖达《左传序疏》曰：章帝时贾逵上《春秋大义》，以抵《公羊》《谷梁》，又与左氏作《长义》。徐彦《公羊序疏》曰：贾逵作《长义》四十一条，云《公羊》理短，《左氏》理长。按范书《儒林·李育传》……贾氏有申左氏义四十一事，即疏所云'又与左氏作《长义》'，徐疏所云'《长义》四十一条，言《公羊》理短、《左氏》理长者，是也。盖《大义》抵公、谷二家，此为李育难义而作，不及《谷梁》，作于建初四年。本传云：所著经传义诂及论难百余万言。此即论难之一，当时或亦编入白虎议奏中。"《左传长义》与《春秋大义》是否为一书，论者颇有歧义，姑取姚说。

马融生（79—166）。马融，字季长，扶风茂陵（今陕西兴平东北）人。将作大匠马严之子。师从挚恂，博通经籍，挚恂以女妻之。为人娴于辞令，容止端正。永初时，被大将军邓骘召为舍人，后拜校书郎中，诣东观典校秘书。时窦太后临朝，诸窦执掌政要，马融"以为文武之道，圣贤不坠，五才之用，无或可废"，因上《广成颂》以讽谏。然触怒邓氏，十年不得升迁，又遭禁锢六年。安帝时，召还郎署，复在讲部，出为河间王厩长史，以《东巡颂》而拜郎中。顺帝时，拜议郎。又为大将军梁商表为从事中郎，转武都太守。桓帝时，为南郡太守。以忤大将军梁冀旨，免官，徙朔方。后赦还，复拜议郎，又在东观著述。晚年因病去官，汉桓帝延熹九年（166）卒于家。"尝欲训《左氏春秋》，及见贾逵、郑众注，乃曰：'贾君精而不博，郑君博而不精。既

精既博，吾何加焉！'但著《三传异同说》。注《孝经》《论语》《诗》《易》《三礼》《尚书》《列女传》《老子》《淮南子》《离骚》，所著赋、颂、碑、诔、书、记、表、奏、七言、琴歌、对策、遗令，凡二十一篇"。（《后汉书·马融列传》卷六十上）《隋书·经籍志》卷三十二："梁又有汉南郡太守马融注《周易》一卷，亡。""《尚书》十一卷，马融注。""梁有《毛诗》十卷，马融注，亡。""《周官礼》十二卷，马融注。""《丧服经传》一卷，马融注。""梁有马融注《孝经》二卷，亡。"同书卷三十五："后汉南郡太守《马融集》九卷。"张溥辑有《马季长集》。严可均《全后汉文》卷十八收其文二十篇。张溥："汉世通儒，并推季长，卢涿郡、郑北海咸出其门。家世贵戚，居养丰泽，即坐高堂，施绛帐，著书授生徒以老，亦足以传，何汲汲荣仕也？《广成》一颂，雕镂万物，名虽讽谏邓氏，意在炫才感众，宁知适逢彼怒乎？《东巡颂》质古简言，似季长韬光之作，安帝见而奇之，召拜郎中，文之遇不遇，岂人意所及哉！西羌反叛，马贤、胡畴留兵不进，季长怀河上之忧，上书求效，又陈星孛参毕，戎狄将起，观其抚时奋发，诚耻儒冠，同腐草木；乃心惩邓氏，恐怖梁冀，既颂将军西第，又诬奏李太尉于死，代人匠斲，点染名贤，斯文坠地，百身莫赎矣。季长注《孝经》云：'忠犹有阙，述仲尼之说而作《忠经》。'其文常人耳，及读本传，并未云季长作《忠经》，然则《忠经》果马氏之书欤？予不敢信也。范史讥融虑深垂堂，不及胥靡，予亦哀其儒者风流，自陨汉阳之节，重负南山挚季直矣。"（《汉魏六朝百三家集·马季长集题词》）

公元 80 年 （汉章帝刘炟建初五年 庚辰）

是年

韦彪此年前后上疏乞骸骨，拜为奉车都尉。（《后汉书·韦彪列传》卷二十六）按，韦彪建初元年为左中郎将、长乐卫尉，建初七年行太常，为奉车都尉在此七年间，姑系此年。

梁鸿此年前后卒，年约六十六（15？—80？）。《后汉书·逸民列传》卷八十三："（皋伯通）乃方舍之于家。鸿潜闭著书十余篇。疾且困，告主人曰：'昔延陵季子葬子于嬴博之间，不归乡里，慎勿令我子持丧归去！'及卒，伯通等为求葬地于吴要离冢傍。咸曰：'要离烈士，而伯鸾清高，可令相近。'葬毕，妻子归扶风。"按，梁鸿建初二年（77）舍于吴皋伯通宅，闭门著书十余篇，恐须时日，姑定其三年后卒。

郑众约六十一岁，迁左冯翊。（《后汉书·郑众列传》卷三十六）按，说详建初三年"郑众迁武威太守"条。

杨终约五十二岁，受诏删《太史公书》为十余万言。（《后汉书·杨终列传》卷四十八）按，年月未详，姑系在出狱一年后。

贾逵五十一岁，母常有疾，章帝令颍阳侯马防赐钱二十万。按，《后汉书·贾逵列传》卷三十六谓"逵母常有疾，帝欲加赐，以校书例多，特以钱二十万，使颍阳侯马防与之"，《后汉书·马防列传》卷二十四称"（建初）四年封防颍阳侯"，五年拜防光禄勋，六年章帝亲为防子马钜加冠，七年防乞骸骨而就第，八年而马氏败，则与钱事当在建初四年至六年之间，姑系于此年。

班固四十九岁，上《汉书》。《汉书·叙传》卷一百下："固以为唐虞三代，《诗》、《书》所及，世有典籍，固虽尧舜之盛，必有典谟之篇，然后扬名于后世，冠德于百王。故曰：巍巍乎其有成功，焕乎其有文章也！汉绍尧运，以建帝业，至于六世，史臣乃追述功德，私作《本纪》，编于百王之末，厕于秦、项之列。太初以后，阙而不录。故探纂前纪，缀辑所闻，以述《汉书》。起于高祖，终于孝平王莽之诛，十有二世，二百三十年。综其行事，旁贯《五经》，上下洽通。为春秋考纪、表、志、传，凡百篇。"按，《后汉书·班固列传》卷四十上云"固自永平中始受诏，潜精积思二十余年，至建初中乃成（《汉书》）。当世甚重其书，学者莫不讽诵焉"，刘知己《史通·古今正史》卷十二亦云（《汉书》）"经二十余载，至章帝建初中乃成"，所谓"自永平中始受诏"，盖指永平八年（65）汉明帝"复使终成前所著书"事，然永平八年至建初八年（建初九年不得言"建初中"），仅十七年，故范说有误。班固实自建武三十年（54）丁忧时起，"以彪所续前史未详，乃潜精积思，欲就其业"（本传），至建初二年（77）到建初八年（83）之间，均可谓"二十余载"，《汉书》成书当在此六年内。姑以其撰成《白虎通》后之建初五年为《汉书》成书之年。永瑢等："《汉书》一百二十卷，汉班固撰，其妹班昭续成之。始末具《后汉书》本传。是书历代宝传，咸无异论。惟《南史·刘之遴传》云：'鄱阳嗣王范得班固所撰《汉书》真本，献东宫皇太子，令之遴与张缵、到溉、陆襄等参校异同，之遴录其异状数十事。'以今考之，则语皆谬妄。据之遴云：'《古本汉书》称永平十年五月二十日己酉郎班固上，而今本无上书年月日子。'案固自永平受诏修《汉书》，至建初中乃成。又《班昭传》云：'八表并《天文志》未竟而卒，和帝诏昭就东观藏书踵成之。'是此书之次第续成，事隔两朝，撰非一手。之遴所见古本既有纪、表、志、传，乃云总于永平中表上，殆不考成书之年月也。之遴又云：'古本《叙传》号为《中篇》，今本为《叙传》。又今本《叙传》载班彪事行，而古本云彪自有传。'夫古书叙皆载于卷末，固自述作书之意，故谓之'叙'。追溯祖父之事迹，故谓之'传'。后代史家，皆沿其例。之遴谓原作《中篇》，文系篇末，'中'字竟何义也！至云彪自有传，语尤荒诞。彪在光武之世举茂才，为徐令，以病去官，后数应三公之召，实为东汉之人。惟附于《叙传》，故可于况伯、斿稚之后详其生平。若自为一传，列于西汉，则断限之谓何？奚不考《叙传》所云起元高祖、终于孝平王莽之诛乎？之遴又云：'今本纪及表、志、列传不相合为次，而古本相合为次，总成三十八卷'。案固自言，纪、表、志、传凡百篇，篇即卷也，是不为三十八卷之明证。又言述纪十二，述表八，述志十，述列传七十，是各为次第之明证。且《隋志》作一百十五卷，今本作一百二十卷，皆以卷帙太重，故析为子卷，若并为三十八卷，则卷帙更重。古书著之竹帛，殆恐不可行也。之遴又云：'今本《外戚》在《西域》后，古本次帝纪下；又今本《高五子》《文三王》《景十三王》《孝武六子》《宣元六王》，杂在诸传中，古本诸王悉次《外戚》下，在《陈、项传》上。'夫纪、表、志、传之序，固自言之。如之遴所述，则传次于纪，而表、志反在传后。且诸王既以代相承，宜总题诸王传，何以《叙传》作《高五王传》第八、《文三王传》第十七、《十三王传》第二十三、《武五子传》第三十三、《宣元六王传》第五十耶？且《汉书》

始改《史记》之项羽'本纪'、陈胜'世家'为'列传',自应居列传之首,岂得移在诸王之后!其述《外戚传》第六十七、《元后传》第六十八、《王莽传》第六十九,明以王莽之势成于元后,史家微意寓焉。若移《外戚传》次于本纪,是恶知史法哉?之遴又引古本述云'淮阴毅毅,仗剑周章,邦之杰子,实惟彭英,化为侯王,云起龙骧'。然今'芮尹江湖'句有张晏注,是晏所见者即是今本。况《之遴传》所云献太子者谓昭明太子也。《文选》载《汉书述赞》云:'信惟饿隶,布实黥徒,越亦狗盗,芮尹江湖,云起龙骧,化为侯王。'与今本同,是昭明亦知之遴所谓古本者不足信矣。自汉张霸始撰伪经,至梁人于《汉书》复有伪撰古本。然一经考证,纰缪显然。颜师古注本冠以指例六条,历述诸家,不及之遴所说,盖当时已灼知其伪。李延寿不讯端末,遂载于史,亦可云爱奇嗜博,茫无裁断矣。固作是书,有受金之谤,刘知己《史通》尚述之。然《文心雕龙·史传篇》曰:'徵贿鬻笔之愆,公理辨之究矣。'是无其事也。又有窃据父书之谤,然韦贤、翟方进、元后三传俱称司徒掾班彪曰。颜师古注发例,于韦贤传曰'《汉书》诸赞皆固所为。其有叔皮先论述者,固亦显以示后人。而或者谓固窃盗父名,观此可以免矣'。是亦无其事也。师古注条理精密,实为独到。然唐人多不用其说。故《猗觉寮杂记》称,师古注《汉书》,魁梧音悟,票姚皆音去声,杜甫用魁梧票姚皆作平声。杨巨源诗'请问汉家谁第一,麒麟阁上识酂侯',亦不用音赞之说,殆贵远贱近,自古而然欤?要其疏通证明,究不愧班固功臣之目。固不以一二字之出入,病其大体矣。"(《四库提要》卷四十五)

王符或生于此年(80?—164?)。按,本传谓其与张衡、崔瑗、马融等友善,盖彼等年龄相若。张、崔、马生于建初三、四年,姑以王符生于建初五年。王符,字节信,安定临泾(今甘肃镇原东北)人。少好学,有志操,与马融、窦章、张衡、崔瑗等友善。安定俗鄙庶孽,而符无外家,为乡人所贱。自和、安之后,世务游宦,当途者更相荐引,而符独耿介不同于俗,以此遂不得升进。志意蕴愤,乃隐居著书三十余篇,以讥当时失得,不欲章显其名,故号曰《潜夫论》。其指讦时短,讨谪物情,足以观见当时风政。王符甚得时人所重,度辽将军皇甫规曾对其"屣履出迎"。汉桓帝延熹七年(164)前后卒于家。(《后汉书·王符列传》卷四十九)《隋书·经籍志》卷三十四:"《潜夫论》十卷,后汉处士王符撰。"永瑢等:"《潜夫论》十卷,汉王符撰。符字节信,安定临泾人。《后汉书》本传称,和、安之后,世务游宦,当途者更相荐引,而符独耿介不同于俗。以此遂不得升进,志意蕴愤,乃隐居著书二十余篇,以议当时得失。不欲章显其名,故号曰《潜夫论》。今本凡三十五篇,合《叙录》为三十六篇,盖犹旧本。卷首《赞学》一篇,论励志勤修之旨。卷末《五德志》篇,述帝王之世次。《志氏姓》篇考谱牒之源流。其中《卜列》《相列》《梦列》三篇,亦皆杂论方技,不尽指陈时政。范氏所云,举其著书大旨耳。符生卒年月不可考。本传之末载度辽将军皇甫规解官归里,符往谒见事;规解官归里,据本传在延熹五年,则符之著书在桓帝时,故所说多切汉末弊政。惟桓帝时皇甫规、段颎、张奂诸人屡与羌战,而其《救边》《边议》二篇,乃以避寇为憾。殆以安帝永初五年尝徙安定北地郡,顺帝永建四年始还旧地,至永和六年又内徙。符,安定人,故就其一乡言之耶?然其谓失凉州则三辅为边,三辅内入则宏农为边,宏农内入则洛阳为边。推此以相况,虽尽东海犹有边。则灼然明论，足为轻弃边地之炯鉴也。范氏录其《贵忠》《浮侈》《实贡》《爱日》《述赦》五篇入本传，而字句与今本多不同。晁公武《读书志》谓其有所损益，理或然欤？范氏以符与王充、仲长统同传，韩愈因作《后汉三贤赞》。今以三家之书相较，符书洞悉政体似《昌言》，而明切过之；辨别是非似《论衡》，而醇正过之。前史列之儒家，斯为不愧。惟《贤难》篇中称邓通吮痈为忠于文帝，又称其欲昭景帝之孝，反以结怨，则纰谬最甚。是其发愤著书，立言矫激之过，亦不必曲为之讳矣。"（《四库提要》卷九十一）

公元 81 年　（汉章帝刘炟建初六年　辛巳）

冬

刘苍上疏求朝。（《后汉书·东平宪王苍列传》卷四十二）

是年

郑众约六十二岁，为大司农，执意反对复盐铁官，章帝不从。（《后汉书·郑众列传》卷三十六）

廉范迁蜀郡太守。成都旧制禁民夜作，以防火灾。然民隐蔽用火，烧者日多。廉范毁削前令，但严使储水。百姓以为便，遂歌之曰："廉叔度，来何暮。不禁火，民安作。平生无襦今五绔。"（《后汉书·廉范列传》卷三十一、《资治通鉴》卷四十六）

张霸二十五岁，约于此年前后举孝廉光禄主事。（《后汉书·张霸列传》卷三十六）按，年月未详，姑定在从樊儵习《严氏公羊春秋》之年七年后。

马融三岁，随父马严入京。按，《后汉书·马严列传》卷二十四称马严建初二年为陈留太守，"典郡四年"后"征拜太中大夫，十余日迁将作大匠"，马融时三岁，当随父入京。

公元 82 年　（汉章帝刘炟建初七年　壬午）

正月

刘苍至京师，汉章帝礼遇甚厚，刘苍上疏辞谢。（《后汉书·东平宪王苍列传》卷四十二）

三月

汉章帝遣诸王归国，特留刘苍，赐以秘书、列仙图及道术秘方。（《后汉书·东平宪王苍列传》卷四十二）

六月

废太子刘庆为清河王，立皇子刘肇为太子。（《后汉书·孝章帝纪》卷三）

八月

刘苍还国，汉章帝复加赏赐，赐以手诏；刘苍归国后，病重，章帝驰遣名医小黄门侍疾。（《后汉书·东平宪王苍列传》卷四十二）

十月

韦彪从章帝西巡狩，建言褒显先帝功臣子孙，章帝纳之。（《后汉书·韦彪列传》卷二十六、《后汉书·孝章帝纪》卷三）

十二月

韦彪拜大鸿胪。按，《后汉书·韦彪列传》卷二十六称"还，拜大鸿胪"，《资治通鉴》卷四十六谓章帝"十二月丁亥还宫"，则韦彪拜大鸿胪当在是月。

是年

郑众约六十三岁，奉诏作《春秋删》十九篇。按，《后汉书·郑众列传》卷三十六称其建初六年为大司农，"其后受诏作《春秋删》十九篇"，建初八年卒官，则作书当在建初七年。

贾逵五十三岁，其《古文尚书同异》《诗同异》《周官解诂》或作于此年；疑迁卫士令亦在此年。按，《后汉书·贾逵列传》卷三十六云："逵数为帝言《古文尚书》与经传《尔雅》诂训相应，诏令撰《欧阳、大小夏侯、尚书、古文》同异。逵集为三卷，帝善之。复令撰《齐、鲁、韩诗》与《毛氏》异同。并作《周官解故》。迁逵为卫士令。"传叙其撰三书及迁卫士令在建初八年前，章帝使马防与其钱事后。章帝与钱事，定在建初五年，则撰三书及迁卫士令当在建初六年、七年，姑系于此年。

王景迁徐州刺史，因杜笃《论都赋》而作《金人论》，颂洛邑之美。《后汉书·循吏列传》卷七十六："建初七年，迁徐州刺史。先是杜陵杜笃奏上《论都赋》，欲令车驾迁还长安。耆老闻者，皆动怀土之心，莫不眷然伫立西望。景以宫庙已立，恐人情疑惑，会时有神雀诸瑞，乃作《金人论》，颂洛邑之美，天人之符，文有可采。"

樊英或生于此年（82？—154？）。樊英，字季齐，年七十余，南阳鲁阳（今属河南）人。少时受业三辅，习《京氏易》，兼明《五经》。又善风角、星筭，《河洛》七纬，推步灾异。隐于壶山之阳，受业者四方而至。州郡前后礼请不应，公卿举贤良方正，有道，皆不行。曾拜五官中郎将、光禄大夫，后赐告归。"初被诏命，佥以为必不降志，及后应对，又无奇谟深策，谈者以为失望"。樊英著有"《易章句》，世名'樊氏学'，以图纬教授"。（《后汉书·方术列传》卷八十二上）

公元 83 年　（汉章帝刘炟建初八年　癸未）

正月

刘苍卒，年约五十四（30？—83）。（《后汉书·东平宪王苍列传》卷四十二）

三月

汉章帝为刘苍作哀策。（《后汉书·东平宪王苍列传》卷四十二）

六月

班固上书论北匈奴事。按，《后汉书·班固列传》卷四十下云"时北单于遣使贡献，求欲和亲，诏问群僚。……固议曰"，北匈奴单于臣服章帝事载《后汉书·孝章帝纪》卷三建初八年六月，班固对问议论亦当于此时。

十二月

章帝令选俊才从贾逵学《左氏》《谷梁春秋》《古文尚书》《毛诗》；封贾逵所选弟子及门生为千乘王国郎。"四经"由是行于世。《后汉书·孝章帝纪》卷三：（建初八年十二月）"诏曰：'《五经》剖判，去圣弥远，章句遗辞，乖疑难正，恐先师微言将遂废绝，非所以重稽古，求道真也。其令群儒选高才生，受学《左氏》《谷梁春秋》《古文尚书》《毛诗》，以扶微学，广异义焉。'"《后汉书·贾逵列传》卷三十六："（建初）八年，乃召诸儒各选高才生，受《左氏》《谷梁春秋》《古文尚书》《毛诗》，由是四经遂行于世。皆拜逵所选弟子及门生为千乘国郎，朝夕受业黄门署，学者皆欣欣羡慕焉。"

是年

郑众卒，年约六十四（20？—83）。（《后汉书·郑众列传》卷三十六）

梁竦卒（？—83）。（《后汉书·梁竦列传》卷三十四）

李育约五十七岁，因马氏败而免尚书令。（《后汉书·儒林列传》卷七十九下）

杨终约五十五岁，作戒马廖书。《后汉书·杨终列传》卷四十八、《资治通鉴》卷四十六）

王景迁庐江太守，后卒于官（？—？）。（《后汉书·循吏列传》卷七十六）

傅毅因马氏败而免官。（《后汉书·文苑列传》卷八十上）按，《后汉书·马廖列传》卷二十四云"（建初）八年，有司奏免豫，遣廖、防、光就封"，"马氏败"即指此，傅毅及下条李育免官均当在是年。

公元84年 （汉章帝刘炟建初九年　元和元年　甲申）

六月

刘辅卒，年约五十八（27？—84）。（《后汉书·孝章帝纪》卷三）

韦彪上议，言简贤宜以才行为先；又上疏，言宜重尚书之选。按，韦彪议、疏均载《后汉书·韦彪列传》卷二十六，《资治通鉴》卷四十六系于此时。

八月

改元元和。汉章帝南巡狩。（《后汉书·孝章帝纪》卷三）

十月

朱晖在临淮，有善政，民歌之曰："强直自遂，南阳朱季。吏畏其威，民怀其惠。"（《后汉书·朱晖列传》卷四十三、《资治通鉴》卷四十六）

冬

崔骃作《南巡颂》。按，崔骃《南巡颂》云"建初九年，新谷始登……假于章陵，遂南巡楚……"，《后汉书·孝章帝纪》卷三称章帝"冬十月己未进兴江陵……十一月己丑车驾还宫"，则崔颂疑作于是年冬，然此年八月改元，不知崔颂何以仍称"建初九年"。

班固作《南巡颂》。按，班颂云"惟汉再受命，系叶十一"，"再受命"指东汉，"十一"，即《后汉书·曹褒列传》卷三十五元和二年诏引《河图》"赤九会昌，十世以光，十一以兴"之"十一"，李贤注谓"九谓光武，十谓明帝，十一谓章帝也"，由此可知，班颂为章帝南巡而作。章帝章和元年秋虽另有一次南巡，然其年（87）秋冬班固正处丁忧期间，似不应有作颂事，故班固《南巡颂》当作于此年冬。

是年

伏恭卒，赐葬显节陵下，年九十（前6—84）。

杨终约五十六岁，坐徙北地，作《晨风》诗。按，《后汉书·杨终列传》卷四十八云"终兄凤为郡吏，太守廉范为州所考，遣凤候终，终为范游说，坐徙北地"，考杨终元和二年（85）因撰文赞颂祥瑞，得赐还故乡成都，则流放北地当在元和二年前；本传又谓建初八年（83）杨终作书戒马廖，《资治通鉴》卷四十六称其时为校书郎，则杨终徙北地当在杨终作《戒马廖书》时至撰赞颂文时之间，姑系于此。又，李贤注引《益部耆旧传》曰："终徙于北地望松县，而母于蜀物故。终自伤被罪充边，乃作《晨风》之诗以舒其愤。"

黄香约三十岁，奉诏诣东观，读所未尝见书。（《后汉书·文苑列传》卷八十上）

公元 85 年 　（汉章帝刘炟元和二年　乙酉）

二月

　　汉章帝东巡狩，幸东郡，备弟子礼见张酺，使张酺讲《尚书》一篇，然后行君臣之礼。（《后汉书·张酺列传》卷四十五、《资治通鉴》卷四十七）

　　汉章帝东巡狩，至沛，使人祀桓谭冢。按，《后汉书·桓谭列传》卷二十八上云"元和中，肃宗行东巡狩，至沛，使使者祠谭冢，乡里以为荣"，"元和"共三年，"元和中"当指元和二年，《后汉书·孝章帝纪》卷三谓章帝此年二月至四月东巡狩，如其在至泰山前幸沛，则当在二月，姑系于此。

　　韦彪从章帝东巡狩。（《后汉书·韦彪列传》卷二十六、《后汉书·孝章帝纪》卷三）

三月

　　汉章帝至鲁，祀孔子及七十二弟子。（《后汉书·孝章帝纪》卷三）

四月

　　韦彪还京，病重，章帝遣小黄门、太医问病，赐食物。（《后汉书·韦彪列传》卷二十六、《后汉书·孝章帝纪》卷三）

五月

　　汉章帝赐博士员弟子布，令郡国举明经。（《后汉书·孝章帝纪》卷三）

夏

　　杨终赞颂嘉瑞，上述祖宗鸿业，凡十五章，奏上，诏赐还故乡；归乡后至永元十二年（100），著《春秋外传》十二篇，改定章句十五万言。按，《后汉书·杨终列传》卷四十八载此事时称"帝东巡狩，凤皇、黄龙并集"，于是杨终撰文赞颂，《后汉书·孝章帝纪》卷三谓元和二年二月章帝"东巡狩"，"凤皇集肥城"，五月诏曰"乃者凤皇、黄龙、鸾鸟比集七郡，或一郡再见"，则杨终撰文当在此年之夏。本传言其著《春秋外传》及改定章句事，当在其归乡至死的十五年间。

　　崔骃作《东巡颂》。按，崔颂云"伊汉中兴三叶……延儒林以咨询岱岳之事"，"中兴三叶"指光武帝中兴以来三世，即章帝。《后汉书·孝章帝纪》卷三称章帝二月"幸太山，柴告岱宗"，四月"车驾还宫"，崔颂当作于此年夏章帝东巡结束后。

　　班固作《东巡颂》（即《岱宗颂》）。按，班颂云"窃见巡狩岱宗……谨上《岱宗颂》一篇"，《岱宗颂》即《东巡颂》，当与崔骃《东巡颂》作于同时。

是年

汉章帝欲定礼乐，曹褒乃上疏言宜定文制，著成汉礼；太常巢堪则以为不可许。（《后汉书·曹褒列传》卷三十五）

李育约五十九岁，或在此年再迁侍中。按，《后汉书·儒林列传》卷七十九下称"及马氏废，育坐为所举免归。岁余复征，再迁侍中"，李育建初八年（83）免归，"岁余复征"，则当在是年。

崔琦约生于此年（85？—149？）。按，本传称崔琦为崔瑗之宗，以二人名字论，崔琦与崔瑗同辈，而年龄似小于崔瑗。姑以其小崔瑗七岁，则生于此年。崔琦，字子玮，涿郡安平（今属河北）人。少游学京师，以文章博通称。初举孝廉，为郎。河南尹梁冀闻其才，请与交，梁冀多行不轨，崔琦屡戒不受，乃作《外戚箴》《白鹄赋》以讽之。梁冀不耐，遣之归。"后除为临济长，不敢之职，解印绶去。冀遂令刺客阴求杀之。客见琦耕于陌上，怀书一卷，息辄偃而咏之。客哀其志，以实告琦，曰：'将军令吾要子，今见君贤者，情怀忍忍，可亟自逃，吾亦于此亡矣。'琦得脱走，冀后竟捕杀之"。"所著赋、颂、铭、诔、箴、吊、论、《九咨》《七言》，凡十五篇"。（《后汉书·文苑列传》卷八十上）《隋书·经籍志》卷三十五："后汉征士《崔琦集》一卷，梁二卷。"

公元86年　（汉章帝刘炟元和三年　丙戌）

正月

汉章帝北巡狩，出长城。（《后汉书·孝章帝纪》卷三）

三月

崔骃作《北巡狩》；上《四巡颂》。按，崔颂云"元和二年正月，上既毕祭祀之事，乃东巡出于河内，纳青兖之郊，回冀州，礼北岳"，所记有误，据《后汉书·孝章帝纪》卷三，章帝东巡确有一次在元和二年二月至四月，然北巡在元和三年正月至三月，崔颂当作于此年北巡狩结束后。崔骃本传又称"元和中，肃宗始修古礼，巡狩方岳，骃上《四巡颂》以称汉德，辞甚典美"，章帝在位期间巡狩六次：建初七年西巡，建初八年东巡，元和元年南巡，元和二年东巡，元和三年北巡，章和元年南巡；《四巡颂》或为巡狩东、南、西、北四方之颂的合称，如是，崔骃除元和元年作《南巡颂》、元和二年作《东巡颂》、元和三年作《北巡颂》外，疑建初七年尚作有《西巡颂》；或者，《四巡颂》为四次巡狩之颂的合称，建初八年尚作有《东巡颂》欤？汇而上之，当在此年。

是年

曹褒以新制礼乐事，当仁不让，欲为己任；拜侍中，从驾北巡。《后汉书·曹褒列传》卷三十五："元和二年……帝知群僚拘挛，难与图始，朝廷礼宪，宜时刊立，明年复下诏曰：'朕以不德，膺祖宗弘烈。乃者鸾凤仍集，麟龙并臻，甘露宵降，嘉谷滋生，赤草之类，纪于史官。朕夙夜祗畏，上无以彰于先功，下无以克称灵物。汉遭秦余，礼坏乐崩，且因循故事，未可观省，有知其说者，各尽所能。'褒省诏，乃叹息谓诸生曰：'昔奚斯颂鲁，考甫咏殷。夫人臣依义显君，竭忠彰主，行之美也。当仁不让，吾何辞哉！'遂复上疏，具陈礼乐之本，制改之意。拜褒侍中，从驾南巡，既还，以事下三公，未及奏，诏召玄武司马班固，问改定礼制之宜。固曰：'京师诸儒，多能说礼，宜广招集，共议得失。'帝曰：'谚言："作舍道边，三年不成。"会礼之家，名为聚讼，互生疑异，笔不得下。昔尧作《大章》，一夔足矣。'"按，曹褒"从驾南巡"叙在"章和元年正月"之前，当为元和三年事。然此年无南巡，当是"北巡"之误。

李育或卒于此年，年约六十（27？—86？）。按，《后汉书·儒林列传》卷七十九下称李育"再迁侍中，卒于官"，其去年再迁侍中，姑以是年为其卒年。

王充六十岁，徙家避难扬州，扬州刺史董勤辟其为从事。（《论衡·自纪篇》卷三十、《后汉书·王充列传》卷四十九）

班固五十五岁，为玄武司马；奉诏对改定礼制之问。（《后汉书·曹褒列传》卷三十五、《资治通鉴》卷四十七）

崔瑗九岁，题门迎县令。惠栋《后汉书补注》卷十二："《世说》曰：骃有文才，不其县令往造之。骃子瑗年九岁，书门曰：'虽无干木，君非文侯，何为光光入我里闾？'令见之，问骃，曰：'必儿所书。'召瑗使书，乃书曰：'君使臣以礼，臣事君以忠。'"

公元 87 年　（汉章帝刘炟元和四年　章和元年　丁亥）

正月

汉章帝令曹褒条正班固所上叔孙通《汉仪》十二篇。《后汉书·曹褒列传》卷三十五："章和元年正月，乃召褒诣嘉德门，令小黄门持班固所上叔孙通《汉仪》十二篇，敕褒曰：'此制散略，多不合经，今宜依礼条正，使可施行。于南宫、东观尽心集作。'"

班固在去年底至此年正月间因母丧去官。按，《后汉书·班固列传》卷四十下云"固后以母丧去官。永元初大将军窦宪出征匈奴，以固为中护军"，如永元元年（89）春为中护军，向后反推三年（至少为二十七个月）为班固丁忧去官之时。

王充完成《论衡·讲瑞篇》。《论衡·讲瑞篇》卷十六："元和、章和之际，此篇已成。"

七月

改元章和。（《后汉书·孝章帝纪》卷三）

八月

汉章帝南巡狩，冬十月还宫。（《后汉书·孝章帝纪》卷三）

十二月

曹褒奏上修改后的汉礼百五十篇，汉章帝仅纳之而已。《后汉书·曹褒列传》卷三十五："褒既受命，乃次序礼事，依准旧典，杂以《五经》谶记之文，撰次天子至于庶人冠婚吉凶终始制度，以为百五十篇，写以二尺四寸简。其年十二月奏上。帝以众论难一，故但纳之，不复令有司平奏。"

是年

王充六十一岁，转治中。按，《论衡·自纪篇》卷三十云"充以元和三年徙家辟（难），诣杨州部丹阳、九江、庐江"，"刺史董勤辟为从事"（本传），又云"后人为治中……章和二年，罢州家居"，"为治中"在元和三年（86）"徙家辟难"与章和二年（88）"罢州家居"之间，姑定在元和四年（87）。

崔骃入侍中窦宪门下。按，《后汉书·崔骃列传》卷五十二云："帝雅好文章，自见骃颂后，常嗟叹之，谓侍中窦宪曰：'卿宁知崔骃乎？'对曰：'班固数为臣说之，然未见也。'帝曰：'公爱班固而忽崔骃，此叶公之好龙也。试请见之。'骃由此候宪。宪屣履迎门，笑谓骃曰：'亭伯，吾受诏交公，公何得薄哉！'遂揖入为上客。居无几何，帝幸宪第，时骃适在宪所，帝闻而欲召见之，宪谏以为不宜与白衣会。帝悟曰：'吾能令骃朝夕在傍，何必于此。'欲官之，会帝崩。"窦宪奉诏交好崔骃，当在去年崔骃上颂之后、明年章帝驾崩之前，姑系于此。

公元88年 （汉章帝刘炟章和二年 戊子）

正月

黄香诣殿下，拜尚书郎。《后汉书·文苑列传》卷八十上："香后告休，及归京师，时千乘王冠，帝会中山邸，乃诏香殿下，顾谓诸王曰：'此"天下无双江夏黄童"者也。'左右莫不改观。后召诣安福殿言政事，拜尚书郎，数陈得失，赏赉增加。常独止宿台上，昼夜不离省闼，帝闻善之。"按，所谓"帝会中山邸"，当指章帝会诸王于中山王刘焉府事，《后汉书·孝章帝纪》卷三谓"二年春正月，济南王康、阜陵王延、中山王焉来朝"，二月章帝崩，则黄香拜尚书郎当在章帝崩前，姑系此月。

二月

汉章帝崩，遗诏无起寝庙。（《后汉书·孝章帝纪》卷三）

皇太子刘肇即位，是为孝和皇帝。和帝年十岁，窦太后临朝，诸窦均据要津。（《后汉书·孝和帝纪》卷四）

三月

有司请上汉章帝庙号，共进《武德》之舞，和帝准奏。《后汉书·孝和帝纪》卷四:"辛酉,有司上奏:'孝章皇帝崇弘鸿业,德化普洽,垂意黎民,留念稼穑。文加殊俗,武畅方表,界惟人面,无思不服。巍巍荡荡,莫与比隆。《周颂》曰:"于穆清庙,肃雍显相。"请上尊庙曰肃宗,共进《武德》之舞。'制曰:'可。'"

崔骃作《章帝谥议》,献书诫窦宪。(《后汉书·崔骃列传》卷五十二、《资治通鉴》卷四十七)

五月

桓郁为长乐少府,奉诏侍讲禁中。(《后汉书·孝和帝纪》卷四)

夏

韦彪病笃求退,章帝准免大鸿胪职,赐钱二十万。(《后汉书·韦彪列传》卷二十六)

十月

崔骃以处士年少为车骑将军窦宪掾。(《后汉书·崔骃列传》卷五十二、《后汉书·孝和帝纪》卷四)

是年

王充六十二岁,自免还家。同郡谢夷吾上书荐之,汉章帝诏公车征,病不行。(《论衡·自纪篇》卷三十、《后汉书》本传及李贤注引《谢承书》)

王充作《养性》十六篇。《后汉书·王充列传》卷四十九:"年渐七十,志力衰耗,乃造《养性书》十六篇,裁节嗜欲,颐神自守。"《论衡·自纪篇》卷三十:"年渐七十,时可悬舆;仕路隔绝,志穷无如。事有否然,身有利害;发白齿落,日月逾迈;傅伦弥索,鲜所恃赖;贫无供养,志不娱快。历数冉冉,庚辛域际;虽惧终徂,愚犹沛沛;乃作《养性》之书,凡十六篇。养气自守,适食则酒;闭明塞聪,爱精自保;适辅服药引导。庶冀性命可延,斯须不老;既晚无还,垂书示后;惟人性命,长短有期;人亦虫物,生死一时;年历但记,孰使留之?犹入黄泉,消为土灰。上自黄唐,下臻秦汉;而来折中以圣道,析理于通才,如衡之平,如鉴之开,幼老生死古今,罔不详该。命以不延,吁叹悲哉!"

王充《论衡》书成,作《自纪》终篇。永瑢等:"《论衡》三十卷,汉王充撰。充字仲任,上虞人。《自纪》谓在县为掾功曹,在都尉府位亦掾功曹,在太守为列掾五官功曹行事。又称永和三年徙家辟诣扬州部丹阳、九江、庐江,后入为治中。章和二年罢州家居。其书凡八十五篇,而第四十四《招致篇》有录无书,实八十四篇。考其《自纪》曰:'书虽文重,所论百种。案古太公望、近董仲舒,传作书篇百有余,吾书亦才出百而云太多。'然则原书实百余篇,此本目录八十五篇,已非其旧矣。充书大旨,详于《自纪》一篇。盖内伤时命之坎坷,外疾世俗之虚伪,故发愤著书,其言多

235

激。《刺孟》《问孔》两篇，至于奋其笔端，以与圣贤相轧，可谓悖矣！又露才扬己，好为物先。至于述其祖父顽很，以自表所长，俱亦甚焉！其他论辨，如日月不圆诸说，虽为葛洪所驳，载在《晋志》，然大抵订伪砭俗，中理者多，亦殊有裨于风教。储泳《祛疑说》、谢应芳《辨惑编》不是过也。至其文反覆诘难，颇伤词费。则充所谓'宅舍多，土地不得小。户口众，簿籍不得少。失实之事多，虚华之语众。指实定宜，辨争之言，安得约径'者，固已自言之矣。充所作别有《讥俗书》《政务书》，晚年又作《养性书》，今皆不传，惟此书存。儒者颇病其芜杂，然终不能废也。高似孙《子略》曰：'袁崧《后汉书》载："充作《论衡》，中土未有传者，蔡邕入吴始见之，以为谈助。"谈助之言，可以了此书矣。'其论可云允惬。此所以攻之者众，而好之者终不绝欤？"（《四库提要》卷一百二十）

曹褒为汉礼作章句。《后汉书·曹褒列传》卷三十五："会帝崩，和帝即位，褒乃为作章句，帝遂以《新礼》二篇冠。"

马融十岁，与诸兄从父马严受业。按，《后汉书·马严列传》卷二十四谓"及帝崩，窦太后临朝，严乃退居自守，训教子孙"，马融时年十岁，当在受父训教之列。

第八章

第八章　汉和帝永元元年至汉桓帝永康元年（89—167）共79年

·引　言·

刘勰《文心雕龙·时序第四十五》："自安、和已下，迄至顺、桓，则有班、傅、三崔、王、马、张、蔡，磊落鸿儒，才不时乏，而文章之选，存而不论。然中兴之后，群才稍改前辙，华实所附，斟酌经辞，盖历政讲聚，故渐靡儒风者也。"

公元 89 年 （汉和帝刘肇永元元年　己丑）

春

班固为中护军，从窦宪将征匈奴。 按，《后汉书·班固列传》卷四十下云"永元初，大将军窦宪出征匈奴，以固为中护军，与参议"，窦宪以车骑将军征匈奴，于章和二年十月就已钦定，然付诸实施则为此年事。此年春，窦宪准备出征（遭群臣激烈反对）时，以班固为中护军，当为无误。

七月

班固作《封燕然山铭》《窦将军北征颂》；其《涿邪山祝文》或亦作于此时。 按，《后汉书·窦宪列传》卷二十三云："宪、秉遂登燕然山，去塞三千余里，刻石勒功，纪汉威德，令班固作铭曰：'惟永元元年秋七月，有汉元舅曰车骑将军窦宪……'"《资治通鉴》卷四十七系于六月，当从班铭。班固《窦将军北征颂》称窦宪为"车骑将军"，当亦作于此时。又，班铭云"遂逾涿邪，跨安侯，乘燕然"，《涿邪山祝文》或为同时之作。

傅毅为车骑将军窦宪主记室，作《窦将军北征颂》。（《后汉书·文苑列传》卷八十上）按，傅颂当与班固《窦将军北征颂》作于同时。

崔骃为车骑将军窦宪主簿，作《北征颂》《仲山甫鼎铭》《与窦宪笺》。（《后汉书·文苑列传》卷八十上）按，崔颂当与班固、傅毅《北征颂》作于同时。《后汉书·窦宪列传》卷二十三称是时窦宪得"仲山甫鼎"，崔铭当作于此时。崔笺云"主簿崔骃言"，当亦作于为窦宪主簿时。

九月

傅毅为大将军窦宪司马。 按，《后汉书·文苑列传》卷八十上谓 "永元元年……及宪迁大将军，复以毅为司马"，《后汉书·孝和帝纪》卷四称窦宪永元元年九月迁大将军，傅毅为其司马当在此时。

是年

韦彪卒（？—89）。 （《后汉书·韦彪列传》卷二十六）

桓郁约五十七岁，迁长乐少府，复入侍讲，旋为侍中奉车都尉。《后汉书·桓郁列传》卷三十七："和帝即位，富于春秋。侍中窦宪自以外戚之重，欲令少主颇涉经学，上疏皇太后曰：'……昔五更桓荣，亲为帝师，子郁，结发敦尚，继传父业，故再以校尉入授先帝，父子给事禁省，更历四世，今白首好礼，经行笃备。又宗正刘方，宗室之表，善为《诗经》，先帝所褒。宜令郁、方并入教授，以崇本朝，光示大化。'由是迁长乐少府，复入侍讲。顷之，转为侍中奉车都尉。"

公元90年 （汉和帝刘肇永元二年 庚寅）

七月

崔骃作《大将军西征赋》。 按，《后汉书·孝和帝纪》卷四云此月 "大将军窦宪出屯凉州"，《资治通鉴》卷四十七亦谓此月 "窦宪出屯凉州，以侍中邓叠行征西将军事为副"，崔赋或作于此时。

十月

班固受命行中郎将，迎称臣朝汉之北单于，至私渠海而还。 （《后汉书·窦宪列传》卷二十三、《资治通鉴》卷四十七）

傅毅或卒于此年（？—90？）。 按，《后汉书·文苑列传》卷八十上叙傅毅为大将军窦宪司马后，即云其 "早卒"，姑以此年为其卒年。

公元91年 （汉和帝刘肇永元三年 辛卯）

正月

汉和帝用曹褒新礼，加元服，黄香作《天子冠颂》。《天子冠颂》："惟永元之盛代……以三载之孟春，建寅月之上旬。皇帝将加元冕，简甲子之元辰。"

曹褒擢监羽林左骑。 （《后汉书·曹褒列传》卷三十五、《资治通鉴》卷四十七）

王充或于此年卒，年约六十五（27—91？）。 按，《后汉书》本传称王充 "永元中，病卒于家"，确切卒年不详。本传及其《论衡·自纪篇》均有 "年渐七十" 之语，似乎寿命在耳顺至古稀之间，其《自纪篇》述 "渐七十" 时，其年方六十二岁。韩愈《后汉三贤赞》称王充 "年七十余，乃作《养性》一十六篇"，实乃误读《自纪篇》。

永元元年（89）以后，典籍上再无王充有生活活动的记载，疑其卒于是年；或其缠绵病榻，直至永元末乎？史料无徵，姑系于此。

崔骃不为窦宪所容，出为长岑长，不之官而归。（《后汉书·崔列传》卷五十二）按，崔骃永元二年作《大将军西征赋》，当在窦宪主簿职；窦氏永元四年败，崔骃归当在永元二年后、永元四年前，宜系此年。

贾逵六十二岁，为左中郎将。（《后汉书·贾逵列传》卷三十六）

胡广生（91—172）。胡广，字伯始，南郡华容（今湖北监利北）人。年少孤贫，生活穷苦。成人后入郡为散吏。因太守法雄之子暗地推荐，得举孝廉。至京师，汉安帝试以章奏，"以广为天下第一"。旋拜尚书郎，五迁尚书仆射。后出为济阴太守、汝南太守，入拜大司农，迁司徒。汉质帝崩，代李固为太尉，录尚书事，封育阳安乐乡侯。以病逊位，又拜司空，告老致仕。寻以特进征拜太常，迁太尉，以日食免。复为太常，拜太尉。坐大将军梁冀事，夺爵免官。后又拜太中大夫、太常、司徒。汉桓帝时，参录尚书事，复封故国；代陈蕃为太傅，总录如故。熹平元年（172）薨。"初，杨雄依《虞箴》作《十二州二十五官箴》，其九箴亡阙，后涿郡崔骃及子瑗又临邑侯刘骎骏增补十六篇，广复继作四篇，文甚典美。乃悉撰次首目，为之解释，名曰《百官箴》，凡四十八篇。其余所著诗、赋、铭、颂、箴、吊及诸解诂，凡二十二篇"。（《后汉书·胡广列传》卷四十四）《隋书·经籍志》卷三十三："《汉官解诂》三篇，汉新汲令王隆撰，胡广注。"同书卷三十五："后汉太傅《胡广集》二卷，录一卷，亡。"

公元 92 年 （汉和帝刘肇永元四年 壬辰）

五月

班固作《与窦宪笺》。按，班笺云"昨上以宝刀赐臣曰：'此大将军少小时所服，今以赐卿。'固伏念大恩，且喜且惭"，《后汉书·孝和帝纪》卷四谓大将军窦宪此年四月还至京师，六月窦氏败，则班笺当作于四月与六月之间。

崔骃作《大将军临洛观赋》，寻卒（？—92）。按，崔赋当作于窦宪四月返回京师后、六月败亡前。崔骃卒月未明，以未受窦氏牵连观之，当卒于六月窦氏败亡前。

班固狱死，年六十一（32—92）。《后汉书·班彪列传》卷四十下："司马迁、班固父子，其言史官载籍之作，大义粲然著矣。议者咸称二子有良史之才。迁文直而事核，固文赡而事详。若固之序事，不激诡，不抑抗，赡而不秽，详而有体，使读之者亹亹而不猒，信哉其能成名也。彪、固讥迁，以为是非颇谬于圣人。然其论议常排死节，否正直，而不叙杀身成仁之为美，则轻仁义，贱守节愈矣。固伤迁博物洽闻，不能以智免极刑；然亦身陷大戮，智及之而不能守之。呜呼，古人所以致论于目睫也！赞曰：二班怀文，裁成帝坟。比良迁、董，兼丽卿、云。彪识皇命，固迷世纷。"

是年

贾逵六十三岁，作《历数论》。（司马彪《续汉律历志》中）

桓郁约六十岁，为太常。（《后汉书·桓郁列传》卷三十七）

曹褒迁射声校尉。（《后汉书·曹褒列传》卷三十五）

班昭约四十四岁，始续《汉书》。《史通·古今正史》卷十二："固后坐窦氏事，卒于洛阳狱，书颇散乱，莫能综理。其妹曹大家博学能属文，奉诏校叙。"《后汉书·列女传》卷八十四："兄固著《汉书》，其八表及《天文志》未竟而卒。和帝诏昭就东观藏书阁，踵而继之。"按，班固本传称其建初中完成《汉书》，此所云班昭续补，或八表及《天文志》"散乱"难读，令其"综理"耳。

黄香约三十八岁，拜左丞。（《后汉书·文苑列传》卷八十一上）

崔瑗十五岁，丧父（崔骃）。（《后汉书·崔瑗列传》卷五十二）

公元93年 （汉和帝刘肇永元五年 癸巳）

十一月

张酺与尚书张敏等奏曹褒擅制《汉礼》，《汉礼》遂不行。（《后汉书·曹褒列传》卷三十五、《资治通鉴》卷四十八）

是年

曹褒迁城门校尉。按，《后汉书·曹褒列传》卷三十五谓曹褒"永元四年迁射声校尉"，"七年出为河内太守"，其间又"迁城门校尉、将作大匠"，姑以五年迁城门校谓、六年迁将作大匠。

桓郁卒，年约六十一岁（33？—93）。（《后汉书·桓郁列传》卷三十七）

公元94年 （汉和帝刘肇永元六年 甲午）

是年

黄香约四十岁，迁尚书令，忧公如家。（《后汉书·文苑列传》卷八十上）

曹褒迁将作大匠。（《后汉书·曹褒列传》卷三十五）

张衡十七岁，或于此年游三辅，作《温泉赋》。按，《后汉书·张衡列传》卷五十九称"衡少善属文，游于三辅"，何年未详，姑系于此。张赋云"余在远行，顾望有怀，遂适骊山，观温泉"，温泉所在骊山属三辅辖内，赋或为游三辅时所作。

李固生（94—147）。李固，字子坚，汉中南郑（今属陕西）人。"貌状有奇表，鼎角匿犀，足履龟文。少好学，常步行寻师，不远千里。遂究览坟籍，结交英贤。四方有志之士，多慕其风而来学。京师咸叹曰：'是复为李公矣。'"初郡举孝廉，辟司空掾，皆不就；后拜议郎，出为广汉雒令，未到任而辞；曾任梁商从事中郎，迁荆州刺史，徙太山太守，旋迁将作大匠、大司农。及汉冲帝即位，官太尉，与梁冀参录尚书事。汉冲帝死，汉质帝被鸩杀，李固议立清河王刘蒜，梁冀不从，另立蠡吾侯刘志（汉桓帝）。李固因此为梁冀诬陷入狱。李固"门生渤海王调贯械上书，证固之枉，河内赵承等数十人亦要铁锧诣阙通诉，太后明之，乃赦焉。及出狱，京师市里皆称万岁。冀闻之大惊，畏固名德终为己害，乃更据奏前事，遂诛之"。二子李基、李兹均死狱中。"所著章、表、奏、议、教令、对策、记、铭凡十一篇。弟子赵承等悲叹不已，乃共论固言迹，以为《德行》一篇"。(《后汉书·李固列传》卷六十三) 李贤注："《谢承书》曰：'固所授弟子，颍川杜访、汝南郑遂、河内赵承等七十二人，相与哀叹悲愤，以为眼不复瞻固形容，耳不复闻固嘉训，乃共论集《德行》一篇。'"《隋书·经籍志》卷三十五："后汉司空《李固集》十二卷，梁十卷。"严可均《全后汉文》卷四十八收其文十九篇。

胡广妻章显章生 (94—170)。(蔡邕《太傅安乐侯胡公夫人灵表》)

公元 95 年 　(汉和帝刘肇永元七年　乙未)

夏

曹褒出为河内太守，有政绩。(《后汉书·曹褒列传》卷三十五)

是年

张衡十八岁，至京师，观太学。按，《后汉书·张衡列传》卷五十九称"因入京师，观太学，遂通《五经》，贯六艺"，入京之年以《后汉书·崔瑗列传》卷五十二参之，当为是年。

崔瑗十八岁，至京师，从贾逵受业，与马融、张衡交好。《后汉书·崔瑗列传》卷五十二："年十八，至京师，从侍中贾逵质正大义，逵善待之，瑗因留游学，遂明天官、历数、《京房易传》、六日七分。诸儒宗之。与扶风马融、南阳张衡特相友好。"

公元 96 年 　(汉和帝刘肇永元八年　丙申)

是年

贾逵六十七岁，复为侍中，领骑都尉；所举荐人，并蒙优礼；又奉诏修理仓颉旧史。(《后汉书·贾逵列传》卷三十六、姚振宗《后汉艺文志》卷一)

李尤五十三岁，得贾逵推荐，受汉和帝召见，受诏作赋，拜兰台令史。《后汉书·文苑列传》卷八十上："和帝时，侍中贾逵荐尤有相如、扬雄之风，召诣东观，受诏作赋，拜兰台令史。"《华阳国志·先贤士女总赞》卷十中："侍中贾逵荐尤有相如、杨雄之才，明帝召作'东观'、'辟雍'、'德阳诸观'赋、铭、《怀戎颂》、'百二十铭'，著《政事论》七篇，帝善之。"

班昭约四十八岁，被召入宫讲学，其《大雀赋》或作于此年；此后数次进宫，为后宫师，号"大家"。《后汉书·列女传》卷八十四："帝数召入宫，令皇后诸贵人师事焉，号曰'大家'。每有贡献异物，辄诏大家作赋颂。"按，班赋云"大家同产兄西域都护定远侯班超献大雀，诏令大家作赋"，班超永元七年封定远侯，(《后汉书·班超列传》卷四十七) 邓太后永元八年为贵人，(《后汉书·皇后纪》卷十上) 班赋或作于此年。

李胜此年前后在世，为东观郎。《后汉书·文苑列传》卷八十上："尤同郡李胜，亦有文才，为东观郎，"按，《文苑列传》叙在李尤下，盖与之同时。李胜 (？—？)，广汉雒（今四川广汉北）人。曾为东观郎，"著赋、诔、颂、论数十篇"。

黄香约四十二岁，或于此年上疏让东郡太守，复留为尚书令。《后汉书·文苑列传》卷八十上："后以为东郡太守，香上疏让曰……帝亦惜香干用，久习旧事，复留为尚书令。"按，黄香上疏让东郡太守事，年月未详，姑定在为尚书令两年后。

张霸四十岁，或于此年为会稽太守，其治下习经者以千数，道路但闻诵声。按，《后汉书·张霸列传》卷三十六仅云"永元中为会稽太守"，姑系其不惑之年。

张衡十九岁，其《二京赋》或始作于此年。按，张衡《二京赋》未知何年所作，《后汉书·张衡列传》卷五十九称"时天下承平日久，自王侯以下，莫不逾侈。衡乃拟班固《两都》，作《二京赋》，因以讽谏。精思傅会，十年乃成"，姑以张衡进京第二年为其赋始撰之年。

刘毅或于此年坐事夺爵。按，《后汉书·文苑列传》卷八十上谓刘毅"永元中，坐事夺爵"，疑其因同父手足北海王刘威诽谤罪受株连，姑系于此。

公元 97 年　（汉和帝刘肇永元九年　丁酉）

十月

改葬梁竦女梁太后及姊大贵人于西陵，追封梁竦为褒亲愍侯，征还梁竦妻子，封梁竦诸子。（《后汉书·梁竦列传》卷三十四、《资治通鉴》卷四十八）

是年

曹褒免河内太守职，后复为侍中。（《后汉书·曹褒列传》卷三十五）按，年月未详，姑定在为河内太守两年后。

张衡二十岁，举孝廉不行，连辟公府不就。按：举孝廉不行，连辟公府不就，《后汉书》本传仅云在"永元中"，姑系其弱冠之年。

公元 98 年　（汉和帝刘肇永元十年　戊戌）

是年

贾逵六十九岁，以刘恺遁逃避封事上书请宥刘恺，和帝纳之。（《后汉书·刘恺列传》卷三十九）

葛龚以善文记知名。按，《后汉书·文苑列传》卷八十上称葛龚"和帝时，以善文记知名"，姑系于此。李贤注："龚善为文奏，或有请龚奏以干人者，龚为作之。其人写之，忘自载其名，因并写龚名以进之。故时人为之语曰：'作奏虽工，宜去葛龚。'事见《笑林》。"葛龚（？—123？），字元甫，梁国宁陵（今河南葵丘东北）人。秉性慷慨激烈，勇力过人。安帝永初中，举孝廉，为太官丞，拜荡阴令。辟太尉府，以病不就。后州举茂才，为临汾令。"著文、赋、碑、诔、书记，凡十二篇"。（《后汉书·文苑列传》卷八十上）《隋书·经籍志》卷三十五："后汉黄门郎《葛龚集》六卷，梁五卷，一本七卷。"严可均《全后汉文》卷五十六收其文九篇。

马融二十岁，丧父。（《后汉书·马严列传》卷二十四）

公元 99 年　　（汉和帝刘肇永元十一年　己亥）

是年

贾逵七十岁，举荐鲁丕，汉和帝召见诸儒，使相难，与者有贾逵、黄香。（《后汉书·鲁丕列传》卷二十五）

张霸四十三岁，治越有方，童谣歌之；视事三年，知足而退。《后汉书·张霸列传》卷三十六："霸始到越，贼未解，郡界不宁，乃移书开购，明用信赏，贼遂束手归附，不烦士卒之力。童谣曰：'弃我戟，捐我矛，盗贼尽，吏皆休。'视事三年，谓掾史曰：'太守起自孤生，致位郡守。盖日中则移，月满则亏。老氏有言：知足不辱。'遂上病。"按，如以永元八年守会稽，至此年为"视事三年"。

张衡二十二岁，其《定情赋》或作于此年。按，张赋残，观其遗文，疑为张衡年轻时作，姑系此年。

公元 100 年　　（汉和帝刘肇永元十二年　庚子）

正月

许慎始撰《说文解字》。（《说文解字叙》十五卷下段玉裁注）

三月

汉和帝赐博士弟子在太学者布，人三匹。（《后汉书·孝和帝纪》卷四）

是年

周防七十三岁，因太尉张禹荐，补博士。（《后汉书·儒林列传》卷七十九上）按，张禹永元十二年至元兴元年为太尉，周防补博士，姑系张禹始为太尉之年。

杨终征拜郎中，以病卒，年约七十二（29？—100），和帝赐钱二十万。（《后汉书·杨终列传》卷四十八、李贤注引《袁山松书》）

贾逵七十一岁，举荐杨终博达忠直。《后汉书·杨终列传》卷四十八李贤注引《袁山松书》）

黄香约四十六岁，治沃言狱，爱惜人命。（《后汉书·文苑列传》卷八十上）

张衡二十三岁，为南阳太守鲍德主簿；其《同声歌》疑作于是年。按，张衡《绶笥铭序》云"南阳太守鲍德，有诏所赐先公绶笥，传世用之。时德更治笥，衡时为德主簿，作铭曰"，《后汉书·鲍德列传》卷二十九称鲍德"累官为南阳太守。……在职九年，征拜大司农，卒于官"，据张衡《大司马鲍德诔》，鲍德疑卒于永初五年（111），假定其在大司农任三年，则其初为南阳太守在永元十二年，张衡为其主簿或在此年。《同声歌》云"邂逅承际会，得充君后房"，疑寓初入宦海、为人主簿之惶恐，姑系此年。

朱穆生（100—163）。朱穆，字公叔，南阳宛（今河南南阳）人。年五岁，便有孝称。及壮耽学，锐意讲诵，或时思至，不自知亡失衣冠，颠队阬岸。其父常以为专愚，几不知数马足。初举孝廉，大将军梁冀使典兵事，迁侍御史。"常感时浇薄，慕尚敦笃，乃作《崇厚论》"。"又著《绝交论》"，复作《与刘伯宗绝交书》及《与刘伯宗绝交诗》。梁冀骄暴不悛，朱穆又奏记相谏。永兴元年被擢为冀州刺史，因事得罪宦官，被征诣廷尉，输作左校。太学生刘陶等数千人诣阙上书讼之，始赦归家。居家数年，复征拜尚书。曾上疏、口陈罢省宦官，桓帝不从。汉桓帝延熹六年（163），愤懑发疽而死，追赠益州太守。"所著论、策、奏、教、书、诗、记、嘲，凡二十篇"。（《后汉书·朱穆列传》卷四十三）《隋书·经籍志》卷三十五："（梁又有）益州刺史《朱穆集》二卷，录一卷，亡。"严可均《全后汉文》卷二十八收其文十一篇。丁福保《全汉诗》卷二收其诗一首。

延笃约生于此年（100？—167）。按，延笃生年未详，本传称其"与朱穆、边韶共著作东观"，姑以其与朱穆同年。延笃，字叔坚，南阳犨（今河南南阳附近）人。少学《左氏传》，旬日能讽。尝从马融受业，博通经传百家，善著文章，名驰京师。先为平阳侯相，以师丧辞官。后著作东观，迁侍中、左冯翊，又徙京兆尹，以病免归，教授家巷。遭党事禁锢，卒于家。"所著诗、论、铭、书、《应讯》（李贤注：'讯，问也。盖《答客难》之类。'）、表、教令，凡二十篇云"。（《后汉书·延笃列传》卷六十四）《隋书·经籍志》卷三十三："《战国策论》一卷，汉京兆尹延笃撰。"同书卷三十五："后汉京兆尹《延笃集》一卷，梁二卷，录一卷。"严可均《全后汉文》卷六十一收其文七篇。

公元101年 （汉和帝刘肇永元十三年 辛丑）

是年

周防七十四岁，迁陈留太守，坐法免。（《后汉书·儒林列传》卷七十九上）按，年月未详，姑系在补博士一年后。

贾逵卒，年七十二（30—101）。（《后汉书·贾逵列传》卷三十六）

苏顺作《贾逵诔》。按，苏顺、刘珍二诔均当为此年之作。苏顺（？—125？），字孝山，京兆霸陵（今陕西长安东）人。和、安间以才学见称。好养生术，隐处求道。晚乃仕，拜郎中。"所著赋、论、诔、哀辞、杂文，凡十六篇"。（《后汉书·文苑列传》卷八十上）《隋书·经籍志》卷三十五："梁……又有郎中《苏顺集》二卷，录二卷。"严可均《全后汉文》卷四十九收其文四篇。

刘珍作《贾逵诔》。刘珍（？—126），一名宝，字秋孙，或作秘孙，南阳蔡阳（今湖北枣阳西南）人。少好学，曾与刘騊駼、马融等"校定东观《五经》、诸子传记、百家艺术，整齐脱误，是正文字"，与刘騊駼作《建武已来名臣传》。曾为谒者仆射，迁侍中、越骑校尉、卫尉、宗正，卒于官。"著诔、颂、连珠凡七篇。又撰《释名》三十篇，以辩万物之称号云"。（《后汉书·文苑列传》卷八十上）《隋书·经籍志》卷三十二："《东观汉记》一百四十三卷，起光武记注至灵帝，长水校尉刘珍等撰。"同书卷三十五："后汉《刘珍集》二卷，录一卷。"永瑢等："《东观汉记》二十四卷。案《东观汉记》，《隋书·经籍志》称长水校尉刘珍等撰。今考之范书，珍未尝为长水校尉，且此书刱始在明帝时，不可题珍等居首。案范书《班固传》云，明帝始诏班固与睢阳令陈宗、长陵令尹敏、司隶从事孟异共成《世祖本纪》。固又撰功臣、平林、新市、公孙述事，作列传载纪二十八篇。此《汉记》之初创也。刘知己《史通·古今正史篇》云，安帝诏史官谒者仆射刘珍、谏议大夫李尤杂作纪、表、名臣、节士、儒林、外戚诸传，起建武，讫永初。范书《刘珍传》亦称邓太后诏珍与刘騊駼作《建武以来名臣传》。此《汉记》之初续也。《史通》又云，珍、尤继卒，复命侍中伏无忌与谏议大夫黄景作《诸王、王子功臣恩泽侯表》，与《单于》《西羌传》《地理志》。元嘉元年，复令大中大夫边韶、大军营司马崔寔、议郎朱穆、曹寿杂作孝穆、崇二皇及顺烈皇后传。又增《外戚传》入安、思等后。《儒林传》入崔篆诸人。寔、寿又与议郎延笃杂作《百官表》、顺帝功臣孙程、郭愿、郑众、蔡伦等传凡百十有四篇，号曰《汉记》。范书《伏湛传》亦云，元嘉中，桓帝诏伏无忌与黄景、崔寔等共撰《汉记》。《延笃传》亦称笃与朱穆、边韶共著作东观。此《汉记》之再续也。盖至是而史体粗备，乃肇有《汉记》之名。《史通》又云，熹平中，光禄大夫马日磾、议郎蔡邕、杨彪、卢植著作东观，接续纪传之可成者。而邕别有《朝会》《车服》二志，后坐事徙朔方，上书求还，续成十志。董卓作乱，旧文散逸。及在许都，杨彪颇存注纪。案范书《蔡邕传》，邕在东观，与卢植、韩说等撰补《后汉记》，所作《灵纪》及十意，又补诸列传四十二篇。因李傕之乱，多不存。《卢植传》亦称，熹平中，植与邕、说并在东观，补续《汉记》。又刘昭补注《司马书》，引《袁崧书》云，刘洪与蔡邕共述《律历纪》。又引《谢承书》云，胡广博综旧仪，蔡邕因以为志。又引《谢沈书》云，蔡邕引中兴以来所修者为《祭祀志》。章怀太子范书注，称邕上书云'臣科条诸志，所欲删定者一，所当接续者四，前志所无，臣欲著者五'。此《汉记》之三续也。其称东观者，《后汉书》注引《洛阳宫殿名》云，南宫有东观。范书《窦章传》云，永初中，学者称东观为老氏藏室、道家蓬莱山。盖东汉初，著述在兰台。至章、和以后，图籍盛于东观，修史者皆在是焉，故以名书。《隋志》称书凡一百四十三卷，而《新、旧唐书志》则云一百二十六卷，又录一卷，盖唐时已有阙佚。《隋志》又称是书起光武，讫灵帝。今考列传之文，间纪及献帝时事，盖杨彪所补也。晋时以此书与《史记》《汉书》为三史，人多习之。故六朝及初唐人隶事释书，类多征引。自唐章怀太子集诸儒注范书，盛行于代，此书遂微。北宋时尚有残本四十三卷。赵希弁《读书附志》、邵博《闻见后录》，并称其书乃高丽所献，盖已罕得。南宋《中兴书目》则止存邓禹、吴汉、贾复、耿弇、寇恂、冯异、祭遵、景丹、盖延九传，共八卷。有蜀中刊本流传，而错误不可读。上蔡任汸始以秘阁本雠校，罗愿为序行之，刻版于江夏。又陈振孙《书录解题》称，其所见本，卷第凡十二，而阙第七、第八二卷。卷数虽似稍多，而核其列传之数，亦止九篇。则固无异于《书目》所载也。自元以来，此书已佚。《永乐大典》于邓、吴、贾、耿诸韵中，并无《汉记》一语。则所谓九篇者，明初即已不存矣。"（《四库提要》卷五十）

张衡二十四岁，其《司徒吕公诔》疑作于此年。按，吕公即吕盖，《后汉书·孝和帝纪》卷四谓永元九年十一月"吕盖为司徒",永元十三年十一月"司徒吕盖罢",此后其事未见载记,疑吕盖卒于是年,张谌或为此年所作。

马融二十三岁,从挚恂受业。挚恂爱其才,妻以女。(《后汉书·马融列传》卷六十、皇甫谧《高士传》卷下)按,马融从挚恂受业,当在服父丧期满后;其父马严永元十年卒,则马融师从挚恂当在是年。

公元 102 年 (汉和帝刘肇永元十四年 壬寅)

七月

班昭上书,为兄班超求代,汉和帝乃召还班超。(《后汉书·班超列传》卷四十七、《资治通鉴》卷四十八)

十一月

司空徐防上疏,以为博士及甲乙策试宜从章句。《后汉书·徐防列传》卷四十四:"防以《五经》久远,圣意难明,宜为章句,以悟后学。上疏曰:'臣闻《诗》《书》《礼》《乐》,定自孔子;发明章句,始于子夏。其后诸家分析,各有异说。汉承乱秦,经典废绝,本文略存,或无章句。收拾缺遗,建立明经,博征儒术,开置太学。孔圣既远,微旨将绝,故立博士十有四家,设甲乙之科,以勉劝学者,所以示人好恶,改敝就善者也。伏见太学试博士弟子,皆以意说,不修家法,私相容隐,开生奸路。每有策试,辄兴诤讼,论议纷错,互相是非。孔子称"述而不作",又曰"吾犹及史之阙文",疾史有所不知而不肯阙也。今不依章句,妄生穿凿,以遵师为非义,意说为得理,轻侮道术,浸以成俗,诚非诏书实选本意。改薄从忠,三代常道,专精务本,儒学所先。臣以为博士及甲乙策试,宜从其家章句,开五十难以试之。解释多者为上第,引文明者为高说;若不依先师,义有相伐,皆正以为非。《五经》各取上第六人,《论语》不宜射策。虽所失或久,差可矫革。'诏书下公卿,皆从防言。"

是年

曹褒卒(?—102)。(《后汉书·曹褒列传》卷三十五)

崔瑗二十五岁,其兄为州人所杀,崔瑗为兄手刃仇人,因亡命。按,《后汉书·崔瑗列传》卷五十二仅载其事,年月未详,姑系于初至京师七年后。

崔琦约十八,游学京师,以文章博通称。(《后汉书·文苑列传》卷八十上)按,年月未详,姑定在十八岁时。

公元 103 年 (汉和帝刘肇永元十五年 癸卯)

是年

张霸四十七岁,四迁为侍中,不肯结交当朝权贵邓骘。按,张霸迁为侍中,本传称时虎贲中郎将邓骘欲与其相交,查《后汉书·邓骘列传》卷十六,邓骘于妹邓贵人立为皇后时"三迁虎贲中郎将",而《后汉书·皇后纪》卷十上谓邓骘妹永元十四年冬立为皇后,则邓骘迁虎贲中郎将在永元十五年,故张霸迁侍中或在此年。(《后汉书·张霸列传》卷三十六)

张衡二十六岁,作《绶笥铭》。按,《绶笥铭序》谓"衡时为德主簿",铭当作于其为鲍德主簿期间,姑系于其始为主簿三年后。

公元 104 年 （汉和帝刘肇永元十六年 甲辰）

是年

朱穆五岁,便以孝称。(《后汉书·朱穆列传》卷四十三)

皇甫规生(104—174)。皇甫规,字威明,安定朝那(今甘肃平凉西北)人。冲、质之间举贤良方正,拜郎中,托疾免归。为梁冀几陷死者再三。遂以《诗》《易》授徒十四年,门徒多至三百余人。梁冀被诛,旬月之间,礼命五至,皆不就。后公车征拜太山太守,又为三公举荐,任中郎将,平羌立功。征还拜议郎,论功当封,宦官索贿不果,下之于吏。因诸公及太学生等三百余人诣阙讼之,得免归家。复征拜度辽将军。其"为人多意算,自以为连在大位,欲退身避第,数上病,不见听"。永嘉元年,征为尚书,迁弘农太守,封寿成亭侯,让封不受,转为护羌校尉。汉灵帝熹平三年(174)卒。"所著赋、铭、碑、赞、祷文、吊、章表、教令、书、檄、牋记,凡二十七篇"。(《后汉书·皇甫规列传》卷六十五)《隋书·经籍志》卷三十五:"梁……又有司农卿《皇甫规集》五卷,亡"。严可均《全后汉文》卷六十一收其文十一篇。

张奂生(104—181)。张奂,字然明,敦煌渊泉(今属甘肃)人。少立志节,尝与士友言曰:"大丈夫处世,当为国家立功边境。"少游三辅,师事太尉朱宠,学《欧阳尚书》。初,《牟氏章句》浮辞繁多,有四十五万余言,奂减为九万言。后辟大将军梁冀府,乃上书桓帝,奏其《章句》,诏下东观。以疾去官,复举贤良,对策第一,擢拜议郎。迁安定属国都尉、使匈奴中郎将。梁冀被诛,以故吏免官。居家四载,后拜武威太守,迁度辽将军,征拜大司农。复拜护匈奴中郎将,迁少府,复拜大司农。以功封侯,辞而不受。转官太常,以忤宦官,禁锢归田里,闭门不出,养徒千人,"著《尚书记难》三十余万言"。汉光和四年(181)卒,临终"遗命曰:'吾前后仕进,十要银艾,不能和光同尘,为谗邪所忌。通塞命也,始终常也。但地底冥冥,长无晓期,而复缠以纩绵,牢以钉密,为不喜耳。幸有前窀,朝殒夕下,措尸灵床,幅巾而已。奢非晋文,俭非王孙,推情从意,庶无咎吝。'""武威多为立祠,世世不绝。所著铭、颂、书、教、诫述、志、对策、章表,二十四篇"。(《后汉书·张奂列传》卷六十五)《隋书·经籍志》卷三十五:"(梁又有)太常卿《张奂集》二卷,录一卷。"严可均《全后汉文》卷六十四收其文十五篇。

公元 105 年 （汉和帝刘肇永元十七年 元兴元年 乙巳）

四月

汉和帝改元元兴,大赦天下。(《后汉书·孝和帝纪》卷四)

崔瑗遇赦归家。（《后汉书·崔瑗列传》卷五十二）

十二月

汉和帝崩，立少子刘隆为皇太子，即皇帝位，是为汉殇帝；邓太后临朝。（《后汉书·孝和孝殇帝纪》卷四）

李尤作《和帝哀策》。按，李尤哀策、崔瑗诔与苏顺诔均当作于和帝崩后不久。

崔瑗作《和帝诔》。

苏顺作《和帝诔》。

是年

周防卒，年七十八（28—105）。（《后汉书·儒林列传》卷七十九上）

宦官尚方令蔡伦奏报所改进之造纸术，天下称为"蔡侯纸"。（《后汉书·宦者列传》卷七十八）

曹众此年前后在世，作文多篇。《后汉书·文苑列传》卷八十上："时，三辅多士，扶风曹众伯师亦有才学，著诔、书、论四篇。"按，《文苑列传》叙在苏顺下，盖与苏顺同时。曹众（？—？），字伯师，三辅（今陕西西安附近）人。有才学。著诔、书、论四篇。（《后汉书·文苑列传》卷八十上）

曹朔此年前后在世，作《汉颂》四篇。《后汉书·文苑列传》卷八十上："又有曹朔，不知何许人，作《汉颂》四篇。"按，《文苑列传》叙在曹众时，盖与之为同时人。曹朔（？—？），三辅（今陕西西安附近）人。作《汉颂》。（《后汉书·文苑列传》卷八十上）

公元106年 （汉殇帝刘隆延平元年 丙午）

四月

张衡作《司空陈公诔》。按，陈公指陈宠，《后汉书·孝殇帝纪》卷四谓司空陈宠此月卒，张诔当作于此时。

苏顺作《陈公诔》。（《后汉书·文苑列传》卷八十上）按，苏诔之"陈公"当即陈宠，与张衡诔为同时之作。

八月

汉殇帝刘隆卒。皇太后迎请清河王子刘祜即位，是为汉安帝。（《后汉书·孝殇帝纪》卷四、《后汉书·孝安帝纪》卷五）

班昭子曹成特封关内侯，官至齐相。（《后汉书·列女传》卷八十四）

十二月

崔瑗作《清河王诔》。按,《后汉书·孝安帝纪》卷五云"延平元年……十二月甲子,清河王薨",崔诔当作于此时。

罢鱼龙曼延百戏。《后汉书·孝安帝纪》卷五:"乙酉,罢鱼龙曼延百戏。"李贤注:"《汉官典职》曰:'作九宾乐。舍利之兽从西方来,戏于庭,入前殿,激水化成比目鱼,漱水作雾,化成黄龙,长八丈,出水遨戏于庭,炫耀日光。张衡《西京赋》所云"巨兽百寻,是为曼延"。'"

是年

张衡二十九岁,其《二京赋》作成。《西京赋序》:"昔班固睹世祖迁都于洛邑,惧将必逾溢制度,不能遵先圣之正法也,故假西都宾盛称长安旧制,有陋洛邑之议,而为东都主人折礼衷以答之。张平子薄而陋之,故更造焉。"(《艺文类聚》卷六十一)按,本传称作《二京赋》"精思傅会,十年乃成",其永元八年(96)始撰,至此十年。

马融二十八岁,从班昭受《汉书》。《后汉书·列女传》卷八十四:"时《汉书》始出,多未能同者,同郡马融伏于阁下,从昭受读。后又诏融兄续,继昭成之。"按,《列女传》于班昭子封侯后即叙此事,马融师从曹大家当在此时。

公元 107 年　(汉安帝刘祜永初元年　丁未)

三月

汉安帝诏举贤良方正、有道术之士、明政术、达古今、能直言极谏者。(《后汉书·孝安帝纪》卷五)

六月

史岑作《出师颂》。按,史颂云"西零不顺,东夷遘逆。……言念伯舅,恩深渭阳","伯舅"即外戚邓骘,《后汉书·孝安帝基》卷五谓"永初元年……六月……壬戌罢西域都护。先零种羌叛,断陇道,大为寇掠,遣车骑将军邓骘,征西校尉任尚讨之",史颂显为邓骘出师平种羌所作。史岑(?—?),字孝山,余未详,《文选·出师颂》卷四十七李善注谓"史孝山,范晔《后汉书》曰:'王莽末,沛国史岑,字孝山,以文章显。'《文章志》及《集林》《今书七志》并同,皆载岑《出师颂》,而《流别集》及《集林》又载岑《和熹邓后颂并序》。计莽之末以迄和熹,百有余年。又《东观汉记》:东平王苍上《光武中兴颂》,明帝问校书郎'此与谁等',对云'前世史岑之比'。斯则莽末之史岑,明帝之时已云'前世',不得为和熹之颂明矣。然盖有二史岑,字子孝者仕王莽之末,字孝山者当和熹之际。但书典散亡,未详孝山爵里,诸家遂以孝山之文载于子孝之集,非也。"

十月

倭国遣使奉献。(《后汉书·孝安帝纪》卷五)

十一月

司空周章等谋闭宫门，废太后，杀邓氏兄弟，废安帝而立平原王刘胜，事泄未成，周章自杀。(《后汉书·周章列传》卷三十三、《后汉书·孝安帝纪》卷五)

是年

张衡三十岁，其《南阳文学儒林书赞》或作于此年。按，张赞言南阳太守鲍德事，疑为鲍德主簿时作，姑系于此。

崔瑗三十岁，其《南阳文学官志》《南阳文学颂》或作于此年。《后汉书·崔瑗列传》卷五十二："其《南阳文学官志》，称于后世，诸能为文者皆自以为弗及。"按，崔瑗与张衡交好，其志、颂或受张赞影响而作，大约作于同时。

樊英约二十六岁，征为博士。(《后汉书·方术列传》卷八十二上)

公元108年 (汉安帝刘祜永初二年 戊申)

是年

葛龚举孝廉，为太官丞。按，《后汉书·文苑列传》卷八十上谓其事在"安帝永初中"，姑系于此。

马融三十岁，大将军邓骘召其为舍人，先不就，后因饥困，又应召。《后汉书·马融列传》卷六十上："永初二年，大将军邓骘闻融名，召为舍人，非其好也，遂不应命，客于凉州武都、汉阳界中。会羌虏飙起，边方扰乱，米谷踊贵，自关以西，道殣相望。融既饥困，乃悔而叹息，谓其友人曰：'古人有言："左手据天下之图，右手刎其喉，愚夫不为。"所以然者，生贵于天下也。今以曲俗咫尺之羞，灭无赀之躯，殆非老庄所谓也。'故往应骘召。"

胡广十八岁，娶章显章。按，蔡邕《太傅安乐侯胡公夫人灵表》称"永初三年十有五，爰初来嫁"，然以文中所谓"建宁三年(170)卒，年七十七"观之，章显章永初二年十五岁，"三"当为"二"之讹。

公元109年 (汉安帝刘祜永初三年 己酉)

秋

邓太后选能臣校订群书；又令后宫习诵经传。《后汉书·皇后纪》卷十上："(永初)三年秋……太后……昼省王政，夜则诵读，而患其谬误，惧乖典章，乃博选诸儒刘珍等及博士、议郎、四府掾史五十余人，诣东观雠校传记。事毕奏御，赐葛布各有差。又诏中宫近臣于东观受读经传，以教授宫人，左右习诵，朝夕济济。"

张衡三十二岁，大将军邓骘累召不应。按，《后汉书·孝安帝纪》卷五云永初二年十一月"拜邓骘为大将军"，永初四年十月"大将军邓骘罢"，大将军邓骘累召其事当在此二年之间，姑系于此。

赵岐生（109—201）。按，《后汉书·赵岐列传》卷六十四仅云其"年九十余，建安六年卒"，未言其生年。传称"延熹元年（158），玹为京兆尹，岐惧祸及，乃与从子戬逃避之"，而赵岐《孟子题辞》所谓"知命之际，婴戚于天，遘屯离蹇，诡姓遁身"，正指其事；然则其年，赵岐值知命之年，即春秋五十耳，故当生于永初三年（109），享寿九十三。赵岐，初名嘉，字台卿，后避难改名岐，字邠卿，京兆长陵（今陕西咸阳东北）人。年少明经，有才艺。娶外戚马融兄女，然鄙之，不见马融。曾辟司空掾、大将军梁冀府，为皮氏长、京兆尹功曹。后因得罪宦官诸唐，自匿姓名，亡命四方。诸唐死灭，三府并辟，擢拜并州刺史，坐党事免。灵帝初，复遭党锢十余载。后征拜议郎，为敦煌太守；献帝西都，复拜议郎，迁太仆，又使荆州督粮；曹操、孔融等荐之，拜为太常。建安六年卒。"先自为寿藏，图季札、子产、晏婴、叔向四像居宾位，又自画其像居主位，皆为赞颂。敕其子曰：'我死之日，墓中聚沙为床，布簟白衣，散发其上，覆以单被，即日便下，下讫便掩'。"多所述作，著《孟子章句》《三辅决录》传于时"。（《后汉书·赵岐列传》卷六十四）《隋书·经籍志》卷三十三："《三辅决录》七卷，汉太仆赵岐撰，挚虞注。"同书卷三十四："《孟子》十四卷，齐卿孟轲撰，赵岐注。"永瑢等："《孟子正义》十四卷，汉赵岐注。其疏则旧本题宋孙奭撰。岐字邠卿，京兆长陵人。初名嘉，字台卿。永兴二年，辟司空掾，迁皮氏长。延熹元年，中常侍唐衡兄玹为京兆尹，与岐夙隙，岐避祸逃避四方，乃自改名字。后遇赦得出，拜并州刺史。又遭党锢十余岁。中平元年，征拜议郎，举敦煌太守。后迁太仆，终太常。事迹具《后汉书》本传。……是注即岐避难北海时，在孙宾家夹柱中所作。汉儒注经多明训诂名物，惟此注笺释文句，乃似后世之口义，与古学稍殊。然孔安国、马融、郑元（玄）之注《论语》，今载于何晏《集解》者，体亦如是。盖《易》《书》文皆最古，非通其训诂则不明。《诗》《礼》语皆征实，非明其名物亦不解。《论语》《孟子》词旨显明，惟阐其义理而止，所谓言各有当也。其中如谓宰予、子贡、有若缘孔子圣德高美而盛称之。孟子知其太过，故贬谓之污下之类，纰缪殊甚。以屈原憔悴为征于色，以宁戚扣角为发于声之类，亦比拟不伦。然朱子作《孟子集注·或问》，于岐说不甚掊击。至于书中人名，惟盆成括、告子不从其学于孟子之说，季孙子叔不从其二弟子之说，余皆从之。书中字义，惟'折枝'训按摩之类不取其说，余亦多取之。盖其说虽不及后来之精密，而开阔荒芜，俾后来得循途而深造，其功要不可泯也。胡炉《拾遗录》据李善《文选》注引《孟子》曰：'《墨子·兼爱》，摩顶致于踵。赵岐曰，致，至也'。知今本经文及注均与唐本不同。今证以孙奭音义所音，岐注亦多不相应，盖已非旧本。至于《尽心下》篇'夫子之设科也'，注称孟子曰'夫我设教授之科'云云，则显为予字，今本乃作夫子。又'万子曰'句，注称'万子，万章也'，则显为子字。今本乃作'万章'，是又注文未改，而经文误刊者矣。……"（《四库提要》卷三十五）

公元 110 年 （汉安帝刘祜永初四年　庚戌）

二月

刘珍为谒者仆射，奉邓太后诏，与《五经》博士校定东观《五经》、诸子传记、百家艺术，整齐脱误，是正文字。蔡伦奉诏监典此事。（《后汉书·孝安帝纪》卷五、（《后汉书·宦者列传》卷七十八）

刘騊駼为校书，奉诏校定东观《五经》、诸子传记、百家艺术。（后汉书·文苑列传》八十上）刘騊駼（？—126？），临邑侯刘复子。有才学。撰《中兴以下名臣列士传》，"又自造赋、颂、书、论凡四篇"。（《后汉书·宗室四王三侯列传》卷十四）《隋书·经籍志》卷三十五："后汉校书郎《刘騊駼集》一卷梁二卷，象一卷"。严可均《全后汉文》卷三十三收其文五篇。

马融为校书郎中，奉诏校定东观《五经》、诸子传记、百家艺术。（《后汉书·马融列传》卷六十上、《后汉书·文苑列传》卷八十上）

十月

班昭上疏对邓太后问，又作《女诫》七篇。《后汉书·列女传》卷八十四："永初中，太后兄大将军邓骘以母忧，上书乞身，太后欲不许，以问昭。昭因上疏曰：'伏惟皇太后陛下，躬盛德之美，隆唐虞之政，辟四门开四聪，采狂夫之瞽言，纳刍荛之谋虑。妾昭得以愚朽身当圣明，敢不披露肝胆，以效万一。妾闻谦让之风，德莫大焉，故典坟述美，神祇降福。昔夷齐去国，天下服其廉高；太伯违邠，孔子称为三让。所以光昭令德，扬名于后者也。《论语》曰："能以礼让为国，于从政乎何有。"由是言之，推让之诚，其致远矣。今四舅深执忠孝，引身自退，而以方垂未静，拒而不许；如后有毫毛加于今日，诚恐推让之名不可再得。缘见逮及，故敢昧死竭其愚情。自知言不足采，以示虫蚁之赤心。'太后从而许之。于是骘等各还里第焉。作《女诫》七篇，有助内训。"按，《后汉书·孝安帝纪》卷五谓邓骘母新野君永初四年十月卒，邓太后问班昭及班昭上疏应对当为此时事；据传文意，《女诫》亦当作于此时。

是年

许慎八十一岁，复校书东观。（《说文解字》卷十五下许冲《奏文》及段玉裁注）

张衡三十三岁，其《南都赋》或作于此年。按，张赋摹状铺叙南阳，当为其作鲍德主簿时所作，姑系于此。

公元 111 年 （汉安帝刘祜永初五年　辛亥）

闰四月

汉安帝诏举贤良方正、能直言极谏之士。（《后汉书·孝安帝纪》卷五）

冬

刘珍上言邓太后，宜献庙。（袁宏《后汉记》卷十六）

是年

张衡三十四岁，其举孝廉、拜郎中或在此年；刘珍、刘騊骎上言请其参论议定汉礼；其《与崔瑗书》《太玄注》《玄图》《大司农鲍德诔》或作于此年。按，张诔云"羌凭作虐，艰我西邻"，与《后汉书·孝安帝纪》卷五所载永初五年"先零羌寇河东，遂至河内"事合，鲍德卒及诔文之作疑在是年。崔瑗《河间相张平子碑》称"初举孝廉"，《后汉书·张衡列传》卷五十九称"安帝雅闻衡善术学，公车特征，拜郎中"，其年未详，或在鲍德卒后即应特征。本传谓"永初中，谒者仆射刘珍、校书郎刘騊骎等著作东观，撰集《汉记》，因定汉家礼仪，上言请衡参论其事"，二刘去岁入东观，张衡此年拜郎中，受请议礼当在此年，唯未果耳。《与崔瑗书》云"乃者以朝驾明日，披读《太玄经》"，书似为朝官时作，姑系于此。常璩《华阳国志·先贤士女总赞》卷十上称张衡为《太玄》作注，《隋书·经籍志》卷三十四载"《玄图》一卷"，未云撰者名，侯康《补后汉书艺文志》卷四以为"必出张衡无疑"，二书以《与崔瑗书》中言及，或亦作于此时。

崔瑗三十四岁，或在此年注《太玄经》。按，常璩《华阳国志·先贤士女总赞》卷十上谓崔瑗注《太玄经》，崔瑗与张衡友善，二人服膺《太玄》，张衡有注，崔注亦恐非子虚，当与张注为同时之作。

公元 112 年 　（汉安帝刘祜永初六年　壬子）

是年

张衡三十五岁，当仍为郎中。（《后汉书·张衡列传》卷五十九）

葛龚上便宜四事，拜荡阴令。按，《后汉书·文苑列传》卷八十上谓其事在"安帝永初中"，姑系在为太官丞四年后。

公元 113 年 　（汉安帝刘祜永初七年　癸丑）

是年

班昭约六十五岁，随子曹成至陈留，作《东征赋》。《东征赋》："惟永初之有七兮，余随子乎东征。"

张衡三十六岁，多所制造。按，张衡《应间》云"参轮可使自转，木雕犹能独飞"，即自动车、自飞木雕之类，或造于此时。

国人伤三女同时沉水没死，作《伤三贞诗》。常璩《华阳国志·巴志》卷一："永初中，广汉汉中羌反，虐及巴郡。有马妙祈妻义、王元愦妻姬、赵蔓君妻华，夙丧夫，执共姜之节，守一醮之礼，号曰'三贞'。遭乱兵迫匿，惧见拘辱，三人同时自沉于西汉水而没死，有黄鸟鸣其亡处，徘徊焉。国人伤之，乃作诗曰：'关关黄鸟，爰集于树。窈窕淑女，是绣是黼。惟彼绣黼，其心匪石。嗟尔临川，邈不可获。'"按，此事背景或即《后汉书·西羌传》卷八十七载永初七年零昌别部牢羌事，姑系于此。

公元114年 （汉安帝刘祜元初元年　甲寅）

正月

汉安帝改元元初。（《后汉书·孝安帝纪》卷五）

是年

张衡三十七岁，迁尚书侍郎。按，崔瑗《河间相张平子碑》称"初举孝廉，为尚书侍郎"，《后汉书·百官志三》李贤注引蔡质《汉仪》谓"尚书郎初从三署诣台试，初上台称守尚书郎，中岁满称尚书郎，三年称侍郎"，张衡永初五年为郎居中，则迁尚书侍郎当在此年。

刘毅上《汉德论》并《宪论》十二篇，刘珍、马融等上书称其美，安帝嘉之，赐钱三万，拜议郎。（《后汉书·文苑列传》卷八十上）

崔琦约三十岁，举孝廉，为郎。（《后汉书·文苑列传》卷八十上）按，年月未详，姑定在其而立之年。

延笃约十五岁，从唐溪典受学，始注《左传》。按，《后汉书·延笃列传》卷六十四云"少从唐溪典受《左氏传》，旬日能讽之，典深敬焉"，其年未详，姑系在其十五岁时。其注《左传》当始于从唐溪典受学《左传》时，李贤注引《先贤行状》曰："笃欲写《左氏传》，无纸，唐溪典以废笺记与之。笃以笺记纸不可写《传》，乃借本讽之，粮尽辞归。典曰：'卿欲写传，何故辞归？'笃曰：'已讽之矣。'典闻之叹曰：'嗟乎延生！虽复端木闻一知二，未足为喻。若使尼父更起于洙、泗，君当编名七十，与游、夏争匹也。'"延注《左传》或成于其元嘉年间著作东观时，其书钱大昭《补续汉书艺文志》、侯康《补后汉书艺文志》等均有著录。

桓麟或生于此年（114？—154？）。按，生卒年不详，《后汉书·桓荣列传》卷三十七谓其子桓彬"光和元年，卒于家，年四十六"，则当生于阳嘉二年（133），姑以桓麟弱冠得子，则其或生于元初元年（114）前后。桓麟，字元凤，沛郡龙亢（今安徽怀远西）人。年少有才，聪慧。桓帝初，为议郎，入侍讲禁中。以直道忤左右，出为许令，以病免。会母丧，不胜哀痛，未祥而卒。"所著碑、诔、赞、说、书凡二十一篇"。（《后汉书·桓荣列传》卷三十七）李贤注："案挚虞《文章志》，麟文见在者十八篇，有碑九首、诔七首、《七说》一首、《沛相郭君书》一首。"《隋书·经籍志》卷三十五："梁有……司徒掾《桓麟集》二卷，录一卷，亡"。严可均《全后汉文》卷二十七收其文二篇。

公元115年 （汉安帝刘祜元初二年　乙卯）

十月

马融上书请宥庞参诈疾之罪。（《后汉书·庞参列传》卷五十一、《资治通鉴》卷

四十九）

是年

张衡三十八岁，迁为太史令，作浑天仪，著《灵宪》《算罔论》。按，崔瑗《河间相张平子碑》称张衡"为尚书侍郎，迁太史令"，年月未明，然紧续其为尚书侍郎后，姑系于此。《后汉书·张衡列传》卷五十九："再迁为太史令。遂乃研覈阴阳，妙尽璇机之正，作浑天仪，著《灵宪》《算罔论》，言甚详明。"李贤注："《汉名臣奏》曰：'蔡邕曰："言天体者有三家，一曰周髀，二曰宣夜，三曰浑天。宣夜之学绝，无师法。周髀术数具存，考验天状，多所违失，故史官不用。唯浑天者，近得其情，今史官所用候台铜仪，则其法也。"'《灵宪序》曰：'昔在先王，将步天路，用定灵轨。寻绪本元，先准之于浑体，是为正仪，故灵宪作兴。'《衡集》无《算罔论》，盖网络天地而算了之，因名焉。"

胡广二十五岁，或于此年为郡散吏。按，《后汉书·胡广列传》卷四十四称其"长大随辈入郡为散吏"，叙在其举孝廉前，姑系于其举孝廉二年前。

公元 116 年　（汉安帝刘祜元初三年　丙辰）

三月

马融因日食对策北宫端门。按，马融《延光四年日蚀上书》云"后三年二月对策北宫端门，以为参者西方之位，其于分野并州是也，殆谓西戎北狄。其后种羌叛戾，乌桓犯上郡，并凉动兵，验略效矣"，此段追叙盖与《后汉书·孝安帝纪》卷五元初三年三月"日有食之"以及其后击羌人、乌桓事合，唯马书中"二月"疑为"三月"之误。

公元 117 年　（汉安帝刘祜元初四年　丁巳）

王逸或于此年举上计吏，为校书郎；其注《楚辞》当完成于为校书郎期间。按，《后汉书·文苑列传》卷八十上云其举吏为郎在"元初中"，元初共七年，姑系此年。又同传称其"著《楚辞章句》行于世"，《隋书·经籍志》卷三十五谓"《楚辞》十二卷，并目录，后汉校书郎王逸注"，《楚辞章句》除十七卷题"汉侍中南郡王逸叔师作"，卷一至卷十六均题"校书郎臣王逸上"，故王注《楚辞》当成于其任校书郎期间。王逸（？—164？）字叔师，南郡宜城（今属湖北）人。元初中，举上计吏，为校书郎。顺帝时，为侍中。"著《楚辞章句》行于世。其赋、诔、书、论及杂文凡二十一篇。又作《汉诗》百二十三篇"。（《后汉书·文苑列传》卷八十上）《隋书·经籍志》卷三十四："梁有王逸《正部论》八卷，后汉侍郎王逸撰。"同书卷三十五："《楚辞》十二卷并目录，后汉校书郎王逸注。……梁有……《王逸集》二卷，录一卷。……亡。"张溥辑有《王叔师集》。严可均《全后汉文》卷五十七收其文二十一篇。张溥："屈原在楚怀王时，以忠被疏，作《离骚经》，顷襄王立，放之江南，复作《九歌》《天问》《九章》《远游》《卜居》《渔父》《大招》，自沉汨罗。其后楚宋玉作《九辩》

《招魂》，汉贾谊作《惜誓》，淮南小山作《招隐士》，东方朔作《七谏》，严忌作《哀时命》，王褒作《九怀》，刘向作《九叹》，皆拟其文。汉武时，淮南王安始作《离骚传》，向典校经书，分为十六卷，东京班固、贾逵各作《离骚章句》，余十五卷，阙而不说。至王逸复作十六篇章句，又续为《九思》，取班固之序附之，为十七篇，今世所行《离骚》，皆王本也。东汉文苑，王叔师父子皆有名文，考《灵光殿赋》与《梦赋》二篇，世共传诵，叔师文少有习者，读《离骚》乃见之矣。文字存亡，常有时命，或存己集，或附他书，俱可不敝天壤。叔师《骚》注，即不能割本书独行，然自以为与原同产，南阳土风哀思，有足亲者。《章句》诸篇与遗文并录，不类巨山《诗序》、康成《诗谱》哉。"（《汉魏六朝百三家集·王叔师集题词》）永瑢等："《楚辞章句》十七卷，汉王逸撰。逸字叔师，南郡宜城人，顺帝时官至侍中。事迹具《后汉书·文苑传》。旧本题校书郎中，盖据其注是书时所居官也。初，刘向裒集屈原《离骚》《九歌》《天问》《九章》《远游》《卜居》《渔父》，宋玉《九辩》《招魂》，景差《大招》，而以贾谊《惜誓》、淮南小山《招隐士》、东方朔《七谏》、严忌《哀时命》、王褒《九怀》及向所作《九叹》，其为《楚辞》十六篇，是为总集之祖。又益以己作《九思》，与班固二《叙》为十七卷，而各为之注。其《九思》之注，洪兴祖疑其子延寿所为。然《汉书·地理志》《艺文志》即有自注，事在逸前。谢灵运作《山居赋》，亦自注之。安知非用逸例耶？旧说无文，未可遽疑为延寿作也。陈振孙《书录解题》载有《古文楚辞释文》一卷，其篇第首《离骚》，次《九辩》《九歌》《天问》《九章》《远游》《卜居》《渔父》《招隐士》《招魂》《九怀》《七谏》《哀时命》《惜誓》《大招》《九思》，迥与今本不同。兴祖据逸《九章》注中称'皆解于《九辩》中'，知古本《九辩》在前，《九章》在后。振孙又引朱子之言，据天圣十年陈说之序，谓旧本篇第混并，乃考其人之先后，重定其篇第。知今本为说之所改。则自宋以来，已非逸之旧本。又黄伯思《东观余论》谓逸注《楚辞》，序皆在后，如《法言》旧本之例，不知何人移于前。则不但篇第非旧，并其序亦非旧矣。然洪兴祖考异，于《离骚经》下注曰'《释文第一》，无经字。而逸注明云离，别也。骚，愁也。经，径也。则逸所注本确有经字，与《释文》本不同'。必谓《释文》为旧本，亦未可信，姑存其说可也。逸注虽不甚详赅，而去古未远，多传先儒之训诂。故李善注《文选》，全用其文。《抽思》以下诸篇注中，往往隔句用韵，如'哀愤结绖，虑烦冤也。哀悲太息，损肺肝也。心中结屈，如连环也'之类。不一而足。盖仿《周易·象》传之体，亦足以考证汉人之韵。而吴棫以来谈古韵者，皆未征引，是尤宜表而出之矣。"（《四库提要》卷一百四十八）

　　胡广二十七岁，举孝廉，为尚书郎。《后汉书·胡广列传》卷四十四："太守法雄之子真，从家来省其父。真颇知人。会岁终应举，雄敕真助其求才。雄因大会诸吏，真自于牖间密占察之，乃指广以白雄，遂察孝廉。既到京师，试以章奏，安帝以广为天下第一。旬月拜尚书郎。"李贤注："《谢承书》曰：'广有雅才，学究《五经》，古今术艺皆毕览之。年二十七，举孝廉。'"

　　李固二十四岁，在太学受业，寻游学三辅。《后汉书·李固列传》卷六十三："少好学，常步行寻师，不远千里。遂究览坟籍，结交英贤。四方有志之士多慕其风，而来学京师。咸叹曰:'是复为李公矣!'"李贤注:"《谢承书》曰:'固改易姓名,杖策驱驴,负笈追师三辅,学《五经》,积十余年。博览古今,明于风角、星算、《河图》、谶纬,仰察俯占,穷神知变。每到太学,密入公府,定省父母,不令同业诸生知是邰子。'"按,李固父李郃两为三公,一为司空,一为司徒,《后汉书·方术列传》卷八十二上云其"元初四年,代袁敞为司空,数陈得失,有忠臣节。在位四年,坐请托事免。安帝崩,北乡侯立,复为司徒",李固至太学,当在李郃为司空之四年内,姑系此年。

公元 118 年 (汉安帝刘祜元初五年 戊午)

十月

马融作《广成颂》。按,《后汉书·马融列传》卷六十上云"元初二年,上《广成颂》以讽谏",然颂云"伏见元年(李贤注:'元年谓安帝即位年也。')已来,遭值厄运,陛下戒惧灾异,躬自菲薄,荒弃禁苑,废弛乐悬,勤忧潜思,十有余年,以过礼数",是作颂时距安帝即位(永初元年 [107])"十有余年";颂又云"今年五月以来,雨露时澍,祥应将至。方涉冬节,农事闲隙,宜幸广成",则作赋时为"冬节";颂又云"于今十二年,为日久矣",是作颂之年更为明确,即距永初元年十二年的元初五年。然则传云"元初二年"为"元初五年"之讹,明矣!

是年

刘毅上书言宜早为邓太后注记。《后汉书·皇后纪》卷十上:"元初五年,平望侯刘毅以太后多德政,欲令早有注记,上书安帝曰:'……宜令史官著《长乐宫注》《圣德颂》,以敷宣景燿,勒勋金石,县之日月,摅之罔极,以崇陛下烝烝之孝。'帝从之。"

史岑此年前后作《和熹邓后颂》。按,《文选·出师颂》卷四十七李善注谓"而《流别集》及《集林》又载岑《和熹邓后颂并序》",姚振宗《后汉艺文志》卷四推断说"此或即是《圣德颂》之一,审如是,则史岑者安帝时史官也",姚说不无道理。

崔瑗四十一岁,始为郡吏,作《与葛元甫书》《遗葛龚珮铭》。按,《后汉书·崔瑗列传》卷五十二称其"年四十余,始为郡吏",辟其之度辽将军邓遵建光元年(121)自杀(《后汉书·孝安帝纪》卷五),至邓遵死前崔瑗尚有系东郡发干狱及受邓遵所辟事,为吏事系于此年为宜。崔书称"仆在河北",疑作于应邓遵辟前,崔铭亦或同时之作,姑并系于此。

公元 119 年 (汉安帝刘祜元初六年 己未)

是年

邓太后为子孙后代置学官,使读书。《后汉书·皇后纪》卷十上:"六年,太后诏征和帝弟济北、河间王子男女年五岁以上四十余人,又邓氏近亲子孙三十余人,并为开邸第,教学经书,躬自监试。尚幼者,使置师保,朝夕入宫,抚循诏导,恩爱甚渥。

乃诏从兄河南尹豹、越骑校尉康等曰：‘吾所以引纳群子，置之学官者，实以方今承百王之敝，时俗浅薄，巧伪滋生，《五经》衰缺，不有化导，将遂陵迟，故欲褒崇圣道，以匡失俗。传不云乎："饱食终日，无所用心，难矣哉！"今末世贵戚食禄之家，温衣美饭，乘坚驱良，而面墙术学，不识臧否，斯故祸败所从来也。’"

崔瑗四十二岁，以事入狱，犹自好学。 按，《后汉书·崔瑗列传》卷五十二："以事系东郡发干狱。狱掾善为《礼》，瑗闻考讯时辄问以《礼》说。其专心好学，虽颠沛必于是。后事释归家。"然未知事在何年，姑系于应邓遵辟前一年。

葛龚或于此年为临汾令。 按，《后汉书·文苑列传》卷八十上称"辟太尉府，病不就。州举茂才，为临汾令"，其年未详，姑系于为荡阴令七年后。

朱穆二十岁，为督邮。《后汉书·朱穆列传》卷四十三："及壮耽学，锐意讲诵。或时思至不自知，亡失衣冠，颠队阬岸。其父常以为专愚，几不知数马足。"李贤注引《谢承书》曰："穆少有英才，学明《五经》，性矜严疾恶，不交非类。年二十，为郡督邮，迎新太守。见穆曰：‘君年少为督邮，因族势？为有令德？’穆答曰：‘郡中瞻望明府谓如仲尼，非颜回不敢以迎孔子。’更问风俗人物。太守甚奇之，曰：‘仆非仲尼，督邮可谓颜回也。’"

公元120年 （汉安帝刘祜元初七年　永宁元年　庚申）

四月

改元永宁。（《后汉书·孝安帝纪》卷五）

是年

李尤七十七岁，为谏议大夫，受诏撰《汉记》。 按，《后汉书·文苑列传》卷八十上称其"安帝时为谏议大夫，受诏与谒者仆射刘珍等俱撰《汉记》"，按，以下条刘珍事参之，当在此年。《隋书·经籍志》卷三十三载"《东观汉记》一百四十三卷，起光武纪注至灵帝，长水校尉刘珍等撰"，《东观汉记》当在《汉记》基础上成书，故题名中有刘珍，唯其为长水校尉不见载记。

班昭或卒于此年，年约七十二（49？—120？）。（《后汉书·列女传》卷八十四）

班昭儿媳丁氏为其撰集遗文，并为作《大家赞》。（《后汉书·列女传》卷八十四）

刘珍奉邓太后诏，与刘毅等作《建武已来名臣传》；迁侍中。（《后汉书·文苑列传》卷八十上）按，《后汉书·宗室四王三侯列传》卷十四称三人奉诏"著《中兴以下名臣列士传》"，《史通·古今正史》卷十二云"于是又诏史官谒者仆射刘珍及谏议大夫李尤杂作记表，名臣、节士、儒林、外戚诸传，起自建武，讫乎永初"，《建武已来名臣传》（《中兴以下名臣列士传》）或即《汉记》一部分。

刘毅奉邓太后诏，与刘騊駼等作《建武已来名臣传》。（《后汉书·文苑列传》卷八十上、《后汉书·宗室四王三侯列传》卷十四）

刘騊駼奉邓太后诏，与刘珍等著《中兴以下名臣列士传》。（《后汉书·宗室四王三侯列传》卷十四、《后汉书·文苑列传》卷八十上）

王逸作"汉诗"一百二十三篇。 按，《后汉书·文苑列传》卷八十上称王逸"又作'汉诗'百二十三篇"。论者或以"汉诗"为"汉书"之讹,张政烺云"江夏黄氏衡斋《金石识小录》卷下第四十六叶,著录象牙书签一枚,长三公分半,阔二公分半,正反面各刻文三行,行字数无定。今依原式释文如下:'元初中王公逸为校——书郎著《楚辞章句》——及谏书杂文二十一篇(以上正面)——又作汉书一百二十三——篇子延寿有俊才——作《灵光殿赋》(以上背面)。'……《汉书》一百二十三篇,盖指《东观汉记》之别本而言。……《史通·史官建置》:'……案刘、曹二史,皆当代所撰,能成其事者,盖唯刘珍、蔡邕、王沈、鱼豢之徒耳。而旧史载其同作,非止一家,如王逸、阮籍亦预其列。……'王逸为校书郎在安、顺之世,正刘珍等奉诏杂作纪、表、名臣、节士、儒林、外戚诸传之时,参与著作亦固其所。然乃预于其列而非总司其成,以事理论不得辄专作者之名。且其时《汉书》成篇尚属无几,下逮桓帝元嘉间才得百十有四篇,则当王逸之世绝不能有百二十三篇之数。……惟一时相同之书名繁多,则必藉篇数以示分别……故云'又作《汉书》一百二十三篇'者,亦犹云'又撰东观汉记'而已,非必百二十三篇皆王逸之手作也。"(中央研究院历史语言研究所集刊外编第三种·《王逸集牙签考证》)张说不无道理,既然刘知己云王逸亦预修史之列,则王作"汉诗"当为《汉书》,撰写时间盖与刘珍等同。

崔瑗四十三岁,应度辽将军邓遵辟。按,《后汉书·崔瑗列传》卷五十二称"后事释归家,为度辽将军邓遵所辟",邓遵建光元年(121)自杀,崔瑗受辟姑系此年。

马融四十二岁,自劾归,被禁锢。按,《后汉书·马融列传》卷六十上云其"滞于东观,十年不得调。因兄子丧,自劾归。太后闻之怒,谓融羞薄诏除,欲仕州郡,遂令禁锢之",马融永初四年(110)"诣东观典校秘书",至此年正十年,自劾归,遭禁锢当为此时。李贤注:"《融集》云:'时兄伉子在融舍物故,融因是自劾而归。'"又注曰:"《融集》云:'时左将奏融遭兄子丧,自劾而归,离署当免官。'制曰:'融典校秘书,不推忠尽节,而羞薄诏除,希望欲仕州郡,免官勿罪。'禁锢六年矣。""禁锢六年"当为拟禁锢之年数,然以次年春邓太后崩而未实施。

应奉约于此年生(120?—184?)。应奉,字世叔,汝南(今河南上蔡东)人。少聪明,自为童儿及长,凡所经履,莫不暗记。读书五行并下。为郡决曹史,行部四十二县,录囚徒数百千人。及还,太守备问之,奉口说罪系姓名,坐状轻重,无所遗脱,时人奇之。先被大将军梁冀举茂才,后拜武陵太守,延熹中为从事中郎,随冯绲破武陵蛮有功,被荐为司隶校尉。党人事起,乃慨然以疾自退。"著《汉书后序》,多所述载","追愍屈原,因以自伤,著《感骚》三十篇,数万言"。"又删《史记》《汉书》及《汉记》三百六十余年,自汉兴至其时,凡十七卷,名曰《汉事》"。(《后汉书·应奉列传》卷四十八及李贤注引《袁山松书》)《隋书·经籍志》卷三十四:"《后序》十二卷,后汉司隶校尉应奉撰。"

公元 121 年 (汉安帝刘祜永宁二年 建光元年 辛酉)

三月

邓太后崩。(《后汉书·孝安帝纪》卷五)

四月

黄香奏议乐成王刘苌不法。《后汉书·孝明八王列传》卷五十李贤注："《袁宏纪》曰：'尚书侍郎冷宏议，以为自非圣人，不能无过，故王太子生，为立贤师傅以训导之，是以目不见恶，耳不闻非，能保其社稷，高明令终。苌少长藩国，内无过庭之训，外无师傅之道，血气方刚，卒受荣爵，几微生过，遂陷不义。臣闻《周官》议亲，蠢愚见赦。苌不杀无辜，以谴呵为非，无赫赫大恶，可裁削夺损其租赋，令得改过自新，革心向道。'案《黄香集》，香与宏共奏，此香之辞也。"按，《后汉书·孝安帝纪》卷五载刘苌废王在此年四月。

张衡《与特进书》疑作于此时。按，张书所与之"特进"，疑指邓太后兄邓骘，《后汉书·邓骘列传》卷十六谓建光元年，"太后崩，未及大殓，帝复申前命，封骘为上蔡侯，位特进"，五月"免特进，遣就国"，张书或作于此年四月。

五月

崔瑗罢归。按，《后汉书·崔瑗列传》卷五十二称"居无何，遵被诛，瑗免归"，《后汉书·孝安帝纪》卷五谓度辽将军邓遵此年五月"自杀"，崔瑗免归当在此时。

七月

汉安帝改元建光。（《后汉书·孝安帝纪》卷五）

九月

九月二十日，许慎病，遣子许冲上《说文解字表》及《古文孝经》。（《说文解字》十五卷下）永瑢等："《说文解字》三十卷，汉许慎撰。慎字叔重，汝南人。官至太尉南阁祭酒。是书成于和帝永元十二年。凡十四篇，合目录一篇为十五篇。分五百四十部，为文九千三百五十三，重文一千一百六十三，注十三万三千四百四十字。推究六书之义，分部类从，至为精密。而训诂简质，猝不易通。又音韵改移，古今异读，谐声诸字，亦每难明。故传本往往伪异。宋雍熙三年，诏徐铉、葛湍、王惟恭、句中正等重加刊定。凡字为《说文》注义序例所载，而诸部不见者，悉为补录。又有经典相承，时俗要用，而《说文》不载者，亦皆增加，别题之曰新附字。其本有正体，而俗书伪变者，则辨于注中。其违戾六书者，则别列卷末。或注义未备，更为补释，亦题'臣铉等案'以别之。音切则一以孙愐《唐韵》为定。以篇帙繁重，每卷各分上下，即今所行毛晋刊本是也。……"（《四库提要》卷四十一）按，《四库提要》谓《说文》"成于和帝永元十二年"，似据许慎自叙所谓"探啧索隐，厥谊可传。粤在永元，困顿之年，孟陬之月，朔日甲申"，段玉裁注称"汉和帝永元十二年，岁在庚子。《尔雅》曰：岁在庚曰上章，在子曰困顿"；然此年段玉裁视为许慎始撰《说文》之年，谓"许于和帝永元十二年已朝造《说文》，历十一年，至永初四年（110）复校书东观，其涉猎者广，故其书以博而精也。又十有一年而书成"，考之许慎子许冲建光元年九月于许慎病中上《说文》之事，其时似为《说文》成书之时，故段说可从。

是年

尚书有缺，诏令官员试对，以高第者补之。翟酺骗孙懿不试，以试对第一拜尚书。汉安帝悉封祖母宋家，翟酺上疏劝谏，汉安帝不纳。《后汉书·翟酺列传》卷四十八："时尚书有缺，诏将大夫六百石以上试对政事、天文、道术，以高第者补之。酺自恃能高，而忌故太史令孙懿，恐其先用，乃往候懿。既坐，言无所及，唯涕泣流连。懿怪而问之，酺曰：'图书有汉贼孙登，将以才智为中官所害。观君表相，似当应之。酺受恩接，悽怆君之祸耳！'懿忧惧，移病不试。由是酺对第一，拜尚书。时安帝始亲政事，追感祖母宋贵人，悉封其家。又元舅耿宝及皇后兄弟阎显等并用威权，酺上疏谏曰：……书奏不省，而外戚宠臣咸畏恶之。"翟酺（？—129？），字子超，广汉雒（今四川广汉北）人。其家四世传《诗》。好《老子》，尤善图纬、天文、历算。以报舅仇，当徙日南，亡于长安，为卜相工，后牧羊凉州。遇赦还。先仕郡，征拜议郎，迁侍中，又任尚书、酒泉太守、京兆尹、光禄大夫、将作大匠。顺帝时以罪逮诣廷尉，幸杜真等上书讼之，始得免，卒于家。"著《援神》《钩命解诂》十二篇"。（《后汉书·翟酺列传》卷四十八）

蔡伦饮药而死。（《后汉书·宦者列传》卷七十八）蔡伦（？—121），字敬仲，桂阳（今湖南郴县）人。永平末，给事宫掖；建初中，为小黄门；和帝时，为中常侍。后加位尚方令，封龙亭侯，迁长乐太仆。安帝即位，以诬陷安帝祖母罪自杀。传为造纸术发明人，所发明纸世称"蔡侯纸"。

张衡四十四岁，或于此年转公车司马令。按，崔瑗《河间相张平子碑》称其于太史令后"迁公车司马令"，年月未详，姑系在为太史令六年后。

马融四十三岁，被召还郎署，复在讲部。按，《后汉书·马融列传》卷六十上称"太后崩，安帝亲政，召还郎署，复在讲部"，邓太后崩于此年三月，马融召还当在此年三月以后。

樊英约四十岁，复被征不至。（《后汉书·方术列传》卷八十二上）

朱穆二十二岁，举孝廉，除郎中。按，《后汉书·朱穆列传》卷四十三仅称其"初举孝廉"，李贤注引《谢承书》云其"年二十为郡督邮，迎新太守……太守甚奇之……遂历职股肱，举孝廉"，知其举孝廉在为督邮后。惠栋《后汉书补注》卷十一称"朱公叔《鼎铭》曰：'初举孝廉，除郎中'"，本传未言除郎中事，姑以其为督邮后二年举孝廉除郎中。

延笃约二十二岁，从马融受业。按，《后汉书·延笃列传》卷六十四云"又从马融受业，博通经传及百家之言，能著文章，有名京师"，其年未详，此年马融被召回京师，姑以为延笃师从马融之年。

张升或生于此年（121？—169？）。按，张升生卒年未详，《后汉书·文苑列传》卷八十下称其"遇党锢去官，后竟见诛，年四十九"，姑以其汉桓帝延熹九年（166）党锢狱起"去官"，汉灵帝建宁二年（169）二次党锢事件中见杀，则当生于此年。张升，字彦真，陈留尉氏（今河南尉氏）人。年少好学，任情不羁。于意气相投者，倾身交结，不问穷贱；于志气相乖者，虽王宫大人，终不屈从。始为郡贼曹史，迁外黄令。遇党锢，去官，后见杀，年四十九。"著赋、诔、颂、碑、书，凡六十篇"。（《后汉书·文苑列传》卷八十下）《隋书·经籍志》卷三十五："梁……又有外黄令《张升集》二卷，录一卷。"严可均《全后汉文》卷八十二收其文三篇。

公元 122 年　（汉安帝刘祜建光二年　延光元年　壬戌）

三月

汉安帝改元延光。（《后汉书·孝安帝纪》卷五）

是年

许慎卒，年九十三（30—122）。按，《后汉书·儒林列传》卷七十九下云"时人为之语曰：'《五经》无双许叔重。'……卒于家"，年月未详，《说文解字》卷十五下载其子许冲建光元年九月二十日所上表奏称"今慎已病，遣臣赍诣阙"，是其年秋染疾，时已高年，辞世恐不会晚过此年，姑系于此。

黄香约六十八岁，迁魏郡太守，治事思民，有政声。《后汉书·文苑列传》卷八十上："延平元年，迁魏郡太守。郡旧有内外园田，常与人分种，收谷岁数千斛。香曰：'《田令》"商者不农"，《王制》"仕者不耕"，伐冰食禄之人，不与百姓争利。'乃悉以赋人，课令耕种。时被水年饥，乃分奉禄及所得赏赐班赡贫者，于是丰富之家各出义谷，助官禀贷，荒民获全。"按，黄香迁魏郡太守事，传谓在"延平元年（106）"，后叙其卒于家，以文意知黄香免魏郡太守数月后即卒；然李贤注《后汉书·孝明八王列传》卷五十，谓黄香曾与尚书侍郎冷宏共奏劾乐成王刘苌，且据《黄香集》断《袁宏纪》载冷宏奏文乃黄香所撰。黄香、冷宏议乐成王事，据《后汉书·孝安帝纪》卷五及《孝明八王列传》，为建光元年（121）四月事，故黄香迁魏郡太守及免官数月后卒，必不在议乐成王之前，盖"延平元年"为"延光元年"之误，"平"与"光"形近而讹耳。

马融四十四岁，生女马伦。按，《后汉书·列女传》卷八十四云"汝南袁隗妻者，扶风马融之女也，字伦"，蔡邕《马氏灵表》称其"春秋六十有三，卒于光和七年"，逆推至此为其生年。

刘珍或于此年迁越骑校尉，与张衡议礼。按，《后汉书·文苑列传》卷八十上仅云其"迁……越骑校尉"，未详年月；而胡广《王隆汉官篇解诂叙》云"前安帝时，越骑校尉刘千秋（当即刘珍）校书东观。……与邑子通人郎中张平子参议未定，而刘君迁为宗正卫尉，平子为尚书郎太史令，各务其职，未暇恤也"，刘珍永宁元年（120）迁侍中，张衡延光二年（123）为尚书郎，则刘珍迁越骑校尉及与张衡议礼当在此期间，姑系此年。

胡广三十二岁，为尚书仆射。按，《后汉书·胡广列传》卷四十四云其"五迁尚书仆射"，年月未明，然其永建六年（131）底上疏谏探筹立后时官居尚书仆射，翌年

（阳嘉元年）尚书史敞等荐胡广赴陈留郡职时云"窃见尚书仆射胡广……密勿夙夜，十有余年，心不外顾，志不苟进。臣等窃以为广在尚书，勋劳日久，后母年老，既蒙简照，宜试职千里，匡宁方国"，知至此年胡广为尚书仆射已"十有余年"；传又云"广典机事十年，出为济阴太守"，与史敞语正相印证，唯"十有余年"与"十年"小有差别，盖胡广为尚书仆射十年稍过也。由阳嘉元年逆推十年至此年，当为胡广五迁尚书仆射之年。

公元 123 年 （汉安帝刘祜延光二年 癸亥）

正月

汉安帝诏选通《古文尚书》《毛诗》《谷梁春秋》者。（《后汉书·孝安帝纪》卷五）

十一月

张衡作《羽猎赋》。按，张赋今残，《后汉书·孝安帝纪》卷五载延光二年十一月"校猎上林苑"，张赋疑作于此时。

是年

黄香卒，年约六十九（55？—123？）。《后汉书·文苑列传》卷八十上："延平（按"平"当为"光"之讹）元年，迁魏郡太守。……后坐水潦事免，数月卒于家。"按，黄香卒年，本传未明言，据文意可知在免魏郡太守后数月。查黄香子黄琼应汉顺帝聘在永建二年（127），《后汉书·左周黄列传》卷六十一谓黄琼"遭父忧，服阙，五府俱聘，连年不应"，定黄香卒于是年，正与黄琼三年服阙后"连年不应"而于永建二年应聘事合。

葛龚为黄门郎，寻卒（？—123？）。按，《隋书·经籍志》卷三十五称"后汉黄门郎《葛龚集》"，则葛龚曾为黄门郎，其年未详，姑系于其为临汾令四年后。

张衡四十六岁，为尚书郎，与亶诵、梁丰议历。（司马彪《续汉律历志》卷二）

公元 124 年 （汉安帝刘祜延光三年 甲子）

二月

汉安帝东巡至鲁，祀孔子及七十二弟子。（《后汉书·孝安帝纪》卷五）

张衡作《东巡诰》。按，张诰云"惟二月初吉，帝将狩于岱岳"，与《后汉书·孝安帝纪》卷五载安帝"延光三年春二月丙子东巡狩，辛卯幸太山"事合，当作于此时。

马融出为河间王厩长；上《东巡颂》，汉安帝奇其文，召拜郎中。（《后汉书·马融列传》卷六十上及李贤注）

九月

废皇太子刘保为济阴王，李尤上书谏诤。（《后汉书·文苑列传》卷八十上）

崔瑗欲游说阎显引立济阴王，而阎显终日沉醉，未能得见。（《后汉书·崔瑗列传》卷五十二）

是年

翟酺出为酒泉太守；迁京兆尹。（《后汉书·翟酺列传》卷四十八）

朱穆二十五岁，迁侍郎，上书陈五事。惠栋《后汉书补注》卷十一："朱公叔《鼎铭》曰：……除郎中、尚书侍郎，独念运际存亡之要，乃陈五事，谏谋深切，退处畎亩，以察天象验应著焉。"按，朱穆除郎中在建光元年（121），为侍郎当在三年后，故系于此。

公元 125 年　（汉安帝刘祜延光四年　乙丑）

三月

马融为许令，作《延光四年日蚀上书》。司马彪《续汉五行志》卷六："四年三月戊午朔，日有蚀之。"刘昭注补："案《马融集》：是时为许令，其四月庚申自县上书。"按，本年四月无"庚申"，或指三月三日。《后汉书》本传未言及其为许令事，或北乡侯即位，彼即"移病去"。

张衡作《日食上表》。刘昭《续汉五行志》卷六阳嘉四年注："案张衡为太史令，表奏云：'今年三月朔方觉日蚀……'不详是何年三月。"按，《后汉书·孝安帝纪》卷五云"（延光）四年三月戊午朔，日有蚀之"，张表当是此时之作。

汉安帝崩，北乡侯刘懿即皇帝位。（《后汉书·孝安帝纪》卷五）

汉安帝亲政期间，轻视艺文，荒废学校。《后汉书·儒林列传》卷七十九上："自安帝览政，薄于艺文，博士倚席不讲，朋徒相视怠散，学舍颓敝，鞠为园蔬，牧儿荛竖，至于薪刈其下。"

马融移病去，为扶风郡功曹。按，《后汉书·马融列传》卷六十上云"及北乡侯即位，融移病去，为郡功曹"，为何郡功曹，传未明言，所作《长笛赋》有语云"独卧郿平阳邬中"，《文选》卷十八李善注谓"《汉书》右扶风有郿县"，以此知马融当为扶风郡功曹。

崔瑗为车骑将军阎显所辟。按，《后汉书·崔瑗列传》卷五十二称"后复辟车骑将军阎显府"，《后汉书·孝安帝纪》卷五谓延光四年三月安帝崩后，"太后临朝，以后兄大鸿胪阎显为车骑将军"，崔瑗为阎显所辟当在此年三月后、十月前。

十月

北乡侯刘懿崩，阎显等秘不发丧，屯兵宫中自守。（《后汉书·孝顺帝纪》卷六）

十一月

中常侍孙程等拥立废太子济阴王刘保，是为汉顺帝；阎显兄弟等下狱诛。（《后汉书·孝顺帝纪》卷六）

崔瑗坐阎显事被斥。（《后汉书·崔瑗列传》卷五十二）

是年

刘珍为宗正。（《后汉书·文苑列传》卷八十上）

刘毅约卒于此年（？—125？）。按，卒年未详，姑系于其永宁元年入东观著《中兴以下名臣列士传》五年后。

苏顺或于此年拜郎中，寻卒（？—125？）。按，《后汉书·文苑列传》卷八十上称其"和、安间以才学见称。……晚乃仕，拜郎中，卒于官"，或顺帝时已没乎？姑系于此。

桓麟十二岁，有异才，作《答客诗》。《艺文类聚》卷三十一引《文士传》："麟伯父焉，官至太尉。麟年十二，在座，焉告客曰：'吾此弟子，知有异才，殊能作诗赋。'客乃为诗曰：'甘罗十二，杨乌九龄；昔有二子，今则桓生。参差等纵，异世齐名。'麟应声答曰：'邈矣甘罗，超等绝伦；伊彼杨乌，命世称贤。嗟予蠢弱，殊才伟（《太平御览》卷三百八十五作'俊'）年。仰惭二子，俯愧过言。'"

公元 126 年　（汉顺帝刘保永建元年　丙寅）

是年

李尤为安乐相，卒于官，年八十三（44—126）。（《后汉书·文苑列传》卷八十上）

张霸卒，年七十（57—126）。按，《后汉书·张霸列传》卷三十六称张霸"会疾卒，年七十"，翟酺为其谥时，职为将作大匠，考《后汉书·翟酺列传》卷四十八，翟酺于汉顺帝永建元年（126）迁将作大匠，翌年则因事抵罪，故永建元年当为张霸卒年；自此年上推六十九年，当为张霸生年，即汉光武帝建武中元二年（57）也。

刘珍转卫尉，卒官（？—126）。（《后汉书·文苑列传》卷八十上）

刘騊駼卒（？—126）。按，刘珍卒于此年，《后汉书·张衡列传》卷五十九又谓刘騊駼与刘珍"并卒"，疑亦为此年卒。

翟酺与诸儒门人追谥张霸曰"宪文"。（《后汉书·张霸列传》卷三十六）

翟酺拜光禄大夫，迁将作大匠；为李郃说项，谓其"潜图大计，以安社稷"，汉顺帝封李郃侯，李郃辞不受。（《后汉书·翟酺列传》卷四十八、《后汉书·方术列传》卷八十二上）

翟酺又上言宜更修缮太学、辟雍，诱进后学，汉顺帝感其言，更修黉宇。《后汉书·翟酺列传》卷四十八："酺之为大匠，上言：'孝文皇帝始置一经博士，武帝大合天下之书，而孝宣论《六经》于石渠，学者滋盛，弟子万数。光武初兴，愍其荒废，起太学博士舍，内外讲堂，诸生横巷，为海内所集。明帝时辟雍始成，欲毁太学，太尉赵熹以为太学、辟雍皆宜兼存，故并传至今。而顷者颓废，至为园采刍牧之处。宜更修缮，诱进后学。'帝从之。"《后汉书·儒林列传》卷七十九上："顺帝感翟酺之言，乃更修黉宇，凡所造构二百四十房，千八百五十室。试明经下第补弟子，增甲乙之科员各十人，除郡国耆儒皆补郎、舍人。"按，翟酺上言修学在其为将作大匠任上，其任将作大匠至永建二年八月免官止，故上言修学事当在此年至下一年七月之间，姑系于此。

张衡四十九岁，复为太史令；为延光四年冬京都大疫上顺帝封事；作《应间》。（《后汉书·张衡列传》卷五十九、司马彪《续汉五行志》卷五刘昭注）《应间序》："观者，观余去史官五载而复还，非进取之势也。唯衡内识利钝，操心不改。或不我知者，以为失志矣，用为间余。余应之以时有遇否，性命难求，因兹以露余诚焉，名之《应间》云。"按，张衡永宁二年（121）由太守令迁公车司马令，其年至此年，正为"去史官五载而复还"，故《应间》当作于此年。

马融四十八岁，仕扶风郡，作《长笛赋》。按，《文选·长笛赋序》卷十八："融既博览典雅，精核数术，又性好音律，鼓琴吹笛。而为督邮，无留事，独卧郿平阳邬中。有洛客舍逆旅，吹笛为气出精列相和。融去京师逾年，暂闻，甚悲而乐之。追慕王子渊、枚乘、刘伯康、傅武仲等箫、琴、笙颂，唯笛独无，故聊复备数，作《长笛赋》。""独卧郿平阳邬中"句，李善注谓"《汉书》右扶风有郿县。平阳邬，聚邑之名也"，由此可知融曾居扶风郡；序谓"融去京师逾年，暂闻，甚悲而乐之"，马融延光三年二月召拜郎中，延光四年三月为许令，旋移病去，为扶风郡功曹，至此年，其离京师正"逾年"，赋当作于此时。

张奂二十三岁，师事太尉朱宠，学《欧阳尚书》。按，《后汉书·张奂列传》卷六十五云"奂少游三辅，师事太尉朱宠，学《欧阳尚书》"，《后汉书·孝顺帝纪》卷六称朱宠永建元年二月为太尉，次年七月免，张奂师事朱宠当在此期间，姑系于此。

公元127年 （汉顺帝刘保永建二年　丁卯）

七月

五日，郑玄生（127—200）。郑玄，字康成，北海高密（今山东高密）人。少为乡啬夫，常诣学官，不乐为吏，遂造太学受业，师事京兆第五元先，始通《京氏易》《公羊春秋》《三统历》《九章算术》；又从张恭祖受《周官》《礼记》《左氏春秋》《韩诗》《古文尚书》。后西入关，拜马融门下。十余年后归乡里，客耕东莱，教授弟子数百千人。建宁年间，党锢事起，遭禁锢十余年，杜门不出，隐修经业。灵帝末年，党禁解，为大将军何进所辟，一宿即逃去。后为将军袁隗表为侍中，以父丧不行。北海相孔融屣履造门，为特立"郑公乡"，开"通德门"。董卓迁都长安，郑玄被举为赵相，道阻未至。大将军袁绍延为上客，举其茂才，表为左中郎将，皆不就。公车征为大司农，以病自乞还家。建安五年（200），袁绍与曹操相拒于官度，逼郑玄随军，不得已载病而行，至元城县，疾笃而卒。"任城何休好《公羊》学，遂著《公羊墨守》《左氏膏肓》《谷梁废疾》，玄乃发《墨守》，针《膏肓》，起《废疾》"。"门人相与撰玄答诸弟子问《五经》，依《论语》作《郑志》八篇。凡玄所注《周易》《尚书》《毛诗》《仪礼》《礼记》《论语》《孝经》《尚书大传》《中候》《乾象历》，又著《天文七政论》《鲁礼禘祫义》《六艺论》《毛诗谱》《驳许慎五经异义》《答临孝存周礼难》，凡百万余言"。（《后汉书·郑玄列传》卷三十五）。《隋书·经籍志》卷三十二："《周易》九卷，后汉大司农郑玄注。""《尚书》九卷，郑玄注。""《尚书大传》三卷，郑玄注。""梁有《尚书义问》三卷，郑玄等撰。""梁有《毛诗》二十卷，郑玄、王肃合注。""《周官礼》十二卷，郑玄注。""《仪礼》十七卷，郑玄注。""梁有郑玄《仪礼音》二卷。""《丧服经传》一卷，郑玄注。""《丧服谱》一卷，郑玄注。""《礼记》二十卷，汉九江太守戴圣撰，郑玄注。""梁有郑玄《礼记音》一卷。""《三礼目录》一卷，郑玄撰。"《三礼图》九卷，郑玄等撰。"《驳何氏汉议》二卷，郑玄撰。""梁有《春秋十二公名》一卷，郑玄撰，亡。""《春秋谷梁废疾》三卷，何休撰，郑玄释。""《论语》十卷，郑玄注。""《论语孔子弟子目录》一卷，郑玄撰。""《六艺论》一卷，郑玄撰。""《郑记》六卷，郑玄弟子撰。""《易纬》八卷，郑玄注，梁有九卷。""《尚书纬》三卷，郑玄注，梁六卷。""《尚书中候》五卷，郑玄注，梁有八卷，今残缺。""《礼纬》三卷，郑玄注。""梁有《礼记默房》三卷，郑玄注，亡。"同书卷三十四："《孟子》七卷，郑玄注。""梁有《日月交会图》一卷，郑玄注。""《九宫经》三卷，郑玄注。"同书卷三十五："梁有《郑玄集》二卷，录一卷。"郑玄著作亡佚颇多，但今通行本《十三经注疏》中之《诗》《三礼》注均为郑注。袁钧有辑本《郑氏遗书》，马国翰《玉函山房辑佚书》中亦有郑氏辑本。永瑢等："《周礼注疏》四十二卷，汉郑元注，唐贾公彦疏。元有《易注》，已著录。……《周礼》一书，上自河间献王，于诸经之中，其出最晚。其真伪亦纷如聚讼，不可缕举。惟《横渠语录》曰，《周礼》是的当之书，然其间必有末世增人者。郑樵《通志》引孙处之言曰，周公居摄六年之后，书成归丰，而实未尝行。盖周公之为《周礼》，亦犹唐之显庆开元礼，预为之以待他日之用，其实未尝行也。惟其未经行，故仅述大略，俟其临事而损益之。故建都之制不与《召诰》《洛诰》合，封国之制不与《武成》《孟子》合，设官之制不与《周官》合，九畿之制不与《禹贡》合云云。其说差为近之，然亦未尽也。夫《周礼》作于周初，而周事之可考者不过春秋以后。其东迁以前三百余年，官制之沿革，政典之损益，除旧布新，不知凡几。其初去成康未远，不过因其旧章，稍为改易，而改易之人，不皆周公也。于是以后世之法窜人之，其书遂杂。其后去之愈远，时移势变，不可行者渐多，其书遂废。此亦如后世律令条格，率数十年而一修，修则必有所附益。特世近者可考，年远者无征，其增删之际，遂靡所稽，统以为周公之旧耳。迨乎法制既更，简编犹在，好古者留为文献，故其书阅久而仍存。此又如开元六典，政和五礼，在当代已不行用，而今日尚有传本，不足异也。使其作伪，何不全伪六官，而必阙其一，至以千金购之不得哉。且作伪者必剿取旧文，借真者以实其赝，《古文尚书》是也。刘歆宗《左传》，而《左传》所云《礼经》，皆不见于《周礼》。《仪礼》十七篇皆在《七略》所载古经七十篇中，《礼记》四十九篇亦在刘向所录二百十四篇中。……然则《周礼》一书，不尽原文，而非出依托，可概睹矣。……郑注《隋志》作十二卷，贾疏文繁，乃析为五十卷。《新、旧唐志》并同。今本四十二卷，不知何人所并。元于三礼之学，本为专门，故所释特精，惟好引纬书，是其一短。《欧阳修集》有《请校正五经劄子》，欲删削其书。然纬书不尽可据，亦非尽不可据，在审别其是非而已，不必窜易古书也。又好改经字，亦其一失。然所注但曰当作某耳，尚不似北宋以后连篇累牍，动称错简，则亦不必苛责于元矣。……"（《四库提要》卷十九）又："《仪礼注疏》十七卷，汉郑元注，唐贾公彦疏。《仪礼》出残阙之余，汉代所传，凡有三本。一曰戴德本，以《冠礼》第一，《昏礼》第二，《相见》第三，《士丧》第四，《既夕》第五，《士虞》第六，《特牲》第七，《少牢》第八，《有司彻》第九，《乡饮酒》第十，《乡射》第十一，《燕礼》第十二，《大射》第十三，《聘礼》第十四，《公食》第十五，《觐礼》第十六，《丧服》第十七。一曰戴圣本，亦以《冠礼》第一，《昏礼》第二，《相见》第三，其下则《乡饮》第四，《乡射》第五，《燕礼》第六，《大射》第七，《士虞》第八，《丧服》第九，《特牲》第十，《少牢》第十一，《有司彻》第十二，《士丧》第十三，《既夕》第十四，《聘礼》第十五，《公食》第十六，《觐礼》第十七。一曰刘向《别录》本，即郑氏所注。贾公彦疏谓《别录》尊卑吉凶，次第伦序，故郑用之。二戴尊卑吉凶杂乱，故郑不从之也。其经文亦有二本。高堂生所传者，谓之今文。鲁恭王坏孔子宅，得亡《仪礼》五十六篇，其字皆以篆书之，谓之古文。元注参用二本。……其书自元以前，绝无注本。元后有王肃注十七卷，见于《隋志》。然贾公彦序，称《周礼》注者则有多门，《仪礼》所注后郑而已，则唐初肃书已佚也。为之义疏者有沈重，见于《北史》。又有无名氏二家，见于《隋志》。然皆不传，故贾公彦仅据齐黄庆、隋李孟悊二家之疏，定为今本。其书自明以来，刻本舛伪殊甚。……盖由《仪礼》文古义奥，传习者少，注释者亦代不数人。写刻有伪，猝不能校，故纰漏至于如是矣。今参考诸本，一一厘正，著于录焉。"（《四库提要》卷二十）又："《礼记正义》六十三卷，汉郑元注，唐孔颖达疏。《隋、唐·经籍志》曰'汉初，河间献王得仲尼弟子及后学者所记一百三十一篇献之，时无传之者。至刘向考校经籍，检得一百三十篇，第而叙之。又得《明堂阴阳记》三十三篇，《孔子三朝记》七篇，《王史氏记》二十一篇，《乐记》二十三篇，凡五种，合二百十四篇。戴德删其烦重，合而记之为八十五篇，谓之《大戴记》。而戴圣又删大戴之书为四十六篇，谓之《小戴记》。汉末马融遂传小戴之学。融又益《月令》一篇，《明堂位》一篇，《乐记》一篇，合四十九篇'云云。其说不知所本。今考《后汉书·桥元传》云，七世祖仁，著《礼记章句》四十九篇，号曰桥君学。仁即班固所谓小戴授梁人桥季卿者，成帝时尝官大鸿胪。其时已称四十九篇，无四十六篇之说。又孔疏称《别录》《礼记》四十九篇，《乐记》第十九。四十九篇之首，疏皆引郑目录，郑目录之末必云此于刘向《别录》属某门。《月令》目录云此于《别录》属《明堂阴阳记》。《乐记》目录云此于《别录》属《乐记》。盖十一篇今为一篇，则三篇皆刘向《别录》所有，安得以为马融所增？疏又引元《六艺论》曰'《戴德传记》八十五篇'，则《大戴礼》是也。戴圣传礼四十九篇，则此《礼记》是也。元为马融弟子，使三篇果融所增，元不容不识，岂有以四十九篇属于戴圣之理。况融所传者乃《周礼》，若小戴之学，一授桥仁，一授杨荣。后传其学者有刘祐、高诱、郑元、卢植。融绝不预其授受，又何从而增三篇乎？知今四十九篇，实戴圣之原书，《隋志》误也。元延祐中，行科举法，定《礼记》用郑元注。故元儒说《礼》，率有根据。自明永乐中敕修《礼记大全》，始废郑注，改用陈澔集说，《礼》学遂荒。然研思古义之士，好之者终不绝也。为之疏义者，唐初尚存皇侃、熊安生二家。贞观中，敕孔颖达等修正义，乃以皇氏为本，以熊氏补所未备。颖达序称：熊则违背本经，多引外义，犹之楚而北行，马虽疾而去愈远。又欲释经文，惟聚难义，犹治丝而棼之，手虽繁而丝益乱也。皇氏虽章句详正，微稍繁广。又既遵郑氏，乃时乖郑义。此是木落不归其本，狐死不首其邱。此皆二家之弊，未为得也。故其书务伸郑注，未免有附会之处。然采摭旧文，词富理博，说礼之家，钻研莫尽。譬诸依山铸铜，煮海为盐，即卫湜之书，尚不能窥其涯涘，陈澔之流，益如莛与楹矣。"（《四库提要》卷二十一）又："《箴膏肓》一卷，《起废疾》一卷，《发墨守》一卷，汉郑元撰。《后汉书》元本传，称任城何休好公羊学，遂著《公羊墨守》《左氏膏肓》《谷梁废疾》。元乃《发墨守》《箴膏肓》《起废疾》。休见而叹曰：'康成入吾室，操吾矛以伐我乎。'其卷目之见隋、唐《经籍志》者，有《左氏膏肓》十卷，《谷梁废疾》三卷，《公羊墨守》十四卷，皆注何休撰。而又别出《谷梁废疾》三卷，注云郑元释，张靖笺。似郑氏所释与休原本，隋以前本自别行。至《旧唐书·经籍志》所载《膏肓》《废疾》二书，卷数并同，特《墨守》作二卷为稍异。其下并注郑元箴，郑元发，郑元释云云。则已与休书合而为一。迨于宋世，渐以散佚。惟《崇文总目》有《左氏膏肓》九卷。而陈振孙所见本复阙宣、定、哀三公。振孙谓其错误不可读，疑为后人所录，已非《隋唐志》之旧。其后汉学益微，即振孙所云不全之《左氏膏肓》，亦遂不可复见矣。此本凡《箴膏肓》二十余条，《起废疾》四十余条，《发墨守》四条，并从诸书所引，掇拾成篇，不知出自谁氏。或题为宋王应麟辑，亦别无显据。殆因应麟尝辑郑氏《周易注》《齐鲁韩三家诗考》，而以类推之欤？然《玉海》之末，不附此书，不应其孙不见，而后来反有传本也。今以诸书校勘，惟《诗·大明篇》疏所引'宋襄公战'泓一条尚未收入，其余并已搜采无遗。虽不出自应麟手，要亦究心古义者之所为矣。谨为掇拾补缀，著之于录。虽视原书不及什之一二，而排比荟萃，略存梗概。为郑氏之学者，或亦有所考焉。"（《四库提要》卷二十六）又："《驳五经异义》一卷，补遗一卷，汉郑元所驳许慎《五经异义》之文也。考《后汉书·许慎传》，称慎以五经传说，臧否不同，于是撰为《五经异义》传于世。《郑元传》载元所著百余万言，亦有《驳许慎五经异义》之名。《隋书·经籍志》有《五经异义》十卷，后汉太尉祭酒许慎撰，而不及郑元之《驳议》。《旧唐书·经籍志》：《五经异义》十卷，许慎撰，郑元驳。《新唐书·艺文志》并同。盖郑氏所驳之文，即附见于许氏原本之内，非别为一书。故史志所载亦互有详略。至《宋史·艺文志》，遂无此书之名。则自唐以来，失传久矣。学者所见异义，仅出于《初学记》《通典》《太平御览》诸书所引，而郑氏《驳义》则自《三礼正义》而外所存亦复寥寥。此本从诸书采缀而成，或题宋王应麟编，然无确据。其间有单词只句，驳存而义阙者，原本错杂相参，颇失条理。今详加厘正，以义驳两全者汇列于前。其仅存驳义者，则附录以备参考。又近时朱彝尊《经义考》内亦尝旁引郑驳数条，而长洲惠氏所辑则搜罗益为广备，往往多此本所未及。今以二家所采，参互考证，除其重复，定著五十七条，别为补遗一卷，附之于后。其间有异义而郑未驳者，则郑与许同者也。两汉经学，号为极盛，若许若郑，尤皆一代通儒，大敌相当，输攻墨守，非后来一知半解所可望其津涯。此编虽散佚之余，十不存一，而引经据古，犹见典型。残章断简，固远胜于后儒之累牍连篇矣。"（《四库提要》卷三十三）

八月

翟酺先以交通属托罪坐减死归家，又以谋反罪逮诣廷尉，后事明得释。（《后汉书·翟酺列传》卷四十八、《后汉书·天文志第十一》）

是年

张衡五十岁，作《鸿赋》。《鸿赋》："予五十之年，忽焉已至。"

樊英约四十六岁，固辞顺帝之征，不得已，至京师。《后汉书·方术列传》卷八十二上："永建二年，顺帝策书备礼，玄纁征之，复固辞疾笃。乃诏切责郡县，驾载上道。英不得已，到京，称病不肯起。乃强舆入殿，犹不以礼屈。帝怒，谓英曰：'朕能生君，能杀君；能贵君，能贱君；能富君，能贫君。君何以慢朕命？'英曰：'臣受命于天。生尽其命，天也；死不得其命，亦天也。陛下焉能生臣，焉能杀臣！臣见暴君，如见仇雠，立其朝犹不肯，可得而贵乎？虽在布衣之列，环堵之中，晏然自得，不易万乘之尊，又可得而贱乎？陛下焉能贵臣，焉能贱臣！臣非礼之禄，虽万钟不受；若申其志，虽箪食不厌也。陛下焉能富臣，焉能贫臣！'帝不能屈，而敬其名，使出就太医养疾，月致羊酒。"

王逸与樊英有交，与樊英书，劝使就聘。《后汉书·方术列传》卷八十二上李贤注："《谢承书》曰：'南郡王逸素与英善，因与其书，多引古譬喻，劝使就聘。英顺逸议，谈者失望也'。"

李固三十四岁，作《与黄琼书》，黄琼为黄香子，时将应聘。《后汉书·黄琼列传》卷六十一："先是征聘处士多不称望，李固素慕于琼，乃以书逆遗之曰：'闻已度伊、洛，近在万岁亭，岂即事有渐，将顺王命乎？盖君子谓伯夷隘，柳下惠不恭。故传曰：不夷不惠，可否之间。盖圣贤居身之所珍也。诚遂欲枕山栖谷，拟迹巢、由，斯则可矣；若当辅政济民，今其时也。自生民以来，善政少而乱俗多，必待尧舜之君，此为志士终无时也。常闻语曰：峣峣者易缺，皦皦者易污。《阳春》之曲，和者必寡；盛名之下，其实难副。近鲁阳樊君被征初至，朝廷设坛席，犹待神明。虽无大异，而言行所守无缺。而毁谤布流，应时折减者，岂非观听望深，声名太盛乎？自顷征聘之士，胡元安、薛孟尝、朱仲昭、顾季鸿等，其功业皆无所采，是故俗论皆言处士纯盗虚声。愿先生弘此远谟，令众人叹服，一雪此言耳！'"按，《资治通鉴》卷五十一系于此年，是。

公元128年 （汉顺帝刘保永建三年　戊辰）

是年

荀爽生（128—190）。荀爽，字慈明，一名谞，颍川颍阴（今河南许昌）人。幼而好学，年十二，能通《春秋》《论语》。太尉杜乔见而称之曰："可为人师。"颍川为之语曰："荀氏八龙，慈明无双。"酷爱经书，庆吊不行，征命不应。延熹九年，拜郎中，旋弃官去。后遭党锢，隐居海上，又南遁汉水之滨，著述十余年，遂成硕儒。党禁解，征为大将军何进从事中郎，何进恐其不至，荐之为侍中，何进败而诏命中绝。献帝初，董卓征之，不得已而为平原相，旋为光禄勋。视事三日，进拜司空。汉献帝初平三年（190），从帝迁都长安，阴与司徒王允等共除董卓，会病卒。"著《礼》《易传》《诗传》《尚书正经》《春秋条例》，又集汉事成败可为鉴戒者，谓之《汉语》。又作《公羊问》及《辩谶》，并它所论叙，题为《新书》。凡百余篇，今多所亡缺"。（《后汉书·荀爽列传》卷六十二）《隋书·经籍志》卷三十二："《周易》十一卷，汉司空荀爽注。""《周易荀爽九家注》十卷。""《春秋公羊传问答》五卷，荀爽问，魏安平太守徐钦答。"同书卷三十五："后汉司空《荀爽集》一卷，梁三卷，录一卷。"马国翰《玉函山房辑佚书》辑有《周易荀氏注》三卷，孙堂《汉魏二十一家易注》辑有荀爽《周易注》一卷。

公元129年 （汉顺帝刘保永建四年　己巳）

三月

汉顺帝为樊英设坛席，待以师傅之礼，拜之为五官中郎将。数月后，诏以为光禄大夫，赐告归。（《后汉书·方术列传》卷八十二上）

翟酺或于此年卒（？—129？）。按，据《后汉书》本传，翟酺永建二年坐罪减死，永建六年顺帝依其提议起太学，并有"学者为酺立碑铭于学"，此当为其卒后事，然则其卒当在永建二年后、六年前，确年未详，姑系此年。

胡广三十九岁，生子（胡硕）。按，蔡邕《陈留太守胡硕碑》云胡硕"建宁元年（168）……奄忽而卒，时年四十一"，然蔡邕《交阯都尉胡府君夫人黄氏神诰》称建宁二年"……是月辛酉，公之季子陈留太守硕，卒于洛阳左池里舍"，"是月辛酉"为七月二十一日，建宁元年七月二十一日非"辛酉"，依此，则蔡碑"建宁元年"疑为"建宁二年"之误。据蔡诰，胡硕生于此年。

何休生（129—182）。何休，字邵公，任城樊（今山东兖州西南）人。少府何豹子。为人质朴讷口，但雅有心思，精研《六经》，进退以礼，世儒无人可及。因家属列卿而诏拜郎中，但非其本人所好，故辞疾而去。州郡辟，亦不仕。后陈蕃辟之，始参与政事。陈蕃败，何休受株连，被废锢。于是，作《春秋公羊解诂》，覃思不窥门，十有七年。又注《孝经》《论语》等，皆经纬典谟，不与守文同说。又以《春秋》驳汉事六百余条，妙得《公羊》本意。何休尚善历算，与其师博士羊弼追述李育意以难二传，作《公羊墨守》《左氏膏肓》《谷梁废疾》。党禁解，复被辟为司徒。群公均荐何休道术深明，宜侍帷幄，然因佞臣作梗，乃拜议郎，再迁谏议大夫。光和五年卒。

(《后汉书·儒林列传》卷七十九下）。《隋书·经籍志》卷三十二："《春秋公羊解诂》十一卷，汉谏议大夫何休注。""《春秋左氏膏肓》十卷，何休撰。""《春秋谷梁废疾》三卷，何休撰。""《春秋汉议》十三卷，何休撰。""《春秋公羊墨守》十四卷，何休撰。""《春秋公羊谥例》一卷，何休撰；梁有《春秋公羊传条例》一卷，何休撰。""《春秋议》十卷，何休撰。""《春秋谷梁废疾》三卷，何休撰，郑玄释，张靖笺。"王谟《汉魏遗书钞》辑有何休遗文。

陈纪生（129—199）。陈纪，字元方，颍川许（今河南许昌东）人。陈寔子。以德行称于世。遭党锢时，发愤著书数万言，号曰《陈子》。董卓入洛阳，拜五官中郎将，迁侍中；出为平原相。后追拜太仆，又征为尚书令。建安初，拜大鸿胪。建安四年（199）卒于官。（《后汉书·陈纪列传》卷六十二）

公元130年　（汉顺帝刘保永建五年　庚午）

是年

张衡五十三岁，上《陈事疏》。按，《后汉书·张衡列传》卷五十九云"时政事渐损，权移于下，衡因上疏陈事曰：'……又前年京师地震土裂……'"李贤注谓"顺帝永建三年正月京师地震也"，则张疏当作于此年。《资治通鉴》卷五十二系于阳嘉三年五月，不确。

李固三十七岁，不就益州及司隶辟及遭父丧或在此年。按，《后汉书·李固列传》卷六十三称"司隶益州并命郡举孝廉，辟司空掾，皆不就"，叙在其阳嘉二年对策前，或为其游学三辅时事，姑系于此。其父李郃卒年未详，《后汉书·方术列传》卷八十二上云将作大匠翟酺为李郃请功，事在永建元年（126），则其必卒于此年后；李固阳嘉二（133）年应诏对策，则李郃必卒于此年之三年前，要之，李郃当卒于永建元年至五年之间，姑系于此。

曹娥生（130—143）。曹娥，会稽上虞（今浙江上虞）人。孝女，其父曹盱溺死，不得尸，曹娥年十四，乃沿江号哭，昼夜不绝声，旬又七日，遂投江而死，时为汉顺帝汉安二年（143）。至元嘉元年（151），县长度尚书邯郸淳作诔辞，为立碑石。（《后汉书·列女传》卷八十四）蔡邕又题"黄绢幼妇，外孙虀臼"八字，盖"绝妙好辞"也。今传之碑，传为王羲之书。《会稽典录》曰："上虞长度尚弟子邯郸淳，字子礼。时甫弱冠，而有异才。尚先使魏朗作《曹娥碑》，文成未出，会朗见尚，尚与之饮宴，而子礼方至督酒。尚问朗碑文成未？朗辞不才，因试使子礼为之，操笔而成，无所点定。朗嗟叹不暇，遂毁其草。其后蔡邕又题八字曰'黄绢幼妇，外孙虀臼'。"（《后汉书·列女传》卷八十四李贤注引）

公元131年　（汉顺帝刘保永建六年　辛未）

九月

修建太学，凡二百四十房，千八百五十室。（《后汉书·孝顺帝纪》卷六、《后汉书·儒林列传》卷七十九上）

冬

胡广上疏谏顺帝欲探筹立后。按,事载《后汉书·胡广列传》卷四十四,而顺帝采纳其议,即立梁贵人为皇后,《后汉书·皇后纪》卷十下谓立后在阳嘉元年春,《资治通鉴》卷五十一系之于阳嘉元年正月,系胡广上疏于此年,当为此年年底。

是年

赵岐二十三岁,娶马融堂妹;与友书鄙薄马融,或在此年。《后汉书·赵岐列传》卷六十四:"娶扶风马融兄女。融外戚豪家,岐常鄙之,不与相见。"李贤注引《三辅决录注》:"岐娶马敦女宗姜为妻。敦兄子融尝至岐家,多从宾与从妹宴饮作乐,日夕乃出。过问赵处士所在。岐亦厉节,不以妹婿之故屈志于融也。与其友书曰:'马季长虽有名当世,而不持士节,三辅高士未曾以衣裾襒其门也。'岐曾读《周官》二义不通,一往造之,贱融如此也。"按,赵岐所娶之妻当依《三辅决录注》,为马融叔马敦之女;娶妻及作书之年未详,姑系在仕州郡两年前。

伏无忌或于此年为侍中屯骑校尉。按,《后汉书·伏湛列传》卷二十六云"顺帝时,为侍中屯骑校尉",年月未明,姑系在奉诏校定中书五年前。伏无忌(?—?),琅邪东武(今山东诸城)人。为人博物多识,继承家学。顺帝时,为侍中屯骑校尉。永和元年,校定内中之书。元嘉中,与崔寔等共撰《汉记》。"又自采集古今,删著事要,号曰《伏侯注》"。《后汉书·伏湛列传》卷二十六李贤注:"(《伏侯注》)其书上自黄帝,下尽汉质帝,为八卷,见行于今。"

公元 132 年　　(汉顺帝刘保永建七年　阳嘉元年　壬申)

三月

汉顺帝改元阳嘉。(《后汉书·孝顺帝纪》卷六)

七月

张衡制候风地动铜仪。(《后汉书·孝顺帝纪》卷六)

太学建成,试明经下第者补博士弟子,增甲乙科员各十人,除郡国耆儒九十人补郎、舍人。(《后汉书·孝顺帝纪》卷六)

学者为翟酺立碑铭于学。按,《后汉书·翟酺列传》卷四十八云"酺免后,遂起太学。更开拓房室,学者为酺立碑铭于学云",立碑铭当在此月太学修成后。

秋

胡广驳尚书令左雄议改察举之制,汉顺帝不从。按,《后汉书·左雄列传》卷六十一叙左雄上言在七月"太学新成"后,《后汉书·孝顺帝纪》十一月诏令内容同左雄议，故左雄上言当在其间，姑系于此。

十一月

汉顺帝用左雄之议，诏令郡国举孝廉，限年四十以上，诸生通章句、文吏能笺奏，乃得应选；其有茂才异行，若颜渊、子奇，不拘年齿。（《后汉书·孝顺帝纪》卷六）

胡广出为济阴太守。按，《后汉书·胡广列传》卷四十四云"广典机事十年，出为济阴太守"，"典机事十年"，其自延光元年（122）任尚书仆射，至此年正为十年。《资治通鉴》卷五十一系此事于此时。

闰十二月

汉顺帝令以诏除为郎年四十以上课试如孝廉科者，得参廉选，岁举一人。（《后汉书·孝顺帝纪》卷六）

是年

张衡五十五岁，其《请禁绝图谶疏》或作于此年。《请禁绝图谶疏》："立言于前，有征于后，故智者贵焉，谓之谶书。谶书始出，盖知之者寡。自汉取秦，用兵力战，功成业遂，可谓大事，当此之时，莫或称谶。若夏侯胜、眭孟之徒，以道术立名，其所述著，无谶一言。刘向父子领校秘书，阅定九流，亦无谶录。……往者侍中贾逵摘谶互异三十余事，诸言谶者皆不能说。至于王莽篡位，汉世大祸，八十篇何为不戒？则知图谶成于哀、平之际也。且《河洛》《六艺》，篇录已定，后人皮傅，无所容篡。永元中，清河宋景遂以历纪推言水灾，而伪称洞视玉版。或者至于弃家业，入山林。后皆无效，而复采前世成事，以为证验。至于永建复统，则不能知。此皆欺世罔俗，以昧势位，情伪较然，莫之纠禁。且律历、卦候、九宫、风角，数有征效，世莫肯学，而竞称不占之书。譬犹画工，恶图犬马而好作鬼魅，诚以实事难形，而虚伪不穷也。宜收藏图谶，一禁绝之，则朱紫无所眩，典籍无瑕玷矣。"按，疏中称"永建复统"，则应作于顺帝永建元年以后；而袁宏《后汉纪》云"阳嘉元年……后世争为图纬之学，以矫世取资，是以近儒贾逵、马融、张衡、朱穆、崔寔、荀爽之徒，忿其若此，奏皆以为虚妄不经，宜悉收藏之"，则张疏应作于阳嘉元年前。要之，张疏作于永建元年（126）至阳嘉元年（132）之间，姑系于此。《资治通鉴》卷五十二系于阳嘉三年，似有不宜。

崔瑗五十五岁，上言驳左雄之议。按，崔瑗上言称"臣闻孝廉皆限年三十"，"三"当为"四"之讹，《后汉书·左雄列传》卷六十一谓此年七月左雄上言"请自今孝廉年不满四十，不得察举"，崔瑗上言当是非议左雄之议。

蔡邕生（132—192）。按，此据《后汉书·蔡邕列传》卷六十下范晔所叙，范晔云及"卓被诛，邕在司徒王允坐，殊不意言之而叹，有动于色。允勃然叱之……即收付廷尉治罪。……邕遂死狱中。……时年六十一"，董卓被诛在献帝初平三年（192），由此逆推至顺帝阳嘉元年（132），即为蔡邕生年。然本传载蔡邕上书中云"今年七月，召诣金马门，问以灾异，齎诏申旨，诱臣使言。……臣年四十有六"，"召诣金马门问以灾异"事在光和元年（178），据此则知蔡邕生于阳嘉二年（133）。二说未知孰是，姑依范说。蔡邕，字伯喈，陈留圉（今河南杞县南）人。年少时即博学，师事太傅胡广。喜好辞章、数术、天文，妙操音律。建宁三年，辟司徒桥玄府，出补河平长，召拜郎中，校书东观，迁议郎。熹平四年，与堂溪典、杨赐、马日磾等，奏请正定《六经》文字，汉灵帝许之，蔡邕乃亲自书丹于碑，使工匠刻石立于太学门外。因言灾异事得罪宦官，以诬罪下洛阳狱，徙居五原安阳县。九个月后会大赦，宥还本郡，因畏宦官党羽谗害，乃亡命江海，远迹吴会十二年。汉灵帝崩，为董卓所辟，举高第，补侍御史，转持书御史，迁尚书。三日之内，周历三台。后迁巴郡太守，复留为侍中。初平元年，拜左中郎将，封高阳乡侯。董卓被诛，蔡邕言及时不禁叹息，王允即将其下狱。蔡邕乞黥首刖足，以继成汉史，王允不准，汉献帝初平三年（192）遂死狱中。缙绅诸儒莫不流涕，北海郑玄闻而叹曰："汉世之事，谁与正之！"兖州、陈留闻之皆画像而颂焉。桓帝时五侯擅权，征调蔡邕赴京鼓琴，蔡邕行至偃师，称疾而归，作《述行赋》。"其撰集汉事，未见录以继后史。适作《灵纪》及'十意'，又补诸列传四十二篇，因李傕之乱，湮没多不存。所著诗、赋、碑、诔、铭、赞、连珠、箴、吊、论议、《独断》《劝学》《释诲》《叙乐》《女训》《篆势》、祝文、章表、书记，凡百四篇"（《后汉书·蔡邕列传》卷六十下）。《隋书·经籍志》卷三十二："《月令章句》十二卷，汉左中郎将蔡邕撰。……《劝学》一卷，蔡邕撰。……蔡邕《圣皇篇》《黄初篇》《吴章篇》，蔡邕《女史篇》。"同书卷三十四："《蔡邕本草》七卷。"同书卷三十五："后汉左中郎将《蔡邕集》十二卷，梁有二十卷，录一卷。……班固《典引》一卷，蔡邕注。"张溥辑有《蔡中郎集》。严可均《全后汉文》卷六十九至八十一收其文一百四十九篇，丁福保《全汉诗》卷二收其诗四首。张溥："董卓狼戾贼臣，折节名士，陈留蔡中郎时已六十许人，令称疾坚卧，偃蹇遇害，不犹愈昔日死洛阳狱乎？勉强受官，侍中封侯，噫叹之下，身名并陨。虽王司徒轻戮善人，识者知其不长，然周历三台，鼓琴赞事，杜钦、谷永之诮，终不能为中郎解也。余揣其徙朔方，遁江海，囚形毁貌，不睹天日，几十五年，骤登大官隆遇，殆非不欲奋其拳拳之忠，补益国家。当日公卿满朝，栖迟危乱，金章赤芾，岂独中郎？但识不鉴于比匪，谋不出于讨贼，嗫口牢狱，爱莫能助。伯喈旷世逸才，余独伤其读《春秋》未尽善耳！汉史未成，愿就黥刖，子长腐刑之志也。设竟其志，即不如子长，岂出孟坚下哉！若家门清白，三世同居，却五侯之招，陈六事之本，忧心虹霓，抵触禁近，抱子政之悃愊，蹈京房之祸患，又班生所望景先逝矣。"（《汉魏六朝百三家集·蔡中郎集题词》）永瑢等："《蔡中郎集》六卷，汉蔡邕撰。《隋志》载后汉左中郎将《蔡邕集》十二卷。注曰梁有二十卷，录一卷。则其集至隋已非完本。《旧唐志》乃仍作二十卷。当由官书佚脱，而民间传本未亡，故复出也。《宋志》著录仅十卷，则又经散亡，非其旧本矣。此本为雍正中陈留所刊。文与诗共得九十四首，证以张溥《百三家集》刻本，多寡增损，互有出入。卷首欧静序论《姜伯淮、刘镇南碑》断非邕作。以年月考之，其说良是。张本删去《刘碑》，不为无见。然以伯淮为邕前辈，宜有邕文，遂改建安二年为熹平二年，则近于武断矣。张本又载《荐董卓表》，而陈留本无之。其事范书不载，或疑为后人赝作。然刘克庄《后村诗话》已排诋此表，与扬雄《剧秦美新》同称。则宋本实有此文，不自张本始载。后汉诸史，自范、袁二家以外，尚有谢承、薛莹、张璠、华峤、谢沈、袁崧、司马彪诸家，今皆散佚。亦难以史所未载，断其事之必无。或新本刊于陈留，以桑梓之情，欲为隐讳，故削之以灭其迹欤？"（《四库提要》卷一百四十八）又："《独断》二卷，汉蔡邕撰。王应麟《玉海》谓是书间有颠错，嘉佑中，余择中更为次序，释以己说。故别本题《新定独断》。择中之本今不传。然今书中序历代帝系末云，从高祖乙未至今壬子岁，三百一十年。壬子为灵帝建宁五年，而灵帝世系末行小注乃有二十二年之事，又有献帝之谥。则决非邕之本文，盖后人亦有所窜乱也。是书于礼制多信《礼记》，不从《周官》。若五等封爵，全与大司徒异，而各条解义与郑元礼注合者甚多。其释大祝一条，与康成大祝注字句全符。则其所根据，当同出一书。又《续汉书·舆服志》'樊哙冠广九寸，高七寸，前后出各四寸'，是书则谓'广七寸，前出四寸'其词小异。刘昭《舆服志》注引《独断》曰，三公诸侯九旒，卿七旒，今本则作三公九，诸侯卿七。建华冠注引《独断》曰，其状若妇人缕鹿，今本并无此文。又《初学记》引《独断》曰，乘舆之车皆副辖者，施辖于外乃复设辖者也，与今本亦全异。此或诸家援引偶伪，或今本传写脱误，均未可知。然全书条理统贯，虽小有参错，固不害其宏旨，究考证家之渊薮也。"（《四库提要》卷一百一十八）

邯郸淳生（132—221？）。按，《后汉书·列女传》卷八十四云"至元嘉元年，县长度尚改葬娥于江南道旁，为立碑焉"，李贤注引《会稽典录》云邯郸淳撰碑文，"时甫弱冠而有异才"，元嘉元年（151）其年二十，则生年当为阳嘉元年（132）。邯郸淳，一名竺，字子叔，颍川（今河南禹县）人。博学有才，长于书法，善为虫篆。魏文帝即位后，为博士、给事中，所作《投壶赋》为文帝褒奖。元嘉元年（151）曾为曹娥碑文，于席间操笔立成，以是知名。（《魏志·王粲传》卷二十一、《后汉书·列女传》卷八十四李贤注引《会稽典录》）《隋书·经籍志》卷三十四："《笑林》三卷，后汉给事中邯郸淳撰。"同书卷三十五："后汉给事中《邯郸淳集》二卷，梁有录一卷。……亡。"严可均《全三国文》卷二十六收其文五篇，丁福保《全三国诗》卷三收其诗一篇。

公元 133 年 （汉顺帝刘保阳嘉二年 癸酉）

二月

郎顗上书举荐黄琼、李固。（《后汉书·郎顗列传》三十下）

三月

除京师耆儒年六十以上者四十八人补郎、舍人及王国郎。（《后汉书·孝顺帝纪》卷六）

五月

诏举敦朴之士，使之对策，李固、张衡、马融皆与其选。（《后汉书·马融列传》卷六十上、《后汉书·李固列传》卷六十三李贤注引《续汉书》）

六月

李固应诏对策，顺帝览之以为第一，拜议郎；后帝乳母、宦者疾之，诈为飞章以陷其罪，赖梁商救免。（《后汉书·李固列传》卷六十三、《资治通鉴》卷五十一）

马融对策北宫端门，拜议郎。（《后汉书·马融列传》卷六十上及李贤注引《续汉书》）

张衡对策，作《论举孝廉疏》《京师地震对策》；或于此时迁侍中。（袁宏《后汉纪》卷十八、《资治通鉴》卷五十一）按，《后汉书·张衡列传》卷五十九云"后迁侍中，帝引在帷幄，讽议左右"，其年未明，唯知在任河间相前，疑其因对策而由太史令擢为侍中，姑系于其为河间相三年前。

十月

行礼辟雍，奏应钟，始复黄钟，作乐器随月律。（《后汉书·孝顺帝纪》卷六）

是年

胡广四十三岁，以举吏不实免官。按，《后汉书·左雄列传》卷六十一云"明年……于是济阴太守胡广等十余人皆坐谬举免黜"，所谓"明年"之前一年，指阳嘉元年。

赵岐二十五岁，此年前后仕州郡。按，《后汉书·赵岐列传》卷六十四云"仕州郡，以廉直疾恶见惮"，其年未详，姑系于其患重病十五年前。

时人作《洛阳令歌》以颂祝良。《乐府诗集》卷八十五《洛阳令歌》："《长沙耆旧传》曰：祝良，字石卿，为洛阳令。岁时亢旱，天子祈雨不得。良乃暴身阶庭，告诚引罪，自晨至中，紫云沓起，甘雨登降。人为之歌：'天久不雨，烝民失所。天王自出，祝令特苦。精符感应，滂沱下雨。'"按，《后汉书·庞参列传》卷五十一载祝良以洛阳令上太尉庞参罪事，《后汉书·孝顺帝纪》卷六谓阳嘉二年"太尉庞参免"，即由祝良所致。

桓彬生（133—178）。桓彬，字彦林，沛郡龙亢（今安徽怀远西）人。桓麟子。少与蔡邕齐名。初举孝廉，拜尚书郎。以远宦官而被诬为"酒党"，遂以废，汉光和元年（178）卒于家。"所著《七说》及书凡三篇，蔡邕等共论序其志，金以为彬有过人者四：凤智早成，岐嶷也；学优文丽，至通也；仕不苟禄，绝高也；辞隆从窊，絜操也。乃共树碑而颂焉"。（《后汉书·桓彬列传》卷三十七）

277

公元 134 年 （汉顺帝刘保阳嘉三年 甲戌）

二月

边韶作《河激颂》。《河激颂》："惟阳嘉三年二月丁丑……浚仪边韶字孝先颂。"边韶（？—167?），字孝先，陈留浚仪（今河南开封北）人。以文章知名，教授百余人，"口辩，曾昼日假卧，弟子私嘲之曰：'边孝先，腹便便。懒读书，但欲眠。'韶潜闻之，应时对曰：'边为姓，孝为字。腹便便，《五经》笥。但欲眠，思经事。寐与周公通梦，静与孔子同意。师而可嘲，出何典记?'嘲者大惭"。顺帝时，为尚书侍郎。桓帝时，为临颍侯相，征拜太中大夫，著作东观。再迁北地太守，入拜尚书令。后为陈相，卒于官。"著有诗、颂、碑、铭、书、策凡十五篇"。（《后汉书·文苑列传》卷八十上）《隋书·经籍志》卷三十五："陈相《边韶集》一卷，录一卷。"严可均《全后汉文》卷六十二收其文五篇。

是年

张衡五十七岁，约于此年《疏请专事东观收检遗文》《表求合正三史》、补《汉记》、条上史、汉不合典籍者十余事。按，《后汉书·张衡列传》卷五十九："及为侍中，上疏请得专事东观，收捡遗文，毕力补缀。又条上司马迁、班固所叙与典籍不合者十余事。又以为王莽本传但应载篡事而已，至于编年月、纪灾祥，宜为《元后本纪》。又更始居位，人无异望，光武初为其将，然后即真，宜以更始之号建于光武之初。书数上，竟不听。及后之著述，多不详典，时人追恨之。"按，传云张衡所为四事皆在其为侍中后，其于阳嘉二年（133）迁侍中，永和元年（136）出为河间相，四事当为于此期间，姑系于此。

李固四十一岁，出为广汉洛令，至白水关，解印绶还汉中，杜门不交人事；生子（李燮）。按，《后汉书·李固列传》卷六十三载其事，《资治通鉴》卷五十一系于阳嘉二年六月，似以此年事为宜。又，《后汉书·李燮列传》卷六十三云"初固既策罢，知不免祸，乃遣三子归乡里，时燮年十三"，李固本初元年（146）免官，逆推李燮当生于此年。

公元 135 年 （汉顺帝刘保阳嘉四年 乙亥）

四月

李固为梁商从事中郎，作《奏记》，梁商不用。（《后汉书·李固列传》卷六十三、《资治通鉴》卷五十二）

是年

张衡五十八岁，以为吉凶依伏，幽微难明，乃作《思玄赋》；又作《周官训诂》；欲补《易》说《彖》《象》之残缺者，未就。《后汉书·张衡列传》卷五十九："后迁侍中，帝引在帷幄，讽议左右。尝问衡天下所疾恶者，宦官惧其毁己，皆共目之，衡乃诡对而出。阉竖恐终为其患，遂共谗之。衡常思图身之事，以为吉凶倚伏，幽微难明，乃作《思玄赋》，以宣寄情志。……著《周官训诂》，崔瑗以为不能有异于诸儒也。又欲继孔子《易》说《彖》《象》残缺者，竟不能就。"胡广《汉官篇解诂叙》："至顺帝时平子为侍中，典校书，方作《周官解说》，乃欲以汉次述汉事。会复迁河间相，遂莫能立也。"按，张衡以上著作或欲作者皆在为侍中后、迁河间相前，姑系于此。

崔瑗五十八岁，辞大将军梁商辟；岁中举茂才，迁汲令；其《汲县太公庙碑》或作于此年。 按，《后汉书·崔瑗列传》卷五十二云"大将军梁商初开莫府，复首辟瑗。自以再为贵戚吏，不遇被斥，遂以疾固辞。岁中举茂才，迁汲令"，《后汉书·孝顺帝纪》卷六云阳嘉四年"执金吾梁商为大将军"，其初开幕府辟崔瑗当在此年。又，崔瑗为汲令七年，《汲县太公庙碑》当作于此七年内，姑系于此。

马融五十七岁，大将军梁商表为从事中郎。（《后汉书·马融列传》卷六十上）

王逸此年前后为侍中，其《九思》或作于此时。 按，《后汉书·文苑列传》卷八十上云其"顺帝时，为侍中"，顺帝在位十八年，此年为中，姑为其始任侍中之年。《楚辞章句·九思》卷十七题为"汉侍中南郡王逸叔师作"，当作于侍中任内，姑系于此。《九思序》："《九思》者，王逸之所作也。逸，南阳（一作南郡）人，博雅多览，读《楚辞》而伤愍屈原，故为之作解。又以自屈原终没之后，忠臣介士，游览学者，读《离骚》《九章》之文，莫不怆然，心为悲感，高其节行，妙其丽雅。至刘向、王褒之徒，咸嘉其义，作赋骋辞，以赞其志。则皆列于谱录，世世相传。逸与屈原同土共国，悼伤之情，与凡有异。窃慕向、褒之风，作颂一篇，号曰《九思》，以禅其辞。未有解说，故聊叙训谊焉。"

胡广四十五岁，或于此年复为汝南太守。 按，《后汉书·胡广列传》卷四十四载此事而未详其年，姑定在其免官后二年。

公元 136 年 （汉顺帝刘保永和元年 丙子）

十二月

李固为救太尉王龚，上奏记于梁商，梁商言之于顺帝，事乃得释。（《后汉书·王龚列传》卷五十六、《资治通鉴》卷五十二）

是年

张衡五十九岁，惧宦官谗害，出为河间相；其《怨篇》或作于此年。 按，《后汉书·张衡列传》卷五十九云"永和初，出为河间相"，然《文选·四愁诗序》卷二十九云"张衡不乐久处机密，阳嘉中，出为河间相"，诗序盖他人所为，当依传说。时张衡忧惧宦官加害，心怀怨愤，故《怨篇》或作于此时。

伏无忌奉诏与议郎黄景校定中书《五经》、诸子百家、艺术（李贤注：艺谓书、**数、射、御，术谓医、方、卜、筮**）。（《后汉书·伏无忌列传》卷二十六）

崔琦约五十二岁，入河南尹梁冀幕。 按，《后汉书·文苑列传》卷八十上云"河南尹梁冀闻其才，请与交"，《后汉书·梁冀列传》卷三十四谓梁冀"永和元年拜河南

"尹"，崔琦入梁幕当在此时。

公元 137 年 （汉顺帝刘保永和二年　丁丑）

是年

张衡六十岁，其《四愁诗》《髑髅赋》《冢赋》或作于此年。《文选·四愁诗序》卷二十九："阳嘉中，出为河间相……时天下渐弊，郁郁不得志，为《四愁诗》。屈原以美人为君子，以珍宝为仁义，以水深雪雰为小人，思以道术相报，贻于时君，而惧谗邪不得以通。"按，"阳嘉中"当依张衡本传为"永和初"，张衡自永和元年至三年为河间相，是诗作于此三年间，姑系于此。《髑髅赋》仿《庄子·至乐》，言"死为休息，生为役劳"，《冢赋》咏"幽墓既美，鬼神既宁"，均当为晚年心境不佳时之作，姑系于此。

马融女马芝此年前后作《申情赋》。《后汉书·列女传》："伦妹芝，亦有才义。少丧亲长而追感，乃作《申情赋》云。"按，据《后汉书·列女传》卷八十四，马融有三女，次女马伦延光元年（122）生，马芝行三，此年当十四、五岁，传云少作《申情赋》，姑系于此。

郑玄十一岁，志非等闲。《后汉书·郑玄列传》卷三十五李贤注引《郑玄别传》："玄年十一二，随母还家，正腊会同列十数人，皆美服盛饰，语言闲通，玄独漠然如不及，母私督数之，乃曰：'此非我志，不在所愿。'"

士燮生（137—226）。（《吴志·士燮传》卷四十九）士燮，字威彦，苍梧广信（今广西梧州）人。少游学京师，师从刘子奇，治《左氏春秋》。察孝廉，补尚书郎；举茂才，除巫令，迁交阯太守。为人宽厚，谦虚下士，中土士人往依避难者以百数。"耽玩《春秋》，为之注解"。汉封其为绥南中郎将，董都七郡。孙权加其为左将军，迁卫将军，封龙编侯。（《吴志·士燮传》卷四十九）《隋书·经籍志》卷三十五："梁有《士燮集》五卷，亡。"

公元 138 年 （汉顺帝刘保永和三年　戊寅）

二月

张衡作《归田赋》，上书乞骸骨。按，《归田赋》欲归林下之志与"上书乞骸骨"之愿一致，《后汉书·张衡列传》卷五十九云"永和初，出为河间相。……视事三年，上书乞骸骨"，当作于此年。赋又云"于是仲春令月，时和气清"，当作于仲春二月时。

五月

李固反对出兵镇压象林蛮。（《后汉书·南蛮传》卷八十六、《资治通鉴》卷五十二）

是年

张衡六十一岁，征拜尚书。（《后汉书·张衡列传》卷五十九）

崔瑗六十一岁，作《窦贵人诔》。按，《后汉书·窦章列传》卷二十三谓窦贵人为窦章女，"年十二，能属文，以才貌选入掖庭，有宠，与梁皇后并为贵人"，"早卒，帝追思之无已，诏史官树碑颂德，章自为之辞。贵人殁后，帝礼待之无衰，永和五年迁少府"。窦贵人卒年不详，姑定在窦章迁少府前二年。

　　马融六十岁，转武都太守，撰《易》《书》《诗》《礼》传。惠栋《后汉书补注》卷十四："融《周官传叙》曰：吾六十为武都守，郡小少事，乃述生平之志，著《易》《尚书》《诗》《礼》传皆讫。"

公元 139 年　　（汉顺帝刘保永和四年　己卯）

是年

　　张衡卒，年六十二（78—139）。崔瑗《河间相张平子碑》："君天资濬哲，敏而好学，如川之逝，不舍昼夜。是以道德漫流，文章云浮，数术穷天地，制作侔造化；瓌辞丽说，奇技伟艺，磊落焕炳，与神合契。然而体性温良，声气芬芳，仁爱笃密，与世无伤，可谓淑人君子者矣。……于惟张君，资质懿丰。德茂材羡，高明显融。焉所不学，亦何不师？盈科而逝，成章乃达。一物不知，实以为耻。闻一善言，不胜其喜。包罗品类，禀受无形。酌焉不竭，冲而复盈。凛凛其庶，亹亹其几。膺数命世，绍圣作师。苟华必实，令德惟恭。柔嘉伊则，孝友祗容。允出在兹，维帝念功。往才女谐，化洽民雍。"《后汉书·张衡列传》卷五十九："崔瑗之称平子曰：'数术穷天地，制作侔造化。'斯致可得而言欤！推其围范两仪，天地无所蕴其灵；运情机物，有生不能参其智。故知思引渊微，人之上术。《记》曰：'德成而上，艺成而下。'量斯思也，岂夫艺而已哉？何德之损乎？赞曰：三才理通，人灵多蔽。近推形算，远抽深滞。不有玄虑，孰能昭晢？"

　　崔瑗六十二岁，作《河间相张平子碑》。

　　应奉约二十岁，或于此年为郡决曹史，著《汉书后序》，删《史记》《汉书》《汉记》，成《汉事》十七卷。《后汉书·应奉列传》卷四十八："为郡决曹史，行部四十二县，录囚徒数百千人。及还，太守备问之，奉口说罪系姓名，坐状轻重，无所遗脱，时人奇之。著《汉书后序》，多所述载。"李贤注引《袁山松书》："奉又删《史记》《汉书》及《汉记》三百六十余年，自汉兴至其时，凡十七卷，名曰《汉事》。"按，应奉为郡决曹史，年月未详，本传叙在"举茂才"前，姑定在"举茂才"两年前。关于应奉举茂才前之任职，史籍记述不同，李贤注引《谢承书》云："少为上计吏，许训为计掾，俱到京师。训自发乡里，在路昼顿暮宿，所见长吏、宾客、亭长、吏卒、奴仆，训皆密疏姓名，欲试奉。还郡，出疏示奉。奉云：'前食颍川纶氏都亭，亭长胡奴名禄，以饮浆来，何不在疏？'坐中皆惊。"此时轶事虽异，然均称其记忆杰出，李贤注引《谢承书》又云："奉年二十时，尝诣彭城相袁贺，贺时出行闭门，造车匠于内开扇出半面视奉，奉即委去。后数十年于路见车匠，识而呼之。"或应奉为吏时年始二十许。

　　郑玄十三岁，始通五经，好天文占候、风角隐术。（《世说新语·文学》刘孝标注

引《玄别传》）

荀爽十二岁，通《春秋》《论语》，太尉杜乔称之曰"可为人师"。（《后汉书·荀爽列传》卷六十二）

公元 140 年 （汉顺帝刘保永和五年　庚辰）

是年

马融六十二岁，作《陈星亭》《奏马贤事》。（《后汉书·马融列传》卷六十上、《资治通鉴》卷五十二）

胡广五十岁，为大司农。《后汉书·胡广列传》卷四十四云其"入拜大司农"，其年未明，熊方《补后汉年表》卷十下、钱大昭《后汉书补表》卷八，皆列在此年。

皇甫规三十七岁，为布衣，上书言征西将军马贤必败。按，《后汉书·皇甫规列传》卷六十五谓在永和六年，然马贤兵败于六年正月，故《资治通鉴》卷五十二系皇甫规上书于五年，是。

公元 141 年 （汉顺帝刘保永和六年　辛巳）

三月

皇甫规为郡功曹，举上记掾；上疏求乞自效，顺帝不能用。（《后汉书·皇甫规列传》卷六十五、《资治通鉴》卷五十二）

秋

张奂辟大将军府，奏《尚书章句》，以疾去官。《后汉书·张奂列传》卷六十五："初《牟氏章句》浮辞繁多，有四十五万余言，奂减为九万言。后辟大将军梁冀府，乃上书桓帝，奏其《章句》，诏下东观。以疾去官。"按，《后汉书·孝顺帝纪》卷六谓永和六年八月"河南尹梁冀为大将军"，张奂辟梁冀府当在此年八月以后，姑系于此。张奂所进《章句》即《尚书章句》。

是年

李固四十八岁，为荆州刺史，作《辟文学教》；半岁后，徙为泰山太守，作《恤奉高令丧事教》《祀胡母先生教》。按，《后汉书·李固列传》卷六十三云李固为荆州刺史、徙泰山太守在"永和中"，《资治通鉴》卷五十二系于此年。王先谦《集解》谓"沈钦韩曰：《北堂书钞·长沙耆旧传》云：太尉李公，时为荆州刺史，下辟曰……"《辟文学教》即作于此时。姚振宗《后汉艺文志》卷四："近刻《古逸丛书·文馆词林》残本中，有《恤奉高令丧事教》一首，《祀胡母先生教》一首，皆永和中为泰山太守时作也。"

延笃约四十二岁，举孝廉，为平阳侯相，寻以师丧弃官。按，《后汉书·延笃列传》卷六十四云"举孝廉，为平阳侯相。到官，表龚遂之墓，立铭祭祠，擢用其后于畎亩之间。以师丧弃官奔赴",其年未详,姑系于为议郎十年前。

应奉约二十二岁,为大将军梁冀举茂才。按,《后汉书·应奉列传》卷四十八云"大将军梁冀举茂才",梁冀此年由河南尹迁大将军(《后汉书·孝顺帝纪》卷六),应奉举茂才或在此年。

公元 142 年　(汉顺帝刘保汉安元年　壬午)

正月

汉顺帝改元汉安。(《后汉书·孝顺帝纪》卷六)

崔瑗为胡广等所荐,迁为济北相。《后汉书·崔瑗列传》卷五十二:"汉安初,大司农胡广、少府窦章共荐瑗宿德大儒,从政有迹,不宜久在下位,由此迁济北相。"按,崔瑗迁济北相当在李固此年八月迁将作大匠之前,时李固为泰山太守、胡广为大司农。

李固奉崔瑗书致礼。《后汉书·崔瑗列传》卷五十二:"时李固为太山太守,美瑗文雅,奉书礼致殷勤。"

八月

李固迁将作大匠,上疏陈事。(袁宏《后汉集》卷十九)

十一月

胡广迁司徒。(《后汉书·孝顺帝纪》卷六)

李固迁大司农,与廷尉吴雄、光禄勋刘宣上疏。按,《后汉书·李固列传》卷六十三云"以固为大司农。……固乃与廷尉吴雄上疏……乃复与光禄勋刘宣上言……帝纳其言",其迁大司农当在大司农胡广此月迁司徒后。

是年

郑玄十六岁,作《嘉禾颂》;为乡啬夫或在此年。(《太平御览》卷八百三十九引《郑玄别传》)按,《后汉书·郑玄列传》卷三十五云"玄少为乡啬夫,得休归,常诣学官,不乐为吏,父数怒之,不能禁","少"为乡啬夫,姑以十六岁当之。

公元 143 年　(汉顺帝刘保汉安二年　癸未)

是年

崔瑗征诣廷尉,上书自讼,得理出;寻病卒,年六十六(78—143)。(《后汉书·崔瑗列传》卷五十二、张彦远《法书要录》卷八张怀瓘《书断》中)

边韶为尚书侍郎,上言论历。(《后汉书·律历志》二)

崔寔因父崔瑗卒,卖田宅,起冢茔,立碑颂,隐居父墓旁;葬讫,资产竭尽,因穷困，以酿酿贩卖为业。（《后汉书·崔寔列传》卷五十二）崔寔（？—168），字子真，一名台，字元始，生年不详，涿郡安平（今河北安平）人。少沉静，好典籍。桓帝初，除为郎；后召拜议郎，迁大将军梁冀司马，著作东观；出为五原太守，复征议郎，与诸儒博士共杂定《五经》。因梁冀诛，株连免官，禁锢数年。由司空黄琼推荐，拜辽东太守，以母丧未竟。丁忧毕，召拜尚书，数月免归。崔寔为人至孝，安贫乐道，为葬父而变卖田宅，"资产竭尽，因困穷，以酿酿贩鬻为业。时人多以此讥之，寔终不改。亦取足而已，不致盈余。及仕官，历位边郡，而愈贫薄。建宁中病卒。家徒四壁立，无以殡敛，光禄勋杨赐、太仆袁逢、少府段颎为备棺椁葬具，大鸿胪袁隗树碑颂德"。"所著碑、论、箴、铭、答、七言、祠、文、表、记、书凡十五篇"。（《后汉书·崔寔列传》卷五十二）《隋书·经籍志》卷三十四："《政论》，汉大尚书崔寔撰。……《四人月令》一卷，后汉大尚书崔寔撰。"《隋书·经籍志》卷三十五："五原太守《崔寔集》二卷，录一卷。"严可均《全后汉文》卷四十五收其文四篇。

郑玄十七岁，见大风而知某时有火灾，智者异之。（《世说新语·文学》刘孝标注引《玄别传》）

曹娥卒，年十四（130—143）。（《后汉书·列女传》卷八十四）

王延寿或于此年生（143？—163？）。按，《后汉书·文苑列传》卷卷八十上云其"后溺水死，年二十余"，李贤注引张华《博物志》谓"归渡湘水，溺死"，《水经注》卷三十八则明确称"黄水又西流入湘水，谓之黄陵口，昔王子中（官本校'按中近刻讹作山'）有异才……二十一溺死于湘浦，即斯川矣"。问题是王何年溺死，其文《桐柏淮源庙碑》自云作于"延熹六年正月八日乙酉"，或谓是文乃其自鲁返故里宜城途中经桐柏而作；其年其父在豫章，王由宜城赴豫章省父，过湘水黄陵口而溺死。自延熹六年（163）逆推二十载至此年（汉安二年），则为王生年。然《古文苑·梦赋》卷六章樵注云"《后汉文苑传》：王延寿……年二十四过汉江，溺水死"，与《水经注》说异，未知谁是。王延寿，字文考，一字子山，南郡宜城（今湖北宜城）人。王逸子。有俊才，少游鲁国，作《灵光殿赋》，令蔡邕见而搁笔。曾因恶梦而作《梦赋》。后于湘江溺死。（《后汉书·文苑列传》卷八十上）《隋书·经籍志》卷三十五："梁又有……《王延寿集》三卷。"严可均《全后汉文》卷五十八收其文四篇。

公元144年 （汉顺帝刘保汉安三年 建康元年 甲申）

四月

汉顺帝立皇子刘炳为皇太子，改元建康。（《后汉书·孝顺帝纪》卷六）

八月

汉顺帝刘保崩。（《后汉书·孝顺帝纪》卷六）

皇太子刘炳即位，是为汉冲帝。汉冲帝二岁，皇太后梁氏临朝称制。（《后汉书·孝冲帝纪》卷六）

李固为太尉。（《后汉书·孝冲帝纪》卷六）

九月

汉冲帝诏举贤良方正、幽逸修道之士。(《后汉书·孝冲帝纪》卷六)

皇甫规举贤良方正，对策，拜郎中；托疾免归，教授，门徒。《后汉书·皇甫规列传》卷六十五："冲、质之间，梁太后临朝。规举贤良方正，对策曰……梁冀忿其刺己，以规为下第，拜郎中。托疾免归，州郡承冀旨，几陷死者再三。遂以《诗》《易》教授，门徒三百余人，积十四年。"按，传云皇甫规举贤良方正事，时间与《后汉书·孝冲帝纪》此月诏合，《资治通鉴》卷五十二即系于此时。此年免归后，因梁冀迫害，在家蛰居授徒，直至延熹元年(158)达十四年之久，次年梁冀被诛，始重入仕途。

张奂举贤良方正，拜议郎。按，《后汉书·张奂列传》卷六十五云"复举贤良，对策第一，擢拜议郎"，张奂与皇甫规同年，举贤良亦当此月事。

是年

马融六十六岁，作《周官传》。惠栋《后汉书补注》卷十四："融《周官传叙》曰：……惟念前业未毕者惟《周官》，年六十六，目瞑意倦，自力补之，谓之《周官传》也。"

李固五十一岁，作书《荐杨淮》。按，严可均《全后汉文》卷四十八收《荐杨淮》，注引《益部耆旧传》谓"固为太尉，荐淮"，李固此年至后年为太尉，姑系荐书在其始为太尉之年。

朱穆四十五岁，入梁冀幕，甚见亲任。(《后汉书·朱穆列传》卷四十三)按，朱穆入梁冀幕，因而拜官，然其《与刘伯宗绝交书》云为"丰令"，其《鼎铭》云为"宛陵令"，未知孰是。

桓麟约三十一岁，或于此年辟司徒掾。按，《后汉书·桓荣列传》卷三十七未载其为司徒掾事，惟《隋书·经籍志》卷三十五谓"司徒掾《桓麟集》"，姑系在为议郎三年前。

公元 145 年　(汉冲帝刘炳永嘉元年　乙酉)

正月

汉冲帝刘炳卒。(《后汉书·孝冲帝纪》卷六)

李固议冲帝发丧，梁太后从之。(《后汉书·李固列传》卷六十三、《资治通鉴》卷五十二)

李固欲立清河王刘蒜为帝，梁冀不从，立乐安王子刘缵，年八岁，是为汉质帝。(《后汉书·孝质帝纪》卷六)

李固议卜山陵，梁太后从之。(《后汉书·李固列传》卷六十三、《资治通鉴》卷五十二)

梁冀猜忌李固，使人作飞章虚诬李固，太后不听，得免。(《后汉书·李固列传》卷六十三、《资治通鉴》卷五十二)

是年

马融六十七岁，迁从事中郎。惠栋《后汉书补注》卷十四："融历二郡两县，政务无为，事从其约。在武都七年，南郡四年，未尝案论刑杀一人。"按，马融永和三年（138）为武都太守，至此年恰七年。

李固五十二岁，上疏救益州刺史种暠。（《后汉书·种暠列传》卷五十六、《资治通鉴》卷五十二）

公元 146 年　（汉质帝刘缵本初元年　丙戌）

四月

汉质帝诏令举明经，诣太学，通经者赏进。《后汉书·孝质帝纪》卷六："夏四月庚辰，令郡国举明经，年五十以上、七十以下诣太学。自大将军至六百石，皆遣子受业，岁满课试，以高第五人补郎中，次五人太子舍人。又千石、六百石、四府掾属、三署郎、四姓小侯先能通经者，各令随家法，其高第者上名牒，当以次赏进。"

梁太后诏令兴学，使游学增盛，太学生多至三万余人，然学风转尚浮华。《后汉书·儒林列传》卷七十九上："本初元年，梁太后诏曰：'大将军下至六百石，悉遣子就学，每岁辄于乡射月一飨会之，以此为常。'自是游学增盛，至三万余生。然章句渐疏，而多以浮华相尚，儒者之风盖衰矣。"

闰六月

大将军梁冀鸩杀汉质帝。（《后汉书·孝质帝纪》卷六）

李固、胡广等与梁冀书，建议为立嗣事，"询访公卿，广求群议"。（《后汉书·李固列传》卷六十三）

李固、胡广拟立清河王刘蒜，梁冀坚持立蠡吾侯刘志；胡广惧梁冀，转而支持梁冀，李固则不改其意；梁冀遂说梁太后，策免李固太尉职，以胡广为太尉。（《后汉书·李固列传》卷六十三、《资治通鉴》卷五十二）

梁太后与兄将军梁冀迎蠡吾侯刘志入南宫，即皇帝位，年十五，是为汉桓帝；梁太后临朝听政。（《后汉书·孝桓帝纪》卷七、《资治通鉴》卷五十二）

七月

朱穆复为大将军掾，奏记劝戒梁冀。（《后汉书·朱穆列传》卷四十三、《资治通鉴》卷五十三）按，惠栋《后汉书补注》卷十一称"朱公叔《鼎铭》曰：……用拜宛陵令，非其好也，遂以疾辞，复辟大将军"，以此知为大将军掾在为宛陵令（或丰令）后，《资治通鉴》卷五十二此月谓"大将军掾朱穆奏记"，则朱穆至迟于此月复为大将军掾。

是年

崔琦约六十二岁，数引古今成败以戒梁冀，梁冀不受，乃作《外戚箴》《白鹄赋》以讽；梁冀怒，幽之，遣归。《后汉书·文苑列传》卷八十上："冀多行不轨，琦数引古今成败以戒之。冀不能受，乃作《外戚箴》。……琦以言不从，失意，复作《白鹄赋》以为风。梁冀见之，呼琦问曰：'百官外内，各有司存，天下云云，岂独吾人之尤，君何激刺之过乎！'琦对曰：'昔管仲相齐，乐闻机谏之言；萧何佐汉，乃设书过之吏。今将军累世台辅，任齐伊、公，而德政未闻，黎元涂炭；不能结纳贞良，以救祸败，反复欲钳塞士口，杜蔽主听；将使玄黄改色，马鹿异形乎？'冀无以对，因遣琦归。"惠栋《后汉书补注》卷十八："《华峤书》：冀知刺己，大怒，幽之室谷，数月得出，传不载。"按，崔琦受幽被遣，其年未明，梁冀"多行不轨"，弑帝为不轨中之极致，故系于此年为宜。《资治通鉴》卷五十四系之于延熹二年（159）似嫌太迟。

胡广五十六岁，以定策立桓帝之功，封育阳安乐乡侯；又以承旨奏黜清官滕抚，天下怨之。（《后汉书·胡广列传》卷四十四、《后汉书·滕抚列传》卷三十八）

崔寔父丧满服，辞三公辟。按，《后汉书·崔骃列传》卷五十二称其"父（崔瑗）卒，隐居墓侧。服竟，三公并辟，皆不就"；崔瑗汉安二年（143）卒，至此年崔寔服竟，故系于此。

公元 147 年　（汉桓帝刘志建和元年　丁亥）

四月

汉桓帝诏公卿郡国举至孝笃行之士。（《后汉书·孝桓帝纪》卷七）

崔寔以郡举至孝笃行，征诣公车，除为郎；作《政论》，论当世便事数十条。《后汉书·崔寔列传》卷五十二："桓帝初，诏公卿郡国举至孝独行之士。寔以郡举，征诣公车，病不对策，除为郎。明于政体，吏才有余，论当世便事数十条，名曰《政论》。"按，《资治通鉴》卷五十三系于元嘉元年十一月，不知何据，传云"桓帝初"，宜系此年四月。范晔称其《政论》"指切时要，言辩而确，当世称之"。（《后汉书·崔寔列传》卷五十二）仲长统亦以为"凡为人主，宜写一通，置之坐侧。"（《后汉书·崔寔列传》卷五十二）

六月

胡广罢太尉。（《后汉书·孝桓帝纪》卷七）

十月

胡广为司空。（《后汉书·孝桓帝纪》卷七）

十一月

李固为梁冀所诬，下狱；门生等贯械上书、要铁锧诣阙通诉，太后赦之，及出狱，京师市里皆称万岁。（《后汉书·李固列传》卷六十三、《资治通鉴》卷五十三）

梁冀复捕李固入狱，马融为其作章表诬李固。（《后汉书·李固列传》卷六十三、《资治通鉴》卷五十三）

李固临终，敕子孙；以书责胡广、赵戒。（《后汉书·李固列传》卷六十三及李贤注、《资治通鉴》卷五十三）

李固遂死狱中，年五十四（94—147）。（《后汉书·李固列传》卷六十三、《资治通鉴》卷五十三）

李固弟子赵承等编李固言行，为《德行》一篇。（《后汉书·李固列传》卷六十三）

朱穆为侍御史。按，《后汉书·朱穆列传》卷四十三云"冀……举穆高第，为侍御史"，《资治通鉴》卷五十三系于此年。李贤注引《续汉书》："穆举高第，拜侍御史。桓帝临辟雍，行礼毕，公卿出，虎贲置弓阶上，公卿下阶皆避弓。穆过，呵虎贲曰：'执天子器，何故投于地！'虎贲怖，即摄弓。穆劾奏虎贲抵罪，公卿皆惭，曰'朱御史可谓临事不惑者也'。"

是年

马融六十九岁，或于此年为大将军梁冀作《西第颂》；为南郡太守。（《后汉书·马融列传》卷六十上）按，马颂未详写作年月，传中叙在"为梁冀草奏李固"后，或作于此年。又，《后汉书·马融列传》卷六十上称"三迁，桓帝时为南郡太守"，何年始守南郡，未明，然"冀讽有司奏融在郡贪浊，免官，髡徙朔方"，《资治通鉴》卷五十三系在元嘉元年（151），惠栋《后汉书补注》卷十四引商芸《小说》又云"融历二郡三县，政务无为，事从其约。在武都七年，南郡四年，未尝案论刑杀一人"，自元嘉元年逆推四年至此年，即为其始为南郡太守之年。

桓麟三十四岁左右，为议郎，入侍讲禁中。（《后汉书·桓荣列传》卷三十七）

月氏僧支谶至洛阳译佛经。（《高僧传》初集卷一）

郑玄二十一岁，太山太守杜密知其异器，即召署郡职，遂遣就学；造太学受业，师事京兆第五元先，始通《京氏易》《公羊春秋》《三统历》《九章算术》。又从东郡张恭祖受《周官》《礼记》《左氏春秋》《韩诗》《古文尚书》。（《后汉书·党锢列传》卷六十七、《后汉书·郑玄列传》卷三十五、《世说新语·文学》刘孝标注引《玄别传》）

京都起童谣："直如弦，死道边；曲如钩，反封侯。"《后汉书·五行志》："顺帝之末，京都童谣曰：'直如弦，死道边；曲如钩，反封侯。'案顺帝即世，孝质短祚，大将军梁冀贪树疏幼，以为己功，专国号令，以赡其私。太尉李固以为清河王雅性聪明，敦诗悦礼，加又属亲，立长则顺，置善则固。而冀建白太后，策免固，征蠡吾侯，遂即至尊。固是日幽毙于狱，暴尸道路，而太尉胡广封安乐乡侯、司徒赵戒厨亭侯、司空袁汤安国亭侯云。"按，文前虽云"顺帝之末"，而文中所叙立桓帝、封胡广等、幽毙李固皆为桓帝初事，李固此年狱死，系于此年为宜。

公元 148 年 　（汉桓帝刘志建和二年　戊子）

是年

　　崔琦约六十四岁，除为临济长，不敢之职，解印绶去。 按，《后汉书·文苑列传》卷八十上云"后除为临济长，不敢之职，解印绶去"，其年未明，或在其本初元年遣归后一二年，姑系于此。

　　朱穆四十九岁，或于此年贬郎中。 按，惠栋《后汉书补注》卷十一谓"朱公叔《鼎铭》曰：'……矫枉董直，罔肯阿顺，以黜其位，潜于郎中。……'案穆为侍御史，以不肯阿顺免官，后为郎中……范史皆不载也"，本传谓朱穆五十岁拜武当山赵康为师，恐正为遇此挫折所致，时当其知命之前，姑系于此。

　　赵岐四十岁，有重疾，卧床七年。《后汉书·赵岐列传》卷六十四："年三十余，有重疾，卧蓐七年，自虑奄忽，乃为遗令敕兄子曰：'大丈夫生世，遁无箕山之操，仕无伊、吕之勋，天不我与，复何言哉！可立一员石于吾墓前，刻之曰："汉有逸人，姓赵名嘉。有志无时，命也奈何！"'"按，《太平御览》卷五百零一引《后汉书》则作"年四十"，若此，卧病时当建和二年，至"永兴二年（154）辟司空掾"恰七年，故从《御览》所引《后汉书》。

　　边韶此年前后为临颍侯相。 按，《后汉书·文苑列传》卷八十上云其"桓帝时，为临颍侯相"，叙在元嘉元年（151）为太中大夫前，或在此年前后。

　　安息僧安世高至洛阳，翻译佛经。（《高僧传》卷一、《历代三宝纪》卷四）

　　荀悦生（148—209）。荀悦，字仲豫，颍川颍阴（今河南许昌）人。十二岁时即能说《春秋》。家贫无书，常观览别人之书，过目成诵。灵帝时宦官掌权，乃隐居不出。初辟镇东将军曹操府，迁黄门侍郎。献帝时，与从弟荀彧及孔融侍讲禁中，累迁秘书监、侍中。曾奉献帝命，依《左氏传》体撰《汉纪》三十篇，"辞约事详，论辨多美"。又著《申鉴》五篇、《崇德》《正论》及诸论数十篇。年六十二，建安十四年（209）卒。（《后汉书·荀悦列传》卷六十二）《隋书·经籍志》卷三十三："《汉纪》三十卷，汉秘书监荀悦撰。"同书卷三十四："《申鉴》五卷，荀悦撰。"张溥辑有《荀侍中集》。张溥："西豪荀氏，楚兰陵令后裔也，季和八龙，名称极盛，诸孙若仲豫、文若，并为时所知。然文若娶妇中官，依身逆贼，寿春饮药，进退触藩，虽何颙目以王佐，曹操诩为子房，徒虚声耳。岂及仲豫周旋故君，志存献替哉！文若佐操举事，擒吕布，破袁绍，奉迎车驾，徙都许昌，咸出其谋。以彼英才，说《诗》《书》，论礼乐，言堂满堂，宁逊北海？而掌握纵横，疲精军旅，鸿毛一死，铜雀先驱，万世而下，竟无一卷足传者。仲豫性沉静，好著述，隐居托疾，不入阉官网罗。及事献帝，谈论近省，愤曹氏之执政，哀天子之恭己，既作《申鉴》，复撰《汉纪》。余观立典五志，知其永怀西京，悁悁不寐也。诸论上仿《过秦》，下俪《骠骑》，较班、马挹讳其辞直矣。高阳才子，德业世济，能立言者，慈明、仲豫耳。余于此益悲敬侯之无年也。"（《汉魏六朝百三家集·荀侍中集题词》）

公元 149 年　（汉桓帝刘志建和三年　己丑）

六月

诏举贤良方正、能直言极谏之士。（《后汉书·孝桓帝纪》卷七）

是年

崔琦见杀，年约六十五（85？—149？）。按，事载《后汉书·文苑列传》卷八十上，确年未详，姑定在其解临济长印绶一年后。

朱穆五十岁，拜武当山赵康为师；感时俗浇薄，慕尚敦笃，作《崇厚论》，又作《绝交论》《与刘伯宗绝交书》并《与刘伯宗绝交诗》。（《后汉书·朱穆列传》卷四十三及李贤注）

崔寔拜议郎。按，《后汉书·崔寔列传》卷五十二云"其后辟太尉袁汤、大将军梁冀府，并不应。大司农羊傅、少府何豹上书，荐寔才美能高，宜在朝廷。召拜议郎"，钱大昭《后汉书补表》卷八谓此年袁汤称太尉、梁冀称大将军、羊傅称大司农、何豹称少府，崔寔拜议郎当在此年。

公元 150 年　（汉桓帝刘志和平元年　庚寅）

正月

汉桓帝改元和平。（《后汉书·孝桓帝纪》卷七）

二月

皇太后梁氏崩。（《后汉书·孝桓帝纪》卷七、《后汉书·皇后纪》卷十下）

三月

朱穆两作奏记，切谏梁冀。（《后汉书·朱穆列传》卷四十三、《资治通鉴》卷五十三）

是年

桓麟约三十七岁，出为许令。安：《后汉书·桓荣列传》卷三十七云"以直道忤左右，出为许令"，年月未详，姑定在为议郎三年后。

郦炎生（150—177）。郦炎，字文胜，范阳（今河北定兴南）人。郦食其后裔。有文才，解音律，言论给捷，多服其能理。灵帝时，州郡辟官，皆不就。后患疯病。性至孝，母丧病发，时其妻始产，惊吓而死。妻家讼之，收系狱中。郦炎病不能理对，熹平六年，遂死狱中。（《后汉书·文苑列传》卷八十下）《隋书·经籍志》卷三十五："梁……又有《郦炎集》二卷，录二卷，亡"。严可均《全后汉文》卷八十二收其文五篇，丁福保《全汉诗》卷二收其诗二首。

公元 151 年　（汉桓帝刘志元嘉元年　辛卯）

正月

汉桓帝改元元嘉。（《后汉书·孝桓帝纪》卷七）

春

马融忤大将军梁冀，被诬在南郡太守任上受贿，遂髡徙朔方。（《后汉书·马融列传》卷六十上、《资治通鉴》卷五十三）

十月

司空胡广致仕。（《后汉书·孝桓帝纪》卷七）

闰十一月

胡广为太常，谀颂梁冀。（《后汉书·胡广列传》卷四十四、《后汉书·黄琼列传》卷六十一、《资治通鉴》卷五十三）按，胡广传称"告老致仕。寻以特进征拜太常"，《后汉书·黄琼列传》卷六十一载元嘉元年"特进胡广"谀颂梁冀事，《资治通鉴》卷五十三系于此年闰十一月，故其"以特进征拜太常"当在此时。

边韶为特进太中大夫，谀颂梁冀。（《后汉书·黄琼列传》卷六十一、《资治通鉴》卷五十三）

是年

朱穆五十二岁，迁议郎，登于东观，撰《汉记》。刘知己《史通·古今正史》卷十二："至元嘉元年，复令太中大夫边韶、大军营司马崔寔、议郎朱穆、曹寿，杂作《孝穆崇二皇》（浦起龙《史通通释》：'孝、穆二字，传写讹脱，当作献穆、孝崇二皇后。）及《顺烈皇后传》，又增《外戚传》入安思等后，《儒林传》入崔篆诸人。寔、寿又与议郎延笃杂作《百官表》、顺帝功臣孙程、郭愿及郑众、蔡伦等传。凡百十有四篇，号曰《汉记》。"

延笃约五十二岁，以博士拜议郎，著作东观，撰《汉记》。（《后汉书·延笃列传》卷六十四、《史通·古今正史》卷十二）

边韶著作东观，撰《汉记》。（《后汉书·文苑列传》卷八十上、《史通·古今正史》卷十二）

崔寔迁大将军梁冀司马，与边韶、延笃等著作东观，撰《汉记》。（《后汉书·崔寔列传》卷五十二、《史通·古今正史》卷十二）

伏无忌奉诏与黄景、崔寔等共撰《汉记》。按，《后汉书·伏湛列传》卷二十六云

"元嘉中，桓帝复诏无忌与黄景、崔寔等共撰《汉记》"，《史通·古今正史》卷十二称崔寔撰《汉记》在"元嘉元年"，故伏无忌与作《汉记》亦当在此年。

曹寿撰《汉记》。（《史通·古今正史》卷十二）按，曹寿，或即班昭夫曹世叔，身世不详。

黄景为议郎，撰《汉记》。（《后汉书·伏湛列传》卷二十六、《史通·古今正史》卷十二）按，黄景，身世不详。

邯郸淳二十岁，作《曹娥碑》。（《后汉书·列女传》卷八十四李贤注引《会稽典录》）

蔡邕二十岁，师事太傅胡广，始读《左传》。《后汉书·蔡邕列传》卷六十下："少博学，师事太傅胡广。好辞章、数术、天文、妙操音律"，师事胡广年月未明，惠栋《后汉书补注》卷十四引《邕别传》曰"邕与李则游学，时在弱冠，始共读《左氏传》，性通敏兼人，举一反三"，则师从胡广时在此年。

公元 152 年　（汉桓帝刘志元嘉二年　壬辰）

是年

桓麟约三十九岁，以病免许令。按，《后汉书·桓荣列传》卷三十七云"出为许令，病免"，年月未详，姑系于丧母前一年。

蔡邕二十一岁，与同郡申屠蟠友善，及被州辟，乃让于申屠蟠。《后汉书·申屠蟠列传》卷五十三："（申屠蟠）家贫，佣为漆工。郭临宗见而奇之。同郡蔡邕深敬蟠，及被州辟，乃辞让之曰：'申屠蟠禀气玄妙，性敏心通，丧亲尽礼，几于毁灭。至行美义，人所鲜能。安贫乐潜，味道守真，不为燥湿轻重，不为穷达易节。方之于邕，以齿则长，以德则贤。'"按，其年未详，姑拟在从师胡广次年。

许靖约生于此年（152？—222）。按，《蜀志·许靖传》卷三十八云"靖虽年逾七十……章武二年（222）卒"，则其至迟生于此年。许靖，字文休，汝南平舆（今河南平舆）人。少知名。先为计吏，察孝廉，除尚书郎。董卓秉政，避祸依王朗，又赴交州十余年。后入蜀，为巴郡、广汉、蜀郡太守。刘备克蜀，降为左将军长史，领镇军将军，迁太傅、司徒。诸葛亮敬之，与魏华歆、王朗等友善。（《蜀志·许靖传》卷三十八）《隋书·经籍志》卷三十五："梁……又有司徒《许靖集》二卷，录一卷。"

公元 153 年　（汉桓帝刘志元嘉三年　永兴元年　癸巳）

五月

改元永兴。（《后汉书·孝桓帝纪》卷七）

七月

朱穆为冀州刺史，执法忤宦官，征诣廷尉，输作左校。（《后汉书·朱穆列传》卷四十三、《资治通鉴》卷五十四）

刘陶等数千人上书讼朱穆冤，朱穆受赦归家。（《后汉书·朱穆列传》卷四十三、《资治通鉴》卷五十四）刘陶（？—185），字子奇，颍川颍阴（今河南许昌）人。济北贞王刘勃之后。为人居简，不修小节。所与交友，必为同志。"好尚或殊，富贵不求合；情趣苟同，贫贱不易意"。举孝廉，除顺阳长，拜侍御史，封中陵乡侯，三迁尚书令。复迁侍中，徙京兆尹，征拜谏议大夫。敢于直言，屡屡上书切谏，为权臣所惮。中平二年，上书陈当今要急八事，"大较言天下大乱，皆由宦官"，宦官共相谮害，下黄门北寺狱，终日榜掠不已，刘陶遂闭气而死。明《尚书》《春秋》，为之训诂。曾参考夏侯建、夏侯胜、欧阳和伯三家《尚书》及《古文尚书》，撰《中文尚书》，订正文字七百余处。"著书数十万言，又作《七曜论》《匡老子》《反韩非》《复孟轲》，及上书言当世便事、条教、赋、奏、书、记、辩疑，凡百余篇"（《后汉书·刘陶列传》卷五十七）。《隋书·经籍志》卷三十三："刘陶……著述东观，谓之《汉记》。"《隋书·经籍志》卷三十五："后汉谏议大夫《刘陶集》三卷，梁二卷，录一卷。亡。"严可均《全后汉文》卷六十五收其文五篇。

十月

太常胡广为太尉。（《后汉书·孝桓帝纪》卷七）

是年

桓麟约四十岁，丧母。按，《后汉书·桓荣列传》卷三十七云"会母终，麟不胜丧，未祥而卒"，桓麟明年"未祥而卒"，则卒时仍在服中，亦即其卒前十三个月内（小祥）或二十五个月内（大祥）丧母，姑系此年。

应奉约三十四岁，为武陵太守，招降叛蛮，兴学举才，有政绩；后因事免官。（《后汉书·孝桓帝纪》卷七、《后汉书·应奉列传》卷四十八）

蔡邕二十二岁，作《琅邪王傅蔡朗碑》。按，蔡碑云"（蔡朗）年五十八，永兴六年夏卒"，永兴共两年，"六年"疑为"元年"，盖"元"以形近讹成"六"。

孔融生（153—208）。孔融，字文举，鲁国（今山东曲阜）人。年少时即有异才，秉性好学，博览群书。州郡礼命，皆不就。后举高第，为侍御史，辟司空掾，拜中军候，迁虎贲中郎将，转为议郎，举为北海相，故世称孔北海。汉献帝都许，征为将作大匠，迁少府，复拜太中大夫。为人宽容，无所顾忌，喜奖掖后进，宾客日盈其门。然恃才傲气，几次嘲讽曹操，曹操遂含恨在心，使路粹诬告孔融"大逆不道，宜极重诛"，致其下狱弃市，时为汉献帝建安十三年（208）。"魏文帝深好融文辞，每叹曰：'杨、班俦也。'募天下有上融文章者，辄赏以金帛。所著诗、颂、碑文、论议、六言、策文、表、檄、教令、书记，凡二十五篇"。（《后汉书·孔融列传》卷七十）《隋书·经籍志》卷三十二："梁有《春秋杂议难》五卷，汉少府孔融撰。"同书卷三十五："汉少府《孔融集》九卷，梁十卷，录一卷。"张溥辑有《孔少府集》。严可均《全后汉文》卷八十三收其文三十九篇，丁福保《全汉诗》卷二期收其诗七首。张溥："鲁国男子孔文举，年大于曹操二岁，家世声华，曹氏不敌，其诗文亦非曹所敢望也。操杀文举，在建安十三年，时僭形已彰，文举既不能诛之，又不能远之，并立衰朝，戏谑笑傲，激其忌怒，无啻肉委馁虎，此南阳管乐所深悲也。曹丕论文，首推北海，金帛募录，比于扬、班。脂元升往哭文举，官以中散，丕好贤知文，十倍于操。然令文举不死，亲见汉帝禅受，当途盗鼎，亦必举族沉焚。所恨者，其死先操。狐鼠晏行，攘袂之日，天下遂无孔父仇牧耳！文举天性乐善，甄临配食，虎贲同坐，死不相负，何况生存？盛宪困于孙权，葆首急难，祢衡、谢该沦落下士，抗章推举。今读其书表，如鲍子复生，禽息不没，彼之大度，岂止六国四公子乎？而道穷命尽，不能庇九岁之男，七岁之女，天道无亲，其言不信，犹党锢余烈哉！陈留路粹，中郎弟子也。呈身汉贼，奏杀贤者，与马融役于梁冀等耳。东汉词章拘密，独少府诗文豪气直上，孟子所谓浩然，非邪？琴堂衣冠，客满酒盈，予尚能想见之。"（《汉魏六朝百三家集·孔少府集题词》）永瑢等："《孔北海集》一卷，汉孔融撰。案魏文帝《典论·论文》，称'孔氏卓卓，信含异气。笔墨之性，殆不可胜'。《后汉书》融本传亦曰，'魏文帝深好融文辞，叹曰扬、班俦也。募天下有上融文章者，辄赏以金帛'。所著诗、颂、碑文、论议、六言、策文、表、檄、教令、书记凡二十五篇。《隋书·经籍志》载汉少府《孔融集》九卷，注曰梁十卷，录一卷。则较本传所记已多增益。《新旧唐书》皆作十卷，盖犹梁时之旧本。《宋史》始不著录，则其集当佚于宋时。此本乃明人所掇拾。凡表一篇，疏一篇，上书三篇，奏事二篇，议一篇，对一篇，教一篇，书十六篇，碑铭一篇，论四篇，诗六篇，共三十七篇。其《圣人优劣论》，盖一文而偶存两条，编次者遂析为两篇，实三十六篇也。张溥《百三家集》亦载是集，而较此本少《再告高密令》《教告高密县僚属》二篇。大抵掇拾史传类书，多断简残章，首尾不具。不但非隋唐之旧，即苏轼《孔北海赞序》称读其所作《杨氏四公赞》，今本亦无之。则宋人所及见者，今已不具矣。然人既国器，文亦鸿宝。虽阙佚之余，弥可珍也。其六言诗之名见于本传，今所传三章，词多凡近。又皆盛称曹操功德，断以融之生平，可信其义不出此。即使旧本有之，亦必黄初间购求遗文，赝托融作以颂曹操，未可定为真本也。流传既久，姑仍旧本录之，而附纠其伪于此。集中诗文，多有笺释本事者，不知何人所作。奏疏之类，皆附缀篇末。书教之类，则夹注篇题之下。体例自相违异。今悉夹注篇题之下，俾画一焉。"（《四库提要》卷一百四十八）

公元 154 年 （汉桓帝刘志永兴二年 甲午）

正月

大赦天下。（《后汉书·孝桓帝纪》卷七）

马融遇赦还。按，《后汉书》本传云其"自刺不殊，得赦还"，何年"得赦还"，传未明言，然蔡邕《报杨复书》谓马融髡徙朔方"三岁"，彼于元嘉元年（151）春始受刑罚，至此年春恰为三年，则遇"大赦"得还当在此时。以郑玄从之受学称"以山东无足问者，乃西入关……事扶风马融"而言，马融当从朔方赦还故里扶风，以设帐授徒为业。

卢植从马融受业。《后汉书·卢植列传》卷六十四："少与郑玄俱事马融，能通古今学，好研精而不守章句。"按，其年未详，然马融此年正月赦还，卢植拜为弟子当在是年正月以后，姑系于此。卢植（？—192），字子干，涿郡涿（今属河北）人。少时与郑玄俱事马融，能通古今学，好研精而不守章句。建宁中征为博士，熹平四年拜九江太守。后为庐江太守，征拜议郎，与蔡邕等并在东观，校中书《五经》记传，补续《汉记》；转侍中，迁尚书。中平元年拜北中郎将，复为尚书。董卓擅权，免官隐居。"所著碑、诔、表、记凡六篇"。（《后汉书·卢植列传》卷六十四）《隋书·经籍志》卷三十二："《礼记》十卷，汉北中郎将卢植注。"同书卷三十五："（梁又有）《卢植集》二卷，亡。"严可均《全后汉文》卷八十一收其文五篇。

二月

诏举贤良方正、能直言极谏者各一人。（《后汉书·孝桓帝纪》卷七）

夏

蔡邕作《琅玡王傅蔡朗碑》。按，蔡碑云"永兴六年夏卒"，永兴无"六"年，"六"盖为"二"之讹。

九月

太尉胡广免。（《后汉书·孝桓帝纪》卷七）

是年

赵岐四十六岁，辟司空掾，议二千石得去官为亲行服，朝廷从之。（《后汉书·赵岐列传》卷六十四）

郑玄二十八岁，因卢植而师事马融。《后汉书·马融列传》卷六十上："融才高博洽，为世通儒，教养诸生，常有千数。涿郡卢植、北海郑玄，皆其徒也。善鼓琴，好吹笛，达生任性，不拘儒者之节。居宇器服，多存侈饰。常坐高堂，施绛纱帐，前授生徒，后列女乐，弟子以次相传，鲜有入其室者。尝欲训《左氏春秋》，及见贾逵、郑众注，乃曰：'贾君精而不博，郑君博而不精。既精既博，吾何加焉！'但著《三传异同说》。注《孝经》《论语》《诗》《易》《三礼》《尚书》《列女传》《老子》《淮南子》《离骚》。"按，《后汉书·郑玄列传》卷三十五云其"以山东无足问者，乃西入关，因涿郡卢植，事扶风马融"，马融是岁赦还故里，郑玄西入关至扶风，通过卢植，拜马融为师，当在此年。

樊英或卒于此年，年约七十三（82?—154?）。按，《后汉书·方术列传》卷八十二上云樊英"年七十余，卒于家"，其年不详；《后汉书·独行列传》卷八十一谓范冉曾"受业于樊英"，假定樊英长于范冉三十岁，范冉生于汉安帝永初六年（112），樊英则生于汉章帝建初七年（82），以其年七十三岁计，则生于此年前后。

桓麟或卒于此年，年四十一（114?—154?）。（《后汉书·桓荣列传》卷三十七）

士燮十八岁，从颍川刘子奇，治《左氏春秋》。按，事载《吴志·士燮传》卷四十九，年月未详，传云"少"时，姑以十八岁时当之。

陈琳于此年前后生（154？—217）。按，陈琳生年，史书未详。然陈琳与张纮、张昭为同乡，彼此交好，相互称誉，应属同辈，年龄相若。《吴志·张昭传》卷五十二称其"弱冠举孝廉，不就……州里才士陈琳等皆称善之"，则陈琳或长张昭少许。传称张昭"年八十一，嘉禾五年（236）卒"，当生于汉桓帝永寿二年（156），疑陈琳生于永兴二年（154）前后。陈琳，字孔璋，广陵（今江苏扬州东北）人。"建安七子"之一。初为大将军何进主簿，后避难冀州，依附袁绍。袁绍败，归曹操。曹操爱其才，任为司空军谋祭酒，管记室，草拟军书檄文。后徙门下督。建安二十二年（217）病卒。（《魏志·王粲传》卷二十一）《隋书·经籍志》卷三十五："后汉丞相军谋掾《陈琳集》三卷，梁十卷，录一卷。"张溥辑有《陈记室集》。严可均《全后汉文》卷九十二收其文十九篇，丁福保《全三国诗》卷三收其诗四首。张溥："何进谋诛宦官，召兵四方，陈孔璋时为主簿，谠言祸害，其意智岂让曹操哉！栖身冀州，为袁本初草檄，诋操，心诚轻之，奋其怒气，辞若江河。及穷窘归操，预管记室，移书吴会，即盛称北方，无异《剧秦美新》。文人何常，唯所用之，茂恶尔矛，夷怿相酬，固恒态也。孔璋诗赋，非时所推，《武军》之赋，久乃见许于葛稚川，今亦不全，他赋绝无空群之名。诗则《饮马》《游览》诸篇，稍见寄托，然在建安诸子中篇最寂寥。子桓兄弟亦少酬赠，元瑜伤寡妇，仲宣好驴鸣，没而系思，不可得也。彼所出尘，惟章表书记。孟德善用人长，鼓厉风云，遂捐宿憾。然魏武奸雄，生死欺人，孔璋斥其奄丑，士衡笑其香履，足令垂头帖耳，后世即有善詈者，俱不及也。"（《汉魏六朝百三家集·陈记室集题词》）

公元155年　　（汉桓帝刘志永寿元年　乙未）

正月

汉桓帝改元永寿。（《后汉书·孝桓帝纪》卷七）

二月

刘陶上疏陈事，吁请召还朱穆。（《后汉书·刘陶列传》卷五十七、《资治通鉴》卷五十三）

七月

崔寔出为五原太守；其《四民月令》或作于此年。按，《后汉书·崔寔列传》卷五十二称其"出为五原太守。……是时，胡虏连入云中、朔方，杀略吏民，一岁至九奔命"，《后汉书·孝桓帝纪》卷七谓"永寿元年……秋七月……南匈奴左薁鞬台耆、且渠伯德等叛，寇美稷"，美稷距五原不远，崔寔于胡虏入寇时为五原太守，当在此时。又，《隋书·经籍志》卷三十四载"《四人月令》一卷，后汉大尚书崔寔撰"，《四人月令》即《四民月令》，"民"字避讳易为"人"，撰年未详，或为崔寔守五原时作。

张奂迁安定属国都尉，讨除寇美稷之南匈奴诸叛将；作《与崔子贞书》。（《后汉书·孝桓帝纪》卷七、《后汉书·张奂列传》卷六十五）张奂有《与崔子贞书》，"贞"当为"真"之讹，子真正为崔寔字。张书中有语云"兵二百"，与张奂本传所谓"奂壁唯有二百许人"合，当为此时之作。

是年

赵岐四十七岁，辟大将军梁冀府，陈损益求贤之策，梁冀不纳。按，《后汉书·赵岐列传》卷六十四云"其后为大将军梁冀所辟，为陈损益求贤之策，冀不纳"，赵岐去岁辟司空掾，永寿三年为京兆尹功曹，其间永寿元年、二年，既有辟梁冀府事，又有任皮氏长事，姑以此年辟梁冀府，二年为皮氏长。

卢植师事马融，专心致志，博得马融敬意。《后汉书·卢植列传》卷六十四："融外戚豪家，多列女倡，歌舞于前。植侍讲积年，未尝转眄，融以是敬之。"

张升约三十五岁，为陈留郡贼曹吏，作《白鸠赋》，迁外黄令。按，《后汉书·文苑列传》卷八十下云其"仕郡为纲纪，以能出守外黄令"，《白鸠赋》云"陈留郡有白鸠，出于郡界，太守命门下贼曹吏张升作《白鸠赋》……"，则张升仕郡为贼曹吏，姑以张升三十五岁始仕陈留郡，则作赋、升迁都在此年前后。

曹操生（155—220）。曹操，字孟德，一名吉利，小字阿瞒，沛国谯县（今安徽亳县）人。少机警，有权术。好飞鹰走狗，游荡无度。人称其"治世之能臣，乱世之奸雄"。弱冠举孝廉，为郎，除洛阳北部尉。迁顿丘令，征拜议郎。一度免官，以能明古学，复征拜议郎。三十岁时，攻黄巾，迁济南相。后征还为东郡太守，不就。三十四岁为典军校尉。三十六岁行奋武将军，参与讨伐董卓。此后历官东郡太守、兖州牧、建德将军、镇东将军，封费亭侯，领司隶校尉，假节钺，录尚书事；旋为大将军，封武平侯；自为司空，行车骑将军。五十岁时领冀州牧，五十四岁为丞相，五十九岁封魏公，六十二岁晋魏王。六十六岁时，病卒于洛阳。（《魏志·武帝纪》及裴松之注引《曹瞒传》《异同杂语》）曹操所撰，《隋书·经籍志》载有：1.《魏王奏事》十卷。（卷三十三）2.《孙子兵法》二卷，吴将孙武撰，魏武帝注。梁三卷。3.《孙子兵法》一卷，魏武、王凌集解。4.《续孙子兵法》二卷，魏武帝撰。5. 梁又有《太公阴谋》三卷，魏武帝解。6.《兵书接要》十卷，魏武帝撰。7.《兵法接要》三卷，魏武帝撰。8.《兵书略要》九卷，魏武帝撰。9.《魏武帝兵法》一卷。（以上卷三十四）10.《魏武帝集》二十六卷，梁三十卷，录一卷。11. 梁又有《武皇帝逸集》十卷。12.《魏武帝集新撰》十卷。13.《魏武帝露布文》九卷。（以上卷三十五）《日本国见在书目》载有：1.《孙子兵法》三卷，魏武解。2.《孙子兵书》一卷，魏武略解。3.《兵书论要》一卷，魏武帝撰。4. 魏武帝《兵书》十三卷。5.《兵书要略》，魏武帝撰，不著卷数。另，《太平御览》卷二百七十引曹操《孙子兵法序》："（孙武）为吴王阖闾作《兵法》一十三篇……行于世者，失其旨要，故撰为《略解》焉。"又，《魏志·蒋济传》卷十四裴注："魏武作《家传》。"又，《文选·海赋》卷十二李注："魏武《四时食制》曰……”其著大都亡佚，张溥辑有《魏武帝集》一卷，收其作一百四十五篇。严可均《全三国文》卷一至卷三收其文一百五十一篇。丁福保《全三国诗》卷一收其诗二十三篇。张溥：“孟德瑞应黄星，志窥汉鼎，世遂谓梁沛真人，天下莫敌，究其初，一名孝廉也。曹嵩为长秋养子，生出莫审，官登太尉。经董卓之乱，避难琅琊，陶徐州戮之，直扑杀常侍儿耳！孟德奋跳当途，大振易汉，而魏虽附会曹参，难洗宗耻。间读本集，《苦寒》《猛虎》《短歌》《对酒》，乐府称绝，又助以子桓、子建，帝王之家，文章瑰玮，前有曹魏，后有萧梁，然曹氏居最矣。孟德御军三十余年，手不舍书，兼草书亚崔、张，音乐比桓、蔡，围棋埒王、郭。复好养性，解方药，周公所谓多才多艺，孟德诚有之。使彼不称王谋篡，获与周旋，昼讲武策，夜论经传，或登高赋诗，被之弦管；又观其射飞鸟，擒猛兽，殆可以终身忘老。乃甘心作贼者，谓时不我容耳。汉末名人，文有孔融，武有吕布，孟德实兼其长。此两人不死，杀孟德有余。《述志》一令，似乎欺人，未尝不抽序心腹，慨当以慷也。”（《汉魏六朝百三家集·魏武帝集题词》）

公元156年　（汉桓帝刘志永寿二年　丙申）

五月

蔡邕作《玄文先生李休碑》。《玄文先生李休碑》：“永寿二年夏五月乙未卒……乃刊斯石。”

是年

延笃约五十七岁，迁侍中。按，《后汉书·延笃列传》第六十四谓“著作东观，稍迁侍中”，《后汉书·邓寇列传》卷十六又云“永寿中”与伏无忌等著书东观，永寿共三年，“永寿中”当即二年，然则其迁侍中当在此年离东观后，明年迁左冯翊前，姑系于此。

赵岐四十八岁，为皮氏长；耻事宦官，即日西归。（《后汉书·赵岐列传》卷六十四）

伏无忌与延笃著书东观。（《后汉书·邓寇列传》卷十六）

边韶或于此年前后迁北地太守。按，《后汉书·文苑列传》卷八十上云“再迁北地太守”，其年未详，姑系于其入东观五年后。

刘梁约于此年前后举孝廉，除北新城长，聚徒设教，儒化大行。《后汉书·文苑列传》卷八十下：“桓帝时，举孝廉，除北新城长。告县人曰：‘昔文翁在蜀，道著巴汉，庚桑琐隶，风移碨磥。吾虽小宰，犹有社稷，苟赴期会，理文墨，岂本志乎！’乃更大作讲舍，延聚生徒数百人，朝夕自往劝诫，身执经卷，试策殿最，儒化大行。此邑至后犹称其教焉。”按，刘梁为新城长，传谓在“桓帝时”，确年未详，桓帝在位二十一年，此年为其中，姑系于此。刘梁（？—180?），一名岑，字曼山，建安七子刘桢祖父，东平宁阳（今山东曲阜西北）人。少孤贫，卖书于市以自资。桓帝时，举孝廉，除北新城长，“乃更大作讲舍，延聚生徒数百人，朝夕自往劝诫，身执经卷，试策殿最，儒化大行"。特召入拜尚书郎，后为野王令，未行。光和中，病卒。"常疾世多利交，以邪曲相党，乃著《破群论》。时之览者，以为'仲尼作《春秋》，乱臣知惧，今此论之作，俗士岂不愧心'。"又作《辩和同之论》。(《后汉书·文苑列传》卷八十下)《隋书·经籍志》卷三十五："后汉野王令《刘梁集》三卷，梁三卷，录一卷。"严可均《全后汉文》卷六十四收其文三篇。

孔融四岁，让梨。《后汉书·孔融列传》卷七十李贤注："《融家传》曰：'兄弟七人，融第六，幼有自然之性。年四岁时，每与诸兄共食梨，融辄引小者。大人问其故，答曰："我小儿，法当取小者。"由是宗族奇之。'"

张昭生 (156—236)。张昭，字子布，彭城 (今江苏徐州) 人。少好学，善隶书。博览群书，与王朗等友善，陈琳等才士皆称之。孙策创业，以为长史、抚军中郎将，文武之事，尽皆委之。孙策卒，受托辅孙权，复为长史，为军师，封绥远将军、由拳侯。孙权即位，更拜辅吴将军，改封娄侯。容貌矜严，有威风，举邦惮之。"著《春秋左氏传解》及《论语注》"。卒谥文侯。(《吴志·张昭传》卷五十二)

刘宏生 (156—189)。刘宏为汉章帝玄孙。十二岁即帝位，是为汉灵帝。在位二十三年。作有《追德赋》《令仪颂》《招商歌》。(《后汉书·孝灵帝纪》卷八、《后汉书·皇后纪》卷十下、《拾遗记》卷六)

公元 157 年　（汉桓帝刘志永寿三年　丁酉）

正月

崔寔作《大赦赋》；征拜议郎，与诸儒博士共杂定《五经》，或在此时。按，崔赋云"唯汉之十一年四月大赦"，桓帝建和元年 (147) 即位，至此年恰十一年，故"汉之十一年"当指汉桓帝永寿三年，唯此年"大赦"在正月，崔赋所云"四月大赦"之"四"或为"正"之讹。《后汉书·崔寔列传》卷五十二载其拜议郎、定《五经》事，年月未明，疑与作赋同在一年，姑系于此。

闰四月

刘陶上议，愿桓帝"听民庶之谣吟，问路叟之所忧"。(《后汉书·刘陶列传》卷五十七、《资治通鉴》卷五十四)

是年

马融七十九岁，召见郑玄，答疑释义，叹云"郑生今去，吾道东矣"。《后汉书·郑玄列传》卷三十五："融门徒四百余人，升堂进者五十余生。融素骄贵，玄在门下，三年不得见，乃使高业弟子传授于玄。玄日夜寻诵，未尝怠倦。会融集诸生考论图纬，闻玄善算，乃召见于楼上。玄因从质诸疑义，问毕辞归。融喟然谓门人曰：'郑生今去，吾道东矣！'"按，郑玄永寿元 (155) 年入马融门下，至此年恰三年。又，《世说新语·文学第四》刘孝标注引《玄别传》称"扶风马季长以英儒著名，玄往从之，参考同异。季长后戚，嫚于待士，玄不得见，住左右，自起精庐，既因绍介得通。时涿郡卢子干为门人冠首"，马融使"高业弟子"教授郑玄，"高业弟子"当为"门人冠首"卢植（子干）。

朱穆五十八岁，或于此年复拜议郎。按，惠栋《后汉书补注》卷十一谓"《鼎铭》曰：复征拜议郎，病免官，征拜尚书"，此事本传未载，其年未详，然本传云朱穆于永兴元年（153）免官后"居家数年"，姑以其免官四年后为议郎。

张奂迁使匈奴中郎将。按，《后汉书·张奂列传》卷六十五叙此事在其永寿元年为安定属国都尉与延熹元年击鲜卑之间，姑系于此。

延笃约五十八岁，迁左冯翊，又徙京兆尹。《后汉书·延笃列传》卷六十四："迁左冯翊，又徙京兆尹。其政用宽仁，忧恤民黎，擢用长者，与参政事。郡中欢爱，三辅咨嗟焉。先是陈留边凤为京兆尹，亦有能名，郡人为之语曰：延笃去岁著书东观，又迁侍中，迁左冯翊疑在此年。'前有赵、张、三王，后有边、延二君。'"按，延笃去岁著书东观，又迁侍中，迁左冯翊疑在此一年。又，以延笃延熹元年免官参之，似乎为左冯翊不久旋即徙京兆尹，而且，其京兆尹一任颇有政声，任职时间当长于为左冯翊，故二职系于同一年为宜。

赵岐四十九岁，为京兆尹延笃功曹。（《后汉书·赵岐列传》卷六十四）按，延笃此年为京兆尹，明年以病免归，赵岐亦此年为其功曹，明年弃职逃遁。

郑玄三十一岁，归故里，客耕东莱，教授弟子。《后汉书·郑玄列传》卷三十五："玄自游学，十余年乃归乡里。家贫，客耕东莱，学徒相随已数百千人。"按，郑玄自建和元年（147）出外游学，至今十一年，与传云"十余年乃归乡里"合。然郑玄本传载《戒子书》称"年过四十，乃归供养，假田播殖，以娱朝夕"，若此，自游学至归乡则二十余年，与传不合；而且，马融延熹九年（166）卒，亦不容有郑玄"问毕辞归"、马融喟然长叹之事。故疑《戒子书》中"四十"或为"三十"之讹。

秦嘉为郡上计，此年前后入洛，作《与妻徐淑书》《重报妻书》，又作四言《述昏诗》二首，《赠妇诗》一首、五言《留郡赠妇诗》三首。按，《北堂书钞》卷一百三十六引秦嘉《与妇书》注云"桓帝时仕郡"，严可均《全后汉文》卷六十六收秦嘉《与妻徐淑书》《重报妻书》，注亦谓在"桓帝时"，桓帝在位二十一年，此年适为其中，姑以秦书及诗作于此年前后。秦嘉（？—161？），字士会，陇西（今甘肃东南）人。桓帝时为郡上计吏，奉使洛阳，妻徐淑因病不能同往，作诗、书相赠，后病卒。（《玉台新咏》卷一秦嘉《赠妇诗三首并序》）严可均《全后汉文》卷六十六收其文二篇，丁福保《全汉诗》卷二收其诗六首。

徐淑有疾，此年前后作《答夫秦嘉书》《又报嘉书》及骚体《答秦嘉诗》。按，严可均《铁桥漫稿》卷七后汉秦嘉妻《徐淑传》："陇西秦嘉妻者，同郡徐氏女也。名淑，有才章，适嘉。嘉仕郡，淑居下县，有疾。嘉举上计掾，将行，以车迎淑，为别。……嘉遂行，入洛。"徐淑与秦嘉同时，为汉桓帝时人，姑以其书及诗作于此年前后。徐淑（？—171？），陇西（今甘肃东南）人。其夫秦嘉死，哀痛过甚，亦卒。（严可均《铁桥漫稿》卷七）《隋书·经籍志》卷三十五："梁又有妇人后汉黄门郎秦嘉妻《徐淑集》一卷。"严可均《全后汉文》卷九十六收其文三篇，丁福宝《全汉诗》卷三收其诗一首。

华歆生（157—231）。华歆，字子鱼，平原高唐（今山东禹城西南）人。议论持平，终不伤人。与邴原、管宁同游学，三人友善，时人称为"一龙"，华为龙头，邴为龙腹，管为龙尾。举孝廉，除郎中，以病去官。何进辅政，征为尚书郎。又辟为太傅掾，拜豫章太守。曹操表天子征为议郎，参司空军事，入为尚书，转侍中，迁尚书令。曹操征孙权，表为军师。入魏，为御史大夫；曹丕即王位，拜相国，封安乐乡侯。曹丕称帝，改司徒。明帝时，封博平侯，拜太尉。太和五年卒，谥敬侯。（《魏志·华歆传》卷十三及裴注引《魏略》）《隋书·经籍志》卷三十五："梁又有司徒《华歆集》二卷，亡。"

张纮生（157—216）。张纮，字子纲，广陵（今江苏扬州东北）人。游学京都，入太学，师从博士韩宗，治京氏《易》、欧阳《尚书》。又于外黄师从濮阳闿，受《韩诗》《礼记》《左氏春秋》。还本郡后，举茂才，大将军何进、太尉朱俊、司空荀爽三府辟为掾，皆不就。避难江东，遂与张昭追随孙策。建安四年，奉孙策命至许都，留为侍御史，后出为会稽东部都尉。孔融、陈琳均为其友。孙权遇之甚敬，以为长史。临终留笺，孙权览之流涕。卒于汉献帝建安二十年（215）。"著诗、赋、铭、诔十余篇"。（《吴志·张纮传》卷五十三）《隋书·经籍志》卷三十五："后汉讨虏长史《张纮集》一卷，梁二卷，录一卷。"

公元 158 年 （汉桓帝刘志永寿四年 延熹元年 戊戌）

六月

汉桓帝改元延熹。（《后汉书·孝桓帝纪》卷七）

七月

胡广复为太常，拜太尉。（《后汉书·孝桓帝纪》卷七）

冬

张奂为北中郎将，率南单于出塞击鲜卑。（《后汉书·张奂列传》卷六十五、《后汉书·南匈奴列传》卷八十九、《后汉书·乌桓鲜卑列传》卷九十）

是年

延笃约五十九岁，以病免归，教授家巷。《后汉书·延笃列传》卷六十四："又徙京兆尹。……时皇子有疾，下郡县出珍药，而大将军梁冀遣客赍书诣京兆，并货牛黄。笃发书收客，曰：'大将军椒房外家，而皇子有疾，必应陈进医方，岂当使客千里求利乎？'遂杀之。冀惭而不得言，有司承旨欲求其事。笃以病免，教授家巷。"按，《后汉书·赵岐列传》卷六十四载此年二事，一为"延熹元年，（唐）玹为京兆尹"，二是"岐惧祸及，乃与从子戬逃避之"，前事意味此年京兆尹易人，延笃当被免去京兆尹一职，后事意味京兆尹府中易主，赵岐避唐玹加害自当去京兆尹功曹一职。由此可知，延笃免归及赵岐弃职均当在此年，而《资治通鉴》卷五十三系此事于和平元年（150）恐过早。

赵岐五十岁，惧唐玹加害，弃功曹职，与从子赵戬逃避他乡。《后汉书·赵岐列传》卷六十四："延熹元年，玹为京兆尹，岐惧祸及，乃与从子戬逃避之。玹果收岐家属宗亲，陷以重法，尽杀之。岐遂逃难四方。"

何休三十岁，或于此年前后诏拜郎中，非其所好，以疾辞，不仕州郡。按，事载《后汉书·儒林列传》卷七十九下，年月未详，姑系于此。

秦嘉此年前后为黄门郎。按，严可均《铁桥漫稿》卷七谓"嘉遂行，入洛，寻除黄门郎"，秦嘉入洛后不久除黄门郎，姑定在入洛一年后。

管宁生（158—241）。管宁，字幼安，北海朱虚（今山东临朐）人。年少孤贫。为人长八尺，美须眉。与平原华歆、同县邴原友善，俱游学于异国，"时人号三人为一龙，歆为龙头。原为龙腹，宁为龙尾"。赴辽东见公孙度，庐于山谷，越海避难者多从之。司空曹操辟之，公孙度子公孙康不告。黄初中，曹丕以安车征为太中大夫，固辞。太和、青龙时，征命相仍，以病未行。正始二年，安车蒲轮往聘时，会卒。曾"著《氏姓论》"。（《魏志·管宁传》卷十一及裴注引《傅子》）《隋书·经籍志》卷三十五："魏征士《管宁集》三卷，录一卷，亡。"

公元 159 年　　（汉桓帝刘志延熹二年　己亥）

八月

太尉胡广坐阿附梁冀，免为庶人。（《后汉书·胡广列传》卷四十四、《资治通鉴》卷五十四）

崔寔以梁冀故免官，遭禁锢。按，《后汉书·崔寔列传》卷五十二称"会梁冀诛，寔以故免官，禁锢数年"，《后汉书·孝桓帝纪》卷七谓此年八月"收大将军印绶，冀与妻皆自杀"，则崔、张免受禁锢皆当在此月梁冀死后。

张奂以梁冀故免官，遭禁锢；好友皇甫规敢为荐举，前后七上。（《后汉书·张奂列传》卷六十五）

皇甫规于梁冀诛后，旬月之间，礼命五至，皆不就。（《后汉书·皇甫规列传》卷六十五）

秋

马融复拜议郎，重在东观著述。《后汉书·马融列传》卷六十上："得赦还，复拜议郎，重在东观著述。"按，复归朝堂事，当在延熹二年八月梁冀诛后。其永兴元年（153）赦还故里，授徒为业七年，至梁氏败始得东山再起，其时已八十一岁矣。

卢植学终辞归，设帐授徒。按，《后汉书·卢植列传》卷六十四云"学终辞归，阖门教授"，辞别马融之年未详，或在马融复拜议郎、离开故里之时。

蔡邕奉敕入京，至偃师，托疾归，作《述行赋》《霖雨赋》。《述行赋》："延熹二年秋，霖雨逾月。是时梁冀新诛，而徐璜、左悺等五侯擅贵于其处，又起显阳苑于城西。人徒冻饿，不得其命者甚众。白马令李云以直言死，鸿胪陈君以救云抵罪。璜以余能鼓琴，白朝廷敕陈留太守发遣。余到偃师，病不前，得归。心愤此事，遂托所过，述而成赋。"按，《霖雨赋》言"夫何季秋之淫雨兮"，季节、天候与《述行赋》同，当为同时之作。

十二月

蔡邕作《汝南周勰碑》。《汝南周勰碑》："延熹二年……十二月君卒。"

是年

荀悦十二岁，能说《春秋》，能诵记，好著述。《后汉书·荀悦列传》卷六十二："悦年十二，能说《春秋》。家贫无书，每之人间，所见篇牍，一览多能诵记。性沉静，美姿容，尤好著述。"

郦炎十岁，著书十余箱。惠栋《后汉书补注》卷十八："《（卢）植集》载《郦文胜诔》曰'自龀未成童，著书十余箱，文体思奥，烂有文章，篾缕百家'云云，案《炎集》，炎自谓赋、颂、诔自少为之，与诔合也。"按，《说文·齿部》谓"龀，毁齿也。男八月生齿，八岁而龀"，《释名·释长幼》谓"十五曰童"，姑以"龀未成童"为十岁。

崔琰生（159—216）。按，《魏志·崔琰传》卷十二云"至年二十九，乃结公孙方等就郑玄受学。学未期，徐州黄巾贼攻破北海"，黄金破北海，当为《后汉书·孝灵帝纪》卷八所云中平五年（188）十月"青、徐黄巾复起"事，逆推二十八年至此，当为其生年。崔琰，字季珪，清河东武城（今河北清河附近）人。少朴讷，好击剑，尚武事。年二十三，始读《论语》《韩诗》。后从师郑玄。先为袁绍骑都尉，后为曹操别驾从事，复为东西曹掾属征事。曹操建魏国，拜尚书，建安二十一年为曹操赐死。著《述初赋》等。（《魏志·崔琰传》卷十二）

公元 160 年 （汉桓帝刘志延熹三年　庚子）

正月

新丰侯单超死，葬礼豪华，后余四侯转横，天下传《五侯歌》："左回天，具独坐，徐卧虎，唐两堕。"（《后汉书·宦者列传》卷七十八、《资治通鉴》卷五十四）

赵岐卖饼北海，得遇死友孙嵩。《后汉书·赵岐列传》卷六十四："岐遂逃难四方，江、淮、海、岱，靡所不历。自匿姓名，卖饼北海市中。时安丘孙嵩年二十余，游市见岐，察非常人，停车呼与共载。岐惧失色，嵩乃下帷，令骑屏行人。密问岐曰：'视子非卖饼者，又相问而色动，不有重怨，即亡命乎？我北海孙宾石，阖门百口，孰能相济。'岐素闻嵩名，即以实告之，遂与俱归。嵩先入白母曰：'出行，乃得死友。'迎入上堂，飨之极欢。"按，《资治通鉴》卷五十四将此事与延熹元年赵岐弃"皮氏长"

（当为"京兆尹功曹"，详延熹元年赵岐条）连在一起系于此时，然本传已明言弃职逃遁在延熹元年，卖饼北海当为逃遁数年后之事，宜系于此。

十二月

皇甫规应公车特征，拜太山太守，讨平叔孙无忌。（《后汉书·皇甫规列传》卷六十五、《资治通鉴》卷五十四）

是年

延笃约六十一岁，作《仁孝论》《与李文德书》。按，《后汉书·延笃列传》卷六十四载论及书，并叙于"教授家巷"后，姑系于其免官二年后。

曹操妻卞氏生。（《魏志·卞后传》卷五裴注引《魏书》）

公元161年 （汉桓帝刘志延熹四年 辛丑）

秋

崔寔因司空黄琼所荐，拜辽东太守；行道，遭母丧归。《后汉书·崔寔列传》卷五十二："时鲜卑数犯边，诏三公举威武谋略之士，司空黄琼荐寔，拜辽东太守。行道，母刘氏病卒，上疏求归葬行丧。"按，《后汉书·孝桓帝纪》卷七谓黄琼两次为司空，前次为元嘉元年十一月任，二年十一月免；后次为延熹四年六月任，九月免。据《后汉书·崔寔列传》，元嘉元年、二年时崔寔正为大将军梁冀司马，著作东观，黄琼举荐他，当在二次为司空期间，即延熹四年六月至九月间。以黄琼六月出任司空而言，崔寔拜守辽东，当在此年秋。

皇甫规因零吾、先零诸羌寇扰关中，上疏自效。（《后汉书·皇甫规列传》卷六十五）

冬

皇甫规拜中郎将，持节监关西兵，击破零吾、先零诸羌。（《后汉书·皇甫规列传》卷六十五）

是年

胡广七十一岁，为太中大夫。按，《后汉书·胡广列传》卷四十四云"后拜太中大夫"，年月未详，姑定在免官二年后。

朱穆六十二岁，征拜尚书。按，《后汉书·朱穆列传》卷四十三谓"穆居家数年，在朝诸公多有相推荐者，于是征拜尚书"，何年未详，据本传，其为尚书时多为宦官掣肘，颇不得意，"居无几，愤懑发疽"而卒，时间当不太长，姑定在卒前两年时为尚书。

秦嘉此年前后卒于津乡亭（? —161?）。按，严可均《铁桥漫稿》卷七谓"寻除黄门郎。居数年，病卒于津乡亭"，姑以其为黄门郎三年后病卒，或与"居数年"大体相当。

蔡邕三十岁，作《济北相崔君夫人诔》。《济北相崔君夫人诔》："维延熹四年故济北相夫人卒。"

边韶拜尚书令，与尚书令周景议奏重征杨秉。《后汉书·杨震列传》卷五十四："延熹三年……（杨秉）坐免官，归田里。其年冬，复征拜河南尹。……而秉竟坐输作左校，以久旱赦出。会日食，太山太守皇甫规等讼秉忠正，不宜久抑不用。有诏公车征秉及处士韦著，二人各称疾不至。有司并劾秉、著大不敬，请下所属正其罪。尚书令周景与尚书边韶议奏：……于是重征，乃到，拜太常。五年冬，代刘矩为太尉。"按，由此可知，边韶曾于延熹四年与周景议奏重征杨秉事，然《后汉书·文苑列传》卷八十上云其"入拜尚书令"，此云"尚书"，未知孰是。

潘勖约生于此年（161? —215）。按，《魏志·卫觊传》卷二十一裴注引《文章志》云"二十年，迁东海相。未发，留拜尚书左丞。其年病卒，时年五十余"，姑以五十五当"五十余"，则生于此年。潘勖，字元茂，初名芝，改名勖。献帝时为尚书郎，迁右丞。才思敏捷，明习旧事，屡受赏赐。官至尚书左丞。（《魏志·卫觊传》卷二十一裴注引《文章志》）《隋书·经籍志》卷三十五："后汉尚书右丞《潘勖集》二卷，梁有录一卷，亡。"严可均《全后汉文》卷八十七收其文四篇。

卫觊约生于此年（161? —229）。按，《魏志·卫觊传》卷二十一云"少夙成，以才学称"，若其光和元年（178）作《汉金城太守殷华碑》时年十八，则生于此年。卫觊，字伯如，河东安邑（今山西运城东安邑城东北）人。少以才学称。历官司空掾属、茂陵令、尚书郎、治书侍御史、尚书。曹操封魏，为侍中，典制度。曹丕即王位，徙为尚书，旋为汉侍郎，策划曹丕登帝位事，草拟有关禅代文诰。文帝践祚，复为尚书，封阳吉亭侯。明帝时，进封闵乡侯。"受诏典著作，又为《魏官仪》，凡所撰述数十篇。好古文、鸟篆、隶草，无所不善"。卒谥敬侯。（《魏志·卫觊传》卷二十一）严可均《全三国文》卷二十八收其文十七篇。

公元 162 年 （汉桓帝刘志延熹五年　壬寅）

三月

皇甫规抚降沈氏羌十余万口。（《后汉书·皇甫规列传》卷六十五、《资治通鉴》卷五十四）

十月

朱穆荐度尚，劾奏冯绲。按，《后汉书·度尚列传》卷三十八载"尚书朱穆举尚，自右校令擢为荆州刺史"，《资治通鉴》卷五十四系于此月；《后汉书·冯绲列传》卷三十八载此年冯绲率军讨伐武陵蛮时，"尚书朱穆奏绲以财自嫌，失大臣之节"，《后汉书·孝桓帝纪》卷七谓冯讨蛮在此年十月，朱穆奏劾冯绲亦当在此时。

应奉拜从事中郎,随车骑将军冯绲征武陵蛮;桓帝下诏,赐其钱十万、駮犀方具剑、金错把刀剑、革带各一。(《后汉书·应奉列传》卷四十八及李贤注引《谢承书》)按,应奉本传云"延熹中,武陵蛮复寇乱荆州,车骑将军冯绲以奉有威恩,为蛮夷所服,上请与俱征。拜从事中郎",《后汉书·孝桓帝纪》卷七谓冯绲以车骑将军征武陵蛮为此年十月事,故应奉拜从事中郎当在此时。

十一月

皇甫规被诬贿赂群羌,上疏自讼;征还,拜议郎;旋遭宦官陷害,坐系廷尉,论输左校;诸公及太学生张凤等三百余人诣阙讼之。(《后汉书·皇甫规列传》卷六十五、《资治通鉴》卷五十四)

应奉为司隶校尉。(《后汉书·应奉列传》卷四十八、《资治通鉴》卷五十四)

是年

胡广七十二岁,迁尚书令。侯康《后汉书补注续》:"案《蔡中郎集》,胡公第一碑云:'征拜太中大夫,尚书令,太仆,太常,司徒。'第三碑云:'征拜太中大夫,延和末年引公为尚书令……乃拜太仆……迁太常、司徒。'是广于拜太中大夫之后,太常之前,曾为尚书令、太仆,而本传不载。"按,桓帝在位年号中无"延和",如以之为"延熹"之误,则延熹末年为九年,其时胡广为司徒已昭然载籍,不当有为尚书令事,故"胡公第三碑"令人颇难释疑。姑从第一碑,钱大昭《后汉书补表》卷八称此年尚书令周景迁太仆,胡广或为其继乎?

蔡邕三十一岁,见王延寿《鲁灵光殿赋》而辍翰。按,说见下条。

王延寿约二十岁,至鲁,作《鲁灵光殿赋》;又因异梦,作《梦赋》自励。《后汉书·文苑列传》卷八十上:"少游鲁国,作《灵光殿赋》。后蔡邕亦造此赋,未成,及见延寿所为,甚奇之,遂辍翰而已。曾有异梦,意恶之,乃作《梦赋》以自厉。"李贤注:"张华《博物志》曰:王子山与父叔师到泰山从鲍子真学算,到鲁赋灵光殿。"按,《水经注》卷三十八云"(王延寿)年二十而得恶梦,作《梦赋》",则《梦赋》当作于此年。而次年王延寿返乡途中溺死,《鲁灵光殿赋》盖亦作于此年。王延寿《鲁灵光殿赋·序》:"鲁灵光殿者,盖景帝程姬之子恭王余之所立也。初,恭王始都下国,好治宫室,遂因鲁僖基兆而营焉。遭汉中微,盗贼奔突,自西京建章、未央之殿,皆见隳坏,而灵光岿然独存。意者岂非神明依凭支持,以保汉室者也!然其规矩制度,上应星宿,亦所以永安也。予客自南鄙,观艺于鲁,睹斯而眙,曰:'嗟乎!诗人之兴,感物而作,故奚斯颂僖,歌其路寝,而功绩存乎辞,德音昭乎声。物以赋显,事以颂宣,匪赋匪颂,将何述焉!'遂作赋。"

郦炎十三岁,与王延寿为友。按,郦炎《遗令书》称"王延寿王子衍,我之朋友也",王延寿次年卒,郦炎与之为友当在其生前,姑系于此。

孔融十岁,随父诣京师。(《后汉书·孔融列传》卷七十)

公元 163 年　（汉桓帝刘志延熹六年　癸卯）

正月

八日，王延寿作《桐柏淮源庙碑》。按，王碑有云"延熹六年正月八日乙酉"，当作于此时。

孔融丧父（孔宙）。按，《后汉书·孔融列传》卷七十谓孔融"年十三，丧父，哀悴过毁，扶而后起，州里归其孝"，然据宋洪适《隶释》卷七所收《泰山都尉孔宙碑》，孔融父孔宙卒于汉桓帝延熹六年（163）正月，其年孔融十一岁，本传所称"年十三"当为"年十一"之误。

三月

皇甫规遇赦归家。按，《后汉书·皇甫规列传》卷六十五称"会赦，归家"，《后汉书·孝桓帝纪》卷七云此年"三月戊戌，大赦天下"，皇甫规"会赦"，当在此时。

四月

朱穆卒于京师，年六十四（100—163）。（《后汉书·朱穆列传》卷四十三、惠栋《后汉书补注》卷十一引《朱公叔碑》）《后汉书·朱穆列传》卷四十三李贤注："《袁山松书》曰：'穆著论甚美，蔡邕尝至其家自写之。'"

蔡邕谥朱穆为"文忠先生"，作《朱穆谥议》《朱穆坟前方石碑》《鼎铭》。《朱穆坟前方石碑》："延熹六年粤四月丁巳，文忠公益州太守朱君名穆字公叔，卒于京师。"《鼎铭》："朱公名穆……延熹六年夏四月卒于官，天子痛悼……作兹宝鼎，铭载休功。"按，蔡邕议朱穆谥载《后汉书·朱穆列传》卷四十三，当作于此年四月朱死不久。

十二月

皇甫规征拜度辽将军。（《后汉书·皇甫规列传》卷六十五、《资治通鉴》卷五十四）

王符诣皇甫规，皇甫规屣履相迎。《后汉书·王符列传》卷四十九："后度辽将军皇甫规解官归安定……又白王符在门，规素闻符名，乃惊遽而起，衣不及带，屣履出迎，援符手而还，与同坐，极欢。时人为之语曰：'徒见二千石，不如一缝掖。'言书生道义之为贵也。"按，《后汉书·皇甫规列传》卷六十五谓此年三月皇甫规解官归乡里，十二月征拜度辽将军，王符诣皇甫规，当在其刚拜度辽将军而尚未离安定赴职时，故系于此。

是年

胡广七十三岁，迁太仆。按，侯康《后汉书补注续》称"广于拜太中大夫之后、太常之前，曾为尚书令、太仆，而本传不载。……《胡夫人黄氏神诰》云：'广历五卿

307

七台.'盖广曾三任太常,一任太仆、司农,故云五也",侯说是,钱大昭《后汉书补表》卷八谓此年太仆周景迁卫尉,其太仆缺当由胡广继任。

张奂六十岁,拜武威太守;生子(张猛)。(《后汉书·张奂列传》卷六十五)

蔡邕三十二岁,作《释诲》。按,《后汉书·蔡邕列传》卷六十下云:"(蔡邕)闲居玩古,不交当世。感东方朔《客难》及杨雄、班固、崔骃之徒设疑以自通,乃斟酌群言,趑其是而矫其非,作《释诲》以戒厉云尔:'有务世公子诲于华颠胡老曰……'"惠栋《后汉书补注》卷十四谓"《邕集》与人书曰:邕薄祜,早丧二亲;年逾三十,鬓发二色",又谓"邕年三十余已白发,故自号华颠胡老",因此,《释诲》当作于而立之后,姑系于此。

刘陶举孝廉,除顺阳长。按,《后汉书·刘陶列传》卷五十七云"后陶举孝廉,除顺阳长",其年未详,或在永寿三年(157)上议五六年后,姑系于此。

王逸为豫章太守。《文选集注》卷六十三引陆善经:"后为豫章太守也。"(唐写经本第四册)按,关于王逸子王延寿水死处,《水经注》卷三十八谓"黄水又西流入于湘水,谓之黄陵口,昔王子中(官本校'按中近刻讹作山')……二十一溺死于湘浦,即斯川矣。……湘水又北,汨水注之,水东出豫章……"王延寿溺死湘浦,或与自故里往豫章省父有关,亦证陆说王"为豫章太守"至少当在此年。

王延寿或于此年溺死,年约二十一(143?—163?)。《后汉书·文苑列传》卷八十上:"后溺水死,时年二十余。"李贤注:"张华《博物志》曰:'王子山与父叔师到泰山从鲍子真学筭,到鲁赋灵光殿,归度湘水溺死。'文考一字子山也。"

公元164年 (汉桓帝刘志延熹七年 甲辰)

是年

马融八十六岁,以病去官。按,《后汉书·马融列传》卷六十上云其"以病去官",年月未详,其卒年为两年后,以病去官或在此年。

王符约卒于此年,年约八十五(80?—164?)。按,《后汉书·王符列传》卷四十九云"符竟不仕,终于家",年月未详,本传叙其卒于去岁见皇甫规后,姑系此年。

皇甫规六十一岁,上书荐张奂自代,旋改任使匈奴中郎将。《后汉书·皇甫规列传》卷六十五:"(皇甫规)征拜度辽将军,至营数月,上书荐中郎将张奂以自代。……朝庭从之,以奂代为度辽将军,规为使匈奴中郎将。"按,皇甫规去岁底为度辽将军,"数月"后即为此年。唯皇甫规举荐张奂时称之为"中郎将",其时张为武威太守,其坐梁冀事禁锢前曾为"使匈奴中郎将",皇甫规或以旧职称之。

张奂六十一岁,迁度辽将军。按,《后汉书·张奂列传》卷六十五谓延熹六年张奂"拜武威太守。平均徭赋,率厉散败,常为诸郡最,河西由是而全。其俗多妖忌,凡二月、五月产子及与父母同月生者,悉杀之。奂示以义方,严加赏罚,风俗遂改,百姓生为立祠。举尤异,迁度辽将军",张奂自任武威太守以来,为政施治令百姓为之立祠,获此等政绩恐短时难为,至少当需一年,故迁度辽将军当在此年为宜,《资治通鉴》卷五十四系于延熹六年似有不妥。

王逸或卒于此年（？—164？）。按，《后汉书·文苑列传》卷八十上未言王逸卒年，或卒于其子王延寿溺亡后不久，姑系于此。

　　赵岐五十六岁，作《厄屯歌》二十三章。《后汉书·赵岐列传》卷六十四："（孙嵩）藏岐复壁中数年，岐作《厄屯歌》二十三章。"按，赵岐延熹三年遇死友孙嵩，至此已四年，足当"数年"；《后汉书·宦者列传》卷七十八又云"（延熹）七年，（唐）衡卒"，中常侍唐衡为其仇家，唐衡死或为其作诗之因，宜系于此。

　　崔寔服竟；召拜尚书，称疾不视事，数月，免归。按，《后汉书·崔寔列传》卷五十二称"服竟，召拜尚书。寔以世方阻乱，称疾不视事，数月免归"，崔寔丧母在延熹四年，丁忧三载，释服当在此年。

　　高彪拜谒马融，不获见，乃作遗马融书。《后汉书·文苑列传》卷八十下："尝从马融欲访大义，融疾不获见，乃覆刺遗融书曰：'承服风问，从来有年，故不待介者而谒大君子之门，冀一见龙光，以叙腹心之愿。不图遭疾，幽闭莫启。昔周公旦父文兄武，九命作伯，以尹华夏，犹挥沐吐餐，垂接白屋，故周道以隆，天下归德。公今养痾傲士，故其宜也。'融省书惭，追谢还之，彪逝而不顾。"按，高彪谒马融，其年未详，本传谓其灵帝时举孝廉除郎中，则谒马融当在马融晚年。传云"融疾不获见"，此年马融以病去官，当系于此。高彪（？—184），字义方，生年不详，吴郡无锡（今属江苏）人。出身寒微，为诸生，入太学。为人有雅才而讷于言。曾求见马融，马融以疾拒见，高彪乃修书责其"养痾傲士"，马融阅书惭愧，谢罪求还，然高彪不顾而去。郡举孝廉，试经第一，除郎中，校书东观。后迁外黄令，抵任后，举荐贤才，颇有德政。在东观时，屡次献上赋、颂、奇文，因事风谏，令汉灵帝刮目相看。（《后汉书·文苑列传》卷八十下）《隋书·经籍志》卷三十五："梁有外黄令《高彪集》二卷、录一卷，亡"。严可均《全后汉文》卷六十六收其文三篇，冯惟讷《诗纪》汉卷三十六收其诗一首。

　　曹操十岁，浴于谯水，有击蛟传说。卢弼《三国志集解》卷一引刘昭《幼童传》："太祖幼而勇。年十岁，尝浴于谯水，有蛟逼之，自水奋击，蛟乃潜退。于是浴毕而还，弗之言也。后有人见大蛇奔退，太祖笑之曰：'吾为蛟所击而未惧，斯畏蛇而恐耶！'众问乃知，咸惊异焉。"

公元 165 年　　（汉桓帝刘志延熹八年　乙巳）

正月

　　桓帝遣中常侍左悺至苦县，祠老子。（《后汉书·孝桓帝纪》卷七）

三月

　　赵岐因赦乃出，三府同时并辟。按，《后汉书·赵岐列传》卷六十四云"后诸唐死灭，因赦乃出。三府闻之，同时并辟"，"诸唐死灭"即指《后汉书·宦者列传》卷七十八所载延熹七年唐衡卒、延熹八年子弟分封者悉夺爵土事，又，《后汉书·孝桓帝纪》卷七谓此年三月大赦天下，赵岐当赦于此时；三府并辟，似乎赵岐未应。

五月

蔡邕因杨秉卒，为作《太尉杨秉碑》。《太尉杨秉碑》："延熹八年五月丙戌薨。"

八月

蔡邕代作《王子乔碑》。《王子乔碑》："延熹八年秋八月……国相东莱王璋字伯仪……乃与长史边乾访及士隶，遂树之玄石，纪颂遗烈。"按，此碑当为代王璋作。

边韶为陈相，作《老子铭》。按，《老子铭》："延熹八年八月甲子，皇上……梦见老子，尊而祀之。于时陈相边韶……敢演而铭之。"

冬

应奉上书谏立田贵人为皇后，汉桓帝纳其言，立窦皇后。（《后汉书·应奉列传》卷四十八、《后汉书·皇后纪》卷十下）

是年

胡广七十五岁，拜太常。按，《后汉书·胡广列传》卷四十四云"后拜……太常"，其年未详，然《后汉书·陈蕃列传》卷六十六云"（延熹）八年，（陈蕃）代杨秉为太尉。蕃让曰：'"不愆不忘，率由旧章"，臣不如太常胡广……'帝不许"，则胡广为太常当在此年。

延笃约六十六岁，作《与段纪明书》。按，延书为贺段颎（字纪明）大捷而作，《后汉书·段颎列传》卷六十五谓"（延熹）八年……颎凡破西羌斩首二万三千级，获生口数万人，马牛羊八百万头，降者万余落。封颎都乡侯，邑五百户"，则延书当作于此年。

孔融十三岁，造谒李膺，语惊四座。《后汉书·孔融列传》卷七十："年十岁，随父诣京师。时河南尹李膺以简重自居，不妄接士宾客，敕外自非当世名人及与通家，皆不得白。融欲观其人，故造膺门。语门者曰：'我是李君通家子弟。'门者言之。膺请融，问曰：'高明祖父尝与仆有恩旧乎？'融曰：'然。先君孔子与君先人李老君同德比义，而相师友，则融与君累世通家。'众坐莫不叹息。太中大夫陈炜后至，坐中以告炜。炜曰：'夫人小而聪了，大未必奇。'融应声曰：'观君所言，将不早惠乎？'膺大笑曰：'高明必为伟器。'"按，此轶事多有异词，李贤注谓"《融家传》曰：'闻汉中李公清节直亮，意慕之，遂造公门。'李固，汉中人，为太尉，与此传不同也"，《世说新语·言语》称"孔文举年十岁，随父到洛，时李元礼有盛名，为司隶校尉"，《魏志·崔琰传》卷十二裴注引《续汉书》则云"融年十余岁，欲观其为人，遂造膺门"。《后汉书·孝桓帝纪》卷七谓李固建和元年（147）"下狱死"，而孔融永兴元年（153）才出生，见李固说自不可能。本传谓延熹五年十岁孔融见李膺，李时为河南尹，然《后汉书·李膺列传》卷六十七云"延熹二年征，再迁河南尹。……膺反坐输作左校。……司隶校尉应奉上疏理膺等曰：……书奏，乃悉免其刑。再迁，复拜司隶校尉"，延

熹五年李膺是否为河南尹，传言不明，钱大昭《后汉书补表》卷八以为李膺延熹二年
为河南尹后不久免职，延熹八年复为河南尹。然则孔融谒见河南尹李膺应在此年，裴
注云其时"融年十余岁"当为不误，《后汉书》本传或遗一"余"字。或谓此时孔融
尚在丧服中，沈铭彝《后汉书注》补谓"融父宙卒于桓帝延熹六年正月己未，年六十
一，见宙碑"，古人服丧虽为三年，然实为二十七个月，至此年五月，孔融当已释服，
正有半载左右时间可谒河南尹李膺耳。

公元 166 年　（汉桓帝刘志延熹九年　丙午）

正月

　　荀爽举至孝，拜郎中，对策陈事；奏闻，弃官而去。（《后汉书·荀爽列传》卷六
十二、《资治通鉴》卷五十五）

春

　　张奂为大司农。（《后汉书·张奂列传》卷六十五）
　　皇甫规复代张奂为度辽将军。（《后汉书·皇甫规列传》卷六十五）

五月

　　太常胡广为司徒。（《后汉书·孝桓帝纪》卷七）
　　赵岐应司徒胡广之命；擢拜并州刺史；会坐党事免；撰《御寇论》。按，事载《后
汉书·赵岐列传》卷六十四，李贤注引《决录注》曰："是时纲维不摄，阉竖专权，岐
拟前代连珠之书四十章上之，留中不出。"《御寇论》当以连珠形式出之。

七月

　　皇甫规见党事大起，乃先自上言"附党"，朝廷不问。（《后汉书·皇甫规列传》
卷六十五、《资治通鉴》卷五十五）按，皇甫规先自上言云"臣前荐故大司农张奂，是
附党也"，"故"字疑衍，因此时张奂仍在大司农位。

秋

　　张奂为护匈奴中郎将；其《与延笃书》疑作于此时。（《后汉书·张奂列传》卷六
十五）
　　延笃作《与张奂书》《答张奂书》。按，与张二书，盖与张奂《与延笃书》为同时
之作，《与张奂书》有云"烈士徇名，立功立事"，当在张奂身为武职时；而张奂《与
延笃书》云"年老气衰"，当是其晚年之作；张奂延熹六年六十岁为武威太守，七、八
年为度辽将军，九年春为大司农，秋为护匈奴中郎将，至永康元年延笃卒时仍在其任
上，故张、延二人书信往来盖在延熹六至八年、延熹九年秋至永康元年延笃卒时之间，

姑系于此。

是年

马融卒，年八十八（79—166）。（《后汉书·马融列传》卷六十上）

延笃约六十七岁，作《与刘祐书》。按，《后汉书·党锢列传》卷六十七云"（刘祐）三转大司农。……桓帝大怒，论祐输左校。后得赦出，复历三卿，辄以疾辞，乞骸骨归田里。诏拜中散大夫，遂杜门绝迹。……延笃贻之书曰"，万斯同《东汉九卿年表》谓刘祐此年免大司农，而延笃永康元年卒，延熹十年六月改元永康，则延书当作于此年刘祐免大司农至永康元年五月之间，姑系于此。

应奉约四十七岁，以党事起，慨然自退，作《感骚》三十篇。《后汉书·应奉列传》卷四十八："及党事起，奉乃慨然以疾自退。追愍屈原，因以自伤，著《感骚》三十篇，数万言。"

张升约四十六岁，去官，道逢友人，相抱而泣，陈留老父过而叹息。《后汉书·逸民列传》卷八十三："桓帝世，党锢事起，守外黄令陈留张升去官归乡里，道逢友人，共班草而言。升曰：'吾闻赵杀鸣犊，仲尼临河而反；覆巢竭渊，龙凤逝而不至。今宦竖日乱，陷害忠良，贤人君子其去朝乎？夫德之不建，人之无援，将性命之不免，奈何？'因相抱而泣。老父趋而过之，植其杖，太息言曰：'吁！二大夫何泣之悲也！夫龙不隐鳞，凤不藏羽，网罗高县，去将安所？虽泣何及乎！'二人欲与之语，不顾而去，莫知所终。"按，《后汉书·文苑列传》卷八十下云其"遇党锢去官"，而《逸民列传》则云"党锢事起""桓帝世"，桓帝世党锢事件，即《后汉书·孝桓帝纪》卷七所载延熹九年"司隶校尉李膺等二百余人受诬为党人，并坐下狱"，张升所遇既然为此次党锢，则其去官当亦在此年。

刘陶免官，吏民思而歌之；作《中文尚书》《尚书训诂》《春秋训诂》。《后汉书·刘陶列传》卷五十七："以病免，吏民思而歌之曰：'邑然不乐，思我刘君；何时复来，安此下民？'陶明《尚书》《春秋》，为之训诂。推三家《尚书》及古文，是正文字七百余事，名曰《中文尚书》。"按，刘陶免官年未详，姑定在其除顺阳长三年后。

荀爽三十九岁，遭党锢，隐于海上，又南遁汉滨，积十余年，以著述为事，遂称硕儒。（《后汉书·荀爽列传》卷六十二）

陈纪三十八岁，遭党锢；著成《陈子》数万言。《后汉书·陈纪列传》卷六十二："及遭党锢，发愤著书数万言，号曰《陈子》。"按，未详陈纪何次党锢遭禁，姑定在第一次党锢之祸时。

蔡邕三十五岁，作《荆州刺史度尚碑》。按，《后汉书·度尚列传》卷三十八谓度尚"延熹九年卒于官"，蔡碑当作于此年。

士燮三十岁，察孝廉，补尚书郎，后以公事免官。按，事载《吴志·士燮传》卷四十九，年月未详，姑定在其三十岁时。

郦炎十七岁，作字学之书《郦篇》。惠栋《后汉书补注》卷十八："《炎集》曰：我十七而作《郦篇》。……（章樵）注：《郦篇》《州书》皆字学之书。"

公元 167 年 （汉桓帝刘志延熹十年　永康元年　丁未）

五月

日食，桓帝诏举贤良方正。（《后汉书·孝桓帝纪》卷七）

皇甫规征为尚书，日食对策，桓帝不省。（《后汉书·皇甫规列传》卷六十五）

窦武上疏，荐言边韶等"文质彬彬，明达国典"。（《后汉书·窦武列传》卷六十九、《资治通鉴》卷五十六）

六月

汉桓帝大赦天下，悉除党锢，改元永康。（《后汉书·孝桓帝纪》卷七）

秋

皇甫规迁弘农太守；封寿成亭侯，邑二百户，让封，不受；作书谢赵壹。按，事载《后汉书·皇甫规列传》卷六十五，封侯虽让，太守当迁，下条张奂欲徙属弘农，当因挚友皇甫规为其地太守之故。皇甫规始守弘农亦当在对策之后、十月之前。

赵壹作《报皇甫规书》。《后汉书·文苑列传》卷八十下："及西还，道经弘农，过候太守皇甫规，门者不即通，壹遂遁去。门吏惧，以白之。规闻壹名，大惊，乃追书谢曰：'蹉跌不面，企德怀风，虚心委质，为日久矣。侧闻仁者愍其区区，冀承清诲，以释遥悚。今旦外白有一尉两计吏，不道屈尊门下，更启乃知已去。如印绶可投，夜岂待旦。惟君明叡，平其夙心。宁当慢傲，加于所天。事在悖惑，不足具责。倘可原察，追修前好，则何福如之！谨遣主簿奉书。下笔气结，汗流竟趾。'壹报曰：'君学成师范，缙绅归慕，仰高希骥，历年滋多。旋辕兼道，渴于言侍，沐浴晨兴，昧旦守门，实望仁兄，昭其悬迟。以贵下贱，握发垂接，高可敷玩坟典，起发圣意，下则抗论当世，消弭时灾。岂悟君子，自生怠倦，失徇徇善诱之德，同亡国骄惰之志！盖见机而作，不俟终日，是以夙退自引，畏使君老。昔人或历说而不遇，或思士而无从，皆归之于天，不尤于物。今壹自遣而已，岂敢有猜！仁君忽一匹夫，于德何损？而远辱手笔，追路相寻，诚足愧也。壹之区区，曷云量己，其嗟可去，谢也可食，诚则顽薄，实识其趣。但关节疢动，膝灸坏溃，请俟它日，乃奉其情。辄诵来贶，永以自慰。'遂去不顾。"按，传叙此事在"光和元年（178）"之后，显然时序淆乱，因皇甫规卒于熹平三年（174）。皇甫规为弘农太守始自此年秋，至建宁三年（170）春止，赵壹若真曾道经弘农，过访不遇，当在此两三年内。但是，传又载皇甫规书云"外白有一尉两计吏"，则赵壹过访皇甫规时当为"计吏"（传末曾云"袁逢使善相者相壹，云仕不过郡吏"，料无任"尉"之理），然传又谓其"举郡上计"在光和元年，如此矛盾，令人费解。姑系于此。赵壹（？—179？），字元叔，汉阳西县（今甘肃天水）人。"体貌魁梧，身长九尺，美须豪眉，望之甚伟。而恃才倨傲，为乡党所摈，乃作《解摈》。后屡抵罪，几至死，友人救得免"，赵壹乃作《穷鸟赋》谢恩。"又作《刺世疾邪赋》，以舒其怨愤"。以郡小吏赴京，揖三公，傲重臣，名动京师，士人想望风采。

"州郡争致礼命，十辟公府，并不就，终于家"。"著赋、颂、箴、诔、书、论及杂文十六篇"。（《后汉书·文苑列传》卷八十下）《隋书·经籍志》卷三十五："（梁又有）上计《赵壹集》二卷，录一卷。亡"。严可均《全后汉文》卷八十二收其文七篇。丁福保《全汉诗》卷二收其诗二首。

十月

张奂击破先零羌；论功当封，以不事宦官，赏遂不行；愿徙属弘农华阴，被特准；董卓遗缣百匹，不受。（《后汉书·孝桓帝纪》卷七、《后汉书·张奂列传》卷六十五）

十二月

汉桓帝刘志崩，皇太后窦氏与父窦武定策，迎解渎亭侯刘宏嗣位，是为汉灵帝，皇太后临朝称制。（《后汉书·孝桓帝纪》卷七、《后汉书·孝灵帝纪》卷八）

是年

侯瑾称疾拒征，作《矫世论》《应宾难》等。按，严可均《全后汉文》卷六十六注谓侯瑾征有道在桓帝时，姑以为其人桓帝时在世。侯瑾（？—？），字子瑜，敦煌（今属甘肃）人。少孤贫，性笃学。恒佣作为资，暮还燔柴以读书。州郡累召，公车有道征，皆称疾不就。作《矫世论》以讥切当时。徙入山中，覃思著述。以莫知于世，复作《应宾难》以自寄。又案《汉记》撰中兴以后行事，为《皇德传》三十篇，行于世。余所作杂文数十篇，多亡失。时人敬其才而不敢名之，皆称为"侯君"。（《后汉书·文苑列传》卷八十下）

延笃卒，年约六十八（100？—167）。（《后汉书·延笃列传》卷六十四）

边韶卒于官（？—167？）。按，边韶卒年未详，详《后汉书·文苑列传》卷八十上，似没于桓帝世，姑系于此。

第九章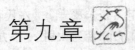

汉灵帝建宁元年至汉灵帝中平六年（168—189）共 22 年

·引 言·

刘勰《文心雕龙·时序第四十五》："降及灵帝，时好辞制，造《羲皇》之书，开鸿都之赋。而乐松之徒，招集浅陋，故杨赐号为'驩兜'，蔡邕比之俳优，其余风遗文，盖蔑如也。"

公元 168 年 （汉灵帝刘宏建宁元年 戊申）

正月

刘宏即皇帝位，是为汉灵帝，改元建宁。（《后汉书·孝灵帝纪》卷八）

六月

卢植以布衣献书规劝窦武，然不见用。（《后汉书·卢植列传》卷六十四、《资治通鉴》卷五十六）

七月

张奂与段颎争辩平羌事。（《后汉书·段颎列传》卷六十五、《后汉书·孝灵帝纪》卷八）

胡广丧子（胡朔）。（蔡邕《陈留太守胡朔碑》）

蔡邕作《陈留太守胡朔碑》。

九月

张奂征回京师，奉命帅兵围窦武，窦武、陈蕃死；张奂迁少府，拜大司农，以功封侯；张奂病为宦官作伥，乃封还印绶，卒不肯当。（《后汉书·张奂列传》卷六十五、《资治通鉴》卷五十六）

何休受陈蕃辟，旋坐陈蕃事废锢，此后足不窥门十余年，撰著《春秋公羊解诂》等书。《后汉书·儒林列传》卷七十九下："太傅陈蕃辟之，与参政事。蕃败，休坐废

315

锢，乃作《春秋公羊解诂》，覃思不窥门，十有七年。又注训《孝经》《论语》、风角七分，皆经纬典谟，不与守文同说。又以《春秋》驳汉事六百余条，妙得《公羊》本意。休善历算，与其师博士羊弼，追述李育意以难二传，作《公羊墨守》《左氏膏肓》《谷梁废疾》。"按，《后汉书·孝灵帝纪》卷八谓此年正月"陈蕃为太尉"，"九月辛亥，中常侍曹节矫诏诛太傅陈蕃"，何休当在此年九月前受辟，九月后禁锢。然传中所谓"不窥门十有七年"，有误，此年至何休卒年（光和五年）仅十四年，"七"疑为"一"之讹。本传接下叙有"党禁解，又辟司徒"，"党禁解"当指光和二年（179）四月"大赦天下，诸党人禁锢小功以下皆除之"（《后汉书·孝灵帝纪》卷八），至此年，何休不窥门乃十一年，其后至卒之三年间，始有辟司徒、拜议郎、迁谏议大夫事。

司徒胡广为太傅，录尚书事。（《后汉书·孝桓帝纪》卷七）

卢植作《与张奂然明书》，讽张奂参与杀害窦武、陈蕃事。按，此年九月张奂奉命围窦、陈，卢书当作于此时。

是年

赵岐六十岁，复遭党锢十余岁。（《后汉书·赵岐列传》卷六十四）

崔寔卒（？—168）。按，《后汉书·崔寔列传》卷五十二云"建宁中，病卒。家徒四壁立，无以殡殓。光禄勋杨赐、太仆袁逢、少府段颎，为备棺椁葬具，大鸿胪袁隗树碑颂德"，建宁共四年，据钱大昭《后汉书补表》卷八，杨、袁、段诸人唯此年官职与传合，故崔寔当卒于此年。

应劭为萧令。应劭《风俗通义·正失第二》："予为萧令，周旋谒辞故司空宣伯应。"宣伯应，即宣酆，《后汉书·孝桓帝纪》卷七谓"（延熹）九年……冬十二月……光禄勋汝南宣酆为司空"（李贤注："酆字伯应。"），《后汉书·孝灵帝纪》卷八谓"建宁元年……夏四月戊辰……司空宣酆免"，宣酆免司空后事不详。应劭既辞"故司空宣伯应"，其为萧令当在此年四月宣酆免司空后，姑系于此。应劭（？—205？），字仲远。《后汉书》本传李贤注云："《谢承书》《应氏谱》并云'字仲远'，《续汉书文士传》作'仲援'，《汉官仪》又作'（仲）瑗'，未知孰是。"汝南南顿（今河南项城西）人。少时笃学，博览多闻。灵帝时举孝廉，辟车骑将军掾。中平三年举高第，中平六年拜太山太守。建安二年诏拜袁绍军谋校尉，后卒于邺。曾为驳议三十篇，又删定律令为《汉仪》。时迁都于许，旧章湮没，书记罕存，应劭乃缀集所闻，著《汉官礼仪故事》，并作《状人纪》，又论当时行事，著《中汉辑序》，撰《风俗通》。凡所著述百三十六篇。又集解《汉书》。（《后汉书·应劭列传》卷四十八）《隋书·经籍志》卷三十三："《汉书》一百一十五卷，汉护军班固撰，太山太守应劭集解。……《汉书集解音义》二十四卷，应劭撰。……《汉官》五卷，应劭注。……《汉官仪》十卷，应劭撰。……《汉朝议驳》三十卷，应劭撰。"同书卷三十四："《风俗通》三十一卷，录一卷，应劭撰。梁三十卷。"同书卷三十五："后汉太山太守《应劭集》二卷，梁四卷。"严可均《全后汉文》卷三十三收其文八篇。永瑢等："《风俗通义》十卷，附录一卷，汉应劭撰。劭字仲远，汝南人。尝举孝廉，中平六年拜泰山太守。事迹具《后汉书》本传。马总《意林》称为三国时人，不知何据也。考《隋书·经籍志》，《风俗通义》三十一卷。注云'录一卷，应劭撰，梁三十卷'。《唐书·艺文志》：应劭《风俗通义》三十卷；《崇文总目》《读书志》《书录解题》皆作十卷，与今本同。明吴琯刻《古今逸史》，又删其半，则更阙略矣。各卷皆有总题，题各有散目。总题后略陈大意，而散目先详其事，以谨案云云辨证得失。《皇霸》为目五，《正失》为目十一，《愆礼》为目九，《过誉》为目八，《十反》为目十，《音声》为目二十有八，《穷通》为目十二，《祀典》为目十七，《怪神》为目十五，《山泽》为目十九。其《自序》云：'谓之《风俗通义》，言通于流俗之过谬，而事该之于义理也。'《后汉书》本传称，'撰《风俗通》以辨物类名号，识时俗嫌疑'。不知何以删去'义'字。或流俗省文，如《白虎通义》之称《白虎通》，史家因之欤？其书因事立论，文辞清辨，可资博洽。大致如王充《论衡》，而叙述简明则胜充书之冗漫。旧本屡经传刻，失于校雠，颇有伪误。如《十反》类中分范茂伯、郅朗伯为二事，而佚其断语；《穷通》类中孙卿一事有书而无录；《怪神》类中城阳景王祠一条有录而无书。今并厘正。又，宋陈彭年等修《广韵》，王应麟作《姓氏急就篇》，多引《风俗通·姓氏篇》。是此篇至宋末犹存，今本无之，不知何时散佚。然考元大德丁未无锡儒学刊本，前有李果序，后有宋嘉定十三年丁黼跋，称余在余杭，借本于会稽陈正卿，正卿盖得于中书徐渊子。伪舛已甚，殆不可读。爱其近古，钞录藏之，携至中都，得馆中本及孔复君寺丞本，互加参考，始可句读。今刻之于夔子，好古者或得旧本，从而增改，是所望云。则宋宁宗时之本已同今本，不知王氏何以得见是篇，或即从《广韵》注中辗转援引欤？《永乐大典》'通'字韵中尚载有《风俗通·姓氏》一篇，首题马总《意林》字，所载与《广韵》注多同，而不及《广韵》注之详，盖马总节本也。然今本《意林》无此文，当又属佚脱。今采附《风俗通》之末，存梗概焉。"（《四库提要》卷一百二十）

荀悦二十一岁，托病隐居。《后汉书·荀悦列传》卷六十二："灵帝时阉官用权，士多退身穷处，悦乃托疾隐居，时人莫之识，唯从弟彧特称敬焉。"

杜琼此年前后生（168？—250）。按，《蜀志·杜琼传》卷四十二云"琼年八十余，延熙十三年卒"，姑以年八十三当之。杜琼，字伯瑜，蜀郡成都（今属四川）人。刘璋时为从事，刘备定益州后，为议曹从事。后主时，拜谏议大夫，迁左中郎将、大鸿胪、太常。静默少言，阖门自守，不与世事。"著《韩诗章句》十余万言"。（《蜀志·杜琼传》卷四十二）

陈群约生于此年（168？—236）。按，《魏志·陈群传》卷二十二云："群为儿时，寔常奇异之，谓宗人父老曰：'此儿必兴吾宗。'鲁国孔融高才倨傲，年在纪、群之间，先与纪友，后与群交，更为纪拜，由是显名。"其父陈纪永建四年（129）生，如其此年生陈群，则年四十，孔融年十六，孔融年龄正在"纪、群之间"。又，《后汉书·陈寔列传》卷六十二谓陈寔中平四年（187）卒，年八十四，其卒年陈群年方弱冠，其儿时诸相正被陈寔看在眼中。陈群，字长文，颍川许昌（今属河南）人。陈纪子。年少聪颖，与孔融交好。初为豫州牧刘备别驾，后归曹操，历任司空西曹掾属、治书侍御史、御史中丞、侍中、尚书令、镇军大将军等。文帝临终，受诏辅政。明帝即位，封颍阴侯，为司空。卒谥靖侯。（《魏志·陈群传》卷二十二）《隋书·经籍志》卷三十五："梁……有司空《陈群集》五卷，亡。"

公元 169 年　（汉灵帝刘宏建宁二年　己酉）

四月

张奂奉诏上疏言灾异事，忤宦官，转太常；自囚廷尉，数日乃得出，以俸赎罪；禁锢归田里。（《后汉书·张奂列传》卷六十五）

六月

蔡邕作《处士圈典碑》。《处士圈典碑》："建宁二年六月卒。"

十月

孔融以张俭事与兄、母争死，由是显名。《后汉书·孔融列传》卷七十："山阳张俭为中常侍侯览所怨，览为刊章下州郡，以名捕俭。俭与融兄褒有旧，亡抵于褒，不遇。时融年十六，俭少之而不告。融见其有窘色，谓曰：'兄虽在外，吾独不能为君主邪？'因留舍之。后事泄，国相以下，密就掩捕，俭得脱走，遂并收褒、融送狱。二人未知所坐。融曰：'保纳舍藏者，融也，当坐之。'褒曰：'彼来求我，非弟之过，请甘其罪。'吏问其母，母曰：'家事任长，妾当其辜。'一门争死，郡县疑不能决，乃上谳之。诏书竟坐褒焉。融由是显名。"按，《后汉书·宦者列传》卷七十八谓侯览诬张俭为钩党事在建宁二年，《后汉书·孝灵帝纪》卷八谓"制诏州郡大举钩党"亦在建宁二年，孔融本传云其"年十六"时张俭被追捕，当为误记，"十六"为"十七"之讹。《资治通鉴》卷五十六系此事于建宁二年十月，但仍称"融年十六"，当延孔融传之误耳。

是年

胡广七十九岁，丧继母黄列赢及孙胡根。惠栋《后汉书补注》卷十一："挚虞《决疑要》注曰：太傅广丧母，天子使谒者以中牢吊祭，且送葬。《胡夫人黄氏神诰》曰：太夫人年九十一，建宁二年，薨于太傅府。"蔡邕《童幼胡根碑》："故陈留太守胡君子曰根，字仲原。……年七岁，建宁二年遭疾夭逝。"

张升或于此年见杀，年四十九（121？—169？）。按，《后汉书·文苑列传》卷八十下云其"遇党锢去官，后竟见诛，年四十九"，其年未详，姑定在去官三年后。

蔡邕三十八岁，为胡广作《胡府君夫人黄氏神诰》《童幼胡根碑》。

桓彬三十七岁，举孝廉，拜尚书郎；忤宦官姻亲，废官归家。《后汉书·桓彬列传》卷三十七："时中常侍曹节女婿冯方亦为郎，彬厉志操，与左丞刘歆、右丞杜希同好交善，未尝与方共酒食之会，方深怨之，遂章言彬等为酒党。事下尚书令刘猛，猛雅善彬等，不举正其事，节大怒，劾奏猛，以为阿党，请收下诏狱。在朝者为之寒心，猛意气自若，旬日得出，免官禁锢。彬遂以废。"按，刘猛下狱、旬日得出、免官禁锢，当指此年与张奂同受罚事（见《后汉书·张奂列传》卷六十五），故桓彬废官归家当在此年。

赵壹或于此年蒙友人相救，作书及《穷鸟赋》以谢；又作《刺世疾邪赋》，以舒怨愤。《后汉书·文苑列传》卷八十下："后屡得罪，几至死，友人救得免。壹乃贻书谢恩曰：……余畏禁，不敢班班显言，窃为《穷鸟赋》一篇。……又作《刺世疾邪赋》，以舒其怨愤。"按，贻书作赋，未详其年，从书中"余畏禁"一语观之，似作于党锢期间；《刺世疾邪赋》愤世嫉俗之极，似作于党锢期间最暗黑之时，此年大诛钩党，死者数百，赵壹书、赋或作于此年。本传叙赵壹作书、赋事在其为"计吏"之前，然此传叙其行状破绽饶多，颇难置信。

郦炎二十岁，或于此年不就州郡之辟；作《见志诗》二首。按，《后汉书·文苑列传》卷八十下云"灵帝时，州郡辟命，皆不就。有志气，作诗二篇"，其年未详，或在其弱冠之年。

许靖约十八岁，知名当时，为从弟排摈，以马磨自给。《蜀志·许靖传》卷三十八："少与从弟劭俱知名，并有人伦臧否之称，而私情不协。劭为郡功曹，排摈靖不得齿叙，以马磨自给。"按，年月未详，姑以其十八岁为"少"。

曹操十五岁，为人机警，颇有权数。《魏志·武帝纪》卷一："太祖少机警，有权数，而任侠放荡，不治行业，故世人未之奇也。"裴注引《曹瞒传》："太祖少好飞鹰走狗，游荡无度，其叔父数言之于嵩。太祖患之，后逢叔父于路，乃佯败面呐喎口。叔父怪而问其故，太祖曰：'卒中恶风。'叔父以告嵩。嵩惊愕，呼太祖，太祖口貌如故。嵩问曰：'叔父言汝中风，已差乎？'太祖曰：'初不中风，但失爱于叔父，故见罔耳。'嵩乃疑焉。自后叔父有所告，嵩终不复信，太祖于是益得肆意矣。"又注引孙盛《异同杂语》："太祖尝私入中常侍张让室，让觉之，乃舞手戟于庭，逾垣而出。才武绝人，莫之能害。"《世说新语·假谲》："魏武少时，尝与袁绍好为游侠。观人新妇，因潜入主人园中，夜叫呼云：'有偷儿贼！'青庐中人皆出观，魏武乃入，抽刃劫新妇，与绍还出。失道，坠枳棘中，绍不能得动。复大叫云：'偷儿在此！'绍遑迫自掷出。"刘注引《曹瞒传》："少好谲诈，游放无度。"按，曹操少年机警，不详其年，姑系于此年。

阮瑀或生于此年（169？—212）。按，阮瑀生年，史传未详。《太平御览》卷三百八十五引《文士传》云"阮瑀少有俊才，应机捷丽，就蔡邕学，叹曰：'童子奇才，朗朗无双！'"古时虽有年十二通经而为童子郎者，然"童子"一语实无年龄确指，姑依十二之数。阮瑀光和三年（180）始师从蔡邕，则或生于此年。阮瑀，字元瑜，陈留尉氏（今属河南）。"建安七子"之一。少受学于蔡邕。为人有志节，都护曹洪曾欲使掌书记，阮瑀终不为屈。解音律，善鼓琴。曹操任以为司空军谋祭酒，管记室，迁仓曹掾属。当时军国书檄，多出其手。卒于汉献帝建安十七年（212）。（《魏志·王粲传》卷二十一及裴松之注引《文士传》）《隋书·经籍志》卷三十五载："后汉丞相仓曹属《阮瑀集》五卷，梁有录一卷，亡。"张溥辑有《阮元瑜集》。严可均《全后汉文》卷九十三收其文九篇。丁福保《全三国诗》卷三收其诗十二首。张溥："阮掾为曹操遗书孙权，文词英拔，见重魏朝。文帝云：'书记翩翩，致足乐也。'元瑜没，王粲诔之，曰：'简书如雨，强力敏成。若是乎，行人有辞！国家光辉，以之折冲御侮，其郑子产乎？'余观彼书，润泽发扬，善辨若毅。独叙赤壁之败，流汗发惭，口重语塞，固知无情之言，即悬幡击鼓，无能助其威灵也。文质论雅，有劲思，若得优游述作，勒成一家，亦足与伟长《中论》，翩翩上下。乃诸子长逝，元瑜最先，遗文鬼名，抚手痛悒。至今传其焚山应招、鼓琴奏曲事，亦在有无之间，安得起彼九原，更谈文墨乎？悲风凉日，明月三星，读其诸诗，每使人愁。然则元瑜俯首曹氏，嗣宗盘桓司马父子，酒歌各有不得已也。"（《汉魏六朝百三家集·阮元瑜集题词》）

公元170年　（汉灵帝刘宏建宁三年　庚戌）

春

　　皇甫规转为护羌校尉。《后汉书·皇甫规列传》卷六十五云"再转为护羌校尉"，年月未详，《后汉书·段颎列传》卷六十五谓护羌校尉段颎"（建宁）三年春，征还京师……军至，拜侍中，转执金吾河南尹"，则皇甫规当接任卸职的段颎。

是年

　　胡广八十岁，丧夫人（章显章）。蔡邕《太傅安乐侯胡公夫人灵表》："年七十七，建宁三年薨。"

　　张奂六十七岁，奏记谢段颎，段颎未忍加害；闭门授徒千人，著《尚书记难》三十余万言。《后汉书·张奂列传》卷六十五："及颎为司隶校尉，欲逐奂归敦煌，将害之。奂忧惧，奏记谢颎曰……。颎虽刚猛，省书哀之，卒不忍也。时禁锢者多不能守静，或死或徙。奂闭门不出，养徒千人，著《尚书记难》三十余万言。"按，张奂奏记谢段，在段颎刚为司隶校尉时；据《后汉书·段颎列传》卷六十五，段颎为司隶校尉有两次，即"（建宁）三年……再迁司隶校尉。……明年，代李咸为太尉，其冬病罢，复为司隶校尉"，以张奂本传语义，其奏记当在建宁三年。

　　蔡邕三十九岁，作《太傅安乐侯胡公夫人灵表》；其《辞让申屠蟠》或作于此年。按，《后汉书·申屠蟠传》卷五十三云"同郡蔡邕深重蟠，及被州辟，乃辞让之曰……"蔡邕明年辟司徒府，"被州辟"当在其事前，确年难详，姑系于此。

　　卢植征为博士；此前，州郡数辟，皆不就。按，《后汉书·卢植列传》卷六十四云"州郡数命，植皆不就。建宁中，征为博士，乃始起焉"，建宁共四年，其二、三年当为建宁中，征博士前尚有"州郡数辟"事，故系于此年为宜。

　　虞翻生（170—239）。按，《吴志·虞翻传》卷五十七云其"在南十余年，年七十卒"，未云卒于何年，然裴注引《翻别传》云"权即尊号，翻因上书曰：'陛下膺明圣之德，体舜、禹之孝，历运当期，顺天济物，奉承策命，臣独抃舞。……臣年耳顺……'"所谓"权即尊号"，即孙权正尊号、即帝位，《吴志·孙权传》卷四十七谓"黄龙元年春，公卿百司皆劝权正尊号"，则虞翻黄龙元年（229）"年耳顺"，由此逆推至建宁三年（170）即为虞翻生年。虞翻，字仲翔，会稽余姚（今属浙江）人。少好学，有高气。先为王朗功曹，后归孙策，出为富春长。州举茂才，汉召为侍御史，司空辟，皆不就。孙权以为骑都尉，坐徙丹阳泾县。秉性疏直，数有酒失。多次触怒孙权，遂徙交州。"虽处罪放，而讲学不倦，门徒常数百人。又为《老子》《论语》《国语》训注，皆传于世"。在南十余年，年七十卒。（《吴志·虞翻传》卷五十七）《隋书·经籍志》卷三十二："《周易》九卷，吴侍御史虞翻注。……《周易日月变例》六卷，虞翻、陆绩撰。……《春秋外传国语》二十一卷，虞翻注。……又王肃、虞翻、谯周等注《论语》各十卷。亡。"同书卷三十四："梁有《扬子太玄经》十四卷，虞翻注。……梁有……虞翻注《老子》二卷，亡。……《周易集林律历》一卷，虞翻撰。……《易律历》一卷，虞翻撰。"同书卷三十五："后汉侍御史《虞翻集》二卷，梁三卷，录一卷。"

公元 171 年　（汉灵帝刘宏建宁四年　辛亥）

正月

　　蔡邕作《上始加元服与群臣上寿章》《郭泰碑》。按，《后汉书·孝灵帝纪》卷八称"（建宁）四年春正月甲子，帝加元服"，蔡章当作于此时。《郭泰碑》云"（郭泰）以建宁二年正月乙亥卒"，然《水经注》卷六"汾水又西南迳界休县故城西"下注则云："城东有征士郭林宗、宋子浚二碑……林宗，县人也，辟司徒，举太尉，以疾辞。其碑文云：'……建宁四年正月丁亥卒……'……蔡伯喈谓卢子干、马日碑曰：'吾为天下碑文多矣，皆有惭容，惟郭有道无愧于色矣！'"当依《水经注》说，因袁宏《后汉纪》卷二十三谓"三君八俊之死，郭泰私为之恸曰：'人之云亡，邦国殄瘁，汉室灭矣，未知瞻乌爰止，于谁之屋'"，"三君八俊"诸党人狱死之祸在建宁二年十月，如郭泰二年正月卒，则无由为党人之死而悲叹。又，查陈垣《中西回史日历》，建宁四年正月有"丁亥"（二十六日），建宁二年正月无"乙亥"。故以《郭泰碑》作于建宁四年正月为宜。

三月

　　蔡邕辟司徒桥玄府，作《东鼎铭》。《后汉书·蔡邕列传》卷六十下："建宁三年，辟司徒桥玄府，玄甚敬待之。"按，《后汉书·孝灵帝纪》卷八云"（建宁）四年……三月……，司空桥玄为司徒"，本传"三年"当为"四年"之误。《东鼎铭》："维建宁三年秋八月丁丑，延公于玉堂前廷，乃诏曰：'其以大鸿胪乔玄为司空。'……二月丁丑迁于司徒。"按，据《孝灵帝纪》，"二月"，当为"三月"之讹，即建宁四年三月。

七月

　　蔡邕作《中鼎铭》。《中鼎铭》："维建宁四年春三月丁丑，延公登于玉堂前廷，乃制诏曰：'其以司空桥玄为司徒。'……祗以疾告表，越十日庚午记此。"《后汉书·孝灵帝纪》卷八谓"（建宁）四年……秋七月……司徒桥玄免"，"庚午"为七月十二日。

是年

　　蔡邕四十岁，作《荐皇甫规表》。按，蔡表云"臣伏见护羌校尉皇甫规，少明经术"，皇甫规去岁春转护羌校尉，熹平三年（174）卒，蔡表作于此三四年间，姑系于辞世九年前。惠栋《后汉书补注》卷十五、侯康《后汉书补注续》疑蔡表作于延熹六年（163），今不从。

刘梁约于此年前后拜尚书郎。按，《后汉书·文苑列传》卷八十下云"特召入拜尚书郎"，其年未详，姑系于辞世九年前。传又谓"累迁。后为野王令，未行"，其年难考。

徐淑作《誓书》，寻卒（？—171？）。严可均《全后汉文》卷九十六载徐淑《誓书》："凤遭祸罚，丧其所天。男弱未冠，女幼未笄。"注："《御览》卷四百四十一引杜预《女记》：淑丧夫守寡，兄弟将嫁之，誓而不许，为书曰云云。案《史通》云：徐氏毁形不嫁，哀恸伤生。《通典》六十九晋咸和五年散骑侍郎贺峤妻于氏上表云：汉代秦嘉早亡，其妻徐淑乞子而养之；淑亡后，子还所生。朝廷通儒移其乡邑，录淑所养子，还继秦氏之祀。"按，以徐书参之，秦嘉卒后，徐淑尚存多年，作是书时，乞养子女男未二十，女未十五，唯不知所乞子女为秦嘉生前所乞，还是卒后所乞。姑以秦嘉卒十年后为徐淑卒年。

徐干生（171—218）。（佚名《中论序》）徐干，字伟长，北海（今山东寿光）人。"建安七子"之一。曾为司空军谋祭酒、五官将文学，后除上艾长，以病不行。能诗善赋，卒于汉建安二十三年（218），（《魏志·王粲传》卷二十一）《隋书·经籍志》卷三十四："《徐氏中论》六卷，魏太子文学徐干撰，梁目一卷。"同书卷三十五："魏太子文学《徐干集》五卷，梁有录一卷，亡。"严可均《全后汉文》卷九十三收其文十篇，丁福保《全三国诗》卷三收其诗四首，其中《为挽船士与新娶妻别》一首，《玉台新咏》卷二题作曹丕作。

蔡琰约生于此年（171？—？）。按，蔡琰生卒年未详，如以中平三年（186）为其适卫仲道之年，其时十六岁，则或生于此年。蔡琰，字文姬，一作昭姬，陈留圉（今河南杞县南）人。蔡邕之女。博学多才，妙解音律。先适河东卫仲道，夫亡无子，回住娘家。兵乱中，为匈奴掳去，嫁与左贤王，生二子。在匈奴十二年，后为曹操赎回，再嫁同郡董祀为妻。董祀为屯田都尉，身犯死罪，蔡琰亲诣曹操求情得免。"感伤乱离，追怀悲愤，作诗二章"。（《后汉书·列女传》卷八十四）《隋书·经籍志》卷三十五载："梁又有……后汉董祀妻《蔡文姬集》一卷……亡。"丁福保《全汉诗》卷三收其诗二十首。

公元172年　（汉灵帝刘宏建宁五年　熹平元年　壬子）

正月

蔡邕作《车驾上原陵记》。《车驾上原陵记》："建宁五年正月，车驾上原陵，蔡邕为司徒掾，从公行到陵。……邕见太傅广曰：'国家礼有烦而不可省者，昔不知先帝用心周密之至于此也。'广曰：'然。子宜载之，以示学者。'邕退而记焉。"按，此年五月改元熹平。

三月

胡广卒，年八十二（91—172）。《后汉书·胡广列传》卷四十四："（胡广）性温柔谨素，常逊言恭色。达练事体，明解朝章。虽无謇直之风，屡有补缺之益。故京师谚曰：'万事不理问伯始，天下中庸有胡公。'及共李固定策，大议不全，又与中常侍丁肃婚姻，以此讥毁于时。自在公台三十余年，历事六帝，礼任甚优，每逊位辞病，及免退田里，未尝满岁，辄复升进。凡一履司空，再作司徒，三登太尉，又为太傅。其所辟命，皆天下名士。与故吏陈蕃、李咸并为三司。蕃等每朝会，辄称疾避广，时人荣之。年八十二，熹平元年薨。使五官中郎将持节奉策赠太傅、安乐乡侯印绶，给东园梓器，谒者护丧事，赐冢茔于原陵，谥文恭侯，拜家一人为郎中。故吏自公、卿、大夫、博士、议郎以下数百人，皆缞绖殡位，自终及葬。汉兴以来，人臣之盛，未尝有也。"

蔡邕作《太傅胡广碑》《太傅祠堂碑铭》。

五月

改元熹平。（《后汉书·孝灵帝纪》卷八）

是年

郑玄四十六岁，被禁锢，遂杜门不出，修业著书；驳何休，兴古学。《后汉书·郑玄列传》卷三十五："及党事起，乃与同郡孙嵩等四十余人俱被禁锢，遂隐修经业，杜门不出。时任城何休好《公羊》学，遂著《公羊墨守》《左氏膏肓》《谷梁废疾》。玄乃发《墨守》，针《膏肓》，起《废疾》。休见而叹曰：'康成入吾室，操吾矛，以伐我乎！'初，中兴之后，范升、陈元、李育、贾逵之徒争论古今学，后马融答北地太守刘瑰及玄答何休，义据通深，由是古学遂明。"按，本传载其《戒子书》称"遇阉尹擅势，坐党禁锢，十有四年，而蒙赦令，举贤良方正有道，辟大将军三司府"，大将军何进辟之事在中平三年（186），逆推十四年至此年，即为郑玄被禁之年。

蔡邕四十一岁，或于此年出补河平长。按，《后汉书·蔡邕列传》卷六十下云"出补河平长"，叙在辟司徒桥玄府后，此年正月蔡邕为司徒掾，三月又在撰胡广碑、铭，其出为河平长当在此年三月以后，姑系于此。

曹操十八岁，交往名人。《魏志·武帝纪》卷一："惟梁国桥玄、南阳何颙异焉。玄谓太祖曰：'天下将乱，非命世之才不能济也，能安之者，其在君乎！'"裴注引《魏书》："太尉桥玄，世名知人，睹太祖而异之，曰：'吾见天下名士多矣，未有若君者也！君善自持。吾老矣，愿以妻子为托。'由是声名益重。"又注引《世语》："玄谓太祖曰：'君未有名，可交许子将。'太祖乃造子将，子将纳焉，由是知名。"《后汉书·许劭列传》卷六十八："许劭，字子将。……曹操微时，尝卑辞厚礼，求为己目。劭鄙其人而不肯对，操乃伺隙胁劭，劭不得已，曰：'君清平之奸贼，乱世之英雄！'操大悦而去。"（裴注《魏志》引孙盛《异同杂语》谓许劭语为"子治世之能臣，乱世之奸雄"）按，曹操交往名人事，不详其年，然当在其举孝廉之前，姑系于此年。

公元 173 年　（汉灵帝刘宏熹平二年　癸丑）

十二月

蔡邕为日食上书。司马彪《续汉五行志》卷六："熹平二年十二月癸酉晦，日有蚀之。"刘昭注："蔡邕上书曰：四年正月朔日体微伤。"

是年

蔡邕四十二岁，拜郎中，校书东观，与卢植、韩说等撰补《后汉记》；其《独断》或作于此年。《后汉书·蔡邕列传》卷六十下："诏拜郎中，校书东观。……与卢植、韩说等撰补《后汉记》。"按，年月未详，蔡邕熹平元年出补河平长，熹平四年奏定六经，其间拜郎中，校书东观，又迁议郎，姑以此年拜郎中，下一年迁议郎。姚振宗《后汉艺文志》卷二谓"按《独断》今所传者，似中郎修史时随笔札记之文，亦多见于续汉八志中"，疑作于校书东观时。

卢植与蔡邕、韩说等撰补《后汉记》。（《后汉书·蔡邕列传》卷六十下）

郦炎二十四岁，作《州书》。（惠栋《后汉书补注》卷十八引《炎集》）

管宁十六岁，丧父。（《魏志·管宁传》卷十一）

刘辩生（173—190）。刘辩为汉灵帝子。中平六年四月即帝位，是为汉少帝，九月废为弘农王。翌年春被杀。作有《悲歌》。（《后汉书·孝灵帝纪》卷八、《后汉书·皇后纪》卷十下）

祢衡生（173—198）。祢衡，字正平，平原般（今山东临邑东北）人。少有才辩。为人尚气刚傲，好矫时慢物。与孔融、杨修友善，常曰："大儿孔文举，小儿杨德祖。余子碌碌，莫足数也。"曹操以其有才而不为己用，召其为鼓史，欲羞辱之。祢衡当众裸身击鼓，反辱曹操。又手持大杖，坐曹操营门前，以杖捶地大骂。曹操怒，送祢衡于刘表。刘表终不能忍受，复送祢衡于黄祖。后忤黄祖，黄祖怒而杀之。（《后汉书·文苑列传》卷八十下）《隋书·经籍志》卷三十五："梁有后汉处士《祢衡集》二卷，录一卷，亡。"严可均《全后汉文》卷八十七收其文五篇。

公元 174 年　（汉灵帝刘宏熹平三年　甲寅）

是年

皇甫规以疾召还，未至，卒于谷城，年七十一（104—174）。（《后汉书·皇甫规列传》卷六十五）

曹操二十岁，举孝廉，为郎；除洛阳北部尉。（《魏志·武帝纪》卷一）

公元 175 年　（汉灵帝刘宏熹平四年　乙卯）

二月

蔡邕迁议郎，作《历数议》。司马彪《续汉律历志》卷二："灵帝熹平四年……乙卯诏书下三府，与儒林明道者详议，务得道真。以群臣会司徒府议，议郎蔡邕议以为历数精微……"按，乙卯为二月十八日。

三月

蔡邕奏请正定《六经》文字。《后汉书·蔡邕列传》卷六十下："邕以经籍去圣久远，文字多谬，俗儒穿凿，疑误后学，熹平四年，乃与五官中郎将堂谿典、光禄大夫杨赐、谏议大夫马日碑、议郎张驯、韩说、太史令单飏等，奏求正定《六经》文字。灵帝许之。"

灵帝诏诸儒正《五经》文字，刻石立于太学门外。（《后汉书·孝灵帝纪》卷八）

蔡邕亲自以古文、篆、隶三体参检其文，书丹于碑，使工匠刻成"石经"，时观者写者如堵。《后汉书·蔡邕列传》卷六十下："邕乃自书丹于碑，使工镌刻立于太学门外。于是后儒晚学，咸取正焉。及碑始立，其观视及摹写者，车乘日千余两，填塞街陌。"《后汉书·儒林列传》卷七十九上："熹平四年，灵帝乃诏诸儒正定《五经》，刊于石碑；为古文、篆、隶三体书法，以相参检，树之学门，使天下咸取则焉。"李贤注："《谢承书》曰：'碑立太学门外，瓦屋覆之，四面栏障，开门于南。河南郡设吏卒视之。'杨龙骧《洛阳记》载朱超石与兄书云：'《石经》文都似碑，高一丈许，广四尺，骈罗相接。'朱彝尊《经义考》卷二百八十七："按汉立《石经》，蔡邕所书本一字，唯因范史《儒林传》云'为古文、篆、隶三体书法，以相参检，树之学门'，而杨衒之《洛阳伽蓝记》《北史·刘芳传》因之，唐窦蒙，宋郭忠恕、苏望、方匀、欧阳棐、董逌、姚宽等均仍其误。独张缵谓'邕以三体参检其文，而书丹于碑，则定为律'，其义为允。"

蔡邕作《谏用三互法疏》，请除三互法。（《后汉书·蔡邕列传》卷六十下、《资治通鉴》卷五十七）

是年

卢植拜九江太守，以疾去官，作《尚书章句》《三礼解诂》；上书；授徒刘备、公孙瓒等。《后汉书·卢植列传》卷六十四："熹平四年，九江蛮反，四府选植才兼文武，拜九江太守，蛮冠宾服。以疾去官。作《尚书章句》《三礼解诂》。时始立太学《石经》，以正《五经》文字，植乃上书曰：'臣少从通儒故南郡太守马融受古学，颇知今之《礼记》特多回冗。臣前以《周礼》诸经，发起粃谬，敢率愚浅，为之解诂，而家乏，无力供缮写上。愿得将能书生二人，共诣东观，就官财粮，专心研精，合《尚书》章句，考《礼记》失得，庶裁定圣典，刊正碑文。古文科斗，近于为实，而厌抑流俗，降在小学。中兴以来，通儒达士班固、贾逵、郑兴父子，并敦悦之。今《毛诗》《左氏》《周礼》各有传记，其与《春秋》共相表里，宜置博士，为立学官，以助后来，以广圣意。'"按，《蜀志·先主传》称刘备"年十五……与同宗刘德然、辽西公孙瓒俱事故九江太守同郡卢植"，刘备延熹四年（161）生，此年正十五岁。

蔡邕四十四岁，是年尚作有《太尉李咸碑》；其《答丞相可斋议》《圣皇篇》或亦作于此年。按，蔡碑云"熹平四年薨"，当作于此年。其议云"议郎臣蔡邕"，蔡邕此年为议郎，议或作于此年。《圣皇篇》，张彦远《法书要录》卷七张怀瓘《书断上》谓作于"汉灵帝熹平年"，"熹平"共七年，姑系此年。

应劭或于此年举孝廉。按，《后汉书·应劭列传》卷四十八云"灵帝时举孝廉"，其年未详，假定在建宁元年（168）其为萧令至中平二年（185）为太尉属之间。

高彪或于此年举孝廉，除郎中，校书东观；数奏文章赋颂，灵帝异之；作《督军御史箴》，蔡邕甚美其文。《后汉书·文苑列传》卷八十下："后郡举孝廉，试经第一，除郎中，校书东观，数奏赋、颂、奇文，因事讽谏，灵帝异之。时京兆第五永为督军御史，使督幽州，百官大会，祖饯于长乐观。议郎蔡邕等皆赋诗，彪乃独作箴曰：'文武将坠，乃俾俊臣。整我皇纲，董此不虔。古之君子，即戎忘身。明其果毅，尚其桓桓。吕尚七十，气冠三军，诗人作歌，如鹰如鹯。天有太一，五将三门；地有九变，丘陵山川；人有计策，六奇五间：总兹三事，谋则咨询。无曰己能，务在求贤，淮阴之勇，广野是尊。周公大圣，石碏纯臣。以威克爱，以义灭亲。勿谓时险，不正其身。勿谓无人，莫识己真。忘富遗贵，福禄乃存。枉道依合，复无所观。先公高节，越可永遵。佩藏斯戒，以厉终身。'邕等甚美其文，以为莫尚也。"按，高彪作箴年未详，传云时议郎蔡邕在座，疑其除郎中、作箴送第五永或在此年。

张昭二十岁，察孝廉，不就；与王朗共论旧君讳事。（《吴志·张昭传》卷五十二）

杨修生（175—219）。杨修，字德祖，弘农华阴（今属陕西）人。太尉杨彪之子。为人谦恭，好学有才。建安中，举孝廉，除郎中。后为曹操请为主簿，以其内外之事无所不晓，所为甚称曹操心意。自魏太子曹丕以下，并争与交好。与曹植过从最密，为其羽翼。曹植失宠，曹操便借故杀之。"所著赋、颂、碑、赞、诗、哀辞、表、记、书凡十五篇"。（《魏志·陈思王植传》卷十九裴注引《典略》）《隋书·经籍志》卷三十五："后汉丞相主簿《杨修集》一卷，梁二卷，录一卷。"严可均《全后汉文》卷五十一收其文七篇。

公元 176 年　（汉灵帝刘宏熹平五年　丙辰）

夏

蔡邕作《伯夷叔齐碑》。（司马彪《续汉五行志》卷一刘昭注补）

十二月

试太学生六十以上百余人，除郎中、太子舍人、至王家郎、郡国文学吏。（《后汉书·孝灵帝纪》卷八）

是年

刘陶辟司徒掾，与司徒杨赐议平黄巾帅张角事。《后汉书·杨赐列传》卷五十四：

"先是，黄巾帅张角等执左道，称大贤，以诓燿百姓，天下禳负归之。赐时在司徒，召掾刘陶告曰……"按，《后汉书·孝灵帝纪》卷八谓"（熹平）五年……十一月丙戌，光禄大夫杨赐为司徒。……六年……十二月……庚辰，司徒杨赐免。……（光和）二年……十二月，光禄勋杨赐为司徒。……四年……闰月……司徒杨赐罢"，杨赐两次为司徒，与刘陶议平张角事，其时当从《资治通鉴》卷五十八光和六年条胡三省注"赐为司徒，熹平五年也"，即杨赐前一次为司徒时。故刘陶辟司徒掾当在此年。

卢植为庐江太守。《后汉书·卢植列传》卷六十四："会南夷反叛，以植尝在九江有恩信，拜为庐江太守。"按，卢植本传称距任庐江太守"岁余，复征拜议郎……转为侍中，迁尚书"，迁尚书在熹平六年（详下条），则为庐江太守当在此年。

郦炎二十七岁，作《七平》。（惠栋《后汉书补注》卷十八引《炎集》）

许靖约二十五岁，或于此年为计吏。按，《蜀志·许靖传》卷三十八云"颍川刘翊为汝南太守，乃举靖计吏"，年月未详，姑定在其二十五岁时。

华歆二十岁，与管宁、邴原友善，俱外出游学，时人号三人为"一龙"，华歆为龙头，邴原为龙腹，管宁为龙尾。（《魏志·华歆传》卷十三裴注引《魏略》）按，管宁游学在熹平五年，以此知华歆游学亦在此时。

管宁十九岁，与华歆、邴原相友，俱游学异国。按，事载《魏志·管宁传》卷十一，传叙其游学在丧父送终后，丧父在熹平二年（173），三年后服竟，游学当在此年。

蔡琰约六岁，听音辨绝弦。《后汉书·列女传》卷八十四李贤注引刘昭《幼童传》曰："邕夜鼓琴，弦绝。琰曰：'第二弦。'邕曰：'偶得之耳。'故断一弦，问之。琰曰：'第四弦。'并不差谬。"王先谦《后汉书校补》："柳从辰曰：文姬之辨绝弦，别传载时年六岁，故刘昭入之《幼童传》也。"

公元 177 年 　（汉灵帝刘宏熹平六年　丁巳）

四月

灵帝好学，自造《皇羲篇》；臣下滥举"人才"，灵帝均予礼遇。《后汉书·蔡邕列传》卷六十下："初，帝好学，自造《皇羲篇》五十章，因引诸生能为文赋者。本颇以经学相招，后诸为尺牍及工书鸟篆者，皆加引召，遂至数十人。侍中祭酒乐松、贾护，多引无行趣埶之徒，并待制鸿都门下，熹陈方俗间里小事，帝甚悦之，待以不次之位。又市贾小民，为宣陵孝子者，复数十人，悉除为郎中、太子舍人。"按，《后汉书·孝灵帝纪》卷八此年四月条载"市贾民为宣陵孝子者数十人，皆除太子舍人"，为尺牍及工书鸟篆者、无行趋势之徒受礼遇，大约亦发生于同时，姑系于此。

七月

蔡邕上书陈说政要七事。《后汉书·蔡邕列传》卷六十下："六年七月，制书引咎，诏群臣各陈政要所当施行。邕上封事。……五事：臣闻古者取士，必使诸侯岁贡。孝武之世，郡举孝廉，又有贤良、文学之选，于是名臣辈出，文武并兴。汉之得人，数路而已。夫书画辞赋，才之小者，匡国理政，未有其能。陛下即位之初，先涉经术，听政余日，观省篇章，聊以游意，当代博弈，非以教化取士之本。而诸生竞利，作者鼎沸。其高者颇引经训风喻之言；下则连偶俗语，有类俳优；或窃成文，虚冒名氏。臣每受诏于盛化门，差次录第，其未及者，亦复随辈皆见拜擢。既加之恩，难复收改，但守奉禄，于义已弘，不可复使理人及仕州郡。昔孝宣会诸儒于石渠，章帝集学士于白虎，通经释义，其事优大，文武之道，所宜从之。若乃小能小善，虽有可观，孔子以为'致远则泥'，君子故当志其大者。……书奏，帝乃亲迎气北郊，及行辟雍之礼。"按，蔡邕所上七事中之第五事，《通典》十六误作张衡之《论贡举疏》，张溥、严可均亦沿其误，收入张衡集中。

秋

蔡邕难夏育请伐鲜卑议，灵帝不从。（《后汉书·鲜卑列传》卷九十）

十二月

郦炎系狱，裂裳作《遗令书》四首，死于狱中，年二十八（150—177）。《遗令书》："维熹平六年冬十二月乃裂裳书。"《后汉书·文苑列传》卷八十下："炎后风病慌忽。性至孝，遭母忧，病甚发动。妻始产而惊死，妻家讼之，收系狱。炎病不能理对，熹平六年，遂死狱中，时年二十八。"

是年

卢植为议郎，与蔡邕等同在东观校中书《五经》记传，补续《汉记》；转侍中，迁尚书，作《郦文胜诔》。《后汉书·卢植列传》卷六十四："岁余，复征拜议郎，与谏议大夫马日磾、议郎蔡邕、杨彪、韩说等并在东观，校中书《五经》记传，补续《汉记》。帝以非急务，转为侍中，迁尚书。"《后汉书·文苑列传》卷八十下："（郦炎）熹平六年，遂死狱中……尚书卢植为之诔赞，以昭其懿德。"

蔡邕四十六岁，奉诏作《胡广黄琼颂》。（《后汉书·胡广列传》卷四十四）

刘陶为侍御史。《后汉书·刘陶列传》卷五十九："顷之，拜侍御史。"按，"顷之"之上为免官居家，其间当有缺文，因熹平五年刘陶曾辟司徒掾，"顷之"当接此而叙，即刘陶为司徒掾不久当迁为侍御史。

曹操二十三岁，迁为顿丘令。《魏志·陈思王植传》卷十九："太祖……戒之曰：'吾昔为顿邱（丘）令，年二十三。'"（《魏志·武帝纪》卷一）裴注引《曹瞒传》："太祖初入尉廨，缮治四门。造五色棒，县门左右各十余枚。有犯禁者，不避豪强，皆棒杀之。后数月，灵帝爱幸小黄门蹇硕叔父夜行，即杀之。京师敛迹，莫敢犯者。近习宠臣咸疾之，然不能伤，于是共称荐之，故迁为顿丘令。"

王粲生（177—217）。王粲，字仲宣，山阳高平（今山东邹县）人。"建安七子"之一。年少时徙居长安，蔡邕对其大加赏识。十七岁时，官府辟之而不就。为避西京扰乱，往荆州依刘表。刘表以其貌不扬，未加重用。刘表卒，土粲劝其子刘琮投降曹操，以此大功，被曹操任为丞相掾，赐爵关内侯，后迁军谋祭酒。曹氏建魏国，拜侍中。为人"强记默识"，尝"与人共行，读道边碑，人问曰：'卿能暗诵乎？'曰：'能。'因使背而诵之，不失一字。观人围棋，局坏，粲为覆之。棋者不信，以帊盖局，使更以他局为之。用相比校，不误一道"。能算术，"善属文，举笔便成，无所改定，时人常以为宿构；然正复精意覃思，亦不能加也。著诗、赋、论、议垂六十篇"。(《魏志·王粲传》卷二十一)《隋书·经籍志》卷三十二："梁有……《尚书释问》四卷，魏侍中王粲撰。"同书卷三十三："《汉末英雄记》八卷，王粲撰，残缺。梁有十卷。"同书卷三十四："梁有《去伐论集》三卷，王粲撰，亡。"同书卷三十五："后汉侍中《王粲集》十一卷。"张溥辑有《王侍中集》。严可均《全后汉文》卷九十、九十一收其文四十八篇，丁福保《全三国诗》卷三收其诗二十六首。张溥："袁显思兄弟争国，王仲宣为刘荆州遗书苦谏，今读其文，非独词章纵横，其言诚仁人也。昔颍考叔一言能感郑庄，使母子如初。仲宣二书，疾呼泣血，无救阋墙。袁氏将丧，顽子执兵，即苏、张复生何益哉！子桓、子建交怨若仇，仲宣婉变其间，耦俱无猜。身没之后，太子临丧，陈思作诔，素旗表德，颂言不忘。彼固善处人骨肉，亦由其天性宿深，长于感激，不但和光宴咏，为两公子楼获也。孟德阴贼，喜杀贤士，仲宣《咏史》，托讽《黄鸟》，披文下涕，几《秦风》矣。高平上胄，世为汉公，遭时流离，依徙荆许。以《七哀》之悲，为显庙之颂，择木而穷，雅诽见志。世谓其诗出李陵，今观书，命亦相近也。"(《汉魏六朝百三家集·王侍中集题词》)永瑢等："《汉末英雄记》一卷，旧本题魏王粲撰。粲字仲宣，高平人。仕魏为丞相掾。赐爵关内侯。事迹具《三国志》本传。案粲卒于建安中。其时黄星虽兆，玉步未更，不应名书以'汉末'。似后人之所追题。然考粲《从军诗》中已称曹操为圣君，则俨以魏为新朝，此名不足怪矣。《隋志》著录作八卷，注云残阙。其本久佚。此本乃王世贞杂钞诸书成之。凡四十四人，大抵取于裴松之《三国志注》为多。如《水经注》载'白狼山曹操敲马鞍作十片'事，本习见之书，乃漏而不载。又如'筑易京'本公孙瓒事，乃于瓒外别出一'张瓒'，以此事属之。不知据何误本，尤疏舛之甚矣。"(《四库提要》卷六十一)

吴质生（177—230）。吴质，字季重，济阴（今山东定陶西北）人。以才学通博为曹丕、曹植所善。建安中，为朝歌长，迁元城令。传曹丕立太子颇得其运筹之功，故为帝后对之宠信有加。入魏，拜北中郎将，官振威将军，封列侯，持节督幽、并诸军事。太和四年，为侍中，此年夏卒。初谥丑侯，后改威侯。（《魏志·吴质传》卷二十一及裴注）《隋书·经籍志》卷三十五："梁……又有侍中《吴质集》五卷。"严可均《全三国文》卷三十收其文七篇。丁福保《全三国诗》卷三收其诗一首。

公元 178 年 （汉灵帝刘宏熹平七年　光和元年　戊午）

二月

置鸿都门学。《后汉书·蔡邕列传》卷六十下："光和元年，遂置鸿都门学，画孔子及七十二弟子像。其诸生皆敕州郡三公举用辟召，或出为刺史、太守，入为尚书、侍中，乃有封侯赐爵者，士君子皆耻与为列焉。"《后汉书·孝灵帝纪》卷八李贤注：

"鸿都，门名也，于内置学。时其中诸生，皆敕州、郡、三公举召能尺牍、辞赋及工书鸟篆者相课试，至千人焉。"

蔡邕献篆鸿都门，无人能及。侯康《后汉书补注续》："《后魏书·江式传》：开鸿都时，诸方献篆，无出蔡邕者。"

三月

汉灵帝改元光和。（《后汉书·孝灵帝纪》卷八）

桓彬卒，年四十六（133—178）。（《后汉书·桓彬列传》卷三十七）按，蔡邕《桓彬碑》当作于其徙朔方前，疑桓彬卒于此年七月前，姑系于此。

蔡邕作《桓彬碑》。

七月

蔡邕奉诏入崇德殿，对灵帝问灾异；又对特诏问，忤中常侍曹节等。（《后汉书·蔡邕列传》卷六十下、《资治通鉴》卷五十七）

中常侍程璜使人飞章诬陷蔡邕，蔡邕上书自陈，下洛阳狱，议罪弃市；吕强救其免死，徙朔方；程璜女婿阳球又屡使人加害未果；居五原安阳县。（《后汉书·蔡邕列传》卷六十下、《资治通鉴》卷五十七）

卢植与蔡邕素善，蔡邕徙朔方前，卢植独上书救之。（《后汉书·卢植列传》卷六十四）

仲秋，蔡邕上书自陈，奏其所作"十意（志）"。《后汉书·蔡邕列传》卷六十下："邕前在东观，与卢植、韩说等撰补《后汉记》，会遭事流离，不及得成，因上书自陈，奏其所著十意，分别首目，连置章左。"李贤注："犹前书'十志'也。《邕别传》曰：'邕昔作《汉记》"十意"，未及奏上，遭事流离，因上书自陈曰："臣既到徙所，乘塞守烽，职在候望，忧怖焦灼，无心能复操笔成草，致章阙廷。诚知圣朝不责臣谢，但怀愚心有所不竟。臣自在布衣，常以为《汉书》'十志'下尽王莽而止，光武已来唯记纪传，无续志者。臣所事师故太傅胡广，知臣颇识其门户，略以所有旧事与臣。虽未备悉，粗见首尾，积累思惟，二十余年。不在其位，非外史庶人所得擅述。天诱其衷，得备著作郎，建言'十志'皆当撰录。会臣被罪，逐放边野，恐所怀随躯朽腐，抱恨黄泉，遂不设施，谨先颠踣，科条诸志，臣欲删定者一，所当接续者四，《前志》所无臣欲著者五，及经典群书所宜捃摭，本奏诏书所当依据，分别首目，并书章左，惟陛下留神省察。臣谨因临戎长霍圉封上。"有《律历意》第一，《礼意》第二，《乐意》第三，《郊祀意》第四，《天文意》第五，《车服意》第六。'"按，蔡邕为所作"十意"上书，当是至五原后不久事。姑系此年仲秋。

九月

卫觊作《汉金城太守殷华碑》。碑云："光和元年九月乙酉卒官。"严可均《全后汉文》卷二十八注："《古文苑》以此碑属郦炎，注云：一作卫觊。章樵云：作卫觊是。案郦炎以熹平六年死，碑言元和元年，乃次年也。"

十月

卢植为日食，上封事进谏，灵帝不省。按，《后汉书·孝灵帝纪》卷八云此年日食两次，即"二月……日有食之。……冬十月……日有食之"，卢植上封事中言及"宋后家属，并以无辜委骸横尸，不得收葬"，而《孝灵帝纪》谓此年十月"皇后宋氏废，后父执金吾酆下狱死"，故卢植上封事当在此时。

是年

蔡邕四十七岁，尚作《徙朔方报杨复书》《徙朔方报羊陟书》《戍边上章》。按，三文有"徙朔方"、"戍边"之语，当作于其此年七月徙后至明年四月赦归前，姑系此年。

赵壹举郡上计，赴京；传说令羊陟、袁逢刮目相看，二人共同举荐赵壹，使其名动京师，士大夫想望其风采。《后汉书·文苑列传》卷八十下："光和元年，举郡上计到京师。是时，司徒袁逢受计，计吏数百人皆拜伏庭中，莫敢仰视，壹独长揖而已。逢望而异之，令左右往让之，曰：'下郡计吏而揖三公，何也?'对曰：'昔郦食其长揖汉王，今揖三公，何遽怪哉?'逢则敛衽下堂，执其手，延置上坐，因问西方事，大悦，顾谓坐中曰：'此人汉阳赵元叔也。朝臣莫有过之者，吾请为诸君分坐。'坐者皆属观。既出，往造河南尹羊陟，不得见。壹以公卿中非陟无足以托名者，乃日往到门，陟自强许通，尚卧未起，壹迳入上堂，遂前临之，曰：'窃伏西州，承高风旧矣，乃今方遇而忽然，奈何命也?'因举声哭，门下惊，皆奔入满侧。陟知其非常人，乃起，延与语，大奇之。谓曰：'子出矣。'陟明旦大从车骑奉谒造壹。时诸计吏多盛饰车马帷幕，而壹独柴车草屏，露宿其傍，延陟前坐于车下，左右莫不叹愕。陟遂与言谈，至熏夕，极欢而去，执其手曰：'良璞不剖，必有泣血以相明者矣!'陟乃与袁逢共称荐之。名动京师，士大夫想望其风采。"按，此则轶事令人颇生疑窦，一是《后汉书·袁逢列传》卷四十五云"灵帝立，逢以太仆豫议，增封三百户。后为司空，卒于执金吾。朝廷以逢尝为三老，特优礼之……赠以车骑将军印绶，加号特进，谥曰宣文侯"，未言其曾为"司徒"；二是《后汉书·羊陟列传》卷六十七云羊陟"会党事起，免官禁锢，卒于家"，"党事起"指建宁二年（169）诛除禁锢钩党事件，羊陟名列"八顾"，受惩当首当其冲，此年断无再为"河南尹"之理，此年七月蔡邕上书自陈，言语中有云"营护故河南尹羊陟"，"故河南尹"之称便是羊陟不在其职（即禁锢在家）之明证。因此，《文苑列传》所谓此年赵壹见袁逢、羊陟云云，恐非实录，当系好事者见其有《报羊陟书》（未知作年），而附会此年。

曹操二十四岁，或于此年坐从妹夫宋奇案，被免官。按，《魏志·武帝纪》卷一裴注引《魏书》："太祖从妹夫濦强侯宋奇被诛，从坐免官。"宋奇封侯，史书无载，卢弼《三国志集解》注引梁章钜《三国志旁证》称宋奇"必宋皇后兄弟行"，宋皇后被废及宋氏见诛事在此年，姑系于此。

王象约生于此年（178？—222）。按，王象兴平二年（195）为人仆隶时年约十八，则或此年生。王象，字羲伯，河内（今河南武陟）人。有才志。建安中，为太子曹丕所礼待。曹丕即位，拜散骑侍郎，迁常侍，封列侯。领秘书监，奉诏撰《皇览》，数年乃成，藏于秘府。为人性器和厚，文采温雅，京师归美，称为儒宗。与南阳太守杨俊善，曹丕惩杨俊，王象以不能救而发病死。《隋书·经籍志》卷三十五："梁……又有散骑常侍《王象集》一卷。……亡。"严可均《全三国文》卷三十八收其文一篇。

公元 179 年 　（汉灵帝刘宏光和二年　己未）

正月

卫觊作《**西岳华山亭碑**》。碑云："（光和）二年正月己卯兴就"。严可均《全后汉文》卷二十八注："《古文苑》以为卫觊作。"

四月

中常侍吕强上疏，开脱蔡邕。《后汉书·宦者列传》卷七十八："吕强……因上疏陈事曰：'……又闻前召议郎蔡邕对问于金商门，而令中常侍曹节、王甫等以诏书喻旨。邕不敢怀道迷国，而切言极对，毁刺贵臣，讥呵竖宦。陛下不密其言，致令宣露，群邪项领，膏唇拭舌，竞欲咀嚼，造作飞条。陛下回受诽谤，致邕刑罪，室家徙放，老幼流离，岂不负忠臣哉！今群臣皆以邕为戒，上畏不测之难，下惧剑客之害，臣知朝廷不复得闻忠言矣。……宜征邕更授任……则忠贞路开，众怨以弭矣。'"

蔡邕宥还本郡，又忤宦官亲戚，惧不免祸，乃远遁吴会。《后汉书·蔡邕列传》卷六十下："帝嘉其才高，会明年大赦，乃宥邕还本郡。邕自徙及归，凡九月焉。将就还路，五原太守王智饯之。酒酣，智起舞属邕，邕不为报。智者，中常侍王甫弟也，素贵骄，惭于宾客，诟邕曰：'徒敢轻我！'邕拂衣而去。智衔之，密告邕怨于囚放，谤讪朝廷。内宠恶之。邕虑卒不免，乃亡命江海，远迹吴会。往来依太山羊氏。"按，文中"明年"叙于"光和元年"之次，即为光和二年，《后汉书·孝灵帝纪》卷八谓此年"夏四月……大赦天下，诸党人禁锢小功以下皆除之"，蔡邕宥还本郡当在此时。

何休辟司徒。按，《后汉书·儒林列传》卷七十九下云"党禁解，又辟司徒"，《后汉书·孝灵帝纪》卷八谓此年此月"大赦天下，诸党人禁锢小功以下皆除之"，何休当以此时解禁，辟司徒。

十月

蔡邕作《太尉陈球碑》《太尉陈公赞》。按，《后汉书·孝灵帝纪》卷八谓"（光和）二年……冬十月甲申……永乐少府陈球……谋诛宦者，事泄，皆下狱死"，蔡碑当作于此时。陈公，盖为陈球，蔡赞亦当作于同时。

十二月

卫觊作《复华下民租田口算状碑》。按，卫碑云"光和二年十二月庚午朔"，当作于此时。

赵壹或卒于此年（？－179？）。按，《后汉书·文苑列传》卷八十下谓"州郡争致礼命，十辟公府，并不就，卒于家"，其年未详，姑系其赴京一年后。

曹操二十五岁，免官居乡里，纳卞氏为妾。（《魏志·后妃传》卷五裴注引《魏书》）

韦诞生（179—253）。韦诞，字仲将，京兆杜陵（今陕西西安东南）人。有文才，能书法，善属辞章。建安中，为郡上计吏，特拜郎中，迁侍中中书监，以光禄大夫逊位。后卒于家。（《魏志·王粲传》卷二十一及裴注引《文章叙录》）《隋书·经籍志》卷三十五："梁有……光禄大夫《韦诞集》三卷，录一卷。……亡。"严可均《全三国文》卷三十二收其文八篇。

公元 180 年 　（汉灵帝刘宏光和三年　庚申）

六月

汉灵帝诏公卿举能通《古文尚书》《毛诗》《左氏》《谷梁春秋》各一人，悉除议郎。（《后汉书·孝灵帝纪》卷八）

何休拜议郎。按，《后汉书·儒林列传》卷七十九下云"群公表休道术深明，宜侍帷幄，佞臣不悦之，乃拜议郎"，何休升迁为幸臣所阻，幸此月下任通经者之诏，何休所善虽为公羊派"何氏学"，当亦连带得拜议郎。

是年

蔡邕四十九岁，居吴；制焦尾琴。按，《后汉书·蔡邕列传》卷六十下谓其"亡命江海，远迹吴会。往来依太山羊氏，积十二年，在吴"，自光和二年（179）至中平六年（189）仕董卓，首尾十一年，"十二"疑为"十一"之误。本传云"吴人有烧桐以爨者，邕闻火烈之声，知其良木，因请而裁为琴，果有美音，而其尾犹焦，故时人名曰'焦尾琴'"，事在蔡邕居吴时，姑系于此。

蔡邕题邯郸淳所作《曹娥碑》八字。《后汉书·列女传》卷八十四李贤注引《会稽典录》："尚先使魏朗作《曹娥碑》，文成未出……因试使子礼（邯郸淳）为之，操笔而成，无所点定。朗嗟叹不暇，遂毁其章。其后蔡邕又题八字曰：'黄绢幼妇，外孙齑臼。'"按，事在蔡邕居吴时，姑系于此。

蔡邕教授顾雍琴书，以其名与之。《吴志·顾雍传》卷五十二："蔡伯喈从朔方还，尝避怨于吴，雍从学琴书。"《世说新语·雅量》："雍字元叹，曾就蔡伯喈，伯喈赏异之，以其名与之。"按，事在蔡邕居吴时，姑系于此。

刘梁约卒于此年（？—180？）。按，《后汉书·文苑列传》卷八十下云"光和中，病卒"，光和共七年，三年约为其中，姑系于此。

高彪迁外黄令，灵帝命群臣祖饯，绘像以劝学者。《后汉书·文苑列传》卷八十下："后迁外黄令，帝勑同僚临送，祖于上东门，诏东观画彪像以劝学者。"按，迁外黄令年未详，姑定在其除郎中五年后。

曹操二十六岁，复征拜议郎，当在是年。按，《魏志·武帝纪》裴注引《魏书》谓曹操"以能明古学，复征拜议郎"，未详其年，考《后汉书·孝灵帝纪》卷八此年六月"诏公卿举能通《古文尚书》《毛诗》《左传》《谷梁春秋》各一人，悉除议郎"，则曹操复拜议郎当在此年。

王朗或于此年拜郎中，除菑丘长。按，《魏志·王朗传》卷十三云"以通经，拜郎中，除菑丘长"，其年未详，姑定在师事杨赐之两年前。王朗（？—228），字景兴，本名严，后改朗，东海郯（今山东剡城西）人。先拜郎中，除菑丘长。以师杨赐卒，弃官行服。后为陶谦治中，奉章至长安，拜安东将军、会稽太守。曹操表征之为谏议大夫，参司空军事。魏国时，以军祭酒领魏郡太守，迁少府、奉常、大理。曹丕即王位，迁御史大夫，封安陵亭侯。魏代汉，改为司空，进封乐平乡侯。明帝即位，进封兰陵侯，转司徒。太和二年卒，谥成侯。"著《易》《春秋》《孝经》《周官传》、奏议、论记，咸传于世"。（《魏志·王朗传》卷十三及裴注）《隋书·经籍志》卷三十二："《春秋左氏传》十二卷，魏司徒王朗撰。……《春秋左氏释驳》一卷，王朗撰，亡。"同书卷三十五："魏司徒《王朗集》三十四卷，梁三十卷。"严可均《全三国文》卷二十二收其文三十四篇。

张纮二十四岁，此年前后入京都太学，师从博士韩宗，治《京氏易》《欧阳尚书》。按，事载《吴志·张纮传》卷五十三裴注引《吴书》，未详其年，姑系于从师濮阳闿三年前。

阮瑀约十二岁，师从蔡邕，蔡邕赞叹其"童子奇才，朗朗无双"。按，《魏志·王粲传》卷二十一谓"瑀少受学于蔡邕"，然未详其年。考蔡邕避怨于吴期间，有二事值得注目，一是教授后官至东吴丞相的顾雍"琴书"（《吴志·顾雍传》卷五十二），二是制"焦尾琴"（《后汉书》本传）。二事均与"琴"相关，阮瑀师从蔡邕，恐亦以学琴为主，此由其作有《筝赋》可知仿佛。想蔡邕客吴时不甘寂寞，设帐授徒亦为其消解心中垒块形式之一，阮瑀受其学，自此时始耳。侯康《三国志补注续》："《御览》三百八十五引《文士传》曰：'阮瑀少有奇才，应机捷丽，就蔡邕学，叹曰："童子奇才，朗朗无双！"'"

仲长统生（180—220）。仲长统，字公理，山阳高平（今山东邹县西南）人。少好学，博涉书记，赡于文辞。性倜傥，敢直言，不矜小节。弱冠后而游学青、徐、并、冀之间，与交者多异之。语默无常，时人或谓之狂生。曾为尚书郎，后参曹操军事。"常以为凡游帝王者，欲以立身扬名耳，而名不常存，人生易灭，优游偃仰，可以自娱。欲卜居清旷，以乐其志"，作《乐志论》；又作《见志诗》二篇；"每论说古今及世俗行事，恒发愤叹息，因著论，名曰《昌言》，凡三十四篇，十余万言"。（《后汉书·仲长统列传》卷四十九、《魏志·王粲传》卷二十一裴注引缪袭撰《昌言表》）《隋书·经籍志》卷三十四："《仲长子昌言》十二卷，录一卷，汉尚书郎仲长统撰。"严可均《全后汉文》卷八十七收其文二篇，卷八十九辑其《昌言》。丁福保《全汉诗》

卷二收其诗二首。

刘廙生（180—221）。刘廙，字恭嗣，南阳（今属河南）人。先为丞相掾属，转五官将文学，迁黄门侍郎。曹丕即王位，为侍中，赐关内侯。"著书数十篇，及与丁仪共论刑、礼，皆传于世"。（《魏志·刘廙传》卷二十一及裴注引《廙别传》）《隋书·经籍志》卷三十四："梁有……《政论》五卷，魏侍中刘廙撰。……亡。"同书卷三十五载："梁……又有《刘廙集》二卷。……亡。"严可均《全三国文》卷三十四收其文十二篇。

公元 181 年 （汉灵帝刘宏光和四年 辛酉）

是年

张奂卒，年七十八（104—181）。（《后汉书·张奂列传》卷六十五）

何休五十三岁，迁谏议大夫。按，《后汉书·儒林列传》卷七十九下云"再迁谏议大夫"，何休光和三年为议郎，光和五年卒，迁谏议大夫疑在此年。

孔融二十九岁，或于此年辟司徒杨赐府。按，《后汉书·孔融列传》卷七十云"州郡礼命，皆不就。辟司徒杨赐府"，其年未详，《后汉书·孝灵帝纪》卷八谓杨赐两为司徒，前一次自熹平五年十一月至六年十二月，后一次自光和二年十二月至四年闰九月，姑以孔融辟司徒府在杨赐后一次司徒任内。

曹操二十七岁，上书为陈蕃、窦武等辩说，或在是年。按，《魏志·武帝纪》卷一裴注引《魏书》谓"复征拜议郎。……太祖上书陈武等正直而见陷害……灵帝不能用。是后诏书敕三府，举奏州县政理无效，民为作谣言者免罢之"，灵帝诏即光和五年正月"诏公卿以谣言举刺史、二千石为民蠹害者"（《资治通鉴》卷五十八），则上书事当在曹光和三年复为议郎至光和五年之间，姑系于此。

汉灵帝刘宏二十六岁，作《追德赋》《令仪颂》；又作《招商歌》。按，《后汉书·皇后纪》卷十下云"帝愍协早失母，又思美人，作《追德赋》《令仪颂》"，"美人"即"王美人"，汉献帝刘协生母，《后汉书·皇后纪》卷十下谓"（光和）四年生皇子协，（何皇）后遂鸩杀美人"，赋与颂当作于此年。又，《拾遗记》卷六云："灵帝初平三年，游于西园。起裸游馆千间，采绿苔而被阶，引渠水以绕砌。周流澄澈，乘船以游漾，使宫人乘之。选玉色轻体者以执篙楫……又奏《招商》之歌，以来凉气也。歌曰：'凉风起兮日照渠，青荷昼焰叶夜舒。惟日不足乐有余，清丝流管歌玉凫。千年万岁喜难逾。'"然"初平"非灵帝年号，此段所述淫靡生活与《后汉书·孝灵帝纪》卷八光和四年条所叙灵帝西园冶游宴饮之乐颇为相似，《招商歌》疑作于此年。

崔琰二十三岁，乡移为正，读《论语》《韩诗》。（《魏志·崔琰传》卷十二）

虞翻十二岁，与客书，由是见称。《吴志·虞翻传》卷五十七裴注引《吴书》："翻少好学，有高气。年十二，客有候其兄者，不过翻，翻追与书曰：'仆闻虎魄不取腐芥，磁石不受曲针，过而不存，不亦宜乎！'客得书奇之，由是见称。"

诸葛亮生（181—234）。诸葛亮，字孔明，琅琊阳都（今山东沂南南）人。早孤，依从父诸葛玄。从父死，诸葛亮躬耕垄亩，好为《梁父吟》。身长八尺，每自比管仲、乐毅，与崔州平、徐庶友善。徐庶荐之于刘备，刘备三顾茅庐，始出为辅。刘备得之，谓"孤之有孔明，犹鱼之有水也"。诸葛亮以联吴抗魏之策助刘备于西蜀称帝，官居丞相。刘备崩，诸葛亮受托孤，封武乡侯，领益州牧。平定南土后，曾六出祁山，以建伐魏之功，然出师未捷，病卒于五丈原，谥忠武侯。（《蜀志·诸葛亮传》卷三十五）陈寿《诸葛氏集目录》："开府作牧第一、权制第二、南征第三、北出第四、计算第五、训厉第六、综覈上第七、综覈下第八、杂言上第九、杂言下第十、贵和第十一、兵要第十二、传运第十三、与孙权书第十四、与诸葛瑾书第十五、与孟达书第十六、废李平第十七、法检上第十八、法检下第十九、科令上第二十、科令下第二十一、军令上第二十二、军令中第二十三、军令下第二十四，右二十四篇，凡十万四千一百一十二字。"（《蜀志·诸葛亮传》卷三十五）《隋书·经籍志》卷三十三："《论前汉事》一卷，诸葛亮撰。"同书卷三十四："梁有《诸葛亮兵法》五卷。"同书卷三十五："蜀丞相《诸葛亮集》二十五卷，梁二十四卷。"张溥辑有《诸葛丞相集》。严可均《全三国文》卷五十八、五十九收其文五十五篇。姚振宗《诸葛亮著作考》："《诸葛亮汉书音》一卷、《诸葛亮论前汉事》一卷、《诸葛故事》《诸葛武侯上事》九卷、《诸葛亮贞洁记》一卷、《诸葛亮哀牢国谱》《诸葛武侯集诫》二卷、《诸葛武侯女诫》一卷、《诸葛亮兵法》五卷、《诸葛亮木牛流马法》《诸葛亮八阵图》一卷、《蜀丞相诸葛亮集》二十五卷。"（《三国艺文志》）张溥："诸葛《梁甫吟》，古今讽诵，然遥望荡阴，怀齐三士，此不过好勇轻死者流，何关管乐神明，悲吟不止？或曰：梁甫，泰山下小山也，人君有德则封东岳，诸葛，王佐才，思封禅而不得见，躬耕陇亩，歌谣托志，田疆之伦，岂所慕哉！《出师》二表，远匹《伊训》，《正议》两篇，亦《汤誓》《大诰》之遗。余则赫蹏数字，能使憾夫解仇，壮士刎颈。开诚布公，集思广益，一生靖献之本，施于僚佐，贤愚悉心，所自然耳。《戒子书》云：'学以广才，静以成学'周孔之教也。晋世有写其词徧勖诸子者，其理学始基乎！后主暗弱，黄皓阴狡，武乡复亲督师旅，不居密勿，而君臣鱼水，常如先帝时。东山金縢，似反逊之，志则同也。郭坞星陨，鱼腹遗恨，国势三分，臣心无二，讨贼而死，始答顾命，岂自违隆中之言哉。陈寿立评，未极能事，崔浩致诘，无当论功，唐裴晋公盖非之矣。"（《汉魏六朝百三家集·诸葛丞相集题词》）

公元 182 年　（汉灵帝刘宏光和五年　壬戌）

正月

孔融陈对中官贪浊。《后汉书·孔融列传》卷七十："时，隐核官僚之贪浊者，将加贬黜，融多举中官亲族。尚书畏迫内宠，召掾属诘责之。融陈对罪恶，言无阿挠。"按，《后汉书·刘陶列传》卷五十七谓此年"诏公卿以谣言举刺史二千石为民蠹害者"，《资治通鉴》卷五十八系其事于此年正月，孔融奏举中官贪污浊秽当在此时。

十二月

曹丕妻甄皇后生（182—221）。甄皇后，名不详，中山无极（今河北定县）人。建安中，为袁绍子袁熙妻，曹操平冀州，曹丕纳为妻。生魏明帝曹睿。曹丕称帝后赐死。（《魏志·后妃传》卷五）《玉台新咏》卷二以《塘上行》为其作，《乐府诗集》卷三十五则以为魏武帝作。曹植《洛神赋》传因其而作。

是年

何休卒，年五十四（129—182）。（《后汉书·儒林列传》卷七十九下）

蔡邕五十一岁，作《何休碑》《京兆樊惠渠颂》《京兆尹樊陵颂碑》。按，《京兆樊惠渠颂》有语云"光和五年，京兆尹樊君讳陵，字得云"，则颂、碑同作于此年。

士燮四十六岁，举茂才，除巫令。按，事载《吴志·士燮传》卷四十九，年月未详，姑定在为交阯太守五年前。

曹操二十八岁，复上书切谏，当在是年。按《魏志·武帝纪》裴注引《魏书》谓"是岁以灾异博问得失，因此复上书切谏，说三公所举奏专回避贵戚之意"，考《后汉书·孝灵帝纪》卷八载光和五年二月"大疫"、四月"旱"、五月"永乐宫署灾"、七月"有星孛于太微"，则曹复上书当在此年七月之后，姑系于此。

王朗师事杨赐。按，《魏志·王朗传》卷十三云"师太尉杨赐"，未详其年，《后汉书·孝灵帝纪》卷八谓"（光和）五年……冬十月……太常杨赐为太尉。……中平元年……夏四月，太尉杨赐免"，王朗师事杨赐当在此两年内，姑系此年。

公元 183 年 （汉灵帝刘宏光和六年 癸亥）

是年

刘陶上疏言张角事；奉诏作《春秋条例》。（《后汉书·刘陶列传》卷五十七、《资治通鉴》卷五十八）

张纮二十七岁，此年前后于外黄从濮阳闿学《韩诗》《礼记》《左氏春秋》。按，事载《吴志·张纮传》卷五十三裴松之注引《吴书》，未详其年，姑定在不就何进辟三年前。

百姓作《范史云歌》。《后汉书·独行列传》卷八十一："（范史云）遭党人禁锢，遂推鹿车，载妻子，捃拾自资。或寓息客庐，或依宿树荫。如此十余年，乃结草室而居焉。所止单陋，有时粮粒尽，穷居自若，言貌无改。闾里歌之曰：'甑中生尘范史云，釜中生鱼范莱芜。'"按，此歌后即叙"及党禁解，为三府所辟，乃应司空命。是时西羌反叛，黄巾作难"，《后汉书·孝灵帝纪》卷八谓"中平元年春二月……皆著黄巾，同日反叛"，《后汉书·西羌传》卷八十七谓"中平元年，（义从胡）与北宫伯玉等反"，则范史云东山再起在中平元年（166），党锢起自桓帝延熹九年，至此长达十八年，正范传所谓"十余年"。《范史云歌》咏范氏党锢中事，姑系于此。

颍容或于此年师事太尉杨赐。按，《后汉书·儒林列传》卷七十九下云其"师事太尉杨赐"，《后汉书·孝灵帝纪》卷八谓杨赐光和五年十月至中平元年四月间为太尉，颍容拜其为师必在此一年半时间内，姑系于此。颍容（？—207？），字子严，陈国长平（今河南西华东北）人。博学通经，善《春秋左氏》。师事太尉杨赐。郡举孝廉，州辟，公车征，皆不就。初平中，避乱荆州，授徒千余人。刘表以为武陵太守，不肯就。著《春秋左氏条例》五万余言。（《后汉书·儒林列传》卷七十九下）

　　卢毓生（183—257）。按，《魏志·卢毓传》卷二十二云"毓十岁而孤"，其父卢植初平三年（192）卒，则其此年生。卢毓，字子家，涿郡涿（今属河北）人。卢植子。以学行见称。先署五官将门下贼曹，举为冀州主簿。后为丞相法曹议令史，转西曹议令史。魏国既建，为吏部郎。文帝即位，徙黄门侍郎，出为济阴相，梁、谯二郡太守。左迁睢阳典农校尉，复迁安平、广平太守。青龙二年，入为侍中，迁吏部尚书。齐王即位，赐爵关内侯。曹爽秉权时，徙仆射，出为廷尉，又被枉奏免官，后为光禄勋。曹爽收，行司隶校尉，复为吏部尚书，加奉车都尉，封高乐亭侯，转为仆射，加光禄大夫。高贵乡公即位，进封大梁乡侯，加侍中。正元三年，迁司空，进爵封容城侯。卒谥成侯。（《魏志·卢毓传》卷二十二）《隋书·经籍志》卷三十四："梁又有……《九州人士论》一卷，魏司空卢毓撰。……亡。"

　　胡综生（183—243）。胡综，字伟则，汝南固始（今河南息县）人。少孤，随母避难江东。先为金曹从事，拜鄂长，为书部；后为建武中郎将，封亭侯。孙权都建业，为侍中，进封乡侯，兼左右领军。性嗜酒，酒后欢呼极意，或推饮杯觞，搏击左右。"凡自权统事，诸文诰策命，邻国书符，略皆综之所造也"。（《吴志·胡综传》卷六十二）《隋书·经籍志》卷三十五："吴侍中《胡综集》二卷，梁有录一卷。"

　　蒋济约生于此年（183？—249）。按，若以建安十二年（207）蒋济为州别驾时年二十五，则或生于此年。蒋济，字子通，楚国平阿（今安徽怀远西南）人。先仕郡计吏、州别驾，后为丹阳太守、治中、丞相主簿西曹属，转相国长史。文帝时，为东中郎将、散骑常侍、尚书。明帝时，迁中护军、护军将军。齐王时，徙领军将军，迁太尉，封昌陵亭侯。嘉平元年，以诛曹爽进封都乡侯，寻卒，谥景侯。作《三州论》等。（《魏志·蒋济传》卷十四）《隋书·经籍志》卷三十二："（梁又有）《郊丘议》三卷，魏太尉蒋济撰。"同书卷三十四："《蒋子万机论》八卷，蒋济撰。"

公元184年　（汉灵帝刘宏光和七年　中平元年　甲子）

三月

　　灵帝大赦天下党人。（《后汉书·孝灵帝纪》卷八）

　　张超为别部司马，从朱俊讨黄巾。按，事载《后汉书·朱俊列传》卷七十一，《后汉书·孝灵帝纪》卷八谓中平元年三月遣"右中郎将朱俊讨颍川黄巾"，而《后汉书·文苑列传》卷八十下称"从车骑将军朱俊征黄巾"，不妥，因朱俊本传云其中平二年春才"拜右车骑将军"。张超（？—？），字子并，河间鄚（今河北任丘北）人。留侯张良之后。有文才，善草书。灵帝时，从车骑将军朱俊征黄巾，为别部司马。"著赋、颂、碑文、荐、笺、书、谒文、嘲，凡十九篇"。（《后汉书·文苑列传》卷八十下）《隋书·经籍志》卷三十五载："别部司马《张超集》五卷，亡。"严可均《全后汉文》卷八十四收其文六篇。

　　卢植为北中郎将，奉命讨张角。（《后汉书·卢植列传》卷六十四、《后汉书·孝

灵帝纪》卷八）

孔融奉谒贺何进迁大将军，门者不时通，怒而去；河南官属欲追杀之，后止。按，事载《后汉书·孔融列传》卷七十，《后汉书·孝灵帝纪》卷八谓"中平元年……三月戊申，河南尹何进为大将军"，孔融祝贺事当在此时。

陈纪为四府所辟，皆不就。按，《后汉书·陈纪列传》卷六十二："党禁解，四府并命，无所屈就。"按，"党禁解"当指此年三月汉灵帝大赦天下党人，故系于此。

四月

刘陶封中陵乡侯。（《后汉书·刘陶列传》卷五十七、《资治通鉴》卷五十八）

五月

蔡邕作《太尉桥玄碑》《太尉桥玄碑阴》《黄钺铭》。《太尉桥玄碑》："光和七年夏五月甲寅薨。"《太尉桥玄碑阴》："光和七年夏五月甲寅，以太中大夫薨于京师。"按，《后汉书·桥玄列传》卷五十一谓"玄以光和六年卒"，与蔡碑有异，当依蔡碑。《黄钺铭》所记事与《桥玄列传》合，与蔡碑当为同时之作。

六月

卢植破黄巾，围张角于广宗；宦官诬奏卢植，卢植抵罪。（《后汉书·卢植列传》卷六十四、《后汉书·孝灵帝纪》卷八）

高彪卒（？—184）。（惠栋《后汉书补注》卷十八引《外黄令高君碑》）

十一月

蔡邕为马融之女马伦作《司徒袁公夫人马氏碑》。碑云："维光和七年，司徒公夫人马氏薨，其十一月葬。"

十二月

改元中平。（《后汉书·孝灵帝纪》卷八）

是年

赵岐七十六岁，征拜议郎。（《后汉书·赵岐列传》卷六十四及李贤注引《决录注》）

刘陶迁尚书令，拜侍中，徙京兆尹。（《后汉书·刘陶列传》卷五十七）按，刘陶为尚书令、侍中、京兆尹乃此年四月封侯至明年十月自杀间事，姑系此年（四月以后）。

应奉约于此年卒，年约六十五（120？—184？）。按，应奉卒年不详，《后汉书·应奉列传》卷四十八云"及党事起，奉乃慨然以疾自退。追愍屈原，因以自伤，著

《感骚》三十篇，数万言。诸公多举荐，会病卒"，疑诸公举荐乃党锢解后之事，应奉或卒于此年前后。

郑玄五十八岁，注毕《古文尚书》《毛诗》《论语》，又撰《毛诗谱》《论语释义》《仲尼弟子目》。（《唐会要》卷七十引《郑君自序》）

荀爽五十七岁，被王允辟为从事。（《后汉书·王允列传》卷六十六）

孔融三十二岁，应何进辟，为侍御史，以与赵舍不合，托病归；被王允辟为从事。（《后汉书·王允列传》卷六十六、《后汉书·孔融列传》卷七十）按，孔融此年三月贺何进迁大将军，门者通报迟延，使其怒而去，何进以官报怨，当在此月后不久。王允聘其为从事，疑在其托病归家之后。

曹操三十岁，拜骑都尉，击颍川黄巾；迁济南相。按，《魏志·武帝纪》卷一称曹"光和末，黄巾起。拜骑都尉，讨颍川贼"；《魏志·武帝纪》卷一裴注引《魏武故事》称建安十五年"公十二月己亥令曰'……故在济南，始除残去秽，平心选举，违迕诸常侍。……故以病还。去官之后，年纪尚少，顾视同岁中，年有五十，未名为老，内自图之：从此却去二十年，待天下清，乃与同岁中始举者等耳'"，然则其相济南时年方而立，为骑都尉与济南相均在此年。

徐干十四岁，始发奋读经。《中论序》："年十四，始读《五经》，发愤忘食，下帷专思，以夜继日。父恐其得疾，常禁止之。"

甄皇后三岁，丧父。（《魏志·后妃传》卷五）

民间有《皇甫嵩歌》《贾父歌》。（《后汉书·贾琮列传》卷三十一、《后汉书·皇甫嵩列传》卷七十一）

公元 185 年　　（汉灵帝刘宏中平二年　乙丑）

二月

蔡邕作《太尉刘宽碑》。碑云："中平二年二月丁卯薨。"

四月

蔡邕作《范丹碑》。碑云："中平二年四月卒。"

九月

孔融辟司空掾。（《后汉书·孔融传》卷七十）按，《后汉书·王允列传》卷六十六谓王允此年下狱，中平三年出狱，孔融为从事当以王允入狱而告终。《后汉书·孝灵帝纪》卷八谓杨赐此年九月为司空，孔融见辟为掾，当在此时。

十月

杨修祖父杨赐卒。（《后汉书·孝灵帝纪》卷八）
孔融应大将军何进聘，为府掾。按，本传未载，而《后汉书·文苑列传》卷八十下云"府掾孔融",即谓孔融为大将军府掾,未详何年始任此职,疑其于司空杨赐此年十月卒后即应何进聘,姑系于此。

王朗以师杨赐死弃官行服。(《魏志·王朗传》卷十三)

蔡邕作《太尉杨赐碑》《赤泉侯五世像赞》。按,严可均《全后汉文》卷七十四注谓"《御览》七百五十引孙畅之《述画》曰:汉灵帝诏蔡邕图赤泉侯杨喜五世将相形像于省中,又诏邕为赞,仍令自书之。邕文、画、书,于时独擅。案《历代名画记》以赵岐、刘衷、蔡邕、张衡并列,今人不复知有蔡画矣";张彦远《历代名画记》卷四以"赤泉侯五世"为"喜、震、叔节、赐、彪"。然既云"汉灵帝诏蔡邕图赤泉侯杨喜五世将相形像",杨彪出任司空、司徒时灵帝已经驾崩,于灵帝生前难入"将相"之列。蔡邕初平三年见杀,在献帝朝仅三年,此三年间,献帝幼弱,董卓擅权,杨彪因与其迁都之议相左而免三公之位,当无图画其像之可能。以下条张超《杨四公颂》例之,蔡赞"五世"疑为"四世"之讹,且亦当为此时之作。

张超作《杨四公颂》。按,"杨四公"盖指杨喜、杨震、杨秉(叔节)、杨赐四人,张颂当与蔡邕作杨赐碑、图赞杨门将相同时。

刘陶征为谏议大夫;上疏陈要急八事,被谗下狱,闭气自杀(? — 185)。按,《后汉书·孝灵帝纪》卷八云:(中平二年)"冬十月……谏议大夫刘陶坐直言,下狱死。"谏议大夫未知此年何月所任,姑系此时。

是年

赵岐七十七岁,补长史。按,《后汉书·赵岐列传》卷六十四云"车骑将军张温西征关中,请补长史",《后汉书·孝灵帝纪》卷八谓张温中平二年八月"为车骑将军,讨北宫伯玉",赵岐补长史疑在此年八月以后。

应劭或于此年为太尉属,作《鲜卑胡市议》;与韩卓反复相难,百官皆从应劭议。按,《后汉书·应劭列传》卷四十八载中平二年应劭与大将军掾韩卓就募鲜卑事相互论难,并系于"辟车骑将军何苗掾"后,然何苗中平四年始为车骑将军,时序显然有误。与韩卓驳辩时自然须有官职在身,其文《鲜卑胡市议》曰"太尉属应劭等议……",太尉属或即此时应劭之职,姑系于此。

夏侯霸约于此年生(185? — 259?)。按,《魏志·夏侯渊传》卷九裴注引《魏略》谓建安五年(200)夏侯霸从妹年十三四为张飞得为妻,姑以夏侯霸长其二岁,则约生于此年。夏侯霸,字仲叔,沛国谯(今安徽亳县)人。夏侯渊子。官偏将军,赐爵关内侯,后为讨蜀护军右将军,进博昌亭侯。曹爽诛,惧而奔蜀。以其从妹子为后主皇后,遂见厚遇,封车骑将军、征北将军。(《魏志·夏侯渊传》卷九及裴注引《魏略》)《隋书·经籍志》卷三十五:"梁……又有……征北将军《夏侯霸集》二卷,亡。"

公元 186 年　　(汉灵帝刘宏中平三年　丙寅)

八月

蔡邕作《陈寔碑》。碑云:"中平三年八月丙午遭疾而终。"按,《后汉书·陈寔列传》卷六十二云陈寔"中平四年，年八十四，卒于家"，姑从蔡邕碑记。

是年

赵岐七十八岁，为何进举为敦煌太守，赴任途中陷贼手，后逃回长安。按，《后汉书·赵岐列传》卷六十四云："大将军何进举为敦煌太守，行至襄武，岐与新除诸郡太守数人俱为贼边章等所执，贼欲胁以为帅，岐诡辩得免，展转还长安。"《后汉书·董卓列传》卷七十二谓边章中平三年冬被韩遂所杀，赵岐被执必在去岁八月为长史后、此年冬前，姑系于此。

郑玄六十岁，大将军何进辟之，州郡不敢违意，迫郑玄诣之；何进礼待甚优，郑玄不受朝服，而以幅巾见，一宿逃去。按，事载《后汉书·郑玄列传》卷三十五，其后接云"时年六十"，故知为此年事。

王朗举孝廉，辟公府，不应。按，《魏志·王朗传》卷十三谓其中平二年为师弃官行服，疑以此原因不应，姑系于此。

许靖约三十五岁，或于此年察孝廉，除尚书郎。按，本传谓灵帝崩，与吏部尚书周毖共谋议进天下之士，时当为尚书郎，姑以其年三年前任此职。

曹操三十二岁，在济南相任，其《度关山》或作于此年前后。按，是诗写"劳民为君，役赋其力"，见出曹操施政牧民的政治准则，似作于颇有政绩的济南相任上，姑系于此。

应劭举高第，此年或为御史。按，《后汉书·应劭列传》卷四十八云"三年，举高第"，后任何职未详，颜师古《汉书叙例》称"应劭……后汉萧令、御史、营令、泰山太守"，或在此年为御史。

颍容或于此年郡举孝廉、州辟、公车征，皆不就。按，事载《后汉书·儒林列传》卷七十九下，未详其年，《后汉书·孝灵帝纪》卷八谓杨赐中平二年十月卒，颍容受征或在其师杨赐卒后，姑系于此。

张纮三十岁，此年前后举茂才，大将军何进辟之，不就。按，《吴志·张纮传》卷五十三裴注引《吴书》云"大将军何进……辟为掾……称疾不就"，《后汉书·孝灵帝纪》卷八谓"中平元年……三月，以河南尹何进为大将军。……六年……八月戊辰，中常侍张让、段珪杀大将军何进"，何进辟张纮当在此六年内，确年未详，姑取其中，系于此年。

管宁二十九岁，避乱辽东，庐于山谷。按，《资治通鉴》卷六十一谓在初平二年，误。《魏志·管宁传》卷十一载太仆陶丘一等举荐管宁时谓其"中平之际，黄巾陆梁，华夏倾荡，王纲弛顿。遂避时难，乘桴越海，羁旅辽东三十余年"，是知去辽东在中平年间；又云其"黄初四年……公车特征，振翼遐裔，翻然来翔"，是知自辽东归在黄初四年（223）；裴注引《傅子》又谓"宁在辽东，积三十七年乃归"，自黄初四年上推三十七年，至中平三年（186），正为其避乱之年。

蔡琰十六岁，适河东卫仲道。按，《后汉书·列女传》卷八十四云其"适河东卫仲道"，其年未详，姑定在初平元年被掳四年前。丁廙《蔡伯喈女赋》称"在华年之二八，披邓林之曜鲜。……当三春之嘉月，时将归于所天"，则蔡琰出嫁时十六岁。

缪袭生（186—245）。缪袭，字熙伯，东海兰陵（今属山东）人。辟御史大夫府，历事魏四世，官至尚书、光禄勋。有才学，多所撰述。（《魏志·王粲传》卷二十一裴注引《文章志》）《隋书·经籍志》卷三十三："《列女传赞》一卷，缪袭撰。"同书卷三十四："《皇览》一百二十卷，缪袭等撰。"同书卷三十五："魏散骑常侍《缪袭集》五卷，梁有录一卷。"严可均《全三国文》卷三十八收其文十四篇，丁福保《全三国诗》卷三收其诗十三首。

公元 187 年 （汉灵帝刘宏中平四年　丁卯）

春夏

陈纪丧父（陈寔）。按，《后汉书·陈寔列传》卷六十二谓陈纪父陈寔"中平四年，年八十四，卒于家"，以陈纪中平六年九月为五官中郎将一职观之，陈纪父当卒于此年上半年。

十一月

曹操父大司农曹嵩为太尉。（《后汉书·孝灵帝纪》卷八）

冬

曹丕生于谯（187—226）。曹丕，字子桓，沛国谯（今安徽亳县）人。曹操次子，曹植兄。年八岁，能属文。有逸才，博贯古今经传百家之书。善骑射，好击剑。建安十六年，为五官中郎将、副丞相；建安二十二年，立为太子。曹操卒，嗣位为丞相、魏王。汉献帝禅让，曹丕登皇帝位，史称魏文帝。在位七年，病卒。其人"好文学，以著述为务，自所勒成垂百篇。又使诸儒撰集经传，随类相从，凡千余篇，号曰《皇览》"。（《魏志·文帝纪》卷二）《隋书·经籍志》卷三十三："《列异传》三卷，魏文帝撰。"同书卷三十四："《典论》五卷，魏文帝撰。""《士操》一卷，魏文帝撰。"同书卷三十五："《魏文帝集》十卷，梁二十三卷。"张溥辑有《魏文帝集》二卷。严可均《全三国文》卷四至卷八收其文一百六十六篇，丁福保《全三国诗》卷一收其诗四十四首。张溥："曹子桓生长戎旅之间，善骑马，左右射，又工击剑弹棋，伎能戏弄，不减若父。其诗歌文辞，仿佛上下，即不堪弟畜陈思，为孟德大儿，固有余也。魏王帝业无足称，惟令宦人为官，不得过诸署令；诏群臣家不得奏事太后；后族家不得当辅政任，石室金策，可宝万世。彼亲见汉室炎隆，女主中人手扑灭之，麦秀黍离，恫伤心目。霸朝初创，力更旧辙，至待山阳公以不死，礼遇汉老臣杨彪，不夺其志，盛德之事，非孟德可及。当日符命献谀，玺绶被躬，群众推奉，时与势迫。倘建安君臣有能为武庚、比干者，或观望却步，竟保常节，未可知也。《典论自序》，善述生平，《论文》一篇，直自言所得。《与王朗书》，务立不朽于著述间，不肯以七尺一棺毕其生死。雅慕汉文，没而得谥，良云厚幸。占其志趣，亦古诸侯之博闻者也。甄后《塘

上），陈王《豆歌》，损德非一，崇华首阳，有余恨焉。"（《汉魏六朝百三家集·魏文帝集题词》）

是年

郑玄六十一岁，丧父；教授弟子，弟子自远方至者数千。按，《后汉书·郑玄列传》卷三十五云"时年六十，弟子河内赵商等自远方至者数千。后将军袁隗表为侍中，以父丧不行"，年六十，为中平四年事，其年何进辟之，郑玄去后逃归，知其父尚在；袁隗后将军职至中平六年四月灵帝崩后易为太傅，其表郑玄而郑父丧，盖其四年丧父，袁隗表其时乃在行服耳。

蔡邕五十六岁，作《议郎胡公夫人哀赞》。赞云："中平四月薨于京师。"

应劭辟车骑将军何苗掾。按，《后汉书·应劭列传》卷四十八将应劭辟车骑将军何苗掾事列于"中平二年"之前，然《后汉书·孝灵帝纪》卷八谓何苗中平四年三月拜为车骑将军，六年八月见杀，故应劭拜掾当在此期间，姑系于此年。

士燮五十一岁，为交阯太守。按，《吴志·士燮传》卷四十九云"迁交阯太守"，日本三省堂编修所编《简明世界年表》谓其此年为太守，姑从之。

曹操三十三岁，去官归乡。按，《魏志·武帝纪》称"久之，征还为东郡太守，不就，称疾归乡里"，裴注引《魏书》云"太祖不能违道取容，数数干忤，恐为家祸，遂乞留宿卫。拜议郎，常托疾病，辄告归乡里。筑室城外，春夏习读书传，秋冬弋猎，以自娱乐"，考曹自济南相升迁为东郡太守，当基于当时考绩制度，崔寔《政论》谓"汉法亦三年壹察治状"，治绩佳者予以升迁。曹任济南相时，如裴注引《魏书》所云，"政教大行，一郡清平"，故征还为东郡太守，当为其任满三年政绩佳好的升职，姑系于此年。

崔琰二十九岁，就郑玄受学。（《魏志·崔琰传》卷十二）

公元188年 （汉灵帝刘宏中平五年 戊辰）

三月

蔡邕应豫州刺史请，作《陈寔碑》。碑云："维中平五年春三月癸未，豫州刺史典以褒功述德，政之大经……乃树碑镌石。"

四月

曹操父曹嵩罢太尉。（《后汉书·孝灵帝纪》卷八）

六月

冀州刺史王芬等谋废汉灵帝，曹操不从其谋，作《拒王芬辞》。（《魏志·武帝纪》卷一、《资治通鉴》卷五十九）

华歆劝止同乡陶丘洪参与王芬废帝阴谋。按，事载《魏志·华歆传》卷十三，王芬此时谋废帝。

八月

曹操出任西园新军典军校尉。（《魏志·武帝纪》卷一及李贤注引乐资《山阳公载记》）

九月

汉灵帝下诏以荀爽、郑玄、陈纪等十四人各补博士，皆不至。（《后汉书·申屠蟠列传》卷五十三、《后汉纪》卷二十五）

十月

郑玄与门人避难不其山，以缺粮而遣散诸生。按，《魏志·崔琰传》卷十二云"徐州黄巾贼攻破北海，玄与门人到不其山避难。时谷籴县乏，玄罢谢诸生"，黄巾攻破北海，当为《后汉书·孝灵帝纪》卷八所谓"（中平）五年……冬十月，青、徐黄巾复起"事。

崔琰师从郑玄，未满一年，此后四年间周旋青、徐、兖、豫之郊，东下寿春，南望江、湖；作《述初赋》。（《魏志·崔琰传》卷十二）按，崔赋述其周游事，当作于此后四年间，姑系于此。

是年

郑玄六十二岁，后将军袁隗表为侍中，以父丧不行。按，事载《后汉书·郑玄列传》卷三十五，袁隗翌年四月迁太傅，表郑玄疑在此年。

王朗为大将军何进府掾。按，《后汉书·文苑列传》卷八十下云"（边让）署令史。……府掾孔融、王朗并修刺候焉"，《魏志·王朗传》卷十三谓其中平二年为师弃官行服，则任府掾当在三年后，故系此年。

边让署大将军何进令史。《后汉书·文苑列传》卷八十下："大将军何进闻让才名，欲辟命之，恐不至，诡以军事征召。既到，署令史，进以礼见之。让善占射，能辞对，时宾客满堂，莫不羡其风。府掾孔融、王朗并修刺候焉。"按，王朗此年为何进府掾，则边让署何进令史当在此年。边让（？—198？），字文礼，陈留浚仪（今河南开封）人。少辩博，能属文，善占射，能辞对。大将军何进闻其才名，署令史。后以高才擢进，屡迁，出为九江太守。初平中，去官还家。恃才不逊，对曹操多有轻侮之言，终被曹操所杀。文多遗失，存《章华赋》，"虽多淫丽之辞，而终之以正，亦如相如之讽也"。（《后汉书·文苑列传》卷八十下）

蔡邕五十七岁，作《与何进书荐边让》，谓边让"天授逸才，聪明贤智"，喻其为"未受牺牛大羹之和，久在煎熬鼎割之间"的"宝鼎"。《后汉书·文苑列传》卷八十下："议郎蔡邕深敬之，以为让宜处高任，乃荐于何进曰：'……窃见令史陈留边让，天授英才，聪明贤智。髫龀凤孤，不尽家训。及就学庐，便受大典。初涉诸经，见本知义，授者不能对其问，章句不能逮其意。心通性达，口辩辞长。非礼不动，非法不言。若处狐疑之论，定嫌审之分，经典交至，捡括参合，众夫寂焉，莫之能夺也。使让生在唐虞，则元凯之次；运值仲尼，则颜、冉之亚，岂徒俗之凡偶近器而已者哉！阶级名位，亦宜超然。若复随辈而进，非所以章瑰伟之高价，昭知人之绝明也。传曰："函牛之鼎以亨鸡，多汁则淡而不可食，少汁则熬而不可熟。"此言大器之于小用，固有所不宜也。邕窃悄邑，怪此宝鼎未受牺牛大羹之和，久在煎熬脔割之间。愿明将军回谋垂虑，裁加少纳，贡之机密，展之力用。若以年齿为嫌，则颜回不得贯德行之首，子奇终无理阿之功。苟堪其事，古今一也。'"按，蔡邕荐书中称"令史陈留边让"，则必作于边让已署何进令史之后，而何进明年八月见杀，则蔡书当作于此年边让署令史至明年八月之间，姑系于此。

应劭迁营陵令，作《营陵令到官移书申约吏民》。按，《后汉书·应劭列传》卷四十八云"再迁；六年，拜太守太守"，"再迁"后未云何职，侯康《后汉书补注续》称："《意林》引《风俗通》曰：'余为营陵令，五月迁太山守。'"然则所迁当为营陵令，且距拜太山太守仅五个月。

公元189年 （汉灵帝刘宏中平六年 汉少帝刘辩光熹元年 昭宁元年 汉献帝刘协永汉元年 己巳）

春

华歆举孝廉，除郎中，以病去官。按，《魏志·华歆传》卷十三叙此事于去岁六月劝止陶丘洪参与废灵帝谋与此年四月灵帝崩之间，故去官必在去岁秋冬或今春，姑系于此。

四月

汉灵帝刘宏崩，年三十四岁（156—189）。（《后汉书·孝灵帝纪》卷八）

皇子刘辩即位，年十四，是为汉少帝。皇太后何氏临朝，改元光熹。（《后汉书·孝灵帝纪》卷八）

应劭拜太山太守。按，《后汉书·应劭列传》卷四十八云"六年，拜太山太守"，据《意林》引《风俗通》，距前职营陵令仅五个月，则至迟于五月前迁此职。

七月

陈琳为何进主簿，谏其召四方兵进京。（《后汉书·何进列传》卷六十九、《资治通鉴》卷五十九）

卢植谏止大将军何进召董卓，何进不从。（《后汉书·卢植列传》卷六十四、《资治通鉴》卷五十九）

八月

张让等劫汉少帝、陈留王，夜走小平津，尚书令卢植追及，诛杀张让等。（《后汉书·孝灵帝纪》卷八）

汉少帝刘辩还宫，改元昭宁。（《后汉书·孝灵帝纪》卷八）

蔡邕为司空董卓所辟，三日之间，周历三台。（《后汉书·蔡邕列传》卷六十下、《资治通鉴》卷五十九）

阮瑀为蔡邕饯行于燕子陂。按，明嘉靖《尉氏县志》卷四称蔡相公庙断碑云"蔡邕赴洛，其徒阮瑀辈饯之于此"，饯行事当在此月蔡邕赴洛途中。

九月

董卓废汉少帝刘辩为弘农王，立陈留王刘协，时年九岁，是为汉献帝；改元永汉。（《后汉书·孝灵帝纪》卷八、《后汉书·孝献帝纪》卷九）

卢植抗议废立，董卓怒欲杀之，蔡邕等求情；卢植免官，隐居上谷；立黉肆教授。（《后汉书·卢植列传》卷六十四、《资治通鉴》卷五十九、王先谦《后汉书集解》引乐史引《后汉书》）

荀爽征为平原相。按，董卓征荀爽、陈纪等事，《资治通鉴》卷五十九系于此年十二月，然《后汉书·荀爽列传》卷六十二云"献帝即位，董卓辅政，复征之。……因复就拜平原相。行至宛陵，复追为光禄勋。视事三日，进拜司空。爽自被征命及登台司，九十五日"，《后汉书·孝献帝纪》卷九又谓"（中平六年）十二月戊戌……光禄勋荀爽为司空"，然则荀爽征为平原相，当在十二月的三个月前，董卓此月废少帝，立献帝，自为太尉，命征荀爽等当在此时。

陈纪除服，积毁消瘠，豫州刺史表上尚书，图象百城，以厉风俗；征为五官中郎将。按，除服事载《后汉书·陈纪列传》卷六十二，传谓其父陈寔中平四年（187）卒，除服正在此年。《后汉书·申屠蟠列传》卷五十三谓"明年，董卓废立，蟠及爽、融、纪等复俱公车征"，则陈纪当与荀爽同时被征，《后汉书·陈纪列传》卷六十二又谓"董卓入洛阳，乃使就家拜五官中郎将"，则益证明董卓此年入京后、自为太尉时即征陈纪为五官将。董卓此月为太尉，陈纪为五官将当系此。

孔融拜北军中候，在职三日，迁虎贲中郎将；会董卓废立，因对答忤董卓，转议郎；时北海最受黄巾攻击，董卓乃讽三司同举孔融为北海相。（《后汉书·孔融列传》卷七十）按，"董卓废立"事在此年九月，故孔融迁虎贲中郎将、转议郎、举北海相当在此时。所任三日之"中军候"，《魏志·崔琰传》卷十二作"北军中候"，是。

十月

蔡邕作《荐太尉董卓可相国并自乞闲冗章》；迁巴郡太守，作《巴郡太守谢表》；留为侍中。《后汉书·蔡邕列传》卷六十下："迁巴郡太守，复留为侍中"，《巴郡太守谢表》云"今月丁丑一章自闻乞闲冗"，则表作于同月稍后；而《后汉书·孝献帝纪》

卷九称此年"十一月癸酉，董卓自为相国"，则蔡邕《荐太尉董卓可相国并自乞闲冗章》必作于十一月前，蔡表所言"丁丑"为十月五日，蔡章、迁巴郡太守、蔡表、为侍中盖皆在此月也。

董卓自为丞相，诏除光熹、昭宁、永汉三年号，复称中平六年。

十二月

荀爽拜光禄勋，视事三日，进拜司空。（《后汉书·荀爽列传》卷六十二、《后汉书·孝献帝纪》卷九）

陈纪迁侍中。按，《后汉书·陈纪列传》卷六十二云"到京师，迁侍中"，陈纪当与荀爽一样，在家拜一职，此月到京师后，又升迁新职。

侯谨约于此年征博士，寻卒（？—？）。按，惠栋《后汉书补注》卷十八引王隐《晋书》称"汉末博士侯瑾善内学"，所谓"汉末"，难详其指，姑以灵帝末当之。侯谨，字子瑜，敦煌（今属甘肃）人。少时孤贫，依靠宗人生活。笃学不倦，常以佣作为资，日暮还家，则燃柴以读书。平素以礼要求自身，独处一房，如对严宾。官府累召，称疾不至。河西人敬其才而不敢称其名，皆称之为"侯君"。曾"作《矫世论》讥切当时，而徙入山中，覃思著述。以莫知于世，故作《应宾难》以自寄。又案《汉记》撰中兴以后行事，为《皇德传》三十篇，行于世。余所作杂文数十篇，多亡失"。（《后汉书·文苑列传》卷八十下）《隋书·经籍志》卷三十三："《汉皇德纪》三十卷，汉有道征士侯瑾撰。起光武，至冲帝。"同书卷三十五："（梁……又有）《侯瑾集》二卷。"严可均《全后汉文》卷六十六收其文二篇。

是年

许靖约三十八岁，与吏部尚书周毖共谋议，进退天下之士；迁巴郡太守，不就，补御史中丞。（《蜀志·许靖传》卷三十八）

曹操三十五岁，拒为董卓所封骁骑校尉，间行东归；逃至陈留，起兵己吾，讨董卓。（《魏志·武帝纪》卷一、《资治通鉴》卷五十九）

华歆三十三岁，为尚书郎。（《魏志·华歆传》卷十三）

服虔拜九江太守。（《后汉书·儒林列传》卷七十九下）服虔（？—190?），字子慎，初名重，又名祇，后改虔，河南荥阳（今属河南）人。少时清苦而立志，入太学受业。有雅才，善著文论。举孝廉，拜九江太守，后免官，病卒。作《春秋左氏传解》，又以《左传》驳何休之所驳汉事六十条，"所著赋、碑、诔、书记、《连珠》《九愤》，凡十余篇"。（《后汉书·儒林列传》卷七十九下）《隋书·经籍志》卷三十二："《春秋左氏传解谊》三十一卷，汉九江太守服虔注。……梁有服虔《音》（即《春秋左氏传音》）三卷。……《春秋左氏膏肓释痾》十卷，服虔撰。梁有《春秋汉议驳》二卷，服虔撰，亡。……《春秋成长说》九卷，服虔撰。……《春秋塞难》三卷，服虔撰。……梁有《汉议驳》二卷，服虔撰，亡。……《通俗文》一卷，服虔撰。"同书卷三十三："《汉书音训》一卷，服虔撰。"

徐干十九岁，闭户自守，以六籍娱心。《中论序》："故能未至弱冠，学《五经》，悉载于口；博览传记，言则成章，操翰成文矣。此时灵帝之末年也，国典隳废，冠族子弟结党权门，交援求名，竞相尚爵号。君疾俗迷昏，遂闭户自守，不与之群，以六籍娱心而已。"

刘虞十岁，受司马徽称赞。（《魏志·刘虞传》卷二十一）

京都起"童谣"。《后汉书·五行志一》："灵帝之末，京都童谣曰：'侯非侯，王非王，千乘万骑上北芒。'案到中平六年，史侯登蹑至尊，献帝未有爵号，为中常侍段珪等数十人所执，公卿百官皆随其后，到河上，乃得来还。此为非侯非王上北芒者也。"又："献帝践祚之初，京都童谣曰：'千里草，何青青。十日卜，不得生。'案'千里草'为董，'十日卜'为卓。凡别字之体，皆从上起，左右离合，无有从下发端者也。今二字如此者，天意若曰：卓自下摩上，以臣陵君也。'青青'者，暴盛之貌也；'不得生'者，亦旋破亡。"

京都歌《董逃》。《后汉书·五行志一》："灵帝中平中，京都歌曰：'承乐世董逃，游四郭董逃，蒙天恩董逃，带金紫董逃，行谢恩董逃，整车骑董逃，垂欲发董逃，与中辞董逃，出西门董逃，瞻宫殿董逃，望京城董逃，日夜绝董逃，心摧伤董逃。'案'董'谓董卓也。言虽跋扈，纵其残暴，终归逃窜，至于灭族也。"按，董卓此年被召入京都，当系此年。

第十章

汉献帝初平元年至魏文帝黄初七年（190—226）共37年

·引 言·

刘勰《文心雕龙·时序第四十五》："自献帝播迁，文学蓬转；建安之末，区宇方辑。魏武以相王之尊，雅爱诗章；文帝以副君之重，妙善辞赋；陈思以公子之豪，下笔琳琅。并体貌英逸，故俊才云蒸：仲宣委质于汉南，孔璋归命于河北，伟长从宦于青土，公干徇质于海隅；德琏综其斐然之思，元瑜展其翩翩之乐；文蔚、休伯之俦，于叔、德祖之侣，傲雅觞豆之前，雍容衽席之上，洒笔以成酣歌，和墨以藉谈笑。观其时文，雅好慷慨；良由世积乱离，风衰俗怨，并志深而笔长，故梗概而多气也。"

徐祯卿《谈艺录》："汉魏之交，文人特茂，然衰世叔运，终鲜粹才。孔融懿名，高列诸子，视《临终诗》，大类铭箴语耳。应场巧思逶迤，失之靡靡，休琏《百一》，微能自振，然伤媚焉。仲宣流客，慷慨有怀，西京之余，鲜可诵者。陈琳意气铿铿，非风人度也。阮生优缓有余，刘桢锥角重陬，割曳缀悬，并可称也。曹丕资近美媛，远不逮植，然植之才，不堪整栗，亦有憾焉。"

谢榛《四溟诗话》卷一："诗以汉魏并言，魏不逮汉也。建安之作，率多平仄稳帖，此声律之渐。"

王世贞《艺苑卮言》卷三："当时孔文举为先达，其于文特高雄，德祖次之。孔璋书檄饶爽，元瑜次之。而诗皆不称也。刘桢、王粲，诗胜于文。兼至者独临淄耳。正平、子建直可称建安才子，其次文举，又其次为公干、仲宣。"

胡应麟《诗薮·内编》卷二："建安首称曹、刘。陈王精金粹璧，无施不可。然四言源出《国风》，杂体规模两汉，轨躅具存。第其才藻宏富，骨气雄高，八斗之称，良非溢美。公干才偏，气过词；仲宣才弱，肉胜骨；应、徐、陈、阮，篇什寥寥，间有存者，不出子建范围之内。"

胡应麟《诗薮·外编》卷一："建安中，三、四、五、六、七言、乐府、文赋俱工者，独陈思耳。子桓具体而微，仲宣四言过五言，孔璋七言胜五言，应、刘、徐、阮五言之外，诸体略不复睹，材具高下瞭然。"

王夫之《姜斋诗话》三十："建立门庭，自建安始。曹子建铺排整饰，立阶级以赚人升堂，用此致诸趋赴之客，容易成名。伸纸挥毫，雷同一律。子桓精思逸韵，以绝人攀跻，故人不乐从，反为所掩。子建以是压倒阿兄，夺其名誉。实则子桓天才骏发，岂子建所能压倒耶?"

公元 190 年　（汉献帝刘协初平元年　庚午）

正月

弘农王刘辩（汉少帝）作《悲歌》，饮药自杀，年十八（173—190）。（《后汉书·孝献帝纪》卷九、《后汉书·皇后纪》卷十下）

唐姬抗袖而歌。（《后汉书·皇后纪》卷十下）唐姬（?—?），弘农王刘辩妃。颍川（今河南许昌）人。刘辩死，不嫁。有歌一首。（《后汉书·皇后纪》卷十下）

曹操行奋武将军。（《魏志·武帝纪》卷一）

二月

许靖惧董卓诛，投奔豫州刺史孔伷。按，本传叙其事在董卓杀周毖后，周毖以韩馥等兵讨董卓而见杀，《资治通鉴》卷五十九系于此年二月，是。

陈纪出为平原相，往谒董卓，劝其勿迁都长安。按，事载《后汉书·陈纪列传》六十二，当在其去岁为侍中后，此年二月迁都前，姑系于此。

蔡邕从汉献帝迁都至长安。按，《后汉书·蔡邕列传》卷六十下云"从献帝迁都长安"，迁都长安，《后汉书·孝献帝纪》卷九谓在初平元年二月。

三月

蔡邕拜左中郎将，封高阳乡侯；作《告迁都祝嘏辞》《让高阳乡侯章》等。《后汉书·蔡邕列传》卷六十下："初平元年，拜左中郎将，从献帝迁都长安，封高阳县侯。"按，《让高阳乡侯章》自然作于封侯后，章云"既至旧京，出备郎将"，拜左中郎将当在至长安后，本传语序有误，迁将封侯均在三月。《告迁都祝嘏辞》云"乃以三月丁亥来自雒，越三日丁巳至于长安"，三月无"丁亥"，"丁亥"为二月十七日，"三"疑为"二"之讹；"丁巳"，《后汉书·孝献帝纪》卷九作"乙巳"，为三月五日。

曹操讨董卓，败于荥阳，身中流矢；进屯河内。袁绍等谋立刘虞为帝，曹操拒之，作《答袁绍》。（《魏志·武帝纪》卷一及裴注引《魏书》）

王粲徙长安，谒蔡邕，蔡邕倒履相迎，又赠书数车。《魏志·王粲传》卷二十一："献帝西迁，粲徙长安，左中郎将蔡邕见而奇之。时邕才学显著，贵重朝廷，常车骑填巷，宾客盈坐。闻粲在门，倒屣迎之。粲至，年既幼弱，容状短小，一坐尽惊。邕曰：'此王公孙也，有异才，吾不如也。吾家书籍文章，尽当与之。'"《魏志·钟会传》卷二十八裴注引《博物记》："蔡邕有书近万卷，末年载数车与粲。"按，献帝君臣迁都，此年三月至长安，王粲当于三月以后徙长安见蔡邕，然后有受赠书事，姑系于此。

五月

荀爽卒，年六十三（128—190）。（《后汉书·荀爽列传》卷六十二）

351

杨修作《司空荀爽述赞》。

是年

赵岐八十二岁，复拜议郎。（《后汉书·赵岐列传》卷六十四）

郑玄六十四岁，公卿举其为赵相，道断不至。按，事载《后汉书·郑玄列传》卷三十五，事前叙"董卓迁都长安"，《后汉书·孝献帝纪》卷九谓迁都在此年，故其举赵相当在此年。

服虔约卒于此年（？—190？）。按，《后汉书·儒林列传》卷七十九下云"免，遭乱行客，病卒"，年月未详，此年前后正为董卓弄权、天下汹汹之时，服虔遭乱病卒客中，或在此际。

孔融三十八岁，抵北海郡后，起兵与黄巾战，失利；复纠集吏民，更置城邑，立学校，表显儒术，举荐贤良，命名郑玄所居乡为"郑公乡"，门为"通德门"；作《告高密相立郑公乡教》《缮治郑公宅教》《答王修教》《重答王修》《喻邴原举有道书》《遣问邴原书》《教高密令》《告昌安县教》。《后汉书·孔融列传》卷七十："融到郡，收合士民，起兵讲武，驰檄飞翰，引谋州郡。贼张饶等群辈二十万众从冀州还，融逆击，为饶所败，乃收散兵保朱虚县。稍复鸠集吏民为黄巾所误者男女四万余人，更置城邑，立学校，表显儒术，荐举贤良郑玄、彭璆、邴原等。郡人甄子然、临孝存知名早卒，融恨不及之，乃命配食县社。其余虽一介之善，莫不加礼焉。郡人无后及四方游士有死亡者，皆为棺具而敛葬之。"《后汉书·郑玄列传》卷三十五："国相孔融深敬于玄，屣履造门。告高密县为玄特立一乡，曰：'昔齐置"士乡"，越有"君子军"，皆异贤之意也。郑君好学，实怀明德。昔太史公、廷尉吴公、谒者仆射邓公，皆汉之名臣。又南山四皓有园公、夏黄公，潜光隐耀，世嘉其高，皆悉称公。然则公者仁德之正号，不必三事大夫也。今郑君乡宜曰"郑公乡"。昔东海于公仅有一节，犹或戒乡人侈其门闾，矧乃郑公之德，而无驷牡之路！可广开门衢，令容高车，号为"通德门"。'"按，《告高密相立郑公乡教》《缮治郑公宅教》均为设"郑公乡"令高密相王修事，当作于此年。又，《魏志·王修传》卷十一谓"初平中"王修"守高密令"，裴注"《融集》有融《答修教》"、"修重辞，融答曰"，则指孔融之《答王修教》《重答王修》，当亦为孔融抵北海郡后事，姑系于此。《魏志·崔琰传》卷十二裴注引《续汉书》谓孔融任北海相后以"邴原为有道"，《喻邴原举有道书》《遣问邴原书》当亦作于此时。《教高密令》《告昌安县教》亦为其时令其下属之作。

陈琳约三十七岁，避难冀州，袁绍使典文章。（《魏志·王粲传》卷二十一）

曹操三十六岁，其《薤露》诗或作于此年。按，《薤露》诗称"荡覆帝基业，宗庙以燔丧。播越西迁移，号泣而且行"，言董卓迁汉帝于长安、焚烧洛阳宫室，正为此年事。

华歆三十四岁，避西京之乱，途中救人；在穰为袁术所留。《魏志·华歆传》卷十三："董卓迁天子长安，歆求出为下邽令，病不行，遂从蓝田至南阳。时袁术在穰，留歆。"裴注引华峤《谱叙》："歆少以高行显名。避西京之乱，与同志郑泰等六七人，闲步出武关。道遇一丈夫独行，愿得俱，皆哀欲许之。歆独曰：'不可。今已在危险之中，祸福患害，义犹一也。无故受人，不知其义；既已受之，若有进退，可中弃乎！'众不忍，卒与俱行。此丈夫中道堕井，皆欲弃之。歆曰：'已与俱矣，弃之不义。'相率共还出之，而后别去。众乃大义之。"按，"董卓迁天子长安"，《后汉书·孝献帝纪》卷九谓在此年。

张纮三十四岁，或于此年为司空荀爽所辟，不就。按，事载《吴志·张纮传》卷五十三裴注引《吴书》，《后汉书·孝献帝纪》卷九谓"中平六年……十二月戊戌……光禄勋荀爽为司空。……初平元年……夏五月，司空荀爽薨"，司空荀爽辟张纮当在此半年内，姑系于此。

徐干二十岁，自京归乡，避地海表。《中论序》："于时董卓作乱，劫主西迁，奸雄满野，天下无主。圣人之道息，邪伪之事兴，营利之士得誉，守贞之贤不彰，故令君誉闻不振于华夏，玉帛安车不至于门。考其德行文艺，实帝王之佐也。道之不行，岂不惜哉！君避地海表，自归旧都。"

卢植被袁绍请为军师。《后汉书·卢植列传》卷六十四云"遂隐于上谷，不交人事。冀州牧袁绍请为军师"，隐居上谷为中平六年事，王先谦《后汉书集解》称"乐史引《后汉书》云：植隐居上谷军都山，立黉肆教授，好学者自远方而至"，如隐居时设帐授徒，至请为军师恐尚有一段时间，故为军师事宜系此年。

王朗察茂才，为徐州刺史陶谦治中。按，《魏志·王朗传》卷十三云"时汉帝在长安，关东兵起，朗为谦治中"，《后汉书·孝献帝纪》卷九谓献帝此年迁长安，关东曹操等起兵讨董卓，王朗为治中当在此年。

蔡琰二十岁，为胡兵所掳，此后陷于南匈奴十二年，与左贤王生二子。《后汉书·列女传》卷八十四："兴平中，天下丧乱，文姬为胡骑所获，没于南匈奴左贤王，在胡中十二年，生二子。"按，据蔡琰《悲愤诗》，其被胡人掠去当为董卓强迫迁都时之事，或至少为董卓未死时之事。前者为初平元年（190），后者下限为初平三年（192），《列女传》谓事在"兴平中"，当误。姑系在初平元年。

缪袭五岁，其父缪斐为名儒，举任侍中，不就。（《魏志·王粲传》卷二十一裴注引《先贤行状》）

应璩生（190—252）。应璩，字休琏，汝南南顿（今河南项城西南）人。应玚从弟。魏文帝、明帝时，历官散骑常侍；齐王时，迁侍中、大将军长史；后复为侍中，典著作。为人博学，好属文，工书记。曹爽擅权，应璩作《百一诗》以讽。魏嘉平四年（252）卒，赠卫尉。（《魏志·王粲传》卷二十一裴松之注引《文章叙录》）《隋书·经籍志》卷三十五："魏卫尉卿《应璩集》十卷，梁有录一卷。"张溥辑有《应休琏集》。严可均《全三国文》卷三十收其文四十四篇。丁福保《全三国诗》卷三收其诗七首。张溥："《德琏集》鲜书记，世所传者，止《报庞公》一牍耳。休琏书最多，俱秀绝时表。列诸辞令之科，陈孟公、王景兴其人也。德琏善赋，篇目最多，取方弟书，文藻不敌。诗虽比肩，亦觉《百一》为长，休琏火攻，良可畏也。魏祖二十二年，徐、陈、应、刘，一时俱逝，曹子桓辄申痛惜。德琏周旋时主，年位较远，规讽曹爽，殷勤指谕，忧患存焉。汝南应氏，世济文雅，德琏幸遇子桓，时可著书，忽化蒿莱，美志不遂。休连历事二主，喉舌可舒，而世无赏音，义存优孟，嗟乎命也！机、云著声入洛，载、协齐名王府，原其风流，二应为始，低回建章，仰送朝雁，予尤善其足传尔。"（《汉魏六朝百三家集·应德琏休琏集题词》）

无名文人作"古诗"，《古诗十九首》为其揭橥。按，萧统《文选》收录无主名"古诗"中之十九首，后世遂谓之《古诗十九首》。是组诗创作年代，学界大体断在汉季。刘勰："……古诗佳丽，或称枚叔，其《孤竹》一篇，则傅毅之词，比采而推，两汉之作乎？观其结体散文，直而不野，婉转附物，怊怅切情，实五言之冠冕也。"（《文心雕龙·明诗》）钟嵘："古诗眇邈，人世难详，推其文体，固是炎汉之制，非衰周之倡也。自王、杨、枚、马之徒，词赋竞爽，而吟咏靡闻。从李都尉迄班婕妤，将百年间，有妇人焉，一人而已。诗人之风，顿已缺丧。东京二百载中，惟有班固《咏史》，质木无文。"（《诗品·总论》）又："其体源出于《国风》。陆机所拟十四首。文温以丽，意悲而远，惊心动魄，可谓几乎一字千金！其外'去者日以疏'四十五首，虽多哀怨，颇为总杂，旧疑是建安中曹、王所制。'客从远方来'、'橘柚垂华实'，亦为惊绝矣！人代冥灭，而清音独远，悲夫！"（《诗品·古诗》卷上）李善："（《古诗十九首》）五言，并云古诗，盖不知作者，或云枚乘，疑不能明也。诗云'驱车上东门'，又云'游戏宛与洛'，此则词兼东都，非尽是乘，明矣。昭明以失其姓氏，故编在李陵之上。"（《文选》卷二十九注）释皎然："《十九首》辞精义炳，婉而成章，始见作用之功。盖东汉之文体。"（《诗式·李少卿并古诗十九首》）陈绎曾："情真，景真，事真。澄至清，发至情。"（《诗谱·古诗十九首》）谢榛："《古诗十九首》，平平道出，且无用工字面，若秀才对朋友说家常话，略不作意。"（《四溟诗话》卷三）又："诗自苏、李五言暨《十九首》，格古调高，句平意远，不尚难字，而自然过人矣。"（《四溟诗话》卷四）王世贞："……《古诗十九》，人谓无句法，非也。极自有法，无阶级可寻耳。"（《艺苑卮言》卷一）王世懋："余谓《十九首》，五言之《诗经》也。"（《艺圃撷余》）胡应麟："诗之难，其《十九首》乎！畜神奇于温厚，寓感怆于和平；意愈浅愈深，词愈近愈远；篇不可句摘，句不可字求。盖千古元气，钟孕一时，而枚、张诸子，以无意发之，故能诣绝穷微，掩映千古。世以晚近之才，一家之学，步其遗响，即国工大匠，且瞠乎后，况其余者哉！……古诗短体如《十九首》，长篇如《孔雀东南飞》，皆不假雕琢，工极天然。百代而下，当无继者。"（《诗薮·内编》卷二）陆时雍："《十九首》近于赋而远于风，故其情可陈，而其事可举也。虚者实之，纡者直之，则感寤之意微，而陈肆之用广矣。夫微而能通，婉而可讽者，风之为道美也。"（《诗镜总论》）陈祚明："《十九首》所以为千古至文者，以能言人同有之情也。人情莫不思得志，而得志者有几？虽处富贵，慊慊犹有不足，况贫贱乎？志不可得而年命如流，谁不感慨？人情于所爱，莫不欲终身相守，然谁不有别离？以我之怀，思猜彼之见弃，亦其常也。夫终身相守者，不知有愁，亦复不知其乐，乍一别离，则此愁难已。逐臣弃妻与朋友阔绝，皆同此旨。故《十九首》难此二意，而低回反复，人人读之皆若伤我心者。此诗所以为性情之物，而同有之情，人人各具，则人人本自有诗也。但人人有情而不能言，即能言而言不能尽，故特推《十九首》以为至极。……《十九首》善言情，惟是不使情为径直之物，而必取其宛曲者以写之，故言不尽而情则无不尽。后人不知，但谓《十九首》以自然为贵，乃其经营惨淡，则莫能寻之矣。"（《采菽堂古诗选》卷三）沈德潜："《古诗十九首》，不必一人之辞、一时之作。大率逐臣弃妻，朋友阔绝，游子他乡，死生新故之感。或寓言，或显言，或反复言。初无奇辟之思，惊险之句，而西京古诗，皆在其下，是为《国风》之遗。"（《说诗晬语》）

公元 191 年 　（汉献帝刘协初平二年　辛未）

六月

蔡邕对董卓问地震事。（《后汉书·蔡邕列传》卷六十下）

七月

曹操为东郡太守。（《魏志·武帝纪》卷一）

荀彧率宗族至冀州从袁绍，旋赴东郡从曹操。按，《魏志·荀彧传》卷十云："彧独将宗族至冀州。……彧度绍终不能成大事，时太祖为奋武将军，在东郡，初平二年，彧去绍从太祖。"《资治通鉴》卷六十系于初平三年，今从《魏志》。

曹操得荀彧，大悦曰"吾之子房也"，以为司马。（《魏志·荀彧传》卷十）

十一月

应劭在太山太守任，击败黄巾义军三十万众于郡界。（《后汉书·孝献帝纪》卷九、《后汉书·应劭列传》卷四十八）

是年

赵岐八十三岁，迁太仆。《后汉书·赵岐列传》卷六十四："稍迁太仆。及李傕专政，使太傅马日磾抚慰天下，以岐为副。""李傕专政"始于初平三年，则赵岐为太仆当在三年之前；初平元年赵为议郎，则为太仆疑在此年。

郑玄六十五岁，避地徐州，徐州牧陶谦礼遇之。《后汉书·郑玄列传》卷三十五云"会黄巾寇青部，乃避地徐州，徐州牧陶谦接以师友之礼"，"黄巾寇青部"当指《后汉书·孝献帝纪》卷九（初平二年）所谓"黄巾转寇渤海"事。

蔡邕六十岁，奏议宗庙迭毁；追正郭后谥。按，奏议宗庙迭毁，载袁宏《后汉纪》卷二十六。又，《后汉书·皇后纪》卷十下云"初平中，蔡邕始追正和熹之谥"，蔡邕明年见诛，当系于此。

邯郸淳六十岁，客居荆州。按，《魏志·王粲传》卷二十一裴注引《魏略》云"初平时，从三辅客荆州"，初平共四年，姑系此年。

许靖约四十岁，或于此年投奔扬州刺史陈祎。按，《蜀志·许靖传》卷三十八云"仙卒，依扬州刺史陈祎"，孔仙卒年不详，然许靖去岁投奔孔仙，后年往依王朗，奔王朗前依陈祎，疑孔仙卒于此年或明年，姑系于此。

孔融三十九岁，或于此年被黄巾围于都昌，遣太史慈求救于平原相刘备，刘备遣兵赴救。(《后汉书·孔融列传》卷七十、《吴志·太史慈传》卷四十九)按，万斯同《三国汉季方镇年表》谓刘备初平二年至四年为平原相，孔融求救事当在此间，确年未详，姑系于此。

边让或于此年出为九江太守。按，《后汉书·文苑列传》卷八十下云"让以高才擢进，屡迁，出为九江太守，不以为能也"，蔡邕以为边让署令史乃大材小用，中平五年在何进前举荐他"宜处高任"，何进中平六年八月见杀，擢用他当在此前；擢用后"屡迁"方出为九江太守，说明守九江距始擢用时有段时间，故宜系于此年。

崔琰三十三岁，归乡里，以琴书自娱。按，《魏志·崔琰传》卷十二云"自去家四年乃归，以琴书自娱"，其中平四年(187)离家求师，四年后为此年。

路粹此年前后至三辅，师事蔡邕。《魏志·王粲传》卷二十一裴注引《典略》曰："少学于蔡邕。初平中，随车驾至三辅。"按，初平共四年，二三年为中，姑系于此。路粹(？—215)，字文蔚。陈留(今属河南)人。少学于蔡邕，后至三辅。建安初，为尚书郎，迁军谋祭酒，典记室。官至秘书令。(《魏志·王粲传》卷二十一裴注引《典略》)《隋书·经籍志》卷三十五："梁有魏国郎中令《路粹集》二卷，录一卷。……亡。"严可均《全后汉文》卷九十四收其文二篇。

徐干二十一岁，归乡后，官府连辟，均以病辞。《中论序》："自归旧都，州郡牧守礼命，踟蹰连武欲致之。君以为纵横之世，乃先圣之所厄困也，岂况我徒哉！有讥孟轲不度自量，拟圣行道，传食诸侯。深美颜渊、荀卿之行，故绝迹山谷，幽居研几，用思深妙，以发疾疢，潜伏延年。"《魏志·王粲传》卷二十一裴注引《先贤行状》："建安中，太祖特加旌命，以疾休息，后除上艾长，又以疾不行。"

曹丕五岁，学射。(《典论·自序》)

公元192年　(汉献帝刘协初平三年　壬申)

春

曹操军顿丘；击走于毒，击破眭固、匈奴南单于于夫罗。(《魏志·武帝纪》卷一)

四月

曹操领兖州牧。(《魏志·武帝纪》卷一)

蔡邕因董卓事，下狱死，年六十一(132—192)。《后汉书·蔡邕列传》卷六十下："及卓被诛，邕在司徒王允坐，殊不意言之而叹，有动于色。允勃然叱之曰：'董卓国之大贼，几倾汉室。君为王臣，所宜同忿。而怀其私遇，以亡大节！今天诛有罪，而反相伤痛，岂不共为逆哉？'即收付廷尉治罪。邕陈辞谢，乞黥首刖足，继成《汉史》。士大夫多矜救之，不能得。太尉马日磾驰往谓允曰：'伯喈旷世逸才，多识汉事，当续成后史，为一代大典。且忠孝素著，而所坐无名，诛之无乃失人望乎？'允曰：'昔武帝不杀司马迁，使作谤书，流于后世。方今国祚中衰，神器不固，不可令佞臣执笔在幼主左右，既无益盛德，复使吾党蒙其讪议。'日磾退而告人曰：'王公其不长世乎？

善人，国之纪也；制作，国之典也。灭纪废典，其能久乎?'邕遂死狱中，允悔，欲止而不及。时年六十一。搢绅诸儒莫不流涕。北海郑玄闻而叹曰：'汉世之事，谁与正之!'兖州、陈留间皆画像而颂焉。"按，《资治通鉴》卷六十系于此月。《后汉书·蔡邕列传》卷六十下："意气之感，士所不能忘也。流极之运，有生所共深悲也。当伯喈抱钳扭，徙幽裔，仰日月而不见照烛，临风尘而不得经过，其意岂及语平日幸全人哉!及解刑衣，窜欧越，潜舟江壑，不知其远，捷步深林，尚苦不密，但愿北首旧丘，归骸先垄，又可得乎? 董卓一旦入朝，辟书先下，分明枉结，信宿三迁。匡导既申，狂僭屡革，资《同人》之先号，得北叟之后福。属其庆者，夫岂无怀? 君子断刑，尚或为之不举，况国宪仓卒，虑不先图，矜情变容，而罚同邪党? 执政乃追怨子长谤书流后，放此为戮，未或闻之典刑。"

八月

太仆赵岐奉诏杖节镇抚关东，为解冀州之争，向袁绍、曹操等陈说天子恩德，又移书公孙瓒，为言利害；袁绍等各引兵去，与之期会洛阳。（《后汉书·赵岐列传》卷六十四、《后汉书·孝献帝纪》卷九、《资治通鉴》卷六十）

冬

曹操降黄巾军三十余万，收其精锐，号曰"青州兵"；纳毛玠"宜奉天子以令不臣"之言。（《魏志·武帝纪》卷一、《魏志·毛玠传》卷十二、《资治通鉴》卷六十）

是年

卢植卒（? —192）。（《后汉书·卢植列传》卷六十四）

边让辞官还家。《后汉书·文苑列传》卷八十下："初平中，王室大乱，让去官还家。"按，初平共四年，二三为中，二年为九江太守，辞官或在此年。

许靖约四十一岁，往依吴郡都尉许贡。按，《蜀志·许靖传》卷三十八云"祎死，吴郡都尉许贡、会稽太守王朗与靖有旧，故往保焉"，《资治通鉴》卷六十胡三省注引《九州春秋》谓"初平三年扬州刺史陈祎死"，而王朗明年夏始为会稽太守，许靖往依许贡当在此年陈祎死后、明年八月以前，姑系于此。

曹操三十八岁，生子曹植。（《魏志·陈思王植传》卷十九）

华歆三十六岁，辟太傅马日磾掾。《魏志·华歆传》卷十三："歆说术使进军讨卓，术不能用。歆欲弃去，会天子使太傅马日磾安集关东，日磾辟歆为掾。"按，马日磾此年安集关东，华歆辟其掾当在此年。

颍容此年前后避乱荆州，不肯出仕，以授徒著书为业。《后汉书·儒林列传》卷七十九下："初平中，避乱荆州，聚徒千余人。刘表以为武陵太守，不肯起。"按，初平共四年，二三年为中，姑系于此。

祢衡二十岁，与孔融结为忘年交。《后汉书·文苑列传》卷八十下："衡始弱冠，而融年四十，遂与为交友。"

卢毓十岁，丧父（卢植）。（《魏志·卢毓传》卷二十二）

曹丕六岁，知射，学骑马。（《典论·自序》）

曹植生（192—232）。曹植，字子建，沛国谯（今安徽亳县）人。魏武帝曹操子，魏文帝曹丕弟。年少时，诵读《诗》《论》及辞赋数十万言，善著文，援笔立成。性简易，不治威仪，不尚华丽。每见难问，应声而对。始封平原侯，转封临菑侯。初受曹操宠爱，几为太子，后以酒醉乘车行驰道及不能帅军救曹仁而宠衰。曹丕即位后，遣归封国，贬安乡侯，改鄄城侯，迁鄄城王，徙封雍丘王。明帝即位，徙封浚仪，转封东阿，再封陈王。屡次上书请缨，幸冀试用，均未见重，常汲汲无欢，遂发病卒。景初中，纂录曹植文集，魏明帝诏命"其收黄初中诸奏植罪状，公卿已下议尚书、秘书、中书三府、大鸿胪者，皆削除之。撰录植前后所著赋、颂、诗、铭、杂论凡百余篇，副藏内外"。（《魏志·陈思王植传》卷十九）《隋书·经籍志》卷三十三："《列女传颂》一卷，曹植撰。"同书卷三十五："魏《陈思王曹植集》三十卷。"张溥辑有《陈思王集》。严可均《全三国文》卷十三至卷十九收其文一百六十二篇。丁福保《全三国诗》卷二收其诗一百一十篇。张溥："余读陈思王《责躬》《应诏》诗，泫然悲之，以为伯奇《履霜》、崔子《渡河》之属。既读《升天》《远游》《仙人》《飞龙》诸篇，又何翩然遐征、览思方外也。王初蒙宠爱，几为太子，任性章綍，中受拘挛，名为懿亲，其朝夕纵适，反不如一匹夫徒步，慷慨请试，求通亲戚，贾谊奋节于匈奴，刘胜低首于闻乐，斯人感慨，岂空云尔哉！司马氏睥睨神器，魏忽不祀，彼所绸缪者藩防，而取代者他族，思王之言不再世而验，然则《审举》诸文，固魏宗之磐石也。集备群体，世称绣虎，其名不虚。即自然深致，少逊其父；而才大思丽，兄似不如。人但见文帝居高，陈王伏地，遂谓帝王人臣，文体有分，恐淮南、中垒不为武、成受屈也。黄初二令，省愆悔过，诗文怫郁，音成于心。当此时而犹泣金枕，赋《感甄》，必非人情。论者又云：'禅代事起，子建发服悲泣，使其嗣爵，必终身臣汉。'若然，则王之心其周文王乎！余将登箕山而问许由焉。"（《汉魏六朝百三家集·陈思王集题词》）永瑢等："《曹子建集》十卷，魏曹植撰。案《魏志》植本传，景初中，撰录植所著赋、颂、诗、铭、杂论凡百余篇，副藏内外。《隋书·经籍志》载《陈思王集》三十卷。《唐书·艺文志》作二十卷，然复曰'又三十卷'。盖三十卷者，隋时旧本。二十卷者，为后来合并重编。实无两集。郑樵作《通志略》亦并载二本。焦竑作《国史经籍志》，遂合二本卷数为一，称《植集》为五十卷。谬之甚矣！陈振孙《书录解题》亦作二十卷，然振孙谓其间颇有采取《御览》《书钞》《类聚》中所有者。则捃摭而成，已非唐时二十卷之旧。《文献通考》作十卷，又并非陈氏著录之旧。此本目录后有嘉定六年癸酉字，犹从宋宁宗时本翻雕，盖即《通考》所载也。凡赋四十四篇，诗七十四篇，杂文九十二篇。合计之，得二百十篇。较《魏志》所称百余篇者，其数转溢。然残篇断句，错出其间。如《鹡雀》《蝙蝠》二赋，均采自《艺文类聚》。《艺文类聚》之例，皆标'某人、某文曰'云云，编是书者遂以曰字为正文，连于赋之首句，殊为失考。又《七哀诗》，晋人采以入乐，增减其词，以就音律，见《宋书·乐志》中。此不载其本词，而载其入乐之本，亦为舛谬。《弃妇篇》见《玉台新咏》，亦见《太平御览》。

《镜铭》八字，反复颠倒，皆叶韵成文，实为回文之祖。见《艺文类聚》。皆弃不载。而《善哉行》一篇诸本皆作古辞，乃误为植作。不知其下所载《当来日大难》，即当此篇也。使此为植作，将自作之而自拟之乎？至于《王宋妻诗》，《艺文类聚》作魏文帝，邢凯《坦斋通编》据旧本《玉台新咏》，称为植作。今本《玉台新咏》又作王宋自赋之诗。则众说异同，亦宜附载，以备参考。乃竟遗漏，亦为疏略。不得谓之善本。然唐以前旧本既佚，后来刻《植集》者率以是编为祖，别无更古于斯者。录而存之，亦不得已而思其次也。"（《四库提要》卷一百四十八）吴棠："诗自汉魏以来，卓然大家，上追《骚》《雅》，为古今诗人之冠，陈思王其首出也。《隋唐·志》集皆著录，久佚不传。其传者皆掇拾丛残，仅存其略。明张溥辑本讹误颇伙。自来未有注家，亦无善本。山阳丁俭卿先生年逾七旬，髦而好学，课《诠评》十卷，于是思王集始可读矣。……先生著书等身，已刻《颐志斋丛书》数十种，此集特其一脔之味耳。后之读思王集者，得此为先路之导，如出隘巷而适康庄，胜于旧刻多多矣。昔之称陈思王者，大抵目为才人。陈寿称其文才富艳，鱼豢称其华采，思若有神。惟先生此书，发明忠孝大节，独具精鉴，度越前贤，匪独《曹集》之功臣，抑亦思王之知己也。同治五年仲冬盱眙吴棠序。"（《曹集诠评·序》）丁晏："《隋书·经籍志》《魏陈思王集》三十卷，《唐志》二十卷，原本久佚。今《四库》著录集十卷，据宋嘉定翻刻之本，赋四十四篇，诗七十四篇，杂文九十二篇。余所见者，明万历休阳程氏刻本十卷。其赋、诗篇数与宋本同，杂文较宋本多三篇。余以《魏志》传注、《文选》注、《初学记》《艺文类聚》《北堂书抄》（影宋本，未经陈禹谟窜改者）、《白帖》《太平御览》《乐府解题》、冯氏《诗纪》诸书校之，脱落舛伪，不可枚举。《宝刀赋》《离缴雁赋》各脱数句，《孔羡碑》仅存颂语，《左嫔诔》误入晋辞，皆误之甚者也。《文选》以《献责躬诗表》并诗连载，程本分置前后。《冬至献袜履颂》有表，《卞太后诔》有表，皆当并合为一，以省两读，程本俱分为二，非也。程本《七哀诗》，《艺文》引此为曹植《闺情诗》。程本又有《怨歌行》七解，略与《七哀》同。《诗纪》云：晋乐所奏，《七哀诗》是此篇本辞。《宋书·乐志》明月一篇，云东阿王词，即此《七哀诗》也。程本《善哉行》'来日大难'。《乐府解题》以为古辞，郭氏云：'曹植拟《善哉行》为日苦短。'《艺文》引陈思王《善哉行》'君子防未然'，《文选》以为古辞。《艺文》四十一引曹植《君子行》，《诗纪》云《子建集》有。明人所见《曹集》，载此诗也。程本有《箜篌引》《野田黄雀行》，前后分载二篇。《乐府解题》称《野田黄雀行》，郭云：右一曲晋乐所奏，一曲本辞。《艺文》引魏陈思王《箜篌引》，即此诗也。又明季张溥《百三家集》本，据《乐府解题》增《鼙舞》五篇，据《玉台新咏》增《弃妇》一篇，补缺正误，视程氏为优，然臆改沿讹，亦复不少。如程本《自试》末一表：'五帝之世非皆智，三季之末非皆愚'云云，与张本《陈审举疏》文同。表末有云：'昔段干木修德于间阎，秦师为之辍攻，而文侯以安；穰苴授节于邦境，燕鲁为之退师，而景公无患，皆简德尊贤之所致也。愿陛下垂高宗傅岩之明，以显中兴之功'，此六十三字，张本别为《请用贤表》。《艺文类聚·荐举》引曹植《自试表》与程本同，张本非也。程本《相论》后云：'《荀子》曰：以为天不知人事邪？则周公有风雷之灾，宋景有三舍之福。以为知人事邪？楚昭有弗禜之应，魏文无延期之报。由是言之，则天道

359

之与相占，可知而疑，不可得而无也'，此六十七字，张本无，而《艺文·相术》引曹植论有之，与程本悉同，张本脱也。余编校《曹集》，依程氏十卷之本。张本亦掇拾类书，非其原本。兹乃两本雠校，择善而从。《曹集》向无注本，其已见《文选》李善注，家有其书，不复殚述。义或隐滞，略加表明。取刘彦和'诠评昭整'之言，撰次十卷，并以余旧所撰诗序年谱，附载于后。庶后之读陈王集者，有所资而考焉。同治四年九月朔旦山阳丁晏叙。"（《曹集诠评·叙》）刘寿曾："有《曹集诠评》十卷，《逸文》一卷，山阳丁俭卿先生所纂集也。先生与湘乡曾相国为文字交。同治戊辰冬，相国移督畿辅，道出山阳晤先生，询所未刊书，先生出是集相质。相国读而善之，为谋授梓。寿曾与校字，既藏事，先生属跋尾。谨案：先生初校是集，系据休阳程氏本，嗣得娄东张氏本参校。凡集中诗古文辞，程、张两收者，题下皆不注。程无而张有者则注程缺；张无而程有者则注张缺，新增诗文为程、张所失收者，另编为《逸文》。附全集后。……此集久无善本，四库著录虽据宋嘉定旧本，《提要》犹惜唐以前旧本之佚，谓不得已而思其次。闻上元朱氏述之校注是集，所据宋刻，不止一本。顾阁本、宋本，先生均未得见，其据程、张两本，意若深有歉者。然所据校，多唐宋以前之书，正误补脱，实远出程、张两本上。其致力之勤，似校宋刻之难尤倍蓰也。……同治己巳冬十月仪征后学刘寿曾识。"（《曹集诠评·跋》）

公元193年 （汉献帝刘协初平四年 癸酉）

正月

曹操军鄄城，击走袁术。（《魏志·武帝纪》卷一）

夏

曹操还军定陶。（《魏志·武帝纪》卷一）

王朗劝陶谦遣使奉承王命，献帝拜其为会稽太守。（《魏志·王朗传》卷十三、《资治通鉴》卷六十）

六月

陈纪为太仆。按，《后汉书·陈纪列传》卷六十二云"时议欲以为司徒，纪见祸乱方作，不复辨严，即时之郡。玺书追拜太仆"，陈纪初平元年为平原相，为太仆当在此后。《后汉书·赵岐列传》卷六十四云"及献帝西都，复拜议郎，稍迁太仆。及李傕专政，使太傅马日磾抚慰天下，以岐为副"，赵岐于献帝西都之年即初平元年为议郎，于"李傕专政"之年即初平三年之前迁太仆，则陈纪为太仆似不在三年之前。《孝献帝纪》又云初平四年六月"太仆朱俊为太尉"，疑此年赵岐病倒陈留，太仆职改由朱俊接任。朱俊移职后，太仆空缺由谁继任，传未明言，疑为陈纪，姑系于此。

九月

汉献帝试儒生四十余人，上第赐位郎中，次太子舍人，下第皆罢之；下第年逾六十者亦予补郎。（《后汉书·孝献帝纪》卷九）

长安人为白首考官者作歌谣。（《后汉书·孝献帝纪》卷九李贤注引刘艾《献帝纪》）

秋

曹操破陶谦，下十余城。（《魏志·武帝纪》卷一）

十月

太学行礼，汉献帝至永福城门，临观其仪，赐博士以下各有差。（《后汉书·孝献帝基》卷九）

是年

赵岐八十五岁，因病倒于陈留，与袁绍等期会洛阳未成。《后汉书·赵岐列传》卷六十四："绍等各引兵去，皆与岐期会洛阳，奉迎车驾。岐南到陈留，得笃疾，经涉二年，期者遂不至。"《魏志·袁绍传》卷六裴注引《英雄记》："初平四年，天子使太傅马日磾、太仆赵岐和解关东。岐别诣河北，绍出迎于百里上，拜奉帝命。岐住绍营，移书告瓒。"按，《英雄记》所记与赵岐本传稍异。疑此年赵岐已卸太仆职，移书公孙瓒事亦当为去岁事。姑从本传。

张超为平原太守，作《与太尉朱俊书荐袁遗》；寻卒（？—？）。按，上条已云朱俊自初平四年六月至兴平元年七月在太尉任，则张超守平原、与朱书当在此一年内，姑系于此。王先谦《后汉书集解·文苑传》校补："柳从辰曰：'《一统志》引《九域志》，超墓在今任邱县，汉末平原太守。辰案：传不言超为平原太守，亦未著超卒年，当是后官。'"卒年未详，姑系于此。

许靖约四十二岁，往依会稽太守王朗；得曹操所贻书；孙策渡江后，避难交州，受交阯太守士燮厚遇。按，事载《蜀志·许靖传》卷三十八，王朗此年为会稽太守，《魏志·武帝纪》卷一又谓孙策此年渡江，故许靖依王朗、士燮均当在此年。又，许靖《与曹公书》称"昔在会稽，得所贻书"，知曹操与其书在此年。

华歆三十七岁，拜豫章太守。《魏志·华歆传》卷十三："东至徐州，诏即拜歆豫章太守"，华歆去岁辟马日磾掾，明年马日磾忧恚而卒，华歆守豫章疑在二者之间。

张纮三十七岁，此年前后为太尉朱俊所辟，不就。按，事载《吴志·张纮传》卷五十三裴注引《吴书》，未详其年，《后汉书·孝献帝纪》卷九谓"（初平）四年……六月……太仆朱俊为太尉。……兴平元年……秋七月壬子，太尉朱俊免"，太尉朱俊辟张纮当在此一年间，姑系于此。

繁钦或于此年与同乡杜袭、赵俨避乱荆州，刘表数奇之。按，《魏志·杜袭传》卷二十三叙此事后，即叙建安初事，则繁钦等避乱荆州或在此年。

虞翻二十四岁，为会稽太守王朗功曹，雅好博古，对王朗问，高谈阔论会稽之人杰地灵。（《吴志·虞翻传》卷五十七裴注引《会稽典录》）

王粲十七岁，除黄门侍郎，不就；离长安，作《七哀诗（西京乱无象）》《初征赋》；至荆州依刘表；刘表本欲以女妻之，然嫌其貌不扬而作罢；遇张仲景。《魏志·王粲传》卷二十一："年十七，司徒辟，诏除黄门侍郎，以西京扰乱，皆不就。乃之荆州依刘表。表以粲貌寝而体弱通侻，不甚重也。"《三国志·钟会传》卷二十八裴注引《博物记》："初，王粲与族兄凯俱避地荆州，刘表欲以女妻粲，而嫌其形陋而用率，以凯有风貌，乃以妻凯。"按，《七哀诗（西京乱无象）》云"西京乱无象，豺虎方遘患。复弃中国去，身远适荆蛮"，《初征赋》云"违世难以回折兮，超遥集乎蛮楚"，诗、赋均当作于此时。又，《太平御览》卷七百二十二引《何颙别传》："王仲宣年十七，尝遇仲景。仲景曰：'君有病，宜服五石汤，不治且成门后（疑有讹误），年三十当眉落。'仲宣以其贯长也，远不治也。后至三十，疾果成，竟眉落。"按，"仲景"即张仲景，以所著《伤寒论》著名于世。皇甫谧《针灸甲乙经》记此事稍异，云二人相见时，王粲"年二十余"。若此年遇张，王粲当在荆州。

骆统生（193—228）。（《吴志·骆统传》卷五十七）骆统，字公绪，会稽乌伤（今属浙江）人。年二十，试为乌程相，有政绩，孙权召为功曹，行骑都尉，出为建忠中郎将，迁偏将军。黄武初，封新阳亭侯，为濡须督。年三十六卒。（《吴志·骆统传》卷五十七）《隋书·经籍志》卷三十五："吴偏将军《骆统集》十卷，梁有录一卷。"

张温生（193—230）。按，本传云"时年三十二，以辅义中郎将使蜀"，《蜀志·秦宓传》卷三十八载张温使蜀在建兴二年（224），是知其生于此年。又，张温以荐暨艳事得罪，"后六年，温病卒"，张温得罪，《资治通鉴》卷七十系于黄初五年（224），后六年即为吴黄龙二年（230）。张温，字惠恕，吴郡吴（今江苏苏州）人。少修节操，容貌奇伟。拜议郎、选曹尚书，徙太子太傅。因使蜀称美蜀政，忤孙权；后以荐暨艳事下狱，病卒。（《吴志·张温传》卷五十七）《隋书·经籍志》卷三十三："《三史略》二十九卷，吴太子太傅张温撰。"同书卷三十五："吴辅义中郎将《张温集》六卷。"

公元 194 年 　（汉献帝刘协兴平元年　甲戌）

正月

汉献帝改元兴平。（《后汉书·孝献帝纪》卷九）

二月

曹操自徐州还。（《魏志·武帝纪》卷一）

四月

北海相孔融与徐州牧陶谦谋迎汉献帝还洛阳，会曹操袭曹州而止。（袁宏《后汉

纪》卷二十七）

曹操复征陶谦；还击刘备于剡东；击吕布。（《魏志·武帝纪》卷一）

九月

曹操还鄄城，拒与袁绍联合。（《魏志·武帝纪》卷一）

十月

曹操至东阿。（《魏志·武帝纪》卷一）

是年

赵岐八十六岁，南说刘表，使荆州，督租粮；表孙嵩为青州刺史。（《后汉书·赵岐列传》卷六十四、《魏志·阎温传》卷十八裴注引《世语》）

郑玄六十八岁，荐孙乾于刘备。按，事载《蜀志·孙乾传》卷三十八裴注引《郑玄传》，传云举孙乾在刘备领徐州牧时，《魏志·武帝纪》卷一谓兴平元年"陶谦死，刘备代之"，郑荐孙疑在此年。

陈纪六十六岁，为尚书令。按，《后汉书·陈纪列传》卷六十二云"玺书追拜太仆，又征为尚书令。建安初，袁绍为太尉，让于纪"，陈纪为太仆在去岁，袁绍让太尉是在建安元年，征为尚书令必在兴平元年至二年间，兴平二年李、郭乱起，朝廷无心官吏升迁事，故以元年迁尚书令为宜。

孔融四十二岁，劝刘备领徐州牧；请郑玄返北海。按，事载《蜀志·先主传》卷三十二，未言年月，然刘备此年为徐州牧，孔融劝其事当在此年。又，孔融请郑玄返北海事载《太平广记》卷一百六十四引商（殷）芸《小说》，云郑玄在徐州，且孔融为北海相，当在郑初平二年避难徐州后、兴平二年孔融为青州刺史前，确年未详，姑系于此。

曹操四十岁，丧父（曹嵩）。（《后汉书·应劭列传》卷四十八）

张昭三十九岁，为陶谦作《哀辞》。（《魏志·陶谦传》卷八及裴注引《吴书》）

张纮三十八岁，避难江东，在江都服母丧，受孙策托付母弟之请。（《吴志·张纮传》卷五十三、《吴志·孙破虏讨逆传》卷四十六及裴注引《吴历》）

杜琼二十七岁，或于此年为刘璋从事。按，《蜀志·杜琼传》卷四十二云"刘璋时，辟为从事"，《蜀志·刘璋传》卷三十一谓刘璋此年始领益州牧，杜琼辟其从事或在此年。

应劭以曹操父见杀，惧而投奔袁绍。（《后汉书·应劭列传》卷四十八）

曹丕八岁，能骑射，能属文。（《典论·自序》《魏志·文帝纪》卷二裴注引《魏书》）

王肃生（194—256）。按，《蜀志·许靖传》卷三十八裴注引《魏略》载王朗《与文休书（文休足下）》云"今有二男：大而名'肃'，年二十九，生于会稽"，书作于黄初三年（222），以此知王肃此年生。王肃，字子雍，东海郯（今山东郯城西南）人。王朗子。十八岁时，从宋忠读《太玄》，而更为之解。先后官散骑黄门侍郎、散骑常侍，领秘书监，兼崇文观祭酒。正始元年，出任广平太守，还拜议郎，旋为侍中，迁太常。又徙河南尹，迁中领军，加散骑常侍。卒赠卫将军，谥景侯。初"善贾、马之学，而不好郑氏，采会同异，为《尚书》《诗》《论语》《三礼》《左氏解》，及撰定父朗所作《易传》，皆列于学官。其所论驳朝廷典制、郊祀、宗庙、丧纪、轻重，凡百余篇"。（《魏志·王肃传》卷十三）《隋书·经籍志》卷三十二："《周易》十卷，魏卫将军王肃注。……《尚书》十一卷，王肃注。……《尚书驳议》五卷，王肃撰。梁有《尚书义问》三卷，王肃等撰。……《毛诗》二十卷，王肃注。梁有《毛诗》二十卷，郑玄、王肃合注。……《毛诗义驳》八卷，王肃撰。《毛诗奏事》一卷，王肃撰。有《毛诗问难》二卷，王肃撰，亡。……《周官礼》十二卷，王肃注。……《仪礼》十七卷，王肃注。……《丧服经传》一卷，王肃注。……《丧服要记》一卷，王肃注。……《礼记》三十卷，王肃注。……梁有《礼记音》一卷，王肃撰。……（梁）又《明堂议》三卷，王肃撰。……《春秋左氏传》三十卷，王肃注。……《春秋外传章句》一卷，王肃撰。梁二十二卷。……《孝经》一卷，王肃解。……（梁）又王肃注《论语》十卷，亡。……（梁有）《论语释驳》三卷，王肃撰。……《孔子家语》二十一卷，王肃解。……《圣证论》十二卷，王肃撰。"同书卷三十三："《王朗、王肃家传》一卷。"卷三十四："梁有《扬子太玄经》七卷，王肃注。亡。……《王子正论》十卷，王肃撰。"同书卷三十五："魏卫将军《王肃集》五卷，梁有录一卷。"马国翰《玉函山房辑佚书》有辑本。

公元 195 年 （汉献帝刘协兴平二年 乙亥）

正月

曹操袭定陶，破吕布。（《魏志·武帝纪》卷一）

夏

荀彧说曹操先定河、冀。（《魏志·荀彧传》卷十、《资治通鉴》卷六十一）

曹操再破吕布。（《魏志·武帝纪》卷一）

八月

曹操围雍丘。（《魏志·武帝纪》卷一）

陈琳为袁绍作书与臧洪，劝其投降。（袁宏《后汉纪》卷二十八、《魏志·臧洪传》卷七）

十月

曹操拜兖州牧，作《领兖州牧表》，《兖州牧上书》亦或作于此时。按，曹操初平三年（192）由魏鲍信等迎领兖州牧，至此乃由天子正式认可，故表当作于此时。又，书之内容为进贡方物，似为拜牧后上礼谢恩，疑与表为同时之作。

十二月

曹操攻破雍丘。（《魏志·武帝纪》卷一）

是年

赵岐八十七岁，以老病，留荆州。（《后汉书·赵岐列传》卷六十四）

孔融四十三岁，领青州刺史；作《六言诗》三首，言董卓作乱、郭李纷争、迁都长安及颂扬曹操等事。按，《后汉书·孔融列传》卷七十云"在郡六年，刘备表领青州刺史"，孔融永汉元年（189）为北海相，六年后即此年。孔诗云"汉家中叶道微，董卓作乱乘衰。僭上虐下专威，万官惶布莫违。百姓惨惨心悲"，此等语言董卓在世时恐不敢言；又云"郭李分争为非"，《后汉书·孝献帝纪》卷九谓"（兴平）二年……二月乙亥，李傕杀樊稠而与郭汜相攻"；又云"梦想曹公归来"、"曹公忧国无私"，当是曹操身居显位时所思。此年董卓已然被诛，曹操领兖州牧，李郭相互攻杀，故孔诗当作于此年。

张昭四十岁，为孙策长史、抚军中郎将。（《吴志·张昭传》卷五十二、《资治通鉴》卷六十一）

张纮三十九岁，为孙策正议校尉。（《吴志·张纮传》卷四十六、《资治通鉴》卷六十一）

董遇与兄依将军段煨，闲暇常读经书，其兄笑之，不改。按，《魏志·王肃传》卷十三裴注引《魏略》载此事，谓在"兴平中"，兴平仅二年，姑系于此。董遇（？—235？），字季直，弘农（今河南灵宝北）人。性质讷而好学。兴平中，以关中扰乱与兄依将军段煨。建安初，举孝廉，迁黄门侍郎。黄初中，出为郡守；明帝时，入为侍中、大司农。"善治《老子》，为《老子》作训注。又善《左氏传》，更为作朱墨别异。人有从学者，遇不肯教，而云'必当先读百遍'。言'读书百遍而义自见'。从学者云'苦渴无日'，遇言'当以三余'；或问'三余'之意，遇言'冬者岁之余，夜者日之余，阴雨者时之余也'"。（《魏志·王肃传》卷十三裴注引《魏略》）《隋书·经籍志》卷三十二："梁有魏大司农董遇注《周易》十卷……亡。……《春秋左氏传》三十卷，董遇章句。"

祢衡二十三岁，避难荆州。按，《后汉书·文苑列传》卷八十下云其"兴平中，避难荆州"，兴平共二年，姑系于此。

王象约十八岁，为人仆隶，为杨俊所赎。《魏志·杨俊传》卷二十三："司马宣王年十六七，与（杨）俊相遇……俊转避地并州。本郡王象，少孤特，为人仆隶，年十七八，见使牧羊而私读书，因被箠楚。俊嘉其才质，即赎象著家，聘娶立屋，然后与别。"按，王象年龄与司马懿大体相当，司马懿生于光和二年（179），至此年十七岁，王象亦当于此年为人仆隶。

诸葛亮十五岁，丧父，随从父诸葛玄至豫章。按，《蜀志·诸葛亮传》卷三十五云"亮早孤。从父玄为袁术所署豫章太守，玄将亮及亮弟均之官"，梁章钜《三国志旁证》卷二十一所附《诸葛亮年表》系其事于此年，姑从之。

长安之乱使皇家藏书莫不泯尽。《后汉书·儒林列传》卷七十九上："初，光武迁还洛阳，其经牒秘书载之二千余两，自此以后，参倍于前。及董卓移都之际，吏民扰乱，自辟雍、东观、兰台、石室、宣明、鸿都诸藏典策文章，竞共剖散，其缣帛图书，大则连为帷盖，小乃制为滕囊。及王允所收而西者，裁七十余乘，道路艰远，复弃其半矣。后长安之乱，一时焚荡，莫不泯尽焉。"按，长安之乱，盖即李傕、郭汜相攻事，《后汉书·孝献帝纪》卷九谓在此年。

公元196年　（汉献帝刘协建安元年　丙子）

正月

汉献帝改元建安。（《后汉书·孝献帝纪》卷九）

荀彧劝曹操西迎汉献帝。（《魏志·荀彧传》卷十、《魏志·武帝纪》卷一）

曹操军临武平，遣曹洪西迎汉献帝，受阻。（《魏志·武帝纪》卷一）

二月

曹操军讨破汝南、颍川黄巾；拜建德将军。（《魏志·武帝纪》卷一）

六月

曹操迁镇东将军，封费亭侯，作《上书让封》《上书让费亭侯》《谢袭费亭侯表》。（《魏志·武帝纪》卷一）按，三文为迁镇东将军、封费亭侯而作。

荀悦初辟曹操府。按，《后汉书·荀悦列传》卷六十二云"初辟镇东将军曹操府"，曹操此月至九月为镇东将军，辟荀悦必在此以后，姑系此月。

孔融才疏意广，迄无成功。为袁谭所攻，城夜陷，乃奔东山，妻子为袁谭所虏。（《后汉书·孔融列传》卷七十、《资治通鉴》卷六十二）

七月

曹操至洛阳，其《善哉行（自惜身薄怙）》或作于此时。按，《善哉行（自惜身薄怙）》云"自以思所怙"，当作于其父被杀后；又云"欣公归其楚"，当借《春秋》"公至归楚"之典喻汉献帝归东京，《魏志·武帝纪》谓献帝此年归洛阳，曹操亦至，诗疑作于此时。

八月

汉献帝假曹操节钺，曹操录尚书事，领司隶校尉。（《魏志·武帝纪》卷一、裴注

引《献帝纪》)

虞翻仍为会稽太守王朗功曹，丧父，衰绖诣王朗，劝其避孙策，王朗不从。(《吴志·虞翻传》卷五十七、《资治通鉴》卷六十二)

王朗兵败，浮海至东冶，降孙策；又以刘繇父子事遗孙策书。(《魏志·王朗传》卷十三、《资治通鉴》卷六十二、《吴志·刘繇传》卷四十九)

张昭私下问王朗，王朗誓不屈，孙策不敢加害。(《魏志·王朗传》卷十三裴注引《汉晋春秋》)

虞翻为孙策功曹，谏孙策游猎；为孙策说降华歆。(《吴志·虞翻传》卷五十七及裴注引《江表传》与《吴历》《资治通鉴》卷六十二)

华歆以豫章降孙策，孙策待为上宾；华歆饮酒海量，好整衣冠，江南号之"华独坐"。(《魏志·华歆传》卷十三及裴注引胡冲《吴历》《吴志·虞翻传》卷五十七及裴注引《翻别传》)

丁仪、丁廙父丁冲为曹操掾属，劝曹操迎天子。《魏志·陈思王植传》裴注引《魏略》："丁仪……父冲……乃与太祖书曰：'足下平生常喟然有匡佐之志，今其时矣。'……太祖得其书，乃引军迎天子东诣许，以冲为司隶校尉。"按，此为迁许前事，当系于此。唯其时曹操为司隶校尉，"以冲为司隶校尉"后当遗"掾属"之类字词。

九月

曹操奉献帝迁都许；为大将军，封武平侯，作《又上书让增封》《上书让增封武平侯》《陈损益表》。(《魏志·武帝纪》卷一)按，两书为封大将军、武平侯而作。表云"遂受上将之任"，当亦同时之作。

荀悦迁黄门侍郎。按，《后汉书·荀悦列传》卷六十二云"迁黄门侍郎"，年月未详；荀悦在灵帝世托疾隐居，时人莫识，惟其从弟荀彧对其"特称敬"，荀彧于献帝都许时"为侍中，守尚书令"(《后汉书·荀彧列传》卷七十)，荀悦当在此时为从弟荀彧所荐而迁官。

十月

曹操攻杨奉。(《魏志·武帝纪》卷一)

孔融与曹操有旧，征为将作大匠，至许；作《荐祢衡书》，其《与曹公书荐边让》疑作于此时。(《后汉书·孔融列传》卷七十、《资治通鉴》卷六十二、《后汉书·文苑列传》卷八十下)按，《资治通鉴》卷六十二谓此年"孔融荐之（指祢衡）于曹操"，则《荐祢衡书》当作于孔融至许为将作大匠后，《与曹公书荐边让》或为同时之作，姑系于此。

崔琰为袁绍所辟，劝袁绍止士卒掘发丘陇；袁绍以为骑都尉。《魏志·崔琰传》："大将军袁绍闻而辟之。时士卒横暴，掘发丘陇，琰谏曰……绍以为骑都尉。"按，《魏志·武帝纪》卷一谓此月曹操"以大将军让绍"，疑袁绍此时辟之。

十一月

曹操拜司空，行车骑将军事；作《让还司空印绶表》。按；表为让大司空事，当作于此时。

曹操辟管宁，公孙康不告。（《魏志·管宁传》卷十一）

卫觊或在此时辟为司空掾属。《魏志·卫觊传》卷二十一云"太祖辟为司空掾属"，《后汉书·孝献帝纪》卷九谓曹操拜司空在建安元年十一月，卫觊辟司空掾属或在此时。

曹操表糜竺为嬴郡太守，作《表糜竺领嬴郡》。按，《蜀志·糜竺传》卷三十八载此曹表荐糜竺事，表当作于此时。

刘桢至许都，疑拜司空军谋祭酒。按，谢灵运《拟魏太子邺中集诗八首·刘桢》称"（刘桢）河兖当冲要，沦飘薄许京"，盖指曹操身据兖州牧要职时，刘漂泊抵许都。曹操为兖州牧在上一年十月，奉献帝都许则在此年九月，刘当于建安元年秋后至许都。谢诗继而又云"广川无逆流，招纳厕群英"，盖指刘氏至许归曹事。又，《后汉书·文苑列传》卷八十下李贤注引《魏志》称刘桢"为司空军谋祭酒"，曹操此年十一月拜司空，刘桢为其军谋祭酒疑在此时。刘桢（？—217），字公干，东平宁阳（今属山东）人。"建安七子"之一。与徐干、陈琳、阮瑀、应场并为曹丕、曹植兄弟友善。曹操征为丞相掾属。后以对曹丕夫人甄氏不敬被刑，减死输作。善为文赋，辞旨巧妙，"著文赋数十篇"。建安二十二年（217），病卒。（《魏志·王粲传》卷二十一）。《隋书·经籍志》卷三十二："《毛诗义问》十卷，魏太子文学刘桢撰。"同书卷三十五："魏太子文学《刘桢集》四卷，录一卷。"张溥辑有《刘公干集》。严可均《全后汉文》卷六十五收其文十篇。丁福保《全三国诗》卷三收其诗十五首。张溥："鲁国孔文举、广陵陈孔璋、山阳王仲宣、北海徐伟长、陈留阮元瑜、汝南应德琏、东平刘公干，魏文所称文人'七子'也。文帝云刘桢表、章、书、记，'壮而不密'。又称其五言诗，'妙绝当时'。今公干书、记，传者甚少，知其物化以后，遗失多矣。集诗大悉五言，《诗品》亦云：'其源出古诗，思王而下，桢称独步。'岂缘本魏文为之申誉乎？近日诗选，痛贬建安，亦度己迹削他人足耳。未若南皮觞酌，公谳赠答，当时得失，相知者深也。刘公干《赠五官中郎将诗》，有云：'昔我从元后，整驾至南乡。过彼丰沛都，与君共翱翔。'王仲宣《从军诗》亦云：'筹策运帷幄，一由我圣君。'严沧浪黜之，谓元后圣君并指曹操，心敢无汉，大义批引，二子固当叩头服罪。然诗颂铺张，词每过实，文人之言，岂必尽由中情哉！公干平视甄夫人，操收治罪，文帝独不见怒。死后致思，悲伤绝弦，中心好之，弗闻其过也。其知公干，诚犹钟期伯牙云。"（《汉魏六朝百三家集·刘公干集题词》）

是年

郑玄七十岁，自徐州还高密；以病笃自虑，作《戒子书》。《后汉书·郑玄列传》卷三十五："建安元年，自徐州还高密，道遇黄巾贼数万人，见玄皆拜，相约不敢入县境。玄后尝疾笃，自虑，以书戒子益恩曰：'吾家旧贫，不为父母群弟所容，去斯役之吏，游学周、秦之都，往来幽、并、兖、豫之域，获觐乎在位通人，处逸大儒，得意者咸从捧手，有所受焉。遂博稽《六艺》，粗览传记，时睹秘书纬术之奥。年过四十，乃归供养，假田播殖，以娱朝夕。遇阉尹擅执，坐党禁锢，十有四年，而蒙赦令，举贤良方正有道，辟大将军三司府。公车再召，比牒并名，早为宰相。惟彼数公，懿德大雅，克堪王臣，故宜式序。吾自忖度，无任于此，但念述先圣之元意，思整百家之不齐，亦庶几以竭吾才，故闻命罔从。而黄巾为害，萍浮南北，复归邦乡。入此岁来，已七十矣。宿素衰落，仍有失误，案之礼典，便合传家。今我告尔以老，归尔以事，将闲居以安性，覃思以终业。自非拜国君之命，问族亲之忧，展敬坟墓，观省野物，胡尝扶杖出门乎！家事大小，汝一承之。咨尔茕茕一夫，曾无同生相依。其勖求君子之道，研钻勿替，敬慎威仪，以近有德。显誉成于僚友，德行立于己志。若致声称，亦有荣于所生，可不深念邪！可不深念邪！吾虽无绂冕之绪，颇有让爵之高。自乐以论赞之功，庶不遗后人之羞。末所愤愤者，徒以亡亲坟垄未成，所好群书率皆腐敝，不得于礼堂写定，传与其人。日西方暮，其可图乎！家今差多于昔，勤力务时，无恤饥寒。菲饮食，薄衣服，节夫二者，尚令吾寡恨。若忽忘不识，亦已焉哉！'"

　　陈纪六十八岁，不受太尉。按，《后汉书·陈纪列传》卷六十二云"建安初，袁绍为太尉，让于纪，纪不受"，《魏志·武帝纪》卷一谓"建安元年……于是以袁绍为太尉"，陈纪本传"建安初"当即建安元年。

　　孔融四十四岁，其《与韦端书》或作于此年。《魏志·荀彧传》卷十裴注："孔融与康父端书曰：'前日元将（韦康）来，渊才亮茂，雅度弘毅，伟世之器也。昨日仲将（韦诞）又来，懿性贞实，文敏笃诚，保家之主也。不意双珠，近出老蚌，甚珍贵之。'"按，孔书作于何时未详，《后汉书·荀彧列传》卷七十谓荀彧此年向曹操举荐计谋之士中有韦康，韦氏兄弟或于此年在许都谒见将作大匠孔融，书疑作于此时。

　　陈琳约四十三岁，其《应讥》或作于此年。按，《应讥》所陈内容似与建安元年诏责袁绍"以地广兵多而专自树党，不闻勤王之师而但擅相讨伐"（《后汉书·袁绍列传》）有关，疑为此年之作。

　　曹操四十二岁，表刘备为豫州牧；始兴屯田，作《置屯田令》；求军师，作《与荀彧书（自志才亡后）》；作《遗荀攸书》，以荀攸为军师。（《魏志·武帝纪》卷一、《魏志·郭嘉传》卷十四裴注引《傅子》《魏志·荀彧传》卷十、《魏志·荀攸传》卷十）

　　陈群约二十九岁，被刘备辟为别驾。（《魏志·陈群传》卷二十二）

　　阮瑀约二十八岁，坚辞都护曹洪辟其为掌书记。按，阮瑀拒曹洪所辟事，《魏志·王粲传》卷二十一谓在"建安中"，裴注引鱼豢《典略》、挚虞《文章志》"并云瑀建安初辞疾避役，不为曹洪屈"，姑从鱼氏、挚氏之说。

　　路粹拜尚书郎。（《魏志·王粲传》卷二十一裴注引《典略》）

　　祢衡二十四岁，游许，藐视陈群、司马朗、荀彧、赵稚长，唯与孔融、杨修为友。《后汉书·文苑列传》卷八十下："建安初，来游许下。始达颍川，乃阴怀一刺，既而无所之适，至于刺字漫灭。是时许都新建，贤士大夫四方来集。或问衡曰：'盍从陈长文、司马伯达乎？'对曰：'吾焉能从屠沽儿耶！'又问：'荀文若、赵稚长云何？'衡曰：'文若可借面吊丧，稚长可使监厨请客。'唯善鲁国孔融及弘农杨修。常称曰：'大

369

儿孔文举，小儿杨德祖。余子碌碌，莫足数也。'"按，孔融《荐祢衡书》云祢衡时年二十四岁。

杨修二十二岁，作《许昌宫赋》。按，杨赋云"入乎新宫"，"新宫"当指许都新建之宫，疑作于此时。

应劭献上《汉仪》、"驳议"三十篇，奏言写作经纬，汉献帝善之。《后汉书·应劭列传》卷四十八："（应劭）又删定律令为《汉仪》，建安元年乃奏之。曰：'夫国之大事，莫尚载籍。载籍也者，决嫌疑，明是非，赏刑之宜，允获厥中，俾后之人永为监焉。故胶西相董仲舒老病致仕，朝廷每有政议，数遣廷尉张汤亲至陋巷，问其得失。于是作《春秋决狱》二百三十二事，动以经对，言之详矣。逆臣董卓，荡覆王室，典宪焚燎，靡有孑遗，开辟以来，莫或兹酷。今大驾东迈，巡省许都，拔出险难，其命惟新。臣累世受恩，荣祚丰衍，窃不自揆，贪少云补，辄撰具《律本章句》《尚书旧事》《廷尉板令》《决事比例》《司徒都目》《五曹诏书》及《春秋断狱》凡二百五十篇。蠲去复重，为之节文。又集驳议三十篇，以类相从，凡八十二事。其见《汉书》二十五，《汉记》四，皆删叙润色，以全本体。其二十六，博采古今瑰玮之士，文章焕炳，德义可观。其二十七，臣所创造。岂緊自谓必合道衷，心焉愤邑，聊以藉手。昔郑人以干鼠为璞，鬻之于周；宋愚夫亦宝燕石，缇缃十重。夫睹之者掩口卢胡而笑，斯文之族，无乃类旃。《左氏》实云虽有姬姜丝麻，不弃憔悴菅蒯，盖所以代匮也。是用敢露顽才，厕于明哲之末。虽未足纲纪国体，宣洽时雍，庶几观察，增阐圣听。惟因万机之余暇，游意省览焉。'献帝善之。"

王粲二十岁，作《赠士孙文始》诗。《魏志·董卓传》卷六裴注引《三辅决录注》："天子都许，追论瑞功，封子萌澹津亭侯。萌字文始，亦有才学，与王粲善。临当就国，粲作诗以赠萌。萌有答，在《粲集》中。"

孟达与法正入蜀依刘璋。（《蜀志·法正传》卷三十七）孟达（？—228），字子敬，后改子度，扶风人。少入蜀依刘璋，后归刘备，官宜都太守；复降魏，曹丕重之，以为散骑常侍、建武将军、平阳亭侯，领新城泰守；诸葛亮诱之叛魏归蜀，终为司马懿所杀。《隋书·经籍志》卷三十五："梁……又有……新城太守《孟达集》三卷。……亡。"

董遇举孝廉，迁黄门侍郎；旦夕侍讲，为献帝所爱信。（《魏志·王肃传》卷十三裴注引《魏略》）

严苞应州辟。（《魏志·王肃传》卷十三裴注）严苞（？—222？），字文通，冯翊（今陕西大荔）人。建安初，应州辟，时州中自参军事以下百余人中，与贾洪才学最高。历守二县，黄初中，以高才入为秘书丞。数奏文赋，文帝异之。出为西平太守，卒官。（（《魏志·王肃传》卷十三裴注））

胡综十四岁，为门下循行，留吴与孙权共读书。（《吴志·胡综传》卷六十二）

荆州有童谣。《魏志·刘表传》卷六裴注引《搜神记》："建安初，荆州有童谣曰：'八九年间始欲衰，至十三年无孑遗。'"

公元 197 年　（汉献帝刘协建安二年　丁丑）

正月

曹操征张绣；纳张济妻为妾；先败于张绣，丧子曹昂、侄曹安民，后复胜之；还许。按，袁康《后汉纪》谓"二年春正月，曹操征张绣，绣降。其季弟济妻，国色也，操以为妾。绣由是谋叛，袭操七军，大败之，杀其二子"，"二子"当依《魏志·武帝纪》卷一所记，为其子曹昂、侄曹安民。

曹丕随军，遇险而脱。《典论·自序》："建安初，上南征荆州，至宛，张绣降。旬日而反，亡兄孝廉子修、从兄安民遇害。时余年十岁，乘马得脱。"按，曹操征张绣，丧子侄，事在此年，时曹丕当十一岁，《自序》"余年十岁"，"十"后当脱"一"字。

张纮为孙策作书责袁术。（《吴志·孙破虏讨逆传》卷四十六裴松之注引《吴录》）按，《吴志·孙破虏讨逆传》称"时袁术僭号，策以书责而绝之"，袁术僭号，即《后汉书·孝献帝纪卷九载"（建安）二年春，袁术自称天子"事；《吴录》所载孙策书，《典略》以为张昭作，裴松之则云"张昭虽名重，然不如纮之文也，此书纮所作"。

三月

孔融以将作大匠奉诏持节拜袁绍为大将军。（《后汉书·袁绍列传》卷七十四上）

九月

曹操东征袁术；还许，将诛杨彪。（《魏志·武帝纪》卷一、《后汉书·杨震列传》卷五十四、《资治通鉴》卷六十二）

孔融不及朝服，往见曹操，救杨彪；作《议马日磾不宜加礼》。（《后汉书·杨震列传》卷五十四、《后汉书·孔融列传》卷七十、《资治通鉴》卷六十二、《后汉纪》卷二十九）

十一月

曹操南征刘表，擒邓济，下湖阳、舞阴。（《魏志·武帝纪》卷一）

是年

郑玄七十一岁，与袁绍宴；应劭欲于郑玄面前自我炫耀，郑玄反唇相讥；袁绍举郑玄茂才，表为左中郎将，郑玄皆予拒绝。《后汉书·郑玄列传》卷三十五："时大将军袁绍总兵冀州，遣使要玄，大会宾客，玄最后至，乃延升上坐。身长八尺，饮酒一斛，秀眉明目，容仪温伟。绍客多豪俊，并有才说，见玄儒者，未以通人许之，竞设异端，百家互起。玄依方辩对，咸出问表，皆得所未闻，莫不嗟服。时汝南应劭亦归于绍，因自赞曰：'故太山太守应中远，北面称弟子何如？'玄笑曰：'仲尼之门考以四

371

科，回、赐之徒不称官阀。'劭有惭色。绍乃举玄茂才，表为左中郎将，皆不就。"按，《太平广记》卷一百九十四引殷芸《小说》《北堂书钞》卷一百四十八引《郑玄别传》所记大同小异。郑玄见袁绍事，本传叙在建安元年还高密后，当在此年，且在座之应劭此年拜袁绍军谋校尉，足证为此年事。

陈纪六十九岁，避难徐州。（《魏志·陈群传》卷二十二）

陈群约三十岁，举茂才，除柘令，不行，随父陈纪避难徐州。（《魏志·陈群传》卷二十二）

应劭为袁绍军谋校尉，作《汉官礼仪故事》《风俗通》等。《后汉书·应劭列传》卷四十八："二年，诏拜劭为袁绍军谋校尉。时始迁都于许，旧章湮没，书记罕存，劭慨然叹息，乃缀集所闻，著《汉官礼仪故事》，凡朝廷制度，百官典式，多劭所立。初，父奉为司隶时，并下诸官府郡国，各上前人像赞，劭乃连缀其名，录为《状人纪》。又论当时行事，著《中汉辑序》。撰《风俗通》，以辩物类名号，释时俗嫌疑。文虽不典，后世服其洽闻。凡所著述百三十六篇。又集解《汉书》，皆传于时。"

祢衡二十五岁，曹操召为鼓史，祢衡裸身击鼓以辱之，又于营门前，以杖捶地骂之。曹操欲借刀杀人，送祢衡于刘表，刘表甚加宾礼。《后汉书·文苑列传》卷八十下："融既爱衡才，数称述于曹操。操欲见之，而衡素相轻疾，自称狂病，不肯往，而数有恣言。操怀忿，而以其才名，不欲杀之。闻衡善击鼓，乃召为鼓史，因大会宾客，阅试音节。诸史过者，皆令脱其故衣，更著岑牟单绞之服。次至衡，衡方为《渔阳》参挝，蹀躞而前，容态有异，声节悲壮，听者莫不慷慨。衡进至操前而止，吏诃之曰：'鼓史何不改装，而轻敢进乎？'衡曰：'诺。'于是先解衵衣，次释余服，裸身而立，徐取岑牟、单绞而著之，毕，复参挝而去，颜色不怍。操笑曰：'本欲辱衡，衡反辱孤。'孔融退而数之曰：'正平大雅，固当尔邪？'因宣操区区之意。衡许往。融复见操，说衡狂疾，今求得自谢。操喜，敕门者有客便通，待之极晏。衡乃著布单衣、疏巾，手持三尺棁杖，坐大营门，以杖捶地大骂。吏白：外有狂生，坐于营门，言语悖逆，请收案罪。操怒，谓融曰：'祢衡竖子，孤杀之犹雀鼠耳。顾此人素有虚名，远近将谓孤不能容之，今送与刘表，视当何如。'于是遣人骑送之。临发，众人为之祖道，先供设于城南，乃更相戒曰：'祢衡勃虐无礼，今因其后到，咸当以不起折之也。'及衡至，众人莫肯兴，衡坐而大号。众问其故，衡曰：'坐者为冢，卧者为尸，尸冢之间，能不悲乎！'"按，《世说新语·言语》谓"祢衡被魏武谪为鼓史，正月半试鼓"，刘孝标注引《文士传》云"后至八月朝会大阅试鼓节"；《后汉书·孝献帝纪》卷九谓"建安元年……八月……庚申，迁都许；己巳，幸曹操营"，即谓八月庚申决定迁都许，而"九月，车驾出辕辕而东"（《魏志·武帝纪》卷一）至许，故知祢衡试鼓当在献帝都许之次年即建安二年。

祢衡至荆州，深受刘表礼敬，后以侮慢刘表，又被送与黄祖，黄祖亦加善待。黄祖子黄射待之尤善，祢衡为作《鹦鹉赋》，文无加点，辞采甚丽。《后汉书·文苑列传》卷八十下："刘表及荆州士大夫先服其才名，甚宾礼之，文章言议，非衡不定。表尝与诸文人共草章奏，并极其才思。时衡出，还见之，开省未周，因毁以抵地。表忔然为骇。衡乃从求笔札，须臾立成，辞义可观。表大悦，益重之。后复侮慢于表，表耻不能容，以江夏太守黄祖性急，故送衡与之，祖亦善待焉。衡为作书记，轻重疏密，各得体宜。祖持其手曰：'处士，此正得祖意，如祖腹中之所欲言也。'祖长子射为章陵太守，尤善于衡。尝与衡俱游，共读蔡邕所作碑文，射爱其辞，还恨不缮写。衡曰：'吾虽一览，犹能识之，唯其中石缺二字为不明耳。'因书出之，射驰使写碑还校，如衡所书，莫不叹伏。射时大会宾客，人有献鹦鹉者，射举卮于衡曰：'愿先生赋之，以娱嘉宾。'衡揽笔而作，文无加点，辞采甚丽。"按，《魏志·荀彧传》卷十裴注引《祢衡传》称"衡知众不悦，将南还荆州"，盖谓祢衡自动离许赴荆州，然无论自动还是被动，离许都当在试鼓后不久。

曹操四十三岁，遣归丁氏，以卞氏为继室；作《手书与吕布》。（《魏志·后妃传》卷五及裴注引《魏略》）按，曹书有语云"袁术称天子，将军上之而使不通章"，据《后汉书·孝献帝纪》卷九，袁术称帝为此年春事，故书当作于此年。

卫觊约三十七岁，除茂陵令。按，《魏志·卫觊传》卷二十一云"太祖辟为司空掾属，除茂陵令、尚书郎。……觊以治书侍御史使益州"，卫觊为司空掾属在建安元年，为治书侍御史在建安四年，中间两年有两职，姑以二年为茂陵令，三年为尚书郎。

诸葛亮十七岁，移居襄阳隆中。按，《蜀志·诸葛亮传》卷三十五谓诸葛亮早孤，依从父诸葛玄；裴注引《献帝春秋》称诸葛玄建安二年被杀；《蜀志》本传又称"玄卒，亮躬耕陇亩"，裴注引《汉晋春秋》谓"亮家于南阳之邓县，在襄阳城西二十里，号曰隆中"，则诸葛亮当于是年从父诸葛玄死后移居隆中。

公元 198 年 （汉献帝刘协建安三年 戊寅）

正月

曹操还许，初置军师祭酒。（《魏志·武帝纪》卷一）

三月

曹操围张绣于穰。（《魏志·武帝纪》卷一）

五月

曹操作《与荀彧书（贼来追吾）》，大破张绣、刘表联军于安众。（《魏志·武帝纪》卷一）

七月

曹操还许。（《魏志·武帝纪》卷一）

九月

曹操东征吕布。（《魏志·武帝纪》卷一）

十月

曹操围吕布，取徐州，纳秦宜禄妻杜氏。按，《魏志·明帝纪》卷三裴注引《献帝传》云："朗父名宜禄，为吕布使诣袁术，术妻以汉宗室女。其前妻杜氏留下邳。布之被围，关羽屡请于太祖，求以杜氏为妻，太祖疑其有色。及城陷，太祖见之，乃自纳之。宜禄归降，以为铚长。及刘备走小沛，张飞随之，过谓宜禄曰：'人取汝妻，而为之长，乃蚩蚩若是邪！随我去乎？'宜禄从之数里，悔欲还，飞杀之。朗随母氏畜于公宫，太祖甚爱之，每坐席，谓宾客曰：'世有人爱假子如孤者乎？'"《武帝纪》载围吕布、下徐州事于此年此月，则纳杜氏亦当在此时。

祢衡忤黄祖，见杀，年二十六（173—198）。《后汉书·文苑列传》卷八十下："后黄祖在蒙冲船上，大会宾客，而衡言不逊顺，祖惭，乃诃之，衡更熟视曰：'死公！云等道？'祖大怒，令五百将出，欲加箠，衡方大骂，祖恚，遂令杀之。祖主簿素疾衡，即时杀焉。射徒跣来救，不及。祖亦悔之，乃厚加棺敛。衡时年二十六，其文章多亡云。"惠栋《后汉书补注》卷十八引《衡别传》："十月朝，祖在艨冲舟，宾客皆会。作黍臛既至，先在衡前。衡得便饱食，初不顾左右。既毕，复抟弄以戏。时江夏有张伯云亦在坐，调之曰：'礼教云何而食此？'正平不答，弄黍如故。祖曰：'处士不当答之也。'衡谓祖曰：'君子宁闻车前马屁？'祖向之，衡熟视骂曰：'死锻锡公！'祖大怒，令五百将出，欲杖之。而骂不止，遂令绞杀。黄射来救，无所复及，怆悽流涕曰：'此有异才，曹操及刘荆州不杀，大人奈何杀之？'祖曰：'人骂汝父作锻锡公，奈何不杀？'"

十二月

曹操擒吕布，杀之。（《魏志·武帝纪》卷一、《资治通鉴》卷六十二）

陈纪为大鸿胪。按，《后汉书·陈纪列传》卷六十二云"拜大鸿胪"，《资治通鉴》卷六十二谓此时"前尚书令陈纪、纪子群在布军中，操皆礼用之"，所谓"礼用"，当用为大鸿胪。

陈群被曹操辟为司空西曹掾属；荐黜得当，世以为知人。（《魏志·陈群传》卷二十二）

是年

赵岐九十岁，拜太常。《后汉书·赵岐列传》卷六十四："曹操时为司空，举以自代。光禄勋桓典、少府孔融上书荐之，于是就拜岐为太常。"按，孔融此年为少府，故赵岐受举荐、为太常当在此年。

郑玄七十二岁，公车征为大司农，给安车一乘，所过长吏送迎；郑玄以病自乞还家。（《后汉书·郑玄列传》卷三十五、袁宏《后汉纪》卷二十九）

荀悦五十一岁，与少府孔融侍讲禁中，旦夕谈论；迁秘书监。按，孔融建安三年为少府，荀悦侍讲当在此时。本传云"累迁秘书监"，《魏志·荀彧传》卷十裴注引张璠《汉纪》称其"建安初为秘书监……被诏删汉书作《汉纪》三十篇"，则作《汉纪》时已为秘书监，姑定为其职在作《汉纪》两年前。

孔融四十六岁，迁少府，与荀悦、荀彧侍讲禁中；作《与王朗书》《张俭碑铭》《荐谢该书》。按，《后汉书·孔融列传》卷七十云"及献帝都许，征融为将作大匠，迁少府"，迁少府年未详，然《后汉书·袁绍列传》卷七十四上谓"（建安）二年使将作大匠孔融持节拜绍大将军"，则迁少府或在此年。《后汉书·荀悦列传》卷六十二云"献帝颇好文学，悦与彧及少府孔融侍讲禁中，旦夕谈论"，其事当亦在此年。《魏志·王朗传》卷十三云"朗被征未至，孔融与朗书"，王朗被征在此年，孔书自当作于此年。《后汉书·党锢列传》卷六十七谓张俭"建安初，征为卫尉……岁余卒于许下"，则卒于建安三年，孔融碑铭当作于此时。《后汉书·儒林列传》卷七十九下云"（谢该）欲归乡里，会荆州道断，不得去。少府孔融上书荐之"，谢该为孔融任少府时所荐，宜系于此。

曹操四十四岁，其《蒿里》诗作于此年前后。按，《蒿里》诗云"淮南弟称号，刻玺于北方"，前句指袁术建安二年（197）称帝，后句指袁绍初平二年（191）私刻金玺（见《魏志·武帝纪》裴注引《献帝起居注》），故诗当作于建安二年之后，姑系于此。

王朗征拜谏议大夫，参司空参军；对曹操问，以为孙策、张昭、周瑜"终为天下大贼，非徒狗盗而已"。（《魏志·王朗传》卷十三及裴注引《汉晋春秋》）

边让恃才倨傲，尝讥议曹操，被杀（？—198？）。《后汉书·文苑列传》卷八十下："（边让）恃才气，不屈曹操，多轻侮之言。建安中，其乡人有构让于操，操告郡就杀之。"《魏志·武帝纪》卷一裴注引《曹瞒传》："及在兖州，陈留边让言议颇侵太祖，太祖杀让，族其家。"按，《资治通鉴》卷六十一系于兴平元年四月，不知何据；孔融建安元年为书荐之于曹操，知其时边让尚在，陈琳建安五年六月为文盛称被曹操所杀之边让"英才俊逸"，知其时边让已死，则边让当于建安元年至五年之间被杀，姑以建安三年当之，与传云见杀于"建安中"亦合。

卫觊约三十八岁，迁尚书郎。（《魏志·卫觊传》卷二十一）

繁钦因长沙太守张羡叛刘表，作《移零陵檄》。《文选·赠文叔良诗》卷二十三李善注："干宝《搜神记》曰：'文颖，字叔良。南阳人。'《繁钦集》又云：'为荆州从事文叔良作《移零陵檄》。'"按，《后汉书·刘表列传》卷七十四云"（建安）三年，长沙太守张羡率零陵、桂阳三郡畔表"，繁檄当缘此而作。繁钦（？—218），字休伯。颍川（今河南禹县）人。有文才，机敏善辩，年少即得名汝颍。长于书记，能为诗赋。所作《与魏文帝笺》，"记喉转意，率皆巧丽"。（《魏志·王粲传》卷二十一裴注引《典略》）《隋书·经籍志》卷三十五："后汉丞相主簿《繁钦集》十卷，梁录一卷，亡。"严可均《全后汉文》卷九十三收其文二十二篇。丁福保《全三国诗》卷三收其诗六首。

王粲二十二岁，作《三辅论》。按，《艺文类聚》卷五十九载王粲《三辅论》称"长沙不轨，敢作乱违。我牧睹其然，乃赫尔发愤，且上征下战，去暴举顺"，所谓

"长沙不轨"，当指长沙太守张羡反刘表事，而《后汉书·刘表列传》卷七十四下叙此事在建安三年，由是可知其文作于此年。

韦诞二十岁，出仕。韦诞《叙志赋》："自弱冠而立朝，无匡时之异才。"

诸葛亮十八岁，与徐庶等同游学。《蜀志·诸葛亮传》卷三十五裴注引《魏略》："亮在荆州，以建安初与颍川石广元、徐元直、济南孟公威等俱游学"，梁章钜《三国志旁证》卷二十一引张介侯《诸葛亮年谱》系于此年，今从之。

谢该拜议郎。按，谢该为孔融举荐后拜议郎，上条已云孔融荐谢该在此年，故系于此。谢该（？—？），字文仪，南阳章陵（今湖北枣阳东）人。善明《春秋左氏》，为世名儒，弟子数百千人。曾通解《左氏》，名为《谢氏释》。孔融荐书中称其"体曾、史之淑性，兼商、偃之文学，博通群艺，周览古今，物来有应，事至不惑，清白异行，敦悦道训，求之远近，少有畴匹"。（《后汉书·儒林列传》卷七十九下）

薛综避地交州，从刘熙学。按，《吴志·薛综传》卷五十三云其"少依族人避地交州，从刘熙学"，年月未详；《吴志·程秉传》卷五十三云"（程秉）逮事郑玄，后避乱交州，与刘熙考论大义"，刘熙当与郑玄同时；又《蜀志·许慈传》卷四十二谓许慈师从刘熙后，"建安中"离交州入蜀；郑玄卒于建安五年，则刘熙盖灵帝末、献帝初在世，姑以建安三年为薛综师从刘熙之年。薛综（？—243），字敬文，沛郡竹邑（今安徽宿县西北）人。少从交州刘熙学，后为士燮五官中郎将，除合浦、交阯太守，守谒者仆射。黄龙三年，为镇军大将军长史，入守贼曹尚书，迁尚书仆射。赤乌时，徙选曹尚书，迁太子少傅，六年春卒。"凡所著诗、赋、难、论数万言，名曰《私载》，又定《五宗图述》《二京解》，皆传于世"。（《吴志·薛综传》卷五十三）《隋书·经籍志》卷三十五："梁……又有太子少傅《薛综集》三卷，录一卷。……薛综注张衡《二京赋》二卷……亡。"严可均《全三国文》卷六十六收其文十二篇。

陆凯生（198—269）。（《吴志·陆凯传》卷六十一）陆凯，字敬风，吴郡吴（今江苏苏州）人。黄武初为永兴、诸暨长，后拜建武都尉。赤乌中除儋耳太守，迁建武校尉。五凤时拜巴丘督、偏将军，封都乡侯，转武昌右部督，累迁荡魏、绥远将军。孙休时拜征北将军，领豫州牧；孙皓时迁镇西大将军，都督巴丘，领荆州牧，封嘉兴侯。官至左丞相。（《吴志·陆凯传》卷六十一）《隋书·经籍志》卷三十五："吴丞相《陆凯集》五卷，梁有录一卷。"

杜恕生（198—252）。杜恕，字务伯，京兆杜陵（今陕西长安东南）人。先为散骑侍郎，转补黄门侍郎。出为弘农太守，转赵相，以疾去官；起为河东太守，迁淮北都督护军，拜御史中丞，复出为幽州刺史，加建威将军。坐事免为庶人，徙章武郡。"在章武，遂著《体论》八节。又著《兴性论》一篇，盖兴于为己也"。嘉平四年卒。（《魏志·杜恕传》卷十六及裴注引《杜氏新书》）《隋书·经籍志》卷三十四："《杜氏体论》四卷，魏幽州刺史杜恕撰。……梁有《笃论》四卷，杜恕撰。"

王昶约于此年生（198？—259）。按，生年不详，其建安二十二年（217）为太子文学，如其年弱冠，则生于此年。王昶，字文舒，太原晋阳（今山西太原）人。先为太子文学，迁中庶子。文帝践阼，徙散骑侍郎，为洛阳典农，迁兖州刺史。明帝即位，加扬烈将军，赐爵关内侯。青龙中，应选为德才兼备者；正始中，转在徐州，封武观亭侯，迁征南将军，假节都督荆、豫诸军事。嘉平时，迁征南大将军、仪同三司，封京陵侯，进位骠骑将军，迁司空。甘露四年卒，谥曰穆侯。"著《治论》，略依古制而合于时务者二十馀篇，又著《兵书》十馀篇"。(《魏志·王昶传》卷二十七)《隋书·经籍志》卷三十五："魏司空《王昶集》五卷，梁有录一卷。"

公元 199 年　　(汉献帝刘协建安四年　己卯)

二月

曹操还至昌邑。(《魏志·武帝纪》卷一)

春

陈琳为袁绍密改公孙瓒与其子公孙续请救兵书，作《武军赋》。(《魏志·公孙瓒传》卷八裴注引《献帝春秋》)按，《武军赋序》谓"回天军于易水之阳"，指《魏志·公孙瓒传》卷八载建安四年袁绍围灭公孙瓒事，当作于此时。

四月

曹操进军临河，斩眭固；济河，下射犬；还军敖昌。(《魏志·武帝纪》卷一)

六月

陈纪卒，年七十一(129—199)。(邯郸淳《汉鸿胪陈纪碑》)

邯郸淳作《汉鸿胪陈纪碑》。邯郸碑云："建安四年六月卒。……遂树斯石。"

八月

曹操进军黎阳。(《魏志·武帝纪》卷一)

刘桢或于此时随曹军至黎阳。按，谢灵运《拟魏太子邺中集诗八首·刘桢》称"(刘桢)北至黎阳津"，曹操为丞相前，于建安四、五、七、八年，多次军至黎阳，刘桢为丞相掾属前即曾从曹"北至黎阳津"，惟难确知在何年，姑系于此。

九月

曹操还许。(《魏志·武帝纪》卷一)

十一月

曹操收降张绣。(《魏志·武帝纪》卷一)

卫觊以治书御史使益州，留镇关中，作《与荀彧书》《关中议》。(《魏志·卫觊传》卷二十一及裴注引《魏书》《资治通鉴》卷六十三)

十二月

曹操军官渡。(《魏志·武帝纪》卷一)

是年

孔融四十七岁,其《议复肉刑》《论刘表疏》或作于此年。按,议、论二文,未详作于何时,详传意,二文当作于同时;《后汉书·刘表列传》卷七十四下谓韩嵩建安五年使许,《魏志·刘表传》卷六裴注引《零陵先贤传》称刘先奉章诣许,当与韩嵩同使,曹操曾向刘先问及刘表郊天事,则其事在建安元年至五年之间,姑系于此。

张纮四十三岁,奉孙策命至许,曹操辟其为掾,补侍御史;孔融等与之亲善;后以为九江太守,以疾固辞。(《吴志·张纮传》卷五十三、裴注引《吴书》)

陈群三十二岁,除萧、赞、长平令;丧父(陈纪),去官。(《魏志·陈群传》卷二十二)

杨修二十五岁,举孝廉,除郎中。按,《后汉书·杨修列传》卷五十四李贤注引《典略》云"修建安中举孝廉,除郎中",《魏志·陈思王植传》卷十九裴注引《世语》又云"修年二十五,以名公子有才能,为太祖所器",杨为曹操器重,除郎中,疑在其二十五岁之年。

卢毓十七岁,养寡嫂兄子,以学行见称。(《魏志·卢毓传》卷二十二)

何晏随母尹氏归曹操。按,《魏志·曹爽传》卷九裴注引《魏略》云"太祖为司空时纳晏母,并收养晏。其时秦宜禄儿阿苏亦随母在公家,并见宠如公子。苏即朗也",《魏志·武帝纪》卷一谓曹操建安元(196)年为司空,《魏志·明帝纪》卷三裴注引《献帝传》云建安三年(198)曹操纳秦宜禄妻,并收养其子阿苏(秦朗),曹操纳尹氏当在其纳秦妻后、为丞相(建安十三年)前,姑系于此。何晏(?—249),字平叔,南阳宛(今河南南阳)人。何进孙,母尹氏改嫁曹操,何晏随之。少以才秀知名。长娶公主,好色,自恋,"动静粉白不去手,行步顾影"。曹丕憎之,谓之为"假子",即位后未任其要职。明帝时,亦为冗官。正始初,依附曹爽,官散骑侍郎,迁侍中、尚书。"好《老》《庄》言,作《道德论》及诸文赋著述凡数十篇"。正始末,为司马懿所杀。(《魏志·曹爽传》卷九及裴注引《魏略》)《隋书·经籍志》卷三十二:"《乐悬》一卷,何晏等撰议。""吏部尚书何晏……注《孝经》各一卷,亡。""《集解论语》十卷,何晏集。"同书卷三十三:"《官族传》十四卷,何晏撰。""《魏晋谥议》十三卷,何晏撰。"同书卷三十四:"梁有《老子道德论》二卷,何晏撰。"同书卷三十五:"魏尚书《何晏集》十一卷,梁十卷,录一卷。"严可均《全三国文》卷三十九收其文十四篇。丁福保《全三国诗》卷三收其诗二首。永瑢等:"《论语义疏》十卷,魏何晏注,梁皇侃疏。书前有《奏进论语集解序》,题光禄大夫关内侯孙邕、光禄大夫郑冲、散骑常侍中领军安乡亭侯曹羲、侍中荀颙、尚书驸马都尉关内侯何晏五人之名。《晋书》载郑冲与孙邕、何晏、曹羲、荀颙等共集论语诸家训诂之善者,义有不安,辄改易之,名《集解》。亦兼称五人。今本乃独称何晏。考陆德明《经典释文》,于《学而第一下》题'集解'二字。注曰'一本作何晏《集解》'。又序录曰，何晏集孔安国、包咸、周氏、马融、郑元、陈群、王肃、周生烈之说，并下己意为《集解》。正始中上之，盛行于世。今以为主云云。是独题晏名，其来久矣。殆晏以亲贵总领其事欤？邕字宗儒，乐安青州人。冲字文和，荥阳开封人。羲，沛国谯人，魏宗室子。颢字景倩，荀彧之子。晏字平叔，南阳宛人，何进之孙，何咸之子也。侃，《梁书》作'偘'，盖字异文。吴郡人。青州刺史皇象九世孙。武帝时官国子助教，寻拜散骑常侍郎，兼助教如故。大同十一年卒。事迹具《梁书·儒林传》。传称所撰《礼记义》五十卷。《论语义》十卷。《礼记义》久佚。此书宋《国史志》《中兴书目》，晁公武《读书志》，尤袤《遂初堂书目》皆尚著录。《国史志》称侃疏虽时有鄙近，然博极群言，补诸书之未至，为后学所宗。盖是时讲学之风尚未甚炽，儒者说经亦尚未尽废古义，故史臣之论云尔。殆乾淳以后，讲学家门户日坚，羽翼日众，铲除异己，惟恐有一字之遗，遂无复称引之者，而陈氏《书录解题》亦遂不著录。知其佚在南宋时矣。惟唐时旧本流传，存于海外。康熙九年，日本国山井鼎等作《七经孟子考文》，自称其国有是书，然中国无得其本者。故朱彝尊《经义考》注曰未见。今恭逢我皇上右文稽古，经籍道昌，乃发其光于鲸波鲛室之中，藉海舶而登密阁。殆若有神物挈诃，存汉晋经学之一线，俾待盛世而复显者。其应运而来，信有非偶然者矣。据《中兴书目》，称侃以何晏《集解》去取为疏十卷，又列晋卫瓘、缪播、栾肇、郭象、蔡谟、袁宏、江淳、蔡系、李充、孙绰、周瑰、范宁、王珉等十三人爵里于前，云此十三家是江熙所集。其解释于何集无妨者亦引取为说，以示广闻云云。此本之前，列十三人爵里，数与《中兴书目》合。惟江厚作江淳，蔡溪作蔡系，周怀作周瑰，殆传写异文欤？其经文与今本亦多有异同。如'举一隅'句下有'而示之'三字，颇为冗赘，然与《文献通考》所引《石经论语》合。'夫子之言性与天道不可得而闻也'下有'已矣'二字，亦与钱曾《读书敏求记》所引高丽古本合。其疏文与余萧客《古经解钩沉》所引，虽字句或有小异，而大旨悉合，知其确为古本，不出依托。观《古文孝经》孔安国传，鲍氏知不足斋刻本，信以为真。而《七经孟子考文》乃自言其伪。则彼国于授受源流，分明有考，可据以为信也。至'临之以庄则敬'，作'临民之以庄则敬'，《七经孟子考文》亦疑其'民'字为误衍。然谨守古本而不敢改，知彼国递相传写，偶然讹舛或有之，亦未尝有所窜易矣。至何氏《集解》，异同犹夥。虽其中以包氏为苞氏，以陈恒为陈桓之类，不可据者有之，而胜于明刻监本者亦复不少，尤可以旁资考证也。"（《四库提要》卷三十五）永瑢等："《论语正义》二十卷，魏何晏注，宋邢昺疏。昺字叔明，曹州济阴人。太平兴国中擢九经及第，官至礼部尚书，事迹具《宋史》本传。是书盖咸平二年诏昺改订旧疏，颁列学官，至今承用，而传刻颇讹。《集解》所引十三家，今本各题曰某氏，皇侃义疏则均题其名。案《奏进序》中，称集诸家之善，记其姓名。侃疏亦曰，何集注皆呼人名，惟包独言氏者，包名咸，何家讳咸，故不言也，与序文合。今本为后来刊版之省文。然周氏与周生烈遂不可分，殊不如皇本之有别。考邢昺疏中亦载皇侃何氏讳咸之语，其疏记其姓名句则云注但记其姓，而此连言名者，以著其姓所以名其人，非谓名字之名也。是昺所见之本，已惟题姓，故有是曲说。《七经孟子考文》称其国皇侃义疏本为唐代所传，是亦一证矣。其文与皇侃所载亦异同不一，大抵互有短长，如《学而篇》'不患人知不己知章'，皇疏有王肃注一条，《里仁篇》'君子之于天下也章'，皇疏有何晏注一条，今本皆无。观顾炎武《石经考》，以《石经仪礼》校监版，或并经文全节漏落，则今本《集解》传刻佚脱，盖所不免。然蔡邕《石经论语》'于而在萧墙之内'句，两本并存，见于《隶释》。陆德明《经典释文》于诸本同异，亦皆并存。盖唐以前经师授受，各守专门，虽经文亦不能画一，无论注文。固不必以此改彼，亦不必以彼改此。今仍从今本录之，所以各存其旧也。昺疏，《宋志》作十卷，今本二十卷，盖后人依《论语》篇第析之。晁公武《读书志》称其亦因皇侃所采诸儒之说，刊定而成。今观其书，大抵翦皇氏之枝蔓，而稍傅以义理。汉学宋学，兹其转关。是疏出而皇疏微，迨伊洛之说出而是疏又微。故《中兴书目》曰，其书于章句训诂名物之际详矣。盖微言其未造精微也。然先有是疏，而后讲学诸儒得沿溯以窥其奥，祭先河而后海，亦可以后来居上，遂尽废其功乎！"（《四库提要》卷三十五）

谯周生（199—270）。《蜀志·谯周传》卷四十二："（泰始）五年……周语予曰：'昔孔子七十二、刘向、扬雄七十一而没，今吾年过七十，庶慕孔子遗风，可与刘、扬同轨，恐不出后岁，必便长逝，不复相见矣。'……六年……至冬卒。"按，泰始五年（269）"年过七十"即七十一岁，六年（270）则七十二岁，逆推至此年，为其生年。谯周，字允南，巴西西充国（今属四川）人。好古笃学，家贫未尝问产业，诵读典籍，欣然独笑，以忘寝食。研精《六经》，尤善书札。晓天文，不喜诸子文章。秉性推诚不饰，不善辩说，潜识内敏。先为劝学从事，徙典学从事，后为太子仆，转家令，迁光禄大夫。邓艾入阴平，劝后主降魏，封阳城亭侯。入晋后，征拜骑都尉。"凡所著述，撰定《法训》《五经论》《古史考》之属百余篇"。（《蜀志·谯周传》卷四十二）《隋书·经籍志》卷三十二："梁有……谯周注《论语》十卷，亡。……《五经然否论》五卷，晋散骑常侍谯周撰。"同书卷三十三："《古史考》二十五卷，晋义阳亭侯谯周撰。……《三巴记》一卷，谯周撰。"同书卷三十五："《谯子法训》八卷，谯周撰。梁有《谯子五教志》五卷，亡。"

公元 200 年　　（汉献帝刘协建安五年　庚辰）

正月

曹操诛董承，夷其族。（《魏志·武帝纪》卷一）

曹操东征刘备，获其妻子，擒关羽；还官渡。（《魏志·武帝纪》卷一）

二月

崔琰劝谏袁绍守境述职，袁绍不听，终致官渡之败。《魏志·崔琰传》卷十二："后绍治兵黎阳，次于延津，琰复谏曰……"按，袁绍兵次延津，《魏志·武帝纪》谓在建安五年二月。

春

郑玄梦孔子，知命当终，遂寝疾；袁绍令子袁谭遣使逼郑玄随军，郑玄不得已抱病到元城县，病笃不进。（《后汉书·郑玄列传》卷三十五）

四月

曹操斩袁绍名将颜良、文丑，解白马之围；还军官渡。（《魏志·武帝纪》卷一）

张昭于孙策弥留之际，谓当以兵属孙翊（俨），而孙策以印绶授孙权，张昭率群僚立而辅之。（《吴志·孙翊传》卷五十一裴注引《典略》《吴志·张昭传》卷五十二、《资治通鉴》卷六十三）

六月

郑玄卒于元城沙鹿，年七十四（127—200）。《后汉书·郑玄列传》卷三十五："玄质于辞训，通人颇讥其繁。至于经传洽孰，称为纯儒，齐鲁间宗之。……自秦焚《六经》，圣文埃灭。汉兴，诸儒颇修艺文；及东京，学者亦各名家。而守文之徒，滞固所禀，异端纷纭，互相诡激，遂令经有数家，家有数说，章句多者或乃百余万言，学徒劳而少功，后生疑而莫正。郑玄括囊大典，网罗众家，删裁繁诬，刊改漏失，自是学者略知所归。王父豫章君每考先儒经训，而长于玄，常以为仲尼之门不能过也。及传授生徒，并专以郑氏家法云。"

陈琳作《为袁绍檄州郡文》，文中盛称被曹操所杀之边让为"英才俊逸"。《魏志·袁绍传》卷六裴松之注："《魏氏春秋》载绍《檄州郡文》曰：'……故九江太守边让，英才俊逸，天下知名，以直言正色，论不阿谄，身首被枭县之戮，妻孥受灰灭之咎。……当今汉道陵迟，纲弛纪绝。操以精兵七百，围守宫阙，外称陪卫，内以拘执，惧其篡逆之祸，因斯而作。乃忠臣肝脑涂地之秋，烈士立功之会也，可不勖哉！'此陈琳之辞。"按，《文选》卷四十四题为《为袁绍檄豫州》，文字亦较《魏氏春秋》所载多近四百字，且文首有"左将军领豫州刺史"云云，论者或以为与史实有龃龉。古时文章展转流传，难免有增减讹误之处。刘备奔袁绍事在此时，陈文姑系于此。

七月

曹操制新科，行户调。（《魏志·何夔传》卷十二、《资治通鉴》卷六十三）

八月

曹操与袁绍相持于官渡，作《与荀彧书》《与钟繇书》。（《魏志·武帝纪》卷一、《魏志·荀彧传》卷十、《魏志·钟繇传》卷十三）按，曹操与荀彧书及下条荀彧报之，《资治通鉴》系于此年九月，今从《魏志》。

荀彧报曹操书，谓不可从官渡相持中退兵。（《魏志·荀彧传》卷十）

十月

曹操于官渡大破袁绍，作《上言破袁绍》《造发石车令》；曹操收袁绍书中，得许下及军中人书，皆焚之。（《魏志·武帝纪》卷一及裴注引《献帝起居注》）按，《太平御览》卷三百三十七引《魏武本纪》云"上与袁绍军于官渡，贼射营中，行者皆被甲，众皆恐。上令：'《传》言：旝动而鼓'"，注："（《说文》）曰：旝，发石车也"，则曹操是役下令造发石车。

是年

荀悦五十三岁，迁侍中；奉诏依《左传》体为《汉纪》三十篇，辞约事详，论辨多美；或于此年迁秘书监。《后汉书·荀悦列传》卷六十二："帝好典籍，常以班固《汉书》文繁难省，乃命悦依《左氏传》体以为《汉纪》三十篇，诏尚书给笔札。辞约事详，论辨多美。其序之曰：'昔在上圣，惟建皇极，经纬天地，观象立法，乃作书契，以通宇宙，扬于王庭，厥用大焉。先王光演大业，肆于时夏。亦惟厥后，永世作典。夫立典有五志焉：一曰达道义，二曰章法式，三月通古今，四月著功勋，五月表贤能。于是天人之际，事物之宜，粲然显著，罔不备矣。世济其轨，不陨其业。损益盈虚，与时消息。臧否不同，其揆一也。汉四百有六载，拨乱反正，统武兴文，永惟祖宗之洪业，思光启乎万嗣。圣上穆然，惟文之恤，瞻前顾后，是绍是继，阐崇大猷，命立国典。于是缀叙旧书，以述《汉纪》。中兴以前，明主贤臣得失之轨，亦足以观矣。'"按，序中称"汉四百有六载"，自汉高祖元年（前206）至建安五年（200）为四百零六年，《汉纪》并序当作于此年；《魏志·荀彧传》卷十裴注引张璠《汉纪》称"悦清虚沈静，善于著述。建安初为秘书监、侍中，被诏删汉书作《汉纪》三十篇，因事以明臧否，致有典要；其书大行于世"，建安五年与"建安初"合，《资治通鉴》卷六十四系于建安十年，则离"初"似远。又，张璠称其作《汉纪》时为侍中，疑迁此职在此年撰《汉纪》前。永瑢等："《汉纪》三十卷，汉荀悦撰。曰字仲豫，颍阴人。献帝时官秘书监、侍中。《后汉书》附见其祖《荀淑传》，称'献帝好典籍，以班固《汉书·艺文志》文繁难省，乃令悦依《左氏传》体为《汉纪》三十篇，词约事详，论辨多美'。张璠《汉纪》亦称其因事以明臧否，致有典要，大行于世。唐刘知己《史通·六家篇》，以悦书为'左传家'之首。其《二体篇》又称其历代宝之，有逾本传。班、荀二体，角力争先。其推之甚至。故唐人试士，以悦《纪》与《史》《汉》为一科。《文献通考》载宋李焘跋，曰'悦为此《纪》，固不出班书，亦时有所删润。而谏大夫王仁、侍中王闳谏疏，班书皆无之'。又称'司马光编《资治通鉴》，书太上皇事及五凤郊泰畤之月，要皆舍班而从荀。盖以悦修《纪》时，固书犹为舛讹'。又称'其君兰君简、端瑞、兴誉、宽竟诸字与《汉书》互异者，先儒皆两存之'。王铚作《两汉纪后序》，亦称'荀、袁二《纪》，于朝廷纪纲，礼乐刑政，治乱成败，忠邪是非之际，指陈论著，每致意焉。反复辨达，明白条畅，启告当代，而垂训无穷'。是宋人亦甚重其书也。其中若壶关三老茂，《汉书》无姓，悦书云姓'令狐'。朱云请上方剑，《汉书》作'斩马',悦书乃作'断马'。证以唐张渭诗'愿得上方断马剑,斩取朱门公子头'句,知《汉书》字误。资考证者亦不一。近时顾炎武《日知录》乃惟取其'宣帝赐陈遂玺书'一条,及'元康三年封海昏侯诏'一条,能改正《汉书》三四字。其余则病其叙事索然无意味,间或首尾不备。其小有不同,皆以班书为长,未免抑扬过当。又曰'纪王莽事自始建国元年以后,则云其二年,其三年,以至其十五年,以别于正统而尽没其天凤地皇之号'云云,其语不置可否,然不曰尽'削'而曰尽'没',似反病其疏略者。不知班书莽自为传,自可载其伪号。荀书以汉系编年,岂可以莽纪元哉。是亦非确论,不足为悦病也。是书考李焘所跋,自天圣中已无善本。明黄姬水所刊亦间有舛讹。康熙中襄平蒋国祥、蒋国祚与袁宏《后汉纪》合刻,后附《两汉纪字句异同考》一卷。今用以参校,较旧本稍为完善矣。"(《四库提要》卷四十七)

孔融四十八岁,生子;对汉献帝问祭礼;与荀彧议袁绍。(《后汉书·孔融列传》卷七十、《魏志·荀彧传》卷十)按,《后汉书·孔融列传》卷七十谓其见杀时"男年九岁",其见杀之年为建安十三年,逆推至此年,则为其子生年。《魏志·荀彧传》卷十谓孔、荀议袁绍在建安三年,《资治通鉴》卷六十二亦系于三年,然当在《魏志·武帝纪》卷一所叙官渡之战前夕,姑系于此。

曹操四十六岁,表天子征华歆;其《董卓歌》《为徐宣议陈矫下令》或作于此年。按,《魏志·华歆传》卷十三云"后策死。太祖在官渡,表天子征歆",孙策此年卒,曹操此年在官渡。又,《董卓歌》云"郑玄行酒,伏地气绝",郑玄卒于此年,疑歌为郑卒后不久之作。又,《魏志·陈矫传》卷二十二载曹令云"自建安五年以前,一切勿论",则疑此令作于是年。

华歆四十四岁,娶骆统母为小妻;劝孙权准其应天子征;离吴,送之者千人,赠遗数百金,悉以退还;拜议郎,参司空军事。按,《吴志·骆统传》卷五十七云"统母改适,为华歆小妻,统时八岁",骆统此年八岁。又,华歆离吴北上任职事载《魏志·华歆传》卷十三,曹操此年上表荐征华歆。

张纮四十四岁,谏阻曹操伐吴,曹操从之,并任之为会稽东部都尉。(《吴志·张纮传》卷五十三)

张纮作纪、颂,昭显孙策功业,孙权省读悲感,遣其赴会稽东部任。(《吴志·张纮传》卷五十三裴注引《吴书》)

虞翻三十一岁,因孙策卒,留富春制服行丧;说退乘机欲攻会稽之孙嵩;出为富春长。(《吴志·虞翻传》卷五十七及裴注引《吴书》《会稽典录》)按,裴注引《吴书》《会稽典录》时云:"此二书所说策亡之时,翻犹为功曹,与本传不同。"虞翻出为富春长或在孙策卒后也未可知,姑依之。

王粲二十四岁,作《荆州文学记官志》;其《赠文叔良诗》或作于此年。按,王粲《荆州文学记官志》称"建雍泮焉,立师保焉,作为礼乐,以节其性",《资治通鉴》卷六十二云"(刘表)乃起学校,讲明经术,命故雅乐郎河南杜夔作雅乐",二者所述事,一也。《资治通鉴》系此事于建安元年,王文称"五载之间,道化大行",则王文当作于建安五年矣。《文选》卷二十三收王粲《赠文叔良诗》注称:"干宝《搜神记》曰:'文颖,字叔良,南阳人。'"《繁钦集》又云:'为荆州从事文叔良作《移零陵文》。

而《王粲集》又有《赠叔良诗》。献帝初平中，王粲依刘表，然叔良之为从事，盖事刘表也。详其诗意，似聘蜀结好刘璋也。"繁钦之《移零陵文》（《太平御览》卷三百三十六作《移零陵檄》）云"金鼓震天，丹旗曜野，巨埋既没"，当状刘表平零陵事，则文叔良聘蜀结好为此战之后事。又据《吴志·孙策传》卷四十六裴注引《江表传》，孙策于建安三年受曹操封后，联合曹操、刘璋等伐刘表，刘璋、刘表交恶似在建安四年，故文叔良使蜀或在建安五年，姑系是诗于此。

仲长统二十一岁，为人倜傥狂傲，游学青、徐、并、冀之间，与常林为友。按，《后汉书·仲长统列传》卷四十九云"年二十余，游学青、徐、并、冀之间，与友交者多异之"，游学四州之间"年二十余"，姑以二十一岁当之；《魏志·王粲传》卷二十一裴注引缪袭《昌言表》云"大司农常林与统共在上党，为臣道统性倜傥，敢直言，不矜小节，每列郡命召，辄称疾不就。语默无常，时人或谓之狂"，"大司农"为常林入魏后所任官职，其出仕前曾"避地上党，耕种山阿"，与仲长统为友。

曹丕十四岁，始植柳。曹丕《柳赋序》："昔建安五年，上与袁绍战于官渡，时余始植柳。"赋中云："在余年之二七，植斯柳乎中庭。"

夏侯霸从妹年十三四，为张飞得为妻，所生女后嫁刘禅为皇后。（《魏志·夏侯渊传》卷九裴注引《魏略》）

骆统八岁，以父死母嫁归会稽。（《吴志·骆统传》卷五十七）

刘表开设学校，博求儒士，命学者撰著《五经》章句。《后汉书·刘表列传》卷七十四下："初，荆州人情好扰，加四方骇震，寇贼相扇，处处麋沸。表招诱有方，威怀兼治，其奸猾宿贼更为效用，万里肃清，大小咸悦而服之。关西、兖、豫学士归者盖有千数，表安慰赈赡，皆得资全。遂起立学校，博求儒术，綦母闿、宋忠等撰立《五经》章句，谓之后定。"按，刘表自建安元年起学校、重经术、揽人才、倡雅乐，经营五载，道化大行，于是王粲乃作《荆州文学记官志》，故系于此。

公元 201 年 　（汉献帝刘协建安六年　辛巳）

四月

曹操击破袁绍仓亭军。（《魏志·武帝纪》卷一）

九月

曹操还许；南征刘备于汝南。（《魏志·武帝纪》卷一）

是年

赵岐卒，年九十三（109—201）。（《后汉书·赵岐列传》卷六十四）："年九十余，建安六年卒。先自为寿藏，图季札、子产、晏婴、叔向四像居宾位，又自画其像居主位，皆为赞颂。"

孔融四十九岁，作《答虞翻书》《遗张纮书》。《吴志·虞翻传》卷五十七："融答书曰：'闻延陵之理乐，睹吾子之治《易》，乃知东南之美者，非徒会稽之竹箭也。又观象云物，察应寒温，原其祸福，与神合契，可谓探赜穷通者也。'"按，《答虞翻书》参见下述虞翻条；又，《吴志·张纮传》卷五十三裴注引《吴书》云："融遗纮书曰：'前劳手笔，多篆书。每举篇见字，欣然独笑，如复睹其人也。'"或亦作于此年。

曹操四十七岁，其《加枣祗子处中封爵并祀祗令》或作于此年。按，此令未详其年，严可均《全三国文》卷二载其文注谓"建安六年"，不知何据，姑系于此。

张纮四十五岁，作《与孔融书》，赞虞翻。《吴志·虞翻传》卷五十七："会稽东部都尉张纮又与融书曰：'虞仲翔前颇为论者所侵，美宝为质，雕摩益光，不足以损。'"按，是书参见下述虞翻条；又，《吴志·张纮传》卷五十三裴注引《吴书》云："纮既好文学，又善楷、篆，与孔融书，自书"，与孔融书或有多封，姑附于此。

虞翻三十二岁，州举茂才，汉召为侍御史，曹操为司空辟，皆不就；作《与孔融书》，并示以所著《易注》。按，举荐聘辟事载《吴志·虞翻传》卷五十七，叙于孙策亡后，宜系此年。本传又谓"翻与少府孔融书，并示以所著《易注》。……会稽东部都尉张纮又与融书"，孔融此年仍在少府任，张纮去岁任会稽东部都尉，虞翻《与孔融书》疑作于此年。

胡综十九岁，为金曹从事。按，《吴志·胡综传》卷六十二云"权为讨虏将军，以综为金曹从事"，建安六年曹操表孙权为讨虏将军，胡综为从事当在此年。

曹植十岁，能诵读《诗》《论》及辞赋数十万言。《魏志·陈思王植传》卷十九："年十岁余，诵读《诗》《论》及辞赋数十万言，善属文。太祖常视其文，谓植曰：'汝倩人邪？'植跪曰：'言出为论，下笔成章，顾当面试，奈何倩人？'"

公元 202 年 （汉献帝刘协建安七年 壬午）

正月

曹操军谯，作《军谯令》；至浚仪，作《祀故太尉桥玄文》；进军官渡。（《魏志·武帝纪》卷一及裴注引《褒赏令》）

五月

崔琰称疾不从袁绍二子，获罪下狱。按，《魏志·崔琰传》卷十二谓事生袁绍卒时，《魏志·武帝纪》载袁绍卒于此月。

陈琳营救崔琰于囹圄之中。（《魏志·崔琰传》卷十二）

九月

曹操征袁谭、袁尚于黎阳。（《魏志·武帝纪》卷一）

是年

袁徽作《与尚书令荀彧书（许文休英才伟士）》，称美许靖。《蜀志·许靖传》卷三十八："（许靖）既至交阯，交阯太守士燮厚加敬待。陈国袁徽以寄寓交州，徽与尚书令荀彧书曰……钜鹿张翔衔王命使交部，乘势募靖……"按，袁徽作此书实为向荀彧举荐许靖，张翔使交部、募许靖，当在荀彧得袁徽书后，张翔明年来使，姑系袁书于此年。

孔融五十岁，生女。按，《后汉书》本传谓其见杀时"女年七岁"，其建安十三年见杀，逆推至此年，则为其女生年。

曹操四十八岁，以金璧自匈奴赎回好友蔡邕女蔡琰。按，《后汉书·列女传》卷八十四谓蔡琰"在胡中十二年生二子。曹操素与邕善，痛其无嗣，乃遣使者以金璧赎之，而重嫁于祀"，蔡琰于初平元年（190）没于南匈奴，下推十二载，赎回时正当此年。

曹操《褒扬泰山太守吕虔令》作于此年前后。按，《魏志·吕虔传》卷十八叙褒扬吕虔理由之一乃其与夏侯渊平定济南黄巾，考《魏志·夏侯渊传》卷九，其事在建安六年至十四年之间，故此令当作于此八年间，姑系于此。

陈群三十五岁，为司徒掾。按，《魏志》本传谓其"父卒去官。后以司徒掾举高第"，其父陈纪卒于建安四年，服竟为官当在三年后，为司徒掾疑在此年。

蔡琰三十二岁，被赎回；重嫁董祀；作《悲愤诗》。按，曹丕《蔡伯喈女赋》云"（家公）赎其女还，以妻屯田都尉使者"，"屯田都尉使者"即董祀，详曹赋意，蔡琰当赎回即改嫁董祀。本传所载《悲愤诗》，未言作于何时，详其诗意，"感伤乱离，追怀悲愤"，诗末又云"托命于新人，竭心自勖厉。流离成鄙贱，常恐复捐废"，悲愤、侥幸、忧惧之情交织，当为其赎回重嫁时作。

丁仪为西曹掾，曹操悔不嫁以爱女。《魏志·陈思王植传》卷十九裴注引《魏略》："寻辟仪为掾，到与议论，嘉其才朗，曰：'丁掾，好士也，即使其两目盲，尚当与女，何况但眇！是吾儿误我。'"《魏志·桓阶传》："又毛玠、徐奕以刚蹇少党，而为西曹掾丁仪所不善。"按，丁仪所辟掾当为西曹掾，时在曹丕反对曹操与女之后；曹丕阻父嫁女事，姑系在其十六岁时。丁仪（？—220），字正礼，沛郡（今安徽濉溪东）人。先为西曹掾，后转右刺奸掾。有盛名。因党附曹植，曹丕即王位后诛之。（《魏志·陈思王植传》卷十九裴注引《魏略》）《隋书·经籍志》卷三十五："后汉尚书《丁仪集》一卷，梁二卷，录一卷。"严可均《全后汉文》卷九十四收其文三篇，卷九十六收其文一篇。

曹丕十六岁，作《蔡伯喈女赋》；阻父嫁女与丁仪。按，是赋所存序称"家公与蔡伯喈有管鲍之好，乃命使者周近持玄璧于匈奴，赎其女还，以妻屯田都尉使者"，则赋为蔡琰赎回时作。

丁廙作《蔡伯喈女赋》；初辟公府。丁廙（？—220），字敬礼，丁仪弟。沛郡（今安徽濉溪东）人。少有才姿，博学洽闻。初辟公府，建安中为黄门侍郎。有盛名。党附曹植，曹丕即王位即诛之。（《魏志·陈思王植传》卷十九裴注引《文士传》）《隋书·经籍志》卷三十五："后汉黄门郎《丁廙集》一卷，梁二卷，录一卷。"严可均《全后汉文》卷九十四收其文二篇。按，此赋中云"我羁虏其如昨，经春秋之十二"，当亦蔡琰赎回时作。初辟公府，疑在此作赋之年。

王基约于此年生（202？—261）。按，生年不详，《魏志·王基传》卷二十七谓其

"黄初中，察孝廉"，如以黄初二年当之，其年弱冠，则约生于此年。王基，字伯舆，东莱曲城（今山东莱州境内）人。少孤。黄初中，察孝廉，除郎中。青州刺史王凌特表请其为别驾，擢为中书侍郎。迁安平太守，复为大将军曹爽从事中郎，出为安丰太守，加讨寇将军。曹爽诛，免官。后为尚书，出为荆州刺史，加扬烈将军。高贵乡公即尊位，进封常乐亭侯。以平毌丘俭功，迁镇南将军，都督豫州诸军事，领豫州刺史，进封安乐乡侯。诸葛诞反，行镇东将军，都督扬、豫诸军事。转为征东将军，都督扬州诸军事，进封东武侯。甘露四年，转为征南将军，都督荆州诸军事，是岁卒追赠司空，谥曰景侯。（《魏志·王基传》卷二十七）《隋书·经籍志》卷三十二："《毛诗驳》一卷，魏司空王基撰，残缺。梁五卷。"同书卷三十三："《东莱耆旧传》一卷，王基撰。"同书卷三十四："梁有《新书》五卷，王基撰。"

公元203年　（汉献帝刘协建安八年　癸未）

三月

　　曹操进攻黎阳，大破袁谭、袁尚军。（《魏志·武帝纪》卷一）

四月

　　曹操进军邺。（《魏志·武帝纪》卷一）

五月

　　曹操还许，作《败军令》《论吏士行能令》。（《魏志·武帝纪》卷一及裴注引《魏书》）

七月

　　曹操颁《修学令》。令曰："丧乱以来，十有五年，后生者不见仁义礼让之风，吾甚伤之。其令郡国各修文学，县满五百户置校官，选其乡之俊造而而教学之，庶几先王之道不废，而有以益于天下。"（《魏志·武帝纪》卷一）

　　曹操又作《请爵荀彧表》《与荀彧书》。按，《魏志·荀彧传》卷十云"（建安）八年，太祖录彧前后功，表封彧为万岁亭侯"，裴注引《彧别传》载《请爵荀彧表》及《与荀彧书》，事在此年曹操还许后，兵发西平前，疑为此月事。

八月

　　曹操攻刘表，军西平。（《魏志·武帝纪》卷一）

　　袁绍二子内讧，王粲作《为刘荆州谏袁谭书》《为刘荆州与袁尚书》。按，前文见《后汉书·袁绍列传》卷七十四下，李贤注："《魏氏春秋》载《表遗尚书》……表二书并见《王粲集》。"二文亦见《魏志·二袁传》卷六裴注引《魏氏春秋》。

十月

曹操至黎阳。(《魏志·武帝纪》卷一)

曹丕随军,作《黎阳作》诗四首。按,诗题云"黎阳作",诗中又云"朝发邺城",当作于此次随军时。

是年

许靖约五十二岁,魏使张翔使交州,募许靖;许靖作《与曹公书》,张翔投之于水。按,事载《蜀志·许靖传》卷三十八,许书云"自窜蛮貊,成阔十年",许靖初平四年(193)避难交州,至此年正十年。

孔融五十一岁,作《与张纮书》。《吴志·张纮传》卷五十三裴注引《吴书》:"孔融遗纮书:'闻大军西征,足下留镇……。'"按,此指建安八年孙权西征、张纮留守吴都事,故书作于此时。

张纮四十七岁,居守吴都,孙权欲论功加赏,张纮不敢蒙宠。(《吴志·张纮传》卷五十三裴注引《吴书》)按,张纮居守吴都,乃孙权建安八年西征江夏时事,故系于此。

诸葛恪生(203—253)。(《吴志·诸葛恪传》卷六十四及裴注引《吴录》)诸葛恪,字元逊,琅邪阳都(今山东沂南南)人。诸葛瑾子,诸葛亮侄。少有才名,"辩论应机,莫与为对"。弱冠拜骑都尉,历中庶子,转左辅都尉。后拜抚越将军,领丹杨太守。迁威北将军,封都乡侯。进大将军,领太子太傅,受孙权临终顾命,辅佐幼主。孙亮即位,更为太傅。以败袭来之魏军,进封阳都侯,加荆扬州牧,督中外诸军事。建兴二年被害。(《吴志·诸葛恪传》卷六十四、裴注引《江表传》《吴录》)《隋书·经籍志》卷三十四:"梁有《诸葛子》五卷,吴太傅诸葛恪撰。"

公元 204 年 (汉献帝刘协建安九年 甲申)

正月

曹操渡河,遏淇水入白沟以通粮道。(《魏志·武帝纪》卷一)

二月

曹操攻袁尚于邺。(《魏志·武帝纪》卷一)

四月

曹操下邯郸、易阳。(《魏志·武帝纪》卷一)

五月

曹操决漳水灌邺。(《魏志·武帝纪》卷一)

七月

袁尚遣陈琳等乞降，曹操不许。（《魏志·武帝纪》卷一）

八月

曹操破袁尚，斩审配，取邺城；作《破袁尚上事》；临祀袁绍墓。（《魏志·武帝纪》卷一）按，《破袁尚上事》言破袁尚之功，系向天子报捷，当作于此时。

曹操欲复古九州，后从荀彧谏而作罢。《魏志·荀彧传》卷十："九年，太祖拔邺，领冀州牧。彧说太祖'宜复古置九州，则冀州所制者广大，天下服矣。'太祖将从之，彧言曰……"按，荀彧谏在取邺城后，当为此时事。

甄皇后为袁熙新妇。按，《魏志·后妃传》卷五谓"建安中，袁绍为中子熙纳之"，裴注引《魏略》谓曹丕此时见之称为"新妇"，则甄氏当刚嫁作袁熙妇。

曹丕至邺，纳袁熙妻甄氏。《魏志·后妃传》卷五裴注引《魏略》："及邺城破，绍妻及后共坐皇堂上。文帝入绍舍，见绍妻及后，后怖，以头伏姑膝上，绍妻两手自搏。文帝谓曰：'刘夫人云何如此？令新妇举头！'姑乃捧后令仰，文帝就视，见其颜色非凡，称叹之。太祖闻其意，遂为迎娶。"

孔融作书与曹操，嘲笑曹丕纳袁熙妻甄氏。《后汉书·孔融列传》卷七十："初，曹操攻屠邺城，袁氏妇子多见侵略，而操子丕私纳袁熙妻甄氏。融乃与操书，称'武王伐纣，以妲己赐周公'。操不悟，后问出何经典。对曰：'以今度之，想当然耳。'"

九月

曹操下《蠲河北租赋令》《收田租令》；献帝以曹操领冀州牧，曹操让还兖州。（《魏志·武帝纪》卷一及裴注引《魏书》）

孔融作《上书请准古王畿制》。（《后汉书·孔融列传》卷七十、袁宏《后汉纪》卷二十九）

崔琰为曹操别驾从事，对曹操问，令其改容、宾客失色。（《魏志·崔琰传》卷十二）

十月

曹操收降并州刺史高干。（《魏志·武帝纪》卷一）

崔琰留邺傅曹丕。（《魏志·崔琰传》卷十二）

十二月

曹操入平原，略定诸县。（《魏志·武帝纪》卷一）

应劭或卒于此年（？—205？）。《魏志·武帝纪》卷一裴注引《世语》："后太祖定冀州，劭时已死。"按，曹操定冀州，在建安九年，其时应劭已死，盖或卒于是年也。

孔融五十二岁，作《与曹公论盛孝章书》，称盛孝章为"丈夫之雄"。按，《吴志·宗室传》卷五十一裴注引《会稽典录》载孔融书云"岁月不居，时节如流。五十之年忽焉已至，公为始满，融又过二……"，知正作于此年。

曹操五十岁，尚作《报荀彧书（微足下之相难）》；以女（安阳公主）嫁荀彧长子荀恽。（《后汉书·荀彧传》卷七十、《魏志·荀彧传》卷十）

陈群三十七岁，为治书侍御史；与孔融论汝、颍人物，谓"荀文若（彧）、公达（攸）、休若（衍）、友若（谌）、仲豫（悦），当今并无对"。（《魏志·荀彧传》卷十裴注引《荀氏家传》）按，本传称其"举高第，为治书侍御史"，年月未详，姑定在为司徒掾两年后。

仲长统二十五岁，游并州，直言劝诫并州刺史高干，以高干不纳，去之。按，《后汉书》本传载其事，据《魏志·武帝纪》，建安九年（204）定邺，十月"（高）干降，遂以为（并州）刺史"，建安十年十月，高干复叛，翌年被杀，则仲长统见高干当为建安九年十月至建安十年十月之间事，姑系于此。

韦昭生（204—273）。按，本传载韦昭凤凰二年（273）下狱，因狱吏上书求免，孙皓诘问，韦昭对曰"……曜年已七十，余数无几，乞赦其一等之罪，为终身徒，使成书业"，"皓不许，遂诛曜"，其见杀时年七十，则知生于此年。韦曜，本名昭，避司马昭讳改，字弘嗣，吴郡云阳（今江苏丹阳）人。少好学，能属文。从丞相掾，除西安令，还为尚书郎，迁太子中庶子。太子孙和废后，为黄门侍郎、太史令；孙休践祚，为中书郎、博士祭酒。孙皓即位，封高陵亭侯，迁中书仆射，为侍中，常领左国史。曾奉诏"撰《吴书》"，"依刘向故事，校定群书"。以忤孙皓，下狱死。（《吴志·韦曜传》卷六十五）《隋书·经籍志》卷三十二："《毛诗答杂问》七卷，吴侍中韦昭、侍中朱育等撰。……《春秋外传国语》二十二卷，韦昭注。……《孝经解赞》一卷，韦昭撰。……《辩释名》一卷，韦昭撰。"同书卷三十三："《汉书音义》七卷，韦昭撰。……《吴书》二十五卷，韦昭撰。本五十五卷，梁有，今残缺。……《洞纪》四卷，韦昭撰。记庖牺已来，至汉建安二十七年。……梁有《韦昭官仪职训》一卷，亡。"同书卷三十五："梁……又有《韦昭集》二卷，录一卷，亡。"严可均《全三国文》卷七十一收其文五篇。丁福保《全三国诗》卷六收其诗十二首。永瑢等："《国语》二十一卷，吴韦昭注。昭字宏嗣，云阳人。官至中书仆射。《三国志》作韦曜，裴松之注谓为司马昭讳也。……《汉志》作二十一篇，其诸家所注，《隋志》虞翻、唐固本皆二十一卷。王肃本二十二卷，贾逵本二十卷，互有增减。盖偶然分并，非有异同。惟昭所注本，《隋志》作二十二卷，《唐志》作二十卷。而此本首尾完具，实二十一卷。诸家所传南北宋版，无不相同。《隋志》误一字，唐志脱一字也。前有昭自序，称兼采郑众、贾逵、虞翻、唐固之注。今考所引郑说、虞说寥寥数条，惟贾、唐二家援据驳正为多，序又称凡所发正三百七事。今考注文之中，昭自立义者……不过六十七事，合以所正讹字、衍文、错简，亦不足三百七事之数。其传写有误，以六十为三百欤？《崇文总目》作三百十事，又'七'字转讹也。……此本为衍圣公孔传铎所刊……小小舛讹，亦所不免，然较诸坊本则颇为精善。自郑众解诂以下，诸书并亡，《国语注》存于今者，惟昭为最古。黄震《日钞》尝称其简洁，而先儒旧训亦往往散见其中。……"

（《四库提要》卷五十一）

公元 205 年　（汉献帝刘协建安十年　乙酉）

正月

曹操斩袁谭，平冀州；作《诛袁谭令》《赦袁氏同恶令》《禁复仇厚葬令》。（《魏志·武帝纪》卷一）

曹操《请封荀攸表》《手书答朱灵》亦作于此时。按，《魏志·荀攸传》卷十谓"冀州平，太祖表封攸曰……"，表即作于此时。又，《魏志·徐晃传》卷十七裴注引《魏书》云"太祖既平冀州，遣灵将新兵五千人、骑千匹守许南"，则手书当作于此时。

陈琳降曹操，任司空军谋祭酒，管记室；为曹操作书札檄文，曹操称其文可愈头风。《魏志·王粲传》卷二十一裴注引《典略》曰："琳作诸书及檄，草成呈太祖。太祖先苦头风，是日疾发，卧读琳所作，翕然而起曰：'此愈我病。'数加厚赐。"按，陈琳于建安九年八月袁尚兵败后归曹操，《资治通鉴》卷六十四系于此时，是。

阮瑀为曹操辟为司空军谋祭酒，管记室，作《谢曹公笺》。按，《魏志·王粲传》卷二十一称"太祖并以琳、瑀为司空军谋祭酒，管记室"，详文意，阮瑀当与陈琳同时见任为军谋祭酒，阮瑀归曹任职、作书谢曹当亦此时事。

路粹为军谋祭酒，典记室。按，《魏志·王粲传》卷二十一裴注引《典略》云"粹后为军谋祭酒，与陈琳、阮瑀等典记室"，其年未详，然陈琳此时为曹操军谋祭酒，管记室，《典略》既云路与陈等"典记室"，则当在此时。

三月

曹丕与族兄曹真猎于邺西。《典论·自序》："建安十年，始定冀州。……时岁之暮春，勾芒司节，和风扇物，弓燥手柔，草浅兽肥。与祖兄子丹猎于邺西，终日手获獐鹿九，雉兔三十余。"

崔琰作《唯世子燔翳捐裯书》。《魏志·崔琰传》卷十二："世子仍出田猎，变易服乘，志在驱逐。琰书谏曰……"按，曹丕《典论·自叙》为是月猎于邺西，崔书当作于此时。

曹丕作《报傅崔琰》。（《魏志·崔琰传》卷十二）

四月

曹操封黑山贼张燕为列侯。（《魏志·武帝纪》卷一）

八月

曹操斩赵犊。（《魏志·武帝纪》卷一）

九月

曹操作《整齐风俗令》。(《魏志·武帝纪》卷一)

十月

曹操还邺。(《魏志·武帝纪》卷一)

是年

荀悦五十八岁，作《申鉴》。《后汉书·荀悦列传》卷六十二:"时政移曹氏，天子恭己而已。悦志在献替，而谋无所用，乃作《申鉴》五篇。其所论辩，通见政体，既成而奏之。"按，《资治通鉴》卷六十四系于此年，姑从之。永瑢等:"《申鉴》五卷，汉荀悦撰。悦有《汉纪》，已著录。《后汉书·荀淑传》称，悦侍讲禁中，见政移曹氏，志在献替，而谋无所用，乃作《申鉴》五篇。其所政辨，通见政体，既成奏上，帝览而善之。其书见于《隋经籍志》《唐艺文志》者皆五卷。卷为一篇，一曰《政体》，二曰《时事》，皆制治大要及时所当行之务。三曰《俗嫌》，皆機祥谶纬之说。四曰《杂言上》，五曰《杂言下》，则皆泛论义理，颇似扬雄《法言》。《后汉书》取其《政体篇》'为政之方'一章，《时事篇》'正当主之制'、'复内外注记'二章，载入传中。又称悦别有《崇德正论》及诸论数十篇，今并不传。惟所作《汉纪》及此书尚存于世。《汉纪》文约事详，足称良史，而此书剖析事理，亦深切著明，盖由其原本儒术，故所言皆不诡于正也。明正德中，吴县黄省曾为之注，凡万四千余言。引据博治，多得悦旨。其于《后汉书》所引间有同异者，亦并列其文于句下，以便考订。然如《政体篇》'真实而已'句，今本《后汉书》'实'作'定'。'不肃而治'句，今本《后汉书》'治'作'成'。而省曾均未之及，则亦不免于偶疏也。"(《四库提要》卷九十一)

许靖约五十四岁，入蜀依刘璋，为巴郡太守。按，《蜀志·许靖传》卷三十八云"后刘璋遂使使招靖，靖来入蜀。璋以靖为巴郡……太守"，许靖于建安八年已漏"欲上益州"之意，奈"复有峻防，故官长吏，一不得入"，其成行姑系于两年后。

陈琳约五十二岁，与张纮互通书信。《吴志·张纮传》卷五十三裴注引《吴书》云:"后纮见陈琳作《武库赋》《应机论》，与琳书，深叹美之，琳答曰:'自仆在河北，与天下隔，此间率少于文章，易为雄伯，故使仆受此过差之谭，非其实也。今景兴在此，足下与子布在彼，所谓小巫见大巫，神气尽矣。'"按，陈云"自仆在河北"，则其书似作于归曹之后，姑系于此。《吴书》所谓"《武库赋》《应机论》"，"库"当为"军"之讹、"机"当为"讯"之讹。

潘勖约四十五岁，后为尚书郎。按，《魏志·卫觊传》卷二十一裴注引《文章志》云"献帝时为尚书郎"，其年未详，姑系在为尚书右丞八年前。

虞翻三十六岁，为吴骑都尉。按，《吴志·虞翻传》卷五十七云"孙权以为骑都尉"，年月未详，姑定在为富春长五年后。

吴质二十九岁，善处于曹氏兄弟之间。《魏志·王粲传》卷二十一裴注引《魏略》："质字季重，以才学通博，为五官将及诸侯所礼爱；质亦善处其兄弟之间，若前世楼君卿之游五侯矣。及河北平定……"按，《魏志·武帝纪》卷一谓平定河北在建安十一年，吴质游处曹氏兄弟之间当在此前，姑系于此。

繁钦为豫州从事。按，《文选·与魏文帝笺》卷四十李善注引《文章志》称其"以豫州从事稍迁至丞相主簿"，未详何年，姑定在为丞相主簿前三年。

甄皇后二十四岁，有宠，生子（曹睿）。（《魏志·后妃传》卷五）

山涛生（205—283）。山涛，字巨源，河内怀（今河南武陟县西南）人。早孤，家贫。少有器量，介然不群。性好《庄》《老》，与嵇康、阮籍等六人友善，人称"竹林七贤"。始为郡主簿、功曹、上计掾；举孝廉，州辟从事。与司马氏有亲，曹魏末，曾官赵国相、尚书吏部郎、大将军从事中郎、相国左长史等，封新沓子。入晋后，守大鸿胪，加奉车都尉，进新沓伯；出为冀州刺史，加宁远将军；转北中郎将，入为侍中，迁尚书。咸宁初，转太子少傅，加散骑常侍；除尚书仆射，加侍中，领吏部。太康初，迁右仆射，加光禄大夫，官终司徒。"所奏甄拔人物，各为题目，时称《山公启事》"。太康四年卒，年七十九。（《晋书·山涛列传》卷四十三）《隋书·经籍志》卷三十五："晋少傅《山涛集》九卷，梁五卷，录一卷。又一本十卷，齐奉朝请裴津注。"

顾谭生（205—246）。顾谭，字子默，吴郡吴（今江苏苏州）人。弱冠与诸葛恪等为太子四友。从中庶子转辅正都尉，迁左节度，加奉车都尉，代薛综为选曹尚书；后拜太常，平尚书事。以与鲁王霸有隙，坐徙交州，"幽而发愤，著《新言》二十篇，其《知难篇》盖以自悼伤也"。年四十二，卒于交阯。（《吴志·顾谭传》卷五十二）《隋书·经籍志》卷三十四："《顾子新语》十二卷，吴太常顾谭撰。"

曹睿生（205—239）。曹睿，字元仲，沛国谯（今安徽亳县）人。即魏明帝，魏文帝曹丕子，魏武帝曹操孙，三人并称曹魏三祖。口吃少言，好学多识；容止可观，沉毅好断。初封武德侯，后封齐公、平原王；黄初七年立为皇太子，旋即帝位。在位十三年。（《魏志·明帝纪》及裴注引《魏书》）《隋书·经籍志》卷三十五："《魏明帝集》七卷，梁五卷，或九卷，录一卷。"严可均《全三国文》卷九、卷十收其文九十一篇。丁福保《全三国诗》卷一收其诗十二首。

公元 206 年 （汉献帝刘协建安十一年 丙戌）

正月

曹操征高干；作《苦寒行》。按，诗云"北上太行山，艰哉何巍巍。羊肠坂诘屈，车轮为之摧"，《文选》注曰："高诱注《淮南子》曰'羊肠坂是太行孟门之限'，然则坂在太行，山在晋阳也。"高干所据壶关即在山下；诗又云"雪落何霏霏"，是时令、地点均当曹操征高干时。

三月

曹操攻入壶关，擒高干。（《魏志·武帝纪》卷一）

王象为县长。(《魏志·常林传》卷二十三、《资治通鉴》卷六十五)

仲长统为荀彧举为尚书郎;其《答邓义社主难》或作于此时。(《后汉书·仲长统列传》卷四十九、《资治通鉴》卷六十五)按,仲长文称奉荀彧命而作,或作于此时。

八月

曹操东征海贼管承;将征乌桓,凿平虏渠、泉州渠以通海。(《魏志·武帝纪》卷一)

曹植从父征;其《泰山梁甫行》诗疑作于此时。按,曹植《求自试表》云"东临沧海",当指随曹操东征海贼管承事。诗中称"剧哉边海民,寄身于草墅",或即东临沧海时所见边海民生活之写照。

十月

曹操下《求言令》。(《魏志·武帝纪》卷一裴注引《魏书》)

曹操《明罚令》或作于此年。按,令云"闻太原、上党、西河、雁门,冬至后百五日皆绝火寒食……令到,人不得寒食",则当作于得并州后,并作于此年冬。

是年

士燮七十岁,表请三弟为合浦、九真、南海太守。按,事载《吴志·士燮传》卷四十九,年月未详,姑系于袁徽作《与尚书令荀彧书(交阯士府君)》一年前。

曹操五十二岁,作《称乐进、于禁、张辽表》。(《魏志·乐进传》卷十七)

华歆五十岁,或于此年入为尚书。按,《魏志·华歆传》卷十三云"入为尚书",年月未详,姑定在参曹操军事六年后。

徐干三十六岁,《中论》二十余篇或成于此年。按,是书有意阐述传统儒家修齐治平的中正之论,注重立论辨证的系统性与逻辑性,鞍前马后之余恐难为之;徐干自初平元年(190)归乡后,即如《中论序》云,"绝迹山谷,幽居研几,用思深妙",当是全力撰述此书。其次,曹植所谓其父"设天网以该之,顿八纮以掩之"(《与杨德祖书》),乃是因为此前"伟长擅名于青土",而其归曹前所擅之名,正是曹丕所称"伟长独怀文抱质,恬淡寡欲,有箕山之志,可谓彬彬君子矣。著《中论》二十余篇,成一家之言,辞义典雅,足传于后,此子为不朽矣"(《与吴质书》)!胸怀"箕山之志",务成"一家之言",此则徐干成名之本,所以吴质称"至于司马长卿称疾避事,以著书为务,则徐生庶几焉"(《答魏太子笺》)。徐干明年仕曹,姑定此年为其《中论》完成之年。《中论序》:"君之性常欲损世之有余,益俗之不足。见辞人美丽之文并时而作,曾无阐宏大义,敷散道教,上求圣人之中,下救流俗之昏者,故废诗、赋、颂、铭、赞之文,著《中论》二十篇。其所甄纪,迈君昔志,盖千百之一也。"永瑢等:"《中论》二卷,汉徐干撰。干字伟长,北海剧人。建安中为司空军谋祭酒掾属,五官将文学。事迹附见《魏志·王粲传》,故相沿称为魏人。然干殁后三四年,魏乃受禅,不得遽以帝统予魏。陈寿作史，托始曹操，称为太祖。遂并其僚属均入《魏志》，非其实也。是书《隋、唐志》皆作六卷，《隋志》又注云'梁目一卷'。《崇文总目》亦作六卷，而晁公武《读书志》、陈振孙《书录解题》并作二卷，与今本合，则宋人所并矣。书凡二十篇，大都阐发义理，原本经训，而归之于圣贤之道，故前史皆列之儒家。曾巩校书序云，始见馆阁《中论》二十篇，及观《贞观政要》太宗称尝见于《中论》复三年丧篇，今书独阙。又考之《魏志》，文帝称干著《中论》二十余篇，乃知馆阁本非全书。而晁公武又称李献民所见别本，实有'复三年'、'制役'二篇。李献民者，李淑之字，尝撰《邯郸书目》者也。是其书在宋仁宗时尚未尽残阙，巩特据馆阁不全本著之于录，相沿既久，所谓别本者不可复见，于是二篇遂佚不存。又书前有原序一篇，不题名字，陈振孙以为干同时人所作。今验其文，颇类汉人体格，知振孙所言为不诬。惟《魏志》称干卒于建安二十二年，而序乃作于二十三年二月，与史颇异。传写必有一伪，今亦莫考其孰是矣。"（《四库提要》卷九十一）

公元 207 年　　（汉献帝刘协建安十二年　丁亥）

二月

曹操还邺，下《封功臣令》《分租于诸掾属令》。（《魏志·武帝纪》卷一）

曹操又作《请增封荀彧表》《报荀彧（君之策谋）》《下令大论功行封》。（《魏志·荀彧传》卷十裴注引《彧别传》《魏志·荀攸传》卷十）

三月

曹操欲以荀彧为三公，荀彧辞。（《魏志·荀彧传》卷十、《资治通鉴》卷六十五）

孔融作《与曹公论禁酒书》《又与曹公论禁酒书》，反对其表制酒禁。《后汉书·孔融列传》卷七十："时年饥兵兴，操表制酒禁，融频书争之，多侮慢之辞。既见操雄诈渐著，数不能堪，故发辞偏宕，多致乖忤。"李贤注："《融集》与操书云：'酒之为德久矣。古先哲王，类帝禋宗，和神定人，以济万国，非酒莫以也。故天垂酒星之耀，地列酒泉之郡，人著旨酒之德。尧不千钟，无以建太平；孔非百觚，无以堪上圣。樊哙解厄鸿门，非豕肩钟酒，无以奋其怒；赵之厮养，东迎其王，非引卮酒，无以激其气；高祖非醉斩白蛇，无以畅其灵；景帝非醉幸唐姬，无以开中兴；袁盎非醇醪之力，无以脱其命；定国不酣饮一斛，无以决其法。故郦生以高阳酒徒，著功于汉；屈原不铺糟歠醨，取困于楚。由是观之，酒何负于政哉？'""又书曰：'昨承训答，陈二代之祸，及众人之败，以酒亡者，实如来诲。虽然，徐偃王行仁义而亡，今令不绝仁义；燕哙以让失社稷，今令不禁谦退；鲁因儒而损，今令不弃文学；夏、商亦以妇人失天下，今令不断婚姻。而将酒独急者，疑但惜谷耳，非以亡王为戒也。'"按，本传叙孔融反对曹操禁酒、郗虑弹劾孔融、曹操故意作书激怒孔融及孔融答书诸事，紧系于嗾曹操征乌桓后，嗾曹操征乌桓事发此年，明年孔融见杀，故以上诸事亦当为此年事。惟本传所叙各事顺序有误，以上诸事虽在此年，然当发生于二月曹操还邺至五月北征乌桓之间，并在嗾曹操征乌桓之前。

郗虑素与孔融不睦，上奏弹劾孔融。《后汉书·孔融列传》卷七十："山阳郗虑承望风旨，以微法奏免融官。"李贤注："《续汉书》：'虑字鸿豫，山阳高平人，少受学于郑玄。'虞浦《江表传》曰：'献帝尝时见虑及少府孔融。问融曰："鸿豫何所优长？"融曰："可与适道，未可与权。"虑举笏曰："融昔宰北海，政散人流，其权安在？"遂与融互相长短，以至不穆。曹操以书和解之。'虑从光禄勋迁御史大夫。"

曹操猜忌孔融，故意作书，彰显孔融与郗虑二人之宿怨，以激怒孔融；孔融作书回复。《后汉书·孔融列传》卷七十："操疑其所论建渐广，益惮之。然以融名重天下，外相容忍，而潜忌正议，虑鲠大业。……因显明雠怨，操故书激厉融曰：'盖闻唐虞之朝，有克让之臣，故麟凤来而颂声作也。后世德薄，犹有杀身为君，破家为国。及至其敝，眦睚之怨必雠，一餐之惠必报。故晁错念国，遘祸于袁盎；屈平悼楚，受谮于椒、兰；彭宠倾乱，起自朱浮；邓禹威损，失于宗、冯。由此言之，喜怒怨爱，祸福所因，可不慎与！昔廉、蔺小国之臣，犹能相下；寇、贾仓卒武夫，屈节崇好；光武不闻伯升之怨，齐侯不疑射钩之虏。夫立大操者，岂累细故哉！往闻二君有执法之平，以为小介，当收旧好；而怨毒渐积，志相危害，闻之怃然，中夜而起。昔国家东迁，文举盛叹鸿豫名实相副，综达经学，出于郑玄，又明《司马法》，鸿豫亦称文举奇逸博闻，诚怪今者与始相违。孤与文举既非旧好，又于鸿豫亦无恩纪，然愿人之相美，不乐人之相伤，是以区区思协欢好。又知二君群小所构，孤为人臣，进不能风化海内，退不能建德和人，然抚养战士，杀身为国，破浮华交会之徒，计有余矣。'融报曰：'猥惠书教，告所不逮。融与鸿豫州里比郡，知之最早。虽尝陈其功美，欲以厚见私，信于为国，不求其覆过掩恶，有罪望不坐也。前者黜退，欢欣受之。昔赵宣子朝登韩厥，夕被其戮，喜而求贺。况无彼人之功，而敢枉当官之平哉！忠非三闾，智非晁错，窃位为过，免罪为幸。乃使余论远闻，所以惭惧也。朱、彭、寇、贾，为世壮士，爱恶相攻，能为国忧。至于轻弱薄劣，犹昆虫之相啮，适足还害其身，诚无所至也。晋侯嘉其臣所争者大，而师旷以为不如心竞。性既迟缓，与人无伤，虽出胯下之负，榆次之辱，不知贬毁之于己，犹蚊虻之一过也。子产谓人心不相似，或矜执者，欲以取胜为荣，不念宋人待四海之客，大炉不欲令酒酸也。至于屈谷巨瓠，坚而无窍，当以无用罪之耳。它者奉遵严教，不敢失坠。郗为故吏，融所推进。赵衰之拔郤縠，不轻公叔之升臣也。知同其爱，训诲发中。虽懿伯之忌，犹不得念，况恃旧交，而欲自外于贤吏哉！辄布腹心，修好如初。苦言至意，终身诵之。'"按，严可均《全后汉文》卷九十四收路粹《为曹公与孔融书》，注谓曹操与孔融书乃路粹代笔。

孔融嘲曹操；免官。《后汉书·孔融列传》卷七十："后操讨乌桓，又嘲之曰：'大将军远征，萧条海外。昔肃慎不贡楛矢，丁零盗苏武牛羊，可并案也。'"按，《魏志·武帝纪》卷一云"（建安）十二年春二月，公自淳于还邺。……将北征三郡乌丸……惟郭嘉……劝公行。夏五月，至无终"，孔融嘲曹操征乌桓当在五月前决定北征时，其时除郭嘉外众人皆持反对意见，孔融冷嘲热讽自在情理之中。又，本传云"山阳郗虑承望风旨，以微法奏免融官"，后文又云"岁余，复拜太中大夫"，则孔融当已被免官，其时应在五月曹操北征出发前，故系于此。

五月

曹操北征乌丸，至无终；作《下田畴令》。（《魏志·武帝纪》卷一、《魏志·田畴传》卷十一）

曹植从曹操出征。按，曹植《求自试表》云"北出玄塞"，当指随曹操北征乌桓事。

七月

曹操出卢龙塞，经白檀，历平冈，涉鲜卑庭，东指柳城，过涿郡，作《告涿郡太守令》。（《魏志·武帝纪》卷一、《魏志·卢毓传》卷二十二）

八月

曹操登白狼山，斩蹋顿，破乌桓。（《魏志·武帝纪》卷一）

九月

曹操自柳城还。（《魏志·武帝纪》卷一）

徐干为司空军谋祭酒掾属，其《齐都赋》或作于此时。（《魏志·王粲传》卷二十一）按，《中论序》称"会上公拨乱，王路始辟，遂力疾应命，从戎征行，历载五六"，则徐干于曹氏手下为官"历载五六"，即十有一年。徐干建安二十三年二月病卒，上推十一年，则为徐干始仕曹氏之年。《齐都赋》所云"日不迁晷，玄泽普宣，鹑火南飞，我后来巡"，似指曹操是时北伐还至此地，疑作于此时。

阮瑀议立齐桓公神堂事。按，《水经注·淄水》卷二十六称"（桓公）冢东山下女水原，有桓公祠，侍其衡奏魏武王所立，曰：'近日路次齐郊，瞻望桓公坟垄，在南山之阿，请立为祀，为块然之主。'"此事亦见其《褒赏令》，令云"别部司马付其衙请立齐桓公神堂，令使记室阮瑀议之"，"侍其衡"与"付其衙"当为同一人，曹军"路次南郊"当在此时，故系阮瑀议桓公事于此。

十月

曹操《步出夏门行》或作于此时。按，《魏志·武帝纪》卷一裴注引《曹瞒传》谓"时寒且旱"，《步出夏门行》中《观沧海》《冬十月》《土不同》所写景致与此合，或为曹操班师途中所作。

十一月

曹操至易水，作《表论田畴功》《听田畴谢封令》。（《魏志·田畴传》卷十一、裴注引《先贤行状》及《魏书》）

陈琳作《神武赋》。按，陈赋称"建安十有二年，大司空武平侯曹公东征乌丸"，赋当为此时之作。

应场作《撰征赋》。按，应赋有句云"悠悠万里临长城兮"，与曹操征乌丸事合，当作于此时。应场（？—217），字德琏，汝南南顿（今河南项城西）人。建安七子之一，应璩从兄。先被曹操辟为丞相掾属，后转平原侯庶子，官至五官将文学。建安二十二年，病卒。"著文赋数十篇"。《隋书·经籍志》卷三十五："魏太子文学《应场集》一卷，梁有五卷，录一卷。亡。"张溥辑有《应德琏集》。严可均《全后汉文》卷四十二收其文十九篇。丁福保《全三国诗》卷三收其诗六首。张溥："《德琏集》鲜书记，世所传者，止《报庞公》一牍耳。休琏书最多，俱秀绝时表。列诸辞令之科，陈孟公王景兴其人也。德琏善赋，篇目颇多，取方弟书，文藻不敌。诗虽比肩，亦觉《百一》为长，休琏火攻，良可畏也。魏祖二十二年，徐、陈、应、刘，一时俱逝，曹子桓辄申痛惜。德琏周旋时主，年位较远，规讽曹爽，殷勤指谕，忧患存焉。汝南应氏，世济文雅，德琏幸遇子桓，时可著书，忽化蒿莱，美志不遂。休琏历事二主，喉舌可舒，而世无赏音，义存优孟，嗟乎命也！机、云著声入洛，载、协齐名王府，原其风流，二应为始，低回建章，仰送朝雁，予尤善其足传尔。"（《汉魏六朝百三家集·应德琏休琏集题词》）

是年

颍容卒（？—207？）。按，《后汉书·儒林列传》卷七十九下云其"建安中卒"，确年未详，姑系于此。

袁徽作《与尚书令荀彧书（交阯士府君）》，述士燮欲上所著书。按，《吴志·士燮传》卷四十九云："交阯士府君，既学问优博，又达于从政，处大乱中，保全一郡，二十余年疆场无事……官事小阕，辄玩习书传，《春秋左氏传》尤简练精微，吾数以咨问传中诸疑，皆有师说，意思甚密。又《尚书》兼通古今，大义详备。闻京师古今之学，是非忿争，今欲条《左氏》《尚书》长义上之。"士燮中平四年（187）始为郡守，至此年二十一年，与袁书"保全一郡，二十余年"合，书当作于此年。

曹操五十三岁，尚作《请追赠郭嘉封邑表》《与荀彧书（郭奉孝年不满四十）》。（《魏志·郭嘉传》卷十四及裴注引《傅子》）按，裴注引《傅子》载曹操《与荀彧书（郭奉孝年不满四十）》及《与荀彧书（追惜奉孝）》两篇，前一篇中云与郭嘉"相与周旋十一年"，郭嘉建安元年始归曹操，至此恰十一年，故作于此年。

曹操《却东西门行》《为张范下令》亦疑作于此年。按，《却东西门行》写征人乡思，语及塞北，诗中又云"冉冉老将至"，似是此年北征时作。《魏志·邴原传》卷十一裴注引《原别传》谓"太祖北伐三郡单于，还住昌国，燕士大夫。……河内张范，名公之子也。其志行有与原符，甚相亲敬。令曰……"则令似作于是年班师途中。

陈群约四十岁，或于此年转参丞相军事。按，事载本传，年月未详，姑定在为治书侍御史三年后。

诸葛亮二十七岁，为刘备三顾茅庐所感，作《隆中对》，受邀出山。（《蜀志·诸葛亮传》卷三十五、《资治通鉴》卷六十五）

蒋济约二十五岁，仕郡计吏、州别驾。按，《魏志·蒋济传》卷十四云"仕郡计吏、州别驾"，年月未详，本传云其明年献计解合肥之围，当在别驾任上，为其职或在此年。姑定此年蒋济二十五岁。

公元 208 年 　（汉献帝刘协建安十三年　戊子）

正月

曹操还邺，作玄武池以习舟师。（《魏志·武帝纪》卷一）

曹丕为司徒赵温所辟，曹操作《表赵温选举不实》，免赵温官。按，《魏志·文帝纪》卷二裴注引《献帝起居注》载此事，《资治通鉴》卷六十五系之于此月。

五月

曹操幼子曹冲卒。曹丕《曹苍舒诔序》："惟建安十有二年五月甲戌，童子曹苍舒卒。"按，《魏志·武文世王公传》卷二十谓曹冲（字苍舒）卒于建安十三年，诔文中亦言"十三而卒"，则序之"二"字当为"三"之误耳。

曹丕作《曹苍舒诔》。

六月

曹操为丞相，作《授崔琰东曹掾教》。按，事在《魏志·崔琰传》卷十二，《资治通鉴》卷六十五系于此月。

杨修为丞相主簿，曹丕以下争与之交好。《后汉书·杨修列传》卷五十四："为丞相曹操主簿，用事曹氏。……修又尝出行，筹操有问外事，乃逆为答记，勑守舍儿：'若有令出，依次通之。'既而果然，如是者三。操怪其速，使廉之，知状。"李贤注引《典略》："丞相请署仓曹属主簿，是时军国多事，修总知内外事皆称意，自魏太子以下并争与交好。"《世说新语·捷悟》："杨德祖为魏武主簿时，作相国门，始构榱桷。魏武自出看，使人题门作'活'字，便去。杨见，即令坏之。既竟，曰：'门中活，阔字，王正嫌门大也。'人饷魏武一杯酪，魏武啖少许，盖头上题合字以示众。众莫能解，次至杨修，修便啖曰：'公教人啖一口也，复何疑？'……魏武征袁本初（当为刘表），治装，余有数十斛竹片，咸长数寸。众云并不堪用，正令烧除。太祖思所以用之，谓可为竹椑楯，而未显其言。驰使问主簿杨德祖，应声答之，与帝心同，众服其辩悟。"

崔琰复为东西曹掾属征事。（《魏志·崔琰传》卷十二）

曹操作《授崔琰东曹掾教》。（《魏志·崔琰传》卷十二）

繁钦为丞相主簿。（《魏志·王粲传》卷二十一裴注引《典略》）

应场为丞相掾属。（《魏志·王粲传》卷二十一）

刘廙见兄刘望之被刘表所杀，惧而归曹操，为丞相掾属；归曹途中作《谢刘表笺》。（《魏志·刘廙传》卷二十一及裴注引《廙别传》）按，曹操此年六月为丞相，刘表此年八月卒，刘廙归曹、书谢刘表，当在此期间，姑系于此。

刘桢为丞相掾属。按，《魏志·王粲传》卷二十一云"东平刘桢字公干……太祖辟为丞相掾属"，刘桢此年九月作有《遂志赋》，其时已随曹操军征，为丞相掾属当在此时。

仲长统参丞相军事。《后汉书·仲长统列传》卷四十九："后参丞相曹操军事。"按，曹操此年六月为丞相，仲长统参其军事或在此时。

孔融复拜太中大夫；居闲职后，每日宾客盈门，饮酒为乐。《后汉书·孔融列传》卷七十："岁余，复拜太中大夫。性宽容少忌，好士，喜诱益后进。及退闲职，宾客日盈其门。常叹曰：'坐上客恒满，尊中酒不空，吾无忧矣。'与蔡邕素善，邕卒后，有虎贲士貌类于邕，融每酒酣，引与同坐，曰：'虽无老成人，且有典刑。'融闻人之善，若出诸己，言有可采，必演而成之，面告其短，而退称其长，荐贤达士，多所奖进，知而未言，以为己过，故海内英俊皆信服之。"按，孔融去岁五月之前被免官，传云"岁余，复拜太中大夫"，复官当在此年六月曹操为丞相后、南征前。

七月

曹操南征刘表。（《魏志·武帝纪》卷一）

曹丕随父南征，作《述征赋》。《述征赋序》："建安之十三年，荆楚傲而弗臣。命元司以简旅，予愿奋武乎南邺。"

曹丕作《神女赋》。

陈琳作《神女赋》。按，《神女赋》云："汉三七之建安，荆野蠢而作仇。赞皇师以南征，济汉川之清流。感诗人之悠叹，想神女之来游。"或谓"三七之建安"，谓建安二十一年，然此解实为不文，且建安二十一年并无伐"荆野"之事。"三七"，即前汉谷永对汉平帝所陈"涉三七之节纪"之"三七"（《汉书·谷永传》卷八十五），孟康注谓"至平帝乃三七二百一十岁之厄，今已涉向其节纪"，盖谓"三七"为汉室大厄之期，运数已定，无可抗拒，故王莽代汉便以此为理论根据，云"深惟汉氏三七之厄，赤德气尽"（《汉书·王莽传》卷九十九中），以为"新室之兴也，德祥发于汉三七九世之后"（同上）。陈赋称"三七"，即谓建安与汉平帝时一样，期值大厄，气数殆尽，暗寓曹氏代汉之谶。赋言"南征"、"济汉"，明在征途。当是于曹操此次南征途中，曹丕作是题赋，命陈琳、王粲、杨修、应场以同题唱和，故均应系于此年。惟陈赋云"感仲春之和节"，与此月不合，或仅以"仲春"言"仲春之月，令会男女"之古义，非实指欤？姑系于此。曹、杨、王、应同题四赋，当为同时唱和之作，并系于此。

杨修作《神女赋》。

王粲作《神女赋》。

应场作《神女赋》。

曹植从父南征。按，曹植《求自试表》云"南极赤岸"，"赤岸"疑为赤壁，当指曹操南征刘表事。

王朗为丞相军师祭酒，随曹操南征。按，《魏志·王朗传》卷十三谓其曾为"军祭酒"，洪饴孙《三国职官表》卷上载"丞相……军师祭酒……王朗"，并谓"军师祭酒"避晋（司马师）讳，则为"军祭酒"，其说是。又，《蜀志·许靖传》卷三十八裴注引《魏略》："《王朗与文休书》曰：'……往者随军到荆州……是时侍宿武皇帝于江陵刘景升听事之上……'"王朗为军师祭酒当在此月曹操南征刘表时。

徐干从曹操南征，作《序征赋》《嘉梦赋》。按，《序征赋》云"沿江浦之左转，涉云梦之无陂"，与曹操此年征刘备、孙权之路线合；《嘉梦赋》言梦汉水神女事，亦当作于此时。

八月

阮瑀作《为魏武与刘备书》《纪征赋》。按，《魏志·王粲传》卷二十一裴注谓"《典略》载太祖初征荆州，使瑀作书与刘备"，《太平御览》卷六百引《金楼子》称"刘备叛走，曹操使阮瑀为书与备，马上立成"，均指书作于曹操征刘备时。《纪征赋》云"惟蛮荆之作仇，将治兵而济河"，即云此番南征荆州事。

路粹受曹操所使，诬告孔融大逆不道，应予重诛。《后汉书·孔融列传》卷七十："曹操既积嫌忌，而郗虑复构成其罪，遂令丞相军谋祭酒路粹枉状奏融曰：'少府孔融，昔在北海，见王室不静，而招合徒众，欲规不轨，云"我大圣之后，而见灭于宋，有天下者，何必卯金刀。"及与孙权使语，谤讪朝廷。又融为九列，不遵朝仪，秃巾微行，唐突宫掖。又前与白衣祢衡跌荡放言，云"父之于子，当有何亲？论其本意，实为情欲发耳。子之于母，亦复奚为？譬如寄物瓶中，出则离矣。"既而与衡更相赞扬。衡谓融曰："仲尼不死。"融答曰："颜回复生。"大逆不道，宜极重诛。'"《魏志·王粲传》卷二十一裴注引《典略》云："凡说融诸如此辈，辞语甚多。融诛之后，人睹粹所作，无不嘉其才而畏其笔也。"按，《后汉书·孝献帝纪》卷九谓"八月……壬子，曹操杀太中大夫孔融，夷其族"，路粹诬告孔融当在此年六月后、八月前，姑系于此。

孔融被杀，年五十六（153—208）。（《后汉书·孝献帝纪》卷九）《后汉书·孔融列传》卷七十："若夫文举之高志直情，其足以动义概而忭雄心。故使移鼎之迹，事隔于人存；代终之规，启机于身后也。夫严气正性，覆折而已。岂有员园委屈，可以每其生哉！懔懔焉，皜皜焉，其与琨玉秋霜比质可也。"

孔融刑前作《临终诗》。《临终诗》："生存多所虑，长寝万事毕。"

孔融幼子幼女临危不惧，延颈就刑。《后汉书·孔融列传》卷七十："初，女年七岁，男年九岁，以其幼弱得全，寄它舍。二子方弈棋，融被收而不动。左右曰：'父执而不起，何也？'答曰：'安有巢毁而卵不破乎！'主人有遗肉汁，男渴而饮之。女曰：'今日之祸，岂得久活，何赖知肉味乎？'兄号泣而止。或言于曹操，遂尽杀之。及收至，谓兄曰：'若死者有知，得见父母，岂非至愿！'乃延颈就刑，颜色不变，莫不伤之。"

曹操作《宣示孔融罪状令》。（《魏志·崔琰传》卷十二裴注引《魏氏春秋》）

王粲等劝说刘表子刘琮投降曹操。《魏志·王粲传》卷二十一："表卒，粲劝表子琮，令归太祖。"按，《后汉书·刘表列传》卷七十四下谓"（建安）十三年……八月，表疽发背卒",王粲劝刘琮当在此时。

九月

曹操至新野,收降刘琮,进军江陵,作《下荆州书》《表刘琮令》。《魏志·刘表传》卷六裴注引《傅子》:"荆州平,太祖与荀彧书曰:'不喜得荆州,喜得蒯异度耳!'"又,裴注引《魏武故事》:"载令曰:'……表琮为谏议大夫,参同军事。'"

王粲降曹操,辟为丞相掾,赐爵关内侯;奉觞谀颂曹操。《魏志·王粲传》卷二十一:"太祖辟为丞相掾,赐爵关内侯。太祖置酒汉滨,粲奉觞贺曰……"按,"太祖置酒汉滨"当在曹操此月收降刘琮后不久,宜系于此。

王粲随曹操军过当阳麦城,登楼有感,作《登楼赋》。按,《文选》所收王粲《登楼赋》中有语云:"遭纷浊而迁逝兮,漫逾纪以迄今",十二年为一"纪",则是赋似为建安十年(205)之作,因王粲自初平四年(193)依荆州刘表至建安十年,正逾一纪。然所登楼当如《水经注》卷三十二所释,在当阳麦城;王粲此年如有可能过当阳,则登楼作赋始可信。《资治通鉴》卷六十五正有九月曹军轻兵追刘备于当阳之记载,故降曹的王粲疑即随军前往,系是赋于此年或不误。自依刘表至此年十五年,云"漫逾纪"亦可通,约言之耳。

刘桢从曹操至江陵,作《遂志赋》。按,谢灵运《拟魏太子邺中集诗八首·刘桢》称(刘桢)"南登纪郢城","纪郢城"即江陵北郢都纪南城,曹操率军于建安十三年九月进抵江陵,盖刘此时正随军耳。《遂志赋》云"梢吴夷于东隅,掣叛臣乎南荆",当作于此次军旅生活中。

曹操召见邯郸淳。按,《魏志·王粲传》卷二十一裴注引《魏略》云"荆州内附,太祖素闻其名,召与相见,甚敬异之","荆州内附"指曹操此月降刘琮、下荆州,见邯郸淳当在此时。

曹操收用杜夔,令其创制雅乐。(《魏志·杜夔传》卷二十九)

十二月

曹操自江陵顺江下,过巴丘,作《又与荀彧书(追惜奉孝)》。(《魏志·郭嘉传》卷十四裴注引《傅子》)

曹操至赤壁,作《与孙权书》;与周瑜、刘备战于赤壁,不利。(《魏志·武帝纪》卷一)按,曹操与孙权书多封,《吴志·吴主传》卷四十七裴注引《江表传》所载"曹公《与孙权书(近者奉辞伐罪)》"作于赤壁之战前。《吴志·周瑜传》卷五十四裴注引《江表传》所载"后《与孙权书(赤壁之役)》"乃作于赤壁之战后。

张纮劝止孙权率轻骑突敌。(《吴志·张纮传》卷五十三、《吴志·吴主传》卷四十七、《魏志·武帝纪》卷一)按,《资治通鉴》卷六十六系于建安十四年三月,姑从《三国志》。

张昭奉命攻九江当涂,不克。(《吴志·吴主传》卷四十七、《资治通鉴》卷六十五)

蒋济献计保合肥。（《魏志·蒋济传》卷十四、《魏志·武帝纪》卷一）按，《通鉴》称事在此年三月，姑从《魏志》。

冬

阮瑀从征，作《苦雨诗》。按，阮诗云"苦雨滋玄冬"、"登台望江沔"，当是阮瑀从曹操征孙权时作。

是年

士燮七十二岁，受汉玺书，拜绥南中郎将，董都七郡；士燮遣使奉贡诣京，又诏拜安远将军，封龙度亭侯。按，事载《吴志·士燮传》卷四十九，年月未详，传叙在袁徽作《与尚书令荀彧书（交阯士府君）》之后与其附吴之前，汉授其玺书及拜将封侯，当在荀彧得袁徽书后，姑定在袁徽作书一年后。

许靖约五十七岁，或于此年为广汉太守。按，《蜀志·许靖传》卷三十八云"璋以靖为……广汉太守"，年月未详，姑定在为蜀郡太守三年前。

韦诞三十岁，约于此年为郡上计吏，特拜郎中。按，《魏志·刘劭传》卷二十一裴注引《文章叙录》云"建安中，为郡上计吏，特拜郎中"，其年未详，姑定在其而立之年。

诸葛亮二十八岁，为军师中郎将，督零陵、桂阳、长沙三郡，调其赋税，以充军实；其《与刘巴书》当作于此时。按，诸葛亮为军师中郎将事载《蜀志·诸葛亮传》卷三十五，《资治通鉴》卷六十五系之于此年。刘巴奉曹操命招纳长沙等三郡，然三郡入刘备手，刘巴北归路绝，诸葛亮遂作是书以劝，其时正为建安十三年诸葛亮督三郡时。

公元 209 年 （汉献帝刘协建安十四年 己丑）

三月

曹操军至谯。（《魏志·武帝纪》卷一）

蒋济使谯，对曹操徙民问，谓民不乐徙，曹操不从。（《魏志·蒋济传》卷十四）

曹丕随军，作《感物赋》。《感物赋序》："南征荆州，还过乡里，舍焉。"《感物赋》："伊阳春之散节，悟乾坤之交灵。"

六月

王粲从征，作《初征赋》。按，《初征赋》云"超南荆之北境，践周豫之末畿。……春风穆其和塘兮，庶卉焕以敷蕊。……当短景之炎阳，犯隆暑之赫曦"，赋当作于此年炎夏。

七月

曹操军合肥，作《存恤从军吏士家室令》。（《魏志·武帝纪》卷一）

曹丕从曹操，作《浮淮赋》。《浮淮赋序》："建安十四年，王师自谯东征，大兴水运，泛舟万艘。时余从行，始入淮口，行泊东山，睹师徒，观旌帆，赫哉盛矣！"

王粲从征，作《浮淮赋》。按，王赋云"从王师以南征兮，浮淮水而遐逝"，与曹操南征事合，又与曹丕赋同题，当是唱和之作，作于同时。

十二月

曹操引军还谯，作《以蒋济为扬州别驾令》。（《魏志·武帝纪》卷一、《魏志·蒋济传》卷十四）

蒋济仍为扬州别驾。（《魏志·蒋济传》卷十四）

刘桢从曹操。按，刘桢《赠五官中郎将（昔我从元后）》称"昔我从元后，整驾至南乡。过彼丰沛都，与君共翱翔。四节相推斥，季冬风且凉"，《文选》卷二十三李善注："元后，谓曹操也；至南乡，谓征刘表也。"由此知是时刘桢正从曹操军。

曹操遣张辽攻陈兰，作《论张辽功》。（《魏志·张辽传》卷十七、《资治通鉴》卷六十六）

是年

荀悦卒，年六十二（148—209）。（《后汉书·荀悦列传》卷六十二）

曹操，五十五岁，作《与韩遂教》。（《魏志·张既传》卷十五）

曹操是年又作《爵封田畴令》《决议田畴让官教》。（《魏志·田畴传》卷十一裴注引《先贤行状》及《魏略》）按，《爵封田畴令》云"表封亭侯，食邑五百，而畴恳恻，前后辞赏。出入三载，历年未赐"，田畴建安十二年谢封，"出入三载"，则此令作于此年，《决议田畴让官教》当作于同时稍后。

张昭五十四岁，为孙权军师。（《吴志·张昭传》卷五十二、《吴志·吴主传》卷四十七）

繁钦作《征天山赋》。按，繁赋云"有汉丞相武平侯曹公仗节东征"，当作于曹操为丞相后、封魏公前，《魏志·武帝纪》卷一谓曹操建安十三年为丞相，十八年封魏公，其间东征孙权有二次，一次在十四年，一次在十七年，姑系于十四年。此赋赋题，《太平御览》卷三百五十三引作《撰征赋》。

张纮五十三岁，复劝孙权勿出兵攻魏。（《吴志·张纮传》卷五十三）

夏侯玄生（209—254）。夏侯玄，字太初，沛国谯（今安徽亳县）人。少知名，弱冠为散骑黄门侍郎，左迁为羽林监。正始初，累迁散骑常侍、中护军。后为征西将军，假节都督雍、凉州诸军事；征为大鸿胪，徙太常。嘉平六年，以谋诛司马师被杀。"尝著《乐毅》《张良》《本无肉刑论》，辞旨通远，咸传于世"。（《魏志·夏侯玄传》卷九及裴注引《魏氏春秋》）《隋书·经籍志》卷三十五："魏太常《夏侯玄集》三卷。"

严可均《全三国文》卷二十一收其文七篇。

傅嘏生（209—255）。傅嘏，字兰石，北地泥阳（今陕西铜川南）人。傅介子后裔。弱冠知名，被司空陈群辟为掾。正始初，除尚书郎，迁黄门侍郎。嘉平末，赐爵关内侯。高贵乡公即位，进封武乡亭侯。正元时，力劝司马师平定毌丘俭之乱，后以功进封阳乡侯。卒后追赠太常，谥元侯。（《魏志·傅嘏传》卷二十一）《隋书·经籍志》卷三十五："梁又有……太常卿《傅嘏集》二卷，录一卷。……亡。"严可均《全三国文》卷三十五收其文五篇。

公元 210 年 （汉献帝刘协建安十五年 庚寅）

春

曹操下《求贤令》。（《魏志·武帝纪》卷一）

曹操《短歌行（对酒当歌）》疑作于此时。按，是诗慨叹"去日苦多"，思念"青青子衿"，怀"周公吐哺，天下归心"之志，与《求贤令》所谓"此特求贤之急时也"相似，疑作于此时。

十二月

曹操作《让县自明本志令》。《魏志·武帝纪》卷一裴注引《魏武故事》载曹操十二月己亥令："……设使国家无有孤，不知当几人称帝，几人称王！……所以勤勤恳恳叙心腹者，见周公有《金縢》之书以自明，恐人不信之故。……"

曹操《短歌行（周西伯昌）》疑作于此时。按，是诗赞美西伯、齐桓、夷吾、晋文，除能成就大业外，还称许彼等"臣节不坠"，似有借古人故实剖明自己心迹之意，与《让县自明本志令》异曲同工，疑亦作于此时。

曹植作《七启》。按，是文以七体形式宣说"主上犹尚以沉恩之未广，惧声教之未厉，采英奇于仄陋，宣皇明于岩穴，此宁子商歌之秋，而吕望所以投纶而逝也"，为求贤纳才而鼓呼，似与乃父《求贤令》相表里，疑作于此时。

王粲作《七释》。曹植《七启序》："遂作《七启》，并命王粲作焉。"丁晏《曹集诠评》以为"王粲所作名《七释》，见《艺文》五十七"。

冬

曹操于邺筑铜雀台，其《登台赋》或作于此时。（《魏志·武帝纪》）按，《登台赋》今存残句，未详作于何时，建安十七年，曹丕兄弟登台奉父命作赋，曹丕赋序未言其父作，故疑作于此时。

蒋济拜丹阳太守或在此时。《魏志·蒋济传》卷十四云："后济使诣邺。太祖迎见大笑曰：'本但欲使避贼，乃更驱尽之。'拜济丹阳太守。"按，曹操笑言即去岁问蒋济之徙民事，其归邺以筑铜雀台观之，当在此年，姑系于此。

是年

士燮七十四岁，孙权封其为左将军。（《吴志·士燮传》卷四十九）

曹操五十六岁，其《善哉行（古公亶父）》或亦作于此年。按，是诗与《短歌行（周西伯昌）》仿佛，借歌咏历史人物，婉曲表明心迹，疑与之同作于此年。

阮瑀约四十二岁，作《为曹公作书与孙权》。按，书首云"离绝以来，于今三年"，指赤壁之战曹、孙结怨至今已经三年，《魏志·武帝纪》载赤壁之战在建安十三年，书当为此时之作。

薛综为五官中郎将。按，《吴志·薛综传》卷五十三云"士燮既附孙权，召综为五官中郎将"，《吴志·士燮传》卷四十九谓"建安十五年……权加燮为左将军"，薛综为五官中郎将当在此年。

宋仲子作《与蜀郡太守王商书》，盛称许靖"偄傥瑰玮，有当世之具"。按，事载《蜀志·许靖传》卷三十八，裴注引《益州耆旧传》称王商"卒于官，许靖代之"，许靖明年为蜀郡太守，宋仲子书作于王商卒前，确年难详，姑系于此。

高堂隆此年前后为泰山督邮。按，《魏志·高堂隆传》卷二十五云"泰山太守薛悌命为督邮"，其年未详，姑定在建安十八年为丞相军议掾前三年。高堂隆（？—238），字升平，泰山平阳（今山东泰安东）人。少为诸生，泰山太守命为督邮；曹操召为军议掾，后为历城侯文学、相。黄初中，为堂阳长，选为平原王曹睿傅。曹睿即位，以为给事中、博士、驸马都尉，迁陈留太守。征为散骑常侍，赐爵关内侯；又迁侍中，领太史令，迁光禄勋。景元中，病卒。（《魏志·高堂隆传》卷二十五）《隋书·经籍志》卷三十三："《魏台杂访议》三卷，高堂隆撰。"同书卷三十四："《杂忌历》二卷，魏光禄勋高堂隆撰。……《张掖郡玄石图》一卷，高堂隆撰。……梁有《高堂隆相牛经》。"同书卷三十五："魏光禄勋《高堂隆集》六卷，梁十卷，录一卷。"严可均《全三国文》卷三十一收其文二十九篇。

阮籍生（210—263）。阮籍，字嗣宗，陈留尉氏（今属河南）人。"竹林七贤"之一。阮瑀子。容貌瑰杰，志气宏放，傲然自得，任性不羁，喜怒不形于色。或闭户视书，累月不出；或登临山水，经日忘归。博览群籍，尤好《庄》《老》。嗜酒，能啸，善鼓琴。当其得意，忘其形骸。时人多谓之痴。先为太尉辟为吏，谢病归；复为尚书郎，又以病免。后为参军、从事中郎，封关内侯，徙散骑常侍。又求为东平相、步兵校尉。虽不拘礼教，然发言玄远，口不臧否人物。性至孝。能为青白眼，见俗人，以白眼视之；见合意者，青眼相加。景元四年冬卒，年五十四。"能属文，初不留思。作《咏怀》诗八十余篇，为世所重。著《达庄论》，叙无为之贵"。（《晋书·阮籍传》卷四十九）《隋书·经籍志》卷三十五："魏步兵校尉《阮籍集》十卷，梁十三卷，录一卷。"张溥辑有《阮步兵集》。严可均《全三国文》卷四十四至四十六收其文十七篇。丁福保《全三国诗》卷五收其诗八十七首。张溥："嗣宗论《乐》，史迁不如，《通易》《达庄》，则王弼、郭象二注，皆其环内也。以此三论，垂诸艺文。《六家指要》，网罗精阔；曹氏父子，词坛虎步；论文有余，言理不足。嗣宗视之，犹轻尘于泰岱，岂特其人裈虱哉！诸赋大言、小言，清风穆如，间览赋苑，长篇争丽，《两都》《三京》，读未终卷，触屏欲睡。展观阮作，则一丸消疹，胸怀荡涤，恶可谓世无萱草也。晋王九锡，公卿劝进，嗣宗制词，婉而善讽。司马氏孤雏人主，豺声震怒，亦无所加。正言感人，尚愈寺人孟子之诗乎？《咏怀》诸篇，文隐指远，定、哀之际多微辞，盖斯类也。履朝右而谈方外，羁仕宦而慕真仙，《大人先生》一传，宁子虚、亡是公耶？步兵厨人，可以索酒，邻家当垆，可以醉卧，哭兵家之亡女，恸穷途之车迹，处魏晋间如是足矣。叔夜日与醋饮，而文王复称至慎，人与文皆以天全者哉！"（《汉魏六朝百三家集·阮步兵集题词》）

公元 211 年 　（汉献帝刘协建安十六年　辛卯）

正月

曹丕为五官中郎将，为丞相副。（《魏志·武帝纪》卷一）

曹植为平原侯。（《魏志·武帝纪》卷一裴注引《魏书》）

曹操作《高选诸子掾属令》。（《魏志·邢颙传》卷十二）

徐干为五官将文学。按，《魏志·王粲传》卷二十一云"干为……五官将文学"，曹丕此月始为五官中郎将，姑系于此。

刘桢为五官将文学，其《赠五官中郎将诗（昔我从元后）》《答曹丕借廓落带书》或作于此时。按，《后汉书·文苑列传》卷八十下李贤注引《魏志》谓刘桢曾为"五官郎将文学"，《世说新语·言语》注引《典略》谓"建安十六年，世子为五官中郎将，妙选文学，使桢随侍太子"，则其为五官将文学当在此时。赠诗忆两年前从征时与曹丕共"翱翔"事，疑作于此时。答书为刘桢与曹丕之间的戏谑文字，当作于其为五官将文学、且心境较好之时。刘桢此年初为曹丕文学，翌年夏以后即有苦役之灾，故系于此年为宜，惟难考何月所作，姑系于此。

刘廙为五官将文学；作《答曹丕书》。按，《魏志·刘廙传》卷二十一云"转五官将文学，文帝器之，命廙通草书。廙答书曰……"，曹丕此月始为五官中郎将，姑系于此。

卢毓署五官将门下贼曹。按，《魏志·卢毓传》卷二十二云"文帝为五官将，召毓署门下贼曹"，曹丕此时为五官将，姑系于此。

应场为平原侯曹植庶子。按，《魏志·王粲传》卷二十一云"场转为平原侯庶子"，曹植此月始封平原侯，姑系于此。

毌丘俭袭父爵，为平原侯文学。按，《魏志·毌丘俭传》卷二十八云"为平原侯文学"，年月未详，曹植此月始为平原侯，姑系于此。毌丘俭（？—255），字仲恭，河东闻喜（今属山西）人。袭父爵，为平原侯文学。明帝即位，为尚书郎，迁羽林监，出为洛阳典农，迁荆州刺史。青龙中，徙为幽州刺史，加度辽将军，使持节，护乌丸校尉；与司马懿定辽东，以功进封安邑侯。正始中，两征高句骊，大胜。迁左将军，假节监豫州诸军事，领豫州刺史，转为镇南将军，复为镇东将军。正元二年，矫诏反，败死。（《魏志·毌丘俭传》卷二十八）《隋书·经籍志》卷三十五："梁有《毌丘俭集》二卷，录一卷。"同书卷三十三："《毌丘俭记》三卷。"

王粲迁军谋祭酒。按，《魏志·王粲传》卷二十一云"后迁军谋祭酒"，年月未详，然当在十八年为魏国侍中之前，姑系于此。

是时，王粲、徐干、陈琳、阮瑀、应场、刘桢等，与曹氏兄弟友善，行止相随，诗赋唱和，盖已结成曹魏文学群体。《魏志·王粲传》卷二十一："始文帝为五官将，及平原侯植皆好文学。粲与北海徐干字伟长、广陵陈琳字孔璋、陈留阮瑀字元瑜、汝南应场字德琏、东平刘桢字公干并见友善。"曹丕《典论论文》："今之文人，鲁国孔融文举，广陵陈琳孔璋，山阳王粲仲宣，北海徐干伟长，陈留阮瑀元瑜，汝南应场德琏，东平刘桢公干。斯七子者，于学无所遗，于辞无所假，咸以自骋骥騄于千里，仰齐足而并驰。以此相服，亦良难矣。盖君子审己以度人，故能免于斯累。而作论文，王粲长于辞赋，徐干时有逸气，然非粲匹也。如粲之《初征》《登楼》《槐赋》《征思》，干之《玄猿》《漏卮》《团扇》《桔赋》，虽张、蔡不过也，然于他文未能称是。"曹植《与杨德祖书》："然今世作者，可略而言也。昔仲宣独步于汉南，孔璋鹰扬于河朔，伟长擅名于青土，公干振藻于海隅，德琏发迹于大魏，足下高视于上京。当此之时，人人自谓握灵蛇之珠，家家自谓抱荆山之玉也。"《魏志·王粲传》卷二十一裴注引鱼豢："今览王、繁、阮、陈、路诸人前后文旨，亦何昔不若哉？其所以不论者，时世异耳。余又窃怪其不甚见用，以问大鸿胪卿韦仲将。仲将云：'仲宣伤于肥戆，休伯都无格检，元瑜病于体弱，孔璋实自粗疏，文蔚性颇忿鸷，如是彼为，非徒以脂烛自煎縻也，其不高蹈，盖有由矣。'"

三月

曹操遣钟繇攻张鲁，遣夏侯渊兵出关中。（《魏志·武帝纪》卷一）

七月

曹操帅军西征韩遂、马超等。（《魏志·武帝纪》卷一）

曹丕留守邺城，作《感离赋》。《感离赋序》："建安十六年，上西征，余居守，老母诸弟皆从，不胜思慕。"

曹植从父西征，作《离思赋》《洛阳赋》；其《送应氏二首》或亦作于此时。曹植《离思赋序》："建安十六年，大军西征马超，太子留监国，植时从焉。"按，曹丕时为五官中郎将，立太子乃建安二十二年事，"太子"当为"世子"之误。曹植从父离邺西征，途经洛阳，《洛阳赋》当作于此时。《送应氏二首》为送应场之作，中云"步登北邙坂，遥望洛阳山。洛阳何寂寞，宫室尽烧焚"，诗疑作于此时。

阮瑀作《为曹公作书与韩遂》。按，《魏志·王粲传》卷二十一裴注称"《典略》载……及征马超，又使瑀作书与韩遂"，书即作于此时。

八月

曹操军至潼关，北渡河，进至渭南。（《资治通鉴》卷六十六）

王粲从征，过首阳山，作《吊夷齐文》。按，首阳山为伯夷、叔齐隐居饿死之地，在洛阳东北、山西永济南，为曹军西征途经处。《魏志·武帝纪》卷一叙西征经此地在建安十六年八月，王粲临其地而思古，故系于此。下阮瑀《吊伯夷文》亦作于同地同时。

阮瑀作《吊伯夷文》。

九月

曹操渡渭，大破韩遂、马超。（《魏志·武帝纪》卷一）

曹操《下令增杜畿秩》《手书与阎行》作于此月。按，《魏志·杜畿传》卷十六谓"太祖西征（韩遂、马超）至蒲阪"，"及贼破"，乃下此令增杜畿秩；《魏志·张既传》卷十五裴注引《魏略》谓《手书与阎行》写在"及超等破走"时，故作于此时。

十月

曹操征服杨秋。（《魏志·武帝纪》卷一）

王粲随曹操北征，作《征思赋》。按，《文选》卷四十六颜延年《三月三日曲水诗序》注引王粲《思征赋》云："在建安之二八，星步次于箕维。""二八"，谓十六；后句谓时当十月。"思征"，当为"征思"之讹。然则王赋为建安十六年十月之作。

十二月

曹操自安定还长安。（《魏志·武帝纪》卷一）

王粲随曹军还长安，作《咏史诗》。按，王诗咏"秦穆杀三良"事，"三良冢在歧州雍县一里故城内"（《括地志》），为曹军还长安途经地，王粲过其冢而赋诗，时在建安十六年十二月，见《魏志·武帝纪》卷一。下列阮瑀《咏史诗（误哉秦穆公）》、曹植《咏三良》当为同时唱和之作。

阮瑀作《咏史诗（误哉秦穆公）》。

曹植作《咏三良》《赠丁仪、王粲》诗；又作《述行赋》。按，《赠丁仪、王粲》诗中有句云"君子在末位"，据《魏志·何夔传》卷十二裴注引《魏书》，魏国既建，"时丁仪兄弟方进宠"；而此时，王粲亦官居魏国侍中，故丁、王"在末位"当指二人建安十八年（魏建国）前事。时王为军谋祭酒，官非显位，丁任职不详，然据《魏志·陈思王植传》卷十九裴注引《魏略》，彼正为曹操先欲嫁以女而后作罢事怀"恨"在心，亦即曹诗所云"丁生怨在朝"。曹诗又谓"从军度函谷，驱马过西京"，与此年定关中事合。王粲此月作诗咏三良，知曹植与彼等正同随军，赠丁、王诗当作于此时。曹植《述行赋》称"寻曲路之南隅，观秦政之骊坟"，当与《赠丁仪、王粲》为同时之作。

徐干作《西征赋》。按，徐赋称"奉明辟之渥德，与游轸而西伐。过京邑以释驾，观帝居之旧制"，当是随军西征马超后入长安时之作。下列应玚之《西征赋》，与徐赋

409

当为同时同地之作。

应场作《西征赋》。

是年

许靖约六十岁，代蜀郡太守。（《蜀志·许靖传》卷三十八）

曹操五十七岁，尚作《转邴原为五官长史令》。按，《魏志·邴原传》卷十一裴注引《原别传》谓此令作于"魏太子为五官中郎将"时，当即此年。

张纮五十五岁，建议都秣陵，孙权从之。（《吴志·张纮传》裴松之注引《江表传》）

诸葛亮三十一岁，奉命镇守荆州。（《蜀志·诸葛亮传》卷三十五）

孟达奉刘璋命，与法正将兵四千迎刘备；刘备留其屯兵江陵。按，事载《蜀志·刘封传》卷四十，《蜀志·先主传》卷三十二谓法正兵迎刘备在此年，孟达同行，当系于此。

刘劭约于此年为计吏，诣许，议元会日蚀。《魏志·刘劭传》卷二十一："建安中，为计吏，诣许。太史上言：'正旦当日蚀。'劭时在尚书令荀彧所……劭曰……"按，《后汉书·荀彧传》卷七十谓荀彧自建安元年至建安十七年卒一直"守尚书令"，刘劭为计吏诣许在此十七年间，姑系于此。"刘劭"，《魏志·荀彧传》裴注作"刘邵"，潘眉《三国志考证》卷五引《杨慎集》引宋庠说谓当作"刘卲"。作"邵"者，传写之误耳；"劭"与"卲"则通，《法言·孝至》所谓"年弥高而德弥卲"，通常即写作"年高德劭"，故本传"刘劭"无须易为"刘卲"。刘劭（？—247?），广平邯郸（今属河北）人。先为计吏，后拜太子舍人，迁秘书郎。黄初中，为尚书郎、散骑侍郎。明帝时，出为陈留太守，征拜骑都尉，迁散骑常侍。正始中，执经讲学，赐关内侯。卒赠光禄勋。曾"与议郎庾嶷、荀诜等定科令，作《新律》十八篇，著《律略论》"，"尝作《赵都赋》，明帝美之，诏劭作《许都（赋）》《洛都赋》，时外兴军旅，内营宫室，劭作二赋，皆讽谏焉"；自云"作《都官考课》七十二条，又作《说略》一篇"，"又以为宜制礼作乐，以移风俗，著《乐论》十四篇"，"凡所撰述，《法论》《人物志》之类百余篇"。（《魏志·刘劭传》卷二十一）《隋书·经籍志》卷三十二："梁有魏……光禄大夫刘劭、孙氏等注《孝经》各一卷，亡。"同书卷三十三："刘劭《律略论》五卷，亡。"同书卷三十四："……梁有《法论》十卷，刘劭撰。……《人物志》三卷，刘劭撰。"同书卷三十五："梁……又有光禄勋《刘劭集》二卷，录一卷，亡。"严可均《全三国文》卷三十二收其文十六篇。

王肃十八岁，从宋忠读《太玄》，更为之解。（《魏志·王肃传》卷十三）

公元 212 年 （汉献帝刘协建安十七年 壬辰）

正月

曹操还邺；可赞拜不名，入朝不趋，剑履上殿。（《魏志·武帝纪》）

曹丕遣将平田银、苏伯。（《资治通鉴》卷六十六）

曹操遣夏侯渊平梁兴。（《魏志·武帝纪》）

卫觊召还为尚书。按：《魏志·卫觊传》卷二十一称"关中服从，乃白召觊还，稍迁尚书"，《魏志·武帝纪》卷一谓"关中平"在建安十六年九月，则卫觊迁尚书当在曹操平定关中、班师回邺时。

曹操作《止省东曹令》。按，《魏志·毛玠传》卷十二云"大军还邺，议所并省。玠请谒不行，时人惮之，咸欲省东曹。……太祖知其情，令曰"，此事叙在去岁曹丕为五官将后、明年曹操封魏公前，故知为此年正月还邺时事。

丁仪或于此时迁尚书。按，《隋书·经籍志》卷三十五云"后汉尚书《丁仪集》"，丁仪迁尚书应在为西曹掾之后；《魏志·毛玠传》卷十二谓此际"大军还邺"时"遂省西曹"，疑丁仪卸西曹掾职，即迁尚书。

春

曹操登铜雀台，命曹丕兄弟作赋。（曹丕《登台赋序》）

曹丕登铜雀台，作《登台赋》。《登台赋序》："建安十七年春，上游西园，登铜雀台，命余兄弟并作。"

曹植登铜雀台，作《登台赋》。《魏志》本传："时邺铜爵台新成，太祖悉将诸子登台，使各为赋。植援笔立成，可观，太祖甚异之。"按，铜雀台成于建安十五年，曹氏兄弟登台作赋则在两年后，传误，当依曹丕赋序。

四月

刘桢作《处士国文甫碑》。按，刘碑云国文甫建安十七年四月卒。

五月

曹操杀马腾，夷三族。（《魏志·董卓传》卷六、《资治通鉴》卷六十六）

七月

曹操遣夏侯渊斩梁兴。（《魏志·徐晃传》卷十七、《资治通鉴》卷六十六）

十月

董昭作《与荀彧书》，谓曹操宜进爵国公；荀彧则以为不宜如此。按，事载《魏志·董昭传》卷十四裴注引《献帝春秋》，《魏志·荀彧传》卷十谓"十七年，董昭等谓太祖宜进爵国公……密以谘彧。彧以为……不宜如此"，董书当为"密以谘彧"而作；《资治通鉴》卷六十六系于此年十月，今从之。

曹操以荀彧对其进爵国公事持异议，心不能平。（《魏志·荀彧传》卷十、《资治通鉴》卷六十六）

曹操帅军南征孙权。(《魏志・武帝纪》卷一)

曹操表请荀彧劳军于谯，荀彧至谯，曹操作《留荀彧表》。(《魏志・荀彧传》卷十、《资治通鉴》卷六十六)

曹丕与荀彧论射。(《典论・自序》)

王粲作《为荀彧与孙权书檄》。按，《魏志・荀彧传》卷十叙荀彧建安十七年劳军于谯事，《资治通鉴》卷六十六系此事于十月，王文当作于此时。

荀彧卒，或云荀彧得曹操赐食，发之乃空器，遂饮药自杀。(《魏志・荀彧传》卷十裴注引《魏氏春秋》《资治通鉴》卷六十六)

曹植作《光禄大夫荀彧诔》。按，《魏志・荀彧传》卷十谓荀彧此年以忧卒，《资治通鉴》卷六十六系于十月，诔当作于此时。

潘勖作《尚书令荀彧碑》。按，《资治通鉴》卷六十六谓荀彧卒于此月，潘碑当作于此时。

华歆转侍中，代荀彧为尚书令。按，《魏志・华歆传》卷十三云"转侍中，代荀彧为尚书令"，荀彧自建安元年起一直到死"为汉侍中，守尚书令"，华歆转侍中、为尚书令当在荀彧卒时。

阮瑀卒，年约四十四（169？—212）。(《魏志・王粲传》卷二十一)

曹丕作《寡妇赋》《寡妇诗》。按，《寡妇赋序》云："陈留阮元瑜与余有旧，薄命早亡，故作斯赋以叙其妻子悲苦之情，命王粲等并作之。"《寡妇诗序》："友人阮元瑜早亡，伤其妻孤寡，为作此诗。"阮瑀卒于是年，曹丕及下述诸人的同题诗赋，均当作于此年。

王粲作《寡妇赋》。

丁仪作《寡妇赋》。

曹植作《寡妇诗》。

应场约于此年为五官将文学，作《侍五官中郎将建章台集诗》。按，《魏志・王粲传》卷二十一称"（应场）后为五官将文学"，未言其年，而此诗题中有"侍五官中郎将"，以曹操禁诸侯宾客交通事而言，诗当为其任五官将文学一职时所为。是诗有句云"往春翔北土"，曹植疑作于建安十六年之《送应氏二首》有句云"我友之朔方"，所言当为一事；应诗又云"今冬客南淮"，则应诗似作于建安十七年冬。

是年

许靖约六十一岁，嘲曹操"将欲歙之，必固张之；将欲取之，必固与之"。(《蜀志・许靖传》卷三十八裴注引《山阳公载记》)

曹操五十八岁，作《与王修书》。(《魏志・王修传》卷十一裴注引《魏略》)按，王修本传云其先为袁谭别驾，袁谭死，为曹操司金中郎将，《武帝纪》谓杀袁谭在建安十年。王修"在职七年"，乃奏陈黄白异议，于是曹操作书回报，故在此年。

蔡琰约四十二岁，亲诣曹操，请免夫董祀死罪；曹操免董祀死，请蔡琰缮写记忆之书；蔡琰为写四百余篇，文无遗误；后卒（171？—？）。《后汉书・列女传》卷八十四:"祀为屯田都尉,犯法当死,文姬诣曹操请之。时公卿名士及远方使驿坐者满堂,操谓宾客曰:'蔡伯喈女在外,今为诸君见之。'及文姬进,蓬首徒行,叩头请罪,音辞清辩,旨甚酸哀,众皆为改容。操曰:'诚实相矜,然文状已去,奈何?'文姬曰:'明公厩马万匹,虎士成林,何惜疾足一骑,而不济垂死之命乎!'操感其言,乃追原祀罪。时且寒,赐以头巾履袜。操因问曰:'闻夫人家先多坟籍,犹能忆识之不?'文姬曰:'昔亡父赐书四千许卷,流离涂炭,罔有存者。今所诵忆,裁四百余篇耳。'操曰:'今当使十吏就夫人写之。'文姬曰:'妾闻男女之别,礼不亲授。乞给纸笔,真草唯命。'于是缮写送之,文无遗误。"按,蔡琰救夫、缮书事,其年未详,姑定在其赎回、再嫁十年后。卒年无考。

吴质三十五岁,为朝歌长。按,《魏志·王粲传》卷二十一裴注引《魏略》云"及河北平定,五官将为世子,质与刘桢等并在坐席。桢坐谴之际,质出为朝歌长","刘桢坐谴"当指其平视甄氏而受惩处事,时在此年四月至明年十一月,吴质出为朝歌长当在此时,姑系于此。

蒋济约三十岁,为治中,时苗嘲之为"酒徒蒋济"。按,为治中事,本传未载,《魏志·温恢传》卷十五及《魏志·常林传》卷二十三裴注引《魏略·清介传》均曾言及,年月未详,姑定在为丹阳太守三年后。

卢毓三十岁,为丞相法曹议令史,转西曹议令史。按,事载《魏志·卢毓传》卷二十二,其上一年署五官将门下贼曹,下一年为吏部郎,为议令史当在此年。

刘桢于此年四月以后至下一年十一月之前,因不敬甄氏罪受惩。按,《魏志·王粲传》卷二十一裴注引《典略》云:"太子尝请诸文学,酒酣坐欢,命夫人甄氏出拜。坐中众人咸伏,而桢独平视。太祖闻之,乃收桢,减死输作。"《世说新语·言语》注引《文士传》亦云:"桢性辩捷,所问应声而答。坐平视甄夫人,配输作部,使磨石。武帝至尚方观作者,见桢匡坐正色磨石。武帝问曰:'石何如?'桢因得喻己自理,跪而对曰:'石出荆山悬崖之颠,外有五色之章,内含卞氏之珍,磨之不加莹,雕之不增文,禀气坚贞,受之自然。顾其理,枉屈纡绕而不得申。'帝顾左右大笑,即日赦之。"(《水经注·谷水》所引《文士传》语与此大同小异)刘桢此年四月应请为人作碑文,下一年十一月承命作《大阅赋》,受惩事当发生在二者之间。

骆统二十岁,试为乌程相。(《吴志·骆统传》卷五十七)

阮籍三岁,丧父(阮瑀)。(《魏志·王粲传》卷二十一)

公元 213 年　(汉献帝刘协建安十八年　癸巳)

正月

曹操军濡须口,攻破孙权江西营,月余引军还。《吴志·吴主传》卷四十七:"十八年正月,曹公攻濡须,权与相拒月余。曹公望权军,叹其齐肃,乃退。"裴注引《吴历》:"公见舟船器仗军伍整肃,喟然叹曰:'生子当如孙仲谋,刘景升儿子若豚犬耳!'权为笺与曹公,说:'春水方生,公宜速去。'别纸言:'足下不死,孤不得安。'曹公语诸将曰:'孙权不欺孤。'乃徹军还。"

曹丕作《济川赋》。按，曹赋云"悠尔北征，思魏都以偃息"，当是从父北行还都、过淮水时作。

春

曹丕于谯作《临涡赋》。《临涡赋序》："上建安十八年至谯，余兄弟从上拜坟墓，岁乘马游观东园，遵涡水，相佯乎高树之下。"

曹植于谯作《临涡赋》；其《归思赋》或作于离谯时。按，朱绪曾《曹集考异》卷四注《临涡赋》题曰："《穆修参军集·过涡河诗》：'扬鞭策羸马，桥上一徘徊。欲拟临涡赋，惭无八斗才。'自注：'昔曹子建临涡作赋，书于桥上，考魏文帝有《临涡赋序》，云：余兄弟从上拜坟墓。盖子建赋亦同作。'"又，曹植《归思赋》有语云"背故乡而迁徂，将遥憩乎北滨"，疑作于此次离谯时。

四月

曹操至邺。（《魏志·武帝纪》卷一）

曹丕作《愁霖赋》。按，《艺文类聚》卷二引曹赋有语云"脂余车而秣马，将言旋乎邺都"，称"邺都"而不称魏都，当为曹操此年五月封魏公前作。此月曹氏兄弟从曹操至邺，故系于此。下曹植、应玚同题之作当作于同时。

曹植作《愁霖赋》。

应玚作《愁霖赋》。

五月

曹操封魏公，加九锡，以冀州十郡为魏公封国。（《魏志·武帝纪》卷一）

曹操作《让九锡表》《辞九锡令》《上书谢策命魏公》。按，令见《魏志·武帝纪》卷一裴注引《魏书》，书见裴注引《魏略》，表载《艺文类聚》卷五十三，三文当即献帝策命后作。

潘勖为尚书右丞，作《九锡文》。《魏志·卫觊传》卷二十一："建安末，尚书右丞河南潘勖……亦与觊并以文章显。"裴注引《文章志》："魏公九锡命，勖所作也。"《太平御览》卷五百九十三引殷芸《小说》："魏国初建，潘勖为策命文。自汉武以来，未有此创。勖乃依商周，宪章唐虞，辞意温雅，与典诰同风。"按，曹操此年五月封魏公，潘文当作于此时。

荀攸、钟繇、王粲、王朗等两次劝进，曹操乃受命。（《魏志·武帝纪》裴注引《魏书》）

王朗领魏郡太守。（《魏志·王朗传》卷十三）按，王朗守魏郡当在曹操封国后，姑系此月。

陈群迁御史中丞；议复肉刑。（《魏志·陈群传》卷二十二）

卢毓为吏部郎。（《魏志·卢毓传》卷二十二）

曹丕纳郭氏。(《魏志·后妃传》卷五)

七月

魏始建社稷宗庙。(《魏志·武帝纪》卷一)

王粲奉命改创《俞儿舞歌》四篇；又作《太庙颂》。按，"《晋书·乐志》卷二十二云："巴渝舞，舞曲有《矛渝本歌曲》《安弩渝本歌曲》《安台本歌曲》《行辞本歌曲》，总四篇。其辞既古，莫能晓其句度。魏初，乃使军谋祭酒王粲改创其辞。粲问巴渝帅李管、种玉歌曲意，使试歌，听之，以考校歌曲，而为之改为《矛渝新福歌曲》《弩渝新福歌曲》《安台新福歌曲》《行辞新福歌曲》。"此四曲用于宗庙祭祀，曹操封魏公，始建宗庙，事在本年七月（《三国志·魏书·武帝纪》卷一），故四曲当作于七月后不久。又，《太庙颂》用于颂宗庙，当作于同时，唯原题如章樵所云："《粲集》作《显庙颂》。"(《古文苑》卷十二)。

王粲复作登歌《安世诗》。《宋书·乐志》卷十九："侍中缪袭又奏：'……自魏国初建，侍中王粲所作登歌《安世诗》，专以思咏神灵及说神灵鉴享之意。……'王粲所造《安世诗》，今亡。"

刘廙为黄门侍郎。(《魏志·刘廙传》卷二十一)

曹操进三女为汉献帝贵人。(《后汉书·皇后纪》卷十下、《资治通鉴》卷六十六)

曹操作《内诫令》。按，曹操《内诫令》或非一，《太平御览》卷六百九十一引曹令云"今贵人位为贵人，金印蓝绂，女人爵位之极"，此当言献女为贵人事，宜系此时。

九月

曹操筑金虎台。(《魏志·武帝纪》卷一)

曹操作《杨阜让爵报》。(《魏志·杨阜传》卷二十五)按，《资治通鉴》系赐杨阜爵事于建安十八年九月，报当作于此时。

秋

曹植作《离友诗》二首。按，是作《序》称"王师振振，送予于魏邦"，诗中又云"迄魏都兮息兰房"、"凉风肃兮白露滋，木感气兮条叶辞"，则作于是年去谯返邺后之秋。

十一月

崔琰为尚书。(《魏志·崔琰传》卷十二、《魏志·武帝纪》卷一裴注引《魏氏春秋》)

王粲为魏国侍中，典制度。(《魏志·王粲传》卷二十一、《魏志·武帝纪》卷一裴注引《魏氏春秋》)

卫觊为魏国侍中，与王粲并典制度。（《魏志·卫觊传》卷二十一、《魏志·武帝纪》卷一裴注引《魏氏春秋》）

曹丕等随曹操出猎，作赋；并命王粲、陈琳、刘桢、应玚作赋。按，《古文苑》卷七章樵注引挚虞《文章流别论》云："建安中，魏文帝从武帝出猎，赋，命陈琳、王粲、应玚、刘桢并作。琳为《武猎》，粲为《羽猎》，玚为《西狩》，桢为《大阅》。凡此各有所长，粲其最也。"王粲《羽猎赋》有语云"相公乃乘轻轩，驾四骆，拊流星，属繁弱"，在夸赞曹操狩猎的装备时，称其为"相公"，应玚《西狩赋》亦称曹操为"公"，则五赋所作不出曹操为魏公之建安十八、十九、二十三年；其次，《羽猎赋》云"济漳浦而横阵"，漳水在邺，则五赋当作于邺都；再次，《西狩赋》云"寒风肃而川逝，草木纷而摇荡"，则赋作于秋冬。考《武帝纪》，曹操此三年间，建安十九年秋冬忙于征孙权，建安二十年秋冬忙于征张鲁，建安二十一年春始还邺，秋冬在邺者，惟建安十八年而已。故五赋必作于此年秋冬，姑系于此月。

王粲作《羽猎赋》。

陈琳作《武猎赋》。

应玚作《西狩赋》《校猎赋》。按，从《校猎赋》残句难以断定作于何时，疑亦作于此次随曹操出猎中。

刘桢因不敬甄氏获罚而遇赦后"署吏"，作《杂诗》；旋为平原侯庶子，作《谏平原侯植书》《大阅赋》。按，《魏志·王粲传》卷二十一称其"刑竟署吏"，《杂诗》有云"职事相填委，文墨纷消散。驰翰未暇食，日昃不知晏。沈迷簿领间，回回自昏乱"，当为其吏事萦身之写照。《后汉书·文苑列传》卷八十下李贤注引《魏志》云"（桢）为……五官将文学……转为平原侯庶子"，《魏志·邢颙传》卷十二称"是时，太祖诸子高选官属……遂以为平原侯植家丞。颙防闲以礼，无所屈挠，由是不合。庶子刘桢书谏植"，其转职平原侯曹植门下当始自此时，因有赋《大阅》之机。又，《晋书·元四王列传》卷六十四称"昔魏临淄侯以邢颙为家丞，刘桢为庶子"，《资治通鉴》卷六十七亦以为徙临菑侯庶子，未知孰是，姑从《魏志》。

是年

曹操五十九岁，作《下州郡》《议复肉刑令》《辨卫臻不同朱越谋反论》《以杜畿为尚书仍镇河东令》。（《魏志·杜畿传》卷十六裴注引《杜氏新书》《魏志·陈群传》卷二十二、《魏志·卫臻传》卷二十二、《魏志·杜畿传》卷十六）

仲长统三十四岁，复还为郎；其《昌言》或始作于此时。按，《魏志·刘劭传》卷二十一裴注引缪袭《<昌言>表》云"复还为郎"，其年未详；仲长统延康元年（220）卒，姑以卒前五年复还为郎。《后汉书·仲长统列传》卷四十九云"每论说古今及时俗行事，恒发愤叹息，因著论，名曰《昌言》，凡三十四篇（缪袭云'凡二十四篇'），十余万言"，王先谦《后汉书集解》云"沈钦韩曰：《抱朴子》：统作《昌言》，未竟而亡，后董袭撰次之。案董当作缪。"《昌言》三十四篇十余万言，非短时能成之作，既然至卒时仍未完成，则或始作于此时。

缪袭二十八岁，或于此年辟御史大夫府。按《魏志·刘劭传》卷二十一裴注引《文章志》云"辟御史大夫府，历事魏四世。正始六年，年六十卒"，辟御史大夫府之年未详，然必定在曹操世。《后汉书·孝献帝纪》卷九谓"（建安）十三年……夏六月，罢三公官，置丞相、御史大夫。……八月丁未，光禄勋郗虑为御史大夫。……二十二年夏六月，丞相军师华歆为御史大夫"，未知缪袭受辟何人幕下，姑以建安十八年为其受辟之年。

应璩二十四岁，为曹丕座上客。按，《魏志·朱建平传》卷二十九谓"文帝为五官将，坐上会客三十余人"，应璩亦在客中；曹丕建安十六年始为五官将，二十二年为太子，应璩为曹丕客姑系此年。

丁廙或于此年迁黄门侍郎。按，《魏志·陈思王植传》卷十九裴注引《文士传》云其"建安中为黄门侍郎"，年月未详，然《文士传》接叙丁廙进言曹操时称曹植为"临菑侯"，曹植封临菑侯在建安十九年，则丁迁黄门侍郎定在十九年前，姑系于此。

骆统二十一岁，召为功曹，行骑都尉，娶孙权从兄孙辅女。按，事载《吴志·骆统传》卷五十七，其去岁试为乌程相，以"民户过万"之政绩受孙权嘉许，故授职、娶妻至少当在一年之后。

高堂隆为丞相军议掾。（《魏志·高堂隆传》卷二十五）

郤正生（213—278）。按，郤正太和六年（232）为秘书吏，其年弱冠，则生于此年。郤正，本名纂，字令先，河南偃师（今属河南）人。少以父死母嫁，单茕只立，而安贫好学，博览坟籍。弱冠能属文，为秘书令，转令史，迁郎，至令。不慕荣利，尤爱文章，"自司马、王、扬、班、傅、张、蔡之俦遗文篇赋，及当世美书善论，益部有者，则钻凿推求。略皆寓目"。为后主造降书，随后主东迁洛阳。赐关内侯。入晋，除安阳令，迁巴西太守。"凡所著述诗、论、赋之属，垂百篇"。（《蜀志·郤正传》卷四十二）《隋书·经籍志》卷三十五："晋巴西太守《郤正集》一卷。"

公元214年　（汉献帝刘协建安十九年　甲午）

三月

天子使曹操位在诸侯王上，改授金玺、赤绂、远游冠。（《魏志·武帝纪》卷一）

王粲《杂诗》或作于此时。按，《魏志·杜袭传》卷二十三云，魏国初建，王为侍中，本以位极人臣，然仍以见重不如杜袭而心怀"悒悒"，是诗云"日暮游西园，写我忧思情"，所游又为春景，疑作于此时。

曹植《赠王粲》或作于此时。按，是诗与王粲《杂诗》似为唱和之作。王粲诗写"悒悒"之情，是诗则以"重阴润万物，何惧泽不周。谁令君多念，遂使怀百忧"宽解之，"树木发春华"，则为春景，疑作于此时。

五月

曹操欲征吴，作《征吴教》《原贾逵教》。（《魏志·贾逵传》卷十五裴注引《魏略》）

曹丕作《槐赋》。按，《艺文类聚》卷八十八引曹丕《槐赋序》云："文昌殿中槐树，盛暑之时，余数游其下，美而赋之。王粲直登贤门小阁外，亦有槐树，乃就使赋焉。"下列曹植、王粲同题之作，前者为唱和，后者为应教。据《三国会要》卷八，登贤门近内朝，位于听政门外，王粲值守，必为任侍中时。王粲上一年秋始为侍中，建安二十二年正月病卒，作此赋当在十九、二十、二十一三年之内的某年盛夏，且须在邺之时；而二十年，王粲随曹军离邺西征，故其赋所作之年非十九年，即二十一年，姑系于此年。

曹植作《槐赋》。

王粲作《槐赋》。

曹植《大暑赋》或作于此时。按，题称"大暑"，曹丕《槐赋序》称"盛暑之时"，二赋当作于同年。下列王、繁二人之赋与曹赋同题，当为唱和之作。

王粲作《大暑赋》。

繁钦作《大暑赋》。

传诸葛亮作《上先帝书》。按，书言"太白临于雒城之分，主于将帅，多凶少吉"，不久庞统中箭死；是书颇类谶语，《蜀志》、裴注均不载，严可均《全三国文》谓张溥《汉魏六朝百三家集》辑自《太乙飞钤》，疑为伪作。

闰五月

诸葛亮与刘备下成都，被任为军师将军、益州太守；作《为法正答或问书》《答法正书》《又称蒋琬》《答关羽书》。（《蜀志·诸葛亮传》卷三十五、《资治通鉴》卷六十七、《蜀志·关羽传》卷三十六）

许靖为左将军长史。（《《蜀志·许靖传》卷三十八、《资治通鉴》卷六十七》）

孟达为宜都太守。按，《蜀志·刘封传》卷四十云"蜀平后，以达为宜都太守"，《蜀志·先主传》卷三十二谓刘备建安十九年夏迫降刘璋，领益州牧，大封诸臣，孟达守宜都当在此时。

夏

杜琼为议曹从事。按，《蜀志·杜琼传》卷四十二云"先主定益州，领牧，以琼为议曹从事"，《先主传》谓刘备此时领益州牧，杜琼为职当在此时。

七月

曹植徙封临菑侯。（《魏志·曹植传》卷十九、《资治通鉴》卷五十九）

曹操征孙权；留曹植守邺，作《戒子植》。（《魏志·武帝纪》卷一、《魏志·陈思王植传》卷十九）

华歆为军师。按，《魏志·华歆传》卷十三云"太祖征孙权，表歆为军师"，当在此时。

　　曹植作《东征赋》。《东征赋序》:"建安十九年,王师东征吴寇,余典禁兵,卫官省。然神武一举,东夷必克,想见振振之盛,故作赋一篇。"

　　刘桢作《黎阳山赋》。按,赋称"自魏都而南迈",当作于曹操建安十八年封魏公后。据《魏志·武帝纪》,曹操封魏公后出征过黎阳者有两次,一为建安十九年秋冬,一为建安二十一年冬十月至次年三月,而刘赋中所谓"云兴风起,萧瑟清冷",乃写秋景惯用之句,故赋所咏当为前者。此番出征,曹植奉命留守,惟作《东征赋》而"想见"出征之盛;刘桢为曹植庶子,同样留守,惟作《黎阳山赋》而"想王旅之旌旄,望南路之逶迤"。

　　杨修作《出征赋》。按,杨赋云"嗟夫吴之小夷"、"公命临菑守于邺都",指曹操伐吴并命曹植守邺事,当作于此时。

　　丁仪、丁廙、杨修为曹植羽翼。《魏志·陈思王植传》卷十九:"建安十九年,徙封临菑侯。……植既以才见异,而丁仪、丁廙、杨修等为之羽翼。太祖狐疑,几为太子者数矣。"

　　崔琰露板答曹操立太子事,曹操嘉之,迁其为中尉。《魏志·崔琰传》卷十二:"时未立太子,临菑侯植有才而爱。太祖狐疑,以函令密访于外。唯琰露板答曰……太祖贵其公亮,喟然叹息,迁中尉。"按,曹操为立太子而狐疑,以《陈思王植传》参之,正在此时,姑系于此。

　　徐干为临菑侯文学。(《晋书·郑袤传》卷四十四)安:曹植此月始为临菑侯,徐干转其文学或在此时。

　　吴质迁元城令,过邺,劝曹丕流涕送征;抵任后,作《与魏太子笺》。按,《魏志·王粲传》卷二十一裴注引《魏略》云"后迁元城令。其后大军西征,太子南在孟津小城","大军西征"当指建安二十年三月曹操西征张鲁事;吴质建安十七年为朝歌令,则其为元城令必在建安十八、十九两年,姑系此年。又,裴注引《世语》:"魏王尝出征,世子及临菑侯植并送路侧。植称述功德,发言有章,左右属目,王亦悦焉。世子怅然自失,吴质耳曰:'王当行,流涕可也。'及辞,世子泣而拜,王及左右咸欷歔,于是皆以植辞多华,而诚心不及也。"吴质由朝歌赴元城任,当过邺;此月又有曹植送曹操东征之赋,故劝曹丕流涕事宜系此时。《文选》卷四十李善注谓"质迁元城令,之官过邺,辞太子;到县,与太子笺",《王粲传》卷二十一裴注引《魏略》载"二十三年,太子又与质书",中云"别来行复四年",足证二人确于此时相逢于邺。

　　曹操作《悼荀攸下令》。(《魏志·荀攸传》卷十、《资治通鉴》卷六十七)

十月

　　曹操作《夏侯渊平陇右令》。(《魏志·夏侯渊传》卷九、《资治通鉴》卷六十七)

　　曹操自合肥还。(《魏志·武帝纪》卷一)

十一月

　　曹操幽伏皇后,灭其族;作《假为献帝策收伏后》。(《魏志·武帝纪》卷一、《后

汉书·皇后纪》卷十下)

　　华歆勒兵入宫，坏户发壁，收伏皇后。（《魏志·武帝纪》卷一裴注引《曹瞒传》）

十二月

　　曹操至孟津。（《魏志·武帝纪》卷一）

　　曹操作《谢置旄头表》《敕有司取士毋废偏短令》《选军中典狱令》《以高柔为理曹掾令》。按，《魏志·武帝纪》卷一是月云"天子命公置旄头，宫殿设钟虡"，则谢表为此时作；前二令均载是月《武帝纪》，后一令见《魏志·高柔传》卷二十四，曹操于此月"置理曹掾属"，则以高柔为理曹掾当在是时。

是年

　　曹操六十岁，尚作《报蒯越书》。（《魏志·刘表传》卷六裴注引《傅子》）

　　曹植二十三岁，作《叙愁赋》。按，《叙愁赋序》称"时家二女弟，故汉皇帝聘以为贵人。家母见二弟愁思，故令予作赋"，"二女弟"谓妹。《后汉书·皇后纪》卷十下谓"建安十八年，曹操进三女宪、节、华为夫人，聘以束帛、玄纁五万匹，少者待年于国。十九年，并拜为贵人"，小女曹华年幼，"留住于国，以待年长"（李贤注），长女曹宪、次女曹节当进宫，故有临嫁愁思事。曹赋应为此年之作。

　　曹植又作《与吴季重书》。按，《文选》卷四十二吴质《答东阿王书》云"墨子回车，而质四年"，墨子非乐，嫌其名而不入之地，正为朝歌，吴质始为朝歌长在建安十七年，至此年四年。

　　路粹为秘书令。（《魏志·王粲传》卷二十一裴注引《典略》）

　　苏林为五官将文学。按，《魏志·王粲传》卷二十一裴注引《魏略》云"建安中，为五官将文学"，曹丕建安十六年起为五官中郎将，长达六年，苏林为其文学，未详何年，姑以十九年当之。苏林（？—？），字孝友，陈留（今河南开封）人。博学多识。先为五官将文学，后迁博士给事中。以老归第，年八十余卒。"著文赋，颇传于世"。（《魏志·王粲传》卷二十一裴注引《魏略》）

公元 215 年　　（汉献帝刘协建安二十年　乙未）

正月

　　曹操中女为汉献帝立为皇后。（《魏志·武帝纪》卷一）

三月

　　曹操西征张鲁，作《合肥密教》。（《魏志·武帝纪》卷一、《魏志·张辽传》卷十七）

　　曹丕作《答曹洪书》。《答曹洪书》云"今鲁包凶邪之心，肆蛊惑之政，天兵神拊，师徒无暴，樵牧不临"，指是年伐张鲁事，书当作于此时。

王粲从曹操西征。按，曹植《赠丁仪、王粲诗》云"从军度函谷，驱马过西京"，《文选》卷二十四李善注谓"《魏志》曰：建安二十年，公西征张鲁"，知王粲随军西征。又，李善注云"集云：'答丁敬礼、王仲宣。'翼字敬礼，今云仪，误也"。敬礼为丁仪弟丁廙字，丁仪字正礼，或李善所引集云"丁敬礼"为"丁正礼"之误。

陈琳从曹操西征。按，陈琳在军中曾为曹洪代笔作与曹丕书，即《为曹洪与魏太子书》，由此知其随军西征。

曹丕在孟津，作《与钟繇书（丕曰）》。按，《魏志·钟繇传》卷十三裴注引《魏略》云"后太祖征汉中，太子在孟津，闻繇有玉玦，欲得之而难公言，密使临菑侯转因人说之。繇即送之，太子与繇书曰……"既云"太祖征汉中"，则曹书作于此时。《文选》卷四十二题作《与钟大理书》。

四月

曹操自陈仓出散关，作《秋胡行（晨上散关山）》；至河池。（《魏志·武帝纪》卷一）按，《秋胡行》诗有"晨上散关山"语，当是兵出散关时所作。

五月

曹操攻屠氐王窦茂。（《魏志·武帝纪》卷一）

曹丕作《柳赋》。按，《柳赋序》云："昔建安五年，上与袁绍战于官渡，是时余始植斯柳。自彼迄今，十有五载矣。左右仆御已多亡，感物伤怀，乃作斯赋。"自建安五年十五载后，即为此年。下列三人同题赋，当是与曹丕唱和之作；应玚赋题中"杨柳"，即是"柳"，也应为同时唱和之作。

王粲作《柳赋》。

陈琳作《柳赋》。

繁钦作《柳赋》。

应玚作《杨柳赋》。

曹丕在孟津，作《与吴质书（五月十八日）》《孟津》诗。《魏志·吴质传》卷二十一裴注引《魏略》："其后大军西征，太子在孟津小城，与质书曰……"按，是书《文选》卷四十二题作《与朝歌令吴质书》，书首有"五月十八日"，故知作于此月。惟标题有误，时吴质已移职元城，不当称之为"朝歌令"。《孟津》诗云"翊日浮黄河，长驱旋邺都"，当是离孟津前所作。

七月

曹操军至阳平，入南郑，破张鲁。（《魏志·武帝纪》卷一）

路粹随曹军至汉中，以罪见杀（？—215）。曹丕闻其死，深为叹息。（《魏志·王粲传》卷二十一裴注引《典略》）

八月

张纮为长史，从征合肥；谏孙权轻骑突敌。（《吴志·张纮传》卷五十三、《资治通鉴》卷六十七）

九月

曹操收降巴賨夷帅朴胡等。（《魏志·武帝纪》卷一）

曹丕作《与曹洪书》。（陈琳《为曹洪与魏太子书》）

十一月

张鲁投降曹操。（《魏志·武帝纪》卷一）

陈琳作《为曹洪与曹丕书》。按，《文选》卷四十一李善注云"《文帝集序》曰：上平定汉中，族父都护还书于余，盛称彼方土地形势。观其辞，如陈琳所叙为也"，曹丕所云书即《为曹洪与魏太子书》。陈书云"十一月五日洪白……得九月二十日书……"故书作于此月。

曹丕作《叙陈琳》。按，曹叙云"上平定汉中"，知作于迫降张鲁时。

十二月

曹操自南郑还。（《魏志·武帝纪》卷一）

是年

曹操六十一岁，不信告蒋济谋反之言，辟以为丞相主簿西曹属，作《辟蒋济为丞相主簿西曹属令》。（《魏志·蒋济传》卷十四）按，本传叙此事紧接曹操下《以蒋济为扬州别驾令》后，似在建安十四年（209），然蒋济建安二十四年因关羽围樊事与司马懿同进言曹操，当在其身旁为官，不应在丹阳太守或治中任上，疑本传叙其行状有夺误，姑定在为治中三年后。

刘劭拜太子舍人，作《爵制》。按，《魏志·刘劭传》卷二十一云"御史大夫郗虑辟劭，会虑免，拜太子舍人"，钱大昭《后汉书补表》卷八谓"詹事兄云：建安十三年置御史大夫，郗虑为之。至十九年废后时尚在职，二十一年封魏王则宗正刘艾行御史大夫事。虑之罢职，应在二十年"，姑从此说，刘劭拜太子舍人在是年。

潘勖迁东海相，未发，留拜尚书左丞；病卒，年约五十五（161？—215）。（《魏志·卫觊传》卷二十一裴注引《文章志》）

虞翻四十六岁，徙丹杨泾县。《吴志·虞翻传》卷五十七："翻数犯颜谏争，权不能悦，又性不协俗，多见谤毁，坐徙丹杨泾县。"按，年月未详，姑定在为骑都尉十年后。

诸葛亮三十五岁，据南郡。（《蜀志·先生传》卷三十二、《资治通鉴》卷六十七）

应璩二十六岁，作《与刘公干书》。按，应书未详何年所作，刘桢卒于建安二十二年，姑定在刘桢卒前二年作。

骆统二十三岁，此年前后出为建忠中郎将。按，事载《吴志·骆统传》卷五十七，年月未详，姑定在娶孙辅女为妻二年后。

皇甫谧生（215—282）。皇甫谧，字士安，幼名静，自号玄晏先生，安定朝那（今甘肃平凉西北）人。年二十，不好学，游荡无度，或以为痴。后感叔母之言，就乡人席坦受书，勤力不息。家贫，躬自耕稼，带经而农，遂博通典籍百家之言。以著述为务，著《礼乐》《圣真》之论。后得风痹疾，犹手不辍卷，废寝忘食，时人谓之"书淫"。或劝其修名广交，则作《玄守论》以答之。郡举孝廉，相国辟，皆不行。乡亲劝令应命，遂作《释劝论》以通志。晋武帝频下诏催其出仕，乃上疏自称草莽臣而婉拒。自表就武帝借书，武帝与书一车。终身不仕。"所著诗、赋、诔、颂、论、难甚多，又撰《帝王世纪》《年历》《高士》《逸士》《列女》等传、《玄晏春秋》，并重于世"。（《晋书·皇甫谧列传》卷五十一）《隋书·经籍志》卷三十三："《帝王世纪》十卷，皇甫谧撰。起三皇，尽汉魏。……《高士传》六卷，皇甫谧撰。《逸士传》一卷，皇甫谧撰。……《玄晏春秋》三卷，皇甫谧撰。……《列女传》六卷，皇甫谧撰。"同书卷三十四："《鬼谷子》三卷，皇甫谧注。……梁有《朔气长历》二卷，皇甫谧撰。……梁有……《皇甫谧、曹翕论寒食散方》二卷，亡。"同书卷三十五："晋征士《皇甫谧集》二卷，录一卷。"严可均《全晋文》卷七十一收其文十三篇，丁福保《全晋诗》卷二收其诗一首。永瑢等："《高士传》三卷，晋皇甫谧撰。谧字士安，自号元晏先生，安定朝那人，汉太尉嵩之曾孙。尝举孝廉，不行。事迹具《晋书》本传。案南宋李石《续博物志》曰，刘向传列仙七十二人，皇甫谧传高士亦七十二人，知谧书本数仅七十二人，此本所载乃多至九十六人。然《太平御览》五百六卷至五百九卷全收此书，凡七十一人，其七十人与此本相同。又东郭先生一人，此本无而《御览》有，合之得七十一人，与李石所言之数仅佚其一耳。盖《御览》久无善本，传刻偶脱也。此外子州支父、石户之农、小臣稷、商容、荣启期、长沮、桀溺、荷蓧丈人、汉阴丈人、颜阖十人，皆《御览》所引嵇康《高士传》之文。闵贡、王霸、严光、梁鸿、台佟、韩康、矫慎、法真、汉滨老父、庞公十人，则《御览》所引《后汉书》之文，惟披衣、老聃、庚桑楚、林类、老商氏、庄周六人为《御览》此部所未载。当由后人杂取《御览》，又稍摭他书附益之耳。考《读书志》亦作九十六人，而《书录解题》称今自披衣至管宁惟八十七人。是宋时已有二本，窜乱非其旧矣。流传既久，未敢轻为删削。然其非七十二人之旧，则不可以不知也。"（《四库提要》卷五十七）

公元 216 年 （汉献帝刘协建安二十一年 丙申）

二月

曹操还邺，策勋于庙，作《春祠令》。（《魏志·武帝纪》卷一及裴注引《魏书》）

王粲作《从军诗》之一。按，裴松之于《魏志·武帝纪》建安二十年十二月事下注称"是行也，侍中王粲作五言诗以美其事曰"，接着即引王粲《从军诗》之一。"是行"，指曹操西征事。王粲此诗中有句云"拓土三千里，往返素如飞。歌舞入邺城，所愿获无违"，盖颂曹军此役大捷并凯旋归邺，故当系于此。

三月

曹操亲耕藉田。(《魏志·武帝纪》卷一)

五月

曹操进爵为魏王。(《魏志·武帝纪》卷一)

曹植作《藉田赋》。按，《藉田赋》云"名王亲枉千乘之体于陇亩之中，执锄镬于町畦之侧。尊趾勤于末耜，玉手劳于耕耘"，与《武帝纪》是年载记曹操"藉田"事合，当作于此时。

王粲作《蕤宾钟铭》《无射钟铭》。按，《文选》卷六左思《魏都赋》刘逵注引《钟簨铭》云："惟魏四年，岁在丙申，龙次大火，五月丙寅作蕤宾钟，又作无射钟。"魏四年，乃曹操封魏公之纪年，建安十七年曹操晋位公，四年即建安二十一年。古人有大事则铸钟，铭文以颂德，是年曹操晋位魏王，故制二钟，王粲二铭所谓"有魏匡国，诞成天功"(《蕤宾钟铭》)、"有魏匡国，成功允章"(《无射钟铭》)云云，正为谀颂魏王曹操而作，故系此年。

丁仪用事，见宠于时，谮崔琰、毛玠、徐奕、何夔等。(《魏志·崔琰传》卷十二、《魏志·徐奕传》卷十二裴注引《魏书》《魏志·何夔传》卷十二裴注引《魏书》《资治通鉴》卷六十八)

崔琰作《与杨训书》。(《魏志·崔琰传》卷十二、《资治通鉴》卷六十七。)

曹操听信谗言，以为崔琰腹诽心谤，罚崔琰为徒隶。(《魏志·崔琰传》卷十二及裴注引《魏略》《资治通鉴》卷六十七。)

崔琰未领曹操令其自尽之意，虬须直视，辞色不挠。(《魏志·崔琰传》卷十二及裴注引《魏略》《资治通鉴》卷六十七。)

曹操作《赐死崔琰令》《与和洽辩毛玠谤毁令》。按，《魏志·崔琰传》卷十二载前令，《魏志·和洽传》卷二十三载后令，《资治通鉴》卷六十七系二事于此年五月。

崔琰自杀，年五十八(159—216)。(《魏志·崔琰传》卷十二、《资治通鉴》卷六十七)

七月

曹操留来朝之南匈奴呼厨泉单于，使右贤王监其国。(《魏志·武帝纪》卷一)

八月

曹操以钟繇为相国。(《魏志·武帝纪》卷一)

十月

曹操治兵，征孙权；表华歆为军师。（《魏志·武帝纪》卷一、《魏志·华歆列传》卷十三）

陈琳《檄吴将校部曲文》或作于此时。按，《文选》卷四十四载此文首有"年月朔日子，尚书令彧，告江东诸将校部曲，及孙权宗亲中外"，而《魏志·荀彧传》卷十谓荀彧于建安十七年卒，文中多有荀彧卒后事，论者以此认为此文或为伪作。此疑过甚，"尚书令彧"云云，当为后人阑入，檄文应出于陈琳之手。详文意，似为曹操此年征吴时作。

十一月

曹操至谯。（《魏志·武帝纪》卷一）

王粲作《从军诗》之二、三、四、五。《文选》卷二十七注："建安二十一年，粲从征吴，作此四篇。"

是年

曹操六十二岁，封其子曹彰为鄢陵侯，曹衮为平乡侯，曹彪为寿春侯；杀琅玡王刘熙。（《魏志·任城威王彰传》卷十九、《魏志·中山恭王衮传》卷二十、《魏志·楚王彪传》卷二十、《后汉书·孝献帝纪》卷九）

张纮谏孙权再出军；还家途中卒，年六十（157—216）。按，张纮建安二十年为长史，本传谓"明年将复出军，纮又谏曰……令还吴迎家，道病卒"，则当卒于此年。

杨修四十二岁，作《答临菑侯笺》。《魏志·陈思王植传》卷十九裴注引《魏略》："（曹植）数与修书，书（即《与杨德祖书》）曰……修答曰：'不侍数日，若弥年载……'"按，杨修所答即《答临菑侯笺》，与曹书当作于同时。

王粲四十岁，奉命作《刀铭》。按，王粲《刀铭》云"侍中、关内侯臣粲言：奉命作《刀铭》"，当是奉魏王之命作铭，与曹植《宝刀赋》作于同时。王粲建安二十二年正月二十四日卒，然则王铭、曹赋当作于此年。

曹植二十五岁，作《与杨德祖书》。（《魏志·曹植传》卷十九裴松之注引《典略》）按，是书有语云"仆少好辞赋，迄至于今二十有五年矣"，如依句意，自其十岁读辞赋算起，则二十五年后为黄初六年（225），然杨修卒于三年后（219），故须自其降生算起，至此年恰二十五年，姑系于此。

曹植尚作《宝刀铭》《宝刀赋》。按，《宝刀赋》云"建安中，家父魏王乃命有司造宝刀五枚，三年乃就，以龙、虎、熊、马、雀为识。太子得一，余及余弟饶阳侯各得一焉。其余二枚，家王自仗之"，据此，二文当作于曹操此年五月晋王之后；曹植弟饶阳侯曹林"（建安）二十二年，徙封谯"（《魏志·武文世王公传》卷二十），即不再为饶阳侯，故可知曹赋作于建安二十一年五月至建安二十二年之间。以王粲二十二年正月卒参之，宜系此年。曹植《宝刀铭》亦当为同时所作。

曹丕、曹植均欲邯郸淳归于自己门下，曹操遣之为临菑侯属下。按，《三国志·王粲传》卷二十一裴注引《魏略》云"时五官将博延英儒，亦宿闻淳名，因启淳欲使在文学官属中。会临菑侯植亦求淳，太祖遣淳诣植"，邯郸淳《答赠诗》云"我受上命，来随临菑。……见养贤侯，于今四祀"，知邯郸淳归曹植乃受曹操之命；《答赠诗》作于黄初元年（220），逆推四年至此年，即为"太祖遣淳诣植"之年。邯郸淳归曹植后任何职，传未明言，张彦远《法书要录》卷八、张怀瓘《书断》中则谓"邯郸淳……初为临菑王（当为侯之误）傅"，姑备一说。

邯郸淳八十五岁，见曹植，叹为"天人"。《魏志·王粲传》卷二十一裴注引《魏略》："植初得淳甚喜，延入坐，不先与谈。时天暑热，植因呼常从取水自澡讫，傅粉。遂科头拍袒，胡舞五椎锻，跳丸击剑，诵俳优小说数千言讫，谓淳曰：'邯郸生何如邪？'于是乃更著衣帻，整仪容，与淳评说混元造化之端，品物区别之意。然后论羲皇以来贤圣名臣烈士优劣之差，次诵古今文章赋诔及当官政事宜所先后，又论用武行兵倚伏之势。乃命厨宰，酒炙交至，坐席默然，无与伉者。及暮，淳归，对其所知叹植之材，谓之'天人'。"

曹彪封寿春侯。（《魏志·武文世王公传》卷二十）曹彪（？—251），字朱虎。曹操子。始封寿春侯，徙封汝阳公，后封弋阳王、吴王、白马王、楚王。有《答东阿王诗》。（《魏志·武文世王公传》卷二十、《初学记》卷十八）

谯周十八岁，此年前后数访秦宓，记其言于《春秋然否论》。按，《蜀志·秦宓传》卷三十八云"谯允南少时数往谘访，记录其言于《春秋然否论》"，姑以十八岁当其"少时"。

公元 217 年　（汉献帝刘协建安二十二年　丁酉）

正月

曹操军居巢。（《魏志·武帝纪》卷一）

王粲从征，途中病。（《魏志·王粲传》卷二十一）

繁钦作《与魏太子书》。按，《文选》卷四十题作《与魏文帝笺》。

曹丕作《答繁钦书》《叙繁钦》。按，书与叙及繁钦书均言及"薛访车子"，当为时间相近之作。《文选》卷四十李善注引《文帝集序》（即《叙繁钦》）云"上西征，余守谯"，或以为西征指建安十六年征马超事，或以为指建安二十年西征张鲁事。繁书首有"正月八日壬寅"语，刘知渐《建安文学编年史》据《二十史朔闰表》，以为称"壬寅"之"正月八日"在建安二十二年。然是年春无"西征"，未知"西征"为引误，还是"壬寅"为写误。姑系于此。

二十四日，王粲卒，年四十一（177—217）。（曹植《王仲宣诔》）曹丕《典论·论文》："粲长于辞赋，干时有逸气，然非粲匹也。如粲之《初征》《登楼》《槐赋》《征思》、干之《玄猿》《漏卮》《圆扇》《橘赋》，虽张蔡不过也，然于他文未能称是。"曹丕《与吴质书》："仲宣独自善于辞赋，惜其体弱，不起其文，至于所善，古人无以远过也。"《魏志·王粲传》卷二十一："粲特处常伯之官，兴一代之制，然其冲虚德宇，未若徐干之粹也。"《魏志·王粲传》卷二十一裴注："《典略》曰：'粲才既高，辩论应机。钟繇、王朗等虽为魏卿相，至于朝廷奏议，皆阁笔不能措手。'"

曹丕等于王粲墓前各作驴鸣。《世说新语·伤逝》："王仲宣好驴鸣。既葬，文帝临其丧，顾语同游曰：'王好驴鸣，可各作一声送之。'赴客皆一作驴鸣。"

曹植丧长女金瓠，作《金瓠哀辞》；又作《王仲宣诔》。《王仲宣诔序》："维建安二十二年正月二十四日戊申，魏故侍中、关内侯王君卒。……哀以送之，遂作诔。"

二月

曹操军屯郝谿，攻濡须口，击走孙权。（《魏志·武帝纪》卷一）

三月

曹操东征还，作《赐夏侯惇伎乐名倡令》。（《魏志·诸夏侯曹传》卷九）

四月

曹操设天子旌旗，出入称警跸。（《魏志·武帝纪》卷一）

五月

曹操作泮宫。（《魏志·武帝纪》卷一）

六月

曹操以军师华歆为御史大夫。（《魏志·武帝纪》卷一）

八月

曹操下《举贤勿句拘品行令》。（《魏志·武帝纪》卷一裴注引《魏书》）
曹丕丧中子仲雍。（曹植《曹仲雍哀辞序》）

十月

曹操冕用十二旒，备天子乘舆；以曹丕为太子；作《立太子令》。（《魏志·武帝纪》卷一）
曹丕作《太子》。
曹操遣曹洪拒张飞，使辛毗参之，作《使辛毗曹休参治下辩令》。（《魏志·武帝纪》卷一、《魏志·辛毗传》卷二十五）
王昶为太子文学。（《魏志·王昶传》卷二十七）
曹植与杨修饮酒醉，私开司马门出，曹操大怒，作《曹植私开司马门下令》《又下

427

诸侯长史令》。(《魏志·陈思王植传》卷十九及裴注引《魏武故事》)

曹操赐死曹植妻。《魏志·崔琰传》卷十二裴注引《世语》:"植妻衣绣,太祖登台见之,以违制命,还家赐死。"按,《资治通鉴》卷六十八系之于此月。

曹植丧长女金瓠,作《金瓠哀辞》;又作《曹仲雍哀辞》。按,曹植《行女哀辞序》云"三年之中,二女频丧",行女为其次女,建安二十四年卒,逆推三年,则为金瓠卒年。以徐干、刘桢所作哀辞时间参之,当卒于此年十月以前,姑系于此。又,《曹仲雍哀辞序》云"曹暗字仲雍,魏太子之中子也,三月而生,五月而亡",则曹仲雍为"太子"曹丕子。然曹丕为太子乃此年十月事,哀辞或作于本年十月之后。

徐干为文帝、临菑侯各失稚子作哀辞。(《太平御览》卷五百九十六引挚虞《文章流别论》)按,曹丕所失稚子为曹仲雍,曹植所失稚子为长女金瓠,而徐干、刘桢均于此年冬身染瘟疫,徐干明春死,刘桢今冬卒,则彼等作哀辞疑在此年十月内。

刘桢为文帝、临菑侯各失稚子作哀辞。(《太平御览》卷五百九十六引挚虞《文章流别论》)

冬

陈琳卒于瘟疫,年约六十四(154?—217)。按,《魏志·王粲传》卷二十一谓"(徐)干、(陈)琳、应(玚)、(刘)桢二十二年卒",徐干卒于明春(详后),陈琳、应玚、刘桢均卒于此年;曹操建安二十三年所作《赡给灾民令》谓"去冬天降疫疠",则瘟疫当发生在此年冬季,故系陈、应、刘之卒于此年冬。

刘桢卒于瘟疫(?—217)。(《魏志·王粲传》卷二十一)曹丕《与吴质书》:"公干有逸气,但未遒耳。其五言诗之善者,妙绝时人。"曹丕《典论·论文》:"刘桢壮而不密。"《魏志·王昶传》卷二十七:"东平刘公干,博学有高才,诚节有大意,然性行不均,少所拘忌,得失足以相补。吾爱之重之,不愿儿子慕之。"《魏志·王粲传》卷二十一裴注:"《典略》曰:'文帝尝赐桢廓落带,其后师死,欲借取以为像,因书嘲桢云:"夫物因人为贵。故在贱者之手,不御至尊之侧。今虽取之,勿嫌其不反也。"桢答曰:"桢闻荆山之璞,曜元后之宝;随侯之珠,烛众士之好;南垠之金,登窈窕之首;翡貂之尾,缀侍臣之帻:此四宝者,伏朽石之下,潜汙泥之中,而扬光千载之上,发彩畴昔之外,亦皆未能初自接于至尊也。夫尊者所服,卑者所修也;贵者所御,贱者所先也。故夏屋初成而答匠先立其下,嘉禾始熟而农夫先尝其粒。恨桢所带,无他妙饰,若实殊异,尚可纳也。"'桢辞旨巧妙皆如是,由是特为诸公子所亲爱。"

应玚卒于瘟疫(?—217)。(《魏志·王粲传》卷二十一)曹丕《与吴质书》:"德琏常斐然有述作意,其才学足以著书,美志不遂,良可痛惜!"曹丕《典论·论文》:"应玚和而不壮。"

曹植作《说疫气》。《说疫气》:"建安二十二年,疠气流行。"

是年

严畯慷慨流涕,辞为军职。《吴志·严畯传》卷五十三:"及横江将军鲁肃卒,权以畯代肃，督兵万人，镇据陆口。众人咸为畯喜，畯前后固辞：'朴素书生，不闲军事，非才而据，咎悔必至。'发言慷慨，至于流涕，权乃听焉。"按，《吴志·鲁肃传》卷五十四谓鲁肃"建安二十二年卒"，是知严畯辞军职在此年。严畯（？—？），字曼才，彭城（今江苏徐州）人。少耽学，善《诗》《书》、三《礼》，又好《说文》。官吴骑都尉、从事中郎，为使使蜀，诸葛亮善之。坐事免，后复为尚书令。卒年七十八。"著《孝经传》《潮水论》，又与裴玄、张承论管仲、季路，皆传于世"。（《吴志·严畯传》卷五十三及裴注引《吴书》）

陈群约五十岁，转为侍中，领丞相东西曹掾，曹丕深敬器之。《魏志·陈群传》卷二十二："群转为侍中，领丞相东西曹掾。……文帝在东宫，深敬器焉，待以交友之礼。"按，陈群至迟在曹丕为太子时转侍中，曹丕此年立为太子，姑系于此。

杨修四十三岁，奉临菑侯命作《孔雀赋》。杨赋云："魏王园中有孔雀，久在池沼，与众鸟同列。其初至也，甚见奇伟，而今莫眠。临菑侯感世人之待士亦咸如此，故兴志而作赋，并见命及，遂作赋曰……"按，曹丕此年为太子，曹植最为失落，见孔雀而伤己，"故兴志而作赋"，疑杨赋作于此年。曹植亦当同时作有《孔雀赋》，盖已亡佚。

董遇诣邺，转为冗散。（《魏志·王肃传》卷十三裴注引《魏略》）

曹丕三十一岁，作五熟釜，作《五熟釜铭》《与钟繇书（昔者黄帝五鼎）》。（《魏志·钟繇传》卷十三、裴注引《魏略》）。

卞兰作《赞述太子赋》，曹丕赐牛一头。按，《魏志·后妃传》卷五裴注引《魏略》云"兰献赋赞述太子德美"，卞赋当为曹丕初为太子时作。《魏略》又云："太子报曰：'赋者，言事类之所附也，颂者，美盛德之形容也。故作者不虚其辞，受者必当其实。兰此赋，岂吾实哉？昔吾丘寿王—陈宝鼎，何武等徒以歌颂，犹受金帛之赐，兰事虽不谅，义足嘉也。今赐牛一头。'"卞兰（？—237？），琅邪开阳（今山东临沂北）人。卞太后侄。少有才学，历官奉车都尉、游击将军、散骑常侍，嗣开阳侯。（《魏志·后妃传》卷五）《隋书·经籍志》卷三十五："梁……又有……游击将军《卞兰集》二卷，录一卷。……亡。"

曹丕又作《与王朗书》《答卞兰教》；《典论》完成。按，《魏志·文帝纪》卷二裴注引《魏书》载是书云"疫疠数起，士人凋落"，当感是冬瘟疫流行、夺徐干、陈琳、刘桢、应场数命事，疑作于此年。卞兰《赞述太子赋》云"窃见所作《典论》及诸赋颂，逸句烂然，沈思泉涌，华藻云浮"，则《典论》当已完成。《答卞兰教》即上条所引"太子报曰……"，乃对卞赋之回复，当作于此年。

王朗迁少府。按，《魏志·王朗传》卷十三云"迁少府"，年月未详，万斯同《魏国将相大臣年表》系于此年，姑从之。

高堂隆为历城侯文学。按，《魏志·高堂隆传》卷二十五云"后为历城侯徽文学"，《魏志·东平灵王徽传》卷二十云曹徽"建安二十二年，封历城侯"，高堂隆为其文学疑在此年。

骆统二十五岁，此年前后领凌统兵；上疏请重民生。按，《吴志·骆统传》卷五十七云"及凌统死，复领其兵。是时征役繁数，重以疫疠，民户损耗，统上疏曰"，凌统约卒于此年。

阮籍八岁，能属文。（《太平御览》卷六百零二引《魏氏春秋》）

傅玄生（217—278）。（《晋书·傅玄列传》）傅玄，字休奕，北地泥阳（今陕西耀县东南）人。少孤贫，博学善属文，通音律。为人刚劲亮直，不能容人之短。州举秀才，除郎中，撰集《魏书》。后参安东、卫军军事，转温令，迁弘农太守，领典农校尉，封鹑觚男。司马炎为晋王时，为散骑常侍；入晋，进升子爵，加附马都尉，迁侍中。后坐事免官。泰始四年，复为御史中丞，迁太仆，转司隶校尉，复坐事免官。寻卒于家。追封清泉侯。"撰论经国九流及三史故事，评断得失，各为区例，名为《傅子》，为内、外、中篇，凡有四部、六录，合百四十首，数十万言，并文集百余卷，行于世"。（《晋书·傅玄列传》卷四十七）《隋书·经籍志》卷三十四："《傅子》百二十卷，晋司隶校尉傅玄撰。"同书卷三十五："晋司隶校尉《傅玄集》十五卷，梁五十卷，录一卷，亡。……《相风赋》七卷，傅玄等撰。"张溥辑有《傅鹑觚集》。严可均《全晋文》卷四十五至四十六收其文一百二篇，卷四十七至五十辑《傅子》，末附《马先生钧传》《何曾、荀彧传论》《傅嘏传》《自叙》。丁福保《全晋诗》卷一、卷二收其诗一百四十首。张溥："晋代郊祀，宗庙乐歌，多推傅休奕，顾其文采，与荀、张等耳。《苦相篇》与《杂诗》二首，颇有《四愁》《定情》之风。《历九秋》篇，读者疑为汉古辞，非相如、枚乘不能作。其言文声永，诚诗家六言之祖也。休奕天性峻急，正色白简，台阁生风。独为诗篇，辛婉温丽，善言儿女，强直之士，怀情正深，赋好色者何必宋玉哉！后人致疑广平，抑固哉高叟也！晋武受禅，广纳直言，休奕《时务》《便宜》诸疏，剀切中理。至云：'魏武好法术，天下贵刑名；魏文慕通远，天下贱守节。'请退虚鄙，如逐鸟雀。晋衰薄俗，先有隐忧。干令升论曰：'览傅玄、刘毅之言，而得百官之邪，核傅咸之奏，《钱神》之论，而睹宠赂之彰。'悼祸乱而美知几，清泉药石，可世守也。争言骂座，两遭免官，褊心有诮，亦汲长孺之微戆乎？"（《汉魏六朝百三家集·傅鹑觚集题词》）永瑢等："《傅子》一卷，晋傅元（玄）撰。元字休奕，北地人。官至司隶校尉，封鹑觚子。《晋书》本传称元撰论经国九流及三史故事，评断得失，各为区例，名为《傅子》。为内、外、中篇，凡有四部六录，合百四十首，数十万言行世。元初作内篇成，以示司空王沈，沈与元书曰：'省足下所著书，言富理济，经纶政体，存重儒教，足以塞杨墨之流遁，齐孙孟于往代。'其为当时所重如此。《隋书·经籍志》《唐书·艺文志》皆载《傅子》一百二十卷，马总《意林》亦同，是唐世尚为完本。宋《崇文总目》仅载二十三篇，较之原目，已亡一百一十七篇。故《宋史·艺文志》仅载有五卷。其后惟尤袤《遂初堂书目》尚见其名。元、明之后，藏书家遂不著录，盖已久佚。今检《永乐大典》中散见颇多，且所标篇目咸在，谨采掇裒次，得文义完具者十有二篇，曰《正心》，曰《仁论》，曰《义信》，曰《通志》，曰《举贤》，曰《重爵禄》，曰《礼乐》，曰《贵教》，曰《检商贾》，曰《校工》，曰《戒言》，曰《假言》。又文义未全者十二篇，曰《问政》，曰《治体》，曰《授职》，曰《官人》，曰《曲制》，曰《信直》，曰《矫违》，曰《问刑》，曰《安民》，曰《法刑》，曰《平役赋》，曰《镜总叙》。篇目视《崇文总目》较多其一，疑《问刑》《法刑》本属一篇，《永乐大典》误分为二耳。其《宋志》五卷原第，已不可考。谨依文编缀，总为一卷。其有《永乐大典》未载而见于他书所征引者，复搜辑得四十余条，别为附录，系之于后。晋代子家今传于世者，惟张华《博物志》、干宝《搜神记》、葛洪《抱朴子》、嵇含《草木状》、戴凯之《竹谱》尚存，然《博物志》《搜神记》皆经后人窜改，已非原书；《草木状》《竹谱》记录琐屑，无关名理；《抱朴子》又多道家诡诞之说，不能悉轨于正。独元此书所论，皆关切治道，阐启儒风，精意名言，往往而在。以视《论衡》《昌言》，皆当逊之。残篇断简，收拾于阙佚之余者，尚得以考见其什一。是亦可为宝贵也。"（《四库提要》卷九十一）

贾充生（217—282）。贾充，字公闾，平阳襄陵（今山西襄汾）人。贾逵子。少孤，袭父爵为侯。拜尚书郎，累迁黄门侍郎、汲郡典农中郎将。参大将军军事，从司马师讨毌丘俭、文钦于乐嘉。后为司马昭司马，转右长史。进爵宣阳乡侯，迁廷尉，转中护军，指使手下诛杀高贵乡公。常道乡公时，进封安阳乡侯，加散骑常侍，封临沂侯。司马炎袭王位，拜晋国卫将军、仪同三司、给事中，改封临颍侯。入晋，以开国元勋备受宠信，转车骑将军、散骑常侍、尚书仆射，更封鲁郡公。迁尚书令，改常侍为侍中。后为使持节、都督秦凉二州诸军事，不行；迁司空，侍中、尚书令、领兵如故。转太尉、行太子太保、录尚书事。晚年受命以使持节、假黄钺、大都督伐吴，未战而吴降。太康三年四月卒，年六十六。《晋书·贾充列传》卷四十）《隋书·经籍志》卷三十五："梁……又有……太宰《贾充集》五卷，录一卷。……亡。"严可均《全晋文》卷三十收其文四篇，丁福保《全晋诗》卷二收其诗一首。

公元 218 年 （汉献帝刘协建安二十三年 戊戌）

正月

曹操作《敕王必领长史令》。（《魏志·武帝纪》裴注引《魏武故事》）按，《武帝纪》正月载王必于吉本谋反时中箭，裴注引《三辅决录注》云"后十余日，必竟以创死"，则王必或为长史时间很短，或于上一年授为长史，姑系于此。

二月

徐干卒于瘟疫，年四十八（171—218）。按，《魏志·王粲传》卷二十一谓"干、琳、玚、桢，（建安）二十二年卒"，《中论序》则谓"（徐干）年四十八，建安二十三年春二月，遭厉疾，大命殒颓"，此序作者虽不知何许人，然其自云曾于徐干前"数侍坐"，当与徐干关系密切，其说较之于陈寿似更可取，姑依此说。曹丕《典论·论文》："干之《玄猨》《漏卮》《圆扇》《桔赋》，虽张、蔡不过也，然于他文未能称是。"《魏志·王昶传》卷二十七："北海徐伟长，不治名高，不求苟得，澹然自守，惟道是务。其有所是非，则托古人以见其意，当时无所褒贬。吾敬之重之，愿儿子师之。"《魏志·王粲传》卷二十一："昔文帝、陈王以公子之尊，博好文采，同声相应，才士并出，惟粲等六人最见名目。而粲特处常伯之官，兴一代之制，然其冲虚德宇，未若徐干之粹也。"

四月

曹操遣曹彰讨代郡、上谷乌丸无臣氐，作《赡给灾民令》。（《魏志·武帝纪》卷一及裴注引《魏书》）

曹操闻徐晃破蜀陈式，作《假徐晃节令》。（《魏志·徐晃传》卷十七）按：《资治通鉴》卷六十八是月载徐晃破陈式事，令当作于此时。

六月

曹操作《终令》。（《魏志·武帝纪》卷一）

夏

诸葛亮留守成都，西土咸服其能尽时人之器用。（《蜀志·诸葛亮传》卷三十五、《资治通鉴》卷六十八）

七月

曹操西征刘备。（《魏志·武帝纪》卷一）

董遇从曹操西征，道经孟津，劝曹操无须谒拜弘农王墓。《魏志·王肃传》卷十三裴注引《魏略》："常从太祖西征，道由孟津，过弘农王冢。太祖疑欲谒，顾问左右，左右莫对，遇乃越第进曰……太祖乃过。"按，此事叙在建安二十二年后，当指此年西征。

九月

曹操至长安。（《魏志·武帝纪》卷一）

曹丕《与钟繇书（袁、王国士）》《九日与钟繇书（岁月往来）》疑作于此时。按，曹丕立太子后、即帝位前与钟繇常书信往来，时钟为魏国重臣，盖欲借以壮己声势，去岁赠其五熟釜并铭、书，此岁又与品评士人，复赠一束芳菊，"以助彭祖之术"，不无谄谀之嫌，疑作于即位之前，姑系于此。

刘廙上疏谏曹操亲伐蜀。（《魏志·刘廙传》卷二十一）

曹操作《报刘廙》。（《魏志·刘廙传》卷二十一）

秋

曹植《赠丁仪》诗或作于此时。按：《赠丁仪》之"仪"，《文选》卷二十四注谓"《集》云'与都亭侯丁翼'，今云'仪'，误也"，然细绎诗意，似以丁仪为宜。丁仪为曹植党，而且因曹丕之言而"恨不得尚公主"（《魏志》卷十九裴注引《魏略》），故曹诗以"子其宁尔心"相劝勉。又，曹植争立太子而未得，于兄不无顾忌，"在贵多忘贱，为恩谁能博。狐白足御冬，焉念无衣客"云云，正有影射曹丕之意。丁仪既是其知己，又同样顾忌曹丕，曹植此等语只能对丁仪言耳。曹丕上一年冬立为太子，再明年春即父丞相位，同时杀丁仪兄弟，故是诗当作于此年或明年秋，姑系于此。

十月

曹操令曹仁围宛。（《魏志·武帝纪》卷一）

张昭屡谏孙权射虎，孙权常笑而不答。按，事载《吴志·张昭传》卷五十二，孙权嗜射虎，《吴志·吴主传》卷四十七载其此年十月"亲乘马射虎于凌亭"，姑系于此。

是年

曹丕三十二岁，礼遇王象。《魏志·杨俊传》卷二十三裴注引《魏略》："建安中，与同郡荀纬等俱为魏太子所礼待。及王粲、陈琳、阮瑀、路粹等亡后，新出之中，惟象才最高。"

王朗迁奉常。按，《魏志·王朗传》卷十三云"迁少府、奉常、大理。……文帝即王位，迁御史大夫"，"迁少府"依万斯同《魏国将相大臣年表》定在建安二十二年，而"迁御史大夫"为曹丕即王位之二十五年，其间两年尚有二任，姑以此年迁奉常、二十四年迁大理。

曹植二十七岁，其《侍太子坐》诗及《辩道论》或作于此年。按，《侍太子坐》题中称"太子"；《辩道论》云"自家王与太子及余兄弟咸以为调笑"，则二篇均作于曹丕为太子期间。曹丕建安二十二年十月为太子，建安二十五年十月即帝位，然则二篇之作当在此期间，姑系于此年。

繁钦卒（？—218）。（《魏志·王粲传》卷二十一裴注引《典略》）

王昶约二十一岁，迁中庶子。按，《魏志·王昶传》卷二十七云"迁中庶子"，其去岁为太子文学，后年徙散骑侍郎，为中庶子当在建安二十三、四两年间，姑系于此。

王基十七岁，郡召为吏，去而游学琅邪。（《魏志·王基传》卷二十七）

孙楚约生于此年（218？—293）。按，《晋书·孙楚列传》卷五十六云"年四十余，始参镇东军事"，"镇东"指镇东将军石苞。《晋书·石苞列传》卷三十三谓石苞"寿春平"拜是职，考《魏志·三少帝纪》卷四，甘露三年（258）攻陷寿平，石苞拜镇东将军当在此年。时孙楚"四十余"，如年四十一，则为此年生。孙楚，字子荆，太原中都（今山西平遥西北）人。才藻卓绝，爽迈不群，多所陵傲，缺乡曲之誉。后迁佐著作郎，复参石苞骠骑军事。因负才气，与石苞不和，遂湮废积年。后起为征西将军参军，转梁令，迁卫将军司马。惠帝初，为冯翊太守。元康三年卒。（《晋书·孙楚列传》卷五十六）《隋书·经籍志》卷三十五："晋冯翊太守《孙楚集》六卷，梁十二卷，录一卷。"张溥辑有《孙冯翊集》。严可均《全晋文》卷六十收其文四十五篇，丁福保《全晋诗》卷四收其诗六首。张溥："子荆零雨，正长朔风，称于诗家，今亦未见其绝伦也。《除妇服》诗，王武子叹为情文相生，然以方嵇君道《伉俪诗》，兄弟间耳。江东未顺，司马文王发使遣书，子荆与荀公曾各奋笔札，孙最杰出，而荀独见用，谓胜十万师。文章有神，不在遇合，朝庙之上，赏音尤难。必欲如元瑜、孔璋见知孟德，岂易言哉！石骠骑，府主也，郭奕，其同里也，睥睨忿争，遂致沈废。子荆平日数有傲名，乡曲缺誉，此亦其见短之一事乎？然同闬相知，有一武子，生死愿足，灵床驴声，何必非叔夜之琴也。《笑赋》调谑自得，《反金人铭》蚩薄钳口，似狂非狂，言各有寄。若夫长虞劲直，笺颂夜光，威辇被发，遗书劝仕，知人实长，未闻玩物。太原名士，磊落英多，其为品状，宁让汝颖哉!"（《汉魏六朝百三家集·孙冯翼集题词》）

公元219年 （汉献帝刘协建安二十四年 己亥）

正月

夏侯惠丧父。（《魏志·夏侯渊传》卷九）

二月

曹丕作《又与吴质书（二月三日）》。按，比对下文所列吴笺与是书，知吴笺为答此书而作，前后仅距五日。《文选》卷四十二载是书，题为《与吴质书一首》，注引《典略》谓："初，徐干、刘桢、应场、阮瑀、陈琳、王粲等与质，并见友于太子。二十二年，魏大疫，诸子多死，故太子与质书。"《魏志·王粲传》卷二十一裴注引《魏略》曰："二十三年，太子又与质书曰（按下即是书）。"《典略》《魏略》均以是书作于建安二十三年，然论者或谓此年作（见下条）。

吴质作《答魏太子笺》。按，《文选》卷四十载是笺首云"二月八日庚寅"，而刘知渐《建安文学编年史》云，查《二十史朔闰表》，"二月八日"为"庚寅"之日，不在建安二十三年，而在建安二十四年。若此，则裴注似误，姑从之。

曹丕选良金，命国工造剑三、刀三、匕首二、露陌刀一，作《剑铭》《露陌刀铭》。按，《剑铭》云"惟建安廿有四载二月甲午，魏太子丕造百辟宝剑"，知为此时之作；刀铭当亦同时所作。

三月

曹操军自长安出斜谷，至阳平，作《在阳平将还师令》。（《魏志·武帝纪》卷一及裴注引《九州春秋》）

杨修从曹操所命口令"鸡肋"中猜知曹操有撤军之意，因为曹操所忌。《魏志·武帝纪》卷一裴注引《九州春秋》曰："时王欲还，出令曰'鸡肋'，官属不知所谓。主簿杨修便自严装，人惊问修：'何以知之?'修曰：'夫鸡肋，弃之如可惜，食之无所得，以比汉中，知王欲还也。'"按，《后汉书·杨震列传》卷五十四所载与此仿佛。《武帝纪》载此事于三月，故系于此。

夏

曹植丧次女行女，作《行女哀辞》。按，《文选》卷三十谢灵运《拟魏太子邺中集诗》注引陈思《行女哀辞》有"家王征蜀汉"之句，曹操为魏王，始于建安二十一年五月，以魏王职"征蜀汉"乃在建安二十三年七月；《行女哀辞序》又云"行女生于季秋，而终于首夏"，然则行女必卒于建安二十四年夏，哀辞亦当作于此时。

五月

曹操军出汉中还长安。（《魏志·武帝纪》卷一）

孟达奉刘备命从秭归攻房陵、上庸。（《蜀志·刘封传》卷四十、《资治通鉴》卷六十八）

七月

曹操以卞氏为王后，作《策立卞后》；遣于禁助曹仁攻关羽。（《魏志·后妃传》卷五、《魏志·武帝纪》卷一）

许靖、诸葛亮等上表汉帝，奏请封刘备为汉中王。（《蜀志·先主传》卷三十二、《资治通鉴》卷六十八）

许靖为太傅。（《蜀志·许靖传》卷三十八、《资治通鉴》卷六十八）

八月

曹操遣曹植救曹仁，曹植醉不能受命，复遣徐晃救之，作《命徐晃待军齐集令》。（《魏志·陈思王植传》卷十九、《魏志·徐晃传》卷十七）

蒋济献计解樊之围。《魏志·蒋济传》卷十四云"关羽围樊、襄阳。……司马宣王及济说太祖曰：'于禁等为水所没，非战攻之失……'"，关羽水淹于禁军，《武帝纪》谓在此时。

孟达得关羽命驰救兵之令，未从。按，《蜀志·刘封传》卷四十云"自关羽围樊城、襄阳，连呼封、达，令发兵自助。封、达辞以山郡初附，未可动摇，不承羽命"，关羽围樊城、襄阳在此年八月。

九月

曹丕诛相国西曹掾魏讽等；王粲二子株连见杀。（《魏志·武帝纪》卷一裴注引《世语》《魏志·王粲传》卷二十一）

陈群为刘廙说情，曹操赦之；刘廙深德陈群，陈群不伐其德。（《魏志·陈群传》卷二十二）

曹操作《原刘廙令》。按，《魏志·刘廙传》卷二十一云"魏讽反，廙弟伟为讽所引，当相坐诛。太祖令曰……""魏讽反"在此年九月，令当作于此时。

刘廙以魏讽事受株连，曹操原之，徙以为丞相仓曹属，因上疏谢恩；又上表论治道。按，事载《魏志·刘廙传》卷二十一及裴注引《廙别传》，"魏讽反"在此月，故系于此。

曹操作《以徐奕为中尉令》。（《魏志·徐奕传》卷十二）按，是令以徐为中尉，即因前中尉管束不力而致魏讽谋反事生，当作于此时。

曹丕《答王朗书（昔石厚与州吁游）》或作于此时。（《蜀志·尹默传》卷四十二裴注引《魏略》）按，是书言宋仲子子参与魏讽谋反事，疑作于诛魏讽后不久。

杨修为曹操所杀，年四十五（175—219）。《后汉书·杨震列传》卷五十四："修又尝出行，筹操有问外事，乃逆为答记，敕守舍儿：'若有令出，依次通之。'既而果然。如是者三，操怪其速，使廉之，知状，于此忌修。且以袁术之甥，虑为后患，遂因事杀之。"《魏志·陈思王植传》卷十九："太祖既虑终始之变，以杨修颇有才策，而又袁氏之甥也，于是以罪诛修。"裴松之注引《典略》曰："至二十四年秋，公以修前后漏泄言教，交关诸侯，乃收杀之。修临死，谓故人曰：'我固自以死之晚也。'其意以为坐曹植也。"又注引《世语》曰："修年二十五，以名公子有才能，为太祖所器。与丁仪兄弟，皆欲以植为嗣。太子患之，以车载废簏，内朝歌长吴质与谋。修以白太祖，未及推验。太子惧，告质，质曰：'何患？明日复以簏受绢车内以惑之，修必复重白；重白必推，而无验，则彼受罪矣。'世子从之。修果白，而无人，太祖由是疑焉。修与贾逵、王凌并为主簿，而为植所友。每当就植，虑事有阙，忖度太祖意，豫作答教十余条，敕门下，教出以次答。教裁出，答已入，太祖怪其捷，推问始泄。太祖遣太子及植各出邺城一门，密敕门不得出，以观其所为。太子至门，不得出而还。修先戒植：'若门不出侯，侯受王命，可斩守者。'植从之。故修遂以交构赐死。"

曹操作《与太尉杨彪书》。按，是书题亦作《与杨太尉书论刑杨修》，为杀杨修后宽勉其父杨彪之作，当作于刑杨修后不久。

曹操离长安前作《选留府长史令》，命杜袭为留府长史。（《魏志·杜袭传》卷二十三）

十月

曹操自长安还洛阳；南征关羽，作《劳徐晃令》。（《魏志·武帝纪》卷一、《魏志·徐晃传》卷十七）

虞翻以知医术，为吕蒙请随军征关羽；作《与傅士仁书》，说降蜀将傅士仁、糜芳，助吕蒙夺南郡、公安等城。（《吴志·虞翻传》卷五十七、《资治通鉴》卷六十八）

十一月

骆统随陆逊破蜀军于宜都，迁偏将军。按，事载《吴志·骆统传》卷五十七，《吴志·陆逊传》卷五十八谓此役在建安二十四年十一月。

十二月

曹操以孙权称臣书示诸臣。《魏志·武帝纪》卷一裴注引《魏略》："孙权上书称臣，称说天命。王以权书示外曰：'是儿欲踞吾著炉火上邪！'……"按，《资治通鉴》卷六十八系此事于此年十二月。

陈群上书劝曹操无让天命。（《魏志·武帝纪》卷一裴注引《魏略》《资治通鉴》卷六十八）

士燮八十三岁，遣子入吴为质；孙权封士燮为卫将军、龙编侯。（《吴志·士燮传》卷四十九）

王朗迁大理；答曹操所问孙权称臣事；上疏请擢拔张登。按，《魏志·王朗传》卷十三云"迁奉常、大理。……文帝即王位，迁御史大夫"，其二十三年迁大理，二十五年迁御史大夫，则迁大理疑在此年。《魏志·王朗传》裴注引《魏略》称"太祖以孙权称臣遣贡谘朗，朗答曰……"，《魏志·武帝纪》卷一裴注引《魏略》谓"孙权上书称臣"在建安二十四年，故王朗答曹操问当在此年。《王朗传》裴注引《王朗集》谓"朗为大理时上主簿张登"，请擢张登当在此年。

曹睿十五岁，封武德侯。（《魏志·明帝纪》卷三）

程晓约生于此年（219？—265？）。按，《魏志·程晓传》卷十四云"年四十余薨"，若以其卒于晋泰始元年（265），定于此年生则年四十七，与传云寿亦合。程晓，字季明，东郡东阿（今山东阳谷东北）人。有通识。以祖荫封列侯。嘉平中为黄门侍郎。迁汝南太守。"大著文章多亡失，今之存者不能十分之一"。年四十余卒。（《魏志·程晓传》卷十四、裴注引《世语》及《晓别传》）《隋书·经籍志》卷三十五："魏汝南太守《程晓集》二卷，梁录一卷。"严可均《全三国文》卷三十九收其文三篇。丁福保《全晋诗》卷二收其诗三首。

无名氏作《古诗为焦仲卿妻作》。按，《玉台新咏》卷一载此诗《序》云："汉末建安中，庐江府小吏焦仲卿妻刘氏，为仲卿母所遣，自誓不嫁。其家逼之，乃没水而死。仲卿闻之，亦自缢于庭树。时伤之，为诗云尔。"疑为建安时人所为，姑系建安末。

公元 220 年 （汉献帝刘协建安二十五年　延康元年　魏文帝曹丕黄初元年 庚子）

虞翻云关羽"不出二日，必当断头"，果如其言，孙权赞之曰"卿不及伏羲，可与东方朔为比矣"。（《吴志·虞翻传》卷五十七、《魏志·武帝纪》卷一）

曹丕作《报钟繇书》《又报钟繇书（得报）》。《魏志·钟繇传》卷十三裴注引《魏略》："孙权称臣，斩送关羽。太子书报繇，繇答书曰……太子又书曰……"按，《魏志·武帝纪》云"二十五年春正月……权击斩羽，传其首"，则曹丕二书作于此月，惟前书佚耳。

曹操还至洛阳，病重，作《遗令》；其《题识送终衣衾》或作于此时。（《魏志·武帝纪》卷一）按，《题识送终衣衾》不著年月，详其文意，疑为《遗令》一部分，姑系于此。

庚子，曹操病卒，年六十六（155—220）。（《魏志·武帝纪》卷一）

贾逵典曹操丧事，驳秘不发丧之议。（《魏志·贾逵传》卷十五及裴注引《魏略》《资治通鉴》卷六十九）

曹彰欲使曹植嗣位，曹植不受。《魏志·任城威王彰传》卷十九裴注引《魏略》："彰至，谓临菑侯植曰：'先王召我者，欲立汝也。'植曰：'不可。不见袁氏兄弟乎！'"

华歆以使持节御史大夫奉策诏授曹丕丞相印绶、魏王玺绶。（《魏志·文帝纪》卷二裴注引袁宏《汉纪》载《汉帝诏》）

曹丕嗣位为丞相、魏王，作《又与吴质书》《策谥庞德》。《魏志·王粲传》卷二十一裴注："太子即王位，又与质书曰：'南皮之游，存者三人。烈祖龙飞，或将或侯……'"按，曹书为其即王位时作，当系于此。又，《魏志·庞德传》卷十八云"文帝即王位，乃遣使就德墓赐谥"，故策作于此时。

蒋济转为相国长史。（《魏志·蒋济传》卷十四）

桓范入丞相府。（《魏志·曹爽传》卷九裴注引《魏略》）桓范（？—249），沛国（今江苏沛县）人。先入丞相府，为羽林左监。以有文学，与王象等典集《皇览》。明帝时为中领军尚书，迁征虏将军、东中郎将，持节都督青、徐诸军事。正始中拜大司农。后以与曹爽事，被杀。（《魏志·曹爽传》卷九及裴注引《魏略》）《隋书·经籍志》卷三十四："《世要论》十二卷，魏大司农桓范撰。"卷三十五："梁……又有《桓范集》二卷。"

改建安二十五年为延康元年。（《魏志·文帝纪》卷二）

桓范为羽林左监。（《魏志·曹爽传》卷九裴注引《魏略》）

二月

曹操葬高陵。（《魏书·武帝纪》卷一）

曹丕作《武帝诔》《短歌行》。按，诔当作于此年曹操下葬时。曹操卒后，即谥武王，曹丕追尊之为武帝，乃是年十一月之事，故诔序及正文中凡十称其父均为"武王"，诔题"武帝"当为后人妄改。歌云"怀我圣考"，且"神灵倏忽，弃我遐迁"，当作于其父卒后不久。

曹丕作《除禁轻税令》；用陈群议制九品官人法。（《魏志·文帝纪》卷二、裴注引《魏书》《魏志·陈群传》卷二十二、《资治通鉴》卷六十九）

刘廙为侍中，赐爵关内侯。（《魏志·刘廙传》卷二十一）

华歆拜相国，封安乐乡侯。（《魏志·文帝纪》卷二、《魏志·华歆列传》卷十三）

王朗为御史大夫，封安陵亭侯；上疏劝曹丕育民省刑。（《魏志·王朗传》卷十三、《魏志·文帝纪》卷二）

陈群封昌武亭侯，徙尚书。（《魏志·陈群传》卷二十二）

丁仪转右刺奸掾，见杀（？—220）。（《魏志·陈思王植传》卷十九）

丁廙见杀（？—220）。（《魏志·陈思王植传》卷十九）

曹植《野田黄雀行》或作于此时。按，详此诗意，"利剑不在掌，结友何须多。不见篱间雀，见鹞自投罗"云云，盖为丁氏兄弟作，故系于此。

曹丕遣诸侯就国。（《魏志·任城威王彰传》卷十九及裴注引《魏略》）

曹植就国。（《魏志·陈思王植传》卷十九）

三月

曹丕作《拜毛玠等子为郎中令》。（《魏志·文帝纪》卷二裴注引《魏书》）

陈群制九品官人之法。（《魏志·陈群传》卷二十二、《资治通鉴》卷六十九）

四月

二十八日，曹植作《请祭先王表》。《请祭先王表》："自计违远以来，有逾旬日垂竟，夏节方到，臣悲伤有心。"

曹丕《止临淄侯植求祭先王诏》或作于此月底。按，诏称"得月二十八日表"，当为对曹植《请祭先王表》之回复，作于仲夏末。

五月

曹丕封子曹睿为武德侯；以郑称为曹睿傅，作《以郑称授太子经学令》。（《魏志·文帝纪》及裴注引《魏略》）

六月

曹丕南征；杀劝谏之霍性。（《魏志·文帝纪》卷二及裴注引《魏略》）

甄皇后留邺。（《魏志·后妃传》卷五）

七月

孟达作《辞先主表》，率部曲四千余户降魏。（《魏志·文帝纪》卷二、《蜀志·刘封传》卷四十）

曹丕收降孟达、武都氐王杨仆；作《敕尽规谏令》《孟达杨仆降附令》《与孟达书》。（《魏志·文帝纪》卷二、《魏志·明帝纪》卷三裴注引《魏略》）按，《文帝纪》载孟达七月降魏，《与孟达书》当作于此时。

孟达至谯，甚见礼遇，曹丕与之携手同载；为散骑常侍、建武将军，封平阳亭侯，领新城太守。（《魏志·明帝纪》卷三裴注引《魏略》）

孟达与夏侯尚等伐刘封，作《与刘封书》。（《蜀志·刘封传》卷四十、《资治通鉴》卷六十九）

八月

曹丕军谯，设伎乐百戏；作《复谯租税令》《于谯作》。（《魏志·文帝纪》卷二及裴注引《魏书》）按，《于谯作》诗写丰膳、玉觞、旨酒、弦歌、雅舞、新曲等，与此年"设伎乐百戏"、"大飨六军及谯父老百姓"相合，当作于此时。

卫觊徙为尚书，作《大飨碑》。（《魏志·卫觊传》卷二十一）按，卫碑称"惟延康元年八月旬有八日辛未"，严可均《全三国文》卷二十八注云："案闻人牟准《魏敬侯碑阴》云：'《大飨碑》，卫觊文并书。'《天下碑录》引《图经》云：'曹子建文，钟繇书。'疑《图经》之言非也。《隶释》四又有《大飨残碑》云：'繇文为书。'则大飨非一碑，当以《碑阴》为实。"

贾逵为豫州刺史，赐爵关内侯。（《魏志·贾逵传》卷十五、《资治通鉴》卷六十九）

十月

曹丕作《殡祭死亡士卒令》；至曲蠡。（《魏志·文帝纪》卷二）

卫觊还汉朝为侍郎，为文诰之诏。按，《魏志·卫觊传》卷二十一称"文帝即王位，（卫觊）徙为尚书。顷之，还汉朝为侍郎，劝赞禅代之义，为文诰之诏"，"劝赞禅代"即逼汉献帝让位，"为文诰之诏"即假汉献帝之名草拟禅位的册表诏书及代曹丕所拟的受禅表，然则《魏志·文帝纪》卷二载之《禅位魏王诏》及裴注引《献帝传》载之《乙卯册诏魏王》《壬戌册诏（魏王）》《丁卯册诏魏王》《庚午册诏魏王》，均应为卫觊所拟。袁宏《后汉纪》卷三十叙《禅位魏王诏》前有"冬十月乙卯"云云，《献帝传》所载诸册诏亦均为此年十月事。《受禅表》称"惟黄初元年冬十月辛未"，严可均《全三国文》卷二十八注云"案唐韦绚录《刘宾客嘉话》：魏《受禅表》，王朗文，梁鹄书，钟繇镌字，谓之三绝。今据闻人牟准《魏敬侯碑阴》，则《受禅表》卫觊撰并书。牟准去魏未远，语尤可信也"。另，《公卿将军奏上尊号》严可均注云"案《古文苑》闻人牟准《魏敬侯碑阴》言：群臣上尊号奏，卫觊撰，钟繇书"，《魏志·文帝纪》卷二裴注引《献帝传》所载"公卿将军"及"群臣"劝进之言尚有"督军御史中丞司马懿、侍御史郑浑、羊祕、鲍勋、武周等言"，"尚书令桓阶等奏曰"，"尚书令等又奏曰"，"辅国将军清苑侯刘若等百二十人上书曰"，"辅国将军等一百二十人又奏曰"，"尚书令桓阶等再奏曰"，"尚书令桓阶等复奏曰"，然不知何者为卫觊所作。

卫觊作《禅位魏王诏》。（《魏志·文帝纪》卷二）

曹丕作《以李伏言禅代合符谶示外令》。按，本月以下所引曹丕、卫觊、刘廙、苏林、王朗等人之作均见《魏志·文帝纪》卷二"十月"下裴注引《献帝传》，皆为此月曹丕即位前事；《献帝传》排列诸事乃循先后顺序，姑仍之。

刘廙、陈群、董遇等作《上言符谶》。

曹丕作《辞符谶令》《辞许芝等条上谶纬令》《令诗（丧乱悠悠过纪）》。

陈群、苏林等作《请览符命》。

曹丕作《再让符命令》《答司马懿等再陈符命令》。

卫觊作《乙卯册诏魏王》。

曹丕作《止群臣议禅代礼仪令》《又令（吾殊不敢当之）》。

刘廙等作《奏议治禅坛场》。

曹丕作《罢设受禅坛场令》《既发玺书又下令（当奉还玺绶为让章）》《辞请禅令（昔柏成子高辞夏禹而匿野）》《让禅令（夫古圣王之治也）》。

刘廙等作《奏具章拒禅》。

曹丕作《又令（泰伯三以天下让）》《上书让禅》。

苏林等上《劝受禅表》。

曹丕作《答董巴等令》。

卫觊作《壬戌册诏》。

曹丕作《三让玺书令》《上书再让禅（奉今月壬戌玺书）》。

刘廙等作《奏请受禅（臣等闻圣帝不违时）》。

曹丕作《让禅令（天下重器）》。

卫觊作《丁卯册诏魏王》。

华歆、王朗等劝曹丕即帝位。

曹丕作《又令（以德则孤不足）》《上书三让禅》。

华歆、王朗等奏言劝进。

曹丕作《允受禅令》。

卫觊作《庚午册诏魏王》。

汉献帝刘协禅位。（《魏志·文帝纪》卷二）

华歆登坛相仪，奉皇帝玺绶，以成受命之礼。（《魏志·华歆传》卷十三裴注引《魏书》）

曹丕于曲蠡繁阳筑坛，受玺绶，即皇帝位，改元黄初，是为魏文帝。（《魏志·文帝纪》卷二及裴注引《献帝传》）

华歆以曹丕登基而形色忤时，徙为司徒，而不进爵。（《魏志·华歆传》卷十三及裴注引华峤《谱叙》）

陈群迁尚书仆射，加侍中；曹丕登基时面色不怡。（《魏志·陈群传》卷二十二《魏志·华歆传》卷十三裴注引华峤《谱叙》）

卫觊作《受禅表》。按，《受禅表》云"惟黄初元年冬十月辛未"，表作于此年十月。

曹丕作《受禅告天文》《制诏三公改元大赦》。

邯郸淳作《上受命述表》《受命述》。按文中云"龙飞在位"，显系曹丕即位时作；又，曹丕答诏称"朕"，旁证邯郸二文作于曹丕称帝时。

曹丕作《答邯郸淳上受命述诏》。按，曹诏云"淳此作甚典雅，斯亦美矣，朕何以堪之哉！其赐帛四十匹"，明诏作于其即位时。

曹植作《庆文帝受禅章》《庆文帝受禅上礼表》。按，二文作于曹丕即位时。

曹丕作《诏议追崇始祖》《下诏赐华歆衣》《封朱灵为鄃侯诏》《答邯郸淳上受命述诏》。（《魏志·王粲传》卷二十一裴注引《魏略》）按，《诏议追崇始祖》当为曹丕即位时追崇其祖所下之诏；《魏志·华歆传》卷十三云"及（文帝）践阼，改（歆）为司徒。歆素清贫……帝叹息，下诏曰……"则《下诏赐华歆衣》当作于此时；《魏志

·徐晃传》卷十七裴注引《魏书》云"文帝即位，封灵鄃侯，增其户邑，诏曰……"是《封朱灵为鄃侯诏》作于此时；《答邯郸淳上受命述诏》当为曹丕即位时作。

卫觊复为魏尚书，封阳吉亭侯。（《魏志·卫觊传》卷二十一）

郑默制《中经》；荀勖著《新簿》。《隋书·经籍志》卷三十二："魏氏代汉，采掇遗亡，藏在秘府中、外三阁。魏秘书郎郑默，始制《中经》；秘书监荀勖，又因《中经》，更著《新簿》，分为四部，总括群书。一曰甲部，纪六艺及小说等书；二曰乙部，有古诸子家、近世子家、兵书、兵家、数术；三曰丙部，有史记、旧事、皇览部、杂事；四曰丁部，有诗赋、图赞、汲冢书。大凡四部合二万九千九百四十五卷，但录题及言，盛以缥囊，书用缃素。至于作者之意，无所论辩。"

华歆论举孝廉应以经试，曹丕从之。《魏志·华歆传》卷十三："三府议：'举孝廉，本以德行，不复限以试经。'歆以为：'丧乱以来，六籍堕废，当务存立，以崇王道。夫制法者，所以经盛衰。今听孝廉不以经试，恐学业遂从此而废。若有秀异，可特征用，患于无其人，何患不得哉？'帝从其言。"

卢毓徙黄门侍郎。（《魏志·卢毓传》卷二十二）

王昶徙散骑侍郎。（《魏志·王昶传》卷二十七）

傅嘏作《皇初颂》，时年十二。按，"皇初"当即"黄初"，傅颂疑作于曹丕改元时。

十一月

曹丕奉汉献帝为山阳公，作《为汉帝置守冢诏》；纳山阳公二女为嫔；追尊曹操为武皇帝，作《武帝哀策文》。按，诏谓"令山阳公于其国中，正朔服色，祭祀礼乐，自如汉典"云云，与《文帝纪》此月记事合，当为此时作。哀策题称"武帝"，当作于是月尊其父为武帝时。

甄皇后失意，有怨言。（《魏志·后妃传》卷五）

王朗改司空，进封乐平乡侯；上疏谏曹丕慎游猎。（《魏志·王朗传》卷十三、《魏志·文帝纪》卷二）按，本传王疏叙于"改司空"后，当作于此时。

曹丕作《报王朗》。按，《报王朗》载《魏志·王朗传》卷十三，为对王朗上疏谏游猎之回复，当系于此。

陈群谏曹丕追封太后父母，曹丕从之。（《魏志·后妃传》卷五、《资治通鉴》卷六十九）

蒋济出为东中郎将，请留，曹丕作《出蒋济为东中郎将不听请留诏》。按，《魏志·蒋济传》卷十四云"及践阼，出为东中郎将。济请留，诏曰"，蒋济入为散骑常侍在下月，疑请留及曹诏作于此月。

十二月

曹丕至洛阳；作《改"雒"为"洛"诏》。（《魏志·文帝纪》卷二及裴注引《魏略》）

吴质拜北中郎将，封列侯，持节督幽、并诸军事。《魏志·吴质传》卷二十一裴

注："及魏有天下，文帝征质，与车驾会洛阳。到，拜北中郎将，封列侯，使持节督幽、并诸军事。"按，征吴质在曹丕有天下、居洛阳后，当系此月。

　　蒋济上所作《万机论》，魏文帝善之；入为散骑常侍。（《魏志·蒋济传》卷十四、《资治通鉴》卷六十九）

　　曹丕作《诏征南将军夏侯尚》，有云"作威作福，杀人活人"。（《魏志·蒋济传》卷十四）

　　蒋济对曹丕问，直言斥曹丕《诏征南将军夏侯尚》为"亡国之语"，曹丕追回诏语。（《魏志·蒋济传》卷十四）

是年

　　邯郸淳约八十九岁，为博士，给事中，献《投壶赋》；又作《答赠诗》。《魏志·王粲传》卷二十一裴注引《魏略》："及黄初初，以淳为博士，给事中。淳作《投壶赋》千余言奏之，文帝以为工，赐帛千匹。"按，《答赠诗》云"今也被命，义在不俟。……圣主受命，千载一遇"，当指曹丕即位；又云"攀龙附凤，必在初举"，谓于曹丕即位之初便往赴职，故系于此。

　　高堂隆为历城侯相，谏曹徽游猎。按，《魏志·高堂隆传》卷二十五云"转为相。徽遭太祖丧，不哀，反游猎驰骋。隆以义正谏"，曹操此年卒，高堂隆为相当在此年。

　　卫觊约六十岁，生子（卫瓘）。（《晋书·卫瓘列传》卷三十六）

　　杜琼五十三岁，为议曹从事，上言劝刘备即帝位。（《蜀志·先主传》卷三十二）

　　王象约四十三岁，为散骑侍郎，迁常侍，封列侯，奉诏撰《皇览》。《魏志·杨俊传》卷二十三裴注引《魏略》："魏有天下……受诏撰《皇览》，使象领秘书监。象从延康元年始撰集，数岁成，藏于秘府，合四十余部，部有数十篇，通合八百余万字。"

　　刘劭为尚书郎、散骑侍郎，受诏集五经群书，以类相从，作《皇览》。按，《魏志·刘劭传》卷二十一云"黄初中，为尚书郎、散骑侍郎。受诏集五经群书，以类相从，作《皇览》"，所为官职或在黄初二年以后，然《皇览》一书始撰于延康元年，姑系于此。

　　韦诞四十二岁，撰著《皇览》。姚振宗《三国艺文志》卷三："魏文帝《皇览》千余篇……《太平御览》六百一引三国《典略》曰：'祖珽等上言，昔魏文帝命韦诞诸人撰著《皇览》。'……《玉海·艺文》曰：'类事之书始于《皇览》，韦诞诸人撰。'"

　　桓范与王象等典集《皇览》。（《魏志·曹爽传》卷九裴注引《魏略》）。

　　仲长统卒，年四十一（180—220）。（《后汉书·仲长统列传》卷四十九）

　　缪袭三十五岁，撰集《皇览》。按，《隋书·经籍志》卷三十四载"《皇览》一百二十卷，缪袭等撰"，缪袭当亦奉魏文帝命参与撰集《皇览》。

　　曹丕三十四岁，诏诸儒撰集经传，随类相从，凡千余篇，号曰《皇览》。按，《魏志·杨俊传》卷二十三裴注引《魏略》云王象奉诏撰《皇览》，始撰于延康元年，曹丕下诏当在此年即位后；参与撰述其书者尚有缪袭、桓范、刘劭、韦诞等。

　　曹植二十九岁，尚作《魏德论》《魏德论讴》。按，《魏德论》称"迹存乎建安，

443

道隆乎延康。于是汉氏归义，顾音孔昭，显禅天位，希唐效尧"，言及汉帝禅位及延康年号，当作于曹丕即位后。文中未及黄初年号，以其残耳。《魏德论讴》言魏代汉立之六瑞，当作于同时。

传曹植又作《七步诗》。按，《世说新语·文学》载："文帝尝令东阿王七步中作诗，不成者行大法。应声便为诗曰：'煮豆持作羹，漉菽以为汁。其在釜下然，豆在釜中泣。本自同根生，相煎何太急？'帝深有惭色。"曹植为东阿王已是文帝卒后三年事，《七步诗》是否出于曹植之手，殊难考定。然是说南朝即已流传，如任昉称"陈思见称于《七步》"（《齐竟陵文宣王行状》），曹氏兄弟相煎固为事实，曹植才高八斗亦非虚说，七步成诗或非空穴来风钦？姑存疑。

程晓约二岁，封列侯。（《魏志·程晓传》卷十四）按，《魏志·程昱传》卷十四谓"文帝践阼"，封程昱"孙晓列侯"，曹丕此年即帝位。

刘寔生（220—310）。刘寔，字子真，平原高唐（今山东禹城西南）人。少贫苦，好学不倦，博通古今。清身洁己，行无瑕玷。郡察孝廉，州举秀才，皆不行。以计吏入洛，调为河南尹丞，迁尚书郎、廷尉正。后历吏部郎，参文帝相国军事，封循阳子。泰始初，进爵为伯，累迁少府。咸宁中为太常。转尚书。杜预伐吴，以本官行镇南军司。坐事免官，后为大司农，复坐事免。后起为国子祭酒、散骑常侍，为广陵王师。元康初，进爵为侯，累迁太子太保，加侍中、特进、右光禄大夫、开府仪同三司，领冀州都督。九年，拜司空，迁太保，转太傅。太安初，以老病逊位。怀帝即位，复授太尉。三年后卒。"以世多进趣，廉逊道阙，乃著《崇让论》以矫之"；"尤精《三传》，辨正《公羊》，以为卫辄不应辞以王父命，祭仲失为臣之节，举此二端以明臣子之体，遂行于世。又撰《春秋条例》二十卷"。（《晋书·刘寔列传》卷四十一）元康四（294）卒，年九十一）《隋书·经籍志》卷三十二："《春秋条例》十一卷，晋太尉刘寔撰。梁有《春秋公羊达义》三卷，刘寔撰，亡。……刘寔等《集解春秋序》一卷。"同书卷三十五："（梁有）《刘寔集》二卷，录一卷，亡。"

公元 221 年 （魏文帝曹丕黄初二年 蜀汉昭烈帝刘备章武元年 辛丑）

正月

曹丕作《复颍川郡一年田租诏》；又作《以孔羡为宗圣侯置吏修庙诏》，封孔羡为宗圣侯；复作《春分拜日诏》。按，诏即《南齐书·礼志》卷九所载《魏文帝诏》，诏言改革拜日旧制，曹丕初登帝位在黄初元年十月，诏云"春分"，当在此年。

三月

曹丕加辽东太守公孙恭为车骑将军。（《魏志·文帝纪》卷二）

春

曹植作《制命宗圣侯孔羡奉家祀碑》（或称《孔子庙颂》）；其《学官颂》或亦作

于此时。按，曹碑引曹丕本年正月命宗圣侯奉孔子祀诏，叙事与曹丕诏契合，当为此时之作。《学官颂》，《艺文类聚》卷三十八引作《学宫颂》，以颂孔内容观之，疑与《孔子庙颂》作于同时。

诸葛亮上言劝刘备即帝位。(《蜀志·先主传》卷三十二) 按，诸葛亮、许靖、谯周等劝刘备即位事，均在本年四月之前，曹丕改元之后，姑系此年春。

许靖上言劝刘备即帝位。(《蜀志·先主传》卷三十二)

谯周上言劝刘备即帝位。按，《蜀志·先主传》卷三十二云"劝学从事……谯周上言"，据谯周本传，其为劝学从事在诸葛亮建兴元年（223）领益州牧之后，乃其二十六岁以后事，此处所载疑误。

四月

曹丕以车骑将军曹仁为大将军。(《魏志·文帝纪》卷二)

刘备于成都称帝，改元章武，是为汉昭烈皇帝。(《蜀志·先主传》卷三十二)

诸葛亮为丞相，录尚书事，假节。(《蜀志·诸葛亮传》卷三十五)

许靖为司徒。(《蜀志·先主传》卷三十二、《蜀志·许靖传》卷三十八)

五月

曹丕遣曹仁讨平郑甘。(《魏志·文帝纪》卷二)

六月

甄皇后被文帝赐死，年四十（182—221）。(《魏志·文帝纪》卷二)

诸葛亮领司隶校尉。按，本传云"张飞卒后，领司隶校尉"，《蜀志·先主传》卷三十二谓"六月……车骑将军张飞为其左右所害"，则诸葛亮领司隶校尉在此月。

日食，曹丕作《日食勿劾太尉诏》。(《魏志·文帝纪》卷二)

八月

孙权遣使奉章，曹丕封孙权吴王、大将军。(《魏志·文帝纪》卷二)

曹丕作《与王朗书（孙权重遣使称臣）》《制复于禁等官》《赠谥邓哀侯诏》。按，《魏志·文帝纪》卷二谓孙权遣使奉章时"并遣于禁等还"，曹书言孙权称臣事、制命于禁等官复原职，当作于此时；《魏志·邓哀王冲传》卷二十裴注引《魏书》载曹诏前有语称"惟黄初二年八月丙午，皇帝曰"，知作于此时。

虞翻劝孙权斩魏降将于禁，并屡次喝斥之。(《吴志·虞翻传》卷五十七裴注引《吴书》《魏志·文帝纪》卷二) 按，《吴志·虞翻传》卷五十七载虞翻屡屡斥责于禁，当发生在关羽死后、于禁在吴至此年八月归魏之间，姑一并系此。

于禁虽为虞翻所恶，仍盛叹之，曹丕常为其设虚坐。(《吴志·虞翻传》卷五十七裴注引《吴书》)

十月，曹丕作《赐故太尉杨彪几杖诏》。(《魏志·文帝纪》卷二裴注引《魏书》)

十一月

曹丕作《策命孙权九锡文》《册孙权太子登为东中郎封侯文》；遣使求雀头香、大贝、明珠、象牙、犀角、玳瑁、孔雀、翡翠、斗鸭、长鸣鸡于吴。(《吴志·吴主传》卷四十七、《资治通鉴》卷六十九)按，曹丕欲封孙登，而孙权"以登年幼，上书辞谢"，册孙登文当与策孙权文为同时之作，惟未被接受而已。又，曹丕遣使求贡，《资治通鉴》卷六十九系于此月，姑从之。

张昭斥魏使邢贞无礼；拜绥远将军，封由拳侯。(《吴志·张昭传》卷五十二、《资治通鉴》卷六十九)

顾谭为中庶子，侍讲诗书，出从骑射。(《吴志·孙登传》卷五十九、《资治通鉴》卷六十九)

十二月

曹丕东巡。(《魏志·文帝纪》卷二)

是年

邯郸淳或补《石经》，寻卒，年约九十 (132—221?)。按，邯郸淳卒年未详，或于此年补《石经》后卒。《魏志·王肃传》卷十三裴注引《魏略》其序云"至黄初元年之后，新主乃复，始扫除太学之灰炭，补旧石碑之缺坏"，《水经注》卷十六则谓"魏初传古文，出邯郸淳。正始《石经》古文，转失淳法"，后之学者据以云"黄初元年之后"，"补《石经》之缺坏"者或即邯郸淳。邯郸淳此时已年达九十，疑其补《石经》后即卒。

张昭六十六岁，孙权令张休从其习《汉书》，还而授太子孙登。(《吴志·孙登传》卷五十九)

虞翻五十二岁，阳醉忤孙权，孙权欲杀之，幸刘基谏诤得免；怒斥蜀降将糜芳；又指斥张昭妄言神仙，孙权怒而徙之交州。按，事载《吴志·虞翻传》卷五十七，《资治通鉴》卷六十九谓孙权欲杀之事在此年；裴注引《翻别传》载虞翻六十岁时所作《上吴帝书》云"全宥九载，退当念戮，频受生活，复偷视息"，则流徙交州当在此时，首尾相加正为"全宥九载"。斥糜芳事，传叙在二事之间，当亦此年事。

程秉征拜太子太傅。《吴志·程秉传》卷五十三："权闻其名儒，以礼征秉，既到，拜太子太傅。"按，《吴志·孙登传》卷五十九谓孙登此年为吴王太子，程秉为其太傅疑在此年。程秉 (?—?)，字德枢，汝南南顿 (今河南项城西) 人。师事郑玄，后避乱交州，与刘熙考论大义，遂博通五经。士燮命为长史。孙权征其为太子太傅。"著《周易摘》《尚书驳》《论语弼》，凡三万余言"。(《吴志·程秉传》卷五十三)

王朗生小子。按，《蜀志·许靖传》卷三十八裴注引《魏略》载王朗黄初三年

《与文休书（文休足下）》云"今有二男，大儿曰'肃'，年二十九，生于会稽；小儿裁岁余"，"小儿"既云才"岁余"，则当生于此年。

刘廙卒，年四十二（180—221）。（《魏志·刘廙传》卷二十一及裴注引《廙别传》）

诸葛亮四十一岁，作《答李恢书》《与群下教》。按，书云"行当离别，以为惆怅"，当写于李恢自荐为庲降都督时，《蜀志·李恢传》载其事在章武元年。又，《蜀志·董和传》卷三十九云"先主定蜀，征和为掌军中郎将，与军师将军诸葛亮并署左将军大司马府事……亮后为丞相，教与群下曰：'……又董幼宰参署七年……'""先主定蜀"即刘备下成都、降刘璋、领益州，《蜀志·先主传》卷三十二谓在建安十九年，至诸葛亮为丞相正七年，作教当为此年。

夏侯霸约三十七岁，或于此年赐关内侯，为偏将军。按，《魏志·夏侯渊传》卷九云"黄初中，赐中子霸……关内侯"，裴注引《魏略》云"黄初中，为偏将军"，年月未详，姑系此年。

缪袭三十六岁，表上仲长统《昌言》。按，《魏志·刘劭传》卷二十一裴注云"袭撰《统<昌言>表》"，仲长统撰《昌言》未竟而卒，缪袭为之补成全璧，上表献之当在仲长统卒后，姑系仲长统卒一年后。

曹丕三十五岁，筑陵云台；问吴使赵咨孙权"何等主"；善吴使沈珩；作《改封曹植为安乡侯诏》；其《禁诽谤诏》作于此年前后。（《吴志·吴主传》卷四十七及裴注引《吴书》《江表传》《魏志·文帝纪》卷二、《魏志·陈思王植传》卷十九）按，封曹植为安乡侯事在此年，诏亦当作于其时。《魏志·高柔传》卷二十四载《禁诽谤诏》于曹丕践祚后、黄初四年前，盖作于此年前后。

应璩三十二岁，为侍郎。按，《文选·百一诗》卷二十一李善注谓"璩初为侍郎，又为常侍，又为侍中"，为侍郎年未详，《魏志·王粲传》卷二十一裴注引《文章叙录》谓"文、明帝世，历官散骑常侍"，则疑其黄初初为侍郎，姑系于此。

曹植三十岁，贬为安乡侯，寻改鄄城侯；作《写灌均上事令》《上九尾狐表》《谢初封安乡侯表》。按，《魏志·陈思王植传》卷十九："黄初二年，监国谒者灌均希指，奏'植醉酒悖慢，劫胁使者'。有司请治罪，帝以太后故，贬爵安乡侯。其年改封鄄城侯。"《写灌均上事令》《谢初封安乡侯表》当作于此年。《上九尾狐表》称"黄初元年十一月二十三日于鄄城县北，见众狐数十首在后"，曹植本年封鄄城侯，"元年"或"二年"之误欤？

谢承为吴郡督邮。按，严可均《全三国文》卷六十六注谓"为吴郡督邮"，年月未详，其为五官郎中在黄初三年，为督邮姑定在其时一年前。谢承（？—237？），字伟平，会稽山阴（今浙江绍兴）人。博学洽闻，尝所知见，终身不忘。曾官督邮，迁五官郎中、长沙东部都尉、武陵太守。"撰《后汉书》百余卷"。（《吴志·谢夫人传》卷五十及裴注引《会稽典录》）《隋书·经籍志》卷三十三："《后汉书》一百三十卷，无帝纪，吴武陵太守谢承撰。……《会稽先贤传》七卷，谢承撰。"同书卷三十五："梁又有《谢承集》四卷。今亡。"严可均《全三国文》卷六十六收其文四篇。

高堂隆为堂阳长。按，《魏志·高堂隆传》卷二十五云"黄初中，为堂阳长，以选为平原王傅"，高堂隆黄初元年为历城侯相，《魏志·文帝纪》卷二谓曹睿黄初三年三月封平原王，为堂阳长当在其前，姑系于此。

王基二十岁，察孝廉，除郎中。按：《魏志·王基传》卷二十七云"黄初中，察孝廉，除郎中"，姑定在黄初二年。

诸葛恪十九岁，拜骑都尉，侍吴太子孙登讲论道艺。《吴志·诸葛恪传》卷六十四："弱冠拜骑都尉，与顾谭、张休等侍太子登讲论道艺，并为宾友。"《吴志·孙登传》卷五十九："魏黄初二年……是岁，立登为太子，选置师傅，铨简秀士，以为宾友，于是诸葛恪、张休、顾谭、陈表等以选入，侍讲诗书，出从骑射。"按，"弱冠"并非定指二十岁，合诸葛恪、孙登二传观之，当指其十九岁时。

曹睿十七岁，为齐公；作《正朔论》。（《魏志·明帝纪》卷三）按，裴注引《魏书》云"初，文皇帝即位，以受禅于汉，因循汉正朔弗改。帝在东宫著论，以为五帝三王虽同气共祖，礼不相袭，正朔自宜改变，以明受命之运"，曹论当作于此年。

山涛十七岁，见赏于司马懿。（《世说新语·政事》）

何晏见疾于曹丕；以尚公主为列侯，拜驸马都尉。按，《魏志·曹爽传》卷九裴注引《魏略》云"而晏无所顾惮，服饰拟于太子，故文帝特憎之，每不呼其姓字，常谓之为'假子'。晏尚主，又好色，故黄初时无所事任。……晏前以尚主，得赐爵为列侯"，确年不明，姑系于此。又，何晏《论语集解序》谓其为"驸马都尉"，严可均《全三国文》卷三十九注云"文帝时拜驸马都尉"，疑在封列侯时。

羊祜生（221—278）。羊祜，字叔子，泰山南城（今山东泰安东北）人。博学能属文，形俊美，善言辞。娶夏侯霸女。征拜中书侍郎，迁给事中、黄门郎；赐关中侯，徙秘书监，封钜平子。后拜相国从事中郎，掌机密；迁中领军，执兵要。以佐司马炎即位，进号中军将军，加散骑常侍，改封郡公，旋进爵为侯，置郎中令。泰始初，为尚书右仆射、卫将军。又为都督荆州诸军事、假节，后加车骑将军。以伐吴败，坐贬平南将军。咸宁初，除征南大将军，后封南城侯，不拜。性乐山水，常登岘山，置酒吟咏，终日不倦。"所著文章及为《老子传》并行于世。襄阳百姓于祜平生游憩之所建碑立庙，岁时飨祭焉。望其碑者莫不流涕，杜预因名为'堕泪碑'"。（《晋书·羊祜列传》卷三十四）《隋书·经籍志》卷三十四："梁有《老子道德经》二卷，晋太傅羊祜解释。"同书卷三十五："晋太傅《羊祜集》一卷，残缺，梁二卷，录一卷。"严可均《全晋文》卷四十一收其文七篇。

公元 222 年 （魏文帝曹丕黄初三年 蜀汉昭烈帝刘备章武二年 吴大帝孙权黄武元年 壬寅）

正月

曹丕行幸许昌宫；作《取士勿限年诏》《报吴主孙权书》。（《魏志·文帝纪》卷二、裴注引《魏书》）

二月

曹丕作《抚劳西域奉献诏》；此后与西域通。（《魏志·文帝纪》卷二）

三月

曹丕立子曹睿为平原王、曹林为河东王；立弟曹彰等十一人皆为王；行幸襄邑。（《魏志·文帝纪》卷二）

四月

曹丕立曹植为鄄城王，封曹植二子为乡公；行还许昌宫。（《魏志·文帝纪》卷二）

曹植作《封鄄城王谢表》《封二子为乡公谢恩章》。按，《魏志·文帝纪》载黄初三年"初制封王之庶子为乡公"，曹植封鄄城王时，其子曹苗、曹志封乡公盖亦在此年。

曹植《当墙欲高行》《乐府歌》或作于此时。按，朱绪曾《曹集考异》卷十二引东阿县鱼山《陈思王墓道隋碑文》："皇初二年，奸臣谤奏，遂贬爵为安乡侯。三年立为□王，诣京师面陈滥谤之罪，诏令复国。"《当墙欲高行》称"众口可以铄金，谗言三至，慈母不亲"，似与见谤事合，然此事《魏志·文帝纪》及曹植本传均无记载，《当墙欲高行》诗又有"愿欲披心自说陈，君门以九重，道远河无津"，似是面君陈情而未得，故朱绪曾注亦可疑耳。姑系于此。《乐府歌》残存五段，中有"君不弃我，谗人所为"，亦言见谤事，姑亦系此。

曹植《洛神赋》或作于此时。按，《洛神赋序》称"黄初三年，余朝京师，还济洛川。古人有言，斯水之神名宓妃，感宋玉对楚王说神女之事，遂作斯赋"，《文选》卷十九《洛神赋序》注谓"《魏志》并诸诗序并云四年朝，此云三年，误。一云《魏志》三年不言植朝，盖《魏志》略也"，倘朱绪曾《曹集考异》所引隋碑果补《魏志》之略，则斯赋序言"三年"不误也，姑系于此。李善："《记》曰：魏东阿王，汉末求甄逸女。既不遂，太祖回与五官中郎将。植殊不平，昼思夜想，废寝与食。黄初中入朝，帝示植甄后玉镂金带枕，植见之不觉泣。时已为郭后谗死，帝意亦寻悟，因令太子留宴饮，仍以枕赍植。植还，度轘辕，少许时，将息洛水上。思甄后，忽见女来，自云：'我本托心君王，其心不遂。此枕是我在家时从嫁，前与五官中郎将，今与君王。'遂用荐枕席，懽情交集，岂常辞能具！'为郭后以糠塞口，今被发，羞将此形貌重睹君王尔，'言讫，遂不复见所在。遣人献珠于王，王答以玉佩。悲喜不能自胜，遂作《感甄赋》。后明帝见之，改为《洛神赋》。"

闰四月

曹丕诏议"当兴师与吴并攻蜀不"，王朗以为"非行军动众之时"，曹丕从之。（《魏志·王朗传》卷十三）按；王朗传云"建安末"，然"孙权始遣使称藩，而与刘备交兵"，当为此月事。

　　孙权遣使聘魏，曹丕作《答吴王诏》，以素书所作《典论》及诗赋赠与孙权，又以纸写一通与张昭。（《吴志·吴主传》卷四十七裴注引《吴历》《魏志·文帝纪》卷二裴注引胡冲《吴历》）

夏

　　王朗作《与文休书（文休足下）》。按，《蜀志·许靖传》卷三十八裴注引《魏略》所载王朗《与文休书（文休足下）》云"岂意脱别三十余年而无相见之缘乎"，许靖初平四年（193）往依王朗，同年去而赴交州，至此时首尾三十年；王朗明年所作与许靖书称"前夏有书而未达"，则书当作于夏时。

八月

　　许靖卒，年约七十一（152？—222）。（《蜀志·许靖传》卷三十八、《蜀志·先主传》卷三十二）

九月

　　曹丕作作《禁妇人与政诏》《伐吴诏》。（《魏志·文帝纪》卷二）按，《吴志·吴主传》卷四十七载此年九月曹丕因孙权不肯以子为质，怒而发兵攻吴，《伐吴诏》当作于此时。

　　蒋济与大司马曹仁征吴，别袭羡溪；谏曹仁攻濡须洲。（《魏志·蒋济传》卷十四、《资治通鉴》卷六十九）

十月

　　曹丕表首阳山东为寿陵，作《终制》；自许昌南征孙权。（《魏志·文帝纪》卷二）

　　孙权与曹丕书，曹丕作《又报吴主孙权》《诏责孙权》。（《吴志·吴主传》卷四十七及裴注引《魏略》）

　　吴王孙权改元黄武。（《资治通鉴》卷六十九）

　　吴初置丞相，众议归张昭，孙权未从。按，事载《吴志·张昭传》卷五十二，《吴志·吴主传》卷四十七裴注引《志林》谓"吴之创基，邵为首相，史无其传，窃常怪之"，孙邵为首相，裴注又引《吴录》谓其"黄武初为丞相"，然则吴初置丞相在黄武元年。

　　陆凯为永兴、诸暨长。（《吴志·陆凯传》卷六十一）

十一月

　　曹丕至宛，捕杨俊，王象等求情，不许，杨俊自杀。按，《魏志·杨俊传》卷二十三云"黄初三年，车驾至宛，以市不丰乐，发怒收俊。尚书仆射司马宣王、常侍王象、荀纬请俊，叩头流血，帝不许"，《魏志·文帝纪》卷二谓此年"十一月辛丑，行幸宛"。

王象发病，寻卒，年约四十五（178？—222）。按，《魏志·杨俊传》卷二十三裴注引《魏略》云"象自恨不能救俊，遂发病死"，据文意，当是杨俊死即引发王象病，旋卒，姑系于此。

是年

陈群约五十五岁，作《与丞相诸葛亮书》，问刘巴消息。（《蜀志·刘巴传》卷三十九）

卢毓四十岁，出为济阴相。按，事载《魏志·卢毓传》卷二十二，年月未详，姑定在为黄门侍郎两年后。

曹丕三十六岁，穿灵芝池。（《魏志·文帝纪》卷二）

中山王曹衮上书赞颂龙瑞。（《魏志·中山恭王衮传》卷二十）

曹丕作《答中山王献龙颂诏》，赐曹衮黄金十斤，嘉其"研精坟典，耽味道真，文雅焕炳"；其《诏刘靖迁庐江太守》《成皋令沐并收校事刘肇以状闻有诏》《械系令狐浚诏》作于此年前后。（《魏志·中山恭王衮传》卷二十）按，《魏志·刘馥传》卷十五、《魏志·常林传》卷二十三裴注引《魏略》《魏志·王凌传》卷二十八裴注引《魏书》，谓曹丕相关诏书均作于"黄初中"，姑系于此。

高堂隆为平原王傅。按，《魏志·高堂隆传》卷二十五云"以选为平原王傅"，而《魏志·文帝纪》卷二云"（黄初三年）三月乙丑，立齐公睿为平原王"，则高堂隆为傅当在此年。

曹植三十一岁，作《龙见贺表》《鞞舞歌》五首；《毁鄄城故殿令》或作于此年。按，曹表疑与曹衮书作于同时。又，《鞞舞歌序》云："汉灵帝西园鼓吹有李坚者，能鞞舞，遭乱西随段煨。先帝闻其旧有技，召之。坚既中废，兼古曲多谬误，异代之文未必相袭，故依前曲，改作新歌五篇。不敢充斥之黄门，近以成下国之陋乐焉。"五篇中《灵芝篇》云"灵芝生天地"，《文选》卷三十一江淹《杂体诗》注称"陈思王《灵芝篇》曰'灵芝生玉池'"，则"天地"当为"玉池"之误。《魏志·文帝纪》云黄初三年"穿灵芝池"，故《灵芝篇》当作于是年。余《圣皇篇》《大魏篇》《精卫篇》《孟冬篇》四首，与《灵芝篇》共为"新歌五篇"，当作于同时。又，据《魏志·任城陈萧王传》卷十九，曹植本年四月封鄄城王，至下一年七月徙封雍丘王，《毁鄄城故殿令》当作于此期间，姑系于此。

骆统三十岁，破魏将常雕，封新阳亭侯。（《吴志·骆统传》卷五十七）

王昶约二十五岁，为洛阳典农。按，《魏志·王昶传》卷二十七云"为洛阳典农"，年月未详，姑定在为散骑侍郎两年后。

左延年此年前后作《秦女休行》《从军行》等。按，《晋书·乐志》卷二十二称"黄初中柴玉、左延年之徒，复以新声被宠"，《魏志·方技传》卷二十九亦称"自左延年等虽妙于音，咸善郑声，其好古存正莫如夔"，"夔"即杜夔，同传谓其"黄初中，为太乐令、协律都尉"，则左延年黄初时似为乐官，且以新声见宠，其《秦女休行》《从军行》或作于此年前后。左延年（？—？），黄初中为太乐令、协律都尉。作《秦女休行》《从军行》。（《晋书·乐志》卷二十二）

谢承为五官郎中。按，《吴志·谢夫人传》卷五十云"后权纳姑孙徐氏，欲令谢下之，谢不肯，由是失志，早卒。后十余年，弟承拜五官郎中"，同志《徐夫人传》云"权为讨虏将军在吴，聘以为妃，使母养子登。后权迁移，以夫人妒忌，废处吴。积十余年，权为吴王"，徐氏为妃受宠当在孙登生后、孙权离吴徙秣陵前；《吴志·孙登传》谓孙登卒年三十三，《吴志·孙权传》谓其赤乌四年（241）卒，则当生于建安十四年（209）。《吴志·孙权传》谓"（建安）十六年，权徙治秣陵"，则徐氏养孙登及谢氏因徐氏而失宠，当在建安十四年后、十六年前。谢承自此"后十余年"，姑以"后"十二年当之，则于此年为五官郎中。

董遇或于此年出为郡守。按，《魏志·王肃传》卷十三裴注引《魏略》谓在"黄初中"，姑系于此。

严苞或于此年为秘书丞，屡进文赋，曹丕异之；后出为西平太守，卒官（？—222？）。按，《魏志·王肃传》卷十三裴注云"黄初中，以高才入为秘书丞"，确年未详，姑系于此。

周生烈此年前后在世。按，《魏志·张既传》卷十五谓张既为雍、梁二州刺史期间，曾礼辟周生烈，张既黄初五年卒，故周生烈此年前后在世。周生烈（？—？），姓周生，名烈，魏初征士。敦煌（今属甘肃）人。博士，曾官侍中。"何晏《论语集解》有烈义例，馀所著述，见晋武帝中经簿"。（《魏志·王肃传》卷十三及裴注）《隋书·经籍志》卷三十二："《论语》……博士周生烈……为义说。"同书卷三十五："（梁有）《周生子要论》一卷，录一卷，魏侍中周生烈撰。亡。"

杜预生（222—284）。杜预，字元凯，京兆杜陵（今陕西西安东南）人。杜恕子。博学多通，明于兴废之道，常言"德不可以企及，立功立言可庶几也"。初拜尚书郎，袭丰乐亭侯，转参相府军事。后为镇西长史。与车骑将军贾充等定律令，成后为之注解奏进。泰始中，守河南尹，因事免，复为安西军司，更除秦州刺史，领东羌校尉、轻车将军、假节；旋以忤石鉴而被征诣廷尉，因娶公主，以侯赎论。后拜度支尚书，又以与石鉴互纠而免官。数年后，复拜度支尚书。在内七年，朝野称美，号曰"杜武库"，谓其无所不有。羊祜病，以本官假节行平东将军，领征南军司。及羊祜卒，拜镇南大将军、都督荆州诸军事，给追锋车，第二驸马。以平吴之功进爵当阳县侯。其人"好为后世名，常言'高岸为谷，深谷为陵'，刻石为二碑，纪其勋绩，一沉万山之下，一立岘山之上，曰'焉知此后不为陵谷乎'"！"立功之后，从容无事，乃耽思经籍，为《春秋左氏经传集解》。又参考众家谱第，谓之《释例》。又作《盟会图》《春秋长历》，备成一家之学，比老乃成。又撰《女记赞》。当时论者谓预文义质直，世人未之重，唯秘书监挚虞赏之，曰：'左丘明本为《春秋》作传，而《左传》遂自孤行，《释例》本为《传》设，而所发明何但《左传》，故亦孤行。'"其后征为司隶校尉，加位特进，行次邓县而卒，时年六十三。追赠征南大将军、开府仪同三司，谥曰成。（《晋书·杜预列传》卷三十四)《隋书·经籍志》卷三十二："《丧服要集》二卷，晋征南将军杜预撰。……《春秋左氏经传集解》三十卷，杜预撰。……梁有……杜预《（春秋左氏传）音》三卷。……《春秋释例》十五卷，杜预撰。……《春秋左氏传评》二卷，杜预撰。……晋时，杜预又为《经传集解》。"同书卷三十三："《律本》二十一卷，杜预撰。……梁有《杜预杂律》七卷，亡。……《女记》十卷，杜预撰。"同书卷三十五："晋征南将军《杜预集》十八卷。……《善文》五十卷，杜预撰。"张溥辑有《杜征南集》。严可均《全晋文》卷四十二、四十三收其文二十八篇。张溥："《左传》之有杜元凯，《六经》之孔孟也。当时论者，独以质直见轻，岂真贵古而贱今乎？子云《太玄》，不遇桓谭，几覆酱瓿。元凯释《左》，非挚虞亦莫知其孤行天地也。《杜集》绝无诗赋，意者其雕虫邪？彼虽弥纶经传，自托获麟，下者则薄之，诚不欲以此有名也。元凯尝言三不朽，庶几立功立言，其事皆践。汉兴，佐命如酂侯刀笔，高密书生，不免望尘而拜。章奏尔雅，悉西京风制，经术既深，凡文皆余尔。不期工而工，此学者粪本之说也。武库平吴，功堪庙食，释《左》一书，复悬日月之间，为世传习，其於圣经，为后先疏附也。诚劳过扬《玄》矣。储君降服，议礼兴讥，是将通世变以就古人。《檀弓》变礼，不辞作俑，未可与素冠之诗同相笑也。"（《汉魏六朝百三家集·杜征南集题词》）永瑢等："《春秋释例》十五卷，晋杜预撰。预事迹详《晋书》本传。是书以经之条贯必出于传，传之义例归总于凡。《左传》称凡者五十，其别四十有九，皆周公之垂法，史书之旧章。仲尼因而修之，以成一经之通体。诸称书、不书、先书、故书、不言、不称、书曰之类，皆所以起新旧，发大义，谓之变例。亦有旧史所不书，适合仲尼之意者，仲尼即以为义。非互相比较，则褒贬不明，故别集诸例及地名谱第历数相与为部。先列经传数条，以包通其余，而传所述之凡系焉。更以己意申之，名曰'释例'。地名本之《泰始郡国图》，世族谱本之刘向《世本》与《集解》。一经一纬，相为表里。《晋书》称预自平吴后，从容无事，乃著《集解》。又参考众家谱第，谓之释例，又作《盟会图》《春秋长历》，备成一家之学，比老乃成。今考《土地名》篇，称孙氏僭号于吴，故江表所记特略，则考其属稿实在平吴以前，故所列多两汉、三国之郡县，与晋时不尽合。至《盟会图》《长历》则皆书中之一篇，非别为一书。观预所作《集解序》，可见史所言者未详。《晋书》又称，当时论者谓预文义质直，世人未之重，惟秘书监挚虞赏之。考嵇含《南方草木状》，称晋武帝赐杜预蜜香纸万番，写《春秋释例》及《经传集解》，则当时固重其书。史所言者，亦未尽确也。其书自《隋书·经籍志》而后，并著于录，均止十五卷。惟元吴莱作《后序》，云四十卷。岂元时所行之本，卷次独分析乎？自明以来，是书久佚。惟《永乐大典》中尚存三十篇，并有唐刘蕡原序，其六篇有释例而无经传，余亦多有脱文。谨随篇掇拾，取孔颖达《正义》及诸书所引《释例》之文补之，校其讹谬，釐为四十七篇，仍分十五卷，以还其旧，吴莱《后序》亦并附焉。案预《集解序》云，《释例》凡四十部。《崇文总目》云凡五十三例，而孔颖达《正义》则云，《释例》事同则为部，小异则附出，孤经不及例者聚于终篇。四十部次第，从隐即位为首，先有其事则先次之。世族土地，事既非例，故退之终篇之前。是《土地名》起于宋卫遇于垂，《世族谱》起于无骇卒，无骇卒在遇垂之后，故地名在世族前。今是书原目不可考，故因孔氏所述之大旨，推而广之，取其事之见经先后为序。《长历》一篇则次之《土地名》《世族谱》后，以《集解序》述历数在地名、谱第后也。《土地名》篇释例云，据今天下郡国县邑之名、山川道涂之实，爰及四表，皆图而备之。然后以春秋诸国邑盟会地名附列之，名曰古今书。《春秋盟会图别集疏》一卷附之。释例所画图，本依官司空图，据泰始之初郡国为正。孙氏初平，江表十四郡皆贡图籍，荆、扬、徐三州皆改从今为正，不复依用司空图。则是书应有图，而今已佚。又有附盟会图疏，胪载郡县，皆是元魏隋唐建置地名，非晋初所有。而阳城一条，且记唐武后事，当是预本书已佚，而唐人补辑，又《土地名》所释亦有后人增益之语。今仍录原文，而各加辨证于下方。考预书虽有曲从左氏之失，而用心周密，后人无以复加。其例亦皆参考经文，得其体要。非公、谷二家穿凿月日者比。挚虞谓左丘明本为《春秋》作传，而《左传》遂自孤行。《释例》本为传设，而所发明，何但《左传》，故亦孤行，良非虚美。且《永乐大典》所载，犹宋时古本。观妇人内女归宁例一篇末云，凡若干字，经传若干字，释例若干字，当时校雠精当，概可想见。如《长历》载文公四年十有二月壬寅，夫人风氏薨。杜云，十二月庚午朔，无壬寅。近刻注疏本并作十有一月。案十一月庚子朔，三日得壬寅，不可谓无壬寅也。又襄公六年经文本云十有二月齐侯灭莱，莱恃谋也。后则曰晏弱围棠，十一月丙辰而灭之。今考《长历》十一月丁丑朔，是月无丙辰。十二月丁未朔，十日得丙辰。杜预系此日于十二月下，不言日月有误。可见今本传文两言十一月，皆十二月之讹也。如此之类，可以校订舛误者，不可缕数。《春秋》以《左传》为根本，《左传》以《杜解》为门径，《集解》又以是书为羽翼，缘是以求笔削之旨，亦可云考古之津梁，穷经之渊薮矣。"（《四库提要》卷二十六）

公元 223 年 （魏文帝曹丕黄初四年　蜀汉昭烈帝刘备章武三年　蜀汉后主刘禅建兴元年　吴大帝孙权黄武二年　癸卯）

正月

曹丕作《禁私复仇诏》；筑南巡台于宛。（《魏志·文帝纪》卷二）

二月

诸葛亮自成都至永安。（《蜀志·诸葛亮传》卷三十五、《资治通鉴》卷七十）

三月

曹丕自宛还洛阳宫。（《魏志·文帝纪》卷二）

蒋济复为东中郎将，代领曹仁兵。按，《魏志·蒋济传》卷十四云"（曹）仁薨，复以济为东中郎将"，《魏志·文帝纪》卷二谓曹仁是月卒。

曹丕作《敕还师诏》《以蒋济为东中郎将代领曹仁兵诏》。（《魏志·文帝纪》卷二裴注引《魏书》《魏志·蒋济传》卷十四）

四月

蜀汉昭烈帝刘备病笃，命丞相诸葛亮辅太子，旋崩于永安（161—223）；诸葛亮奉丧还成都。（《蜀志·先主传》卷三十二）

五月

曹丕作《鹈鹕集灵芝池诏》。（《魏志·文帝纪》卷二）

华歆荐管宁。《魏志·管宁传》卷十一："黄初四年，诏公卿举独行君子，司徒华歆荐宁。"按，《魏志·文帝纪》卷二谓此月《鹈鹕集灵芝池诏》有语云"其博举天下俊德茂才、独行君子"，华歆举管宁当在此时。

曹丕公车特征管宁，诏拜其为太中大夫。按，《魏志·管宁传》卷十一云"黄初四年……司徒华歆荐宁。文帝即位，征宁"，"位"当为衍文；本传载太仆陶丘一等语谓"黄初四年，高祖文皇帝畴资群公，思求俊义，故司徒华歆举宁应选，公车特征，振翼遐裔，翻然来翔。行遇屯厄，遭罹疾病，即拜太中大夫"，证征管宁在四年而非元年。

管宁举家浮海还郡；行前，封还公孙氏历年馈赠；上书辞太中大夫。《魏志·管宁传》卷十一："文帝即位，征宁。遂将家属浮海还郡。公孙恭送之南郊，加赠服物。自宁之东也，度、康、恭前后所资遗，皆受而藏诸。既已西渡，尽封还之。诏以宁为太中大夫，固辞不受。"裴注引《傅子》："宁上书天子，且以疾辞。"按，本传叙此事紧接前条，知为此时事。

王朗荐杨彪，且称疾让位。按，《魏志·王朗传》卷十三云"黄初中，鹈鹕集灵芝池，诏公卿举独行君子。朗荐光禄大夫杨彪，且称疾，让位于彪"，《魏志·文帝纪》卷二谓此月诏举独行君子，故王朗荐杨彪当在此时。

曹丕作《止王朗让位诏》。（《魏志·王朗传》卷十三）

曹植与曹彪、曹彰朝京都。（《魏志·陈思王植传》卷十九、《赠白马王彪》诗）

曹植作《上责躬应诏诗表》《责躬诗》《应诏诗》。按，《魏志》本传黄初四年下即载是表及二诗。而曹植《赠白马王彪序》称"黄初四年五月"朝京师，则表及二诗当作于此年五月。

刘备子刘禅即位于成都，改元建兴，是为蜀后主。（《蜀志·后主传》卷三十三）

诸葛亮封武乡侯，领益州牧；作《上言追尊甘夫人为昭烈皇后》。（《蜀志·诸葛亮传》卷三十五、《蜀志·甘皇后传》卷三十四）

杜琼拜谏议大夫。（《蜀志·杜琼传》卷四十二）

谯周为劝学从事。（《蜀志·谯周传》卷四十二）

曹丕览曹植《上责躬应诏诗表》，嘉其辞义，优诏答勉之。（《魏志·陈思王植传》卷十九）

六月

曹植作《任城王诔》。按，据《魏志·文帝纪》，黄初四年"六月甲戌，任城王彰薨于京都"，曹诔当作于此时。

夏

王朗奉诏作《与孔明书》《与文休书（前夏有书而未达）》。按，《蜀志·诸葛亮传》卷三十五裴注引《亮集》云"是岁，魏司徒华歆、司空王朗、尚书令陈群、太史令许芝、谒者仆射诸葛璋各有书与亮，陈天命人事，欲使举国称藩"，"是岁"指蜀建兴元年，即魏黄初四年。又，与许靖（文休）书云"皇帝既深悼刘将军之早世，又愍其孤之不易"，知书作于刘备卒后，然许靖已于去岁八月谢世，盖王朗未得消息也。

诸葛亮得魏华歆、王朗、陈群诸人书，不报，而作《正议》。（《蜀志·诸葛亮传》卷三十五裴注引《亮集》）

七月

曹植、曹彪还国，曹植作《赠白马王彪》。《赠白马王彪序》："黄初四年五月，白马王、任城王与余俱朝京师，会节气。到洛阳，任城王薨。至七月，与白马王还国。后有司以二王归藩，道路宜异宿止，意毒恨之！盖以大别在数日，是用自剖，与王辞焉，愤而成篇。"按，《魏志》曹彪本传谓其"七年，徙封白马"，而曹植诗四年即称其白马王，未知孰是，姑依曹诗。

曹彪作《答东阿王诗》。按，曹彪为曹植同父异母弟，《初学记》卷十八所载是诗或为此时所作答兄诗，曹植太和三年（229）封"东阿王"，诗题盖后人妄加。

曹植归鄄城，作《杂诗》。按，此组《杂诗》共六篇，《文选》卷二十九注云："此六篇并托喻伤政急，朋友道绝，贤人为人窃势。别京已后，在鄄城思乡而作。"论者以为此组诗，各篇互无联系，似非同时之作。然六首虽各咏离愁别绪、身如蓬转、织妇闺思、佳人迟暮、心赴国忧、烈士悲心，倘一一坐实何年所写，恐难确凿。第一首中云"之子在万里，江湖迥且深"，当指其弟曹彪，时曹彪为吴王（《魏志》本传），故曹诗有相隔万里之叹，诗当作于此时。余五首姑一并系于此。

曹植徙封雍丘王，作《袭封雍丘王表》。按，《魏志》本传谓"四年，徙封雍丘王"，表当作于此时，唯残存一句。

八月

曹丕以钟繇为太尉；校猎于荥阳，东巡。（《魏志·文帝纪》卷二）

曹丕据有司奏，改汉乐舞名。《魏志·文帝纪》卷二裴注引《魏书》："有司奏改汉氏宗庙安世乐曰正世乐，嘉至乐曰迎灵乐，武德乐曰武颂乐，昭容乐曰昭业乐，云翘舞曰凤翔舞，育命舞曰灵应舞，武德舞曰武颂舞，文始舞曰大韶舞，五行舞曰大武舞。"

王朗、钟繇上表荐张登，曹丕作《以张登为太官令诏》。按，《魏志·王朗传》卷十三裴注引《王朗集》云"至黄初初，朗又与太尉钟繇连名表闻，兼称登在职勤劳。

诏曰"，钟繇此时为太尉，姑系于此。

九月

曹丕幸许昌宫。（《魏志·文帝纪》卷二）

诸葛亮遣邓芝修好于吴。（《蜀志·诸葛亮传》卷三十五、《资治通鉴》卷七十）

十二月

曹丕赐山阳公夫人、女食邑各五百户。（《魏志·文帝纪》卷二）

是年

陈群约五十六岁，徙尚书令；巧对曹丕之问，曹丕益重之，进其爵为颍乡侯。《魏志·陈群传》卷二十二云："徙尚书令，进爵颍乡侯。"《魏志·华歆传》卷十三裴注引华峤《谱叙》曰："文帝受禅，朝臣三公已下并受爵位；歆以形色忤时，徙为司徒，而不进爵。魏文帝久不怿，以问尚书令陈群曰：'我应天受禅，百辟群后，莫不人人悦喜，形于声色，而相国及公独有不怡者，何也？'群起离席长跪曰：'臣与相国曾臣汉朝，心虽悦喜，义形其色，亦惧陛下实应且憎。'帝大悦，遂重异之。"按，《魏志·鲍勋传》卷十二谓陈群荐鲍时为"尚书令"，则其至迟此年任其职。进爵乃在为尚书令时，姑并系于此。

陈群举荐鲍勋为宫正。（《魏志·鲍勋传》卷十二）

蒋济约四十一岁，征为尚书。按，《魏志·蒋济传》卷十四云"顷之，征为尚书"，事在此年三月为东中郎将后不久，姑系于此。

曹丕三十七岁，尚作《诏赐张既子翁归爵》。（《魏志·张既传》卷十五）

骆统三十一岁，此年前后为濡须督；前后数十次上书，所言皆善。按，《吴志·骆统传》卷五十七云"后为濡须督"，年月未详，骆统以去岁拒魏军攻濡须有功而封此职，疑在此年。

王肃三十岁，此年前后为散骑黄门侍郎。（《魏志·王肃传》卷十三）

王基二十二岁，为青州刺史王凌别驾；召为秘书郎，复还为别驾。《魏志·王基传》卷二十七："黄初中……是时青土初定，刺史王凌特表请基为别驾，后召为秘书郎，凌复请还。"按，据《魏志·王凌传》卷二十八，王凌黄初四年（223）至太和二年（228）为青州刺史，后司徒王朗辟之，王朗黄初七年（226）十二月至太和二年（228）十一月为司徒，王基为别驾在黄初四年至七年间，姑系于此。

公元 224 年 （魏文帝曹丕黄初五年 蜀汉后主刘禅建兴二年 吴大帝孙权黄武三年 甲辰）

三月

曹丕自许昌还洛阳宫。（《魏志·文帝纪》卷二）

四月

魏立太学，制五经课试之法，置《春秋谷梁》博士。（《魏志·文帝纪》卷二）

张温以辅义中郎将使蜀。（《吴书·吴主传》卷四十七、《资治通鉴》卷七十）

七月

曹丕东巡，幸许昌宫。（《魏志·文帝纪》卷二）

王朗上疏谏征孙权。按，《魏志·王朗传》卷十三云"孙权欲遣子登入侍，不至。是时车驾徙许昌，大兴屯田，欲举军东征。朗上疏曰"，"车驾徙许昌"即《魏志·文帝纪》卷二载曹丕此年七月幸许昌宫事，王朗谏东征当在此时。

八月

曹丕为水军，亲御龙舟，征吴，幸寿春。（《魏志·文帝纪》卷二）

九月

曹丕至广陵，临江而还，作《车驾临江还诏三公》。（《吴志·吴主传》卷四十七、《魏志·王朗传》卷十三裴注引《魏书》）

陈群受命领中领军。（《魏志·陈群传》卷二十二）

暨艳自杀（？—224）。（《吴志·张温传》卷五十七、《资治通鉴》卷七十）暨艳，字子休，吴郡（今江苏）人。与张温善。官选曹郎，至尚书。秉性狷厉，好为清议。弹射百僚，致怨丛生。坐专用私情、爱憎不由公理自杀。（《吴志·张温传》卷五十七）《隋书·经籍志》卷三十五："吴选曹尚书《暨艳集》二卷，梁三卷，录一卷。"

张温以暨艳事幽之有司。（《吴志·张温传》卷五十七、《资治通鉴》卷七十）

骆统上表为张温说情，孙权不纳。（《吴志·张温传》卷五十七）

十月

曹丕还许昌宫；作《议轻刑诏》。（《魏志·文帝纪》卷二及裴注引《魏书》）

陈群假节，都督水军。（《魏志·陈群传》卷二十二）

十一月

曹丕遣使者至冀州开仓赈饥。（《魏志·文帝纪》卷二）

十二月

曹丕作《禁设非礼之祭诏》。（《魏志·文帝纪》卷二）

是年

卫觊约六十四岁，撰述《魏史》纪传。《史通·古今正史》卷十二："《魏史》，黄初、太和中，始命尚书卫觊、缪袭草创纪传，累载不成。"按，刘知己意谓卫觊、缪袭撰《魏史》纪传均在为尚书时，卫觊官尚书终文帝世，缪袭为尚书则未详起讫何年，唯知其太和初为散骑常侍，或黄初末为尚书。二人草创《魏史》纪传，疑始于此年。

吴质四十八岁，奉诏入朝。（《魏志·王粲传》卷二十一裴注引《质别传》）

诸葛亮四十四岁，在益州牧任，以杜微为主簿、谏议大夫，作《与杜微书》《又与杜微书》。（《蜀志·杜微传》卷四十二）

卢毓四十二岁，为梁郡太守。按，事载《魏志·卢毓传》卷二十二，年月未详，姑定在为济阴相两年后。

缪袭三十九岁，撰述《魏史》纪传。（《史通·古今正史》卷十二）

曹丕三十八岁，穿天渊池；尚作《改封诸王为县王诏》；其《诏赐温恢子生爵》作于此年前后。（《魏志·文帝纪》卷二、《魏志·彭城王据传》卷二十）按，《魏志·温恢传》卷十五谓黄初元年温恢为魏郡太守，"数年"迁凉州刺史，道病卒，姑系于此。

曹植三十三岁，作《黄初五年令》。按，丁晏《曹集诠评》谓"《文馆词林》六百九十五作《赏罚令》"。

王昶约二十七岁，生子（王浑）；迁兖州刺史。《晋书·王浑列传》卷四十二）按，《魏志·王昶传》卷二十七云"迁兖州刺史"，年月未详，姑定在为洛阳典农两年后。

谯周二十六岁，为劝学从事。按，《蜀志·谯周传》卷四十二云"建兴中，丞相亮领益州牧，命周为劝学从事"，诸葛亮去岁领益州牧，此年为建兴二年，可称"中"，姑系于此。

阮籍十五岁，博览群书，好《书》《诗》，尤好《老》《庄》。阮籍《咏怀诗》："昔年十四五，志尚好《书》《诗》。"《晋书·阮籍传》卷四十九："或闭户视书，累月不出；或登临山水，经日忘归。博览群书，尤好《庄》《老》。"

嵇康生（224—263）；丧父。按，嵇康《幽愤诗》云"嗟余薄祜，少遭不造。哀我靡识，越在襁褓"，则其襁褓中丧父。嵇康，字叔夜，谯郡铚（今安徽宿县西南）人。祖先本姓奚，避仇徙铚，铚有嵇山，因以名氏。早孤，有奇才。仪表俊美，人以为龙章凤姿。天质自然，恬淡寡欲，宽简大量。学不师受，博览无不该通。长好《老》《庄》。以宗室姻亲，拜中散大夫。好养性服食之事，弹琴咏诗，自足于怀，不喜怒于色。与阮籍、山涛、向秀、刘伶、阮咸、王戎为神交，世称"竹林七贤"。尝从汲郡隐士孙登游。山涛移新职，举其自代，乃与书以绝交。后忤钟会，以吕安事，株连下狱。临刑，索琴弹奏《广陵散》。曲绝人终，时年四十。"著《养生论》。……作《幽愤诗》。……又作《太史箴》，亦足以明帝王之道焉。复作《声无哀乐论》，甚有条理"。（《魏志·王粲传》卷二十一及裴注引《魏氏春秋》《晋书·嵇康列传》卷四十九）《隋书·经籍志》卷三十二："《春秋左氏传音》三卷，魏中散大夫嵇康撰。"同书卷三十三："《圣贤高士传赞》三卷，嵇康撰，周续之注。""梁有《养生论》三卷，嵇康撰。"同书卷三十五："魏中散大夫《嵇康集》十三卷，梁十五卷，录一卷。"张溥辑有《嵇中散集》。严可均《全三国文》卷四十七至五十二收其文二十篇。丁福保《全三国诗》卷四收其诗五十三首。张溥："嵇辞清峻，阮旨遥深，两家诗文定论也。叔夜著文论六七万言，《唐志》犹有十五卷，今存者仅若此，殆百一耳。然视建安诸子，篇章凋落，斯又岿然大部矣。《家诫》小心笃诲，酒坐语言，兢兢集木，独以柳下踞锻，傲睨钟会，竟遭潜死。东汉马文渊诫其兄子效龙伯高，毋效杜季良，足称至慎，善保家门，而薏苡一车，妻孥草索，怨谤之来，非人所意。凡性不近物者，勉为抑损，终与物乖。中散绝交巨源，非恶山公，于当世人事，诚不耐也。书中自叙蓬首垢面，懒癖入真，阮嗣宗口不臧否，亦心知师之，卒不能学。人实不宜仕宦，强衣被之，适速死耳。集中大文，诸论为高，讽养生而达庄、老之旨，辩管、蔡而知周公之心，其时役役司马门下者，非惟不能作，亦不能读也。范升系狱，杨政肉袒道旁，哀泣请命，明主立释。叔夜将刑东市，太学生三千人求为师不许，抱卧龙之姿，撄僭臣之忌，其死也，正以此耳。《赠兄诗》云：'虽曰幽深，岂无颠沛。'《幽愤诗》云：'縈此幽阻，实耻讼冤。'夫人身隐矣，而祸犹随之，祸至而复不欲与直也，不死安归乎！《广陵散》绝，弊在用光，钟士季、吕长悌兽睡耳，岂能杀叔夜者哉！"（《汉魏六朝百三家集·嵇中散集题词》）永瑢等："《嵇中散集》十卷。两江总督采进本。旧本题嵇康撰。案康为司马昭所害时，'当途'之祚未终，则康当为魏人，不当为晋人，《晋书》立传，实房乔等之舛误。本集因而题之，非也。《隋书·经籍志》载《康文集》十五卷，《新、旧唐书》并同，郑樵《通志略》所载卷数尚合，至陈振孙《书录解题》则已作十卷，且称：'康所作文论六七万言，其存于世者仅如此。'则宋时已无全本矣。疑郑樵所载，亦因仍旧史之文，未必真见十五卷之本也。王楙《野客丛书》云：'《嵇康传》曰："康喜谈名理，能属文，撰《高士传赞》，作《太史箴》《声无哀乐论》。"余得田比陵贺方回家所藏缮写《嵇康集》十卷，有诗六十八首，今《文选》所载才三数首；《选》惟载康《与山巨源绝交》一书，不知又有《与吕长悌绝交书》一首；《选》惟载《养生论》一篇，不知又有《与向子期论养生难答》一篇，四千余言，辨论甚悉。《集》又有《宅无吉凶摄生论难》上中下三篇，《难张辽自然好学论》一首，《管蔡论》《释私论》《明胆论》等文。《崇文总目》谓《嵇康集》十卷，正此本尔。《唐艺文志》谓《嵇康集》十五卷，不知五卷谓何。'观楙所言，则樵之妄载确矣。此本凡诗四十七篇，赋一篇，书二篇，杂著二篇，论九篇，箴一篇，《家诫》一篇。而杂著中《嵇荀录》一篇，有录无书。实共诗文六十二篇，又非宋本之旧，盖明嘉靖乙酉吴县黄省曾所重辑也。杨慎《丹铅录》尝辨阮籍卒于康后，而世传籍碑为康作。此本不载此碑，则其考核，犹为精审矣。"（《四库提要》卷一百四十八）

李密生（224—287）；丧父。按，《晋书·李密列传》卷八十八谓"泰始初，诏征为太子洗马"，《晋书·武帝纪》卷三谓"（泰始）三年（267）春……立皇子衷为皇太子"，李密此年所作《陈情表》称"臣密今年四十有四"，逆推四十三载得其生年；《华阳国志·后贤志》卷十一谓其"年六十四卒"，知其卒于太康八年（287）。又，李密《陈情表》云"生孩六月，慈父见背"，其父卒在此年或明年，姑系于此。李密，一名虔，字令伯，犍为武阳（今四川彭山东）人。父早亡，母嫁人，由祖母养大成人。少师事谯周，治《春秋左氏传》。蜀汉时，为郎；入晋后，以祖母在，累召不就。祖母死，始出仕，官太子洗马，出为温令，迁汉中太守。后以怀愤赋诗免官，卒于家。作有《陈情表》。（《晋书·李密列传》卷五十八）《隋书·经籍志》卷三十五："晋汉中太守《李虔集》一卷，梁二卷，录一卷。"严可均《全晋文》卷七十收其文三篇，丁福保《全晋诗》卷二收其诗一首。

裴秀生（224—271）。裴秀，字季彦，河东闻喜（今属山西）人。弘通博济，年幼能文。先辟大将军掾，袭清阳亭侯，迁黄门侍郎，坐曹爽故吏免。后为廷尉正，历文帝安东及卫将军司马，迁散骑常侍；转尚书，进封鲁阳乡侯。常道乡公立，进爵县侯，迁尚书仆射。咸熙初，典改官制，封济川侯。司马炎即王位时，拜尚书令、右光禄大夫；入晋，进左光禄大夫，改封钜鹿公，迁司空。"著《易》及《乐》论，又画《地域图》十八篇，传行于世。《盟会图》及《典治官制》皆未成"。泰始七年，服寒食散致卒，谥曰元。（《魏志·裴潜传》卷二十三裴注引《文章叙录》《晋书·裴秀列传》卷三十五）《隋书·经籍志》卷三十五："梁……又有《裴秀集》三卷，录一卷，亡。"

阮种生（224—？）。按，《晋书·阮种列传》卷五十二称"弱冠有殊操，为嵇康所重。康著《养生论》（当为《答难养生论》），所称阮生，即种也"，嵇康正始四年（243）作《答难养生论》，文中言及之阮种年当弱冠，则生于此年。阮种，字德猷，陈留尉氏（今属河南）人。弱冠有殊操，为嵇康所重。察孝廉，为公府掾。举贤良，除尚书郎。以对策第一，转中书郎，迁平原相。为政简惠，百姓称之，卒于郡。（《晋书·阮种列传》卷五十二）《隋书·经籍志》卷三十五："又梁有……平原太守《阮种集》二卷，录一卷。"

公元 225 年 （魏文帝曹丕黄初六年 蜀汉后主刘禅建兴三年 吴大帝孙权黄武四年 乙巳）

二月

曹丕作《设镇军抚军大将军诏》。（《魏志·文帝纪》卷二及裴注引《魏略》）

陈群为镇军大将军，领中护军，录尚书事。（《魏志·陈群传》卷二十二、《魏志·文帝纪》卷二裴注引《魏略》）

三月

曹丕行幸昭陵，通讨虏渠，还许昌宫；为舟师，东征；作《征吴临行诏司马懿》。（《魏志·文帝纪》卷二、《晋书·宣帝纪》卷一）

诸葛亮南征，讨雍闿，作《南征教》。（《蜀志·诸葛亮传》卷三十五、《资治通鉴》卷七十）按，《南征教》云"用兵之道，攻心为上，攻城为下；心战为上，兵战为下"，此为马谡送诸葛亮南征时所云，见《蜀志·马谡传》卷三十九裴注引《襄阳记》，或为诸葛亮所用，故引于教中。

五月

曹丕幸谯，其《敕豫州禁吏民往老子亭祷祝》或作于此时。按，详文意，曹丕当多次经过老子亭；《后汉书·孝桓帝纪》卷七云桓帝遣中常侍"之苦县，祠老子"，是老子祠在苦县，苦县在谯西，相距不远，且位于许与谯之间。从许往谯，必经苦县老子祠。曹丕去岁九月中旬即曾过谯（见《车驾临江而还诏三公》），此番又由许还谯，是文盖作于过谯时。

吴丞相孙邵卒，群臣议举张昭，孙权以其"性刚"而未用。（《吴志·张昭传》卷五十二、《吴志·吴主传》卷四十七）

七月

曹丕立皇子曹鉴为东武阳王。（《魏志·文帝纪》卷二）

诸葛亮至南中，定南中四郡；作《南征表》《荐吕凯表》；得孟达消息，欲策反孟达。（《蜀志·诸葛亮传》卷三十五、《蜀志·费诗传》卷四十一、《资治通鉴》卷七十）按，《南征表》有"高定失其窟穴"语，《荐吕凯表》有"雍闿、高定逼其东北，而凯等守义不与交通"语，与此时平定雍闿、高定事合，当为此时所作。

八月

曹丕自谯以舟师循涡入淮，从陆道幸徐。（《魏志·文帝纪》卷二）

蒋济表水道难通，作《三州论》以讽曹丕，曹丕不听。（《魏志·蒋济传》卷十四、《资治通鉴》卷七十）

九月

曹丕筑东巡台。（《魏志·文帝纪》卷二）

十月

曹丕至广陵，临江观兵，作《至广陵于马上作》诗；以天气酷寒，水道冰，战船数千皆滞不得行；转车驾到精湖，船尽留给蒋济。（《魏志·文帝纪》卷二及裴注引《魏书》《魏志·蒋济传》卷十四）

蒋济命士卒开凿河道、做堤遏断湖水，乃使舟船入淮中，得还。（《魏志·蒋济传》卷十四、《资治通鉴》卷七十）

十二月

曹丕自谯过梁，遣使以太牢祀桥玄。（《魏志·文帝纪》卷二）

曹丕经雍丘，幸曹植宫，作《诏雍丘王植》。（《魏志·陈思王植传》卷十九）

曹植作《黄初六年令》。按，丁晏《曹集诠评》谓"《文馆词林》六百九十五作

《自诫令》"。

卢毓四十三岁，为谯郡太守。按，事载《魏志·卢毓传》卷二十二，年月未详，姑定在为梁郡太守一年后。

曹丕三十九岁，尚作《赠夏侯尚诏》《诏赠张辽、李典子爵》。（《魏志·夏侯尚传》卷九裴注引《魏书》《魏志·张辽传》卷十七）

王昶约二十八岁，以兖州刺史请见阮籍，终日不得与言，自以为不能测也。（《魏志·王粲传》卷二十一裴注引《魏氏春秋》）

诸葛恪二十三岁，此年前后为中庶子。按，《吴志·诸葛恪传》卷六十四云"从中庶子转为左辅都尉"，为中庶子之年未详；其黄初二年（221）为骑都尉，黄龙元年（229）为左辅都尉，其任中庶子在此八年内，姑系此年。

程秉守太常，迎周瑜女为太子登妃。（《吴志·程秉传》卷五十三）

王朗作《与钟繇书》。按，王书中云"近闻室人孙氏归，或曰大归也"，即言及钟繇夫人孙氏得罪遣出事，其事据《魏志·钟会传》卷二十八裴注引《会母传》，在钟会出生之年，故系于此。

夏侯玄十七岁，丧父，嗣爵。（《魏志·夏侯尚传》卷九）

羊祜五岁，诣邻人桑树中取金环。（《晋书·羊祜传》卷三十四）

钟会生（225—264）。（钟会《母传》）钟会，字士季，颍川长社（今河南长葛东）人。少时聪颖，及壮，有才数技艺，而博学精练名理，以夜继日，由是知名。先为秘书郎，后为尚书中书侍郎；高贵乡公时，赐爵关内侯。迁黄门侍郎，封东武亭侯；又以谋有功，迁司隶校尉。景元时，以镇西将军、假节都督关中诸军事，率军伐蜀，降后主。起兵反司马氏，败而见杀。"尝论《易》无互体、才性异同。及会死后，于会家得书二十篇，名曰《道论》，而实刑名家也，其文似会"。（《魏志·钟会传》卷二十八）《隋书·经籍志》卷三十二："《周易尽神论》一卷，魏司空钟会撰。梁有《周易无互体论》三卷，钟会撰。亡。"同书卷三十四："《老子道德经》二卷，钟会注。……梁有……《刍荛论》五卷，钟会撰。"同书卷三十五："魏司徒《钟会集》九卷，梁十卷，录一卷。"张溥辑有《钟司徒集》。严可均《全三国文》卷二十五收其文十五篇。张溥："钟士季弱冠与王辅嗣并知名，其论《易》无互体，才性同异，厥旨不殊。然山阳《易注》，光列学宫，而颍川玄辩，寂而不显。岂才地经营，方期功业，无暇立言？或者身族糜覆，策书烟销，微言妙义，莫得耳闻也？志云，《道论》二十篇，系士季文笔，今不获见，其他亡轶，可以类推。《命妇传》善言母德，宗述教训，在齐女傅母、鲁季敬姜之间，乃鸣鹤白茆，机枢慎密，母诲至勤。胡为破蜀以后，顿忘执手之戒，自取灭门？夫司马专国，睥睨魏鼎，奄有西土，势必自帝。魏亡于司马，与亡于士季，等亡耳。使反谋果成，步骑并发，缚文王父子，告庙莘鼓，奠安大魏，功岂在闳散以下。即不然，同为篡臣，割地而守，未知谁雌雄也。时违其才，倾跌须臾，乱兵登城，英雄骈死，天相司马，非尽士季之失。抑览其遗篇，彬彬儒雅，则犹魏文、

'七子'余泽矣。"(《汉魏六朝百三家集·钟司徒集题词》)

　　向秀约于此年生（225？—272）。按，生年未详，考其正始四年（243）作《难养生论》，其年似略小于嵇康，如定其为十九岁，则约生于此年。向秀，字子期，河南怀（今河南武陟西南）人。"竹林七贤"之一。清悟有远识，少为山涛所知，雅好《老》《庄》之学。与嵇康、吕安友善，并有拔俗之韵。曾注《庄子》，"于旧注外而为解义，妙演奇致，大畅玄风，惟《秋水》《至乐》二篇未竟"，"发明奇趣，振起玄风，读之者超然心悟，莫不自足一时也"。为嵇康、吕安卒而作《思旧赋》。历任散骑侍郎、黄门侍郎、散骑常侍。(《晋书·向秀列传》卷四十九、《晋书·郭象列传》卷五十、《世说新语·言语》刘注引《向秀别传》)《隋书·经籍志》卷三十四："《庄子》二十卷，梁漆园吏庄周撰，晋散骑常侍向秀注。……梁有向秀《庄子音》一卷。"同书卷三十五："梁有《向秀集》二卷，录一卷……亡。"

公元226年　（魏文帝曹丕黄初七年　蜀汉后主刘禅建兴四年　吴大帝孙权黄武五年　丙午）

正月

　　曹丕还洛阳宫，对蒋济反省去岁十月滞船事；作《收鲍勋诏》《还洛阳诏司马懿》。(《魏志·文帝纪》卷二、《魏志·蒋济传》卷十四、《魏志·鲍勋传》卷十二、《资治通鉴》卷七十、《晋书·宣帝纪》卷一)

　　蒋济以陈事进谏得曹丕夸赞。(《魏志·蒋济传》卷十四)

三月

　　曹丕筑九华台。(《魏志·文帝纪》卷二)

四月

　　太尉锺繇、司徒华歆、镇军大将军陈群等并表救鲍勋，曹丕不许。按，《魏志·鲍勋传》卷十二谓"遂诛勋。……后二旬，文帝亦崩"，曹丕崩于五月十七日，以此知此事载四月底。

　　卢毓左迁睢县典农校尉。按，事载《魏志·卢毓传》卷二十二，年月未详，其左迁乃因曹丕对其徙谯民于梁不满，姑定在此年曹丕崩前。

五月

　　曹丕病笃，曹睿立为皇太子。(《魏志·明帝纪》卷三)

　　陈群与曹真、司马懿等奉遗诏辅嗣主。(《魏志·陈群传》卷二十二、《魏志·文帝纪》卷二)

　　十七日，曹丕崩于嘉福殿，年四十（187—226）。《魏志·文帝纪》卷二："文帝天资文藻，下笔成章，博闻强识，才艺兼该；若加之旷大之度，励以公平之诚，迈志存道，克广德心，则古之贤主，何远之有哉！"《魏志·文帝纪》卷二裴注引《魏书》："帝初在东宫，疫疠大起，时人凋伤，帝深感叹，与素所敬者大理王朗书曰：'生有七尺之形，死唯一棺之土，唯立德扬名，可以不朽，其次莫如著篇籍。疫疠数起，士人凋落，余独何人，能全其寿？'故论撰所著《典论》、诗赋，盖百余篇，集诸儒于肃城门内，讲论大义，侃侃无倦。常嘉汉文帝之为君，宽仁玄默，务欲以德化民，有贤圣之风。时文学诸儒，或以为孝文虽贤，其于聪明，通达国体，不如贾谊。帝由是著《太宗论》曰：'昔有苗不宾，重华舞以干戚；尉佗称帝，孝文抚以恩德；吴王不朝，锡之几杖以抚其意，而天下赖安。乃弘三章之教，恺悌之化，欲使曩时累息之民，得阔步高谈，无危惧之心。若贾谊之才敏，筹画国政，特贤臣之器，管、晏之姿，岂若孝文大人之量哉！'三年之中，以孙权不服，复颁《太宗论》于天下，明示不愿征伐也。他日又从容言曰：'顾我亦有所不取于汉文帝者三：杀薄昭；幸邓通；慎夫人衣不曳地，集上书囊为帐帷。以为汉文俭而无法，舅后之家，但当养育以恩而不当假借以权，既触罪法，又不得不害矣。'其欲秉持中道，以为帝王仪表者如此。"

魏皇太子曹睿即位，是为魏明帝。（《魏志·明帝纪》卷三）

六月

陈群以暑热谏明帝为文帝送葬。（《魏志·文帝纪》卷二裴注引《魏氏春秋》）

王朗以暑热谏明帝为文帝送葬。（《魏志·文帝纪》卷二裴注引《魏氏春秋》）

曹丕葬首阳陵。（《魏志·文帝纪》卷二）

吴质作《思慕诗》。（《魏志·王粲传》卷二十一裴注引《质别传》）

曹植作《文帝诔》《上文帝诔表》。《魏志·文帝纪》卷二裴注："鄄城侯植为诔曰：'惟黄初七年五月七日，大行皇帝崩，呜呼哀哉！'"按，潘眉《三国志考证》谓"七"字前脱一"十"字。表，今存一句。曹丕五月崩，"六月庚寅，葬首阳陵"，诔及表盖作于是月。

刘劭作《文帝诔》；出为陈留太守。（《魏志·刘劭传》卷二十一）

高堂隆为给事中、博士、驸马都尉，上言不宜飨会。（《魏志·高堂隆传》卷二十五）

王朗封兰陵侯；上疏谏营修宫室。《魏志·王朗传》卷十三："明帝即位，进封兰陵侯。……使至邺省文昭皇后陵，见百姓或有不足。是时方营修宫室，朗上疏谏曰……转为司徒。"按，王朗上疏显然在封侯与转司徒之间，为此年事；《资治通鉴》卷七十系于太和元年二月，乃误视王朗奉使"至邺省文昭皇后陵"与《魏志·明帝纪》卷三"太和元年……二月……辛巳，立文昭皇后陵寝于邺"为一，其实前者乃如《魏志·后妃传》卷五所述"明帝即位，有司请追谥，使司空王朗持节奉策以太牢告祠于陵"，是专程赴邺祭祀甄氏陵墓并追奉谥号；后者则为"别立寝庙"（《后妃传》）。故前者王朗仍为司空而未转司徒也，其时当在六月。

王昶加扬威将军，赐关内侯；始著《治论》《兵书》。（《魏志·王昶传》卷二十七）

十二月

华歆进封博平侯,转拜太尉;称病乞退,逊位让管宁。(《魏志·明帝纪》卷三、《魏志·华歆传》卷十三、《魏志·管宁传》卷十一)

陈群封颍阴侯,拜司空;又荐管宁。(《魏志·陈群传》卷二十二、《魏志·明帝纪》卷三)按,裴注于《魏志·管宁传》卷十一"太尉华歆逊位让宁"句下引《傅子》谓"司空陈群又荐宁曰",当为同时之事。

曹睿作《喻指华歆诏》。(《魏志·华歆传》卷十三)

缪袭为散骑常侍,奉诏喻指华歆不得乞退。(《魏志·华歆传》卷十三)

曹睿诏以管宁为光禄勋,又诏青州刺史以礼发遣管宁。(《魏志·管宁传》卷十一)

蒋济赐爵关内侯。按,《魏志·蒋济传》卷十四云"明帝即位,赐爵关内侯",明帝五月即位,大行封赏似在此月,姑系于此。

王朗转司徒;上疏议屡失王子。(《魏志·明帝纪》卷三)

曹睿作《报王朗》。(《魏志·王朗传》卷十三)

曹植《辅臣论》或作于此时。按,《魏志·明帝纪》卷三:"(黄初七年)十二月,以太尉钟繇为太傅,征东大将军曹休为大司马,中军大将军曹真为大将军,司徒华歆为太尉,司空王朗为司徒,镇军大将军陈群为司空,抚军大将军司马宣王为骠骑大将军。"此七人恰为曹植是文论赞的对象,其中曹休、陈群、曹真、司马懿尚为曹丕临终顾命、诏辅嗣主之重臣。是文盖作于明帝诏封七人之时。

是年

士燮卒,年九十(137—226)。(《吴志·士燮传》卷四十九)

诸葛亮四十六岁,作《与子度(孟达)书》。(《蜀志·费诗传》卷四十一、《蜀志·李严传》卷四十)

孟达得蜀李严《与子度书》及诸葛亮书,遂与诸葛亮数相交通,辞欲叛魏。(《蜀志·李严传》卷四十)

薛综为合浦、交阯太守;从吕岱讨士徽;守谒者仆射。按,《吴志·薛综传》卷五十三云:"除合浦、交阯太守。时交土始开,刺史吕岱率师讨伐,综与俱行,越海南征,及到九真。事毕还都,守谒者仆射。"《吴志·吕岱传》卷六十谓士燮卒,其子徽自署交阯太守,吕岱发兵斩徽,薛综为太守、守谒者仆射当在此年。

应璩三十七岁,为散骑常侍,作书与刘靖。按,《魏志·王粲传》卷二十一裴注引《文章叙录》云"文、明帝世,历官散骑常侍",则应璩至迟应于此年为散骑常侍;《魏志·刘馥传》卷十五云"散骑常侍应璩书与靖曰",应书写在其为散骑常侍时,姑系于此。

诸葛恪二十四岁,嘲啁蜀使费祎;诸葛恪作《磨赋》,费祎作《麦赋》。《吴志·诸葛恪传》卷六十四裴注引《恪别传》:"权尝飨蜀使费祎,先逆敕群臣:'使至,伏食勿起。'祎至,权为辍食,而群下不起。祎啁之曰:'凤皇来翔,骐驎吐哺;驴骡无知，伏食如故。'恪答曰：'爰植梧桐，以待凤皇；有何燕雀，自称来翔？何不弹射，使还故乡！'祎停食饼，索笔作《麦赋》，恪亦请笔作《磨赋》，咸称善焉。"《蜀志·费祎传》卷四十四："亮以初从南归，以祎为昭信校尉使吴。孙权性既滑稽，嘲啁无方，诸葛恪、羊衜等才博果辩，论难锋至，祎辞顺义笃，据理以答，终不能屈。"按，《费祎传》所谓"亮以初从南归"，指其南征四郡后还成都，《蜀志·后主传》卷三十三谓在建兴三年十二月，则使费祎使吴或在建兴四年，姑系于此。

曹睿二十二岁，又作《手报司马芝》。（《魏志·司马芝传》卷十二）

卫觊进封阌乡侯，奏请置律博士；上疏言为君制臣之道；受诏典著作，为《魏官仪》。（《魏志·卫觊传》卷二十一）按，卫觊奏请置律博士事，《资治通鉴》卷七十一系于太和三年十月，当依本传。

杜预五岁，丧祖父（杜畿）。（《魏志·杜畿传》卷十六裴注引《魏氏春秋》）

王弼生（226—249）。（《魏志·钟会传》卷二十八裴注引何劭《王弼传》）王弼，字辅嗣，山阳高平（今河南焦作）人。幼而聪慧，年十余岁，好《老氏》。通辩能言，辞才逸辩。性和理，乐游宴，解音律，善投壶。正始中，补台郎；曾为尚书郎。"著《道略论》，注《易》，往往有高丽言"，又"注《老子》，为之指略，致有理统"。太原王济好谈，病《老》《庄》，常云"见弼《易注》，所悟者多"。正始十年病卒。（《魏志·钟会传》卷二十八及裴注、裴注引何劭《王弼传》）《隋书·经籍志》卷三十二："《周易》十卷，魏尚书郎王弼注。……王弼又撰《易略例》一卷。……《论语释疑》三卷，王弼撰。"同书卷三十四："《老子道德经》二卷，王弼注。"卷三十五："梁有《王弼集》五卷，录一卷。……亡。"严可均《全三国文》卷四十四收其文二篇。

第十一章
魏明帝太和元年至魏元帝咸熙二年（227—265）共 39 年

·引　言·

刘勰《文心雕龙·时序第四十五》："至明帝纂戎，制诗度曲；征篇章之士，置崇文之观；何、刘群才，迭相照耀。少主相仍，唯高贵英雄；顾盼合章，动言成论。于时正始余风，篇体轻澹；而嵇、阮、应、缪，并驰文路矣。"

公元 227 年　（魏明帝曹睿太和元年　蜀汉后主刘禅建兴五年　吴大帝孙权黄武六年　丁未）

正月

曹睿改元太和；郊祀曹操，宗祀曹丕。（《魏志·明帝纪》卷三）

曹植作《慰情赋》。按，《慰情赋序》云："黄初八年正月雨，而北风飘寒，园果堕冰，枝干摧折。"史无黄初八年，当为太和元年。"八"，或为"六"之残讹？难考，姑系于此。

三月

诸葛亮率诸军北驻汉中，临发，作《前出师表》《为后帝伐魏诏》；兵屯沔北阳平石马，作《与张裔书》《称姚伷教》《黜来敏教》。（《蜀志·诸葛亮传》卷三十五、《蜀志·后主传》卷三十三裴注引《诸葛亮集》《资治通鉴》卷七十、《蜀志·杨洪传》卷四十一、《蜀志·来敏传》卷四十二）

四月

缪袭作《奏对诏问外祖母服汉旧云何》。《通典》卷八十一《礼》四十一《凶》三："魏太和六年四月，明帝有外祖母安成乡敬侯夫人之丧，即甄后母也。……诏问：'汉旧仪云何？'散骑常侍缪袭奏……"按，《魏志·后妃传》卷五谓甄后母卒于太和元年四月，《通典》"六年"当为"元年"之讹。

曹植徙封浚仪。（《魏志·陈思王植传》卷十九）

八月

曹睿又诏征管宁。(《魏志·管宁传》卷十一)

秋

曹植《吁嗟篇》疑作于此时。按，裴松之谓"植常为琴瑟调歌，辞曰……"，辞即为是歌。歌中自喻"转蓬"，"东西经七陌，南北越九阡"、"当南而更北，谓东而反西"、"飘飖周八泽，连翩历五山"云云，似是多次迁徙后作；"流转无恒处，谁知吾苦艰！愿为中林草，秋随野火燔"云云，又为情绪最低沉时。彼于徙东阿时所作《迁都赋序》中称"号则六易，居实三迁，连遇瘠土，衣食不继"，徙浚仪正为其三迁后境域、情绪最坏时，故卞氏为其选定田肥桑茂之东阿时，其心始转兴奋。姑系是歌于此，当有以也。

十一月

管宁获八月征召之诏，以病未行。(《魏志·管宁传》卷十一)

十二月

孟达见司马懿遣使劝其入朝，遂反。(《魏志·明帝纪》卷三及裴注引《魏略》)

司马懿奉命讨孟达。(《魏志·明帝纪》卷三)

是年

王朗以王凌不遣王基，作《劾州书》。(《魏志·王基传》卷二十七)

陈群约六十岁，上疏劝明帝崇德布化；与崔林议冀州人士，贬崔琰"智不存身"。按，前事载《魏志·陈群传》卷二十二，谓在"帝初莅政"时；后事载《魏志·崔琰传》卷十二裴注引《魏略》，谓在"明帝时"，姑系于此。

王基约二十六岁，王朗辟之，王凌不遣。《魏志·王基传》卷二十七："顷之，司徒王朗辟基，凌不遣。"按，《魏志·明帝纪》卷三谓王朗黄初七年十二月为司徒，太和二年十一月卒，其辟王基太和元年、二年间，姑系于此。

曹睿二十三岁，命改汉《短箫铙歌》十二曲，使缪袭为词。《晋书·乐志》卷二十三："汉时有《短箫铙歌》之乐，其曲有《朱鹭》……等曲，列于鼓吹，多序战阵之事。及魏受命，改其十二曲，使缪袭为词，述以功德代汉。改《朱鹭》为《楚之平》，言魏也；改《思悲翁》为《战荥阳》，言曹公也；改《艾如张》为《获吕布》，言曹公东围临淮，擒吕布也；改《上之回》为《克官渡》，言曹公与袁绍战，破之于官渡也；改《雍离》为《旧邦》，言曹公胜袁绍于官渡，还谯收葬死亡士卒也；改《战城南》为《定武功》，言曹公初破邺，武功之定始乎此也；改《巫山高》为《屠柳城》，言曹公越北塞，历白檀，破三郡乌桓于柳城也；改《上陵》为《平南荆》，言曹公破荆州也；改《将进酒》为《平关中》，言曹公征马超，定关中也；改《有所思》为《应帝期》，言文帝以圣德受命，应运期也；改《芳树》为《雍熙》，言魏氏临其国，君臣雍穆，庶绩咸熙也；改《上邪》为《太和》，言明帝继体承统，太和改元，德泽流布也。其余并同旧名。"

何晏以浮华好色为曹睿抑黜。（《魏志·曹爽传》卷九及裴注引《魏略》）

董遇入为侍中。（《魏志·王肃传》卷十三裴注引《魏略》）

毌丘俭为尚书郎。（《魏志·毌丘俭传》卷二十八）

傅嘏十九岁，与荀粲亲善；远何晏、邓飏、夏侯玄三人；为司空掾，作《请立贵嫔为皇后表》。《魏志·荀彧传》卷十裴注引《晋阳秋》："何劭为粲传曰：……太和初，（荀粲）到京邑与傅嘏谈。嘏善名理而粲尚玄远，宗致虽同，仓卒时或有格而不相得意。裴徽通彼我之怀，为二家骑驿，顷之，粲与嘏善。夏侯玄亦亲。常谓嘏、玄曰：'子等在世途间，功名必胜我，但识劣我耳！'嘏难曰：'能盛功名者，识也。天下孰有本不足而末有余者邪？'粲曰：'功名者，志局之所奖也。然则志局自一物耳，固非识之所独济也。我以能使子等为贵，然未必齐子等所为也。'粲常以妇人者，才智不足论，自宜以色为主。骠骑将军曹洪女有美色，粲于是娉焉，容服帷帐甚丽，专房欢宴。历年后，妇病亡，未殡，傅嘏往唁粲；粲不哭而神伤。嘏问曰：'妇人才色并茂为难。子之娶也，遗才而好色。此自易遇，今何哀之甚？'粲曰：'佳人难再得！顾逝者不能有倾国之色，然未可谓之易遇。'痛悼不能已，岁余亦亡，时年二十九。"《魏志·傅嘏传》卷二十一裴注引《傅子》："是时何晏以材辩显于贵戚之间，邓飏好变通，合徒党，鬻声名于闾阎，而夏侯玄以贵臣子少有重名，为之宗主，求交于嘏而不纳也。嘏友人荀粲，有清识远心，然犹怪之。谓嘏曰：'夏侯泰初一时之杰，虚心交子，合则好成，不合则怨至。二贤不睦，非国之利，此蔺相如所以下廉颇也。'嘏答之曰：'泰初志大其量，能合虚声而无实才。何平叔言远而情近，好辩而无诚，所谓利口覆邦国之人也。邓玄茂有为而无终，外要名利，内无关钥，贵同恶异，多言而妒前；多言多衅，妒前无亲。以吾观此三人者，皆败德也。远之犹恐祸及，况昵之乎？'"按，《傅子》所言事盖在傅嘏仕前，姑附于此。又，《魏志·傅嘏传》卷二十一云"嘏弱冠知名，司空陈群辟为掾"，陈群去岁十二月为司空，"贵嫔"当指毛皇后，《魏志·后妃传》卷五谓"明悼毛皇后……及即帝位，以为贵嫔。太和元年（《明帝纪》谓在十一月），立为皇后"，傅嘏为掾当在此期间，姑系于此。

李康作《游山九吟》。《文选·运命论》卷五十三李注引《集林》："李康……著《游山九吟》，魏明帝异其文，遂起家为寻阳长。"按，《太平御览》卷五百八十六引《魏书》殆同，惟云"字萧远"，"起家为隰阳长"，未知孰是。又，《北堂书钞》卷一百引《嵇康集》作"康作《游山九吟》"，恐非。今从《文选》李注，姑系于明帝初。李康（？—？），字萧远，或作肃远，中山（今河北定县）人。性介立，不能和俗。曾为寻阳长，迁隰阳侯。政有美绩，病卒。（《文选》卷五十三李注）《隋书·经籍志》卷三十五："（梁又有）隰阳侯《李康集》二卷，录一卷。……亡。"严可均《全三国文》卷四十三收其文三篇。

桓范或于此年为中领军尚书；举荐徐宣为左仆射。按，《魏志·曹爽传》卷九裴注引《魏略》云"明帝时为中领军尚书"，年月未详，姑定在明帝改元之年。举荐徐宣，《魏志·徐宣传》卷二十二谓在"明帝即位"时。

谢承约于此年迁长沙东部都尉。按，《吴志·谢夫人传》卷五十云"（承）稍迁长沙东部都尉"，年月未详，姑定在其为五官郎中五年后。

杜挚此年前后作《笳赋》，为司徒军谋吏。按：《魏志·刘劭传》卷二十一裴注引《文章叙录》云"初上《笳赋》，署司徒军谋吏"，年月未详，严可均《全三国文》卷四十一注谓其人仕于明帝时，姑系于此。杜挚（？—238？），字德鲁，河东闻喜（今属山西）人。先署司徒军谋吏，后举孝廉，除郎中，转补校书。卒于秘书。（《魏志·刘劭传》卷二十一裴注引《文章叙录》）《隋书·经籍志》卷三十五："魏校书郎《杜挚集》二卷。"严可均《全三国文》卷四十一收其文一篇，丁福保《全三国诗》卷三收其诗二首。

李密四岁，母改嫁，依祖母刘氏。（李密《陈情表》）

公元 228 年 （魏明帝曹睿太和二年 蜀汉后主刘禅建兴六年 吴大帝孙权黄武七年 戊申）

正月

孟达败于司马懿，见杀（？—228）。（《魏志·明帝纪》卷三）

春

诸葛亮攻魏，失街亭，退还汉中；斩马谡，自贬三等，为右将军，作《论斩马谡》《街亭自贬疏》。（《蜀志·马良传》卷三十九裴注引《襄阳记》《蜀志·诸葛亮传》卷三十五）

曹睿行幸长安；露布天下并班告益州。（《魏志·明帝纪》卷三及裴注引《魏略》）

四月

谣传曹睿崩，群臣迎立曹植；曹睿还洛阳宫，于流言亦无可奈何。《魏志·明帝纪》卷三裴注引《魏略》："是时讹言，云帝已崩，从驾群臣迎立雍丘王植。京师自卞太后群公尽惧。及帝还，皆私察颜色。卞太后悲喜，欲推始言者，帝曰：'天下皆言，将何所推？'"

曹植《怨歌行》或作于此时。按，《怨歌行》用《尚书·金縢》典故，述周公辅成王，群弟造流言，谓其将篡位，待启金縢，忠贞方现，婉言"为臣良独难"之旨，盖与上月"迎立雍丘王植"之流言相关，当欲以诗自明，疑为此时之作。是诗，《乐府诗集》卷四十二引《技录》《乐府解题》谓之"古辞"，《太平御览》卷六百二十三引作"古诗"，姑存其疑。

五月

曹植作《喜雨诗》。按，《北堂书钞》卷一百五十六引"太和二年大旱，三麦不收，百姓分于饥饿"，丁晏《曹集诠评》疑为系《喜雨诗》序，所疑当是。诗中云"嘉种盈膏壤，登秋必有成"，当为夏时之作。

六月

曹睿诏尊儒学。（《魏志·明帝纪》卷三）

九月

曹植还雍丘，作《求自试表》《大司马曹休诔》。按，《魏志·陈思王植传》卷十九："（太和）二年，复还雍丘。植常自愤怨，抱利器而无所施，上疏求自试。"接载表文。又，《魏志·曹休传》卷九："太和二年……休因此痈发背薨。"《资治通鉴》卷七十一系曹休卒于此年九月，曹诔当作于此时。

蒋济表谓曹休向皖不利，又上疏请急诏诸军往救曹休；迁中护军，又上疏请勿令中书监、令专任，作《与卫臻书》。按，事载《魏志·蒋济传》卷十四，上表与疏均在曹休率军向皖时，《魏志·明帝纪》卷三谓在此年九月。又，蒋济为中护军，本传叙在此月曹休兵败后，而《魏志·卫臻传》卷二十二则于此年春诸葛亮寇天水前称"中护军蒋济遗臻书"，未知孰是，姑从本传。

曹睿作《壮蒋济诏》。（《魏志·蒋济传》卷十四）

十月

曹植《朔风诗》《请招降江东表》或作于此时。按，《朔风》诗作于何时，诸注家争议颇大。详诗意，疑作于黄初六年。诗云"昔我初迁，朱华未晞；今我旋止，素雪云飞"，"初迁"，谓黄初四年首迁雍丘，时为七月；"朱华"，荷花，荷花将谢未谢时，正为七月；"今我旋止"，承上"初迁"，所指自然为同一地点雍丘，"素雪云飞"，为此年冬。"昔我同袍，今永乖别"，盖伤已逝之曹彰，曹彰生前极欲立曹植为帝，故其卒最令曹植伤感。全诗慨叹远离京都、知己长逝、身如蓬飞，系于此时，当亦合耳。《请招降江东表》似非全璧，所存虽建言遣使招降江东，然亦有言尺蠖求伸、请缨自试之意，与《求自试表》之作当相接续。《求自试表》有语云"流闻东军失备。师徒小衄，辍食忘餐，奋袂攘衽，抚剑东顾，而心已驰于吴会矣"，此正为《请招降江东表》之张本，疑为此时之作也。

十一月

王朗卒（？—228）。（《魏志·明帝纪》卷三）

诸葛亮作《后出师表》。（《魏志·诸葛亮传》卷三十五裴注引《汉晋春秋》《资治通鉴》卷七十一）按，《蜀志·诸葛亮传》卷三十五裴注谓"此表，《亮集》所无，出张俨《默记》"。

十二月

诸葛亮引兵出散关，复攻魏，粮尽而还。（《蜀志·诸葛亮传》卷三十五）

是年

卢毓四十六岁，迁安平太守。按，事载《魏志·卢毓传》卷二十二，年月未详，姑定在左迁两年后。

骆统卒，年三十六（193—228）。（《吴志·骆统传》卷五十七）

高堂隆约在此年为陈留太守。按，《魏志·高堂隆传》卷二十五云"迁陈留太守"，年月未详，姑系于其为驸马都尉二年后。

杜恕三十一岁，或于此年擢拜散骑侍郎，数月，转补黄门侍郎。按，《魏志·杜恕传》卷十六云"太和中为散骑黄门侍郎"，裴注引《杜氏新书》则云"明帝以恕大臣子，擢拜散骑侍郎，数月，转补黄门侍郎"，今从《杜氏新书》，姑定于此年任职。

韦昭二十五岁，此年前后为丞相掾。按，《吴志·韦曜传》卷六十五云"从丞相掾"，年月未详，姑定在其二十五岁时。

夏侯玄二十岁，为散骑黄门侍郎，左迁羽林监。（《魏志·夏侯玄传》卷九）

贾充十二岁，丧父（贾逵）。（《魏志·贾逵传》卷十五）

钟会四岁，受《孝经》。（《魏志·钟会传》卷二十八裴注引钟会《母传》）

公元 229 年 （魏明帝曹睿太和三年　蜀汉后主刘禅建兴七年　吴大帝孙权黄武八年　黄龙元年　己酉）

春

诸葛亮攻陷武都、阴平二郡；复为丞相；作《与兄瑾书》、其《答李严书》或作于此时。（《蜀志·诸葛亮传》卷三十五、《资治通鉴》卷七十一）按，《蜀志·李严传》卷四十"建兴八年"前，裴注引《诸葛亮集》称李严与诸葛亮书，劝其受九锡、进爵称王，诸葛亮遂作是书以辞，书当作于此时。

四月

吴王孙权称帝，改元黄龙，是为吴大帝，国号吴。（《吴志·吴主权传》卷四十七）

顾谭为辅正都尉。（《吴志·顾谭传》卷五十二、《资治通鉴》卷七十一）

胡综奉命作《黄龙大牙赋》《宾友目》。（《吴志·胡综传》卷六十二）

张昭举笏欲褒赞功德，孙权讥之曰"如张公之计，今已乞食矣"，张昭大惭，伏地

流汗；旋以老病辞官，更拜辅吴将军，改封娄侯。（《吴志·张昭传》卷五十二及裴注引《江表传》）

严畯为卫尉，使蜀，诸葛亮称之。（《吴志·严畯传》卷五十三）

六月

曹睿作《议追崇处士君号谥诏》。按《魏志·刘晔传》卷十四载此诏，严可均《全三国文》卷九注谓"太和三年六月"。

缪袭作《处士君号谥议》。按，缪袭当于此时同刘晔、卫臻等参与议论，宜系于此。

诸葛亮作《绝盟好议》《与兄谨言论陈震书》，遣陈震使吴，庆孙权正号，与吴约盟，交分天下。（《蜀志·陈震传》卷三十九、《蜀志·诸葛亮传》卷三十五裴注引《汉晋春秋》）

薛综难蜀使。《吴志·薛综传》卷五十三："西使张奉于权前列尚书阚泽姓名以嘲泽，泽不能答。综下行酒，因劝酒曰：'蜀者何也？有犬为独，无犬为蜀，横目苟身，虫入其腹。'奉曰：'不当复列君吴邪？'综应声曰：'无口为天，有口为吴，君临万邦，天子之都。'于是众坐喜笑，而奉无以对。"按，《吴志·后主传》卷四十七载此年六月"蜀遣卫尉陈震庆权践位"，未见张奉之名；然薛综语谓"君临万邦，天子之都"，当是孙权即帝位时事。或张奉为陈震之误乎？又，裴注引《江表传》称为蜀使费祎与诸葛恪事，未知孰是。

七月

曹睿作《禁外藩入嗣复顾私亲诏》。（《魏志·明帝纪》卷三）

九月

吴大帝孙权迁都建业。（《吴志·吴主权传》卷四十七）

十月

曹睿诏刑律用郑玄章句。（《晋书·刑法志》卷三十、《资治通鉴》卷七十一）

卫觊奏请置律博士。（《魏志·卫觊传》卷二十一、《资治通鉴》卷七十一）

曹睿准置律博士；诏删约汉法，制新律。（《晋书·刑法志》卷三十、《资治通鉴》卷七十一）

刘劭征拜骑都尉，与陈群、庾嶷、荀诜等定魏法，作《新律》十八篇、《州郡令》四十五篇，《尚书官令》《军中令》，合百八十余篇；著《律略论》。（《魏志·刘劭传》卷二十一、《晋书·刑法志》卷三十、《资治通鉴》卷七十一）

十二月

曹睿作《诏青州刺史礼遣管宁》。(《魏志·管宁传》卷十一)

曹植徙封东阿王，作《转封东阿王谢表》《迁都赋》《社颂》。按，《魏志》曹植本传云其"（太和）三年，徙封东阿"，《资治通鉴》卷七十一系其事于此年十二月。《转封东阿王谢表》称"奉诏：'太皇太后念雍丘下湿少桑，欲转东阿，当合王意！可遣人按行，知可居不？'奉诏之日，伏增悲喜"，据此可知徙封东阿，乃出于曹植生母卞氏之苦心。卞氏忧虑雍丘"下湿少桑"，故嘱孙明帝转封。《社颂序》云"余前封鄄城侯，转雍丘，皆遇荒土，宅宇初造。以府库尚丰，志在缮宫室，务园圃而已，农桑一无所营。经离十（当为'七'之讹）载，块然守空，饥寒倍尝。圣朝愍之，故奉此县。田乃一州之膏腴，桑则天下之甲第"，其中"此县"当指东阿，因东阿以产桑出缟闻名于世，《史记·李斯列传》称秦王服"阿缟之衣"，《水经注·河水》谓"（东阿）县出佳缯缣，故《史记》云秦昭王服太阿之剑、阿缟之衣也。"阿缟"即冠以"东阿"地名之上好缯缣，所谓"桑则天下之甲第"正与此合。又，《迁都赋序》云："余初封平原，转出临淄，中命鄄城，遂徙雍丘，改邑浚仪，而末将适于东阿。号则六易，居实三迁，连遇瘠土，衣食不继。"故是表、赋、颂皆作于此年。或谓《社颂》"此县"指"浚仪"，其实浚仪在曹植目中正属"衣食不继"的"瘠土"，非能当"田乃一州之膏腴，桑则天下之甲第"，故以此为据，系其颂于太和元年，恐不确耳。

诸葛亮徙府营于南山下原上，筑汉城于沔阳，筑乐城于成固。(《资治通鉴》卷七十一)

是年

卫觊卒，年约六十九（161？—229）。按，《晋书·卫瓘传》卷六称卫觊子卫瓘"年十岁丧父"，称其被杀"时年七十二"，《晋书·惠帝纪》卷四谓其晋惠帝永平元年（291）见杀，则卫瓘生于魏文帝黄初元年（220），其父卫觊卒于此年。

虞翻六十岁，在交州已九年，讲学不倦，门徒数百，注《老子》《论语》《国语》等；作《上吴帝书》。(《吴志·虞翻传》卷五十七及裴注引《翻别传》)

蒋济约四十七岁，上疏曰"宜遵古封禅"，曹睿诏曰："闻济斯言，使吾汗出流足。"《魏志·高堂隆传》卷二十五云："太和中，中护军蒋济上疏曰'宜遵古封禅'。诏曰：'闻济斯言，使吾汗出流足。'"按，蒋济去岁始任中护军，上疏事姑定在其一年后。

王肃三十六岁，拜散骑常侍。(《魏志·王肃传》卷十三)

诸葛恪二十七岁，转为左辅都尉。(《吴志·诸葛恪传》卷六十四、《吴志·孙登传》卷五十九)

范慎为吴太子孙登宾客。(《吴志·孙登传》卷五十九裴注引《吴录》)范慎（？—274），字孝敬，广陵（今江苏扬州东北）人。先为东宫宾客，后为侍中，出补武昌左部督。孙皓时，为太尉。凤凰三年卒。"著论二十篇，名曰《矫非》"。(《吴志·孙登传》卷五十九裴注引《吴录》)

羊祜九岁，习诗书。（羊祜《诫子书》）

钟会五岁，见蒋济，蒋济称其"非常人也"。《魏志·钟会传》卷二十八："会年五岁，繇遣见济，济甚异之，曰：'非常人也！'"《世说新语·言语》："钟毓兄弟小时，值父昼寝，因共偷服药酒。其父时觉，且托寐以观之。毓拜而后饮，会饮而不拜。既而问毓：'何以拜？'毓曰：'酒以成礼，不敢不拜。'又问会：'何以不拜？'会曰：'偷本非礼，所以不拜。'"按，《世说》所载偷饮酒事亦附于此。

公元230年　（魏明帝曹睿太和四年　蜀汉后主刘禅建兴八年　吴大帝孙权黄龙二年　庚戌）

二月

曹睿作《策试罢退浮华诏》。《魏志·明帝纪》卷三："诏曰：'世之质文，随教而变。兵乱以来，经学废绝，后生进趣，不由典谟。岂训导未洽，将进用者不以德显乎？其郎吏学通一经，才任牧民，博士课试，擢其高第者，亟用；其浮华不务道本者，皆罢退之。'"

曹睿又作《刊〈典论〉诏》，令太傅三公，以曹丕《典论》刻石，立于庙门之外。（《魏志·明帝纪》卷三、《魏志·三少帝纪》卷四裴注引《搜神记》）

王基为司马懿所辟，未至，擢为中书侍郎。按，事载《魏志·王基传》卷二十七，称司马懿为"大将军"，《魏志·明帝纪》卷三谓司马懿太和四年二月为大将军，姑系于此。

管宁获去岁十二月征召之诏，称草莽臣上疏，陈情辞召。（《魏志·管宁传》卷十一）

四月

钟会丧父。（《魏志·钟繇传》卷十三、《资治通鉴》卷七十一）

六月

曹植母卞太后崩。（《魏志·明帝纪》卷三）

曹睿省上庸郡。（《魏志·明帝纪》卷三）

夏

吴质卒，年五十四（177—230）。（《魏志·王粲传》卷二十一裴注引《质别传》）

七月

曹植母卞太后祔葬于高陵，曹植作《卞太后诔》《上卞太后诔表》。

陈群谏曹真欲从斜谷伐蜀，明帝从之；又谏曹真从子午道伐蜀。（《魏志·陈群传》

卷二十二、《魏志·曹真传》卷九、《资治通鉴》卷七十一）

曹睿命伐蜀。（《魏志·明帝纪》卷三）

夏侯霸为魏伐蜀军先锋。（《魏志·夏侯渊传》卷九裴注引《魏略》《蜀志·后主传》卷三十三）

八月

曹睿东巡；幸许昌宫。（《魏志·明帝纪》卷三）

诸葛亮次于成固赤坂以待魏兵。（《资治通鉴》卷七十一）

王肃作《谏大司马曹真征蜀疏》。（《魏志·王肃传》卷十三、《资治通鉴》卷七十一）

华歆作《愿陛下先留心于治道疏》。（《魏志·华歆传》卷十三）

曹睿作《报华歆》。（《魏志·华歆传》卷十三）

九月

陈群建言魏军班师回朝，明帝从之。（《魏志·陈群传》卷二十二）

曹睿诏魏军班师回朝。（《魏志·明帝纪》卷三）

十月

曹睿还洛阳宫，令"罪非殊死听赎"。（《魏志·明帝纪》卷三）

十二月

曹睿诏举贤良。（《魏志·明帝纪》卷三）

诸葛亮以蒋琬为长史，作《称蒋琬》《举蒋琬密表》。（《蜀志·蒋琬传》卷四十四、《资治通鉴》卷七十一）

是年

高堂隆作《祀功臣议》。按，严可均《全三国文》卷三十一注谓在"太和四年"。

张温卒，年三十八（193—230）。（《吴志·张温传》卷五十七）

王肃三十七岁，作《宜遵旧礼疏》《陈政本疏》。（《魏志·王肃传》卷十三）

公元 231 年　（魏明帝曹睿太和五年　蜀汉后主刘禅建兴九年　吴大帝孙权黄龙三年　辛亥）

二月

诸葛亮复出祁山，以木牛运；作《作木牛流马法》《与蒋琬、董允书》。（《蜀志·

诸葛亮传》卷三十五及裴注引《亮集》《资治通鉴》卷七十二、《蜀志·陈震传》卷三十九）

三月

曹睿作《封曹真五子诏》。按，事载《魏志·曹真传》卷九，《魏志·明帝纪》卷三谓曹真卒于此年三月，曹诏当作于此时。

五月

诸葛亮使魏延等大败魏兵。（《蜀志·诸葛亮传》卷三十五、《资治通鉴》卷七十二）

六月

诸葛亮粮尽退兵，射杀张郃；作《弹李平表》《公文上尚书》《与李丰教》。（《蜀志·诸葛亮传》卷三十五、《资治通鉴》卷七十二、《蜀志·李严传》卷四十及裴注）

陈群言张郃死事，前后持论不一，曹睿笑谓"陈公可谓善变矣"。（《魏志·辛毗传》卷二十五裴注引《魏略》）

七月

曹睿生皇子曹殷。（《魏志·明帝纪》卷三）

曹植作《皇子生颂》《求通亲亲表》。按，《艺文类聚》卷四十五引作《皇太子生颂》，非。《魏志·陈思王植传》卷十九云"五年，复上疏求存问亲戚，因致其意"，下接此表。《资治通鉴》卷七十二系此事于是年七月。

夏侯玄作《皇胤赋》。按，赋当为皇子曹殷生作。

曹睿作《诏报东阿王植》。（《魏志·陈思王植传》卷十九、《资治通鉴》卷七十二）

曹植作《陈审举表》。按，《魏志·陈思王植传》卷十九中曹表紧系曹睿《诏报东阿王植》后，当作于其后不久。

八月

曹睿作《令诸王及宗室公侯各将适子一人朝诏》。（《魏志·明帝纪》卷三）

秋

曹植作《谏取诸国士息表》。按，《魏志·陈思王植传》卷十九裴注引《魏略》："是后大发士息，及取诸国士。植以近前诸国士息已见发，其遗孤稚弱，在者无几，而复被取，乃上书。"后接是表。此事叙在曹植等至京师前，姑系于是年秋。

十月

曹睿作《报满宠求留诏》。(《魏志·满宠传》卷二十六、《资治通鉴》卷七十二)

十二月

华歆卒，年七十五（157—231）。(《魏志·华歆传》卷十三、《资治通鉴》卷七十二)

冬

曹植《谢入觐表》或作于此时。按，此年八月明帝诏令诸侯朝聘，此年冬曹植诣京，是表有语云"将以梼杌之质，禀受崇圣之训"，疑作于曹植接诏之后入觐之前。

曹植与诸王至京师。(《魏志·陈思王植传》卷十九)

曹植作《谢赐柰表》。按，表中有云"柰以夏熟，今则冬至"，疑为此年冬入京受赐后作。

蒋济或于此年迁为护军将军，加散骑常侍。《魏志·蒋济传》卷十四云"就迁为护军将军，加散骑常侍"，年月未详，姑定在为中护军三年后。

吴大帝孙权改明年元为嘉禾。(《吴志·吴主传》卷四十七)

是年

韦诞五十三岁，除武都太守；转侍郎；撰《魏书》。《魏志·刘劭传》卷二十一裴注引卫恒《四体书势》云："太和中，诞为武都太守，以能书留补侍中。"姚振宗《隋书经籍志考证》卷三十九之三云："《三辅决录》佚文曰：'韦诞，字仲将，除武都太守，以书不得之郡；转侍中，典作《魏书》，号《散骑书》，一名《大魏书》，凡五十篇。'案此盖《决录》注文，其称《散骑书》者，当时号仲将所书；又云《大魏书》五十篇者，似因与修王沈《魏书》之事，其间似有脱文也。"按，韦诞守武都、转侍郎、撰《魏书》，为同年事，万斯同《魏将相大事年表》谓其始为侍中在此年。

薛综上疏请选交州刺史；迁镇军长史。(《吴志·薛综传》卷五十三、《吴志·吕岱传》卷六十)

诸葛亮五十一岁，作《答司马懿书》《与兄瑾言孙松书》。按，《魏志·温恢传》卷十五裴注引《魏略》谓"亮后出祁山，答司马宣王书"，前书当作于此年。后书载《吴志·孙翊传》卷五十一，传称孙松"黄龙三年卒"，书当作于此年。

卢毓四十九岁，为广平太守。按，《魏志·管宁传》卷十一载"太和中"广平太守卢毓遣主簿向张臶奉书致羊酒之礼事，姑定在为安平太守三年后。

高堂隆为散骑常侍，封关内侯；推校历法。按，《魏志·高堂隆传》卷二十五云"征隆为散骑常侍，赐爵关内侯"，裴注引《魏略》云其此时推校历法事，年月未详，姑定在其为侍中二年前。

孙该或于此年召为郎中，著《魏书》。按，《魏志·刘劭传》卷二十一裴注引《文章叙录》云"召为郎中，著《魏书》"，年月未详，姑以与韦诞撰《魏书》同时。孙该（？—261），字公达，任城（今山东济宁境内）人。年二十，上计掾，召为郎中。迁博士、司徒右长史、著作郎。"著《魏书》"，"亦著文、赋，颇传于世"。（《魏志·刘劭传》卷二十一及裴注引《文章叙录》）《隋书·经籍志》卷三十五："梁有……陈郡太守《孙该集》二卷，录一卷。……亡。"严可均《全三国文》卷四十收其文二篇。

杜挚举孝廉，除郎中。按，《魏志·刘劭传》卷二十一裴注引《文章叙录》云"后举孝廉，除郎中"，年月未详，其明帝初为司徒军谋史，约卒于景初二年（238），姑以太和五年为其除郎中之年。

毌丘俭迁羽林监。按，《魏志·毌丘俭传》卷二十八云"迁羽林监"，年月未详，姑定在为尚书郎四年后。

皇甫谧十七岁，未通经史。（章宗源《隋书经籍志考证》卷十三引《北堂书钞·武功部》）

裴秀八岁，能属文。（《魏志·裴潜传》卷二十三裴注引《文章叙录》《晋书·裴秀列传》卷三十五）

钟会七岁，诵《论语》。（《魏志·钟会传》卷二十八裴注引钟会《母传》）

成公绥生（231—273）。成公绥，字子安，东郡白马（今河南滑县东）人。幼而聪敏，博涉经传。性寡欲，不营资产，家贫岁饥，常晏如也。少有俊才，词赋甚丽，闲默自守，不求闻达。能文善赋，张华叹为绝伦。征为博士，历秘书郎，转丞，迁中书郎。每与张华受诏并为诗赋，又与贾充等参定法律。泰始九年卒，年四十三。"所著诗、赋、杂笔十余卷行于世"。（《晋书·文苑列传》卷九十二）《隋书·经籍志》卷三十五："晋著作郎《成公遂集》九卷，残缺。梁十卷。"张溥辑有《成公子安集》。严可均《全晋文》卷五十九收其文三十六篇。丁福保《全晋诗》卷一、卷二收其诗二十首。张溥："东郡成公子安赋心不若左太冲，史才不若袁彦伯，其在晋文苑，与庾仲初、曹辅佐，兄弟也。《啸赋》见贵于时，梁昭明登之《文选》，激扬啴缓，仿佛有声，然列于马融《长笛》、嵇康《琴赋》，亦弹而不成矣。赋少深致，而序各有思，读诸赋不如读其序也。乐歌施于廊庙，揆之《雅》《颂》，不知其中何篇也。晋世《郊庙》《燕射》《鼓吹》舞曲皆有词，其篇章见名者，傅玄、张华、荀勖、成公绥、曹毗、王珣耳。辞每雷同，傅稍出群，子安得与茂先接尘，其人幸甚。欲如汉《郊祀歌》之《练时日》，《鼓吹铙歌》之《朱鹭》，则真旷代矣。《隶势》善于说字，若有宫商綦组，亦陆机《文赋》之流乎！"（《汉魏六朝百三家集·成公子安集题词》）

公元232年 （魏明帝曹睿太和六年 蜀汉后主刘禅建兴十年 吴大帝孙权嘉禾元年 壬子）

正月

曹植作《元会诗》。按，《魏志·陈思王植传》卷十九："其年冬，诏诸王朝六年正月。其二月，以陈四县封植为陈王，邑三千五百户。植每欲求别见独谈，论及时政，幸冀试用，终不能得。既还，怅然绝望。"依此，曹植是年正月当在京与元日朝宴。曹植处藩后正月在京唯此一次，《元会诗》必作于此时。

曹睿作《与陈王植手诏》。按，曹诏云"王颜色瘦弱，何意耶？……宜当节水加餐"，似曾面见曹植，当作于曹植入京晋见时。

曹植作《答诏表》。按，曹表为回复曹睿手诏而作，故系于此。

二月

曹睿作《改封诸侯以郡为国诏》。（《魏志·明帝纪》卷三）

曹植封为陈王，作《改封陈王谢恩章》《谢妻改封表》。（《魏志·陈思王植传》卷十九）按，曹植二文当作于此年二月封陈王时。

曹睿女曹淑卒，作《诏陈王植》。《魏志·后妃传》卷五："太和六年，明帝爱女淑薨，追封谥淑为平原懿公主，为之立庙。"按，曹诏云"吾既薄才，至于赋诔特不闲，从儿陵上还，哀怀未散，作儿诔，为田家公语耳"，则当作于此时。《资治通鉴》卷七十二系曹淑卒于此年二月。

陈群上疏谏明帝欲自临送葬。（《魏志·陈群传》卷二十二、《资治通鉴》卷七十二）

曹植作《答诏示平原公主诔表》《平原懿公主诔》。按，曹表为对曹睿《诏陈王植》之回复，曹诔为曹淑卒而作，均当作于此时。

三月

曹睿东巡。（《魏志·明帝纪》卷三）

虞翻以使辽海无益，复徙苍梧猛陵。（《吴志·虞翻传》卷五十七裴注引《吴书》《资治通鉴》卷七十二）

四月

曹睿幸许昌宫。（《魏志·明帝纪》卷三）

五月

曹睿子曹殷卒，谥安平哀王。（《魏志·明帝纪》卷三）

九月

曹睿至摩陂，治许昌宫，起景福、承光殿。（《魏志·明帝纪》卷三）

韦诞作《景福殿赋》。按，韦赋当为此月景福殿落成而作。

何晏作《景福殿赋》。按，《文选》卷十一李善于此赋题下注云"魏明帝将东巡，恐夏热，故许昌宫作殿，名曰'景福'，既成，命人赋之，平叔遂有此作"，何赋云

"大哉惟魏，世有哲圣。……岁三月东巡狩，至于许昌"，李、何所云为明帝此年事；赋既作于景福殿"既成"之后，当作于此时。

夏侯惠作《景福殿赋》。按，夏侯赋当与韦、何二人之赋作于同时。

缪袭作《许昌宫赋》。按，缪赋《序》言及此年春明帝耕于籍田事，治许昌宫又在此月，赋当作于此月，下卞兰赋亦当作于同时。

卞兰作《许昌宫赋》。按，卞赋当与缪赋作于同时。

曹睿遣军征辽东。（《魏志·蒋济传》卷十四裴注引司马彪《战略》《资治通鉴》卷七十二）

曹植作《谏伐辽东表》。按，《魏志·蒋济传》卷十四载蒋济谏曹睿伐辽东事，曹表所谏理由与蒋疏相似，当作于同时。

十一月

曹植卒，年四十一（192—232）。《魏志·陈思王植传》卷十九："陈思文才富艳，足以自通后叶，然不能克让远防，终致携隙。《传》曰'楚则失之矣，而齐亦未为得也'，其此之谓软！"《魏志·陈思王植传》卷十九裴注引鱼豢曰："谚言'贫不学俭，卑不学恭'，非人性分也，势使然耳。此实然之势，信不虚矣。假令太祖防遏植等，在于畴昔，此贤之心，何缘有窥望乎？彰之挟恨，尚无所至，至于植者，岂能兴难？乃令杨修倚注遇害，丁仪亦希意族灭，哀夫！余每览植之华采，思若有神。以此推之，太祖之动心，亦良有以也。"

十二月

曹睿还许昌宫。（《魏志·明帝纪》卷三）

是年

诸葛亮五十二岁，劝农于黄沙，作流马木牛，交兵习武。（《蜀志·后主传》卷三十三）

蒋济约五十岁，谏伐辽东。（《魏志·蒋济传》卷十四裴注引司马彪《战略》）

董遇或于此年为大司农。按，《魏志·王肃传》卷十三裴注引《魏略》云"明帝时，入为……大司农"，年月未详，姑定在为侍中五年后。

陆凯三十五岁，此年前后拜建武都尉，虽为军职，仍手不释卷。按，《吴志·陆凯传》卷六十一云"拜建武都尉"，年月未详，其二十五岁时为永兴、诸暨长，四十五岁时为儋耳太守，姑以其三十五岁时为建武都尉。

郤正二十岁，为秘书吏。按，《蜀志·郤正传》卷四十二云"弱冠能属文，入为秘书吏"，本传谓其蜀汉景耀六年（263）为后主作降书，其时当官秘书令，而自弱冠为秘书吏至此职，即"自在内职，与宦人黄皓比屋周旋，经三十年"，则其为吏当在此年前后。

桓范或于此年迁征虏将军、东中郎将，持节都督青、徐诸军事。按，事载《魏志·曹爽传》卷九裴注引《魏略》，年月未详，姑定在为中领军尚书五年后。

　　谢承或于此年为武陵太守。按，《吴志·谢夫人传》卷五十云"稍迁……武陵太守"，年月未详，姑定在为长沙东部都尉五年后。

　　高堂隆作《告瑞玺议》。按，严可均《全三国文》卷三十一注谓"太和六年"。

　　薛综为贼曹尚书。按，《吴志·薛综传》卷五十三云"（孙）虑卒，入守贼曹尚书"，《吴志·孙虑传》卷十四谓孙虑"嘉禾元年卒"，故薛综当于此年为贼曹尚书。

　　羊祜十二岁，丧父。（《晋书·羊祜传》卷三十四）

　　李密九岁，多病，不行。（李密《陈情表》）

　　钟会八岁，诵《诗经》。（《魏志·钟会传》卷二十八裴注引钟会《母传》）

　　张华生（232—300）。张华，字茂先，范阳方城（今河北固安南）人。少孤贫，自牧羊。学业优博，辞藻温丽，朗赡多通，图纬方伎之书莫不详览。为人仗义，急人之难。阮籍叹为"王佐之才"。先为太常博士，后除佐著作郎，迁长史，兼中书郎。入晋，拜黄门侍郎，封关内侯，拜中书令，加散骑常侍。以平吴之功，封广武县侯。后进封壮武郡公，官至司空。永康元年（300）见杀。《隋书·经籍志》卷三十三："《神异经》一卷东方朔撰，张华。"同书卷三十四："《博物志》十卷张华撰。《张公杂记》一卷张华撰。梁有五卷，与《博物志》相似，小小不同。……《杂记》十一卷张华撰。"同书卷三十五："晋司空《张华集》十卷，录一卷。"张溥辑有《张茂先集》。严可均《全晋文》卷五十八收其文三十五篇。丁福保《全晋诗》卷一、卷二收其诗六十七首。张溥："张壮武博物君子，晋室老臣，弥缝暗主虐后之间，足称补衮。竟以犹豫族诛，横尸前殿，悲哉。壮武初未知名，作《鹪鹩赋》以寄意，感其不才善全，有庄周木雁之思。既赋《相风》《朽社》，亦踌躇于在高戒险，盛衰交心。及陟台司，不祥数见，中台星坼，少子韪劝其逊位，犹恋弗忍决。汉王京兆，不念牛衣，遂沈牢狱。然死以直谏，诚重泰山，壮武岂忘牧羊时乎？名位已极，笃于守经，徒为贾氏而死，适资人口耳！晁氏《书目》云：'《张司空集》有诗一百二十，哀词册文二十一，赋三。'今予所缀辑，赋数过之，文不及全，诗歌八十余，中间《拂舞》《白纻舞》《杯槃舞》诸篇，晋代无名氏之作，藏书家本亦有系之张司空者。然观其壮健顿挫，类非司空温丽之素。余诗平雅，近代诗家，深贬其博学为累，岂所谓听古乐而卧乎？壮武文章，赋最苍深，文次之，诗又次之。大抵去汉不远，犹存张、蔡之遗。《诗薮》论诗：'晋以下，若茂先《励志》，广微《补亡》，季伦吟叹等曲，尚有前代典刑。'余于司空诸文亦云。"（《汉魏六朝百三家集·张茂先集题词》）

公元 233 年 （魏明帝曹睿太和七年　青龙元年　蜀汉后主刘禅建兴十一年　吴大帝孙权嘉禾二年　癸丑）

二月

　　曹睿幸摩陂，改元青龙。（《魏志·明帝纪》卷三）

　　缪袭作《青龙赋》。按，缪赋当为此月曹睿观龙、改元而作。

刘劭作《龙瑞赋》。按，刘赋云："太和七年春，龙见摩陂"，指《明帝纪》所谓"青龙元年春正月甲申，青龙见郏之摩陂井中"，当作于改太和为青龙后，故系于此。

三月

曹睿诏举贤良笃行之士。（《魏志·明帝纪》卷三）

张昭谏孙权封公孙渊为燕王，君臣激争，孙权案刀而怒，张昭涕泣横流，孙权掷刀于地，与张昭对泣，然仍坚持己见；张昭忿言之不用，称疾不朝；孙权恨之，以土塞其门，张昭则于内以土封之。（《吴志·张昭传》卷五十二、《资治通鉴》卷七十二）

五月

曹睿诏诸郡国山川不在祠典者勿祠。（《魏志·明帝纪》卷三）

缪袭作《神芝赞》。按，缪赞曰"青龙元年五月庚辰，神芝产于长平之习阳"，赞当为此瑞而作。

六月

中护军蒋济上表言毕轨击鲜卑不利事。按，事载《魏志·曹爽传》卷九裴注引《魏略》，《魏志·明帝纪》卷三谓毕轨击鲜卑不利事在青龙元年六月。

八月

高堂隆迁侍中，领太史令。《魏志·高堂隆传》卷二十五："青龙中，大治殿舍，西取长安大钟。隆上疏曰……帝称善。迁侍中，犹领太史令。"王鸣盛《十七史商榷》卷四十谓"《李长吉歌诗》卷二《金铜仙人辞汉歌》自序以明帝徙盘为青龙元年八月事"，其说可从。

刘劭迁散骑常侍，谏征公孙渊。《魏志·刘劭传》卷二十一："迁散骑常侍。时闻公孙渊受孙权燕王之号，议者欲留渊计吏，遣兵讨之。劭以为'……宜加宽贷，使有以自新。'后渊果斩送权使张弥等首。"按，《吴志·吴主传》卷四十七谓嘉禾元年十月，孙权"加渊爵位"，以嘉禾二年正月孙权诏称"今使持节督幽州领青州牧辽东太守燕王"一事观之，"公孙渊受孙权燕王之号"当在嘉禾元年底；公孙渊露反孙权之形，裴注引《吴书》谓在嘉禾元年八月；斩吴使张弥等，《魏志·明帝纪》卷三谓在此年十二月。刘劭谏遣兵约在今春以后至十二月前，其为散骑常侍亦当在此期间，姑系于此。

十二月

薛综为尚书仆射，上疏谏孙权征公孙渊。（《吴志·薛综传》卷五十三、《吴志·吴主传》卷二、《资治通鉴》卷七十二）

孙权数慰张昭，以张昭犹不起，乃火烧其门，张昭更闭户；孙权使人灭火，张昭

子扶张昭起，孙权载以还宫；张昭不得已，乃与朝会。（《吴志·张昭传》卷五十二、《资治通鉴》卷七十二）

冬

诸葛亮使诸军运米，集斜谷口；治斜谷邸阁。（《蜀志·后主传》卷三十三）

是年

蒋济约五十一岁，议与吴战事。（《魏志·满宠传》卷二十六）

诸葛恪三十一岁，孙权令其守节度，掌粮谷；诸葛恪不喜此职。按，《吴志·诸葛恪传》卷六十四云"权甚异之，欲试以事，令守节度。节度掌军粮谷，文书繁猥，非其好也"，年月未详，以诸葛亮作书转托孙权勿令其管粮谷、明年即出任军职事观之，疑为此年事。

诸葛亮五十三岁，为侄诸葛恪职事，作《与陆逊书》，请勿令其掌管粮谷，孙权允之。《吴志·诸葛恪传》卷六十四裴注引《江表传》："诸葛亮闻恪代（徐）详，书与陆逊曰：'家兄年老，而恪性疏，今使典主粮谷，粮谷军之要最，仆虽在远，窃用不安。足下特为启至尊转之。'逊以白权，即转恪领兵。"按，明年诸葛恪拜抚越将军，当是孙权得诸葛亮请托后令其"领兵"，宜系于此。

桓范或于此年因与徐州刺史郑岐争屋，坐欲擅斩大臣，免官。按，事载《魏志·曹爽传》卷九裴注引《魏略》，年月未详，姑定在为东中郎将一年后。

韦昭三十岁，此年前后为西安令。按，《吴志·韦曜传》卷六十五云"除西安令"，年月未详，姑定在其三十岁时。

陈寿生（233—297）。陈寿，字承祚，巴西安汉（今四川南充）人。年少好学，师事谯周。仕蜀为观阁令史，以不肯阿附宦官黄皓，屡被谴黜。入晋后，张华爱其才，举为孝廉，除佐著作郎，出补阳平令。因进奏所撰《诸葛亮故事集》，除著作郎，领本郡中正。"撰魏、蜀、吴三国志，凡六十五篇，时人称其善叙事，有良史之才"。后举为中书郎，迁长广太守，辞不就。授御史治书，以母忧去职。后数岁，起为太子中庶子，未拜。元康七年病卒。曾"上《官司篇》七篇，依据典故，议所因革。又上《释讳》《广国篇》"，"又撰《古国志》五十篇，《益都耆旧传》十篇"，"凡寿所述作二百余篇"。（《华阳国志·陈寿传》卷十一、《晋书·陈寿传》卷八十二）《隋书·经籍志》卷三十三："《魏名臣奏事》四十卷，目一卷，陈寿撰。"同书卷三十五："梁有《汉名臣奏》三十卷，《魏名臣奏》三十卷，陈寿撰。……亡。"严可均《全三国文》卷七十一收其文二篇。永瑢等："《三国志》六十五卷，晋陈寿撰，宋裴松之注。寿事迹具《晋书》本传，松之事迹具《宋书》本传。凡《魏志》三十卷，《蜀志》十五卷，《吴志》二十卷。其书以魏为正统，至习凿齿作《汉晋春秋》，始立异议。自朱子以来，无不是凿齿而非寿。然以理而论，寿之谬万万无辞。以势而论，则凿齿帝汉顺而易，寿欲帝汉逆而难。盖凿齿时晋已南渡，其事有类乎蜀，为偏安者争正统，此孚于当代之论者也。寿则身为晋武之臣，而晋武承魏之统，伪魏是伪晋矣，其能行于当代哉？此

485

犹宋太祖篡立近于魏，而北汉、南唐迹近于蜀，故北宋诸儒皆有所避而不伪魏。高宗以后偏安江左近于蜀，而中原魏地全入于金，故南宋诸儒乃纷纷起而帝蜀。此皆当论其世，未可以一格绳也。惟其误沿《史记》周秦本纪之例，不托始于魏文，而托始曹操，实不及《魏书》叙纪之得体。是则诚可已不已耳。宋元嘉中，裴松之受诏为注，所注杂引诸书，亦时下己意。综其大致，约有六端：一曰引诸家之论以辨是非，一曰参诸书之说以核讹异，一曰传所有之事详其委曲，一曰传所无之事补其阙佚，一曰传所有之人详其生平，一曰传所无之人附以同类。其中往往嗜奇爱博，颇伤芜杂。如《袁绍传》中之胡母班本因为董卓使绍而见，乃注曰：'班尝见太山府君及河伯，事在《搜神记》，语多不载。'斯已赘矣。《钟繇传》中乃引陆氏《异林》一条，载繇与鬼神妇狎昵事。《蒋济传》中引《列异传》一条，载济子死为泰山伍伯，迎孙阿为泰山令事。此类凿空语怪，凡十余处，悉与本事无关，而深于史法有碍，殊为瑕颣，又其初意似亦欲如应劭之注《汉书》，考究训诂，引证故实。故于《魏志·武帝纪》'沮授'字则注'沮音菹'。'犷平'字则引《续汉书·郡国志》注'犷平，县名，属渔阳'。'甬道'字则引《汉书》高祖二年'与楚战，筑甬道'。'赘旒'字则引《公羊传》。'先正'字则引《文侯之命》。'释位字则引《左传》。'致届'字则引《诗》。'绥爰'字、'率俾'字、'昏作'字则引《书》。'纠虔天刑'字则引《国语》。至《蜀志·郤正传》'释诲'一篇，句句引古事为注，至连数简。……亦间有所辨证。其他传文句，则不尽然。然如《蜀志·廖立传》首，忽注其姓曰'补救切'。《魏志·凉茂传》中，忽引《博物记》注一'襁'字之类，亦间有之。盖欲为之而未竟，又惜所已成，不欲删弃，故或详或略，或有或无，亦颇为例不纯。然网罗繁富，凡六朝旧籍今所不传者，尚一一见其厓略。又多首尾完具，不似郦道元《水经注》、李善《文选注》皆剪裁割裂之文，故考证之家，取材不竭、转相引据者，反多于陈寿本书焉。"（《四库提要》卷四十五）

苏伯玉妻作《盘中诗》。 按，纪容舒《玉台新咏考异》曰："按《沧浪诗话》'盘中诗'为一体，注曰：'《玉台集》有此诗，苏伯玉妻作，写之盘中，屈曲成文也。'据此则此诗出处以《玉台新咏》为最古。当时旧本亦必明署苏伯玉妻之名，故沧浪云尔。宋刻于题上误佚其名，因而目录失载。冯氏校本遂改题傅玄之诗，殊为疏乖。又此诗列傅玄、张载之间，其为晋人无疑。《诗纪》《诗乘》并列之汉诗，亦未详所据。"纪氏说，是，姑从之，系于傅玄、张载二人生年之中。苏伯玉妻（？—？），未详。

公元234年 （魏明帝曹睿青龙二年 蜀汉后主刘禅建兴十二年 吴大帝孙权嘉禾三年 甲寅）

正月

薛综奉诏作《祝祖文》，众咸称善。 《吴志·薛综传》卷五十三："正月乙未，权敕综祝祖不得用常文，综承诏，卒造文义，信辞粲烂。权曰：'复为两头，使满三也。'综复再祝，辞令皆新，众咸称善。"按，传叙此事于嘉禾二年谏孙权征公孙渊后，仅云"正月乙未"，当是嘉禾三年，此年正月正有"乙未"日（十日）。

二月

曹睿作《减鞭杖之制诏》。(《魏志·明帝纪》卷三)

诸葛亮兵出斜谷，始以流马运粮；约吴同时攻魏。(《蜀志·后主传》卷三十三、《蜀志·诸葛亮传》卷三十五、《资治通鉴》卷七十二)

三月

曹睿素服哀悼山阳公（汉献帝）卒；作《甄皇后哀策文》。(《魏志·明帝纪》卷三、《魏志·后妃传》卷五裴注引《魏略》)

王肃作《可使称皇疏》。按，《魏志·王肃传》卷十三云"青龙中，山阳公薨，汉主也。肃上疏曰"，山阳公此年三月卒，王疏议其称号事，当作于此时。

四月

曹睿作《告祠文帝庙》《谥山阳公为孝献皇帝诏》《孝献皇帝赠册文》。(《魏志·明帝纪》卷三、裴注引《献帝传》)

诸葛亮至厓，军于渭南，屯五丈原，分兵屯田，为久驻之基；屡遣使致司马懿书，又致巾帼妇人之饰，以怒司马懿。(《蜀志·诸葛亮传》卷三十五、《资治通鉴》卷七十二、《魏志·明帝纪》卷三裴注引《魏氏春秋》)

曹睿作《诏司马懿》，令其坚壁拒守，以逸待劳。(《魏志·明帝纪》卷三)

五月

刘劭议击吴。按，《魏志·刘劭传》卷二十一云"青龙中，吴围合肥。……劭议以为贼众新至……"《魏志·明帝纪》卷三谓孙权围合肥在青龙二年五月，故刘劭所议当在此时。

六月

曹睿敕诸将坚守，欲自往击吴。(《魏志·明帝纪》卷三)

七月

曹睿亲御龙舟东征孙权，幸寿春；作《入贾逵祠诏》。(《魏志·明帝纪》卷三、《魏志·贾逵传》卷十五)

八月

曹睿犒劳诸军，还许昌宫。(《魏志·明帝纪》卷三)

诸葛恪拜抚越将军，领丹杨太守。(《吴志·诸葛恪传》卷六十四)

诸葛亮病于渭南军中，作《密表举蒋琬》。《蜀志·蒋琬传》卷四十四："（诸葛亮）密表后主曰：'臣若不幸，后事宜以付琬。'"按，《蜀志·诸葛亮传》卷三十五谓"其年（指建兴十二年）八月，亮疾病"，密表当在其病中、卒前。

诸葛亮卒，年五十四（181—234）。《蜀志·诸葛亮传》卷三十五："诸葛亮之为相国也，抚百姓，示仪轨，约官职，从权制，开诚心，布公道；尽忠益时者虽雠必赏，犯法怠慢者虽亲必罚，服罪输情者虽重必释，游辞巧饰者虽轻必戮；善无微而不赏，恶无纤而不贬；庶事精练，物理其本，循名责实，虚伪不齿；终于邦域之内，咸畏而爱之，刑政虽峻而无怨者，以其用心平而劝戒明也。可谓识治之良才，管、萧之亚匹矣。然连年动众，未能成功，盖应变将略，非其所长欤！"陈寿《进诸葛亮集表》："亮少有逸群之才，英霸之器，身长八尺，容貌甚伟，时人异焉。遭汉末扰乱，随叔父玄避难荆州，躬耕于野，不求闻达。时左将军刘备以亮有殊量，乃三顾亮于草庐之中；亮深谓备雄姿杰出，遂解带写诚，厚相结纳。及魏武帝南征荆州，刘琮举州委质，而备失势众寡，无立锥之地。亮时年二十七，乃建奇策，身使孙权，求援吴会。权既宿服仰备，又睹亮奇雅，甚敬重之，即遣兵三万人以助备。备得用与武帝交战，大破其军，乘胜克捷，江南悉平。后备又西取益州。益州既定，以亮为军师将军。备称尊号，拜亮为丞相，录尚书事。及备殂没，嗣子幼弱，事无巨细，亮皆专之。于是外连东吴，内平南越，立法施度，整理戎旅，工械技巧，物究其极，科教严明，赏罚必信，无恶不惩，无善不显，至于吏不容奸，人怀自厉，道不拾遗，强不侵弱，风化肃然也。当此之时，亮之素志，进欲龙骧虎视，苞括四海，退欲跨陵边疆，震荡宇内。又自以为无身之日，则未有能蹈涉中原、抗衡上国者，是以用兵不戢，屡耀其武。然亮才，于治戎为长，奇谋为短，理民之干，优于将略。而所与对敌，或值人杰，加众寡不侔，攻守异体，故虽连年动众，未能有克。昔萧何荐韩信，管仲举王子城父，皆忖己之长，未能兼有故也。亮之器能政理，抑亦管、萧之亚匹也，而时之名将，无城父、韩信，故使功业陵迟，大义不及邪？盖天命有归，不可以智力争也。青龙二年春，亮帅众出武功，分兵屯田，为久驻之基。其秋病卒，黎庶追思，以为口实。至今梁、益之民，咨述亮者，言犹在耳。虽《甘棠》之咏召公，郑人之歌子产，无以远譬也。孟轲有云：'以逸道使民，虽劳不怨；以生道杀人，虽死不忿。'信矣！论者或怪亮文彩不艳，而过于丁宁周至。臣愚以为咎繇大贤也，周公圣人也，考之《尚书》，咎繇之谟略而雅，周公之诰烦而悉。何则？咎繇与舜、禹共谈，周公与群下矢誓故也。亮所与言，尽众人凡士，故其文指不得及远也。然其声教遗言，皆经世综物，公诚之心，形于文墨，是以知其人之意理，而有补于当世。"《蜀志·诸葛亮传》卷三十五裴注引《袁子》："袁子曰：或问诸葛亮何如人也？袁子曰：张飞、关羽与刘备俱起，爪牙腹心之臣，而武人也。晚得诸葛亮，因以为佐相，而群臣悦服，刘备足信、亮足重故也。及其受六尺之孤，摄一国之政，事凡庸之君，专权而不失礼，行君事而国人不疑，如此即以为君臣百姓之心欣戴之矣。刑法严而国人悦服，用民尽其力而不怨。及其兵出入如宾，行不寇，刍荛者不猎，如在国中。其用兵也，止如山，进退如风，兵出之日，天下震动，而人心不忧。亮死至今数十年，国人歌思，如周人之思召公也。孔子曰'雍也可使南面'，诸葛亮有焉。"《蜀志·诸葛亮传》卷三十五裴注引《蜀记》："英哉吾子，独含天灵。岂神之祇，岂人之精？何思之深，何德之清！异世通梦，恨不同生。推子八陈，不在孙吴，木牛之奇，则亦般模，神弩之功，一何微妙！千井齐甃，又何秘要！昔在颠、天，有名无迹，孰若吾侪，良筹妙画？臧文既没，以言见称，又未若子，言行并征。夷吾反坫，乐毅不终，奚比于尔，明哲守冲。临终受寄，让过许由，负扆莅事，民言不流。刑中于郑，教美于鲁，蜀民知耻，河、渭安堵。匪皋则伊，宁彼管、晏，岂徒圣宣，慷慨屡叹！……惟子之勋，移风来世，咏歌余典，懦夫将厉。遐哉邈矣，厥规卓矣，凡若吾子，难可究已。"张澍《编辑诸葛忠武侯文集自序》："诸葛氏之相季汉也，九州鼎沸，尺土无阶，决策投眭，式启疆域，赤兑之日再中，谨慎之怀弥固，谓非伊、吕同俦而管、乐为伍哉！观其讨贼自效，北出南征，将穷诈力于瘴疠之乡，脱赤子于豺狼之吻，酋帅七禽，祁山六出，获慑天威，懿甘巾帼，斯其将略何如邪？若乃托孤受寄，忠荩笃挚，主不疑逼，下不忌倾，吏革奸顽，民安劳苦，秤心无轻重之倚，峻法泯秋毫之怨，此贤愚咸忘其身，仇敌亦仰其治与！倘天心祚汉，火井复然，虎视龙骧，吞吴并魏，绵金刀之甲子，拓玉垒之山川，吾知礼乐可兴，刑法可措，虽留侯之赞草创，高密之翊中兴，亦难方兹筹策，并乃宏观。何以渭滨之师未捷，郭坞之星遽陨，黄皓媚子，箕舌遂张，谯周老臣，降表斯送，岂非数哉！彼崔浩纤生，笑其委弃荆州，退入巴、蜀。诱夺刘璋，伪连孙氏，守穷崎岖之地，僭号边陲之间，可与赵佗为偶，难与萧、曹为亚；是乃莠言，不足置辩矣。昔司空张华谓李密曰："孔明言教何碎？"密曰："昔舜、禹、皋陶相与语，故得简而雅，诰与凡人言，宜碎。孔明与言者无己敌，言教是以碎耳。'呜呼！读忠武文者，当以是求之。"

谯周独赶往诸葛亮卒所吊唁。（《蜀志·谯周传》卷四十二）

杜琼以左中郎将，奉旨持节赠诸葛亮丞相武乡侯印绶，谥其为"忠武侯"。（《蜀志·诸葛亮传》卷三十五）

十一月

高堂隆作《地震对》。按，《魏志·明帝纪》卷三谓"（青龙二年）十一月，京都地震"，高对当作于此时。

十二月

曹睿诏有司删定大辟，减死罪。（《魏志·明帝纪》卷三）

是年

卢毓五十二岁，入为侍中；上论古今科律；为高堂隆狂直辩护。（《魏志·卢毓传》卷二十二）

曹睿三十岁，尚作《诫诲赵王干玺书》《诏下司空》。（《魏志·赵王干传》卷二十）按，严可均《全三国文》卷九注《诏下司空》谓"青龙二年"。

刘劭作《赵都赋》，曹睿称之，命其作《许都赋》《洛都赋》。《魏志·刘劭传》卷二十一："后渊果斩送权使张弥等首。劭尝作《赵都赋》，明帝美之，诏劭作《许都》《洛都赋》。时外兴军旅，内营宫室，劭作二赋，皆讽谏焉。"按，《魏志·明帝纪》卷三谓"（青龙元年）十二月，公孙渊斩送孙权所遣使张弥、许晏首"，故刘劭作赋疑在青龙元年十二月之后，姑系于此。

高堂隆尚作《瑞贽议》。按，严可均《全三国文》卷三十一注谓"青龙二年"。

夏侯惠为散骑黄门侍郎，举荐刘劭。按，《魏志·刘劭传》卷二十一云"时诏书博求众贤，散骑侍郎夏侯惠荐劭曰"，年月未详，惟此事叙于刘劭青龙二年五月议击吴与景初二年（238）作《都官考课》之间，姑系于此。夏侯惠（210?—246?），字稚权，沛国谯（今安徽亳县）人。幼以才学见称，善属奏议。官散骑黄门侍郎，迁燕相、乐安太守。年三十七卒。"著文赋，颇传于世"。（《魏志·夏侯渊传》卷九裴注引《文章叙录》《魏志·刘劭传》卷二十一）《隋书·经籍志》卷三十五："梁有……乐安太守《夏侯惠集》二卷，录一卷。亡。"严可均《全三国文》卷二十一收其文二篇。

杨戏为尚书右选部郎，旋转治中从事史。（《蜀志·杨戏传》卷四十五）杨戏（?—261），字文然，犍为武阳（今四川彭山东）人。少知名，诸葛亮深视之。历官主簿、尚书右选部郎、治中从事史、东曹掾、建宁太守、梓潼太守、射声校尉等。以忤姜维免为庶人。作有《季汉辅臣赞》。

皇甫谧二十岁，不好学；受继母教，就乡人席坦受书，勤力不怠。（《晋书·皇甫谧传》卷五十一）

钟会十岁，诵《尚书》。（《魏志·钟会传》卷二十八裴注引钟会《母传》）

王戎生（234—305）。（《晋书·王戎传》卷四十三）王戎，字濬冲，琅邪临沂（今属山东）人。"竹林七贤"之一。幼而颖悟，神彩秀彻。视日不眩，裴楷见而目之曰："戎眼灿灿，如岩下电。"有胆有识，与阮籍为忘年交。袭父爵，辟相国掾，历吏部黄门郎、散骑常侍、河东太守、荆州刺史，坐事免官，诏以赎论。迁豫州刺史，加建威将军，以伐吴之功，进爵安丰侯。征为侍中，迁光禄勋、吏部尚书，以母忧去职。后拜太子太傅，转中书令，加光禄大夫，迁尚书左仆射，领吏部，寻转司徒。以婿罪坐免官。惠帝反宫，为尚书令。为人好财，昼夜算计，加之吝啬，不自奉养，天下人谓之"膏肓之疾"。"家有好李，常出货之，恐人得种，恒钻其核，以此获讥于世"。然善清谈，有鉴识。卒谥元。（《晋书·王戎列传》卷四十三）

公元235年 （魏明帝曹睿青龙三年　蜀汉后主刘禅建兴十三年 吴大帝孙权嘉禾四年　乙卯）

三月

曹睿大治洛阳宫，起昭阳、太极殿，筑总章观。（《魏志·明帝纪》卷三）

高堂隆切谏，曹睿虽不听，然优容之。（《魏志·明帝纪》卷三）

陈群上疏谏营治宫室。（《魏志·陈群传》卷二十二、《魏志·明帝纪》卷三、《资治通鉴》卷七十三）

曹睿作《答陈群谏治宫室》《报高柔》《收考解弘诏》《原解弘诏》《报孙礼诏》

《皇后崩称大行诏》。(《魏志·陈群传》卷二十二、《魏志·高柔传》卷二十四、《魏志·孙礼传》卷二十四)按，陈、高、解、孙诸人均因此时兴建宫室事进谏，曹睿所作回应亦当为此时事。《皇后崩称大行诏》为郭后崩作，《明帝纪》谓此年正月郭后崩，三月"葬文德郭后"，曹诏当作于此时。

王基上疏谏盛修宫室。(《魏志·王基传》卷二十七、《资治通鉴》卷七十三)

毌丘俭出为洛阳典农，上疏劝谏崇美宫室。(《魏志·毌丘俭传》卷二十八)

曹睿不纳张茂谏言，惟顾左右曰"张茂恃乡里故也"。(《魏志·明帝纪》卷三裴注引《魏略》)

四月

杨戏辟东曹掾。按，《蜀志·杨戏传》卷四十五云"琬以大将军开府，又辟为东曹掾"，《蜀志·后主传》卷三十三谓蒋琬此月为大将军。

谯周徙典学从事。按，《蜀志·谯周传》卷四十二云"大将军蒋琬领刺史，徙为典学从事，总州之学者"，《蜀志·蒋琬传》卷四十四称其"领益州刺史，迁大将军"，迁大将军在此年四月，谯周徙职当在此时以后，姑系于此。

七月

高堂隆对诏问崇华殿灾及汉武帝时柏梁灾。按，事载《魏志·高堂隆传》卷二十五，《魏志·明帝纪》卷三谓青龙三年七月"洛阳崇华殿灾"，对诏问当在此时。

八月

曹睿立皇子曹芳为齐王，曹询为秦王；还洛阳宫。(《魏志·明帝纪》卷三)

高堂隆对帝问鹊巢陵霄阙。(《魏志·高堂隆传》卷二十五、《资治通鉴》卷七十三)

韦诞书陵霄观榜，作《奏题署》；告诫子孙勿复学书。《世说新语·巧艺》刘注引《四体书势》："诞善楷书，魏宫观多诞所题。明帝立陵霄观，误先定榜；乃笼盛诞，辘轳长絚引上，使就题之。去地二十五丈，诞甚危惧，乃戒子孙绝此楷法，著之家令。"按，"陵霄观"，亦称"陵霄阙"，《资治通鉴》卷七十三谓青龙三年八月始构，韦诞书榜当在此时。又，张彦远《法书要录》卷八张怀瓘《书断》中谓"青龙中"作《奏题署》，附系于此。

十一月

曹睿幸许昌宫。(《魏志·明帝纪》卷三)

董遇约卒于此年（？—235？）。按，《魏志·王肃传》卷十三裴注引《魏略》云"明帝时，入为侍中、大司农，数年，病亡"，年月未详，姑定在为大司农三年后。

王昶约三十八岁，奏进《治论》二十余篇、《兵书》十余篇。按，事载《魏志·

《王昶传》卷二十七，云"青龙中"奏进，青龙共五年，姑系此年。

杜恕三十八岁，此年前后作《请勿令刺史领兵疏》《不当复任吕昭以兵事疏》《议考课疏》《谏用廉昭疏》等。按，《魏志·杜恕传》卷十六云"恕在朝八年，其议论亢直，皆此类也"，杜恕自太和二年（228）在朝为官，至此年方为七年；以桓范耻于与吕昭共事、不屑为冀州牧事观之，吕昭领冀州似在此年，杜恕上疏劝谏疑在此年，余疏均为前后之作，姑系于此。桓范或于此年为兖州刺史，因不欲为冀州牧与妻口角，以刀环撞妻腹，其妻时怀孕，遂堕胎死。按，事载《魏志·曹爽传》卷九裴注引《魏略》，年月未详，姑定在其免官一年后。

高堂隆上言张掖瑞石事。按，《魏志·管宁传》卷十一载青龙四年辛亥诏云"张掖郡玄川溢涌，激波奋荡，宝石负图，状象灵龟。……太史令高堂隆上言"，《明帝纪》裴注引《魏氏春秋》系张掖宝石事于青龙三年，疑高堂隆言此事在此年，而曹睿次年引入诏中。

钟会十一岁，诵《易经》。（《魏志·钟会传》卷二十八裴注引钟会《母传》）

王弼年十岁余，好《老氏》，通辩能言。（《魏志·钟会传》卷二十八裴注引何劭《王弼传》）

公元 236 年　（魏明帝曹睿青龙四年　蜀汉后主刘禅建兴十四年 吴大帝孙权嘉禾五年　丙辰）

三月

张昭卒，年八十一（156—236）。（《吴志·张昭传》卷五十二、《资治通鉴》卷七十三）

四月

曹睿置崇文观，征善属文者以充之。（《魏志·明帝纪》卷三）

王肃以常侍领秘书监，兼崇文观祭酒。（《魏志·王肃传》卷十三）

六月

曹睿作《议狱务从宽简诏》。（《魏志·明帝纪》卷三）

十月

曹睿还洛阳宫。（《魏志·明帝纪》卷三）

高堂隆上疏论星孛于大辰。（《魏志·高堂隆传》卷二十五、《资治通鉴》卷七十三）

十二月

陈群卒，年约六十九（168? —236）。（《魏志·明帝纪》卷三）

曹睿幸许昌宫。(《魏志·明帝纪》卷三)

曹睿作《举才德兼备者诏》。(《魏志·王昶传》卷二十七、《资治通鉴》卷七十三)

王昶应德才兼备者选;作《戒子侄书》,愿子侄师徐干,勿慕刘桢。(《魏志·王昶传》卷二十七、《资治通鉴》卷七十三)

是年

杜恕三十九岁,出为弘农太守。按,《魏志·杜恕传》卷十六云"恕在朝八年……出为弘农太守",其太和二年(228)始在朝为官,至此年为八年。

曹睿三十二岁,尚作《宣下灵命瑞图诏》《赠谥徐宣诏》。(《魏志·管宁传》卷十一、《魏志·徐宣传》卷二十二)

毌丘俭迁荆州刺史。按,《魏志·毌丘俭传》卷二十八云"迁荆州刺史",年月未详,其去岁为洛阳典农,明年为幽州刺史,迁荆州刺史疑在此年。

杜挚转校书,作《赠毌丘俭》《赠毌丘荆州》。《魏志·刘劭传》卷二十一裴注引《文章叙录》云:"转补校书。挚与毌丘俭乡里相亲,故为诗与俭,求仙人药一丸,欲以感切俭求助也。……挚竟不得迁,卒于秘书。"按,杜诗称毌丘俭为"荆州",当为毌丘俭迁荆州刺史后作。若此,杜挚转校书当在此年。《赠毌丘荆州》诗与《赠毌丘俭》诗均云未伸之志、坎坷之哀,盖二诗为同时之作。

钟会十二岁,诵《春秋左氏传》《国语》。(《魏志·钟会传》卷二十八裴注引钟会《母传》)

何劭生(236—301)。何劭,字敬祖,陈国阳夏(今河南太康)人。先为中庶子,晋武帝即位,转散骑常侍,迁侍中尚书。惠帝后,为太子太师,通省尚书事。后转特进,累迁尚书左仆射。永康初,迁司徒。赵王伦篡位,为太宰。为人博学,善属文,陈说近代事,了若指掌。"所撰《荀粲》《王弼传》及诸奏议文章并行于世"。永宁元年薨,赠司徒,谥曰康。(《晋书·何劭列传》卷三十三)《隋书·经籍志》卷三十五:"梁有……太宰《何劭集》二卷,录一卷。"严可均《全晋文》卷十八收其文三篇。丁福保《全晋诗》卷二收其诗四首。

公元 237 年 (魏明帝曹睿青龙五年 景初元年 蜀汉后主刘禅建兴十五年 吴大帝孙权嘉禾六年 丁巳)

正月

顾谭议丧礼。(《吴志·吴主传》卷四十七)

胡综亦议丧礼。(《吴志·吴主传》卷四十七)

三月

高堂隆作《改正朔议》《服黄读令议》;论郊祀。按,《魏志·高堂隆传》卷二十五云"隆又以为改正朔，易服色，殊徽号，异器械，自古帝王所以神明其政，变民耳目"，所论为改元前事，二议与此一致，当作于此年春。又，《魏志·蒋济传》卷十四云"侍中高堂隆论郊祀事，以魏为舜后，推舜配天"，裴注谓"及至景初，明帝从高堂隆议，谓魏为舜后"，曹睿此年十月所作《禘郊诏》称"曹氏系世，出自有虞氏"，则高堂隆论郊祀似在此年，《蒋济传》称其为"侍中"，盖为迁光禄勋之前事，姑系于此。又，考《晋书·礼志》卷十九，《服黄读令议》亦为此时事，惟高堂隆侍中领太史令职误作散骑常侍领太史令耳。

曹睿作《改元景初以建丑月为正月诏》；改元，以青龙五年三月为景初元年四月。（《魏志·明帝纪》卷三及裴注引《魏书》）

五月

曹睿还洛阳宫。（《魏志·明帝纪》卷三）

六月

有司奏曹魏三祖所用之乐舞。（《魏志·明帝纪》卷三）

曹睿作《议定庙乐及舞诏》。（《魏志·明帝纪》卷三）

高堂隆迁光禄勋。《魏志·高堂隆传》卷二十五："帝从其议，改青龙五年春三月为景初元年孟夏四月。……迁光禄勋。……而辽东不朝，悼皇后崩，天作淫雨，冀州水出，漂没民物。"按，"辽东不朝"指此年七月公孙渊反，然则其迁光禄勋当在孟夏后、孟秋前，姑系于此。

七月

曹睿诏讨公孙渊；诏青、兖、幽、冀四州大作海船。（《魏志·明帝纪》卷三）

毌丘俭转幽州刺史，加度辽将军，使持节，护乌丸校尉；上疏陈克辽东之策；奉诏讨公孙渊，战不利，还。（《魏志·毌丘俭传》卷二十八、《魏志·卫臻传》卷二十二、《资治通鉴》卷七十三）

九月

曹睿后毛氏卒。（《魏志·明帝纪》卷三）

十月

曹睿葬毛后；营洛阳南委粟山为圜丘，作《禘郊诏》。（《魏志·明帝纪》卷三及裴注引《魏书》）

薛综作《移诸葛恪等劳军》。按，《吴志·诸葛恪传》卷六十四云"（诸葛恪）屡自求乞为官出之，三年可得甲士四万。……岁期，人数皆如本规。恪自领万人，余分给诸将。权嘉其功，遣尚书仆射薛综劳军。综先移恪等曰"，《吴志·吴主传》卷四十七谓"（嘉禾）三年……秋八月，以诸葛恪为丹杨太守"，诸葛恪请官丹杨前，发誓三年得甲士四万，如期果然；《吴志·吴主传》卷四十七谓此年十月"诸葛恪平山越事毕"，益证其守丹杨三年政绩卓著，薛综奉旨劳军、作文当在此时。

诸葛恪拜威北将军，封都乡侯；北屯庐江。按，《吴志·诸葛恪传》卷六十四云"拜恪威北将军，封都乡侯"，诸葛恪新职即薛综劳军后所拜。又，《吴志·吴主传》卷四十七谓此年十月"平山越事毕，北屯庐江"。

是年

尚书卫觊约七十七岁，上疏谏侈靡日崇。（《魏志·卫觊传》卷二十一、《资治通鉴》卷七十三）

卢毓五十五岁，为吏部尚书；对明帝问，进言"考绩之法废"而人才难辨；明帝遂纳其言，诏作考课法。按，《魏志·卢毓传》卷二十二谓卢毓在侍中职三年，诏命为吏部尚书，青龙二年（234）为侍中，至此年恰三年。又，卢毓对问及曹睿纳言、诏作考课法，《资治通鉴》卷七十四系于此年，今从之。

卞兰或卒于此年（？—237？）。按，《魏志·后妃传》卷五云"兰薨"，卒年未详，然裴注引《魏略》言其明帝时"苦酒消渴"而不肯饮巫女之"水方"，终致消渴而亡，知其卒于明帝世，姑系于此。

刘劭作《都官考课》《说略》《乐论》。《魏志·刘劭传》卷二十一："景初中，受诏作《都官考课》。……又以为宜制礼作乐，以移风俗，著《乐论》十四篇，事成未上。会明帝崩，不施行。"按，《资治通鉴》卷七十四系此事于景初元年，姑从之。

曹睿三十三岁，徙长安诸钟虡、骆驼、铜人、承露盘；作铜人翁仲司马门外；又铸黄龙、凤凰置内殿前；起土山，植树木于山上，养禽兽于园中；作《以卢毓为吏部尚书诏》；以董寻上疏劝谏"不畏死"下诏勿问。（《魏志·明帝纪》卷三裴注引《魏略》《魏志·卢毓传》卷二十二）

傅嘏二十九岁，作《难刘劭论》。（《魏志·傅嘏传》卷二十一、《资治通鉴》卷七十三）

高堂隆上疏切谏增崇宫室，明帝令曰"观隆此奏，使朕惧哉"。（《魏志·高堂隆传》卷二十五、《资治通鉴》卷七十三）

孙该此年前后迁博士。按，《魏志·刘劭传》卷二十一裴注引《文章叙录》云"迁博士"，年月未详，姑定在为郎中六年后。

谢承或卒于此年（？—237？）。按，谢承卒年难考，姑以其为武陵太守五年后卒。

钟会十三岁，诵《周礼》《礼记》。（《魏志·钟会传》卷二十八裴注引钟会《母传》）

袁准约生于此年（237？—？）。按，生年不详，《魏志·袁涣传》卷十一裴注引荀绰《九州记》谓其"泰始中为给事中"，设若泰始二年（266）为给事中，其年三十，则或生于此年。袁准，字孝尼，陈郡扶乐（今河南扶沟东南）人。有俊才，忠信公正，不耻下问，以儒学知名。以世事多艰，常恬淡不敢求进。曾官给事中。"著书十余万言，论治世之务，为《易》《周官》《诗》传，及论《五经》滞义"。（《魏志·袁涣传》卷十一裴注引《袁氏世纪》及荀绰《九州记》《晋书·袁准传》卷八十三）《隋书·经籍志》卷三十二："《丧服经传》一卷，晋给事中袁准注。"同书卷三十四："《袁子正论》十九卷，袁准撰。梁又有《袁子正书》二十五卷，袁准撰。"同书卷三十五："梁……又有《袁准集》二卷，录一卷，亡。"

公元238年 （魏明帝曹睿景初二年　蜀汉后主刘禅延熙元年　吴大帝孙权嘉禾七年　吴大帝孙权赤乌元年　戊午）

正月

曹睿诏司马懿征辽东，以毌丘俭为司马懿副。（《魏志·明帝纪》卷三及裴注引《毌丘俭志记》）

蒋济对明帝问，作《务在清静疏》，对明帝问辽东事。按，《魏志·蒋济传》卷十四云"景初中……济上疏曰"，景初共三年，二年为"中"，《资治通鉴》卷七十四系于此年正月，姑从之。又，裴注引《汉晋春秋》载蒋济对明帝问附上疏后，姑系于此。

卢毓举荐管宁为司徒，明帝不纳；又荐韩暨、崔林、常林；回李丰问选人之标准，言"先举性行，而后言才"。（《魏志·卢毓传》卷二十二、《资治通鉴》卷七十四）按，卢毓回李丰问，《资治通鉴》卷七十四系于景初元年，而本传叙在举荐司徒人选后，今依本传。

蜀汉后主改元延熙。（《蜀志·后主传》卷三十三）

谯周为蜀汉太子仆，转家令；上疏谏增广声乐。按，《蜀志·谯周传》卷四十二云"后主立太子，以周为仆，转家令。时后主颇出游观，增广声乐。周上疏谏曰"，《蜀志·后主传》卷三十三谓此月"立子璿为太子"，谯周转家令、上疏劝谏当在此时。

李譔为蜀汉太子庶子。（《蜀志·李譔传》卷四十二）李譔（？—260？），字钦仲，梓潼涪（今属重庆）人。传家学，"五经、诸子，无不该览，加博好技艺，算术、卜术、医药、弓弩、机械之巧，皆致思焉"。官州书佐、尚书令史、庶子、仆、中散大夫、右中郎将。"著古文《易》《尚书》《毛诗》《三礼》《左氏传》《太玄指归》，皆依准贾、马，异于郑玄"。（《蜀志·李譔传》卷四十二）

二月

曹睿作《以韩暨为司徒诏》。（《魏志·韩暨传》卷二十四、《资治通鉴》卷七十四）

四月

曹睿作《得韩暨遗表诏》。（《魏志·韩暨传》卷二十四裴注引《楚国先贤传》）

五月

曹睿作《高祖、光武陵不得使民耕牧樵采诏》。(《魏志·明帝纪》卷三裴注引《魏书》)

八月

毌丘俭随司马懿平定辽东，以功进封安邑侯。(《魏志·毌丘俭传》卷二十八、《资治通鉴》卷七十四)

吴改元赤乌。(《吴志·吴主传》卷四十七)

十二月

曹睿作《报倭女王诏》；病重；立皇后；作《欲得亲人为射声校尉问孙资诏》《与司马懿手诏》。(《魏志·倭人传》卷三十、《魏志·明帝纪》卷三、《魏志·刘放传》卷十四裴注引《资别传》)

是年

高堂隆病危，口占上疏，旋卒(？—238)。按，《魏志·高堂隆传》卷二十五云"隆疾笃，口占上疏曰……隆卒"，曹睿景初二年所作《科郎吏高才解经义者分受四经三礼诏》云"从光禄勋隆、散骑常侍林、博士静，分受四经三礼"，则此年高堂隆尚在；而曹睿明年正月崩，则疑高堂隆卒于此年诏言之后。

杜挚或卒于此年(？—238？)。按，《魏志·刘劭传》卷二十一裴注引《文章叙录》云"挚竟不得迁，卒于秘书"，确年难考，姑系于转校书两年后。

缪袭五十三岁，迁侍中，作《奏改安世哥为享神哥》《奏文昭皇后庙乐》《乐舞议》。按，《魏志·后妃传》卷五："帝思念舅氏不已。畅尚幼，景初末，以畅为射声校尉，加散骑常侍。又特为起大第，车驾亲自临之。又于其后园为像母起观庙，名其里曰渭阳里，以追思母氏也。"《世说新语·言语》："魏明帝为外祖母筑馆于甄氏，既成，自行视。谓左右曰：'馆当以何为名？'侍中缪袭曰：'……宜以渭阳为名。'"按，明年明帝崩，改元，"景初末"当即二年，缪袭此年官侍中。又，《宋书·乐志》卷十九载《奏改安世哥为享神哥》《奏文昭皇后庙乐》时称"侍中缪袭又奏"，既为侍中，二奏疑在此年。同志同卷又云王肃议礼制，缪袭咸同王肃之议，《乐舞议》疑即此时缪袭所议，且在侍中任上。

王肃四十五岁，为散骑常侍，两议礼制。(《宋书·乐志》卷十九)

王肃又作《宜息民疏》；屡对明帝问，以为史迁有良史之才。《魏志·王肃传》卷十三："景初间，宫室盛兴，民失农业，期信不敦，刑杀仓卒，肃上疏曰……帝尝问曰：……帝又问：'司马迁以受刑之故，内怀隐切，著《史记》非贬孝武，令人切齿。'对曰：'司马迁记事，不虚美，不隐恶。刘向、扬雄服其善叙事，有良史之才，谓之实录。汉武帝闻其述《史记》，取孝景及己本纪览之，于是大怒，削而投之。于今此两纪有录无书。后遭李陵事，遂下迁蚕室。此为隐切在孝武，而不在于史迁也。'"

王基约三十七岁，传解诸经及论定朝仪，以郑玄义与王肃抗衡。《魏志·王基传》卷二十七："散骑常侍王肃著诸经传及论定朝仪，改易郑玄旧说，而基据持玄义，常与抗衡。"按，此年王肃为散骑常侍，姑系于此。

韦昭三十五岁，此年前后为尚书郎。按，《吴志·韦曜传》卷六十五云"还为尚书郎"，年月未详，姑定在其三十五岁时。

曹睿三十四岁，作《追录陈思王遗文诏》。《魏志·陈思王植传》卷十九："景初中，诏曰：'陈思王昔虽有过失，既克己慎行，以补前阙，且自少至终，篇籍不离于手，诚难能也。其收黄初中诸奏植罪状，公卿已下议尚书、秘书、中书三府、大鸿胪者，皆削除之。撰录植前后所著赋、颂、诗、铭、杂论，凡百余篇，副藏内外。'"按，云"景初中"，自非景初元年，而曹睿又崩于三年正月，故当指景初二年。曹作与此类者，尚有《答蒋济诏》（《魏志·蒋济传》卷十四）、《科郎吏高才解经义者分受四经三礼诏》（《魏志·高堂隆传》卷二十五）、《报高堂隆疾笃上疏诏》（《魏志·高堂隆传》卷二十五）。

杨戏或于此年迁南中郎参军。按，《蜀志·杨戏传》卷四十五云"迁南中郎参军"，年月未详，姑定在为东曹掾三年后。

陈术此年前后在世。按，《蜀志·李谱传》卷四十二云"时又有汉中陈术"，盖与李谱同时。陈术（？—？），字申伯，汉中（今属陕西）人。博学多闻，位历三郡太守。"著《释问》七篇、《益部耆旧传》及《志》"。（《蜀志·李谱传》卷四十二）

夏侯惠二十九岁，或于此年迁燕相。按，《魏志·夏侯渊传》卷九裴注引《文章叙录》云"迁燕相"，年月未详，姑定在其为散骑黄门侍郎四年后。

裴秀十五岁，受人青睐，时人云**"后进领袖有裴秀"**。按，事载《晋书·裴秀列传》卷三十五，惟云时"秀年十余岁"，既称"领袖"，当不致太小，姑定在十五岁时。

钟会十四岁，诵成侯《易记》。（《魏志·钟会传》卷二十八裴注引钟会《母传》）

公元 239 年 （魏明帝曹睿景初三年 蜀汉后主刘禅延熙二年 吴大帝孙权赤乌二年 己未）

正月

曹睿立养子曹芳为皇太子。（《魏志·三少帝纪》卷四）

魏明帝曹睿崩，年三十五（205—239）。按，《魏志·明帝纪》卷三谓曹睿"时年三十六"，裴注谓"魏武以建安九年八月定邺，文帝始纳甄后，明帝应以十年生，计至此年正月，整三十四年耳。时改正朔，以故年十二月为今年正月，可强名三十五年，不得三十六也"。裴说为是。

刘劭作《明帝诔》。按，刘诔及下之何议均当作于此时。

何晏作《明帝谥议》。

皇太子曹芳，即皇帝位，时方八岁。（《魏志·明帝纪》卷三裴注引《魏氏春秋》

《魏志·三少帝纪》卷四)

蒋济徙为领军将军，进爵昌陵亭侯。（《魏志·蒋济传》卷十四）

卢毓赐爵关内侯。（《魏志·卢毓传》卷二十二）

十二月

魏复用夏正，诏"以建寅之月为正始元年正月"。（《魏志·三少帝纪》卷四）

是年

杜琼七十二岁，此年前后为大鸿胪。按，《蜀志·杜琼传》卷四十二云"迁……大鸿胪"，年月未详，其建兴十二年（234）以左中郎将奉旨赠谥诸葛亮，姑定在其时五年后。

虞翻卒，年七十（170—239）。按，说见其生年。《资治通鉴》卷七十二作太和六年（232）九月卒，误。《吴志·虞翻传》裴注引《江表传》谓"后权遣将士至辽东，于海中遭风，多所没失，权悔之"，并令人赴交州寻虞翻，会虞翻卒，"遣将士"当指赤乌二年三月"遣使者羊衜、郑胄、将军孙怡之辽东"（《吴志·吴主传》卷四十七），而《通鉴》误以嘉禾元年（232）三月"遣将军周贺、校尉裴潜乘海之辽东"事当之，遂将虞翻卒年提前六载。

应璩五十岁，为侍中；或于此年作《与满公琰书》，撰《魏书》。按，《魏志·王粲传》卷二十一云"璩官至侍中"，裴注引《文章叙录》谓"齐王即位，稍迁侍中"，齐王曹芳此年即位，正为应璩迁侍中之年。又，满公琰，李善注《文选》卷四十二谓"满宠子炳字公琰，为别部司马"；《百三家集·应修琏集》注称"炳父宠为太尉，璩常事之，故呼曰郎君"；《魏志·满宠传》卷二十六谓"景初二年，以宠年老征还，迁为太尉"，疑应璩迁侍中后作书与满炳，姑系于此。又，《史通·古今正史》卷十二云"魏史，黄初、太和中始命尚书卫觊、缪袭草创纪传，累载不成。又命侍中韦诞、应璩……等，复共撰定"，应璩此年为侍中，与撰《魏书》疑在此年。

杜恕四十二岁，转赵相，以疾去官；离京师，营宜阳一泉坞。按，《魏志·杜恕传》卷十六云"数岁转赵相，以疾去官"，裴注引《杜氏新书》称"恕遂去京师，营宜阳一泉坞……明帝崩时，人多为恕言者"，明帝此年崩，此年去为弘农太守三年，与"数岁"亦合，故当在此年。

顾谭三十五岁，为左节度，加奉车都尉。按，《吴志·顾谭传》卷五十二云"赤乌中，代恪为左节度。……加奉车都尉"，叙在赤乌三年为选曹尚书之前，既言"中"，则非元年，宜系于此。

傅玄二十三岁，举秀才，除郎中。按，《晋书·傅玄传》卷四十七云"州举秀才，除郎中"，年月未详，姑定在参撰《魏书》前五年。

荀勖辟大将军掾。按，《晋书·荀勖列传》卷三十九云"仕魏，辟大将军曹爽掾"，年月未详，《魏志·明帝纪》卷三谓曹爽去岁十二月为大将军，姑系于此年。荀勖（？—289），字公曾，颍川颍阴（今河南许昌）人。汉司空爽曾孙。年十余岁能属文，长遂博学，达于从政。仕魏，辟大将军曹爽掾，迁中书通事郎。转安阳令，又转骠骑从事中郎。迁廷尉正，参文帝大将军军事，赐爵关内侯，转从事中郎，领记室。入晋，改封济北郡公，固辞为侯。拜中书监，加侍中，领著作，与贾充共定律令。后进位光禄大夫，掌乐事，修律吕；俄领秘书监，与中书令张华依刘向《别录》，整理记籍。又立书博士，置弟子教习。咸宁初，为佐命功臣，列于铭飨。及得汲郡冢中古文竹书，诏勖撰次之，以为《中经》，列在秘书。太康中，诏命为光禄大夫、仪同三司、开府辟召。太康十年卒，诏赠司徒，谥曰成。（《晋书·荀勖列传》卷三十九）《隋书·经籍志》卷三十二："魏秘书郎郑默，始制《中经》，秘书监荀勖，又因《中经》，更著《新簿》，分为四部，总括群书。一曰甲部，纪六艺及小学等书；二曰乙部，有古诸子家、近世子家、兵书、兵家、术数；三曰丙部，有史记、旧事、皇览簿、杂事；四曰丁部，有诗赋、图赞、汲冢书。大凡四部合二万九千九百四十五卷。但录题及言，盛以缥囊，书用缃素。至于作者之意，无所论辩。"同书卷三十三：至晋太康元年，汲郡人发魏襄王冢，得古竹简书，字皆科斗。发冢者不以为意，往往散乱。帝命中书监荀勖、令和峤，撰次为十五部，八十七卷。多杂碎怪妄，不可训知，唯《周易》《纪年》，最为分了。其《周易》上下篇，与今正同。《纪年》皆用夏正建寅之月为岁首，起自夏、殷、周三代王事，无诸侯国别。唯特记晋国，起自称殇叔，次文侯、昭侯，以至曲沃庄伯，尽晋国灭。独记魏事，下至魏哀王，谓之'今王'。盖魏国之史记也。其著书皆编年相次，文意大似《春秋经》。诸所记事，多与《春秋》《左氏》扶同。学者因之，以为《春秋》则古史记之正法，有所著述，多依《春秋》之体。今依其世代，编而叙之，以见作者之别，谓之古史。……《晋中经》十四卷荀勖撰。……《杂撰文章家集叙》十卷荀勖撰。"同书卷三十五："梁……又有……《荀勖集》三卷，录一卷。亡。……又《晋歌诗》十八卷，《晋宴乐歌辞》十卷，荀勖撰。"张溥辑有《荀公曾集》。张溥："荀成侯，学古而佞者也。史责其援朱均以贰极，煽褒阁而偶震，至于斗粟兴谣，逾里成咏，阶祸已甚，诚无辞焉。勖博闻明识，牛铎谐乐，劳薪炊饭，咸能辨之，茂先伦匹也。顾其文采，则谢弗如。泰始中，与傅、张同造歌诗，荀尤少味，始叹班固《明堂》《宝鼎》，不可复作。独其条问列和，表正笛声，乐家之论，尽称为优。其他简牍，亦云清令。盖晋初之文，羲玄尚存，雕几未极，名人吐词，简直近理。江左文士，盛谈茂先散珠，太冲横锦，若二荀者流，忽而不言，不几乘大辂笑椎轮乎？无惑乎六朝体制，追时为工，登高望之，旗靡辙乱也。东汉荀氏，后多显人，景倩既让文若，公曾尤愧慈明，何其子孙位崇而德俭也。以是名克家，然乎？"（《汉魏六朝百三家集·荀公曾集题词》））

钟会十五岁，入太学，问四方奇文异训。（《魏志·钟会传》卷二十八裴注引钟会《母传》）

王戎六岁，有胆有识。《晋书·王戎列传》卷四十七："年六七岁，于宣武场观戏，猛兽在槛中虓吼震地，众皆奔走，戎独立不动，神色自若。魏明帝于阁上见而奇之。又尝与群儿嬉于道侧，见李树多实，等辈兢趣之，戎独不往。或问其故，其曰：'树在道边而多子，必苦李也。'取之信然。"按，《世说新语·雅量》载王戎观虎事谓其七岁，据《魏志·明帝纪》，明帝去岁十二月病重，今年正月卒，于王戎六七岁时当无观虎事，传中"明"字或为衍字。

傅咸生（239—294）。（《晋书·傅咸列传》卷四十七）傅咸，字长虞，北地泥阳（今陕西耀县东南）人。傅玄子。刚简有大节。风格峻整，识性明悟，疾恶如仇，推贤乐善，常慕季文子、仲山甫之志。好属文论，虽绮丽不足，而言成规鉴。颍川庾纯叹曰"长虞之文近乎诗人之作矣"。初袭父爵，拜太子洗马，累迁尚书右丞。出为冀州刺史，以继母杜氏不肯随之官，自表解职。三旬之间，迁司徒左长史，转为车骑司马，迁尚书左丞；复转为太子中庶子，迁御史中丞。再为本郡中正，遭继母忧去官。顷之，起以议郎，长兼司隶校尉。固辞，不听。元康四年卒官，时年五十六，诏赠司隶校尉，谥曰贞。（《晋书·傅咸列传》卷四十七）《隋书·经籍志》卷三十五："晋司隶校尉《傅咸集》十七卷，梁三十卷，录一卷。"张溥辑有《傅中丞集》。严可均《全晋文》卷五十一、五十二收其文七十五篇。丁福保《全晋诗》卷二收其诗二十一首。张溥："傅休奕刚峻少容，贵显当世，老而不折。时晋运方兴，天子虚己，老成喉舌，可以无恙。若长虞所处，国艰甫殷，惩杨氏执政之萌，规汝南辅相之失，劾按惊人，容终司隶，直道而行，若是多福，鲍子都、诸葛少季无其遇也。傅氏诸赋，不尚绮丽，长虞短篇，时见正性，治狱《明意赋》云：'吏砥身以存公，古有死而无柔。'一生骨鲠，风尚显白。历官威严，条申职掌，御史作箴，汲生共勖，司隶布教，卧虎立名。彼其之子，邦之司直，斯人有焉。休奕四部六录，文集百余，湮阙者多，长虞著述不富，传文亦与父埒，为彪为固，不能短长。其间七经诗中，《毛诗》一首，虽集句托始，无关言志。《与尚书同僚诗》，则告诫臣仆，有孚盈缶，韦孟在邹，家风不坠矣。"（《汉魏六朝百三家集·傅中丞集题词》）

索靖生（239—303）。（《晋书·索靖列传》卷六十）索靖，字幼安，敦煌（今属甘肃）人。少有逸群之量，与乡人泛衷等四人俱诣太学，驰名海内，号称"敦煌五龙"。博通经史，兼通内纬，擅长草书。州辟别驾，郡举贤良方正，对策高第。与傅玄、张华交好。拜驸马都尉，出为西域戊己校尉长史；擢为尚书郎，除雁门太守，迁鲁相，复拜酒泉太守，赐关内侯。元康中，拜大将军左司马，加荡寇将军。赵王伦篡位时，以左卫将军讨孙秀有功，加散骑常侍，迁后将军。太安末，拜使持节、监洛城诸军事、游击将军，领雍、秦、凉兵。征战中被伤而卒，追赠太常，时年六十五。后又赠司空，进封安乐亭侯，谥曰庄。"著《五行三统正验论》，辩理阴阳气运。又撰《索子》《晋诗》各二十卷。又作《草书状》"。（《晋书·索靖传》卷六十）《隋书·经籍志》卷三十五："梁……又有……游击将军《索靖集》三卷。"

阮咸约生于此年（239？—？）。按，阮咸为阮籍兄阮熙子，阮熙若长阮籍两岁，并于十八岁左右得阮咸，则阮咸约生于此年。阮咸，字仲容，陈留尉氏（今属河南）人。"竹林七贤"之一。阮籍侄。贞素寡欲，任达不拘，颇受礼法之士所讥。嗜酒无忌，"诸阮皆饮酒，咸至，宗人间共集，不复用杯觞斟酌，以大盆盛酒，圆坐相向，大酌更饮。时有群豕来饮其酒，咸直接去其上，便共饮之"。又妙解音律，善弹琵琶。历仕散骑侍郎，出补始平太守。以寿终。作有《律议》。（《晋书·阮咸列传》卷四十九、《世说新语·术解》刘注引《晋诸公赞》）

公元 240 年 （魏齐王曹芳正始元年 蜀汉后主刘禅延熙三年 吴大帝孙权赤乌三年 庚申）

是年

王肃四十七岁，出为广平太守。（《魏志·王肃传》卷十三）

杜恕四十三岁，或于此年为河东太守。按，《魏志·杜恕传》卷十六云 "起家为河东太守"，年月未详，疑在魏齐王曹芳即位改元之年。

王基约三十九岁，迁安平太守，以公事去官；与管辂论《易》。按，《魏志·王基传》卷二十七云 "迁安平太守，公事去官"，年月未详，姑定在上疏五年后。又，《魏志·方技传》卷二十九裴注引《辂别传》载其事时称王基为安平太守，姑系于此。

薛综徙选曹尚书，让职于顾谭。（《吴志·薛综传》卷五十三、《吴志·顾谭传》卷五十二）

顾谭三十六岁，代薛综为选曹尚书。（《吴志·薛综传》卷五十三、《吴志·顾谭传》卷五十二）

傅嘏三十二岁，除尚书郎。（《魏志·傅嘏传》卷二十一）

夏侯玄三十二岁，迁散骑常侍；名列 "四聪" 之一。（《魏志·夏侯玄传》卷九、《魏志·诸葛诞传》卷二十八裴注引《世语》）

皇甫谧二十六岁，著《礼乐圣真之论》，始撰《帝王世纪》《年历》。《晋书·皇甫谧传》卷五十一："沈静寡欲，始有高尚之志，以著述为务。自号玄晏先生，著《礼乐圣真之论》。……又撰《帝王世纪》《年历》。"章宗源《隋书经籍志考证》卷三："《玉海》书目曰：晋正始初，安定皇甫谧以《汉纪》残缺，博案经传，旁观百家，著《帝王世纪》，并《年历》，合十二篇，起太昊帝，讫汉献帝。"按，"晋正始初"，即 "魏正始初"，犹《汉书叙例》称 "汉建安" 为 "魏建安"。皇甫谧著述之事盖始自正始初。

羊祜二十岁，娶夏侯霸女；五府交命，皆不就；曹爽辟为从事，亦辞。按，事载《晋书·羊祜列传》卷三十四，年月未详，既云 "曹爽辟"，当在曹爽执权柄时，此年曹芳即位，曹爽辅政，姑系于此，羊祜时年弱冠，娶妻亦正合适。

王沈为曹爽所辟，且劝羊祜亦应辟，羊祜不听。（《晋书·王沈列传》卷三十九、《晋书·羊祜列传》卷三十四）王沈（？—266），太原晋阳（今山西太原）人。少孤，养于从叔王昶。好书，善属文。先辟曹爽府，迁黄门侍郎；曹爽诛，以故吏免官。后起为治书侍御史，转秘书监，迁散骑常侍、侍中。曾撰《魏书》，高贵乡公称其为 "文籍先生"。高贵乡公欲攻司马昭，以飞驰报信封安平侯。迁尚书、豫州刺史、征虏将军，封博陵侯，转镇南将军。司马昭为晋王，拜御史大夫。入晋，转骠骑将军，守尚书事，加散骑常侍，进爵县公。（《晋书·王沈列传》卷三十九）《隋书·经籍志》卷三十三："《魏书》四十八卷，晋太尉王沈撰。"同书卷三十五："晋《王沈集》五卷。"

何晏为散骑侍郎。（《魏志·曹爽传》卷九裴注引《魏略》）

郭泰机生于此年前后（240？—？）。按，生卒年未详，以傅咸之友而言，或与其年龄相仿，姑定在此年前后生。郭泰机，河南人，出身寒素。严可均《全晋文》卷八十六收其文一篇，残。丁福保《全晋诗》卷四收其诗一首，此诗亦收在《文选》卷二十五，钟嵘《诗品》列是诗为中品，称其"孤怨宜恨"。

公元 241 年　（魏齐王曹芳正始二年　蜀汉后主刘禅延熙四年　吴大帝孙权赤乌四年　辛酉）

二月

魏少帝使太常祭祀孔子，以颜渊配祭。（《魏志·三少帝纪》卷四）

四月

威北将军诸葛恪攻六安。（《吴志·吴主传》卷四十七）

闰六月

诸葛恪丧父（诸葛瑾）。（《吴志·吴主传》卷四十七）

九月

曹髦生（241—260）。《魏志·三少帝纪》卷四裴注引《帝集》载帝自叙始生祯祥曰："惟正始三年九月辛未朔，二十五日乙未直成，予生。"潘眉《三国志考证》卷二："推正始三年九月朔丙寅，非辛未。惟二年九月朔乃辛未，此三年系二年之伪。考帝以甘露五年卒，《纪》云年二十，正始三年至甘露五年止得十九年，然则帝生于正始二年无疑矣。"曹髦，字彦士，沛国谯（今安徽亳县）人。曹丕孙。正始五年，封高贵乡公。少好学，爱文雅，"广延诗赋，以知得失"。魏明帝无子，公卿迎以为嗣。嘉平六年（254），即皇帝位。在位七年，甘露五年（260），因愤"司马昭之心，路人皆知"，率童仆讨司马氏，兵败见杀。《隋书·经籍志》卷三十五："梁有《高贵乡公集》四卷，亡。"严可均《全三国文》卷十一收其文二十四篇。

是年

管宁卒，年八十四（158—241）。（《魏志·管宁传》卷十一）

杜恕四十四岁，或于此年迁淮北都督护军，复以疾去。按，《魏志·杜恕传》卷十六云"岁余，迁淮北都督护军，复以疾去"，杜恕去岁为河东太守，既云"岁余"，则迁职必在此年与明年两年间，姑系于此。

王昶约四十四岁，转在徐州，封武关亭侯，迁征南将军，假节都督荆、豫诸军事，屯宛。按，事载《魏志·王昶传》卷二十七，云在"正始中"，正始三年王昶"表徙治新野"，则屯宛当在此年。

王基约四十岁，为从事中郎，举荐管宁。按，《魏志·王基传》卷二十七云"大将军曹爽请为从事中郎"，年月未详，以《魏志·管宁传》卷十一所云"正始二年……中书侍郎王基荐（管）宁曰"观之，为从事中郎当在此年，任"中书侍郎"乃太和四年时事。

杨戏或于此年副贰庲降都督，领建宁太守。按，《蜀志·杨戏传》卷四十五云"副贰庲降都督，领建宁太守"，年月未详，姑定在为南中郎参军三年后。

刘劭执经讲学，赐关内侯。按，《魏志·刘劭传》卷二十一云"正始中，执经讲学，赐爵关内侯"，《魏志·三少帝纪》卷四谓齐王曹芳二年"初通《论语》"，五年"讲《尚书》经通，七年"讲《礼记》通"，疑刘劭讲学始自此年，赐侯或亦在此时。

太仆陶丘一、永宁卫尉孟观、侍中孙邕、中书侍郎（当为从事中郎）王基举荐管宁，于是朝廷安车蒲轮、束帛加璧往聘管宁。（《魏志·管宁传》卷十一）

杨戏著《季汉辅臣赞》。（《蜀志·杨戏传》卷四十五）

挚虞约于此年生（241?—311）。按，生年未详，其甘露三年（258）师从皇甫谧，若其年十八，则约生于此年。挚虞，字仲洽，京兆长安（今陕西西安西北）人。少事皇甫谧，才学通博，著述不倦。郡檄主簿。举贤良，与夏侯湛等十七人策为下第，拜中郎。擢为太子舍人，除闻喜令。以母忧解职。久之，召补尚书郎。元康中，迁吴王友。后历秘书监、卫尉卿，从惠帝幸长安。还洛后，历光禄勋、太常卿。及洛京荒乱，竟以馁卒。"撰《文章志》四卷，注解《三辅决录》，又撰古文章，类聚区分为三十卷，名曰《流别集》，各为之论，辞理惬当，为世所重"。（《晋书·挚虞传》卷五十一）《隋书·经籍志》卷三十三："《决疑要注》一卷，挚虞撰。……《三辅决录》七卷，汉太仆赵岐撰，挚虞注。……晋世，挚虞依《禹贡》《周官》，作《畿服经》，其州郡及县分野封略事业，国邑山陵水泉，乡亭城道里土田，民物风俗，先贤旧好，靡不具悉，凡一百七十卷，今亡。……晋世，挚虞作《族姓昭穆记》十卷，齐、梁之间，其书转广。后魏迁洛，有八氏十姓，咸出帝族。又有三十六族，则诸国之从魏者；九十二姓，世为部落大人者，并为河南洛阳人。其中国士人，则第其门阀，有四海大姓、郡姓、州姓、县姓。及周太祖入关，诸姓子孙有功者，并令为其宗长，仍撰谱录，纪其所承。又以关内诸州，为其本望。其《邓氏官谱》及《族姓昭穆记》，晋乱已亡。自余亦多遗失。今录其见存者，以为谱系篇。……《文章志》四卷，挚虞撰。"同书卷三十五："晋太常卿《挚虞集》九卷，梁十卷，录一卷。……《文章流别集》四十一卷，梁六十卷，志二卷，论二卷，挚虞撰。《文章流别志》《论》二卷，挚虞撰。"张溥辑有《挚太常集》。严可均《全晋文》卷七十六、七十七收其文六十篇。丁福保《全晋诗》卷二收其诗五首。张溥："挚仲洽为玄晏高弟，知名当世，遭乱馁死，伤哉贫也。张茂先聚书三十乘，仲洽撰定官书，皆资以取正。茂先冤死，仲洽致笺齐王，事渐表白，可云不负知几。《集》诗甚少，赋亦远逊茂先，议礼诸文，最称宏辨，与杜元凯、束广微并生一时，势犹鼎足，二荀弗如也。东堂策对，其平生致身之文，中少壮气，沿为卑响，靡靡之句，效者益贫，当日作者得无自恨其率尔乎？茂先博极群书，先辨凫毛龙肉，而不知察变桑柏；仲洽善观玄象，知凉州可以避难，而流离京洛，竟同饿隶。予辄怪儒者有博物之长，无谋身之断，此赵壹所以悲穷鸟也。《流别》旷论，穷神尽理，刘勰《雕龙》，钟嵘《诗品》，缘此起议，评论日多矣。"（《汉魏六朝百三家集·挚太常集题词》）

公元 242 年 （魏齐王曹芳正始三年　蜀汉后主刘禅延熙五年　吴大帝孙权赤乌五年　壬戌）

正月

韦昭迁吴太子中庶子，作《博弈论》。《吴志·韦曜传》卷六十五："迁太子中庶子。时蔡颖亦在东宫，性好博弈，太子和以为无益，命曜论之。其辞曰……"按，《吴志·孙权传》卷四十七谓"（赤乌）五年春正月，立子和为太子。……十三年……八月……废太子和"，韦昭为中庶子姑系于孙和始为太子时。

薛综为太子少傅，作《让太子少傅表》。（《吴志·薛综传》卷五十三）按，薛表当亦作于此时。

七月

领军将军蒋济为太尉。（《魏志·三少帝纪》卷四、《魏志·蒋济传》卷十四）

吴陆凯以兵讨朱崖、儋耳，除儋耳太守，迁建武校尉。（《吴志·陆凯传》卷六十一、《吴志·吴主传》卷四十七）

是年

缪袭五十七岁，迁尚书；与蒋济论曹氏先祖事。按，《魏志·刘劭传》卷二十一云"（缪袭）官至尚书"，年月未详，万斯同《魏将相大臣年表》系于此年。又，《魏志·蒋济传》卷十四裴注云"寻（蒋）济难（高堂）隆，及与尚书缪袭往反，并有理据"，所争为"魏为舜后"事，既云缪袭尚书，姑系此年。

杜恕四十五岁，拜御史中丞。按，《魏志·杜恕传》卷十六云"顷之，拜御史中丞"，当与去岁去职相隔不久，姑系于此。

夏侯玄三十四岁，迁中护军；作《议时事》《答司马宣王书》。按，《魏志·夏侯玄传》卷九云"累迁……中护军。太傅司马宣王问以时事，玄议以为……宣王报书……玄又书曰"，夏侯玄正始元年迁散骑常侍，五年为征西将军，传叙迁中护军及作议并书在其中间，姑系于此。

阮籍三十三岁，或于此年作《辞蒋太尉辟命奏记》，受太尉蒋济辟。《晋书·阮籍传》卷四十九："太尉蒋济闻其有隽才而辟之，籍诣都亭奏记曰……初，济恐籍不至，得记欣然，遣卒迎之；而籍已去，济大怒。于是乡亲共喻之，乃就吏，后谢病归。"按，《魏志·齐王纪》卷四谓蒋济正始三年七月为太尉，嘉平元年（249）四月卒于任上，阮籍受辟在此七年间，姑系于此。

夏侯惠三十三岁，或于此年迁乐安太守。按，《魏志·夏侯渊传》卷九裴注引《文章叙录》云"迁……乐安太守"，年月未详，姑定在其为燕相四年后。

郤正三十岁，或于此年转为令史。按，《蜀志·郤正传》卷四十二云"转为令史"，年月未详，姑定在其为秘书吏十年后。

505

曹冏此年前后在世，作《六代论》，冀以感悟曹爽，曹爽不纳。（《魏志·武文世王公传》卷二十裴注引《魏氏春秋》《资治通鉴》卷七十四）曹冏（？—？），字元首，沛国谯（今安徽亳县）人。魏齐王曹芳族祖。中常侍曹腾兄曹叔兴之后。曾为弘农太守。著有《六代论》。（《魏志·武文世王公传》卷二十裴注引《魏氏春秋》《文选·六代论》卷五十二李注引《魏氏春秋》）

桓范或于此年拜大司农；示蒋济以所撰《世要论》，蒋济不肯视，心恨之。《魏志·曹爽传》卷九裴注引《魏略》云"正始中拜大司农。……范尝抄撮《汉书》中诸杂事，自以意斟酌之，名曰《世要论》。蒋济为太尉，尝与范会社下，群卿列坐有数人，范怀其所撰，欲以示济，谓济当虚心观之。范出其书以示左右，左右传之示济，济不肯视，范心恨之。"按，《魏志·三少帝纪》卷四谓蒋济正始三年始为太尉，桓范拜大司农及欲其观书事或在此年。

何晏迁侍中。按，《魏志·曹爽传》卷九裴注引《魏略》云"迁侍中"，年月未详，其去岁为散骑侍郎，正始五年为吏部尚书，迁侍中在二者之间，姑系此年。

司马彪约于此年生（242？—306）。按，《晋书·司马彪列传》卷八十二云"惠帝末年卒，年六十余"，晋惠帝末年为永兴三年（306），定于此年生，则其年六十三，与"年六十余"不牾。司马彪，字绍统，河内温县（今属河南）人。少笃学不倦，然好色薄行。以未得嗣爵，不交人事，专心学习，故能博览群书。初拜骑都尉，后为秘书郎，转丞，迁散骑侍郎。"注《庄子》，作《九州春秋》"；"讨论众书，缀其所闻，起于世祖，终于孝献，编年二百，录世十二，通综上下，旁贯庶事，为纪、志、传凡八十篇，号曰《续汉书》"；"复以（谯）周为未尽善也，条《古史考》中凡百二十二事为不当，多据《汲冢纪年》之义，亦行于世"。（《晋书·司马彪列传》卷八十二）《隋书·经籍志》卷："《兵记》八卷，一本十二卷，司马彪撰。"同书卷三十五："晋秘书丞《司马彪集》四卷，梁三卷，录一卷。"严可均《全晋文》卷十六收其文五篇，丁福保《全晋诗》卷二收其诗二首。

公元243年 （魏齐王曹芳正始四年 蜀汉后主刘禅延熙六年 吴大帝孙权赤乌六年 癸亥）

正月

诸葛恪征六安，破魏将谢顺营，收其民人。（《吴志·吴主传》卷四十七）

春

薛综卒（？—243）。（《吴志·薛综传》卷五十二）

七月

曹芳诏祀华歆、王朗、钟繇于太祖庙庭。（《魏志·三少帝纪》卷四）

十二月

倭国女王俾弥呼遣使奉献。(《魏志·三少帝纪》卷四)

是年

胡综卒，年六十一（183—243）。(《吴志·胡综传》卷六十二)

王肃五十岁，征还，拜议郎。(《魏志·王肃传》卷十三) 按，年月未详，姑定在为广平太守三年后。

王昶约四十六岁，上表徙治新野。(《魏志·王昶传》卷二十七、《资治通鉴》卷七十四)

王基约四十二岁，出为安丰太守，加讨寇将军。按，《魏志·王基传》卷二十七云"出为安丰太守……加讨寇将军"，年月未详，姑定在为从事中郎两年后。

诸葛恪四十一岁，自皖迁于柴桑；作《与丞相陆逊书》。(《吴志·诸葛恪传》卷六十四、《吴志·吴主传》卷四十七)

傅嘏三十五岁，生子（傅祗）。(《晋书·傅祗传》卷四十七)

李谲或于此年迁为仆。按，事载《蜀志·李谲传》卷四十二，年月未详，姑定在为庶子五年后。

孙该此年前后迁司徒右长史。按：《魏志·刘劭传》卷二十一裴注引《文章叙录》云"迁……司徒右长史"，年月未详，姑定在为博士六年后。

嵇康二十岁，作《养生论》《释私论》；入洛，拜郎中。《晋书·嵇康传》卷四十九："至于导养得理，则安期、彭祖之伦可及，乃著《养生论》。又以为君子无私，其论曰……"《文选·五君咏》卷二十一李注引孙绰《嵇中散传》："嵇康作《养生论》，入洛，京师谓之神人；向子期难之，不得屈。"《世说新语·德行》刘注引《文章叙录》："康以长乐亭主婿迁郎中。"按，嵇康入洛、拜郎中之年未详，姑以弱冠之年当之；二论似为入洛前作，姑系于此。

向秀约十九岁，难嵇康《养生论》。按，向论为嵇康入洛后作，姑系于此。

嵇康作《答难养生论》；赏识阮种。按，嵇论为向论之答辩，当作于同时。又，《晋书·阮种列传》卷五十二云"弱冠有殊操，为嵇康所重。康著《养生论》，所称阮生，即种也"，《养生论》当为《答难养生论》，其中有语云"李少君识桓公玉椀，则阮生谓之逢占而知"。

阮侃与嵇康交往。按，事载《世说新语·贤媛》刘注引《陈留志名》，年月未详，《晋书·阮种列传》卷五十二谓"（阮种）为嵇康所重，康著《养生论》所称阮生即种也"，姚振宗《隋书经籍志考证》卷三十九之四谓"（侃）殆与种兄弟行"，阮侃与嵇康相交盖在《养生论》完成前后，姑系于此。阮侃（？—？），字德如，尉氏（今属河南）人。有俊才，风仪雅润，与嵇康为友。曾为河内南阳太守。(《世说新语·贤媛》刘注引《陈留志名》《宋书·符瑞志》卷二十九)《隋书·经籍志》卷三十四："梁有……《摄生论》二卷，晋河内太守阮侃撰。"同书卷三十五："梁又有……《阮侃集》五卷，录一卷，亡。"丁福保《全三国诗》卷四收其诗二首。

裴秀二十岁，为大将军曹爽辟。按，事载《魏志·裴潜传》卷二十三裴注引《文章叙录》，年月未详，然传后即叙"丧父服终"，疑其丧父前应辟；《裴潜传》谓其父裴潜正始五年卒，姑系于此。

李密二十岁，此年前后师从谯周。按，《晋书·李密列传》卷八十八云"师事谯周，周门人方之游、夏"，年月未详，姑定在其弱冠时。

夏侯湛生（243—291）。夏侯湛，字孝若，谯国谯（今安徽亳县）人。幼有盛才，文章宏富，善构新词。仪容俊美，与潘岳友善，每行止同舆接茵，京都谓之"连璧"。少为太尉掾。泰始中，举贤良，对策中第，拜郎中，后选补太子舍人，转尚书郎，出为野王令。除中书侍郎，出补南阳相。迁太子仆，未就命，而武帝崩。惠帝即位，为散骑常侍。元康初卒。"作《抵疑》以自广"，又"作《昆弟诰》"，尚"作《周诗》"，"以示潘岳。岳曰：'此文非徒温雅，乃别见孝弟之性。'岳因此遂作《家风诗》"，并"著论三十余篇，别为一家之言"。（《晋书·夏侯湛列传》卷五十五）《隋书·经籍志》卷三十四："《新论》十卷，晋散骑常侍夏侯湛撰。"同书卷三十五："晋散骑常侍《夏侯湛集》十卷，梁有录一卷。"张溥辑有《夏侯常侍集》。严可均《全晋文》卷六十八、六十九收其文五十四篇。丁福保《全晋诗》卷四收其诗六首。张溥："潘安仁之诔夏侯孝若也，曰：'执戟疲扬，长沙投贾。'余读其词，窃叹文人相惜，死生尤见。《抵疑》之作，班固《宾戏》、蔡邕《释诲》流也。高才淹蹇，含文写怀，铺张问难，聊代萱苏。纵观西晋，《玄居》《权论》《释劝》《释时》，文皆近是，追踪西汉，邈乎后尘矣。《昆弟诰》总训群子，绍闻穆侯，人伦长者之书也。但规模《帝典》，仅能形似，刻鹄画虎，不无讥焉。《周诗》上续《白华》，志犹束皙《补亡》，安仁诵之，亦赋《家风》，友朋具尔，殆文以情生乎？贾谧二十四友，安仁居首，母氏数诮，不知省改，白首之谶，贻亲以僇。孝若连璧，未或同热，长归虽先，幸不及祸。其《离亲詠》有云：'苟违亲以从利兮，匪曾闵之攸宝。'余为三复泣下。孝弟文雅，盛名得全者此尔。东汉赵威豪犹呕血未及，况他人乎？"（《汉魏六朝百三家集·夏侯常侍集题词》）

傅祗生（243—311）。傅祗，字子庄，北地泥阳（今陕西耀县东南）人。早知名，以才识明练称。起家太子舍人，累迁散骑黄门郎，赐爵关内侯。出为荥阳太守，造沈莱堰，百姓立碑称颂。寻表兼廷尉，迁常侍、左军将军。入为侍中，除河南尹，未拜，迁司隶校尉，封灵川县公。后以事免官，期年复迁光禄勋，再以公事免。累官至司徒、持节、大都督诸军事。以暴疾卒。"著文章驳论十余万言"。（《晋书·傅祗传》卷四十七）

王济生（243?—288?）。按，《晋书·王济列传》卷四十二未载其生卒年，惟言卒时"年四十六"。考王济卒前年代最为清楚者，为太康八年（287）作《太常郭奕谥景议》一事。议郭谧或在复为侍中任，或在领太仆任，后事无考，姑系其卒在此一年后，则生于是年。王济，字武子，太原晋阳（今山西太原）人。王昶孙。少有逸才，风姿英爽，气盖一时。好弓马，勇力绝人。善《易》及《庄》《老》，文词俊茂，伎艺过人。初拜中书郎，后为骁骑将军，累迁侍中。善于清言，修饰辞令，朝臣莫能过之。然外虽弘雅，而内多忌刻，好以言伤物。以忤旨，左迁国子祭酒。数年，入为侍中。出为河南尹，未拜，坐罪免。性豪侈，丽服玉食。时洛京地甚贵，买地为马埒，编钱满之，时人谓为"金沟"。年四十六，卒赠骠骑将军。(《晋书·王济列传》卷四十二)《隋书·经籍志》卷三十五："梁有晋骠骑将军《王济集》二卷，亡。"严可均《全晋文》卷二十八收其文四篇，丁福保《全晋诗》卷二收其诗一首。

公元 244 年 （魏齐王曹芳正始五年 蜀汉后主刘禅延熙七年 吴大帝孙权赤乌七年 甲子）

二月

夏侯玄为征西将军，假节都督雍、凉州诸军事，攻蜀。(《魏志·夏侯玄传》卷九、《资治通鉴》卷七十四)

三月

夏侯玄与曹爽军由骆谷入汉中。(《魏志·夏侯玄传》卷九、《资治通鉴》卷七十四)

四月

夏侯玄得司马懿警告兵败书，惧而告曹爽。(《魏志·曹爽传》卷九、裴注引《汉晋春秋》《资治通鉴》卷七十四)

五月

夏侯玄与曹爽撤军。(《魏志·曹爽传》卷九裴注引《汉晋春秋》《资治通鉴》卷七十四)

魏讲《尚书》，以太牢祀孔子于辟雍，颜渊配祀。(《魏志·三少帝纪》卷四)

是年

杜琼约七十七岁，此年迁后为太常。按，《蜀志·杜琼传》卷四十二云"迁……太常"，年月未详，姑定在为大鸿胪五年后。

韦诞六十六岁，举荐胡昭。按，《魏志·管宁传》卷十一云"正始中，骠骑将军赵俨……等递荐昭"，裴注引《高士传》称"朝廷以戎车未息，征命之事且须后之，昭以故不即征。后颙、休复与庾嶷荐昭，有诏访于本州评议。侍中韦诞驳曰"，韦诞所驳乃言无需再作评议；《魏志·赵俨传》卷二十三谓其"正始四年，老疾求还，征为骠骑将军"，《魏志·三少帝纪》卷四又谓其"六年春二月……为司空"，韦诞举荐胡昭与赵俨举荐隔有时日，宜系于此。

卢毓六十二岁，徙仆射；旋出为廷尉；复被枉奏免官。按，事载《魏志·卢毓传》卷二十二，一系列任免为曹爽清除异己之安排，均与此年何晏代其为吏部尚书同时。

缪袭五十九岁，迁光禄勋。按，《魏志·刘劭传》卷二十一云"（缪袭）官至……

"光禄勋"，其人三年为尚书，明年卒，为光禄勋当在四、五两年，而万斯同《魏将相大臣年表》谓其为尚书至此年，则迁光禄勋当在此年。

何晏代卢毓为吏部尚书；服五石散；名列"三狗"之一；作《道德二论》，始与王弼交往；见应璩《百一诗》而无怪。按，《魏志·曹爽传》卷九裴注引《魏略》云"迁……尚书"，年月未详，《魏志·钟会传》卷二十八称"会弱冠与山阳王弼并知名"，裴注引何劭《弼传》谓"于时何晏为吏部尚书，甚奇弼"，钟会此年二十岁，则何晏为吏部尚书当在此年。又，《世说新语·言语》："何平叔云：服五石散，非唯治病，亦觉神明开朗。"刘注引《寒食散论》云"魏尚书何晏首获神效，由是大行于世，服者相寻也"，服药时既称"尚书"职，姑系于此。又，《曹爽传》裴注引《魏略》云"三狗谓何（晏）、邓（飏）、丁（谧）也"，三人弄权为世所谤时，何晏当为尚书，姑系于此。又，《世说新语·文学》："何平叔注《老子》始成，诣王辅嗣，见王注精奇，乃神伏曰：'若斯人可与论天人之际矣！'因以所注为《道德二论》。"何晏此年始与王弼交，注《老子》盖在此年。又，《文选·百一诗》卷二十一李注引张方贤《楚国先贤传》称于《百一诗》"何晏独无怪也"，应诗或作于此年，故系于此。

应璩五十五岁，为大将军长史，作《与曹公笺》《与曹昭伯笺》；其《百一诗》或亦作于此年。按，《魏志·王粲传》卷二十一裴注引《文章叙录》云其"（迁）大将军长史"，应璩景初三年（239）为侍中，大将军曹爽嘉平元年（249）正月见杀，其为长史必在此十年间，姑定在其为侍中五年后。又，应璩二笺均与曹爽，姑系于此。又，《魏志·王粲传》卷二十一裴注引《文章叙录》："曹爽秉政，多违法度，璩为诗以讽焉。其言虽颇谐合，多切时要，世共传之。"应璩作此诗年月未详，曹爽自正始元年秉政，正始十年见杀，应璩此年为曹爽长史，作诗以讽或在此年。诗题"百一"，注者见仁见智，《文选·百一诗》卷二十一李注："张方贤《楚国先贤传》曰：'汝南应休琏作《百一》篇诗，讥切时事。遍以示在事者，咸皆怪愕。或以为应焚弃之，何晏独无怪也。'然方贤之意，以有'百一'篇，故曰《百一》。李充《翰林论》曰：'应休琏五言诗，百数十篇，以风规治道，盖有诗人之旨焉。'又，孙盛《晋阳秋》曰：'应璩作五言诗百三十篇，言时事颇有补益，世多传之。'据此二文，不得以一百一篇而称'百一'也。今书《七志》曰：'《应璩集》谓之《新诗》，以百言为一篇，或谓之《百一诗》。'然以字名诗，义无所取，据《百一诗序》云：'时谓曹爽曰：公今闻周公巍巍之称，安知百虑有一失乎？''百一'之名，盖兴于此也。"

王肃五十一岁，约于此年为侍中。（《魏志·王肃传》卷十三）按，年月未详，姑定在为议郎一年后。

杨戏或于此年以疾还成都，拜护军监军。按，《蜀志·杨戏传》卷四十五云"以疾还成都，拜护军监军"，年月未详，姑定在为建宁太守三年后。

谯周四十六岁，屡屡求教于杜琼。按，《蜀志·杜琼传》卷四十二云"后进通儒谯周常问其意"，年月未详，传叙其事于杜琼迁太常之后，故系于此。

顾谭四十岁，为太常，代顾雍平尚书事。按，《吴志·顾谭传》卷五十二云"祖父雍卒数月，拜太常，代雍平尚书事"，《吴志·吴主传》卷四十七谓顾雍卒于赤乌六年十一月，"雍卒数月"，则已进此年。

山涛四十岁，始为郡主簿、功曹、上计掾。(《晋书·山涛列传》卷四十三)

毌丘俭率军攻破高句丽，登丸都，屠其都。(《魏志·毌丘俭传》卷二十八、《魏志·乌丸鲜卑东夷传》卷三十)

傅嘏三十六岁，迁黄门侍郎；不与何晏、夏侯玄等交往。《魏志·傅嘏传》卷二十一："迁黄门侍郎。时曹爽秉政，何晏为吏部尚书。嘏谓爽弟羲曰：'何平叔外静而内铦巧，好利，不念务本。吾恐必先惑子兄弟，仁人将远，而朝政废矣。'"按，据《魏志·曹爽传》卷九、《晋书·宣帝纪》卷一，曹爽排挤司马懿，大权独揽，任用何晏等为尚书，事在正始五年，则傅嘏迁黄门侍郎当在此时。又，傅嘏厌恶何晏等，《世说新语·识鉴》又有详载："何晏、邓飏、夏侯玄并求傅嘏交，而嘏终不许。诸人乃因荀粲说合之，谓嘏曰：'夏侯太初一时之杰士，虚心于子，而卿意怀不可交。交合则好成，不合则致隙。二贤若穆，则国之休，此蔺相如所以下廉颇也。'傅曰：'夏侯太初志大心劳，能合虚誉，诚所谓利口覆国之人。何晏、邓飏有为而躁，博而寡要，外好利而内无关龠，贵同恶异，多言而妒前。多言多衅，妒前无亲。以吾观之，此三贤者，皆败德之人耳！远之犹恐罹祸，况可亲之邪？'后皆如其言。"故不与何、夏侯诸人相交似亦在此时。

阮籍三十五岁，为尚书郎，少时，以病免。按，《晋书·阮籍传》卷四十九云"复为尚书郎，少时，又以病免"，其年未详。《世说新语·简傲》刘孝标注引《晋阳秋》云："（王）戎年十五，随父浑在郎舍，阮籍见而悦焉。每适浑俄顷，辄在戎室久之。乃谓浑：'濬冲清尚，非卿伦也。'"又引《竹林七贤论》称："初，籍与戎父浑俱为尚书郎，每造浑，坐未安，辄曰：'与卿语，不如与阿戎语。'就戎，必日夕而返。籍长戎二十岁，相得如时辈。"两则轶事前则云"郎舍"，后则云"俱为尚书郎"，当为同时事，然"戎年十五"及"籍长戎二十"两处，疑均有误。阮籍实长王戎二十四岁，"籍长戎二十"后当遗一"四"字，若此，王戎十五岁，则阮籍应年三十九，其时阮正辞曹爽召而居乡里。故"戎年十五"疑为"戎年十一"之讹。阮三十五岁为尚书郎，于本传及王戎事均合，宜系于此。

应贞或于此年举高第，任职中书，所作五言诗为夏侯玄称美，又作《安石榴赋》。按，《魏志·王粲传》卷二十一裴注引《文章叙录》云"正始中，夏侯玄有盛名，贞常在玄座，作五言诗，玄嘉玩之。举高第，历显位"，《安石榴赋序》云"职在中书"，年月未详，夏侯玄此年前后声名最著，疑应贞举高第、任职中书在此时。应贞（？—269），字吉甫，汝南南顿（今河南项城西南）人。应璩子。善谈论，以才学称。夏侯玄甚重之。先任职中书，后为参军，迁给事中、太子中庶子、散骑常侍。(武)帝于华林园宴射，贞赋"诗最美"(《晋书·文苑列传》卷九十二、《魏志·王粲传》卷二十一裴注引《文章叙录》)《隋书·经籍志》卷三十五："晋散骑常侍《应贞集》一卷，梁五卷。……应贞注应璩《百一诗》八卷，……亡。"严可均《全晋文》卷三十五收其文九篇。丁福保《全晋诗》收其诗二篇。

傅玄二十八岁，为著作郎，撰《魏书》。按，《史通·古今正史》卷十二云"魏史，黄初、太和中始命尚书卫觊、缪袭草创纪传，累载不成，又命侍中韦诞、应璩、……司隶校尉傅玄等，复共撰定"，《晋书·傅玄传》卷四十七又谓"与东海缪施俱以时誉选入著作，撰集《魏书》"，"缪施"当为"缪袭"之讹，缪袭明年卒，傅玄既与其撰《魏书》，则不得迟于缪袭卒年，姑系于此。"司隶校尉"为其晚年官职，此时"选入著作"，当为著作郎。

荀勖迁中书通事郎。按，《晋书·荀勖列传》卷三十九云"迁中书通事郎"，年月未详，荀勖景初三年（239）辟曹爽掾，曹爽正始十年（249）被诛，荀勖移职姑定在曹爽被诛五年前。

裴秀二十一岁，丧父。（《魏志·裴潜传》卷二十三）

钟会二十岁，为秘书郎。按，《魏志·钟会传》卷二十八云"正始中，以为秘书郎"，未详其年，裴注谓其"弱冠登朝"，当在此年。

王弼十九岁，为裴徽、傅嘏等所知；注《易》《老子》；作书戏荀融。《魏志·钟会传》卷二十八裴注引何劭《王弼传》："时裴徽为吏部郎，弼未弱冠，往造焉。徽一见而异之，问弼曰：'夫无者诚万物之所资也，然圣人莫肯致言，而老子申之无已者何？'弼曰：'圣人体无，无又不可以训，故不说也。老子是有者也，故恒言无所不足。'寻亦为傅嘏所知。"又，《魏志·钟会传》卷二十八称"会弱冠与山阳王弼并知名。弼好论儒道，辞才逸辩，注《易》及《老子》"，钟会长王弼一岁，故知王弼注二书在其十九岁时。又，同书又载"弼注《易》，颍川人荀融难弼《大衍义》。弼答其意，白书以戏之曰"，则王书亦作于此时。

曹髦四岁，封剡县高贵乡公。（《魏志·高贵乡公纪》卷四）

华谭生（244—322）。华谭，字令思，广陵（今江苏扬州东北）人。好学不倦，爽慧善辩。太康中，举秀才。素以才学为东土所推。同郡刘颂为之叹息曰"不悟乡里乃有如此才也"！寻除郎中，迁太子舍人、本国中正。后为郫城令，过濮水，作《庄子赞》。迁尚书郎，出为邺令，再迁庐江内史，加绥远将军，以功封都亭侯。建兴初，为镇东军谘祭酒。博学多通，在府无事，乃著书三十卷，名曰《辨道》。转丞相军谘祭酒，领郡大中正。太兴初，拜前军，以疾复转秘书监。卒于家，赠光禄大夫，金章紫绶，加散骑常侍，谥曰胡。（《晋书·华谭列传》卷五十二）《隋书·经籍志》卷三十四："梁有……《新论》十卷，晋金紫光禄大夫华谭撰。"同书卷三十五："梁……又有《华谭集》二卷，亡。"

公元245年 （魏齐王曹芳正始六年 蜀汉后主刘禅延熙八年 吴大帝孙权赤乌八年 乙丑）

正月

顾谭上疏言太子孙和事忤孙权，见放交州。（《吴志·顾谭传》卷五十二、《吴志·陆逊传》卷五十八、《资治通鉴》卷七十四）

姚信亦以吴太子事被流徙。按，《吴志·陆逊传》卷五十八云"而逊外生顾谭、顾承、姚信，并以亲附太子，枉见流徙"，姚信被流徙当与顾谭同时。姚信（？—？）字德祐，或云字元直，吴兴（今浙江湖州）人。曾仕吴太常。（《吴志·吴主五子传》卷五十九、《周易注疏·周易注解传述人》）《隋书·经籍志》卷三十二："《周易》十卷，吴太常姚信注。"同书卷三十四:"梁有《士纬新书》十卷,姚信撰。又《姚氏新书》二卷,与《士纬》相似。""梁有《昕天论》一卷,姚信撰。"同书卷三十五:"梁有《姚信集》二卷,录一卷。"

六月

夏侯玄赴赵俨葬礼,宾客趋迎,司马师恶之。(《魏志·三少帝纪》卷四、《魏志·夏侯玄传》卷九裴注引《魏氏春秋》)

十二月

曹芳诏以王朗所作《易传》课试。(《魏志·三少帝纪》卷四)

是年

卢毓六十三岁,为光禄勋。按,事载《魏志·卢毓传》卷二十二,当为免官后不久之事,姑系于此。

缪袭卒,年六十(186—245)。(《魏志·刘劭传》卷二十一裴注引《文章志》)

王基约四十四岁,为诸葛诞论孙权军动向;作《时要论》。按,事载《魏志·王基传》卷二十七,论孙权云"今陆逊等已死",《吴志·吴主传》卷四十七谓"(赤乌)八年春二月,丞相陆逊卒",疑所论在此年。

毌丘俭率军复征高句丽。(《魏志·毌丘俭传》卷二十八)

傅嘏三十七岁,或于此年因与何晏生隙而被免官。按,《魏志·傅嘏传》卷二十一云"晏等遂与嘏不平,因微事以免嘏官",年月未详,考傅嘏去岁为黄门侍郎,拒与何晏等结交,何晏借微事以报复或在其后不久,姑系于此。

嵇康二十二岁,迁中散大夫。按,《晋书·嵇康传》卷四十九云"拜中散大夫",年月未详,姑定在其入洛二年后。

公元 246 年 (魏齐王曹芳正始七年 蜀汉后主刘禅延熙九年 吴大帝孙权赤乌九年 丙寅)

二月

毌丘俭再讨高句丽。(《魏志·三少帝纪》卷四)

五月

毌丘俭讨涉貊。(《魏志·三少帝纪》卷四)

九月

诸葛恪为大将军，假节，驻武昌，代陆逊领荆州事。（《吴志·诸葛恪传》卷六十四、《吴志·吴主传》卷四十七）

十二月

魏讲《礼记》，使太常以太牢祀孔子于辟雍，颜渊配祀。（《魏志·三少帝纪》卷四）

是年

顾谭卒，年四十二（205—246）。按，《吴志·顾谭传》卷五十二云"见流二年，年四十二，卒于交阯"，其去岁正月见放，至此年为二年。

山涛四十二岁，或于此年举孝廉，辟为河南从事。按，《晋书·山涛列传》卷四十三云"举孝廉，州辟部河南从事"，其正始五年始为郡吏，八年辞从事，为此职当在六、七二年间，姑系于此。

夏侯惠迁乐安太守，寻卒，年三十七（210？—246？）。按，夏侯惠生卒年难考，其青龙二年（234）为散骑侍郎，其年假定二十五岁，《魏志·夏侯渊传》卷九裴注引《文章叙录》谓其"年三十七卒"，则卒于此年。

贾充三十岁，或于此年拜尚书郎。按，《晋书·贾充列传》卷四十云"拜尚书郎，典定科令，兼度支考课，辩章节度，事皆施用"，年月未详，姑定在其为黄门侍郎前二年。

向秀约二十二岁，作《儒道论》，弃而不录。（《世说新语·言语》刘注引《向秀别传》）

赵至约于此年生（246？—282？）。按，《晋书·文苑列传》卷九十二云"太康中……卒，时年三十七"，则其必卒于太康二年（281）至九年（288）之间；《世说新语·言语》刘注引嵇绍《赵至叙》称"（至）年十六……便逐先君归山阳经年"，则其于嵇康卒时必年逾十七，嵇康景元四年（263）见杀，则其必生于正始八年（247）之前。姑以其正始七年生，则为太康三年卒，殆与传言合耳。赵至，字景真，代郡（今河北蔚县）人。年十四，诣洛阳，游太学，识嵇康。年十六，游邺，复遇嵇康，随之还山阳，改名浚，字允元。后赴辽西，举郡计吏，辟部从事。太康中，以良吏赴洛，知母死，号愤恸哭，呕血而卒。（《晋书·文苑列传》卷九十二、《世说新语·言语》刘注引嵇绍《赵至叙》）严可均《全晋文》卷六十七收其文二篇。

公元 247 年　　（魏齐王曹芳正始八年　蜀汉后主刘禅延熙十年　吴大帝孙权赤乌十年　丁卯）

二月

蒋济作《立郊议》，追诘高堂隆以魏为舜后说；因日蚀上疏对诏问。《魏志·蒋济传》卷十四云"著文以追诘隆。是时，曹爽专政……会有日蚀变，诏群臣问其得失，济上疏曰"，《魏志·三少帝纪》卷四谓此月"日有食之"，《资治通鉴》卷七十五系于此时。

五月

山涛辞河南从事。《晋书·山涛列传》卷四十三："州辟部河南从事。与石鉴共宿，涛夜起蹴鉴曰：'今为何等时而眠邪！知太傅卧何意?'鉴曰：'宰相三不朝，与尺一令归第，卿何虑也。'涛曰：'咄！石生无事马蹄间邪！'投传而去。未二年，果有曹爽之诛。"按，《晋书·宣帝纪》卷一称正始八年五月司马懿"称疾不与政事"；十年正月曹爽见诛，距此时一年八个月，恰"未二年"。

七月

何晏奏请"可自今以后，御幸式乾殿及游豫后园，皆大臣侍从，因从容戏宴，兼省文书，询谋政事，讲论经义，为万世法"。（《魏志·三少帝纪》卷四）

是年

刘劭或卒于此年（?—247?），追赠光禄勋。按，《魏志·刘劭传》卷二十一云"正始中，执经讲学，赐爵关内侯。……卒"，据《魏志·三少帝纪》卷四，齐王芳在位期间最后一次受经为七年十二月，疑其因刘劭卒而止受经，姑系刘劭卒于此年。

夏侯霸约六十三岁，为讨蜀护军、右将军；与蜀姜维战于洮西。（《魏志·夏侯渊传》卷九、《魏志·郭淮传》卷二十六、《蜀志·姜维传》卷四十四）

王肃五十四岁，迁太常，论时政时斥何晏等为弘恭、石显之属。《魏志·王肃传》卷十三："迁太常，时大将军曹爽专权，任用何晏、邓飏等。肃与太尉蒋济、司农桓范论及时政，肃正色曰：'此辈即弘恭、石显之属，复称说邪！'"按，年月未详，姑系在为侍中三年后。

杨戏或于此年出领梓潼太守。按，《蜀志·杨戏传》卷四十五云"出领梓潼太守"，年月未详，姑定在为护军监军三年后。

傅嘏三十九岁，为太傅司马懿从事中郎。按，《魏志·傅嘏传》卷二十一云"起家拜荥阳太守，不行。太傅司马宣王请为从事中郎"，年月未详，司马懿心忌何晏等，故用傅嘏，姑定在杀何晏等前二年。

阮籍三十八岁，以疾辞曹爽所召，归回田里。《晋书·阮籍传》卷四十九："及曹爽辅政，召为参军，籍因以疾辞，屏于田里。岁余而爽诛，时人服其远识。"按，《魏志·齐王纪》卷四谓嘉平元年（249）曹爽被诛，阮籍辞召归乡距其时"岁余"，当为此时。

裴秀二十四岁，服终，推财与兄弟。按，《魏志·裴潜传》卷二十三裴注引《文章叙录》云"丧父，服终，推财与兄弟"，《裴潜传》谓裴秀父裴潜"正始五年薨"，服丧三年，当于此年服终。

515

钟会二十三岁，迁尚书郎。按，钟会自作《母传》云"正始八年，会为尚书郎"，《魏志·钟会传》卷二十八所谓"迁尚书"后当遗一"郎"字。

潘岳生（247—300）。按，潘岳《秋兴赋》云"晋十有四年，余春秋三十有二"，《文选》卷十三李注称"十四年，晋武帝泰始十四年也"，晋纪泰始无十四年，自泰始元年算起，十四年当指咸宁四年（278），此年三十二岁，则当生于正始八年。潘岳，字安仁，荥阳中牟（今属河南）人。少以才颖见称，乡邑号为奇童。早辟司空太尉府，举秀才。才名冠世，为众所疾，遂栖迟十年。出为河阳令，负其才而郁郁不得志。转怀令，调补尚书度支郎，迁廷尉评，以公事免。复为太傅主簿，以杨骏诛受株连，除名。未几，选为长安令，作《西征赋》；征补博士，以母疾去，官免。寻为著作郎，转散骑侍郎，迁给事黄门侍郎。性轻躁，趋世利，谄事贾谧。贾谧"二十四友，岳为其首"。仕宦不达，乃作《闲居赋》。后为孙秀所害，弃市。"辞藻绝丽，尤善为哀诔之文"。（《晋书·潘岳传》卷五十五）《隋书·经籍志》卷三十五："晋黄门郎《潘岳集》十卷。"张溥辑有《潘黄门集》。严可均《全晋文》卷九十至九十三收其文六十一篇。丁福保《全晋诗》卷四收其诗十八首。张溥："余读潘安仁《马汧督诔》，恻然思古义士，犹班孟坚之传苏子卿也。及《悼亡》诗赋，《哀永逝文》，则又伤其闺房辛苦，有古《落叶哀蝉》之叹。史云：'善为哀诔。'诚然哉！《籍田赋》《客舍议》并以典则见称，陆海潘江，无不善也。独惜其愍怀诈书，呈身牝后，屈长卿之典册，行江充之告变，重污泥以自辱耳。《闲居》一赋，板舆轻轩，浮杯高歌，天伦乐事，足起爱慕。孰知其仕宦情重，方思热客，慈母拳拳，非所念也。杨骏被诛，纲纪当坐，安仁赖河阳旧客得脱躯命，而好进不休，举家糜灭，害由小吏。生之者公孙宏，杀之者孙秀，祸福何常，古人所以畏蜂虿也。二陆屠门，戎毒相类，天下哀之，遂腾讨檄。安仁东市，独无怜者，士之贤愚，至死益见，余深为彼美惜焉。"（《汉魏六朝百三家集·潘黄门集题词》）

夏侯淳约生于此年（247？—？）。按，生年未详，姑以其小兄夏侯湛四岁。夏侯淳，字孝冲，谯（今安徽亳县）人。夏侯湛弟。有文藻，与兄俱知名。官至弋阳太守。（凌迪知《万姓统谱》卷一百三十三）《隋书·经籍志》卷三十五："梁……又有弋阳太守《夏侯淳集》二卷……亡。"

天竺沙门康僧会抵建业传教。（《高僧传》卷一）

公元248年 （魏齐王曹芳正始九年 蜀汉后主刘禅延熙十一年 吴大帝孙权赤乌十一年 戊辰）

十二月

何晏听管辂卜卦，惧而作五言诗。（《魏志·管辂传》卷二十九、《世说新语·规箴》刘注引《名士传》）

是年

韦诞七十岁，迁中书监。按，《魏志·刘劭传》卷二十一云裴注引《文章叙录》云

"稍迁……中书监",年月未详,万斯同《魏将相大臣年表》谓在此年。

谯周五十岁,此年前后徙中散大夫。按,《蜀志·谯周传》卷四十二云"徙为中散大夫",年月未详,姑定在其五十岁时。

李譔或于此年为中散大夫。按,《蜀志·李譔传》卷四十二云"转中散大夫",年月未详,姑定在为仆五年后。

皇甫谧三十四岁,染风痹疾;作《玄守论》。《晋书·皇甫谧传》卷五十一:"后得风痹疾,犹手不辍卷。或劝谧修名广交,谧以为非圣人孰能兼存出处;居田里之中亦可以乐尧舜之道,何必崇接世利事官鞅掌,然后为名乎?作《玄守论》以答之曰……"按,皇甫谧泰始三(267)年所作《让征聘表》称"久婴笃疾,躯半不仁,右脚偏小,十有九载",逆推十九年正为此年。

贾充三十二岁,迁黄门侍郎。按,《魏志·钟会传》卷二十八裴注引何劭《王弼传》谓王弼为尚书郎时,贾充迁黄门侍郎,故系此年。

阮种二十五岁,或于此年察孝廉,为公府掾。按,《晋书·阮种列传》卷五十二云"察孝廉,为公府掾",年月未详,姑定在为嵇康所称五年后。

裴秀二十五岁,袭清阳亭侯,迁黄门侍郎。(《魏志·裴潜传》卷二十三裴注引《文章叙录》《晋书·裴秀列传》卷三十五)

李密二十五岁,或于此年不应郡命,辟州从事。按,《华阳国志·后贤志》卷十一云"本郡礼命,不应;州辟从事",年月未详,姑定在其二十五岁时。

钟会二十四岁,每服王弼之高致。按,《魏志·钟会传》卷二十八裴注引何劭《王弼传》谓王弼为尚书郎时与钟会交好,故系于王弼为尚书郎时。

王沈为黄门侍郎。按,《晋书·王沈列传》卷三十九云"累迁中书门下侍郎","中书门下侍郎"当即"黄门侍郎";《魏志·钟会传》卷二十八裴注引何劭《王弼传》谓"正始中,黄门侍郎累缺……爽用黎。……寻黎无几时病亡,爽用王沈代黎",王黎卒、王沈用,均在王弼为尚书郎之年。

王弼二十三岁,为尚书郎;作《难何晏圣人无喜怒哀乐论》。按,《魏志·钟会传》卷二十八裴注引何劭《王弼传》云"正始中,黄门侍郎累缺。晏既用贾充、裴秀、朱整,又议用弼。时丁谧与晏争衡,致高邑王黎于曹爽,爽用黎。于是以弼补台郎",裴秀为黄门侍郎在此年,故王弼补台郎当在同年。又,同传云"何晏以为圣人无喜怒哀乐,其论甚精,钟会等述之。弼与不同",王弼此年因何晏青睐而为郎,明年卒,其论当作于此年。

嵇康、阮籍、山涛、向秀、阮咸、王戎、刘伶为友,人称"竹林七贤"。《晋书·嵇康传》卷四十九:"(康)所谓神交者,惟陈留阮籍、河内山涛;豫其流者,河内向秀、沛国刘伶、籍兄子咸、琅邪王戎,遂为竹林之游,世所谓'竹林七贤'也。戎自言与康居山阳二十年,未尝见其喜愠之色。"按,《晋书·王戎列传》卷四十三谓王戎十五岁结识阮籍,其与竹林七贤当在十五岁时。此年王戎十五岁,则七贤当于此年结游竹林。王戎所谓"与康居山阳二十年"非实指,犹"一二十年"。

刘伶与竹林之游。《晋书·刘伶列传》卷四十九:"与阮籍、嵇康相遇,欣然神解,携手入林。"按,嵇、阮等此年始结竹林之游,刘伶参与当在此年。刘伶(?—?),

字伯伦,沛(今安徽濉溪县西北)人。"竹林七贤"之一。为人容貌丑陋,放情肆志,淡漠少言,不妄交游。与嵇康、阮籍为至交。嗜酒如命,后人视之为酒仙。"常乘鹿车,携一壶酒,使人荷锸而随之,谓曰:'死便埋我。'""尝渴甚,求酒于其妻。妻捐酒毁器,涕泣谏曰:'君酒太过,非摄生之道,必宜断之。'伶曰:'善!吾不能自禁,惟当祝鬼神自誓耳。便可具酒肉。'妻从之。伶跪祝曰:'天生刘伶,以酒为名。一饮一斛,五斗解酲。妇儿之言,慎不可听。'仍引酒御肉,隗然复醉。尝醉与俗人相忤,其人攘袂奋拳而往。伶徐曰:'鸡肋不足以安尊拳。'其人笑而止"。"恒纵酒放达,或脱衣裸形在屋中,人见讥之。伶曰:'我以天地为栋宇,屋室为裈衣,诸君何为入我裈中?'"尝为建威参军。泰始初对策,盛言无为之化,不用,竟以寿终。而机应不差。未尝措意文翰,惟著《酒德颂》一篇、《北芒客舍诗》一首。(《晋书·刘伶列传》卷四十九、《世说新语·任诞》《艺文类聚》卷七)

王戎十五岁,阮籍与之交好,谓其父王浑曰"濬冲清赏,非卿伦也。共卿言,不如共阿戎谈"。(《晋书·王戎列传》卷四十三)

张载或于此年生(248?—308?)。按,生年未详,《晋书·潘岳传》卷五十五云:"岳美姿仪……少时常挟弹出洛阳道,妇人遇之者,皆连手萦绕,投之以果,遂满车而归。时张载甚丑,每行,小儿以瓦石掷之,委顿而反。"由是观之,张载似与潘岳年龄相若,姑以张载少潘岳一年。张载,字孟阳,安平(今属河北)人。与弟张协、张亢并有名,时称"三张"。性闲雅,博学有文章。太康初,至蜀省父,道经剑阁,因著铭以作诫,晋武帝遣使镌之于剑阁山。又为《蒙汜赋》,傅玄见而嗟叹,遂知名。初为佐著作郎,出补肥乡令。复为著作郎,转太子中舍人,迁乐安相、弘农太守。长沙王乂请为记室督。拜中书侍郎,复领著作。见世方乱,无意复仕,称疾告归,卒于家。(《晋书·张载列传》卷五十五)《隋书·经籍志》卷三十五:"晋中书郎《张载集》七卷,梁一本二卷,录一卷。"张溥辑有《张孟阳集》。严可均《全晋文》卷八十五收其文十三篇。丁福保《全晋诗》卷四收其诗十五首。张溥:"晋代文人,有二陆三张之称,三张者,孟阳载、景阳协、季阳亢也。季阳才藻不逮二昆,文不甚显。孟阳《濛汜》,司隶延誉,景阳《七命》,举世称工,安平棣华,名岂虚得。然揆其旨趣,语亦犹人,不能不远惭枚叔,近媿平原也。《剑阁》一铭,文章典则,砧石蜀山,古今荣遇。景阳文稍让兄,而诗独劲出,盖二张齐驱,诗文之间,互有长短。若论才家庭,则伯难为兄,仲难为弟矣。二子守道,嫉众贪位,高尚之怀,每形诗咏,时或疵其玄之尚白。及观二凤齐倾,金谷并陨,华亭上蔡,嗟呼叹晚,然后知达人早识长谣,二疏高歌《招隐》,所以能自脱于巫山之火也。"(《汉魏六朝百三家集·张孟阳景阳集题词》)。

公元249年 (魏齐王曹芳正始十年 魏齐王曹芳嘉平元年 蜀汉后主刘禅延熙十二年 吴大帝孙权赤乌十二年 己巳)

正月

桓范劝阻曹爽兄弟皆从车驾往高平陵。(《魏志·曹爽传》卷九、裴注引《世语》)

钟会为中书郎，从曹芳车驾朝高平陵。（《魏志·钟会传》卷二十八裴注引钟会《母传》）

司马懿起兵，使桓范领军；桓范未应召，矫诏开平昌门，南奔曹爽。（《魏志·曹爽传》卷九、裴注引《魏略》《魏氏春秋》）

蒋济作《与曹爽书》，转达司马懿之旨，"唯免官而已，以洛水为誓"。（《魏志·曹爽传》裴注引《世语》）

司马懿与蒋济话桓范。《魏志·曹爽传》卷九裴注引干宝《晋书》："桓范出赴爽，宣王谓蒋济曰：'智囊往矣。'济曰：'范则智矣，驽马恋栈豆，爽必不能用也。'"

桓范说曹爽"与天子相随，令于天下"，不纳；哭曰"曹子丹佳人，生汝兄弟，犊耳！何图今日坐汝等族灭矣"！（《魏志·曹爽传》卷九、裴注引《世语》）

卢毓行司隶校尉，治曹爽一党案。（《魏志·卢毓传》卷二十二）

桓范以曹爽事被司蕃所举，送廷尉，见杀（？—249）。（《魏志·曹爽传》卷九、裴注引《魏略》）

何晏为司马懿所杀（？—249）。（《魏志·三少帝纪》卷四）

荀勖孤身敢赴曹爽丧。（《晋书·荀勖列传》卷三十九）

王弼以公事免官。（《魏志·钟会传》卷二十八裴注引何劭《王弼传》）

王沈以曹爽故吏免官。（《晋书·王沈列传》卷三十九）

裴秀以曹爽故吏免官。（《晋书·裴秀列传》卷三十五）

王基为河南尹，未拜，因曹爽诛而罢。（《魏志·王基传》卷二十七）

夏侯霸惧祸奔蜀，以其从妹为后主皇后，得厚遇，封车骑将军。（《蜀志·后主传》卷三十三）按：《蜀志·张嶷传》卷四十三延熙十七年裴注引《益部耆旧传》称其为车骑将军，疑封于初谒后主时。

夏侯霸奔蜀前，呼夏侯玄与俱，夏侯玄未从。（《蜀志·夏侯玄传》卷九裴注引《魏氏春秋》）

董遇、贾洪、邯郸淳、薛夏、隗禧、苏林、乐详等七人为《魏略》视为儒宗。《魏略》序其事曰："从初平之元，至建安之末，天下分崩，人怀苟且，纲纪既衰，儒道尤甚。至黄初元年之后，新主乃复，始扫除太学之灰炭，补旧石碑之缺坏，备博士之员录，依汉甲乙以考课。申告州郡，有欲学者，皆遣诣太学。太学始开，有弟子数百人。至太和、青龙中，中外多事，人怀避就。虽性非解学，多求诣太学。太学诸生有千数，而诸博士率皆粗疏，无以教弟子。弟子本亦避役，竟无能习学，冬来春去，岁岁如是。又虽有精者，而台阁举格太高，加不念统其大义，而问字指墨法点注之间，百人同试，度者未十。是以志学之士，遂复陵迟，而末求浮虚者各竞逐也。正始中，有诏议圜丘，普延学士。是时郎官及司徒领吏二万余人，虽复分布，见在京师者尚且万人，而应书与议者略无几人。又是时朝堂公卿以下四百余人，其能操笔者未有十人，多皆相从饱食而退。嗟夫！学业沈陨，乃至于此。是以私心常区区贵乎数公者，各处荒乱之际，而能守志弥敦者也。"（《魏志·王肃传》卷十三裴注引）

王肃仍为太常，奉诏册命司马懿为丞相。（《魏志·三少帝纪》卷四裴注引孔衍《汉魏春秋》）

四月

魏改元嘉平。(《魏志 · 三少帝纪》卷四)

蒋济进封都乡侯，上疏固辞，不许；以食言于曹爽，发病卒，年约六十七 (183？—249)。(《魏志 · 三少帝纪》卷四、《魏志 · 蒋济传》卷十四裴注引《世语》《资治通鉴》卷七十五)

秋

王弼卒，年二十四 (226—249)。(《魏志 · 钟会传》卷二十八裴注引何劭《王弼传》)

是年

杜恕五十二岁，出为幽州刺史，加建威将军，持节，护乌丸校尉；作《与宋权书》；以忤征北将军程喜，坐事免为庶人，徙章武郡。(《魏志 · 杜恕传》卷十六及裴注引《杜氏新书》)

王昶约五十二岁，陈治略五事；魏主诏书褒赞，使撰百官考课事。(《魏志 · 王昶传》卷二十七)

王基约四十八岁，为尚书。(《魏志 · 王基传》卷二十七)

孙该此年前后为著作郎。按，《魏志 · 刘劭传》卷二十一裴注引《文章叙录》云"复还入著作"，当为著作郎，年月未详，姑定在为司徒右长史六年后。

夏侯玄四十一岁，为大鸿胪。按，《魏志 · 夏侯玄传》卷九云"爽诛，征玄为大鸿胪"，曹爽此年诛，当系此年。

傅嘏四十一岁，为河南尹。按，《魏志 · 傅嘏传》卷二十一云"曹爽诛，为河南尹"，曹爽此年诛，傅尹河南当在此年。

毌丘俭迁左将军，假节监豫州诸军事，领豫州刺史。按，事载《魏志 · 毌丘俭传》卷二十八，年月未详，姑定在正始七年东征高句丽三年后。

阮籍四十岁，为司马懿从事中郎。按，《晋书 · 阮籍传》卷四十九云"宣帝为太傅，命籍为从事中郎"，阮籍为从事中郎当在曹爽被诛之后，《魏志 · 三少帝纪》卷四谓嘉平元年曹爽"夷三族"，故系于此。

荀勖或于此年为安阳令。按，《晋书 · 荀勖列传》卷三十九云"为安阳令"，年月未详，曹爽死，司马氏或以其不避嫌、敢赴曹爽丧而任其为令，姑系于此。

羊祜二十九岁，遭母丧、兄丧。按，《晋书 · 羊祜列传》卷三十四云"及爽败……祜独安其室，恩礼有加焉。寻遭母忧，长兄发又卒"，曹爽此年见杀，羊祜母、兄当丧于此年。

裴秀二十六岁，或于此年为廷尉正。按，《晋书 · 裴秀列传》卷三十五云"爽诛，以故吏免。顷之，为廷尉正"，为此官距去岁免职当隔不远，姑定此年。

嵇康二十六岁，生女。按，嵇康《与山巨源绝交书》云"女年十三"，嵇书作于景

520

元二年（261），由此知其女生于此年。

张华十八岁，为县吏；娶刘放女为妻，作《感婚赋》《感婚诗》。《晋书·张华列传》卷三十六："华少孤贫，自牧羊，同郡卢钦见而器之，乡人刘放亦奇其才，以女妻焉。"《艺文类聚》卷五十三引徐广《晋纪》："张华少自牧羊，而笃志好学；初为县吏，卢钦奇其才，数称荐之。"按，张华为吏、娶妻，年月未详，然《晋书·刘放列传》卷十四谓"嘉平二年（刘）放薨"，刘放妻之以女，疑在此年。

石崇生（249—300）。石崇，字季伦，生于青州，故小名齐奴，渤海南皮（今属河北）人。少敏惠，好学不倦，勇而有谋。年二十余，为修武令，有能名。入为散骑郎，迁城阳太守。伐吴有功，封安阳乡侯，拜黄门郎。累迁散骑常侍、侍中，出为南中郎将、荆州刺史，领南蛮校尉，加鹰扬将军。后拜太仆，出为征虏将军，假节、监徐州诸军事，镇下邳。以事免官，复拜卫尉。为人颖悟有才气，而任侠无行检，卑佞谀上，敛财无度，以与贵戚争奢斗富而著名。后以党免官见杀。（《晋书·石崇列传》卷三十三）《隋书·经籍志》卷三十五："晋卫尉卿《石崇集》六卷，梁有录一卷。"严可均《全晋文》卷三十三收其文九篇。丁福保《全晋诗》卷四收其诗八首。

虞溥约于此年生（249？—310？）。按，《晋书·虞溥列传》卷八十二云"卒于洛，时年六十二。子勃，过江上《江表传》于元帝"，以虞勃上父作观之，虞溥当卒于西晋末，且本传中无永嘉之乱象，姑定其卒于永嘉四年（310），则约当此年生。虞溥，字允源，高平昌邑（今山东金乡西北）人。郡察孝廉，除郎中，补尚书都令史。迁公车司马令，除鄱阳内史。为政严而不猛，风化大行。"注《春秋》经、传，撰《江表传》及文章诗赋数十篇"。（《晋书·虞溥列传》卷八十二）《隋书·经籍志》卷三十五："梁……又有……东晋鄱阳太守《虞溥集》二卷，录一卷。"严可均《全晋文》卷七十九收其文四篇。

阮修约于此年生（249？—310？）。按，《晋书·阮修列传》卷四十九云："避乱南行，至西阳期思县，为贼所害，时年四十二。"《世说新语·文学》谓阮修因太尉王衍赏识而辟为掾，考王衍永嘉三年（309）三月为太尉，永嘉五年四月被害，然则阮修为掾后不久遇难，必在此二年间，姑以永嘉四年为其卒年。若此，其生年当为泰始五年（269）。然阮修《患雨赋》自谓作于"景元二年（261），故本传卒年"四十二"疑为"六十二"之讹。倘六十二卒，则生于此年，小其从父阮咸十岁。阮修，字宣子，陈留尉氏（今属河南）人。阮咸从子。为人简任，不修人事，恶见俗人，嗜酒如命。先为鸿胪丞，转太傅行参军，迁太子洗马，复为太尉掾，寻被贼害。（《晋书·阮修列传》卷四十九）《隋书·经籍志》卷三十五："梁……又有……太子洗马《阮修集》二卷。……亡。"严可均《全晋文》卷七十二收其文二篇。丁福保《全晋诗》卷四收其诗一首。

公元 250 年　（魏齐王曹芳嘉平二年　蜀汉后主刘禅延熙十三年　吴大帝孙权赤乌十三年　庚午）

十一月

孙权立少子孙亮为太子。（《吴志·吴主传》卷四十七）

十二月

曹髦丧父（曹霖）。按，《魏志·三少帝纪》卷四云"（嘉平）二年……十二月甲辰，东海王霖薨"，《魏志·东海定王霖传》卷二十则谓其"嘉平元年薨"，姑依帝纪。

王昶以征南将军渡江袭吴。（《魏志·三少帝纪》卷四、《吴志·吴主传》卷二）

王基以荆州刺史、扬烈将军随王昶击吴，攻西陵。（《魏志·王基传》卷二十七、《吴志·吴主传》卷四十七）按，据本传，王基为荆州刺史、扬烈将军在去岁为尚书后至此年此月之间。

是年

杜琼卒，年约八十三（168？—250）。（《蜀志·杜琼传》卷四十二）

卢毓六十八岁，复吏部尚书，加奉车都尉，封高乐亭侯。按，事载《魏志·卢毓传》卷二十二，年月未详，姑定在行司隶校尉一年后。

应璩六十一岁，复为侍中，典著作。（《魏志·王粲传》卷二十一裴注引《文章叙录》《魏志·朱建平传》卷二十九）

杨戏或于此年入为射声校尉。按，《蜀志·杨戏传》卷四十五云"入为射声校尉"，年月未详，姑定在为梓潼太守三年后。

韦昭四十七岁，为黄门侍郎。按，《吴志·韦曜传》卷六十五云"和废后，为黄门侍郎"，《吴志·孙权传》卷四十七谓此年八月"废太子和"，韦昭为黄门侍郎当在此时以后，姑系于此。

贾充三十四岁，迁汲郡典农中郎将。按，《晋书·贾充列传》卷四十云"累迁……汲郡典农中郎将"，年月未详，此职在其正始九年（248）为黄门侍郎与嘉平四年（252）为大将军参军之间，姑系于此。

荀勖或于此年为骠骑从事中郎。按，《晋书·荀勖列传》卷三十九云"转骠骑从事中郎"，"骠骑"，不知其指，疑指骠骑将军孙资，孙资此前为中书令，而荀勖亦尝为中书通事郎，《魏志·三少帝纪》卷四谓孙资此年为骠骑将军，明年卒，荀勖为其从事中郎姑系此年。

张华十九岁，作《魏刘骠骑诔》。按，刘骠骑为张华岳父刘放，《晋书·刘放列传》卷十四谓"嘉平二年放薨"，张诔当作于此年。

陈寿十八岁，此年前后受学于谯周。《晋书·陈寿列传》卷八十二："少好学，师事同郡谯周。"《华阳国志·后贤志》卷十一："少受学于散骑常侍谯周，治《尚书》三传，锐精《史》《汉》，聪警敏识，属文富艳。"按，师事谯周，年月未详，姑定在其十八岁时。

陆景生（250—280）。按，《吴志·陆逊传》卷五十八云陆景天纪四年（280）遇害，"时年三十一"，由是知生于此年。陆景，字士仁，吴郡吴（今江苏苏州）人。陆逊孙，陆抗子，陆机兄。以尚公主拜骑都尉，封毗陵侯，迁偏将军、中夏督。"著书数十篇"。天纪四年（280）遇害。（《吴志·陆逊传》卷五十八）《隋书·经籍志》卷三十五："梁……又有《陆景集》一卷，亡。"

左思约于此年生（250？—305？）。按，生年未详，考《晋书·后妃列传上》卷三十一，左思胞妹"（左）芬少好学，善缀文，名亚于思。武帝闻而纳之，泰始八年（272），拜修仪"。左芬进宫及拜修仪，当在二十岁之内。姑以左芬拜修仪在其二十岁时，左思长其妹三岁，则约生于此年。左思，字太冲，齐国临淄（今属山东）人。貌寝口讷，而辞藻壮丽。不好交游，惟以闲居为事。造《齐都赋》，一年乃成。复撰《三都赋》，乃诣著作郎张载，访岷邛之事。构思十年，门庭藩溷，皆著笔纸，遇得一句，即便疏之。赋成，皇甫谧称善，为其赋序。张载为注《魏都》，刘逵为注《吴都》《蜀都》而序之。卫权又为其《三都赋》作《略解》并《序》。豪贵之家竞相传写，洛阳为之纸贵。曾受贾谧请讲《汉书》，贾谧诛，退居宜春里，专意典籍。后避乱适冀州。数年后，以疾终。（《晋书·文苑列传》卷九十二）《隋书·经籍志》卷三十五："晋齐王府记室《左思集》二卷，梁有五卷，录一卷。……《五都赋》六卷并录。张衡及左思撰。……《齐都赋》二卷并音，左思撰。……张载及晋侍中刘逵、晋怀令卫权注左思《三都赋》三卷，綦母邃注《三都赋》三卷。"严可均《全晋文》卷七十四收其文七篇。丁福保《全晋诗》卷四收其诗十四首。

潘尼约于此年生（250？—311）。按，生年未详，《晋书·潘尼列传》卷五十五云："永嘉中，迁太常卿。洛阳将没，携家属东出城皋，欲还乡里。道遇贼，不得前。病卒于坞壁，年六十余。"《晋书·怀帝纪》卷五谓永嘉五年（311）六月刘曜攻陷京师，"洛阳将没"即此前不久事。潘尼此"年六十余"，如为六十二，则生于此年。潘尼，字正叔，荥阳中牟（今属河南）人。潘岳从子。少有清才，与潘岳俱以文章见知。性静退不竞，唯以勤学著述为事。曾著《安身论》以明所守。初应州辟，后辞。太康中，举秀才，为太常博士。历高陆令、淮南王允镇东参军。元康初，拜太子舍人，上《释奠颂》。后为齐王冏参军，兼管书记。封安昌公。历黄门侍郎、散骑常侍、侍中、秘书监。永兴末，为中书令。永嘉中，迁太常卿。病卒于坞壁，年六十余。（《晋书·潘尼列传》卷五十五）《隋书·经籍志》卷三十五："晋太常卿《潘尼集》十卷。"张溥辑有《潘太常集》。严可均《全晋文》卷九十四、九十五收其文二十六篇。丁福保《全晋诗》卷四收其诗二十四首。张溥："史称潘正叔'著论究人道之纲，裁箴悬乘舆之鉴'，此二文者，非徒龙甲凤毛，亦其生平所以自立也。元康荐乱，八王斗争，从父安仁，一门罹酷，正叔知几，归扫坟墓，后得封公显职，寿终坞壁。当安仁初任河阳，赠诗祖道，美其天姿。刑僇之后，树碑纪事，增恸覆醢。其于叔父情笃，犹中郎也。存没异路，荣辱天壤，逃死须臾之间，垂声三王之际，至今诵《闲居》者，笑黄门之乾没，读《安身》者，重太常之居正，人物短长，亦悬祸福，泉下嘿嘿，乌谁雌雄。即有不平，能更收召魂魄，抗眉争列哉。傅长虞会定九品，正叔作诗规之，其为人也，无诡随，其为文也，无戏谑，大致然类。若琴有八分之书，赋著《琉璃之盌》，适文人余韵也。"（《汉魏六朝百三家集·潘太常集题词》）

公元 251 年　（魏齐王曹芳嘉平三年　蜀汉后主刘禅延熙十四年　吴大帝孙权赤乌十四年　太元元年　辛未）

正月

王基击败吴人。（《魏志·三少帝纪》卷四）

二月

王基置夷陵县；赐爵关内侯；徙江夏而治；议伐吴事。（《魏志·王基传》卷二十七、《魏志·三少帝纪》卷四）

四月

王昶为征南大将军、仪同三司，进封京陵侯。（《魏志·王昶传》卷二十七、《魏志·三少帝纪》卷四）

五月

吴改元太元。（《吴志·吴主传》卷四十七）

六月

曹彪赐死（？—251）。《魏志·三少帝纪》卷四）

七月

成公绥作《魏相国舞阳宣文侯司马公诔》。按，《魏志·三少帝纪》卷四谓"（嘉平）三年……秋七月……戊寅，太傅司马宣王薨"，成诔当作于此时。

孙楚丧祖父（孙资）。（《魏志·刘放传》卷十四、《魏志·三少帝纪》卷四）

十二月

孙权染疾，征诸葛恪为太子太傅。（《吴志·吴主传》卷四十七）

是年

王肃五十八岁，或于此年坐宗庙事，免太常。按，《魏志·王肃传》卷十三云"迁太常。……坐宗庙事免"，传叙免太常在嘉平四年为光禄勋前，其嘉平元年以太常册命司马懿，则免太常疑在二、三年，姑系此年。

王沈或于此年起为治书侍御史。按，《晋书·王沈列传》卷三十九云"后起为治书侍御史"，年月未详，姑定在免官二年后。

程晓约三十三岁，为黄门侍郎，上疏请罢校事官。《魏志·程昱传》卷十四："晓嘉平中为黄门侍郎。时校事放横，晓上疏曰……于是遂罢校事官。"按，确年未详，嘉平共六年，姑系其中。

成公绥二十一岁，此年前后作《乌赋》《天地赋》。《晋书·文苑列传》卷九十二："少有俊才，词赋甚丽。闲默自守，不求闻达。时有孝乌每集其庐舍，绥谓有反哺之德，以为祥禽，乃作赋美之，文多不载。又以赋者贵能分赋物理，敷演无方。天地之盛，可以致思矣。历观古人，未之有赋。其独以至丽无文，难以辞赞？不然，何其阙哉？遂为《天地赋》。"按，二赋作年未详，疑为弱冠前后之作，姑系于此。

公元 252 年　（魏齐王曹芳嘉平四年　蜀汉后主刘禅延熙十五年　吴大帝孙权太元二年　神凤元年　吴会稽王孙亮建兴元年　壬申）

正月

阮籍迁司马师从事中郎；其《鸠赋》作于此年前后。按，《晋书·阮籍传》卷四十九云"及宣帝崩，复为景帝大司马从事中郎"，《太平御览》卷二百三十八引《竹林七贤传》云"迁景王大将军从事中郎"，《魏志·三少帝纪》卷四谓司马懿卒于嘉平三年七月，而司马师为大将军则在四年正月，阮籍为其从事中郎当在此时以后；又，《鸠赋序》云"嘉平中得两鸠子"，嘉平前后六年，姑系于此。

贾充参大将军军事。按，《晋书·贾充列传》卷四十云"参大将军军事"，司马师本月为大将军，贾充参其事当在此时以后，姑系于此。

王基作《与司马师书》，戒之。按，《魏志·王基传》卷二十七云"司马景王新统政，基书戒之曰"，司马师此月为大将军。

二月

吴孙权改元神凤。（《吴志·吴主传》卷四十七）

四月

吴大帝孙权崩，太子孙亮即位，改元建兴。（《吴志·三嗣主传》卷四十八）

吴少傅孙弘欲矫诏除诸葛恪，诸葛恪诛孙弘，作《与弟诸葛融书》。（《吴志·诸葛恪传》卷六十四）

闰四月

诸葛恪拜太傅，执权柄；以身为废太子孙和妃舅之故，欲作有利孙和之事，内心又有迁都意。（《吴志·三嗣主传》卷四十八、《吴志·孙和传》卷五十九）

韦昭为吴太史令，撰《吴书》。（《吴志·韦曜传》卷六十五）

薛莹或于此年为秘府中书郎，参撰《吴书》。按，《吴志·薛莹传》卷五十三云"初为秘府中书郎"，年月未详，《吴志·韦曜传》卷六十五谓韦昭此时为太史令，"撰

《吴书》，华覈、薛莹等皆与参同"，则疑薛莹此时或为秘府中书郎，参与修史。薛莹（？—282），字道言，沛郡竹邑（今安徽宿县西北）人。薛综子。历官秘府中书郎、散骑常侍、选曹尚书、太子少傅、武昌左部督。后以事下狱，徙广州。又召还为左国史，迁光禄勋。降晋后，为散骑常侍。"著书八篇，名曰《新议》"。（《吴志·薛莹传》卷五十三）《隋书·经籍志》卷三十三："《后汉记》六十五卷，本一百卷，梁有，今残缺。晋散骑常侍薛莹撰。"同书卷三十五："晋散骑常侍《薛莹集》三卷。"

华覈或于此年为秘府中书郎，撰《吴书》。按，《吴志·华覈传》卷六十五云"以文学入为秘府郎"，年月未详，《韦曜传》谓其与撰《吴书》，疑其此时为秘府中书郎，参与修史。华覈（？—278？），字永先，吴郡武进（今属江苏）人。始为上虞尉、典农都尉，后以文学为秘府郎，迁中书丞。孙皓即位，封徐陵亭侯，迁东观令，领右国史。"书百余上，皆有补益"，"所论事章疏，咸传于世也"。（《吴志·华覈传》卷六十五）《隋书·经籍志》卷三十五："梁……又有东观令《华覈集》五卷，录一卷，亡。"

周昭亦撰《吴书》。按，《吴志·步骘传》卷五十二云"与韦昭、薛莹、华覈并述《吴书》"，疑亦在此时。周昭（？—261），字恭远，颍川（今河南许昌东）人。曾"著书称步骘及严畯等"，并撰《吴书》。为中书郎，坐事下狱，华覈上表营救，孙休不听，杀之。（《吴志·步骘传》卷五十二）《隋书·经籍志》卷三十四："梁有……《周子》九卷，吴中书郎周昭撰，亡。"

十月

诸葛恪率军遏巢湖，城东兴，作大堤，以备魏军。（《吴志·诸葛恪传》卷六十四、《吴志·三嗣主传》卷四十八）

傅嘏迁尚书，对诏议伐吴三计。（《魏志·傅嘏传》卷二十一及裴注引司马彪《战略》《资治通鉴》卷七十五）

十一月

王昶以征南大将军奉诏征吴。（《魏志·三少帝纪》卷四）

毌丘俭转镇南将军，奉诏征吴。（《魏志·三少帝纪》卷四）

焦先作《祝衄歌》。按，《魏志·管宁传》卷十一称"至嘉平中……其明年，大发卒将伐吴，有窃问先：'今讨吴何如？'先不肯应，而谬歌曰"云云，所谓"大发卒将伐吴"，当即毌丘俭率师征吴事。焦先（？—？），《魏志·管宁传》裴注引《傅子》谓为隐者，河东（今山西境内黄河以东地）人。裴注引《魏略》谓其字孝然，亡时年八十九。裴注引《高士传》谓或言生乎汉末，魏受禅，遂结草为庐于河之湄，度年可百岁余乃卒。裴注引《魏氏春秋》则谓或以其为"仙人"，或言其"性同禽兽"。

十二月

王昶兵向南郡。（《吴志·三嗣主传》卷三）

毌丘俭兵向武昌。（《魏志·三少帝纪》卷四裴注引《汉晋春秋》《资治通鉴》卷七十五）

　　诸葛恪大破魏征吴军，进封阳都侯，加荆、扬州牧，督中外诸军事。（《吴志·诸葛恪传》卷六十四、《吴志·三嗣主传》卷四十八）

　　王昶征吴兵败。（《魏志·三少帝纪》卷四）

　　毌丘俭征吴兵败。（《魏志·三少帝纪》卷四）

是年

　　韦诞七十四岁，迁光禄大夫。按，《魏志·刘劭传》卷二十一裴注引《文章叙录》云"稍迁……中书监，以光禄大夫逊位"，其于正始九年（248）为中书监，始任光禄大夫之年不详，以其明年谢世，姑系于此。

　　卢毓七十岁，转仆射，故典选举，加光禄大夫。按，事载《魏志·卢毓传》卷二十二，年月未详，姑定在复吏部尚书两年后。

　　应璩卒，年六十三（190—252）。（《魏志·王粲传》卷二十一裴注引《文章叙录》）

　　王肃五十九岁，为光禄勋。按，《魏志·王肃传》称其为光禄勋之年，时有鱼集武库之屋事，《魏志·三少帝纪》谓在此年五月，故王肃为光禄勋当在是年。

　　杜恕作《体论》八节、《兴性论》一篇，卒，年五十五（198—252）。（《魏志·杜恕传》卷十六及裴注引《杜氏新书》）按，二论作于在章武四年间，姑系此年。

　　山涛四十八岁，举秀才，除郎中。《晋书·山涛列传》卷四十三："与宣穆后有中表亲，是以见景帝。帝曰：'吕望欲仕邪？'命司隶举秀才，除郎中。"按，司马师此年正月为大将军，执权柄，山涛谒见受职当在此年。

　　夏侯玄四十四岁，此年前后迁太常。《魏志·夏侯玄传》卷九："曹爽诛，征玄为大鸿胪，数年迁太常。"《世说新语·方正》："曹爽诛，征为太常。……及太傅薨，许允谓玄曰：'子无复忧矣。'玄叹曰：'士宗，卿何不见事乎？此人犹能以通家年少遇我，子元、子上不我容也。'"按，夏侯玄嘉平元年为大鸿胪，司马懿嘉平三年卒，既云隔"数年"迁太常，当在司马懿卒后，姑定在四年，距元年为三年，可当"数年"矣。

　　郤正约四十岁，或于此年前后迁秘书郎。按，《蜀志·郤正传》卷四十二云"迁郎"，年月未详，姑定在其为令史十年后。

　　杜预三十一岁，丧父（杜恕）。（《魏志·杜恕传》卷十六及裴注引《杜氏新书》）

　　李密二十九岁，或于此年为尚书郎。按，《晋书·孝友列传》卷八十八云"少仕蜀为郎"，《华阳国志·后贤志》卷十一云"（为）尚书郎"，年月未详，以"少仕"思之，或在而立之前，姑定在其二十九岁时。

公元 253 年 　（魏齐王曹芳嘉平五年　蜀汉后主刘禅延熙十六年　吴会稽王孙亮建兴二年　癸酉）

正月

王昶等兵退。（《吴志·三嗣主传》卷四十八）

毌丘俭兵退；转镇东将军，都督扬州。（《魏志·毌丘俭传》卷二十八、《资治通鉴》卷七十六）

二月

诸葛恪使司马李衡说蜀姜维，约定同伐魏；作《谕众意论》《答聂友书》。（《吴志·诸葛恪传》卷六十四及裴注引《汉晋春秋》《资治通鉴》卷七十五）

三月

吴诸葛恪率军征魏。（《吴志·三嗣主传》卷四十八）

傅嘏作《诸葛恪扬声欲向青徐议》。按，《魏志·傅嘏传》卷二十一载此议于诸葛恪围新城之前，当系于此。

四月

诸葛恪围新城；大疫，兵卒死者大半。（《吴志·三嗣主传》卷四十八）

五月

毌丘俭奉命自守新城。（《魏志·毌丘俭传》卷二十八、《资治通鉴》卷七十六）

八月

诸葛恪引军还。（《吴志·三嗣主传》卷四十八）

十月

诸葛恪被杀，年五十一（203—253）。（《吴志·诸葛恪传》卷六十四）

是年

韦诞作《叙志赋》；以光禄大夫致仕，旋卒，年七十五（179—253）。按，《魏志·刘劭传》卷二十一裴注引《文章叙录》云"以光禄大夫逊位，年七十五卒于家"，张彦远《法书要录》卷八张怀瓘《书断》中则称"嘉平五年（韦诞）卒，年七十五"。又，韦赋云"念余年之冉冉……乞骸骨而告归"，当作于告老逊位时。

王肃六十岁，徙河南尹。按，《魏志·王肃传》卷十三云"其后果有东关之败。徙为河南尹"，《魏志·三少帝纪》卷四谓"东关之败"在嘉平四年年底，嘉平六年彼又"持节兼太常"，则徙尹河南当在此年。

　　傅嘏四十五岁，撰《四本论》。按，《魏志·傅嘏传》卷二十一云"后恪果图新城，不克而归。嘏常论才性同异，钟会集而论之"，侯康《三国志补注续》谓"《晋书·阮裕传》：'尝问谢万世云："未见《四本论》，君试为言之。"万叙说既毕，裕以傅嘏为长。'案《四本论》即才性同异也"，傅嘏《四本论》当作于诸葛恪围新城之年即嘉平五年。

　　李譔或于此年为右中郎将。按，《蜀志·李譔传》卷四十二云"转……右中郎将"，年月未详，姑定在为中散大夫五年后。

　　荀勖或于此年迁廷尉正。按，《晋书·荀勖列传》卷三十九云"迁廷尉正"，年月未详，姑系在为骠骑从事中郎三年后。

　　嵇康三十岁，锻铁自给；拒与钟会结交。《晋书·嵇康列传》卷四十九："性绝巧而好锻。宅中有一柳树甚茂，乃激水圜之，每复月居其下以锻。……初，康居贫，尝与向秀共锻于大树之下，以自赡给。颍川钟会，贵公子也，精錬有才辩，故往造焉。康不为之礼，二锻不辍。良久会去，康谓曰：'何所闻而来？何所见而去？'会曰：'闻所闻而来，见所见而去。'会以此憾之。"按，嵇康拒与钟会为友，当在钟会撰《四本论》时，姑系于此。

　　王沈或于此年转秘书监。按：《晋书·王沈列传》卷三十九云"转秘书监"，年月未详，姑定在为治书侍御史二年后。

　　钟会二十九岁，撰《四本论》；欲使嵇康一见而不敢。按，《魏志·钟会传》卷二十八云"会尝论……才性同异"，《世说新语·文学》云"钟会撰《四本论》"，刘注谓"四本者，言才性同、才性异、才性合、才性离也。尚书傅嘏论'同'，中书令李丰论'异'，侍郎钟会论'合'，屯骑校尉王广论'离'"，钟论当与傅嘏作于同年。又，《世说新语·文学》称"钟会撰《四本论》始毕，甚欲使嵇公一见。置怀中，既定，畏其难，怀不敢出，于户外遥掷，便回急走"，疑事在此年。

　　向秀二十九岁左右，与嵇康锻铁；共吕安灌园。《晋书·向秀列传》卷四十九："康善锻，秀为之佐，相对欣然，傍若无人。又共吕安灌园于山阳。"按，锻铁灌园恐非一时之事，姑以与钟会之关联，系于此年。

　　王戎二十岁，诣阮籍，共饮酒。《世说新语·简傲》："王戎弱冠诣阮籍，时刘公荣在坐，阮谓王曰：'偶有二斗美酒，当与君共饮，彼公荣者无预焉。'二人交觞酬酢，公荣遂不得一杯，而言语谈戏，三人无异。"

　　山简生（253—312）。山简，字季伦，河内怀（今河南武陟西南）人。山涛子。性温雅，与嵇绍等齐名。初为太子舍人，累迁太子庶子、黄门郎，出为青州刺史。征拜侍中，转尚书。历镇军将军、荆州刺史，领南蛮校尉，不行，复拜尚书。光熙初，转吏部尚书。永嘉初，出为雍州刺史、镇西将军。征为尚书左仆射，领吏部。永嘉三年，出为征南将军、都督荆、湘、交、广四州诸军事、假节，镇襄阳。寻加督宁、益军事。年六十卒，追赠征南大将军、仪同三司。（《晋书·山简列传》卷四十三）《隋书·经籍志》卷三十五："梁……又有……开府《山简集》二卷，录一卷。"

李重生（253—300）。李重，字茂曾，江夏钟武（今河南信阳境内）人。少好学，有文辞。弱冠为本国中正，逊让不行。后为始平王文学，迁太子舍人，转尚书郎。太熙初，迁廷尉平、中书郎，再迁尚书吏部郎，出为行讨虏护军、平阳太守。永康初，赵王伦用为相国左司马，卒时年四十八。追赠散骑常侍，谥曰成。（《晋书·李重列传》卷四十六）《隋书·经籍志》卷三十五："梁有……散骑常侍《李重集》二卷。"

左芬生（253？—300？）。按，《晋书·后妃传上》卷三十一之"泰始八年，拜修仪"，如其年二十，则此年生。左芬，临淄（今属山东）人。左思妹。少好学，善缀文。入后宫，拜修仪。"受诏作愁思之文，因为《离思赋》"。后封贵嫔，"言及文义，辞对清华"，常受诏作诔、颂、赋，其文甚丽，"答兄思诗、书及杂赋、颂数十篇，并行于世"。（《晋书·后妃传上》卷三十一）《隋书·经籍志》卷三十五："梁有妇人……《晋武帝左九嫔集》四卷。"严可均《全晋文》卷十三收其文二十七篇。丁福保《全晋诗》收其诗二首。

张协生（253？—310？）。按，生年未详，姑以其小兄张载五岁，则生于此年。张协，字景阳，安平（今属河北）人。张载弟。少有俊才，与张载齐名。辟公府掾，转秘书郎，补华阴令、征北大将军从事中郎，迁中书侍郎。转河间内史。其时天下已乱，遂弃绝人事，屏居草泽，守道不竞，以属咏自娱。拟诸文士作《七命》。世以为工。永嘉初，复征为黄门侍郎，托疾不就，终于家。（《晋书·张协列传》卷五十五）《隋书·经籍志》卷三十五："晋黄门郎《张协集》三卷，梁四卷，录一卷。"张溥辑有《张景阳集》。严可均《全晋文》卷八十五收其文十五篇。丁福保《全晋诗》卷四收其诗十三首。张溥："晋代文人，有二陆三张之称，三张者，孟阳载、景阳协、季阳亢也。季阳才藻不逮二昆，文不甚显。孟阳《濛氾》，司隶延誉，景阳《七命》，举世称工，安平棣华，名岂虚得。然揆其旨趣，语亦犹人，不能不远惭枚叔，近媿平原也。《剑阁》一铭，文章典则，碻石蜀山，古今荣遇。景阳文稍让兄，而诗独劲出，盖二张齐驱，诗文之间，互有长短。若论才家庭，则伯难为兄，仲难为弟矣。二子守道，嫉众贪位，高尚之怀，每形诗咏，时或疵其玄之尚白。及观二凤齐倾，金谷并陨，华亭上蔡，嗟呼叹晚，然后知达人早识长谣，二疏高歌《招隐》，所以能自脱于巫山之火也。"（《汉魏六朝百三家集·张孟阳景阳集题词》）。

公元254年 （魏齐王曹芳嘉平六年　魏高贵乡公曹髦正元元年 蜀汉后主刘禅延熙十七年　吴会稽王孙亮五凤元年　甲戌）

二月

毌丘俭上书请褒奖义士刘整、郑像。（《魏志·三少帝纪》卷四）

夏侯玄以反司马氏下狱；拒与钟会交；见诛，年四十六（209—254）。（《魏志·夏侯玄传》卷九及裴注引《世语》与孙盛《杂语》《魏志·三少帝纪》卷四）

李婉父李丰以反司马氏见诛。（《魏志·三少帝纪》卷四）李婉（？—281？），字淑文。贾充前妻，以父罪，坐徙乐浪。晋武帝即位，赦归，特诏归贾充。作《女训》

及与贾充联句诗。(《晋书·贾充列传》卷四十、《世说新语·贤媛》刘注、《玉台新咏》卷十)

李婉坐父事徙乐浪，与夫贾充作联句诗。《世说新语·贤媛第十九》："贾充前妇，是李丰女。丰被诛，离婚徙边。"刘注引《妇人集》："充妻李氏，名婉，字淑文。丰诛，徙乐浪。"按，《玉台新咏》卷十收《与妻李夫人联句诗三首》，作者虽署"贾充"，实则二人以联句形式共作，吴兆宜注谓"疑此诗即流徙时作"，是。

贾充因妻李婉流徙而与之离异，与其联句；别娶郭槐为妻。(《晋书·贾充列传》卷四十、《世说新语·贤媛第十九》刘注引《贾氏谱》《与妻李夫人联句诗三首》)

九月

傅嘏赐爵关内侯。按，《魏志·傅嘏传》卷二十一云"嘉平末，赐爵关内侯"，魏齐王曹芳嘉平六年至此年九月止。

秋

阮籍作《首阳山赋》。(阮籍《首阳山赋序》)

傅玄为安东将军参军。按，《晋书·傅玄传》卷四十七云"后参安东卫军军事"，"安东卫军"当指安东将军、卫将军，司马昭以安东将军自许昌被征还击姜维，《魏志·三少帝纪》卷四裴注引《世语》及《魏氏春秋》谓在此年秋，傅玄为其参军疑在此时；明年闰正月司马昭转卫将军，傅玄当仍为其参军。

裴秀为安东及卫将军司马。按，《晋书·裴秀列传》卷三十五云"历文帝安东及卫将军司马"，"文帝"谓司马昭，司马昭此年秋以安东将军征姜维，明春转卫将军。

魏司马师废帝，使曹芳归藩于齐；以东海王曹霖子高贵乡公曹髦为魏明帝嗣。(《魏志·三少帝纪》卷四)

王肃持节兼太常，奉法驾，迎高贵乡公。(《魏志·王肃传》卷十三)

十月

高贵乡公曹髦即帝位，诏告天下，改元正元。(《魏志·三少帝纪》卷四)

卢毓进封大梁乡侯。(《魏志·卢毓传》卷二十二)

钟会谓曹髦"才同陈思，武类太祖"；赐爵关内侯。(《魏志·三少帝纪》卷四裴注引《魏氏春秋》《魏志·钟会传》卷二十八)

王基进封常乐亭侯。(《魏志·王基传》卷二十七)

傅嘏进封武乡亭侯。(《魏志·傅嘏传》卷二十一)

阮籍封关内侯，徙散骑常侍。(《晋书·阮籍传》卷四十九)

是年

夏侯霸约七十岁，为张嶷冷遇。(《蜀志·张嶷传》卷四十三)

皇甫谧四十岁,丧后母。(《晋书·皇甫谧传》卷五十一)

张华二十三岁,或于此年为太常博士。按,《晋书·张华列传》卷三十六云"郡守鲜于嗣荐华为太常博士",年月未详,其明年作书荐成公绥为太常博士,成公绥长其一岁,张华为博士恐时间亦不长,姑系于此。

嵇绍生(254—304)。按,嵇康《与山巨源绝交书》云"吾新失母兄之欢,意常凄切,女年十三,男年八岁,未及成人",其书作于景元二年(261),故嵇绍生于此年。嵇绍,字延祖,谯县铚(今安徽宿县)人。嵇康子。十岁而孤。得父友山涛关照,征为秘书丞。入洛后,时人谓其"昂昂然如野鹤之在鸡群"。累迁汝阴太守,转徐州刺史。元康初,为给事黄门侍郎,封弋阳子,迁散骑常侍,领国子博士。赵王伦篡位,署为侍中。惠帝复阼,遂居其职。后以事免归,寻征为御史中丞,未拜,复为侍中。长沙王乂与河间王颙、成都王颖之战中,为使持节、平西将军;长沙王乂被执,嵇绍免为庶人。寻复爵位,乱中见杀于帝侧。《隋书·经籍志》卷三十五:"晋侍中《嵇绍集》二卷,录一卷。"严可均《全晋文》卷六十五收其文五篇。丁福保《全晋诗》卷四收其诗一首。

公元255年 (魏高贵乡公曹髦正元二年 蜀汉后主刘禅延熙十八年 吴会稽王孙亮五凤二年 乙亥)

正月

毌丘俭与文钦矫诏反。(《魏志·毌丘俭传》卷二十八)

王肃向司马师献计破毌丘俭,与傅嘏、钟会劝司马师亲征。(《魏志·王肃传》卷十三、《魏志·傅嘏传》卷二十一、《资治通鉴》卷七十六)

嵇康欲起兵应毌丘俭,山涛止之。(《魏志·王粲传》卷二十一裴注引《世语》)

傅嘏以尚书仆射从司马师征毌丘俭等。(《魏志·傅嘏传》卷二十一)

贾充从司马师征毌丘俭等。(《晋书·贾充列传》卷四十、《资治通鉴》卷七十六)

钟会以中书侍郎从司马师征毌丘俭等,典知秘事。(《魏志·钟会传》卷二十八、《资治通鉴》卷七十六)

王基为行监军、假节,统许昌军;于许昌会司马师,议讨毌丘俭;受命为讨叛先锋。(《魏志·王基传》卷二十七、《魏志·三少帝纪》卷四)

卢毓于司马师征毌丘俭时,纲纪后事,加侍中。(《魏志·卢毓传》卷二十二)

闰正月

毌丘俭为安风津都尉所杀(?—255)。(《魏志·三少帝纪》卷四)

王基以平毌丘俭功,迁镇南将军,都督豫州诸军事,领豫州刺史,进封安乐乡侯。(《魏志·王基传》卷二十七)

傅玄迁卫将军参军。按,《晋书·文帝纪》卷二云"及景帝疾笃,帝自京都省疾,拜卫将军。景帝崩",《魏志·三少帝纪》卷四称"(正元)二年春正月……司马景王薨于许昌。二月丁巳,以卫将军司马文王为大将军",则傅玄为卫将军参军当在此年闰正月。

贾充监诸军事。(《晋书·贾充列传》卷四十、《资治通鉴》卷七十六)

钟会与傅嘏谋，使司马昭未屯许昌，径回洛阳。(《魏志·钟会传》卷二十八、《资治通鉴》卷七十六)

傅嘏依钟会计上表，使钟会与司马昭等回洛阳。(《魏志·傅嘏传》卷二十一、《资治通鉴》卷七十六)

二月

曹髦作《令公卿议司马师丧制诏》。(《晋书·景帝纪》卷二)

傅嘏以功进封阳乡侯。(《魏志·傅嘏传》卷二十一)

贾充以劳迁大将军司马。(《晋书·贾充列传》卷四十)

荀勖参大将军军事，赐爵关内侯。按，《晋书·荀勖列传》卷三十九云"参文帝大将军军事"，《魏志·三少帝纪》卷四谓司马昭此年二月为大将军，荀勖参其军事疑在此时。

钟会迁黄门侍郎，封东武亭侯；以为司马昭谋谟帷幄，常有自矜之色，傅嘏戒之。(《魏志·钟会传》卷二十八、《资治通鉴》卷七十六)

枣据或于此年辟大将军府。按，《晋书·文苑列传》卷九十二云"弱冠辟大将军府"，"大将军"疑指司马昭，司马昭此月拜大将军，枣据或于此时辟其府。枣据(？—284？)，字道彦，颍川长社(今河南长葛)人。美容貌，善文辞。先辟大将军府，出为山阳令，迁尚书郎，转右丞。后为贾充从事中郎、黄门侍郎，徙冀州刺史、太子中庶子。太康中卒。(《晋书·文苑列传》卷九十二)《隋书·经籍志》卷三十五："梁……又有太子中庶子《枣据集》二卷，录一卷。……亡。"严可均《全晋文》卷六十七收其文五篇。丁福保《全晋诗》卷二收其诗四首。

华峤为大将军司马昭掾属。按，《晋书·华峤列传》卷四十四云"文帝为大将军，辟为掾属"，司马昭此月为大将军，华峤应辟或在此时。华峤(？—293)，字叔骏，平原高唐(今山东禹城西南)人。华歆孙。才学深博，少有令闻。先为大将军掾属，后补尚书郎，转车骑从事中郎，迁太子中庶子。出为安平太守，历议郎、散骑常侍、国子博士、侍中、尚书、秘书监。卒赠少府。"以《汉纪》烦秽，慨然有改作之意。……起于光武，终于孝献，一百九十五年，为《帝纪》十二卷，《皇后纪》二卷，《十典》十卷，《传》七十卷，及《三谱序传目录》，凡九十七卷……而改名《汉后书》"。"所著论议、难驳、诗赋之属数十万言"，"永嘉丧乱，经籍遗没，峤书存者三十余卷"。(《晋书·华峤列传》卷四十四)《隋书·经籍志》卷三十三："《后汉书》十七卷，本九十七卷，今残缺。晋少府卿华峤撰。"同书卷三十五："《华峤集》八卷，梁二卷。"严可均《全晋文》卷六十六收其文九篇。

傅玄转温令。按，《晋书·傅玄传》卷四十七云"后参安东卫军军事，转温令"，此年闰正月傅玄为卫将军司马昭参军，二月司马昭迁大将军，未言其仍为参军，则转温令疑在此时。

阮籍拜东平相；作《东平赋》；旬日还为司马昭从事中郎。《晋书·阮籍列传》卷四十九："及文帝辅政，籍常从容言于帝曰：'籍平生曾游东平，乐其风土。'帝大悦，即拜东平相。籍乘驴到郡，坏府舍屏障，使内外相望。法令清简，旬日而还。帝引为大将军司马从事中郎。"按，"大将军"指司马昭，《魏志·三少帝纪》卷四谓正元二年二月司马昭为大将军，故阮籍拜东平相、为司马昭从事中郎当在此时；阮赋写东平，疑作于此时。

三月

曹髦立皇后卞氏。（《魏志·三少帝纪》卷四）

四月

王昶为骠骑将军。（《魏志·三少帝纪》卷四）

山涛为王昶从事中郎。按，《晋书·山涛列传》卷四十三云"转骠骑将军王昶从事中郎"，王昶此月为骠骑将军，山涛为其中郎疑在此时。

八月

夏侯霸以车骑将军与姜维大破魏军。（《蜀志·姜维传》卷四十四、《蜀志·后主传》卷三十三、《资治通鉴》卷七十六）

九月

魏令司空郑冲、侍中郑小同等讲授《尚书》。（《魏志·三少帝纪》卷四）

十月

曹髦作《恤洮西死事者诏》。（《魏志·三少帝纪》卷四）

十一月

曹髦作《敛埋洮西死事吏民诏》。（《魏志·三少帝纪》卷四）

冬

江伟作《答贺蜡诗》。《答贺蜡诗序》："正元二年冬蜡，家君在陈郡，余别在国舍，不得集会，弟广平作诗以贻余，余答之曰……"江伟（？—？），陈留襄邑（今河南睢阳溪）人。善书，人得其手疏，莫不藏之，以为宝。仕魏。入晋，为通事郎。（《太平御览》卷七百四十七引《江伟家传》）《隋书·经籍志》卷三十五："晋通事郎《江伟集》六卷。"

是年

王肃六十二岁，迁中领军，加散骑常侍。（《魏志·王肃传》卷十三）

陆凯五十八岁，克山贼陈毖于零陵，拜巴丘督、偏将军，封都乡侯。（《吴志·陆凯传》卷六十一）

傅嘏卒，年四十七（209—255）。（《魏志·傅嘏传》卷二十一）

王沈迁散骑常侍、侍中，典著作，撰《魏书》。《晋书·王沈列传》卷三十九："正元中迁散骑常侍侍中，典著作，与荀顗、阮籍共撰《魏书》"按，正元共三年，"正元中"当指二年。

荀顗与撰《魏书》。（《晋书·王沈列传》卷三十九）荀顗（？—274），字景倩，颍川（今河南许昌东）人。荀彧子。总角知名，博学洽闻，理思周密。魏时，除中郎，擢散骑侍郎，累迁侍中。后拜骑都尉，赐爵关内侯。咸熙初，封临淮侯。入晋，进爵为公，寻加侍中，迁太尉，行太子太傅。卒谥"康"。与王沈、阮籍等共撰《魏书》。（《晋书·荀彧传》卷三十九）

阮籍四十六岁，亦撰《魏书》；访孙登，作《大人先生传》。按，《晋书·王沈列传》卷三十九云"正元中……（王沈）与荀顗、阮籍共撰《魏书》"，正元首尾三年，"中"即此年，阮籍与撰《魏书》盖在此年二月为从事中郎后。又，《晋书·隐逸列传》卷九十四："孙登字公和……尝住宜阳山，有作炭人见之，知非常人；与语，登亦不应。文帝闻之，使阮籍往观。"《晋书·阮籍列传》卷四十九："籍尝于苏门山遇孙登，与商略终古及栖神道气之术，登皆不应，籍因长啸而退。至半岭，闻有声若鸾凤之音，响乎岩谷，乃登之啸也。遂归，著《大人先生传》。"既云司马昭"使阮籍往观"，疑在阮籍为其从事中郎时。《魏志·王粲传》卷二十一裴注引《魏氏春秋》则以其事在"籍少时"，姑从《晋书》。

孙该迁陈郡太守。按，《魏志·刘劭传》卷二十一云"劭同时……陈郡太守孙该……等，亦著文、赋，颇传于世"，年月未详，姑定在为著作郎六年后。

羊祜三十五岁，征拜中书侍郎。（《晋书·羊祜列传》卷三十四）

杜预三十四岁，尚司马昭妹高陆公主，拜尚书郎。（《晋书·杜预列传》卷三十四）

成公绥二十五岁，因张华所荐，征为太常博士。（《晋书·文苑列传》卷九十二）

张华二十四岁，作《移书太常荐成公绥》。按，张书云"成公绥年二十五"，当作于此年。

陈寿二十三岁，应州命。按，《华阳国志·后贤志》卷十一云"初应州命"，年月未详，姑定在师事谯周五年后。

何劭二十岁，未冠带，受父何曾责。《晋书·何曾列传》卷三十三："（何曾）正元年中，为镇北将军……将之镇，文帝使武帝、齐王攸辞送数十里。曾盛为宾主，备太牢之馔，侍从吏驺莫不醉饱。帝既出，又过其子劭。曾先勅劭曰：'客必过汝，汝当豫严。'劭不冠带，停帝良久，曾深以谴劭。"按，正元共三年，云"正元年中"，当为此年。

公元 256 年 （魏高贵乡公曹髦正元三年 甘露元年 蜀汉后主刘禅延熙十九年 吴会稽王孙亮五凤三年 太平元年 丙子）

二月

曹髦宴群臣于太极东堂，与钟毓、钟会等大臣讲述礼典，并论帝王优劣之差。

钟会退而作《论夏少康、汉高祖》。（《魏志·三少帝纪》卷四裴注引《魏氏春秋》）

王沈作《宴嘉宾赋》。按，王赋云"君臣合德，礼仪孔明。酌羽觞以交欢兮，接敬恭以中诚"，疑作于曹髦宴群臣时。

春

夏侯霸为征北将军。按，《隋志》称夏侯霸为"征北将军"，《蜀志》未载，其与姜维去岁夏大破魏军，此年春姜维以功进封大将军，夏侯霸为征北将军疑在此时。

四月

曹髦幸太学，与淳于俊、庾峻、马照等博士讲论《易》《尚书》《礼记》；自叙始生祯祥。《魏志·三少帝纪》卷四裴注："《帝集》载自叙始生祯祥曰：'……惟正始三年九月辛未朔，二十五日乙未直成，予生。'"按，潘眉《三国志考证》卷二谓"三年为二年之讹"，是。

曹髦与裴秀、钟会、王沈等讲宴于东堂，属文论。（《魏志·三少帝纪》卷四裴注引傅畅《晋诸公赞》《晋书·王沈列传》卷三十九）

裴秀为散骑常侍，被曹髦名之为"儒林丈人"。（《魏志·三少帝纪》卷四裴注引傅畅《晋诸公赞》《晋书·裴秀列传》卷三十五、《晋书·王沈列传》卷三十九）

王沈在侍中任，被曹髦名之为"文籍先生"。（《魏志·三少帝纪》卷四裴注引傅畅《晋诸公赞》《晋书·王沈列传》卷三十九）

六月

魏改元甘露。（《魏志·三少帝纪》卷四）

七月

曹髦作《犒赐破蜀将士诏》《进封邓艾诏》。（《魏志·三少帝纪》卷四、《魏志·邓艾传》卷二十八、《资治通鉴》卷七十七）

八月

尚书左仆射卢毓为司空。（《魏志·三少帝纪》卷四）

十月

吴改元太平。（《吴志·三嗣主传》卷四十八）

卢毓患病，逊位；迁司空，进爵容城侯。（《魏志·卢毓传》卷二十二、《魏志·三少帝纪》卷四）

是年

王肃卒，年六十三（194—256）。（《魏志·方技传》卷二十九）

陆凯五十九岁，转为武昌右部督。按，《吴志·陆凯传》卷六十一云"转为武昌右部督"，陆凯去岁拜巴丘督、偏将军，明年率军救寿春，转武昌右部督疑在此年。

阮籍四十七岁，求为步兵校尉；举荐陈协；居丧无礼。《魏志·王粲传》卷二十一裴注引《魏氏春秋》："籍以世多故，禄仕而已，闻步兵校尉缺，厨多美酒，营人善酿酒，求为校尉，遂纵酒昏酣，遗落世事。"《晋书·阮籍列传》卷四十九："籍闻步兵厨营人善酿，有贮酒三百斛，乃求为步兵校尉，遗落世事。……性至孝，母终，正与人围棋，对者求止，籍留与决赌。继而饮酒二斗，举声一号，吐血数升。及将葬，食一蒸肫，饮二斗酒，然后临诀。直言穷矣，举声一号，因又吐血数升。毁瘠骨立，殆至灭性。裴楷往吊之，籍散发箕踞，醉而直视。楷吊唁毕便去。或问楷：'凡吊者，主哭，客乃为礼。籍既不哭，君何为哭？'楷曰：'阮籍既方外之士，故不崇礼典；我俗中之士，故以轨仪自居。时人叹为两得。'"汤球《九家晋书辑本·裴楷别传》："初，陈留阮籍遭母丧，楷弱冠往吊。籍乃离丧位，神志晏然，至乃纵情啸咏，旁若无人。楷不为改容，行止自若，遂便率情独哭。"按，甘露元年裴楷二十岁，则阮母当卒于此年；《晋书》本传叙其为步兵与母丧当为同年事，盖为从事中郎一年后即转任步兵。又，《水经注》卷十六："《语林》曰：陈协数进阮步兵酒，后晋文王欲修九龙堰，阮举协。"阮籍荐陈协，在其任步兵时，姑系于此。

刘伶与阮籍酣饮。《世说新语·任诞》刘注引《文士传》："（阮籍）后闻步兵厨中有酒三百石，忻然求为校尉。于是入府舍，与刘伶酣饮。"按，阮籍此时为步兵校尉。

羊祜三十六岁，迁给事中。按，《晋书·羊祜列传》卷三十四云"俄迁给事中"，年月未详，疑在为中书侍郎后不久，姑系此年。

嵇康三十三岁，赍酒携琴吊阮籍母丧，阮籍以青眼相加；避居河东，从孙登游。《晋书·阮籍列传》卷四十九："籍又能为青白眼，见礼俗之士，以白眼对之。及嵇喜来吊，籍作白眼，喜不怿而退。喜弟康闻之，乃赍酒携琴造焉，籍大悦，乃见青眼。"又，《魏志·王粲传》卷二十一裴注引《魏氏春秋》："大将军尝欲辟康，康既有绝世之言，又从子不善，避之河东，或云避世。"《晋书·嵇康列传》卷四十九："汲郡山中，见孙登，康遂从之游。"《晋书·隐逸列传》卷九十四："孙登，字公和，汲郡共人也。无家属，于郡北山为土窟居之。嵇康从之游三年。"按，避居河东或从孙登游，盖为"绝世"、"避世"之意，年月未详，然其景元二年（261）所作《与山巨源绝交书》有语云"前年自河东还"，则知其甘露四年（259）返，逆推三年至此年即为从孙登游之年。

成公绥二十六岁，迁章安令。吴士鉴、刘承干《晋书斠注》卷九十二："《御览》……一百八十五《临海记》曰：'章安县有赤兰桥，世传成公绥作县，此桥上作厅事。'案本传失载为章安令，当在荐征博士之后。"姑从之，定在为太常博士一年后。

公元257年 （魏高贵乡公曹髦甘露二年　蜀汉后主刘禅延熙二十年　吴会稽王孙亮太平二年　丁丑）

二月

钟会丧母，作《母传》。（《魏志·钟会传》卷二十八裴注引钟会《母传》）按，《母传》当为其母卒后所作，姑系于此。

三月

卢毓卒，年七十五（183—257）。（《魏志·三少帝纪》卷四）

四月

曹髦作《旌王简诏》。（《魏志·三少帝纪》卷四）

贾充为大将军长史，诣诸葛诞，阴察其变，出谋征之；生女（南风）。按，《魏志·贾逵传》卷十五裴注引《晋诸公赞》云其"甘露中，为大将军长史"，甘露共三年，"甘露中"谓此年。贾充察诸葛诞及策划征之事载《晋书·贾充列传》卷四十，《资治通鉴》卷七十七系之于甘露二年四月。又，《晋书·后妃传》卷三十一云"惠贾皇后讳南风，平阳人也。小名旹，父充。……大太子二岁"，太子即晋惠帝，晋惠帝甘露四年（259）生，则贾南风生于此年。

五月

曹髦幸辟雍，命群臣赋诗，作《原和遹等作诗稽留诏》；作《临戎诏》，亲征诸葛诞；作《褒封庞会、路蕃诏》。（《魏志·三少帝纪》卷四）

羊祜迁黄门郎。《晋书·羊祜列传》卷三十四："俄迁……黄门郎。时高贵乡公好属文，在位者多献诗赋，汝南和遹以忤意见斥。祜在其间，不得而亲疏，有识尚焉。"按，和遹作诗稽留事，《魏志·三少帝纪》卷四谓在此年五月。

王基行镇东将军，都督扬、豫诸军事。（《魏志·王基传》卷二十七、《魏志·三少帝纪》卷四）

六月

曹髦作《孙壹归命封吴侯诏》《大将军与尚书俱行诏》；过贾逵祠，作《入贾逵祠下诏》；曹并病死，作《伤魂赋》。（《魏志·三少帝纪》卷四、）《魏志·贾逵传》卷十五裴注引《魏略》："甘露二年，车驾东征，屯项，复入逵祠下诏曰……"《伤魂赋序》："王师东征，宗正曹并以宗室才能兼侍中，从行到项，得疾数日亡。意甚伤之，为作此赋。"按，二文均为车驾驻项时作，六月所作《大将军与尚书俱行诏》称"今车驾驻项"，则知二文皆作于此月矣。

　　裴秀以散骑常侍奉旨与大将军俱行。（《魏志·三少帝纪》卷四）

　　钟会以给事黄门郎奉旨与大将军俱行。（《魏志·三少帝纪》卷四）

　　王基督城东城南二十六军讨诸葛诞。（《魏志·王基传》卷二十七）

七月

　　陆凯与诸将共赴寿春，救诸葛诞；还，迁荡魏、绥远将军。按，事载《吴志·陆凯传》卷六十一，《吴志·三嗣主传》卷四十八谓此月孙綝率领众将救寿春，陆凯当在其中。

八月

　　曹髦作《赠赐宣隆、秦絜诏》。（《魏志·三少帝纪》卷四）

十一月

　　钟会为司马昭献策，使吴将全端、全怿等奔魏。（《魏志·钟会传》卷二十八、《资治通鉴》卷七十七）

是年

　　谯周五十九岁，与陈祗论军旅屡出之利害，作《仇国论》。《蜀志·谯周传》卷四十二："于时军旅数出，百姓凋瘁，周与尚书令陈祗论其利害，退而书之，谓之《仇国论》。"按，《蜀志·董允传》卷三十九称"吕乂卒，陈祗又以侍中守尚书令"，《蜀志·吕乂传》卷三十九谓吕乂"延熙十四年卒"，则陈祗此年始为尚书令；《蜀志·董允传》卷三十九又称陈祗"景耀元年（258）卒"，则谯周与其论议定在延熙十四年至景耀元年之七年间，《资治通鉴》卷七十七系于甘露二年，姑从之。

　　杨戏随姜维出军至芒水，以酒后言笑嘲弄姜维，免为庶人。（《蜀志·杨戏传》卷四十五）

　　荀勖转从事中郎，领记室。按，《晋书·荀勖列传》卷三十九云"转从事中郎，领记室"，年月未详，姑定在赐爵关内侯两年后。

　　华覈或于此年迁中书丞。按，《吴志·华覈传》卷六十五云"迁中书丞"，年月未详，姑系于为秘府郎五年后。

　　杜预三十六岁，袭丰乐亭侯。（《魏志·杜恕传》卷十六）

　　张华二十六岁，转河南郡丞，未就，除佐著作郎。按，《晋书·张华传》卷三十六云"转河南郡丞，未拜，除著作作郎"，年月未详，姑定在为太常博士二年后。

公元 258 年 （魏高贵乡公曹髦甘露三年 蜀汉后主刘禅景耀元年 吴会稽王孙亮太平三年 吴景帝孙休永安元年 戊寅）

正月

蜀汉后主改元景耀。（《蜀志·侯主传》卷三十三）

二月

钟会为魏军下寿春出谋居多，时人称之为"子房"。按，《魏志·钟会传》卷二十八云"寿春之破，会谋居多，亲待日隆，时人谓之子房"，《魏志·三少帝纪》卷四谓此月"陷寿春城"。

王基配合司马昭攻陷寿春，平定诸葛诞。（《魏志·王基传》卷二十七、《魏志·三少帝纪》卷四）

司马昭作《与王基书》，褒扬其战功。（《魏志·王基传》卷二十七、《资治通鉴》卷七十七）

王基劝谏司马昭欲乘机灭吴；转征东将军，都督扬州诸军事，进封东武侯。（《魏志·王基传》卷二十七、《资治通鉴》卷七十七）

三月

曹髦作《改丘头为武丘诏》。（《魏志·三少帝纪》卷四）

六月

曹髦作《署应余孙应伦吏诏》。（《魏志·三少帝纪》卷四）

钟会迁太仆，固辞不就，以中郎在司马昭府管记室事；以讨诸葛诞有功，进爵陈侯，屡让不受；荐王戎、裴楷。按，事载《魏志·钟会传》卷二十八，此为司马昭征吴还军后事，《魏志·三少帝纪》卷四谓六月"大论淮南之功，封爵行赏各有差"，钟会迁升进爵当在此时。又，《世说新语·赏誉》："吏部郎阙，文帝问其人于钟会，会曰：'裴楷清通，王戎简要，皆其选也。'于是用裴。"刘注："按诸书皆云：钟会荐裴楷、王戎于晋文王，文王辟以为掾，不闻为吏部郎。"钟会荐二人疑在其管记室时，姑系于此。

曹髦作《听钟会让侯诏》。（《魏志·钟会传》卷二十八）

裴秀转尚书，进封鲁阳乡侯。按，《晋书·裴秀列传》卷三十五云"及诞平，转尚书，进封鲁阳乡侯"，《魏志·三少帝纪》卷四谓此月"大论淮南之功，封爵行赏各有差"，裴秀转职进封当在此时。

八月

王昶为司空。（《魏志·三少帝纪》卷四）

曹髦作《王昶增邑迁官诏》《以王祥、郑小同为三老、五更诏》。(《魏志·王昶传》卷二十七、《魏志·三少帝纪》卷四)

山涛拜赵国相。按,《晋书·山涛列传》卷四十三云"久之,拜赵国相",王昶此月迁司空,疑山涛此时离王昶而拜赵相。

九月

吴孙綝废吴帝孙亮为会稽王。(《吴志·三嗣主传》卷四十八)

十月

吴琅邪王孙休立为帝,是为吴景帝,改元永安。(《吴志·三嗣主传》卷四十八)

韦昭为中书郎、博士祭酒,奉吴景帝之命,校定群书;又奉命制《铙歌》十二曲名。按,《吴志·韦曜传》卷六十五云"孙休践祚,为中书郎、博士祭酒。命曜依刘向故事,校定众书",孙休此月践祚,当系于此。又,《晋书·乐志》卷二十三:"吴亦使韦昭制(《铙歌》)十二曲名,以述功德受命。改《朱鹭》为《炎精缺》,言汉室衰,孙坚奋迅猛志,念在匡救,王迹始乎此也。改《思悲翁》为《汉之季》,言坚悼汉之微,痛董卓之乱,兴兵奋击,功盖海内也。改《艾如张》为《摅武师》,言权卒父之业而征伐也。改《上之回》为《乌林》,言魏武既破荆州,顺流东下,欲来争锋,权命将周瑜逆击之于乌林而破走也。改《雍离》为《秋风》,言权悦以使人,人忘其死也。改《战城南》为《克皖城》,言魏武志图并兼,而权亲征,破之于皖也。改《巫山高》为《关背德》,言蜀将关羽背弃吴德,权引师浮江而擒之也。改《上陵》曲为《通荆州》,言权与蜀交好齐盟,中有关羽自失之愆,终复初好也。改《将进酒》为《章洪德》,言权章其大德,而远方来附也。改《有所思》为《顺历数》,言权顺篆图之符,而建大号也。改《芳树》为《承天命》,言其时主圣德践位,道化至盛也。改《上邪》为《玄化》,言其时主修文武,则天而行,仁泽流洽,天下喜乐也。其余亦用旧名不改。"《宋书·乐志》卷十九称"又韦昭,孙休世上《鼓吹铙哥十二曲表》曰",《铙歌》曲名当作于孙休即位时。

周昭或于此年为中书郎。按,《吴志·步骘传》卷五十二云"后为中书郎",年月未详,周昭前与韦昭并述《吴书》,疑孙休即位韦昭迁中书郎时周昭亦迁。

陆凯拜征北将军,假节领豫州牧。(《吴志·陆凯传》卷六十一)

薛莹为散骑中常侍,加驸马都尉。(《吴志·薛莹传》卷五十三、《吴志·王蕃传》卷六十五)

十二月

吴帝孙休诏命置学宫,立五经博士,令将吏子弟受业。(《吴志·三嗣主传》卷四十八)

谯周六十岁，此年前后迁光禄大夫。按，《蜀志·谯周传》卷四十二云"后迁光禄大夫"，年月未详，姑定在其六十岁时。

王基约五十七岁，丧母。（《魏志·王基传》卷二十七）

贾充四十二岁，迁廷尉。按，《晋书·贾充列传》卷四十云"迁廷尉"，年月未详，其去岁为大将军长史，后年为中护军，传叙迁廷尉在此期间，姑系此年。

李密三十五岁，或于此年为蜀汉大将军主簿。按，《华阳国志·后贤志》卷十一云"（迁）大将军主簿"，"大将军"疑指姜维，《蜀志·姜维传》卷四十四谓其延熙十九年（256）迁大将军，以兵败段谷而自贬削，景耀元年复为大将军，李密任主簿姑系于此年。

成公绥二十八岁，迁秘书郎。按，《晋书·文苑列传》卷九十二云"历秘书郎"，年月未详，姑定在为章安令二年后。

挚虞约十八岁，师事皇甫谧。按，《晋书·挚虞列传》卷五十一云"虞少事皇甫谧"，年月未详，盖在弱冠之前，姑系于此。

赵至十三岁，诣师受业。《晋书·文苑列传》卷九十二："令初到官，至年十三与母同观。母曰：'汝先世本非微贱，世乱流寓，遂为士伍耳。尔后能如此不？'至感母言，诣师受业。闻父耕叱牛声，投书而泣。师怪问之，至曰：'我小未能荣养，使老父不免勤苦。'师甚异之。"按，《世说新语·言语》刘注引嵇绍《赵至叙》谓是时赵至年十二，姑从《晋书》。

潘岳十二岁，为杨肇所赏识。（潘岳《怀旧赋》）

孙惠生（258—304）。孙惠，字德施，吴国富阳（今属浙江）人。口讷，好学有才识，州辟不就。永宁初，以讨赵王伦功封晋兴县侯，辟大司马户曹掾，转东曹属，以疾辞。成都王颖荐为大将军参军、领奋威将军、白沙督。以罪易姓名而遁。后为东海王越记室参军，专职文疏，豫参谋议。除散骑郎、太子中庶子，补司空从事中郎，迁军谘祭酒，转彭城内史、广陵相，迁广武将军、安丰内史。以迎大驾之功，封临湘县公。以事奔入蛮中，寻病卒。（《晋书·孙惠列传》卷七十一）《隋书·经籍志》卷三十五："晋安丰太守《孙惠集》八卷，梁十一卷，录一卷。"

公元259年 （魏高贵乡公曹髦甘露四年　蜀汉后主刘禅景耀二年　吴景帝孙休永安二年　己卯）

曹髦作《潜龙之诗》自讽。《魏志·三少帝纪》卷四裴注引《汉晋春秋》："是时龙仍见，咸以为吉祥。帝曰：'龙者，君德也。上不在天，下不在田，而数屈于井，非嘉兆也。'仍作《潜龙之诗》以自讽，司马文王见而恶之。"

王昶卒，年约六十二（198？—259）。（《魏志·王昶传》卷二十七）

是年

夏侯霸或卒于此年，年约七十五（185？—259？）。按，《蜀志·关羽传》卷三十六载关羽等故将被后主追谥事，言"夏侯霸远来归国，故复得谥"，叙在关羽、张飞等追谥之前，《蜀志·后主传》卷三十三谓关、张追谥于景耀三年，姑以夏侯霸此年卒。

王基约五十八岁，转征南将军，都督荆州诸军事。（《魏志·王基传》卷二十七）

杜预三十八岁，为大将军府参军。按，《晋书·杜预列传》卷三十四："在职四年，转相府参军"，杜预正元二年（255）为尚书郎，四年后即为此年；然据《魏志·三少帝纪》卷四，大将军司马昭为相国乃明年四月事，故杜预当为大将军参军。

嵇康三十六岁，别孙登而返；于洛阳写《石经》。《晋书·隐逸列传》卷九十四："嵇康又从之游三年，问其所图，终不答，康每叹息。将别，谓曰：'先生竟无言乎？'登乃曰：'子识火乎？火生而有光，而不用其光，果在于用光；人生而有才，而不用其才，而果在于用才。故用光在乎得薪，所以保其耀；用才在乎识真，所以全其年。今子才多识寡，难乎免于今之世矣，子无求乎！'康不能用，果遭非命。"按，嵇康甘露元年从孙登游，至此年正三年。又，赵至此年至洛阳，遇嵇康写《石经》。

张华二十八岁，迁长史。按，《晋书·张华列传》卷三十六云"顷之，迁长史"，年月未详，姑定在为佐著作郎二年后。

邹湛于此年前后为通事郎。按，《晋书·文苑列传》卷九十二云"湛少以才学知名，仕魏历通事郎"，年月未详，姑定在为太学博士三年前。邹湛（？—299），字润甫，南阳新野（今属河南）人。少以才学知名。仕魏历通事郎、太学博士。泰始初，转尚书郎、廷尉平、征南从事中郎。入为太子中庶子。太康中，拜散骑常侍，出补渤海太守，转太傅杨骏长史，迁侍中。杨骏诛，以僚佐免官。寻起为散骑常侍、国子祭酒，转少府。"所著诗及论事议二十五首，为时所重"。《隋书·经籍志》卷三十二："《周易统略》五卷，晋少府卿邹湛撰。"同书卷三十五："梁有……《邹湛集》三卷，录一卷，亡。"严可均《全晋文》卷六十七收其文一篇。

王济约十七岁，丧祖父（王昶）。（《魏志·王昶传》卷二十七）

赵至十四岁，诣洛阳，游太学，遇嵇康。（《晋书·文苑列传》卷九十二、《世说新语·言语》刘注引嵇绍《赵至叙》）

虞溥约十一岁，随父至陇西，专心典籍。按，《晋书·虞溥列传》卷八十二云"（父）镇陇西，溥从父之官，专心坟籍"，确年未详，姑定在十一岁左右。

陶侃生（259—334）。陶侃，字士行，鄱阳（今属江西）人。早孤贫，为县吏。后为督邮，领枞阳令，迁主簿。举孝廉，除郎中。为伏波将军孙秀召为舍人，补武冈令，弃官归，为郡小中正。荆州刺史刘弘辟为南蛮长史，以军功封东乡侯，转江夏太守，加鹰扬将军。历扬武将军、龙骧将军、武昌太守、使持节、宁远将军、南蛮校尉、荆州刺史、平南将军、江州刺史、都督、湘州刺史等职，加散骑常侍；领交州刺史，进号征南大将军、开府仪同三司，迁都督荆、雍、益、梁州诸军事，领护南蛮校尉、征西大将军、荆州刺史。官至使持节、侍中、太尉、都督荆江雍梁交广益宁八州诸军事、荆江二州刺史、长沙郡公，卒谥桓。秉性聪敏，勤于吏职，恭而近礼，爱好人伦。常语人曰"大禹圣者，乃惜寸阴，至于众人，当惜分阴，岂可逸游荒醉，生无益于时，死无闻于后，是自弃也"。（《晋书·陶侃列传》卷六十六）《隋书·经籍志》卷三十五："梁有大司马《陶侃集》二卷，录一卷，亡。"

公元 260 年 （魏高贵乡公曹髦甘露五年 魏元帝曹奂景元元年 蜀汉后主刘禅景耀三年 吴景帝孙休永安三年 庚辰）

五月

魏帝曹髦为司马氏手下所杀，年二十（241—260）。（《魏志·三少帝纪》卷四及裴注引《汉晋春秋》）

王沈不从曹髦讨司马昭之命，走告司马昭。（《魏志·三少帝纪》卷四裴注引《汉晋春秋》）

贾充为中护军，使成济刺杀魏帝曹髦。（《魏志·三少帝纪》卷四裴注引《汉晋春秋》《晋纪》《魏氏春秋》《魏末传》）

荀勖谏诛孙佑，又谏勿以刺客入蜀除贼。按，事载《晋书·荀勖列传》卷三十九，二事均在刚杀高贵乡公后，姑系于此。

六月

常道乡公曹璜于洛阳即位，易名奂，是为魏元帝，改元景元。（《魏志·三少帝纪》卷四）

王沈以功封安平侯，众论非之。按，《晋书·王沈列传》卷三十九云"以功封安平侯，邑二千户。沈既不忠于主，甚为众论所非"，《资治通鉴》卷七十七系于此年五月，似当在六月曹奂即位后。

贾充进封安阳乡侯，加散骑常侍。（《晋书·贾充列传》卷四十）

羊祜封关中侯；徙秘书监。（《晋书·羊祜列传》卷三十四）

裴秀以豫议定策，进爵县侯，迁尚书仆射。（《晋书·裴秀列传》卷三十五）

王基增邑千户。（《魏志·王基传》二十七）

十二月

钟会迁司隶校尉。按，《魏志·钟会传》卷二十八云"迁司隶校尉"，《魏志·三少帝纪》卷四谓"（景元元年十二月）以司隶校尉王祥为司空"，钟会继任当在此时。

王沈迁尚书，出监豫州诸军事，为奋武将军、豫州刺史，作《敕属城及士民教》《又教》。（《晋书·王沈列传》卷三十九、《资治通鉴》卷七十七）

是年

李譔卒（？—260?）。按，《蜀志·李譔传》卷四十二云"景耀中卒"，景耀共六年，确年未详，姑系此年。

皇甫谧四十六岁，服寒食散中毒，自杀未果。《晋书·皇甫谧列传》卷五十一："初服寒食散，而性与之忤，每委顿不伦。尝悲恚叩刃欲自杀，叔母谏之而止。"按，皇甫谧泰始三年（267）所作《让征聘表》称"服寒食药，违错节度，辛苦荼毒，于今七年"，则中毒欲死在此年。

贾充四十四岁，生女（贾午）。按，《晋书·后妃传》卷三十一谓"后妹午，午年十二，小太子一岁"，"太子"指晋惠帝，晋惠帝甘露四年生，贾午小其一岁，当生于此年。

傅玄四十四岁，复迁弘农太守，领典农校尉，数上书陈便宜。按，《晋书·傅玄列传》卷四十七云"再迁为弘农太守，领典农校尉"，年月未详，姑定在其为散骑常侍前五年。

李密三十七岁，迁太子洗马，使吴。按，《晋书·孝友列传》卷八十八云"数使吴，有才辩，吴人称之"，《华阳国志·后贤志》卷十一云"（迁）太子洗马，奉使聘吴……吴主及群臣称之"，李密数次使吴，年月难考，姑以蜀亡前三年迁太子洗马而使吴。

枣据为山阳令。按，《晋书·文苑列传》卷九十二云"出为山阳令"，年月未详，姑定在辟大将军府五年后。

成公绥三十岁，转秘书丞。按，《晋书·文苑列传》卷九十二云"转丞"，年月未详，姑定在为秘书郎二年后。

王戎二十七岁，或于此年丧父，袭父爵。按，《晋书·王戎列传》卷四十三云"袭父爵，辟相国掾"，辟相国掾在景元四年（263），丧父袭爵疑在三年前。

华峤补尚书郎，始撰《汉后书》。按，《晋书·华峤列传》卷四十四云"补尚书郎"，年月未详，姑定在为大将军掾属五年后。又，本传又云："初，峤以《汉纪》烦秽，慨然有改作之意。会为台郎，典官制事，由是得遍观秘籍，遂就其绪。起于光武，终于孝献，一百九十五年，为帝纪十二卷，皇后纪二卷，十典十卷，传七十卷，及三谱序传目录，凡九十七卷。……而改名《汉后书》。"撰史事当始自此年补尚书郎时。

赵至十五岁，阳病狂走。（《世说新语·言语》刘注引嵇绍《赵至叙》）

贺循生（260—319）。贺循，字彦先，会稽山阴（今浙江绍兴）人。少婴家难，流放海隅，吴平，乃还本郡。先为五官掾，举秀才，除阳羡令，徙武康令。陆机上疏荐之，召补太子舍人。赵王伦篡位，转侍御史，辞疾去职。后屡征拜，皆不就。晋怀帝时，强为军谘祭酒。晋愍帝时，拜太常，行太子太傅。疾笃，表乞骸骨，改授左光禄大夫、开府仪同三司。太兴二年卒。帝素服举哀，哭之甚恸。赠司空，谥曰穆。"少玩篇籍，善属文，博览众书，尤精礼传"。（《晋书·贺循列传》卷六十八）《隋书·经籍志》卷三十二："梁有《丧服要记》六卷，晋司空贺循撰。……《丧服谱》一卷，贺循撰。……《丧服要记》十卷，贺循撰。"同书卷三十三："《会稽记》一卷，贺循撰。"同书卷三十五："晋司空《贺循集》十八卷，梁二十卷，录一卷。"

张翰约于此年生（260？—316？）。按，张翰与顾荣、贺循交好，年龄当相若，当生于景元元年（260）前后。又，顾荣永嘉六年（312）卒，张翰哭之恸；而贺循太兴二年（319）卒，未见张翰吊唁。疑其于顾、贺之间卒，如系卒年为建兴四年（316），本传谓年五十七卒，则为此年生。张翰，字季鹰，吴郡吴（今江苏苏州）人。有清才，善属文，而纵任不拘，时人号为"江东步兵"。与顾荣、贺循善。先辟为大司马东曹掾，"因见秋风起，乃思吴中菰菜、莼羹、鲈鱼脍，曰：'人生贵得适志，何能羁宦数千里以要名爵乎！'遂命驾而归，著《首丘赋》"。任心自适，不求当世。或问之曰："卿乃可纵适一时，独不为身后名邪？"答曰："使我有身后名，不如即时一杯酒。"卒后，"其文笔数十篇行于世"。（《晋书·张翰列传》卷九十二）《隋书·经籍志》卷三十五："梁……又有……大司马东曹掾《张翰集》二卷，录一卷。……亡。"

褚陶约于此年生（260？—314？）。按，《晋书·文苑列传》卷九十二云其"吴平，召补尚书郎"，孙皓降在太康元年（280），其年褚陶至少弱冠，则或生于此年；如此，与陆机年龄正相仿。褚陶，字季雅，吴郡钱塘（今浙江杭州）人。年少聪慧，清淡闲默，以坟典自娱。年十三，作《鸥鸟》《水碓》二赋，见者奇之。尝谓所亲曰："圣贤备在黄卷中，舍此何求！"州郡辟，不就。吴平，召补尚书郎。张华见之，谓陆机曰："君兄弟龙跃云津，顾彦先凤鸣朝阳，谓东南之宝已尽，不意复见褚生。"迁九真太守，转中尉。年五十五卒。（《晋书·文苑列传》卷九十二）

魏人朱士行削发为僧，赴西域于阗求佛经，得梵书正本五十章。（《高僧传》卷四）

公元 261 年 （魏元帝曹奂景元二年 蜀汉后主刘禅景耀四年 吴景帝孙休永安四年 辛巳）

三月

王基数遗司马昭书，言吴将邓由诈降；司马昭报王基书，敬纳其言。（《魏志·王基传》卷二十七裴注引司马彪《战略》）

是岁，王基卒，年约六十岁（202？—261）。（《魏志·王基传》卷二十七）

孙该卒（？—261）。（《魏志·刘劭传》卷二十一裴注引《文章叙录》）

周昭或于此年见杀（？—261？）。按，《吴志·步骘传》卷五十二云"坐事下狱，覈表救之，孙休不听，遂伏法云"，见杀年未详，姑系于为中书郎三年后。

华覈上表救周昭，吴景帝不听。（《吴志·步骘传》卷五十二）

山涛五十七岁，除尚书吏部郎，举嵇康自代。（《晋书·山涛列传》卷四十三、《魏志·王粲传》卷二十一裴注）

司马昭作《与山涛书》，并赐山涛钱、谷。（《晋书·山涛列传》卷四十三）

嵇康三十八岁，作《与山巨源绝交书》。《魏志·王粲传》卷二十一裴注引《魏氏春秋》："及山涛为选曹郎，举康自代。康答书拒绝。"裴注："案《涛行状》，涛始以景元二年除吏部郎耳。"按，嵇书当为山涛此年除郎时所作。

嵇康至邺，携赵至归山阳。按，《世说新语·言语》刘注引嵇绍《赵至叙》谓此年嵇康携赵至归山阳。

张华三十岁，兼中书郎；作《鹪鹩赋》，阮籍见而叹为"王佐之才"。按，《晋书

·张华列传》卷三十六："初未知名，著《鹪鹩赋》以自寄……兼中书郎"，《文选·鹪鹩赋》卷十三李注引臧荣绪《晋书》则称"转兼中书郎，虽栖处云阁，慨然有感，作《鹪鹩赋》"，本传谓赋作于出仕前，臧氏谓作于兼中书郎后；汤球辑臧荣绪《晋书》卷五称"中书郎成公绥亦推华文义胜己"，成公绥明年为中书郎，故宜从臧氏。年月未详，姑定在为长史二年后。

陈寿二十九岁，为蜀护卫将军主簿，迁东观秘书郎。按，本传未言其为主簿事，《蜀志·诸葛瞻传》卷三十五裴注谓："蜀史常璩说蜀长老云：'陈寿尝为瞻吏，为瞻所辱……'"《华阳国志·后贤志》卷十一又谓："（为）卫将军主簿，东观秘书郎。"诸葛瞻蜀此年"为行都护卫将军"，常璩似误为"卫将军"，陈寿为主簿当在此年。又，《晋书·陈寿列传》卷八十二云"仕蜀为观阁令史"，与常璩所谓"东观秘书郎"当为一职，明年其为散骑黄门侍郎，则为东观秘书郎亦此年事。

司马彪约二十岁，为骑都尉。按，《晋书·司马彪列传》卷八十二云"初拜骑都尉"，年月未详，姑定在其弱冠前后。

赵至十六岁，亡命洛阳，求索嵇康而不得；至邺依史仲和，旋逐嵇康归山阳经年。（《世说新语·言语》刘注引嵇绍《赵至叙》）

阮修约十三岁，作《患雨赋》。《患雨赋》："景元二年，余耕阳武之野，在乎沙堆汴水之阳。"

陆机生（261—303）。陆机，字士衡，吴郡吴县华亭（今上海松江）人。陆逊孙，陆抗子。少有异才，文章冠世。与陆云并称"二陆"。年二十而吴灭，退居旧里，闭门勤学，积有十年。太康末，与弟陆云俱入洛。张华荐之诸公，太傅杨骏辟为祭酒，累迁太子洗马、著作郎。后为吴王晏郎中令，迁尚书中兵郎，转殿中郎。赵王伦辅政，引为相国参军，赐爵关中侯。以赵王伦篡位事，株连下狱，后遇释。成都王颖表其为平原内史，太安初，司马颖兵讨长沙王乂，以陆机为后将军、河北大都督。陆机兵败，受谗见杀，死前惨然叹曰"华亭鹤唳，岂可复闻乎"！其为人天才秀逸，辞藻宏丽，甚为时人所推服。张华尝谓之曰："人之为文，常恨才少，而子更患其多。"陆云尝与书曰："君苗见兄文，辄欲烧其笔砚。"后葛洪著书，称"机文犹玄圃之积玉，无非夜光焉，五河之吐流，泉源如一焉。其弘丽妍赡，英锐漂逸，亦一代之绝乎"！"所著文章凡三百余篇，并行于世"。（《晋书·陆机列传》卷五十四）《隋书·经籍志》卷三十二："《毛诗草木虫鱼疏》二卷，乌程令吴郡陆机撰。……《吴章》二卷，陆机撰。"同书卷三十三："《晋纪》四卷陆机撰。……《洛阳记》一卷，陆机撰。"同书卷三十五："晋平原内史《陆机集》十四卷，梁四十七卷，录一卷，亡。……梁有……《连珠》一卷，陆机撰，何承天注。"张溥辑有《陆平原集》。严可均《全晋文》卷九十六至九十九收其文一百三十六篇。丁福保《全晋诗》卷三收其诗一百零五首。张溥："陆氏为吴世臣，士衡才冠当世，国亡主辱，颠沛图济，成则张子房，败则姜伯约，斯其人也。俯首入洛，竟縻晋爵，身事仇雠，而欲高语英雄，难矣。太康末年，衅乱日作，士衡豫诛贾谧，侥得通侯，俗人谓福，君子谓祸。赵王诛死，羁囚廷尉，秋风莼鲈，可早决几，复恋成都活命之恩，遭孟玖青蝇之谮，黑𪓐告梦，白帢受刑，画狱自投，其谁戚哉？张茂先博物君子，昧于知止，身族分灭，前车不远，同堪痛哭。然冤结乱朝，文悬万载，《吊魏武》而老奸掩袂，赋《豪士》而骄王丧魄，《辨亡》怀宗国之忧，《五等》陈建侯之利，北海以后，一人而已。排沙简金，兴公造喻，子患才多，司空叹美，尚属轻今贱目，非深知平原者也。"（《汉魏六朝百三家集·陆平原集题词》）。

束皙或生于此年（261？—300？）。按，《晋书·束皙列传》卷五十一云"赵王伦为相国，请为记室。皙辞疾罢归，教授门徒。年四十卒"，《晋书·怀帝纪》卷四谓赵王伦永康元年（300）四月"自为相国"，明年四月被杀，姑系束皙卒于赵王伦为相国之年，以是知其此年生。束皙，字广微，阳平元城（今河北大名）人。博学多闻，知名于时，博士曹志称"阳平束广微好学不倦，人莫及也"。察孝廉，举茂才，皆不就。"尝为《劝农》及《饼》诸赋，文颇鄙俗，时人薄之。而性沈退，不慕荣利，作《玄居释》以拟《客难》"。后为张华辟为掾，又为司空王晃所辟；张华为司空，复以为贼曹属。转佐著作郎，撰《晋书·帝纪》、十《志》，迁博士。曾整理汲冢竹书，有义证，迁尚书郎。后辞疾归里，教授门徒。年四十卒。"所著《三魏人士传》，《七代通记》《晋书·纪、志》，遇乱亡失。其《五经通论》《发蒙记》《补亡诗》、文集数十篇，行于世"。（《晋书·束皙列传》卷五十一）《隋书·经籍志》卷三十二："《发蒙记》一卷，晋著作郎束皙撰。"同书卷三十五："晋著作郎《束皙集》七卷，梁五卷，录一卷。"张溥辑有《束广微集》。严可均《全晋文》卷八十七收其文十七篇。丁福保《全晋诗》卷二收其诗六首。张溥："晋世笑束先生《劝农》及《饼》诸赋，文词鄙俗，今杂置赋苑，反觉其质致近古，由彼雕缋少也。广微沈退，作《玄居释》以拟《客难》，张茂先见而奇之，顾其文，曼倩醨也，此粕也。独痛言周汉衰时，祸福无辙，朝卿相，夕鼎烹，功名之士可为啮指出血。当途典午，牝鸣狼噬，衣冠达人，诛无遗种。中散《幽愤》之诗，逸民《崇有》之论，俱无救于溘死。始知太虚玄垆，严叟郑老，投足天地，不如一卷，岂虚谈乎？《集》中数议，尔雅之文，不愧典册。《补亡诗》志高而辞浅，欲以续经，罢不胜任也。《三百》风微，古诗终绝，韦孟《讽谏》，傅毅《迪志》，俱非昔响，降而西晋，谁为朱弦哉？汲墓竹简，嵩高科斗，自博学者观之，直其户牖书也。曲水之对，见荣人主，何异东方名藻神，中垒辨贰负乎！"（《汉魏六朝百三家集·束广微集题词》）

公元262年 （魏元帝曹奂景元三年 蜀汉后主刘禅景耀五年 吴景帝孙休永安五年 壬午）

十月

吴景帝孙休欲与博士祭酒韦昭、博士盛冲讲论道艺，张布离间彼君臣。（《吴志·三嗣主传》卷四十八）

孙休欲迎韦昭侍讲，张布从中作梗。按，事载《吴志·韦曜传》卷六十五，盖与上条事同时。

冬

钟会为镇西将军，假节都督关中诸军事。（《魏志·钟会传》卷二十八）

是年

谯周六十四岁，作《书柱文》。（《蜀志·杜琼传》卷四十二）

郤正五十岁，为秘书令，作《释讥》。按，《蜀志·郤正传》卷四十二云"至令"，年月未详，姑定在其为秘书郎十年后。本传云"自在内职，与宦人黄皓比屋周旋，经三十年"，自其太和六年（232）为秘书吏至此，正三十年。潘眉《三国志考证》卷六谓"汉制秘书监六百石，蜀改监为令，时正为秘书令"，则"至令"，至"秘书令"之谓也。又，传云："性澹于荣利，而尤耽意文章，自司马、王、扬、傅、张、蔡之俦遗文篇赋，及当世美书善论，益部有者，则钻凿推求，略皆寓目。……依则先儒，假文见意，号曰《释讥》，其文继于崔骃《达旨》。"此作叙于为官三十载之际，当作于此时。

王沈此年前后迁征虏将军，持节，都督江北诸军事。按，《晋书·王沈列传》卷三十九云"迁征虏将军，持节，都督江北诸军事"，年月未详，其景元元年底为豫州刺史，五年为博陵侯，在此期间迁征虏将军，姑定在此年。

薛莹此年前后以病去官。按，《吴志·薛莹传》卷五十三云距为散骑常侍"数年"，以病去官"，姑系于为散骑常侍四年后。

成公绥三十二岁，迁中书郎；其《啸赋》或作于此年。按，《晋书·文苑列传》卷九十二云"迁中书郎，每与华受诏并为诗赋"，年月未详，姑定在为秘书丞二年后。汤球辑臧荣绪《晋书·文苑传》卷十六谓"仕为中书郎，作《啸赋》曰……"，似以《啸赋》为任中书郎后作，姑从之。

陈寿三十岁，迁散骑黄门侍郎；居父丧，以不谨受贬议。按，《华阳国志·后贤志》卷十一称"散骑黄门侍郎"，本传未载，姑定在为秘书郎一年后。又，《晋书·陈寿列传》卷八十二："遭父丧，有疾，使婢丸药。客往见之，乡党以为贬议。及蜀平，坐是沉滞者累年。"丧父当在蜀亡前，明年蜀亡，姑系此年。陈寿自谓泰始五年（269）为本郡中正，如自此年居丧，至泰始五年为中正，正与"沉滞者累年"合。

邹湛约于此年为太学博士。按，《晋书·文苑列传》卷九十二云"仕魏历……太学博士"，年月未详，姑定在为尚书郎三年前。

夏侯湛二十岁，为太尉掾。（潘岳《夏侯常侍诔》）

刘颂年未弱冠，察秀才，举孝廉，皆不就。按，《晋书·刘颂列传》卷四十六云"察孝廉，举秀才，皆不就"，年月未详，姑定在为相府掾一年前。刘颂（？—300），字子雅，广陵（今江苏扬州东北）人。广陵王刘胥之后。少能辨物理。察孝廉，举秀才，皆不就。后为相府掾，迁中书侍郎，转黄门郎，守廷尉。又迁京兆太守，除淮南相，为三公尚书、吏部尚书、光禄大夫。（《晋书·刘颂列传》卷四十六）《隋书·经籍志》卷三十五："梁有……光禄大夫《刘颂集》三卷，录一卷……亡。"严可均《全晋文》卷四十、四十一收其文四篇。

陆云生（262—303）。陆云，字士龙，吴郡吴县华亭（今上海松江）人。吴陆逊孙，陆抗子，陆机弟。六岁能属文，性清正，有才理。少与兄陆机齐名，号曰"二陆"。吴尚书闵鸿见而奇之曰"此儿若非龙驹，当是凤雏"。十六岁举贤良。吴平后，为公府掾、太子舍人，出补浚仪令，寻拜吴王晏郎中令。入为尚书郎、侍御史、太子中舍人、中书侍郎。成都王颖表其为清河内史，转大将军右司马。年四十二时，与兄陆机一起见杀。"所著文章三百四十九篇，又撰《新书》十篇，并行于世"。(《晋书·陆云列传》卷五十四)《隋书·经籍志》卷三十四："《陆子》十卷，陆云撰。亡。"同书卷三十五："晋清河太守《陆云集》十二卷，梁十卷，录一卷。"张溥辑有《陆清河集》。严可均《全晋文》卷一百至一百零四收其文一百三十一篇。丁福保《全晋诗》卷三收其诗三十二首。张溥："士龙《与兄书》，称论文章，颇贵'清省'，妙若《文赋》，尚嫌'绮语'未尽。又云：'作文尚多，譬家猪羊耳。'其数四推兄，或云'瑰铄'，或云'高远绝异'，或云'新声绝曲'，要所得意，惟'清新相接'。士衡文成，辄使弟定之，不假他人。二陆用心，先质后文，重规杳矩，亦不得已而复见耳。哲昆诗匹，人称如陈思、白马。士龙所传，四言偏多，《有皇》《思文》诸篇，诵美祁阳，式模《大雅》，类以卑颂尊，非朋旧之体。余篇一致，间有至极，使尽其才，即不得为韦侯《讽谏》，仲宣《思亲》，顾高出《补亡》六首，则有余矣。宰治浚仪，善察疑狱，佐相吴王，屡陈谠论，神明之长，谏诤之臣，有兼能焉。士衡枉死，遂同陨堕，闻河桥之鼓声，哀华亭之鹤唳，巢覆卵破，宜相及也。集中大文虽少，而江汉同名，刘彦和谓其'布采鲜净，敏于短篇，'殆质论欤？"(《汉魏六朝百三家集·陆清河集题词》)

荀崧生（262—328）。荀崧，字景猷，颍川临颍（今属河南）人。魏荀彧玄孙。志操清纯，雅好文学，颇为名流激赏。泰始中，袭父爵，补濮阳王允文学。与陆机等友善。赵王伦引为相国参军，转护军司马、给事中，迁尚书吏部郎、太弟中庶子，累迁侍中、中护军。晋元帝时，征拜尚书仆射，与定中兴礼仪。转太常，表为尚书左仆射。太宁初，加散骑常侍，后领太子太傅，更封平乐伯。后以事免，复拜金紫光禄大夫、录尚书事，迁右光禄大夫、开府仪同三司，又领秘书监。年虽衰老，而孜孜典籍，世以此嘉之。年六十七时卒，赠侍中，谥曰敬。(《晋书·荀崧列传》卷七十五)《隋书·经籍志》卷三十五："梁……又有……光禄大夫《荀崧集》一卷，亡。"

庾敳生（262—311）。庾敳，字子嵩，颍川鄢陵（今属河南）人。长不满七尺，而腰带十围，雅有远韵。先为陈留相。处众人中，居然独立。尝读《老》《庄》，曰"正与人意暗同"。"见王室多难，终知婴祸，乃著《意赋》以豁情，犹贾谊之《服鸟》也"。迁吏部郎，转军谘祭酒。王衍不与其交，其仍卿之不置，曰"卿自君我，我自卿卿。我自用我家法，卿自用卿家法"。石勒之乱中被害，时年五十。(《晋书·庾敳列传》卷五十)《隋书·经籍志》卷三十五："晋太傅从事中郎《庾敳集》一卷，梁五卷，录一卷。"严可均《全晋文》卷三十六收其文二篇。

公元263年 （魏元帝曹奂景元四年　蜀汉后主刘禅景耀六年　炎兴元年　吴景帝孙休永安六年　癸未）

夏秋

钟会与王戎别，问伐蜀之计；王戎回曰"道家有言，'为而不恃'，非成功难，保之难也"。《晋书·王戎列传》卷四十三："钟会伐蜀，过与戎别，问计将安出。戎曰……"按，魏帝此年五月下伐蜀诏，而钟会兵发洛阳在八月，问王戎伐蜀计乃在五月至八月间。

　　杜预为镇西将军长史。（《晋书·杜预列传》卷三十四）

　　嵇康作《与吕长悌绝交书》。《魏志·王粲传》卷二十一裴注引《魏氏春秋》："初，康与东平吕昭子巽及弟安亲善，会巽淫安妻徐氏，而诬安不孝，囚之。安引康为证，康义不负心，保明其事。"按，嵇康以此事与吕巽绝交，其书当作于入狱前夕。

　　嵇康旋以吕安事下狱，作《幽愤诗》。《晋书·嵇康列传》卷四十九："（吕）安为兄所枉诉，以事系狱，辞相证引，遂复收康。康性慎言行，一旦缧绁，乃作《幽愤诗》曰……"按，本传叙下狱事在钟会进谗之前，姑系于此。

　　钟会于司马昭前进谗言，云宜除嵇康。《晋书·嵇康列传》卷四十九："（钟会）言于文帝曰：'嵇康，卧龙也，不可起。公无忧天下，顾以康为虑耳。'因谮康曰：'欲助毋丘俭，赖山涛不听。昔齐戮华士，鲁诛少正卯，诚以害时乱教，故圣贤去之。康、安等言论放荡，非毁典谟，帝王者所不宜容，宜因衅除之。'"按，钟会此年征蜀，八月兵发洛阳，其谗害嵇康当在八月前，姑系于此。

八月

　　蜀汉后主刘禅改元炎兴。（《蜀志·后主传》卷三十三、《资治通鉴》卷七十八）

　　钟会军兵发洛阳；从斜谷、骆谷、子午谷伐蜀，至汉中。（《魏志·钟会传》卷二十八、《资治通鉴》卷七十八）

九月

　　钟会军围乐城、汉城；西出阳安口，遣人祭诸葛亮墓；破关城，得库藏积谷。（《魏志·钟会传》卷二十八、《资治通鉴》卷七十八）

十月

　　阮籍作《为郑冲劝晋王笺》，劝司马昭受九锡。《晋书·阮籍列传》卷四十九："会帝让九锡，公卿将劝进，使籍为其辞，籍沉醉忘作。临诣府，使取之，见籍方据案醉眠，使者以告。籍便书案，使写之，无所改窜。辞甚清壮，为时所重。"《世说新语·文学》："魏朝封晋文王为公，备礼九锡，文王固让不受。公卿将校当诣府敦喻，司空郑冲驰遣信就阮籍求文。籍时在袁孝尼家，宿醉扶起，书札为之，无所点定，乃写付使。时人以为神笔。"按，《晋书·文帝纪》卷二谓公卿劝进事在此年十月，阮笺当作于此时。

　　皇甫谧辞相国司马昭辟。按，《晋书·皇甫谧列传》卷五十一云"景元初，相国辟，皆不行"，《魏志·三少帝纪》卷四谓"景元元年夏六月丙辰，进大将军司马文王位为相国……文王固让乃止。……四年……冬十月甲寅，复命大将军进位爵赐一如前诏"，则相国所辟，疑在此时。

王戎辟相国掾。按，《晋书·王戎列传》卷四十三云"辟相国掾"，司马昭此月为相国，王戎辟掾，疑在此时。

嵇康见杀，年四十（224—263）。《魏志·王粲传》卷二十一："景元中，坐事诛。"裴注："臣松之案本传云康以景元中坐事诛，而干宝、孙盛、习凿齿诸书，皆云正元二年，司马文王反自乐嘉，杀嵇康、吕安。盖缘《世语》云康欲举兵应毌丘俭，故谓破俭便应杀康也。其实不然，山涛为选官，欲举康自代，康书告绝，事之明审者也。案《涛行状》，涛始以景元二年除吏部郎耳。景元与正元相较七八年，以《涛行状》检之，如本传为审。又《钟会传》亦云会作司隶校尉时诛康，会作司隶，景元中也。干宝云'吕安兄巽善于钟会，巽为相国掾，俱有宠于司马文王，故遂抵安罪'。寻文王以景元四年钟、邓平蜀后，始授相国位；若巽为相国掾时陷安，焉得以破毌丘俭年杀嵇、吕？此又干宝之疏谬，自相违伐也。"按，裴氏驳干宝等，颇为凿凿；若依干宝之说，吕巽为相国掾时陷害嵇、吕，则不当在此年前，因《魏志·三少帝纪》卷四谓此年司马昭为相国，吕巽必此时始为相国掾。而《晋书·忠义列传》谓"嵇绍，字延祖，魏中散大夫康之子也，十岁而孤"，嵇康景元二年（261）所作《与山巨源绝交书》称"男年八岁"，则嵇绍正元元年（254）生，其十岁时正为此年，故嵇康当于此年被杀，且在司马昭十月为相国后。

吕安为司马昭所杀（？—263）。吕安，字仲悌。东平（今属山东）人。俊才，妻美。与嵇康善。兄吕巽淫其妻，反诬其不孝，与嵇康俱被诛。（《魏志·杜恕传》卷十六裴注引《世语》《魏志·王粲传》卷二十一裴注、《文选·思旧赋》卷十六李注引干宝《晋书》）《隋书·经籍志》卷三十五："梁有魏征士《吕安集》二卷，录一卷。"

何劭初为相国掾。按，《文选·游仙诗》卷二十一李注引臧荣绪《晋书》称其"博学多闻，善属篇章，初为相国掾"，司马昭此月为相国，何劭辟掾疑在此时。

刘颂辟为相府掾。《晋书·刘颂列传》卷四十六云"文帝辟为相府掾"，司马昭此月为相国，刘颂辟掾疑在此时。

钟会作《与姜维书》，劝降蜀姜维；又作《移蜀将吏士民檄》《蜀平上言》。（《蜀志·姜维传》卷四十四、《魏志·钟会传》卷二十八、《蜀志·蒋琬传》卷四十四）

十一月

谯周进言、上疏，力主蜀后主降魏。（《蜀志·谯周传》卷四十二）

郤正为蜀后主造降书。（《蜀志·郤正传》卷四十二）

蜀汉后主刘禅纳谯周言，降邓艾，蜀亡。（《蜀志·后主传》卷三十三、《魏志·三少帝纪》卷四）

谯周与张绍、邓良奉赍印绶及降表，诣邓艾请降。（《蜀志·后主传》卷三十三）

李密为赡养祖母，辞征西将军邓艾之命。按，《华阳国志·后贤志》卷十一云"大同后，征西将军邓艾闻其名，请为主簿；及书招，欲与相见，皆不往，以祖母年老，心在色养"，征西将军邓艾此月入成都，受降书，蜀汉灭，此谓"大同"，李密辞邓艾之命当在此时。

华覈为中书丞，诣宫门上表。按，《吴志·华覈传》卷六十五云"迁中书丞。蜀为魏所并，覈诣宫门发表曰"，蜀汉于此时降魏。

十二月

钟会以镇西将军为司徒；心怀异志，伪造邓艾书函，密告其有反状。（《魏志·三少帝纪》卷四、《魏志·钟会传》卷二十八、裴注引《世语》《资治通鉴》卷七十八）

冬

阮籍卒，年五十四（210—263）。（《晋书·阮籍列传》卷四十九）

是年

山涛五十九岁，迁大将军从事中郎。按，《晋书·山涛列传》卷四十三云"迁大将军从事中郎"，年月未详，然其景元五年（264）以此职行军司马，则必在四年前任此职，考其景元二年（261）除吏部郎，为此职当在为吏部郎与行军司马之间，姑系此年。

程晓约四十五岁，此年前后迁汝南太守。按，《魏志·程晓传》卷十四云"晓迁汝南太守"，年月未详；若以其嘉平三年（251）为黄门侍郎时年届而立，则此年四十有二，姑系于此。传云其"年四十余薨"，丁福保《全晋诗》卷二注谓"从《艺文类聚》《古文苑》作晋人"，则当入晋以后泰始元年至六年间卒。

挚虞约二十三岁，或于此年为主簿，作《思游赋》。《晋书·挚虞列传》卷五十一："郡徙主簿。虞尝以死生有命，富贵在天……故作《思游赋》。"按，为主簿，年月未详，姑定在师事皇甫谧五年后。

华峤此年前后转车骑从事中郎。按，《晋书·华峤列传》卷四十四云"转车骑从事中郎"，年月未详，姑定在赐爵关内侯两年前。

赵至约十八岁，见太守张嗣宗。按，《晋书·文苑列传》卷九十二云"及康卒，至诣魏兴，见太守张嗣宗，甚被优遇"，嵇康此年卒，故系此年。

嵇绍十岁，丧父（嵇康），事母至孝。（《晋书·忠义列传》卷八十九）

嵇含生（263—306）。嵇含，字君道，谯郡铚（今安徽宿县西南）人。嵇绍侄。好学能属文。家在巩县亳丘，因自号亳丘子，门曰归厚之门，室曰慎终之室。先为楚王玮辟为掾，玮诛，坐免。举秀才，除郎中。辟为齐王冏征西参军，袭爵武昌乡侯；又被长沙王乂召为骠骑记室督、尚书郎。后为抚军将军从事中郎，转中书侍郎。永兴初，除太弟中庶子，未得就。复为征南将军从事中郎，寻授振威将军、襄城太守。秉性通敏刚躁，好荐达才贤。年四十四时遇害，谥曰宪。（《晋书·忠义列传》卷八十九）《隋书·经籍志》卷三十五："梁……又有广州刺史《嵇含集》十卷，录一卷，亡。"严可均《全晋文》卷六十五收其文二十五篇。丁福保《全晋诗》卷四收其诗二首。

公元264年 （魏元帝曹奂景元五年 咸熙元年 吴景帝孙休永安七年 吴末帝孙皓元兴元年 甲申）

正月

钟会至成都，旋反，见杀，年四十（225—264）。（《魏志·钟会传》卷二十八）

荀勖告司马昭从速防备钟会；从司马昭出镇长安。按，事载《晋书·荀勖列传》卷三十九，谓为初得钟会反消息时事，当在此时。又，《魏志·钟会传》卷二十八载钟会反时得司马昭书云"吾自将十万屯长安，相见在近"，是知出镇长安为此时牵扯钟会之举，时荀从行。

贾充持节督关中陇右诸军事。（《晋书·贾充列传》卷四十、《晋书·文帝纪》卷二）

张华从征钟会，除中书郎。（《北堂书钞》卷五十七引《晋赞》）

山涛以大将军从事中郎行军司马，镇邺。（《晋书·山涛列传》卷四十三）

二月

刘颂奉使于蜀，除名。按，《晋书·刘颂列传》卷四十六云"奉使于蜀。时蜀新平，人饥土荒，颂表求振贷，不待报而行，由是除名"，去岁后主降服，今春钟会见诛，"蜀新平"当指此时。

三月

郤正从后主刘禅至洛阳，赐关内侯。按，《蜀志·郤正传》卷四十二云"后主东迁洛阳……惟正及殿中督汝南张通，舍妻子单身随侍。……赐爵关内侯"，《魏志·三少帝纪》卷四谓后主东迁至洛在此年三月。

谯周以全国之功，封阳城亭侯。（《蜀志·谯周传》卷四十二、《蜀志·后主传》卷三十三）

五月

魏元帝改元咸熙。（《魏志·三少帝纪》卷四）

七月

傅玄封鹑觚男。按，《晋书·傅玄列传》卷四十七云"五等建，封鹑觚男"，《魏志·三少帝纪》卷四谓"咸熙元年……夏五月庚申，相国晋王奏复五等爵"，《晋书·文帝纪》卷二谓"咸熙元年……秋七月……始建五等爵"，傅玄封男当在七月。以下贾充、羊祜、裴秀、王沈、山涛诸人封爵均在七月始建五等爵时。

贾充以中护军定法律，作《律令》；封临沂侯。（《晋书·文帝纪》卷二、《晋书·刑法志》卷三十、《世说新语·政事》及刘注引《晋诸公传》）、《晋书·贾充列传》卷

四十）

羊祜拜相国从事中郎，典机密；与贾充共定律令；迁中领军，执兵之要；封钜平子。（《晋书·羊祜列传》卷三十四、《晋书·文帝纪》卷二）

荀勖与羊祜共掌机密；与贾充共典制法事。（《晋书·羊祜列传》卷三十四、《晋书·刑法志》卷三十）

杜预以河南尹与贾充等共定律令。（《晋书·杜预列传》卷三十四、《晋书·刑法志》卷三十、《晋书·文帝纪》卷二）

裴秀以尚书仆射，议定官制；封济川侯。（《晋书·裴秀列传》卷三十五、《晋书·文帝纪》卷二）

王沈封博陵侯。（《晋书·王沈列传》卷三十九）

山涛封新沓子，转相国左长史，典统别营。按，《晋书·山涛列传》卷四十三云"咸熙初，封新沓子，转相国左长史，典统别营"，封子在七月；转相国左长史当在此后至明年五月司马昭问其立太子事前，姑并系于此。

王沈转镇南将军。《晋书·王沈列传》卷三十九："平蜀之役，吴人大出，声为救蜀，振荡边境，沈镇御有方，寇闻而退。转镇南将军。"按，《魏志·三少帝纪》卷四谓此年"七月，（吴）贼皆遁退"，转镇南将军又叙于封博陵侯后，故宜系于此。

成公绥迁骑都尉，与贾充等共定律令。（《晋书·文苑列传》卷九十二、《晋书·刑法志》卷三十）

应贞参与撰定新礼。（《晋书·文苑列传》卷九十二、《晋书·文帝纪》卷二）

吴景帝孙休崩，乌程侯孙皓即位，改元元兴。（《吴志·孙皓传》卷四十八）

陆凯迁镇西大将军，都督巴丘，领荆州牧，进封嘉兴侯。（《吴志·陆凯传》卷六十一）

薛莹为吴左执法。（《吴志·薛莹传》卷五十三）

韦昭封高陵亭侯，迁中书仆射。（《吴志·韦曜传》卷六十五）

华覈封徐陵亭侯。（《吴志·华覈传》卷六十五）

九月

应贞为参军。按，《晋书·文苑列传》卷九十二云"武帝为抚军大将军，以为参军"，《魏志·三少帝纪》卷四谓司马炎此月为抚军大将军；《魏志·王粲传》卷二十一则谓"贞咸熙中参相国军事"，相国为司马昭，姑从《晋书》。

冬

向秀至洛阳应岁举；诣司马昭；作《思旧赋》。《晋书·向秀列传》卷四十九："康既被诛，秀应本郡计入洛。文帝问曰：'闻有箕山之志，何以在此？'秀曰：'以为巢许狷介之士，未达尧心，岂足多慕？'帝甚悦。秀乃自此役作《思旧赋》云……"《世说新语·言语第二》裴注引《向秀别传》："后康被诛，秀遂失图，乃应岁举到京师，诣大将军司马文王。"按，嵇康去岁十月死，司马昭明年八月卒，向秀至洛诣司马昭在此期间；向赋有句云"寒冰凄然"，则当冬季，姑系于此。

是年

孙楚约四十七岁，为石苞参军，作书遗孙皓。《晋书·孙楚列传》卷五十六："年四十余，始参镇东军事。文帝遣苻劭、孙郁使吴，将军石苞令楚作书遗孙皓曰……劭等至吴，不敢为通。"按，司马昭遣使使吴，《吴志·三嗣主传》卷四十八谓在吴元兴元年，唯所遣使名"徐绍、孙彧"，与《晋书》当为同声异字，其人实同耳。而《晋书·石苞传》卷三十三谓此时石苞为"征东将军"，"镇"或为"征"之讹。

荀勖代司马昭作《与孙皓书》。按，《晋书·荀勖列传》卷三十九云："时将发使聘吴，并遣当时文士作书与孙皓，帝用勖所作。皓既报命和亲，帝谓勖曰：'君前作书，使吴思顺，胜十万之众也。'"《吴志·三嗣主传》卷四十八"元兴元年"裴注云"《汉晋春秋》载晋文王与皓书曰……"此书疑为荀勖代笔。

程晓约四十六岁，或于此年为汝南太守。按，《魏志·程晓传》卷十四云"晓迁汝南太守，年四十余薨"，年月未详，《隋书·经籍志》卷三十五称之为"魏汝南太守"，则为此官疑在魏元帝禅位前，姑系于此。

邹湛作《为诸葛穆答晋王令》。按，"晋王"指司马昭，《魏志·三少帝纪》卷四谓此年三月"进晋公爵为王"，明年八月"晋王薨"，邹文当作于此期间，姑系于此。

公元265年　（魏元帝曹奂咸熙二年　晋武帝司马炎泰始元年　吴末帝孙皓元兴二年　甘露元年　乙酉）

四月

吴改元甘露。（《吴志·三嗣主传》卷四十八）

裴秀对司马昭问，以为当立司马炎为太子。（《晋书·裴秀列传》卷三十五、《晋书·山涛列传》卷四十三）

山涛对司马昭问，亦以为当立司马炎为太子。（《晋书·山涛列传》卷四十三）

五月

何劭为晋王太子中庶子。按，《晋书·何劭列传》卷三十三云"帝为王太子，以劭为中庶子"，《魏志·三少帝纪》卷四谓此月司马炎"为王太子"。

八月

张华作《晋文王谥议》。按，《魏志·三少帝纪》卷四谓此月"相国晋王薨"，张议当作于此时。

傅玄为散骑常侍。按，《晋书·傅玄列传》卷四十七云"武帝为晋王，以玄为散骑常侍"，《魏志·三少帝纪》卷四谓此月"晋太子炎绍封袭位"，故傅玄为散骑常侍当在此时。

荀勖为侍中，封安阳子。按，《晋书·勖列传》卷三十九云"帝即晋王位，以勖为侍中，封安阳子"，司马炎此年八月为晋王。

九月

王沈为御史大夫，守尚书令，加给事中。（《晋书·王沈列传》卷三十九、《晋书·武帝纪》卷三）

贾充为卫将军，仪同三司，给事中，改封临颍侯。（《晋书·贾充列传》卷四十、《晋书·武帝纪》卷三）

裴秀为尚书令、光禄大夫。（《晋书·裴秀列传》卷三十五、《晋书·武帝纪》卷三）

吴孙皓徙都武昌。（《吴志·三嗣主传》卷四十八）

陆凯上疏，愿孙皓"息大功，损百役，务宽荡，忽苛政"；面责佞臣何定。按，事载《吴志·陆凯传》卷六十一，陆凯因孙皓徙都、百姓患苦而上此疏，当作于此月；面责何定亦同时事。

民间流行反迁都童谣。《吴志·陆凯传》卷六十一："皓徙都武昌……凯上疏曰：'……且童谣曰："宁饮建业水，不食武昌鱼；宁还建业死，不止武昌居。"臣闻翼星为变，荧惑作妖，童谣之言，生于天心，乃以安居而比死，足明天意，知民所苦也。……'"按，此月孙皓迁都武昌。

范慎为吴太尉。（《吴志·孙登传》卷五十九裴注引《吴录》）

十一月

魏元帝曹奂使人奉策于司马炎，禅位于晋；司马炎以礼让，王沈、裴秀等固请。（《晋书·武帝纪》卷三、《晋书·何曾列传》卷三十三）

十二月

魏元帝曹奂禅位于晋嗣主，魏亡。（《魏志·三少帝纪》卷四）

司马炎即皇帝位，国号晋，改元泰始，是为晋武帝。（《晋书·武帝纪》卷三）

山涛守大鸿胪，送陈留王曹奂诣邺。（《晋书·山涛列传》卷四十三）

贾充封车骑将军、鲁公。（《晋书·武帝纪》卷三）

裴秀加左光禄大夫，封巨鹿公。（《晋书·裴秀列传》卷三十五、《晋书·武帝纪》卷三）

荀勖为济北公，固辞为侯；拜中书监，加侍中，领著作，与贾充共定律令。（《晋书·武帝纪》卷三、《晋书·荀勖列传》卷三十九）

王沈为骠骑将军、录尚书事、加散骑常侍，统城外诸军事，封博陵县公。（《晋书·武帝纪》卷三、《晋书·王沈列传》卷三十九）

傅玄进子爵，加驸马都尉，作《正朔服色议》。按，《晋书·傅玄列传》卷四十七云"及受禅，进爵为子，加驸马都尉"，司马炎此月受禅。又，傅议，严可均《全晋文》卷四十六注谓"泰始元年"。

贾充拜车骑将军、散骑常侍、尚书仆射，更封鲁郡公。(《晋书·贾充列传》卷四十)

应贞迁给事中。(《晋书·文苑列传》卷九十二)

羊祜进号中军将军，加散骑常侍；封郡公，辞不受，进爵为侯。(《晋书·羊祜列传》卷三十四)

华峤赐爵关内侯。(《晋书·华峤列传》卷四十四)

何劭转散骑常侍。(《晋书·何劭列传》卷三十三)

刘颂拜尚书三公郎。(《晋书·刘颂列传》卷四十六)

邹湛转尚书郎。(《晋书·文苑列传》卷九十二)

李婉大赦得归，别居永年里；在乐浪十二年间，作《典式》八篇，遗二女。(《晋书·贾充列传》卷四十、《世说新语·贤媛》及刘注引《晋诸公传》《晋书·贾充列传》卷四十、《世说新语·贤媛第十九》刘注引《妇人集》)按，李氏书，《贾充列传》称"《女训》"，《妇人集》则称"《典式》"，未知孰是，或即一书。

皇甫谧作《释劝论》。《晋书·皇甫谧列传》卷五十一："谧为《释劝论》以通志焉，其辞曰：'相国晋王辟余等三十七人，及泰始登禅，同命之士莫不毕至，皆拜骑都尉，或赐爵关内侯，进奉朝请，礼如侍臣。唯余疾困，不及国宠。'"

是年

孙楚约四十八岁，或于此年迁佐著作郎，作《与董京书》。按，《晋书·孙楚列传》卷五十六云"始参镇东军事……后迁佐著作郎，复参石苞骠骑军事"，其去岁为石苞参军，明年复参石苞军事，迁作著作郎叙在其间，疑为此年事。

程晓卒，年约四十七(219？—265？)。按，卒年未详，《魏志·程晓传》卷十四云"年四十余薨"，丁福保《全晋诗》卷二收其诗时注谓"从《艺文类聚》《古文苑》作晋人"，则程晓或卒于禅位后，姑系此年。

枣据或于此年尚书郎。按，《晋书·文苑列传》卷九十二云"迁尚书郎"，年月未详，姑定在为山阳令五年后。

董京作《答孙楚诗》。《晋书·隐逸列传》卷九十四："董京，字威辇，不知何郡人也。初与陇西计吏俱至洛阳，被发而行，逍遥吟咏，常宿白社中。时乞于市，得残碎缯絮，结以自覆，全帛佳绵则不肯受。或见推排骂辱，曾无怒色。孙楚时为著作郎，数就社中与语，遂载与俱归，京不肯坐。楚乃贻之书，劝以今尧舜之世，胡为怀道迷邦。京答之以诗曰：……"按，孙楚此年迁著作郎，姑系董诗于此。董京(？—？)，字威辇。逸士。初至洛阳，逍遥吟咏，常宿白社中。时乞于市。后不知所之。有《答孙子荆诗》等诗三首。(《晋书·隐逸列传》卷九十四)

刘伶对策，盛言无为之化。(《晋书·刘伶列传》卷四十九)

人名索引

跋

　　汉魏文学，距今有两千年之久。在这一时期，文学创作的主体不再像先秦那样，只是一些无名的诗人与几位哲人史官，或者仅仅由南国的"二三子"充当。在荣衰更替、波诡云谲的汉魏历史语境中，由众多文人构成的创作主体第一次以生力军的姿态迈上了中国的文坛。他们在承袭前朝骚体诗风格的同时，创造了文学史上又一个崭新的文学样式——汉赋，洋洋洒洒，绵亘百代；他们在继续从事四言诗的创作之余，学习街陌谣讴，不断进行着诗歌形式的改革与创新，在三言、六言、七言、八言等种种诗型的尝试与比较中，终于使五言诗型蔚然成风，成为中国古典诗苑中最基本的形式；他们虽然株守着的史传散文崇史尚实的写作传统，但已使"正史"的写作表现出浓重的传记文学色彩，而且，又逐渐显示出从"实录"到虚构的偏离传统的倾向，以文胜言庞、诬淫荒诞的"杂史"、"别传"突破了"正史"的藩篱，成为历史小说化的先声。可以毫不夸张地说，这批众多的文人是中国文坛上当之无愧的作家群，他们的文学业绩绝不比写下乐府民歌的民间歌手逊色。

　　但是，汉魏文学去古未远，大体上处于文学史的肇始阶段，所以这一阶段的文学又呈现出迥异于后世文学的鲜明特征。黄老思想的受宠，儒家学说的独尊，谶纬观念的流行，佛教理论的传入，乃至老庄主张的抬头，都相继给这一时期的文学打上了深深的烙印。离开汉魏错综复杂的意识形态，似乎无法准确地把握其辞赋的衍化、诗歌的革新和散文的流变；编撰汉魏文学编年史，也不能不考虑这一点。

　　本书收汉高祖元年至魏元帝咸熙二年共471年间的作者三百六十余人。文人立传，以《汉书·艺文志》及《隋书·经籍志》所载录的有作品或"集"的作者为主，个别屡见于后世文学中的人物，如严光、曹娥等也酌情收入。编年以"前四史"、《晋书》所收的作者本传及其作品为主要依据，以《资治通鉴》为重要参考，本传与《通鉴》抵牾之处，则作甄别诠定。初稿原本列有后世学者的评述，但竣后篇幅过大，《郡斋读书志》《直斋书录解题》及诸文人雅士的述介、序跋、评论等相关资料大都舍去，惟《汉魏六朝百三家集》中的"题词"及《四库提要》中的"提要"，则尽行收录。少数重要作家、作品的后世相关资料也保留了若干。全书据刘勰《文心雕龙·时序》关于汉魏文学的发展流变说，分作十一章，后人所见虽不尽同，也似强于无逻辑关系的年代硬性分割。

　　研究生胡春润、杨亚蕾参与了初稿的撰写，分工如次：汉高祖元年（前206）至汉武帝后元二年（前87），由杨亚蕾承担；汉昭帝始元元年（前86）至刘玄更始二年（24），由胡春润承担；汉光武帝建武元年（25）至魏元帝咸熙二年（265），由石观海承担；全书最后由石观海修改审定。

　　本书的编撰参考了前贤的著作，如刘汝霖的《汉晋学术编年》、陆侃如的《中古文学系年》、吴文治的《中国文学史大事年表》等，受益匪浅，志此致谢。

　　　　　　　　　　　石观海于珞珈山外
　　　　　　　　　　　乙酉年樱花初放时完稿，丹桂飘香时校毕

图书在版编目（CIP）数据

中国文学编年史. 汉魏卷 / 陈文新主编；石观海分册主编. —长沙：
湖南人民出版社，2006.9
ISBN 7-5438-4529-6

Ⅰ.中… Ⅱ.①陈…②石… Ⅲ.①文学史—编年史—中国—汉代②文学史
—编年史—中国—魏国 Ⅳ.I209

中国版本图书馆 CIP 数据核字（2006）第 117563 号

中国文学编年史·汉魏卷

责任编辑：	李建国　胡如虹　曹有鹏
	杨　纯　张志红　邓胜文　聂双武
主　　编：	陈文新
书名题字：	卢中南
装帧设计：	陈　新
出　　版：	湖南人民出版社
地　　址：	长沙市营盘东路 3 号
市场营销：	0731-2226732
网　　址：	http://www.hnppp.com
邮　　编：	410005
制　　作：	湖南潇湘出版文化传播有限公司
电　　话：	0731-2229693　2229692
印　　刷：	中华商务联合印刷（广东）有限公司
经　　销：	湖南省新华书店
版　　次：	2006 年 9 月第 1 版第 1 次印刷
开　　本：	787 × 1094　1/16
印　　张：	37.75
字　　数：	815,000
书　　号：	ISBN 7-5438-4529-6/I · 446
定　　价：	280.00 元